D1267449

DICTIONNAIRE
des
COOCCURRENCES
à l'usage des écoles

JACQUES BEAUCHESNE

Guérin Montréal Toronto
4501, rue Drolet
Montréal (Québec) H2T 2G2 Canada
Téléphone: (514) 842-3481
Télécopieur: (514) 842-4923
Courriel: francel@guerin editeur.qc.ca
Site Internet: http://www.guerin-editeur.qc.ca

Dépôt légal

ISBN 2-7601-6742-9

Bibliothèque nationale du Québec, 2004
Bibliothèque nationale du Canada, 2004

IMPRIMÉ AU CANADA

Révision linguistique Ginette Létourneau

Nous reconnaissons l'aide financière du gouvernement du Canada par l'entremise du Programme d'Aide au Développement de l'Industrie de l'Édition (PADIÉ) pour nos activités d'édition.

Canada

« Gouvernement du Québec – Programme de crédit d'impôt pour l'édition de livres – Gestion SODEC »

PRÉFACE

Comment en êtes-vous venu à élaborer ce genre de dictionnaire unique en son genre, me demande-t-on? Je réponds: c'est sans doute que je suis né collectionneur. Au départ, je passais des après-midi le long des rivières recueillant des coquillages, des petits cailloux dont la couleur devient si décevante une fois séchés. J'aimais aussi faire la collecte de petites créatures vivantes, grenouilles minuscules, sauterelles, que mes parents s'empressaient de vider de mes poches pendant mon sommeil. À l'époque où il était à la mode de fumer, j'examinais attentivement les trottoirs et les rues au cas où j'apercevrais un livret d'allumettes (faisant la promotion d'un restaurant) et une fois à la maison, je me précipitais sur l'Atlas pour retrouver le nom de la ville qui y figurait. Ça a été ma première façon de découvrir le Québec. J'ai aussi collectionné des papillons mais je me suis vite lassé de les voir mourir en se débattant cloués à une planche ou dans un bocal. Par la suite, il était très courant de collectionner les timbres et, bien sûr, moi aussi j'avais mon album.

Après quelques années dans l'enseignement au Secondaire, l'occasion d'occuper un poste de traducteur puis de terminologue s'est présentée. Sans trop m'en rendre compte, je devenais cette fois-ci un collectionneur de... mots.

Au cours de mes trente ans de carrière et dans mes loisirs, j'ai accumulé à partir de mes lectures des adjectifs, des verbes et des noms qui conviennent bien ensemble et j'en ai fait un livre qui s'appelle le *Dictionnaire des cooccurrences*, un «best-seller» aux Éditions Guérin. En faisant les Salons du Livre du Québec, je me suis rendu compte que beaucoup de jeunes et leurs parents semblaient très intéressés par ce genre d'ouvrage. En élaborant le *Dictionnaire des cooccurrences à l'usage des écoles*, j'aurais pu me contenter de faire une version réduite du *Dictionnaire des cooccurrences*, mais le collectionneur que je suis n'aurait pas été satisfait et c'est ainsi que j'ai passé plusieurs mois à puiser des cooccurrences dans la littérature jeunesse en lisant, entre autres, les cinq volumes Harry Potter de J. K. Rowling alors publiés en français, l'intégralité de l'œuvre de J. R. R. Tolkien Le Seigneur des anneaux ainsi que divers ouvrages de Dominique Demers, Michèle Marineau, Brussolo, Laurent Chabin, Lian Hearn et bien d'autres.

Pour l'utiliser, rien de plus simple. Les noms apparaissent par ordre alphabétique et en lettres majuscules. Suit une longue liste d'adjectifs parmi lesquels tu peux choisir pour décrire une chose, un sentiment ou une situation. Pour les verbes, tu trouveras parfois le signe (+ adj.) qui signifie qu'on les emploie le plus souvent précédés ou suivis d'un adjectif.

Enfin, je souhaite que ma «collection» te soit des plus utiles dans tes travaux de français.

Remerciements

À ma compagne de toujours qui a participé activement et avec passion à toutes les étapes d'élaboration de cet ouvrage.

À mes deux filles qui continuent à enrichir le patrimoine linguistique de la famille : Maude, en philologie russe et Kim, en littérature française et espagnole, pour leurs précieux conseils.

À tous les spécialistes en littérature jeunesse (libraires, bibliothécaires, professeurs de français) qui ont bien voulu orienter mes recherches dans ce domaine.

À mon fidèle éditeur Marc-Aimé Guérin.

À tous les jeunes de la génération actuelle
et des générations à venir
passionnés par la défense
de cette « langue belle »

(Y. Duteuil)

A

ABANDON apparent, brusque, brutal, complet, cruel, définitif, déloyal, extrême, forcé, général, grand, hâtif, immédiat, important, incroyable, irrémédiable, irrévocable, (in)justifié, lâche, malheureux, massif, momentané, partiel, précipité, précoce, prématuré, progressif, prolongé, provisoire, radical, rapide, réel, regrettable, soudain, systématique, tardif, temporaire, total, triste, (in)volontaire. *Accepter, commettre, connaître, entraîner, faire, favoriser, provoquer, réclamer, refuser, subir, vivre un ~; être, laisser, paraître, rester, sembler, se trouver, vouer à l'~; croupir, mourir, se trouver, tomber dans l'~.* Un ~ a lieu, se produit, survient.

ABCÈS abouti, crevé, mûr, percé. *Avoir, crever, opérer, ouvrir, panser, percer, provoquer, vider un ~.* Un ~ aboutit, diminue, éclate, grossit, mûrit, perce, s'écoule, se forme, se résorbe, s'ouvre, suppure.

ABÎME béant, effrayant, effroyable, immense, incommensurable, infranchissable, obscur, profond, spectaculaire, vertigineux. *Explorer, franchir, sonder un ~; descendre, rouler, se jeter, se précipiter, tomber dans un ~; se préserver, tirer qqn d'un ~; être au bord/fond de l' ~.* Un ~ se creuse, se dresse, s'ouvre.

ABOIEMENT aigu, bref, brusque, bruyant, clair, craintif, étouffé, excessif, fâché, faible, féroce, fort, frénétique, furieux, grave, intempestif, intense, joyeux, lancinant, léger, long, mélancolique, net, perçant, persistant, plaintif, profond, prolongé, puissant, rageur, rauque, répété, retentissant, saccadé, sauvage, sec, sonore, sourd, soutenu, strident, terrible, timide, tonitruant. *Émettre, laisser échapper, lancer, pousser un ~.* Un ~ retentit, se fait entendre, se produit.

ABONDANCE absolue, débordante, considérable, étonnante, exceptionnelle, excessive, extraordinaire, extrême, exubérante, faible, folle, forte, grande, incomparable, infinie, merveilleuse, (a)normale, passagère, phénoménale, prodigieuse, relative, remarquable, riche, soudaine, subite, surprenante. *Être d'une ~ (+ adj.); être, nager, vivre dans l'~.*

ABONNEMENT forfaitaire, gratuit, payant, régulier, spécial, temporaire. *Acheter, acquitter, annuler, demander, interrompre, offrir, prendre, renouveler, résilier, souscrire un ~.*

ABOUTISSEMENT agréable, approprié, (in)attendu, bel, bon, (in)certain, complet, concret, définitif, (in)espéré, étonnant, extraordinaire, fatal, favorable, (in)fructueux, funeste, grand, grandiose, (mal)heureux, important, inéluctable, inévitable, lamentable, lent, logique, mauvais, nécessaire, négatif, normal, piètre, positif, (im)possible, (im)prévisible, rapide, raté, réel, remarquable, réussi, surprenant, tangible, ultime. *Connaître, constituer, représenter, trouver un ~.*

ABRI bon, excellent, fragile, improvisé, piètre, précaire, provisoire, rudimentaire, secret, sommaire, sûr. *Aménager, chercher, construire, découvrir, fournir, gagner, (se) ménager, trouver un ~; être, (se) mettre qqn/qqch. à l'~; se réfugier dans un ~; servir d'~.*

ABSENCE absolue, apparente, brève, chronique, complète, courte, cruelle, curieuse, déplorable, éternelle, étonnante, évidente, flagrante, forcée, frappante, fréquente, (mal)heureuse, importante, inquiétante, (in)justifiée, longue, manifeste, marquante, momentanée, motivée, notoire, occasionnelle, partielle, permanente, persistante, ponctuelle, préoccupante, (im)prévue, prolongée, réelle, regrettable, relative, remarquée, répétée, sérieuse, significative, totale, tragique, triste, troublante, (in)volontaire. *Apercevoir, combler, constater, déplorer, justifier, motiver, observer, pallier, regretter, relever, remarquer, suppléer, supporter une ~; pallier, remédier, suppléer à une ~; prévenir d'une ~; briller par son ~.* Une ~ dure, intervient, se fait sentir, se produit, se prolonge, s'éternise.

ABSENTÉISME chronique, élevé, excessif, faible, fort, fréquent, généralisé, important, inquiétant, (in)justifié, massif, moyen, négligeable, préoccupant, prolongé, record, réduit, régulier, répété, (in)volontaire. *Aggraver, augmenter, combattre, contrer, diminuer, encourager, endiguer, favoriser, prévenir, réduire l'~; remédier à l'~; lutter contre l'~.*

ABSURDITÉ absolue, affligeante, complète, consommée, consternante, criante, déconcertante, désarmante, drôle, effarante, énorme, étonnante, évidente, extrême, flagrante, grande, grosse, grossière, inconcevable, incroyable, inouïe, manifeste, parfaite, pathétique, prodigieuse, rare, relative, stupéfiante, totale. *Être d'une ~ (+ adj.); commettre, constater, dénoncer, dire, proférer une ~; aboutir, conduire, mener, mettre fin à une ~.*

ABUS abominable, choquant, condamnable, constant, coupable, criant, criminel, cruel, cynique, dangereux, dommageable, effroyable, énorme, flagrant, grave, gros, grossier, horrible, impardonnable, important, inacceptable, indécent, (in)justifiable, léger, manifeste, nuisible, préjudiciable, révoltant, scandaleux, sérieux, terrible, tragique, violent, (in)volontaire. *Commettre, constituer, corriger, créer, dénoncer, empêcher, entraîner, éviter, faire, faire cesser/disparaître, perpétrer, prévenir, provoquer, représenter, réprimer, signaler, subir, supprimer, tolérer un ~; donner lieu, mettre fin, remédier à un ~; lutter, protester, réagir contre un ~; combattre, diminuer, freiner, limiter, réduire, traquer les ~; être victime d'(un) ~.*

ACCALMIE brève, brusque, courte, légère. *Attendre, prévoir une ~; profiter d'une ~.*

ACCÉLÉRATEUR *Écraser, enfoncer, lâcher, maintenir, relâcher l'~; retirer le pied de l' ~; appuyer, enfoncer le pied, être doux/violent sur l'~.*

ACCÉLÉRATION brusque, brutale, considérable, constante, élevée, énorme, exceptionnelle, exponentielle, faible, forte, foudroyante, fulgurante, importante, impressionnante, incroyable, inquiétante, légère, maximale, minimale, modérée, négative, (a)normale, notable, (im)perceptible, phénoménale, positive, préoccupante, progressive, puissante, rapide, (ir)régulière, (in)sensible, significative, soudaine, subite, substantielle, uniforme. *Connaître, demander, enregistrer, entraîner, observer, permettre, provoquer, souhaiter, subir une ~; assister à une ~.*

ACCENT abominable, adorable, atroce, bel, bon, campagnard, caractéristique, chantant, charmant, comique, (in)correct, curieux, déplorable, doux, drôle, dur, effroyable, épouvantable, étrange, étranger, exécrable, exagéré, faible, faux, forcé, fort, gros, guttural, impossible, indéfinissable, inimitable, joli, lourd, léger, maniéré, marqué, mauvais, mélodieux, métallique, nasal, nasillard, parfait, (im)perceptible, pittoresque, pointu, rauque, reconnaissable, ridicule, rocailleux, rude, saccadé, savoureux, solide, sonore, spécial, sympathique, terrible, traînant, traînard, vague, vulgaire. *Attraper, avoir, emprunter, garder, imiter, perdre, prendre un ~; parler avec un ~; se départir d'un ~; parler sans ~.*

ACCEPTATION absolue, accrue, active, aveugle, béate, (in)conditionnelle, constante, définitive, empressée, enthousiaste, euphorique, explicite, expresse, (in)formelle, générale, globale, hâtive, immédiate, implicite, irrévocable, (in)justifiée, large, (il)limitée, massive, maximale, minimale, molle, mutuelle, partielle, passive, pleine et entière, progressive, pure et simple, (dé)raisonnable, rapide, réciproque, résignée, sereine, simple, systématique, tacite, tardive, totale, unanime, vaste. *Arracher, demander, donner, obtenir une ~.*

ACCÈS absolu, (in)adéquat, (mal)aisé, autorisé, (in)complet, (in)conditionnel, (in)contrôlé, difficile, (in)direct, élargi, exclusif, facile, faible, fermé, filtré, fort, frauduleux, gratuit, immédiat, impossible, interdit, lent, libre, (il)licite, (il)limité, ouvert, pénible, prioritaire, privilégié, rapide, réglementé, réservé, restreint, sélectif, (in)suffisant. *Autoriser, barrer, bloquer, élargir, fermer, fournir, gérer, interdire, libérer, limiter, maintenir, ouvrir, permettre, refuser, verrouiller un ~; bénéficier, disposer, être doté/pourvu, jouir d'un ~.*

ACCIDENT absurde, affreux, anodin, banal, bénin, bête, douloureux, dramatique, effroyable, épouvantable, (in)évitable, extraordinaire, fâcheux, fatal, funeste, futile, grave, (mal)heureux, horrible, idiot, impressionnant, imprévu, incroyable, inéluctable, inexplicable, inexpliqué, inopiné, insignifiant, isolé, lamentable, léger, majeur, mémorable, meurtrier, mineur, minime, mortel, (im)prévisible, quelconque, regrettable, (ir)réparable, ridicule, spectaculaire, stupide, subit, suspect, terrible, tragique. *Avoir, causer, déplorer, enregistrer, entraîner, éviter, occasionner, prévenir, produire, provoquer, risquer, signaler, subir, susciter, voir un ~; assister, échapper, parer, remédier, succomber, survivre à un ~; disparaître, être blessé/tué, mourir, périr dans un ~; réchapper, se ressentir, sortir indemne/sain et sauf, se tirer d'un ~; être responsable/témoin/victime d'un ~; collectionner, multiplier les ~s.* Un ~ a lieu, arrive, se produit, survient.

ACCLAMATION bruyantes, chaleureuses, enthousiastes, fortes, frénétiques, hystériques, immenses, incroyables, intenses, joyeuses, méritées, nombreuses, nourries, prolongées, soutenues, spontanées, tonitruantes, triomphales, unanimes, vives. *Crier, lancer, obtenir, pousser, proférer, provoquer, recevoir, soulever, susciter des ~s ; être accueilli/salué par des ~s.* Des ~s éclatent, déferlent, fusent, montent, retentissent, s'élèvent.

ACCOMPLISSEMENT adéquat, bel, colossal, (in)complet, définitif, difficile, effectif, énorme, éphémère, essentiel, étonnant, exceptionnel, extraordinaire, facile, fantastique, hâtif, immédiat, immense, imminent, important, inespéré, lent, logique, majeur, mineur, négatif, (im)parfait, partiel, positif, prodigieux, progressif, prompt, rapide, réel, remarquable, réussi, (in)satisfaisant, tardif, total, vaste. *Assurer, atteindre, chercher, connaître, constituer, entraver, favoriser, gêner, réaliser, représenter, saluer, trouver un ~; parvenir à un ~.*

ACCORD (entente, traité) ambigu, bancal, bel, bon, (in)complet, contraignant, définitif, détaillé, durable, (dés)équilibré, exact, explicite, faux, final, forcé, (in)formel, fragile, (in)fructueux, général, global, harmonieux, historique, honteux, hypothétique, implicite, important, juste, large, lucratif, mauvais, maximal, minimal, momentané, mutuel, net, officiel, (im)parfait, partiel, passager, préalable, précaire, précis, provisoire, rapide, (in)satisfaisant, secret, solide, (in)stable, substantiel, tacite, temporaire, total, unanime, vague, vaste. *Abolir, abroger, accepter, annuler, appliquer, arracher, bloquer, chercher, conclure, concocter, demander, dénoncer, donner, effectuer, enfreindre, entériner, finaliser, garantir, honorer, imposer, négocier, nouer, obtenir, parapher, passer, peaufiner, prendre, préparer, proposer, ratifier, réaliser, rechercher, reconduire, rédiger, refuser, rejeter, résilier, respecter, rompre, saboter, saluer, sceller, signer, solliciter, torpiller, trouver, violer un ~; aboutir, applaudir, arriver, participer, parvenir à un ~; se retirer d'un ~; aller, s'acheminer vers un ~; être, se déclarer, sembler, se mettre, se trouver, tomber d'~.* Un ~ aboutit, entre en vigueur, intervient, prend fin, se concrétise, se confirme, se dessine, tient. ♦(Musique) bel, bizarre, compliqué, dissonant, exact, faux, harmonieux, juste, parfait, simple. *Composer, frapper, jouer, plaquer, poser, produire, trouver un ~; maintenir, prendre, tenir l'~.*

ACCORDÉON criard, harmonieux, langoureux, mélancolique, triste. *Accorder un ~; pratiquer l'~; jouer de l'~.*

ACCOUCHEMENT à risque, artificiel, atroce, clandestin, compliqué, difficile, douloureux, facile, heureux, indolore, interminable, laborieux, long, normal, naturel, pénible, prématuré, précoce, provoqué, rapide, réussi, spontané, tardif. *Avoir un ~ (+ adj.); déclencher, diriger, effectuer, faire, provoquer, subir, vivre un ~; assister, procéder à un ~.* Un ~ a lieu, intervient, se produit, survient.

ACCOUTREMENT (in)approprié, barbare, baroque, bizarre, comique, convenable, décent, désuet, disparate, drôle, étrange, extravagant, fantaisiste, fantastique, farfelu, grotesque, hétéroclite, hideux, misérable, négligé, pauvre, piètre, pitoyable, pittoresque, ridicule, risible, singulier. *Arborer, enfiler, mettre, porter, revêtir un ~ (+ adj.); être affublé d'un ~ (+ adj.).*

ACCOUTUMANCE bonne, douce, durable, grave, faible, forte, incurable, instantanée, légère, lente, longue, mauvaise, modérée, néfaste, progressive, rapide, tenace, vieille. *Acquérir, avoir, causer, créer, développer, engendrer, entraîner, présenter, provoquer, vaincre une ~; souffrir d'une ~.*

ACCROC (déchirure) énorme, grand, gros, important, large, léger, minuscule, négligeable, superficiel, vilain. *Avoir, créer, faire,* *raccommoder, réparer, repriser, stopper un ~.* Un ~ s'agrandit, s'élargit. ♦ (*anicroche, complication, obstacle*) anodin, énorme, grand, grave, important, léger, majeur, minuscule, négligeable, sérieux. *Commettre, connaître, constituer, faire, subir un ~.*

ACCROCHAGE banal, bénin, énorme, fatal, gros, léger, majeur, meurtrier, mineur, sérieux, spectaculaire, violent. *Avoir, causer, entraîner, éviter, provoquer, subir un ~; être impliqué dans un ~.* Un ~ a lieu, arrive, se produit, survient.

ACCROISSEMENT accéléré, accru, alarmant, artificiel, brusque, brutal, considérable, constant, continu, continuel, durable, élevé, énorme, exceptionnel, exorbitant, exponentiel, extraordinaire, faible, formidable, fort, fulgurant, général, global, graduel, gros, important, impressionnant, incessant, indéfini, inquiétant, (in)justifié, léger, lent, (il)limité, majeur, massif, modéré, modeste, naturel, négligeable, net, (a)normal, notable, (im)perceptible, préoccupant, prodigieux, progressif, (dé)raisonnable, rapide, (ir)régulier, (in)sensible, significatif, soudain, soutenu, spectaculaire, spontané, substantiel, temporaire, total, vertigineux, vigoureux. *Causer, connaître, constater, enregistrer, entraîner, favoriser, noter, observer, obtenir, occasionner, produire, provoquer, subir un ~.*

ACCUEIL (dés)agréable, aimable, amical, attentif, bel, bienveillant, bon, brutal, cérémonieux, chaleureux, charmant, chaud, convivial, cordial, courtois, curieux, décourageant, délirant, distant, émouvant, empressé, encourageant, enthousiaste, excellent, exceptionnel, (dé)favorable, flatteur, frais, froid, généreux, glacé, glacial, (dis)gracieux, grand, grandiose, honorable, (in)hospitalier, hostile, houleux, immense, impressionnant, inoubliable, maussade, mauvais, méfiant, mémorable, mitigé, (dés)obligeant, parfait, personnalisé, piètre, poli, privilégié, prompt, rapide, réservé, sévère, sincère, sympathique, tiède, timide, triomphal. *Faire, ménager, obtenir, recevoir, rencontrer, réserver, trouver un ~ (+ adj.).*

ACCUMULATION accélérée, accrue, alarmante, artificielle, brusque, brutale, constante, continue, continuelle, élevée, énorme, exceptionnelle, exorbitante, exponentielle, extraordinaire, faible, formidable, forte, globale, graduelle, exceptionnelle, excessive, importante, impressionnante, incessante, indéfinie, inquiétante, légère, lente, (il)limitée, modérée, modeste, naturelle, nette, (a)normale, notable, préoccupante, prodigieuse, progressive, rapide, régulière, (in)sensible, significative, soudaine, spectaculaire, spontanée, (in)stable, substantielle, temporaire, totale, vertigineuse, vigoureuse. *Causer, connaître, constater, enregistrer, entraîner, favoriser, noter, observer, obtenir, occasionner, produire, provoquer, subir une ~.*

ACCUSATION absurde, bénigne, calomnieuse, (in)directe, énorme, erronée, exagérée, excessive, faible, fausse, floue, (in)fondée, forte, gratuite, grave, grosse, grotesque, improuvable, infamante, insensée, insultante, (in)juste, (in)justifiée, légère, légitime, lourde, majeure, malhonnête, malveillante, mensongère, (im)méritée, mineure, muette, odieuse, (im)précise, (ir)réfutable, ridicule, scandaleuse, sévère, terrible, vague, virulente, voilée, vraie, (in)vraisemblable. *Adresser, appuyer, avancer, corroborer, déposer, émettre, établir, étayer, fabriquer, faire, forger, formuler, intenter, lancer, monter, nier, porter, proférer, prouver, récuser, réfuter, rejeter, repousser, retenir, retirer, rétracter, susciter une ~; répondre à une ~; se défendre contre une ~; acquitter qqn, (se) défendre qqn, (se) disculper qqn, être acquitté, innocenter qqn d'une ~; être l'objet/sous le coup d'une ~.*

ACCUSÉ, ÉE coupable, innocent, majeur, mineur. *Acquitter, appréhender, condamner, déclarer coupable/innocent, défendre, détenir, incarcérer, innocenter, interroger, juger, punir, questionner, relâcher, relaxer un ~.* Un ~ avoue, nie, reconnaît.

ACHARNEMENT aveugle, constant, cruel, démentiel, démesuré, désespéré, effréné, effroyable, entêté, excessif, extrême, farouche, féroce, forcené, héroïque, horrible, impitoyable, implacable, incroyable, indescriptible, infini, inhumain, inlassable, inouï, injuste, insoutenable, intense, intensif, intolérable, inutile, (in)justifié, maniaque, méritoire, méthodique, méticuleux, obsessionnel, obstiné, patient, rare, remarquable, spectaculaire, systématique, tenace, violent, zélé. *Manifester, montrer un ~ (+ adj.); combattre, (se) défendre qqn/qqch., lutter, résister, se battre, travailler avec un ~ (+ adj.); être victime, faire preuve d'un ~ (+ adj.).*

ACHAT avisé, bon, considérable, éclairé, encombrant, futile, grand, gros, important, impulsif, inconsidéré, indispensable, judicieux, justifié, médiocre, minime, (im)prévu, (dé)raisonnable, (ir)réfléchi, superflu, (in)utile, valable; maigres, menus. *Effectuer, faire, payer, réaliser, régler un ~; procéder, renoncer à un ~; être (in)satisfait d'un ~; faire ses ~s.*

ACHEMINEMENT (in)adéquat, défectueux, difficile, (in)direct, efficace, facile, fiable, immédiat, ininterrompu, instantané, laborieux, lent, long, massif, normal, progressif, prompt, rapide, satisfaisant, sûr, tardif, tâtonnant. *Assurer, autoriser, effectuer, empêcher, entraver, favoriser, garantir, gêner, interdire, obtenir, permettre l'~ de qqch.*

ACHETEUR, EUSE avisé, compulsif, empressé, éventuel, (in)expérimenté, intéressé, occasionnel, potentiel, prudent, sérieux. *Convaincre, séduire, trouver un ~.*

ACIER brillant, brut, chromé, ciselé, doux, dur, émaillé, forgé, (in)flexible, galvanisé, laminé, laqué, léger, lourd, martelé, mat, moulé, (in)oxydable, plastifié, poli, raffiné, résistant, robuste, satiné, souple, trempé. *Affiner, ciseler, couler, étirer, fabriquer, façonner, fondre, forger, galvaniser, laminer, marteler, mouler, produire, traiter, transformer, travailler, (dé)tremper l'~.*

ACNÉ catastrophique, faible, forte, gênante, grave, juvénile, légère, modérée, passagère, persistante, purulente, rebelle, rosacée, sérieuse, sévère, tenace, vorace. *Accroître, aggraver, aider, améliorer, atténuer, causer, combattre, contrôler, diminuer, éliminer, favoriser, guérir, prévenir, produire, provoquer, réduire, soigner, stopper, subir, supprimer, traiter l'~; lutter contre l'~; souffrir de l'~.* L'/une ~ (ré)apparaît, débute, disparaît, dure, persiste, s'aggrave, s'améliore, s'atténue, se résorbe, se soigne, s'installe, survient.

ACOMPTE faible, fort, gros, léger, minime, minimum, substantiel. *Accepter, déduire, demander, déposer, donner, faire, obtenir, payer, percevoir, recevoir, rembourser, verser un ~; avoir droit à un ~; bénéficier d'un ~.*

ACOUSTIQUE convenable, déplorable, excellente, exceptionnelle, extraordinaire, impeccable, lamentable, mauvaise, médiocre, parfaite, piètre, remarquable, satisfaisante. *Avoir, offrir, présenter une ~ (+ adj.); bénéficier, jouir d'une ~ (+ adj.); améliorer l'~.*

ACQUIS appréciable, considérable, définitif, durable, énorme, essentiel, exceptionnel, extraordinaire, faible, fondamental, grand, immense, important, indéniable, indispensable, indiscutable, intéressant, majeur, mince, modeste, négatif, négligeable, notable, positif, précieux, qualitatif, quantitatif, significatif, solide, sûr, utile. *Avoir, conserver, consolider, constituer, défendre, demeurer, devenir, enrichir, être, maintenir, obtenir, posséder, préserver, remettre en cause, représenter, rester un ~; disposer d'un ~ .*

ACQUISITION (action) automatique, difficile, durable, facile, hâtive, intensive, lente, précipitée, précoce, progressive, rapide, réfléchie, réussie, tardive. *Faire, maîtriser, réaliser l'~ de qqch.; procéder à l'~ de qqch.* ♦ (chose) bonne, coûteuse, exceptionnelle, importante, majeure, mauvaise, onéreuse, précieuse, remarquable. *Effectuer, faire, réaliser une ~.*

ACQUITTEMENT complet, définitif, partiel, rapide, total. *Accorder, obtenir, prononcer, provoquer, réclamer, refuser, requérir un ~; aboutir à un ~; bénéficier d'un ~; se conclure, se solder, se terminer par un ~.*

ACROBATE accompli, agile, audacieux, brillant, extraordinaire, habile, prodigieux, remarquable, talentueux. *Admirer, applaudir, contempler, regarder un ~.*

ACROBATIE audacieuse, dangereuse, difficile, effroyable, époustouflante, extraordinaire, osée, rare, ratée, remarquable, réussie, spectaculaire. *Accomplir, effectuer, exécuter, faire, rater, réaliser, réussir, tenter une/des ~(s).*

ACTE (action) abominable, abstrait, affreux, (in)amical, anodin, audacieux, aventureux, barbare, bas, bel, blâmable, bon, brave, brutal, calculé, complexe, concret, (in)conscient, courageux, cruel, décisif, dégradant, délibéré, dément, déplorable, désespéré, éclatant, (in)efficace, faible, fautif, fort, généreux, grand, grandiose, grave, gravissime, (mal)habile, héroïque, (mal)honnête, idiot, ignoble, impulsif, inconsidéré, inédit, instinctif, intense, intentionnel, (dés)intéressé, isolé, (in)justifiable, (in)justifié, lâche, lent, (il)licite, mauvais, médiocre, mémorable, méritoire, mesquin, nécessaire, odieux, ponctuel, précipité, (dé)raisonnable, rapide, raté, (ir)rationnel, (ir)réfléchi, remarquable, répétitif, réussi, rigoureux, salutaire, (in)sensé, simple, sordide, suspect, systématique, téméraire, tragique, trivial, unique, (in)utile, vigoureux, (in)volontaire, violent. *Accomplir, approuver, autoriser, commettre, condamner, déclencher, décourager, encourager, entreprendre, excuser,* *faire, justifier, mener, perpétrer, poser, poursuivre, préparer, prévenir, provoquer, réaliser, regretter, retarder un ~; passer à l'/aux ~(s).* Un ~ commence, se déroule, se passe, se prépare, se produit, se réalise, se termine. ♦(Théâtre) *Donner, écrire, jouer un ~.*

ACTEUR, TRICE accompli, aguerri, applaudi, atroce, averti, brillant, cabotin, célèbre, chevronné, complet, confirmé, débutant, doué, énorme, excellent, exceptionnel, extraordinaire, faible, fini, génial, grand, (mal)habile, honnête, immense, impeccable, incomparable, intelligent, maladroit, mauvais, médiocre, merveilleux, minable, modeste, moyen, négligeable, passable, piètre, pitoyable, polyvalent, prestigieux, prétentieux, prodigieux, prolifique, raté, remarquable, renommé, sensationnel, sublime, (in)supportable, talentueux. *Applaudir, critiquer, encenser un ~.*

ACTION abominable, abstraite, affreuse, (in)amicale, anodine, (in)attendue, atroce, audacieuse, aventureuse, badine, barbare, basse, blâmable, bonne, brave, brillante, brutale, calculée, complexe, concertée, concrète, (in)consciente, continue, courageuse, cruelle, décisive, dégradante, délibérée, démente, déplorable, désespérée, éclatante, (in)efficace, embrouillée, étrange, extraordinaire, faible, fautive, fiévreuse, folle, forte, glorieuse, grande, grandiose, grave, (mal)habile, hardie, héroïque, (mal)honnête, honteuse, hostile, idiote, ignoble, impétueuse, impulsive, inconsidérée, insigne, intense, intentionnelle, intéressante, (dés)intéressée, isolée, (in)justifiable, (in)justifiée, lâche, lente, (il)licite, mauvaise, médiocre, mémorable, méritoire, mesquine, odieuse, ponctuelle, précipitée, (im)prudente, (dé)raisonnable, rapide, (ir)rationnelle, (ir)réfléchie, remarquable, réussie, rigoureuse, salutaire, (in)sensée, simple, soutenue, suspecte, systématique, téméraire, timide, tragique, triviale, unique, (in)utile, vigoureuse, vitale, (in)volontaire, violente. *Abandonner, accomplir, approuver, autoriser, commettre, condamner, déclencher, décourager, encourager, entraver, entreprendre, exercer, faire, gêner, justifier, mener, paralyser, poser, poursuivre, préparer, provoquer, réaliser, regretter, retarder une ~; aimer, fuir l'~; inciter, passer, pousser à l'~; se jeter, vivre dans l'~; manquer d'~.* Une ~ commence, débute, prend fin, se concrétise, se déclenche, se déroule, se passe, se prépare, se produit, se réalise, se termine.

ACTIVITÉ (ardeur, énergie, entrain) bonne, bouillonnante, considérable, débordante, déclinante, dévorante, énorme, enthousiaste, exceptionnelle, excessive, extrême, faible, fébrile, fiévreuse, folle, forcenée, forte, frénétique, grande, grosse, (in)habituelle, immense, impétueuse, importante, impressionnante, incessante, inlassable, intense, intensive, languissante, légère, marginale, mauvaise, maximale, médiocre, minimale, modérée, (a)normale, (extra)ordinaire, (dés)ordonnée, prodigieuse, ralentie, réduite, (dé)réglée, (ir)régulière, riche, soutenue, trépidante, turbulente, variée. *Avoir, déployer, manifester, montrer une ~ (+ adj.); être, faire preuve d'une ~ (+ adj.).* ♦(occupation) absorbante, abstraite, accaparante, astreignante, banale, complexe, compliquée, concertée, concrète, continue, dégradante, dévorante, ennuyeuse, exigeante, difficile, exceptionnelle, facile, frivole, futile, glorieuse, grande, (in)habituelle, (mal)honnête, importante, intéressante, inusitée, (il)légale, (il)licite, lucrative, monotone, noble, (extra)ordinaire, passionnante, pauvre, précise, prenante, principale, propre, rémunératrice, riche, salissante, (mal)saine, secondaire, sérieuse, simple, subalterne, suspecte, traditionnelle, triviale, vitale. *Abandonner, cesser, commencer, continuer, coordonner, créer, développer, diriger, entreprendre, exercer, gêner, maintenir, maîtriser, marquer, mener, paralyser, pratiquer, ralentir, réaliser, réduire, reporter, reprendre, suspendre une ~; participer, prendre part à une ~; se lancer, s'engager, s'impliquer dans une ~.* Une ~ commence, débute, prend fin, se déroule, se produit, se termine.

ACTUALITÉ accrue, bouleversante, brûlante, chaude, criante, étonnante, extrême, faible, forte, immédiate, importante, indéniable, parfaite, percutante, permanente, pressante, quotidienne, révoltante, saisissante, surprenante, tragique, troublante, urgente. *Être d'une ~ (+ adj.); commenter, faire, suivre l'~; réagir, s'intéresser à l'~; se désintéresser de l' ~; être à l'affût/au fait de l'~; être d'~.*

ADAPTATION (in)adéquate, (mal)adroite, brutale, (in)complète, constante, continue, (in)correcte, croissante, difficile, facile, forcée, (mal)habile, immédiate, intense, lente, maximale, minimale, minutieuse, modérée, progressive, rapide, réussie, rude. *Assurer, nécessiter, permettre, provoquer une ~.*

ADDITION (*problème*) compliquée, erronée, (in)exacte, juste, sans faute, simple. *Calculer, commencer, effectuer, exécuter, faire, finir, opérer, poser, réaliser, vérifier une ~.* ♦ (*facture*) astronomique, douce, corsée, élevée, énorme, légère, lourde, modeste, poivrée, raisonnable, salée, sucrée. *Apporter, demander, faire, payer, présenter, réclamer, régler l'~.*

ADEPTE absolu, assidu, convaincu, enthousiaste, fanatique, fervent, fidèle, inconditionnel, invétéré, occasionnel, parfait, passionné, résolu, zélé. *Faire, recruter un ~; être (un/l') ~ de (une secte, un sport, etc.).*

ADHÉSION faible, forte, hâtive, massive, tardive. *Collecter, engranger, enregistrer, réaliser, recueillir, renouveler, susciter des ~s.*

ADIEU bouleversant, brusque, déchirant, définitif, difficile, émotif, émouvant, ému, grandiose, irrévocable, larmoyant, nostalgique, pathétique, pénible, poignant, prématuré, provisoire, sincère, tendre, touchant, triste, vibrant. *Adresser, faire, prononcer un ~; abréger, brusquer, éterniser, précipiter, prolonger les ~x.*

ADJECTIF adapté, (in)adéquat, (in)approprié, banal, bel, bon, choisi, clair, condescendant, court, douteux, élogieux, exact, expressif, flatteur, injurieux, inutile, joli, juste, laudatif, long, mélioratif, méprisant, objectif, péjoratif, pertinent, précis, quelconque, rare, simple, superflu, vague, valable, valorisant. *Accoler, apposer, chercher, choisir, employer, trouver, utiliser un ~.*

ADMINISTRATEUR, TRICE avisé, bon, capable, (in)compétent, confirmé, désintéressé, efficace, excellent, (in)expérimenté, grand, (mal)habile, (mal)honnête, intègre, judicieux, mauvais, médiocre, (dés)ordonné, (im)partial, piètre, (im)prudent, sage.

ADMINISTRATION (in)adaptée, archaïque, bienveillante, bonne, (dé)centralisée, complaisante, déplorable, éclairée, (in)efficace, fermée, intègre, intelligente, irréprochable, large, mauvaise, médiocre, moderne, opaque, ouverte, performante, piètre, pointilleuse, (im)prévoyante, (im)prudente, (ir)responsable, rigoureuse, sage, secrète, sévère, souple, tatillonne, tentaculaire, tracassière, transparente, vaste. *Établir, gérer, organiser, réformer une ~; assumer, assurer, confier, prendre en main l'~ de qqch.*

ADMIRATEUR, TRICE absolu, acharné, anonyme, ardent, aveugle, béat, chaud, éclairé, empressé, enthousiaste, éperdu, excessif, fanatique, farouche, fervent, fidèle, forcené, idolâtre, inconditionnel, invétéré, modeste, passionné, profond, secret, sincère, tenace, zélé.

ADMIRATION absolue, affectueuse, ambiguë, ardente, attendrie, aveugle, béate, débordante, certaine, constante, contenue, dévote, durable, énorme, enthousiaste, éperdue, éternelle, évidente, exagérée, excessive, extraordinaire, extrême, fanatique, feinte, fervente, fidèle, flatteuse, forcenée, générale, grande, grandissante, idolâtre, imbécile, immense, inaltérable, inconditionnelle, indéfectible, infinie, inquiète, intelligente, juste, (in)justifiée, légitime, (il)limitée, (im)modérée, muette, mutuelle, naïve, particulière, passionnée, profonde, réciproque, réelle, réfléchie, respectueuse, silencieuse, sincère, sotte, suspecte, totale, vive. *Afficher, avoir, éprouver, exprimer, garder, inspirer, manifester, mériter, nourrir, porter, provoquer, soulever, susciter, témoigner, (se) vouer une ~ (+ adj.); bénéficier, jouir d'une (+ adj.); (s')attirer, commander, exciter, faire, forcer, imposer, inspirer, provoquer, soulever, susciter l' ~; avoir, éprouver, exprimer, inspirer, ressentir, susciter, témoigner de l' ~; déborder, délirer, être éperdu/muet/pâmé/ravi/rempli/saisi, pleurer, s'émouvoir, se pâmer, s'exclamer d'~; devenir, être, rester, tomber en ~.*

ADMISSION accélérée, anticipée, automatique, (in)conditionnelle, définitive, (in)directe, forcée, globale, gratuite, immédiate, libre, obligatoire, partielle, permanente, préalable, prioritaire, (im)probable, problématique, provisoire, (ir)régulière, reportée, sélective, temporaire, urgente. *Accepter, autoriser, demander, obtenir, ordonner, permettre, recommander, refuser, solliciter une ~.*

ADOLESCENCE agitée, attardée, brisée, chaotique, choyée, conflictuelle, (in)confortable, désespérée, difficile, dorée, douillette, effacée, enchanteresse, épanouie, éternelle, facile, frustrée, gâchée, (mal)heureuse, incomprise, insouciante, interminable, libre, mouvementée, normale, oisive, orageuse, ordinaire, paisible, pénible, perdue, perturbée, précoce, prolongée, rangée, rebelle, rêveuse, révoltée, sacrifiée, solitaire, superbe, taciturne, tardive, tourmentée, tragique, tranquille, triste, troublée, turbulente, tumultueuse, volée. *Avoir, connaître, vivre une ~ (+ adj.); entrer dans l'~; sortir de l'~.*

ADOLESCENT, ENTE (hyper)actif, adorable, ambitieux, amorphe, anorexique, ardent, arrogant, asocial, attachant, attardé, autonome, bagarreur, barbu, blasé, boulimique, boutonneux, brillant, calme, chétif, choyé, coléreux, complexé, débrouillard, dégingandé, délicat, délinquant, déluré, dépressif, déprimé, désœuvré, difficile, (sur)doué, dynamique, élancé, enrobé, équilibré, espiègle, éveillé, extraverti, exubérant, faible, flemmard, fluet, formé, fort, fougueux, fragile, frêle, frondeur, gauche, gracieux, gracile, gringalet, (mal)heureux, idéaliste, imberbe, impatient, incompris, insolent, insouciant, intelligent, introverti, joufflu, longiligne, maigre, maladif, malingre, manipulateur, marginal, mince, musclé, naïf, normal, motivé, obèse, paisible, pâle, passif, passionné, paumé, perturbé, (im)poli, prometteur, rebelle, récalcitrant, renfermé, renfrogné, réservé, (ir)responsable, rêveur, révolté, robuste, rondouillard, sage, sauvage, (hyper)sensible, sérieux, sociable, solitaire, sportif, susceptible, svelte, taciturne, talentueux, timide, timoré, tourmenté, tranquille, trapu, triste, turbulent, vulnérable.

ADOPTION accélérée, anticipée, automatique, aveugle, (in)complète, définitive, difficile, efficace, facile, finale, (in)formelle, générale, généralisée, globale, hâtive, immédiate, intégrale, intelligente, laborieuse, large, (il)légale, lente, massive, partielle, précaire, progressive, provisoire, rapide, ratée, (ir)régulière, réussie, soudaine, tardive, totale, urgente, uniforme, unanime, volontaire. *Assurer, demander, empêcher, obtenir, permettre une ~ (+ adj.); autoriser, effectuer, envisager, réaliser, refuser une ~.*

ADORATION assidue, aveugle, complète, constante, démesurée, dévorante, discrète, éperdue, éphémère, exclusive, extrême, fanatique, fervente, folle, illimitée, inconditionnelle, indéfectible, irraisonnée, muette, partagée, profonde, respectueuse, sincère, touchante, véritable. *Avoir, éprouver, porter, vouer une ~ (+ adj.).*

ADRESSE (domicile) ancienne, bonne, (in)complète, (in)correcte, définitive, erronée, (in)exacte, fantaisiste, fausse, fautive, fictive, fixe, manquante, mauvaise, nouvelle, permanente, (im)précise, provisoire, (in)suffisante, vague. *Chercher, copier, demander, donner, écrire, inscrire, laisser, marquer, prendre, rechercher, trouver une ~; changer, se tromper d'~.* ♦(habileté) admirable, (in)égale, élevée, étonnante, exceptionnelle, extraordinaire, extrême, formidable, grande, inconcevable, incroyable, inégalable, innée, magistrale, merveilleuse, naturelle, parfaite, rare, redoutable, remarquable, singulière, suffisante, surprenante, suprême. *Être, faire preuve, se montrer d'une ~ (+ adj.); acquérir, avoir de l'~; être dénué/pourvu, jouer, manquer, rivaliser, user d'~.*

ADULTE accompli, âgé, (in)apte, autonome, averti, (in)compétent, compréhensif, épanoui, équilibré, expérimenté, indépendant, jeune, majeur, mûr, puéril, (ir)responsable, (in)stable, vieillissant. *Devenir, être un ~; être encadré/pris en charge/supervisé/surveillé par un ~.*

ADVERSAIRE acharné, affaibli, agressif, aguerri, battu, coriace, costaud, dangereux, déchaîné, déclaré, défait, déterminé, difficile, facile, faible, farouche, féroce, forcené, formidable, fort, généreux, habile, humilié, impitoyable, implacable, inconditionnel, inébranlable, insaisissable, intraitable, intrépide, invincible, invisible, irréconciliable, irréductible, jaloux, lâche, (dé)loyal, malheureux, médiocre, négligeable, notoire, opiniâtre, perfide, piètre, puissant, redoutable, résolu, respectable, robuste, rude, rusé, sérieux, sournois, supérieur, talentueux, téméraire, terrible, triomphant, vaillant, vaincu, victorieux, violent, virulent. *Abattre, aborder, affronter, arrêter, attaquer, battre, blesser, bousculer, capturer, combattre, contrer, contrôler, défaire, défier, déjouer, démoraliser, désarmer, dominer, écraser, éliminer, enfoncer, faire tomber, intimider, malmener, mater, neutraliser, réduire, rencontrer, repousser, sous-estimer, surclasser, terrasser, tuer, vaincre un/son ~; mettre d'accord, réconcilier des ~s; être confronté, se confronter, se mesurer à un ~; lutter, se battre, se défendre contre un ~; triompher, venir à bout d'un ~.*

ADVERSITÉ croissante, exceptionnelle, extrême, farouche, forte, générale, grandissante, importante, injuste, longue, noire, obstinée, profonde, redoutable, rude, sombre, soutenue, universelle. *Affronter, conjurer, connaître, défier, subir, supporter, vaincre l'~; faire face à l' ~; se défendre contre l'~; être courageux/ferme/fort/patient, rebondir, tenir, tomber dans l'~; triompher de l'~.*

AÉROGARE accueillante, bondée, déserte, encombrée, gigantesque, grosse, immense, minuscule, (ultra)moderne, modeste, monumentale, saturée, vaste, vide. *Aménager, construire, desservir une ~; atterrir, se poser à une ~; attendre, déambuler, entrer, se rendre dans une ~; décoller d'une ~.*

AÉROPORT bondé, désert, encombré, gigantesque, grand, gros, immense, minuscule, (ultra)moderne, modeste, petit, saturé, vaste, vide. *Aménager, construire, desservir un ~; atterrir, se poser à un ~; attendre, entrer dans un ~; décoller d'un ~.*

AFFAIBLISSEMENT chronique, considérable, continu, faible, fort, général, global, graduel, grand, grave, important, insignifiant, léger, lent, marqué, modéré, passager, profond, progressif, prolongé, prononcé, rapide, relatif, sensible, sérieux, sévère, significatif, soudain, subit, temporaire, total. *Causer, connaître, constater, entraîner, éprouver, observer, provoquer, signaler, subir un ~.*

AFFAIRE (problème, scandale) banale, bénigne, capitale, complexe, compliquée, délicate, déplorable, difficile, dramatique, embarrassante, énigmatique, épineuse, épouvantable, essentielle, fâcheuse, facile, grave, grosse, (mal)heureuse, (mal)honnête, ignoble, importante, incertaine, incroyable, inquiétante, insignifiante, louche, manquée, méchante, mince, mystérieuse, obscure, palpitante, pitoyable, préoccupante, primordiale, réglée, (ir)résolue, risquée, rocambolesque, sale, scabreuse, scandaleuse, secondaire, sensationnelle, sensible, sérieuse, significative, simple, sombre, sordide, subalterne, suspecte, ténébreuse, transparente, triste, urgente, vilaine. *Approfondir, arranger, bâcler, brusquer, compliquer, (re)considérer, débattre, débrouiller, démêler, dénouer, discuter, éclaircir, élucider, embrouiller, emmêler, enterrer, entreprendre, étouffer, évoquer, examiner, expédier, exposer, liquider, manigancer, manipuler, mener, mettre au point, organiser, pousser, précipiter, régler, suivre,* *tenter, terminer, traîner, traiter, vider une ~; être confronté/mêlé, mettre fin, se mêler à une ~; être compromis/empêtré/engagé/impliqué/mêlé, intervenir, se risquer, tremper dans une ~; se mêler, se sortir, s'occuper d'une ~; (se) sortir qqn, (se) tirer qqn d'~.* ♦(transaction) complexe, compliquée, conclue, échouée, excellente, florissante, grosse, (mal)honnête, intéressante, lucrative, manquée, mauvaise, opaque, payante, profitable, prospère, ratée, rentable, réussie, risquée, simple, sûre, tentante, transparente, véreuse. *Conclure, différer, effectuer, élaborer, enlever, faire, manquer, proposer, rater, réussir une ~.* ♦(activités commerciales) (in)actives, animées, calmes, difficiles, faciles, florissantes, (in)fructueuses, importantes, languissantes, lentes, mauvaises, nombreuses, nulles, prospères, rares, satisfaisantes, stables, stagnantes. *Administrer, brasser, conclure, faire, gérer, traiter des ~s; entrer, être, se lancer, se mettre, s'établir dans les ~s; se retirer des ~s; échouer, partir, réussir, se lancer en ~s; parler, discuter ~s.* Les ~s baissent, déclinent, fleurissent, languissent, pâtissent, périclitent, piétinent, progressent, prospèrent, ralentissent, refleurissent, reprennent, se gâtent, se raniment, se relèvent, stagnent, tournent.

AFFECTION (tendresse) débordante, démesurée, démonstrative, douce, exagérée, excessive, feinte, forte, intense, mutuelle, partagée, particulière, passagère, profonde, réciproque, reconnaissante, réelle, secrète, simulée, sincère, solide, tendre, touchante, véritable, vigoureuse, vive, vraie. *Avoir, éprouver, manifester, montrer, nourrir, ressentir, vouer une ~ (+ adj.); conquérir, gagner, perdre l'~ de qqn; avoir, demander, donner, éprouver, manifester, montrer, procurer, ressentir, trouver de l'~; avoir besoin/soif, entourer qqn, envelopper qqn, se lier, se prendre d'~.* ♦(Médecine) aiguë, bénigne, chronique, connue, contagieuse, courante, douloureuse, faible, forte, fréquente, grave, légère, lourde, majeure, maligne, méconnue, mineure, passagère, permanente, rare, silencieuse. *Avoir, guérir, soigner, soulager, traiter une ~; être atteint, souffrir d'une ~.*

AFFICHE accrocheuse, alléchante, défraîchie, géante, grande, illustrée, minuscule, moche, multicolore, percutante. *Apposer, arracher, coller, dessiner, étaler, fixer, placarder, poser, punaiser, réaliser une ~; couvrir, tapisser d'~s.*

AFFINITÉ apparente, certaine, complète, élevée, étroite, faible, fondamentale, forte, grande, indéniable, marquée, mutuelle, mystérieuse, naturelle, particulière, profonde, prononcée, secrète, significative, solide, subtile, ténue, véritable. *Avoir, éprouver, manifester, nourrir, posséder, présenter, ressentir, sentir une ~.*

AFFIRMATION absolue, absurde, agressive, autoritaire, blessante, capitale, catégorique, (in)contestable, contradictoire, contraire, (in)discutable, douteuse, erronée, essentielle, étonnante, (in)exacte, exagérée, faible, fausse, (in)fondée, forte, générale, grosse, importante, intempestive, irrévocable, (in)juste, mensongère, négative, nette, péremptoire, positive, provisoire, (im)prudente, pure, radicale, raisonnable, ridicule, risible, (in)sensée, simple, solennelle, téméraire, tranchée, trompeuse, vigoureuse, vraie, vraisemblable. *Admettre, atténuer, attester, certifier,* *contredire, corriger, croire, discuter, émettre, énoncer, établir, étayer, exprimer, faire, justifier, modifier, nuancer, poser, préciser, prouver, réfuter, réitérer, relever, soutenir, tempérer, vérifier une ~; réagir, répondre à une ~.*

AFFLUENCE accrue, considérable, constante, continue, continuelle, croissante, débordante, dense, élevée, énorme, exceptionnelle, excessive, extraordinaire, faible, forte, grande, grandissante, (in)habituelle, honorable, importante, (il)limitée, maigre, massive, misérable, modeste, moyenne, nombreuse, rare, record, régulière, soudaine, subite, suffisante. *Connaître, constater, enregistrer, observer, prévoir, provoquer, susciter une ~ (+ adj.).*

AFFLUX (sur)abondant, brutal, considérable, constant, continu, continuel, croissant, élevé, énorme, exceptionnel, extraordinaire, faible, (in)habituel, important, incessant, ininterrompu, intarissable, massif, momentané, négligeable, permanent, persistant, (im)prévisible, (im)prévu, (ir)régulier, soudain, subit. *Anticiper, connaître, constater, craindre, créer, enregistrer, entraîner, éviter, permettre, prévenir, prévoir, provoquer, redouter, signaler un ~; assister, faire face, réagir, se préparer, s'attendre à un ~.*

AFFOLEMENT épouvantable, extrême, général, généralisé, grand, incontrôlable, incroyable, indicible, injustifié, soudain, total, tumultueux, vain, véritable. *Causer, créer, entraîner, provoquer, susciter un ~; céder à un ~.*

AFFRONT cinglant, cruel, cuisant, délibéré, éclatant, énorme, grand, humiliant, immense, impardonnable, inacceptable, inoubliable, intolérable, irréparable, majeur, mineur, offensant, terrible, vif, (in)volontaire. *Avaler, constituer, dévorer, effacer, éprouver, essuyer, être, éviter, faire, infliger, pardonner, pleurer, punir, recevoir, relever, réparer, ressentir, souffrir, subir, supporter, venger un ~; rougir, se venger d'un ~.*

AFFRONTEMENT absolu, acharné, armé, bref, brutal, constant, continu, continuel, court, décisif, (in)direct, équilibré, final, géant, généralisé, grand, impitoyable, important, inégal, inéluctable, inévitable, long, majeur, meurtrier, permanent, prolongé, rude, sanglant, sérieux, serré, sévère, spectaculaire, stérile, ultime, violent. *Craindre, éviter, prévenir, provoquer, risquer, susciter un ~; assister à un ~; dégénérer en un ~.* Un ~ a lieu, dure, éclate, se déroule, s'engage, se produit, se profile.

ÂGE adéquat, adulte, approximatif, avancé, bas, bel, biologique, (in)certain, chronologique, (in)connu, critique, (in)déterminé, élevé, faible, fatidique, grand, idéal, impressionnant, indécis, ingrat, innocent, jeune, légal, limite, maximum, mental, minimum, moyen, mûr, (im)précis, précoce, réel, requis, respectable, spécifique, tendre, vénérable, véritable. *Atteindre, avoir un ~ (+ adj.); arriver, mourir, parvenir à un ~ (+ adj.); être d'un ~ (+ adj.); prendre de l'~; accuser, cacher, dire, dissimuler, oublier, paraître, porter son ~; avancer, être avancé en ~; être sans ~.*

AGENCE *Consulter, créer, diriger, exploiter, fermer, fonder, monter, ouvrir, tenir une ~; recourir, s'adresser à une ~; travailler dans/pour une ~.*

AGENDA allégé, chargé, complet, flou, important, imposant, plein, précis, provisoire, rempli, serré, vide. *Avoir, consulter, gérer, suivre, tenir un ~; consigner, écrire, inscrire, marquer, noter dans/sur un ~.*

AGGLOMÉRATION dense, géante, gigantesque, grande, immense, importante, insignifiante, minuscule, modeste, tentaculaire, vaste. *Aborder, traverser une ~; entrer dans une ~; sortir d'une ~.*

AGGRAVATION aiguë, brusque, brutale, catastrophique, constante, continue, continuelle, dramatique, générale, généralisée, graduelle, faible, forte, immense, imperceptible, importante, indiscutable, irrémédiable, légère, lente, marquée, massive, notable, passagère, permanente, progressive, prononcée, rapide, régulière, sensible, soudaine, spectaculaire, subite, temporaire. *Arrêter, constater, craindre, empêcher, enrayer, enregistrer, entraîner, éprouver, éviter, favoriser, noter, observer, provoquer, signaler, subir une ~; assister à une ~.* Une ~ apparaît, se produit, survient.

AGILITÉ admirable, certaine, confondante, considérable, déconcertante, enviable, époustouflante, étonnante, exceptionnelle, extraordinaire, extrême, fascinante, féline, fiévreuse, grande, impressionnante, incroyable, inouïe, nulle, prodigieuse, rare, redoutable, réduite, remarquable, renversante, simiesque, singulière, stupéfiante, (in)suffisante, supérieure, surprenante, vertigineuse. *Démontrer, montrer, posséder une ~ (+ adj.); être, faire preuve d'une ~ (+ adj.); manquer d'~.*

AGISSEMENTS barbares, criminels, erronés, fautifs, honteux, hostiles, inacceptables, inconsidérés, intolérables, répétés, scandaleux, sournois, suspects, violents. *Commettre, subir des ~ (+ adj.); mettre fin, se livrer à des ~ (+ adj.); contrôler, surveiller les ~ de qqn.*

AGITATION anxieuse, bruyante, confuse, considérable, convulsive, courte, démentielle, dérisoire, effrénée, excessive, extraordinaire, extrême, fébrile, folle, forcenée, furieuse, générale, hystérique, inaccoutumée, incessante, incontrôlable, incroyable, indescriptible, inefficace, inhabituelle, inquiétante, intense, longue, nerveuse, (a)normale, palpable, permanente, perpétuelle, saccadée, soudaine, sourde, soutenue, stérile, subtile, superficielle, turbulente, vaine. *Connaître, éprouver, montrer, observer, noter, provoquer, ressentir une ~ (+ adj.); être pris d'une ~(+ adj.); être, se mettre dans une ~ (+ adj.).*

AGONIE abominable, affreuse, atroce, brève, brutale, courte, cruelle, difficile, douce, douloureuse, effroyable, indolore, interminable, lente, longue, pénible, prolongée, rapide, terrible, terrifiante. *Connaître, souffrir, vivre une ~ (+ adj.); abréger, adoucir, prolonger, soulager une ~; assister à une ~; être à l'~.* Une ~ dure, se prolonge, se termine.

AGRESSION atroce, barbare, brusque, continue, continuelle, cruelle, grave, ignoble, impitoyable, inattendue, incessante, injuste, inqualifiable, lâche, légère, lourde, majeure, massive, meurtrière, mineure, odieuse, permanente, persistante, provoquée, sauvage, sournoise, subite, violente, virulente. *Commettre, mener, perpétrer, préparer, provoquer, repousser, subir, vivre une ~; faire face, parer, réagir,* *résister, se livrer à une ~; se défendre contre une ~; être victime, faire l'objet d'une ~.* Une ~ a lieu, se produit.

AGRESSIVITÉ accrue, aveugle, condamnable, contenue, (in)contrôlée, dangereuse, défensive, déplorable, destructive, énorme, exacerbée, excessive, extrême, faible, forte, froide, grande, gratuite, implacable, imprévisible, incompréhensible, incontrôlée, inouïe, latente, malsaine, menaçante, modérée, négative, notable, offensive, outrancière, positive, réelle, refoulée, sauvage, soudaine, sourde, stérile. *Déclencher, manifester, provoquer, susciter une ~ (+ adj.); être, faire preuve, manifester, se montrer d'une ~ (+ adj.); combattre, canaliser, contenir, contrôler, défouler, extérioriser, gérer, libérer, maîtriser, manifester, refouler, réprimer, tempérer, vaincre l'/son ~; démontrer, exprimer, manifester, montrer de l'~; être dépourvu, manquer d'~.*

AGRICULTURE adaptée, alternative, archaïque, biologique, classique, conventionnelle, développée, durable, extensive, familiale, florissante, grande, industrielle, intensive, mécanisée, moderne, paysanne, performante, petite, polluante, propre, prospère, raisonnée, traditionnelle, verte, viable. *Étudier, exercer, pratiquer, protéger, relancer, restaurer, stimuler l'~; s'adonner, se livrer à l'~; travailler dans l'~; s'occuper d'~.*

AIDE (in)appréciable, (in)attendue, bienveillante, (in)certaine, (in)conditionnelle, décevante, dérisoire, déterminante, (in)directe, durable, effective, (in)efficace, (in)espérée, essentielle, exceptionnelle, faible, forte, frêle, généreuse, immédiate, importante, inestimable, inexistante, (dés)intéressée, irremplaçable, laborieuse, massive, modeste, mutuelle, négligeable, notable, occasionnelle, parcimonieuse, ponctuelle, précieuse, rapide, solide, substantielle, (in)suffisante, systématique, urgente, utile. *Accepter, accorder, apporter, attendre, chercher, demander, donner, espérer, fournir, implorer, lancer, obtenir, octroyer, offrir, porter, prêter, procurer, promettre, proposer, recevoir, refuser, requérir, solliciter, trouver une/de l' ~; bénéficier d'une ~; aller, venir à l'~.*

AIGLE déployé, fantastique, foudroyant, géant, gigantesque, gros, immense, impérieux, magnifique, majestueux, puissant, rapide. *Contempler, observer un ~.* Un ~ attaque, chasse, déploie ses ailes, dévore, plane dans les airs, plonge, s'élève, surgit, survole, vole.

AIGUILLE courbe, courte, droite, épaisse, fine, grosse, longue, mince, pointue, spéciale. *Fixer, insérer, introduire, planter, utiliser une ~.*

AILE agiles, bigarrées, brillantes, colorées, courtes, dépenaillées, déployées, étroites, faibles, fermées, frémissantes, légères, longues, ouvertes, pendantes, (re)pliées, puissantes, rabattues, rapides, transparentes. *Avoir l' ~ (+ adj.); agiter, battre, déployer, essayer, ouvrir, (re)plier, rabattre, refermer les/ses ~s; battre, traîner, trémousser de l'~; disparaître, s'élancer, s'élever, s'envoler d'un coup d'~.* Des ~s battent, s'agitent, se déploient, se (re)ferment, se (re)plient, se rabattent, s'ouvrent.

AIR (*brise, courant d'air; espace*) agréable, alourdi, ambiant, bon, brûlant, brumeux, chaud, (sur)chauffé, collant, confiné, dense, doux, embaumé, empesté, empoisonné, épais, étouffant, fétide, frais, froid, glacé, glacial, grand, humide, infect, léger, limpide, lourd, lumineux, mauvais, moite, nauséabond, nébuleux, oppressant, orageux, paisible, parfumé, pestilentiel, piquant, pluvieux, pollué, (im)pur, rafraîchi, rafraîchissant, raréfié, renfermé, (ir)respirable, (mal)sain, (in)salubre, saturé, sec, tiède, tonique, tranquille, transparent, vicié, vif, visqueux, vivifiant. *Aspirer, assainir, humer, purifier, renouveler, respirer l'~; évoluer, flotter, monter, partir, planer, se déplacer, s'élever, s'envoler, se répandre, tournoyer, virevolter, voler dans les ~s; être, jeter, lancer, regarder, rester, sauter, se trouver, tirer en l'~; aspirer, donner, exhaler, expirer, expulser, insuffler de l'~; changer, manquer d'~*. L'~ s'adoucit, s'allège, se raréfie, se réchauffe, se refroidit, se voile. ♦(apparence, manière, expression) abasourdi, abattu, abruti, absent, absorbé, admiratif, affairé, agacé, (dés)agréable, agressif, ahuri, aimable, amical, amusé, appliqué, (dés)approbateur, arrogant, assuré, attentif, austère, béat, bête, bienveillant, bizarre, blagueur, bon, boudeur, brusque, brutal, calme, chagrin, compatissant, confiant, confus, conquérant, content, craintif, (in)crédule, débonnaire, décidé, dédaigneux, défiant, dégagé, dégoûté, dépité, déprimé, désabusé, désemparé, désinvolte, désœuvré, désolé, digne, distant, distingué, distrait, dominateur, doucereux, doux, dubitatif, dur, ébahi, effaré, effronté, égaré, embarrassé, empesé, empêtré, emporté, emprunté, énigmatique, enjoué, ennuyé, entendu, enthousiaste, épanoui, éploré, espiègle, étonné, étourdi, étrange, évasif, éveillé, (sur)excité, fâché, fanfaron, farouche, fatigué, faux, fermé, féroce, fier, figé, franc, froid, funèbre, furieux, futé, gai, gauche, gêné, glacé, gourmand, gracieux, grave, grognon, grossier, guindé, hagard, hardi, hautain, hébété, hésitant, (mal)heureux, (mal)honnête, honteux, hostile, houleux, humble, hypocrite, idiot, imbécile, impassible, impératif, impérieux, impertinent, important, imposant, indécis, indifférent, indigné, indulgent, innocent, inquiet, inquiétant, insolent, insolite, intelligent, (dés)intéressé, interrogateur, intransigeant, ironique, irrité, jeune, jovial, joyeux, langoureux, languissant, larmoyant, loufoque, lugubre, majestueux, maladif, malicieux, maussade, mauvais, méchant, méditatif, méfiant, mélancolique, menaçant, méprisant, mielleux, misérable, modeste, moqueur, morne, morose, mystérieux, naïf, narquois, niais, noble, offensé, outragé, outré, ouvert, paisible, penaud, pensif, perplexe, pincé, piteux, (im)pitoyable, pleurnichard, polisson, posé, préoccupé, présomptueux, prétentieux, prospère, provocant, puéril, rabougri, radieux, raide, railleur, ratatiné, ravi, rayonnant, rebutant, recueilli, réfléchi, réjoui, renfrogné, reposé, repoussant, réservé, résigné, (ir)résolu, respectable, ricaneur, ridicule, rieur, (in)satisfait, serein, sérieux, sévère, simple, sincère, sinistre, solennel, sombre, songeur, soucieux, soupçonneux, souriant, sournois, stupide, supérieur, suppliant, surpris, taciturne, taquin, tendre, terrible, timide, tragique, tranquille, triomphal, triomphant, triste, vague, vainqueur, vaniteux, vénérable, vexé, victorieux, vieilli, vif, violent. *Afficher, arborer, avoir, prendre, se donner un ~ (+ adj.); ajouter, dire, faire, ricaner d'un ~ (+ adj.); avoir l'~ (+ adj.).* ♦(opéra, mélodie) agréable, à la mode, allègre, cadencé, célèbre, chantant, compliqué, (in)connu, doux, enjoué, entraînant, envoûtant, gai, joyeux, lancinant, langoureux, lent, mélancolique, mélodieux, monotone, obsédant, plat, populaire, rapide, rythmé, saccadé, simple, triste. *Apprendre, chanter, composer, écrire, entonner, exécuter, fredonner, jouer, massacrer, noter, pianoter, rabâcher, retenir, savoir, siffler, siffloter, tapoter, toucher un ~.*

AISANCE (facilité) avérée, charmante, certaine, complète, confondante, consommée, croissante, déconcertante, déroutante, époustouflante, extraordinaire, folle, impressionnante, incomparable, inégalée, légère, magistrale, merveilleuse, minimale, naturelle, parfaite, prodigieuse, rare, rassurante, redoutable, réelle, relative, remarquable, stupéfiante, (in)suffisante, totale. *Acquérir, avoir, développer, manifester, posséder une ~ (+ adj.); faire preuve d'une ~ (+ adj.); acquérir, avoir de l'~; manquer d'~.* ♦ (richesse) certaine, considérable, enviable, frugale, grande, honnête, honorable, large, médiocre, modeste, moyenne, notable, provocante, raisonnable, relative, respectable, riche, (in)suffisante. *Acquérir, afficher, avoir, posséder une ~ (+ adj.); jouir d'une ~ (+ adj.); vivre dans une ~ (+ adj.).*

AISE *Être, (se) mettre qqn, vivre à l'/son ~; aimer, avoir, prendre ses ~s; combler qqn, être transporté, remplir qqn, rougir, se pâmer, se trémousser, soupirer, sourire, tressaillir d'~.*

AJOUT bienvenu, considérable, (mal)heureux, important, indispensable, intéressant, judicieux, majeur, mineur, minime, (in)opportun, pertinent, positif, précieux, significatif, simple, superflu, (in)utile. *Constituer, être, représenter un ~ (+ adj.); apporter, effectuer, faire un ~; procéder à un ~.*

AJUSTEMENT approprié, (in)complet, constant, (in)correct, difficile, facile, fin, majeur, méticuleux, mineur, ponctuel, préalable, (im)précis, satisfaisant. *Effectuer, nécessiter, opérer, réaliser, subir un ~; procéder à un ~.*

ALARME faible, forte, stridente, tonitruante. *Actionner, déclencher, programmer, provoquer, régler une ~; déclencher, donner, jeter, répandre, sonner l'~.* Une ~ intervient, résonne, retentit, s'active, se produit, sonne.

ALBUM (~ de photos, etc.) gros, jauni, mince, poussiéreux, vieil, volumineux. *Constituer, faire, (re)fermer, feuilleter, (r)ouvrir, réaliser, regarder un ~.* ♦ (~ de musique) abouti, bel, décevant, inspiré, mauvais, médiocre, mûr, original, piètre, prometteur, raté, remarquable, réussi. *Composer, écouter, enregistrer, lancer, produire, réaliser, sortir un ~.*

ALCOOL aromatique, doux, dur, faible, fort, frelaté, fruité, léger, puissant, pur, rude, sec, vieilli, vigoureux. *Aimer, arrêter, éviter, supporter l'~; renoncer, toucher à l'~; en finir, être en difficulté avec l'~; abuser, se libérer, sortir de l'~; être abruti/intoxiqué/miné par l'~; être porté sur l'~; conduire, être sous l'effet/emprise de l'~; boire, consommer, ingurgiter de l'~.*

ALCOOLISME aigu, chronique, débridé, excessif, héréditaire, mondain, professionnel, profond, solitaire. *Combattre, prévenir l'~; s'adonner à l'~; lutter contre l'~; sombrer dans l'~; être victime, souffrir de l'~.*

ALERTE élevée, faible, fiable, fausse, forte, générale, immédiate, jaune, maximale, minimale, moyenne, orange, pressante, renforcée, rouge, sérieuse, simulée. *(ré)Activer, déclencher, décréter, donner, émettre, envoyer, lancer, recevoir, sonner, suspendre une ~; donner, sonner l'~; être (placé) en ~.* L'~ dure, est levée/ maintenue, retentit.

ALIBI (in)acceptable, bon, (in)contrôlable, dérisoire, exact, excellent, fabriqué, faux, inattaquable, incontestable, irrecevable, mauvais, parfait, rêvé, sérieux, solide. *Avoir, chercher, contester, contrôler, établir, (se) fabriquer, (se) forger, fournir, inventer, invoquer, plaider, produire, prouver, vérifier un ~; s'accrocher à un ~; se réfugier derrière un ~; se justifier par un ~; servir d'~; être sans ~.*

ALIMENT amer, appétissant, chaud, complémentaire, (in)complet, complexe, congelé, cru, cuit, déshydraté, diététique, (in)digeste, doux, dur, entier, épais, équilibré, essentiel, fade, fin, frais, froid, fumé, gras, grossier, idéal, indispensable, insipide, léger, liquide, lourd, maigre, naturel, nourrissant, nutritif, pauvre, poivré, rafraîchissant, riche, sain, salé, savoureux, sec, séché, simple, solide, substantiel, sucré, surgelé, tendre, tiède, varié. *Apprécier, apprêter, conserver, consommer, (faire) cuire, cuisiner, déguster, détester, goûter, griller, manger, prendre, préparer, réchauffer, refroidir, servir un ~.*

ALIMENTATION (in)adaptée, (in)adéquate, (in)appropriée, bonne, (in)correcte, diversifiée, écologique, (dés)équilibrée, idéale, légère, liquide, lourde, mauvaise, pauvre, riche, (mal)saine, savoureuse, simple, solide, (in)suffisante, variée. *Changer, contrôler, diversifier, équilibrer, modifier, négliger, restreindre, soigner, surveiller, varier son ~.*

ALLÉE agréable, caillouteé, circulaire, courbe, courte, couverte, droite, étroite, grande, herbeuse, large, longue, monumentale, ombragée, ratissée, rectiligne, sablonneuse, silencieuse, sinueuse, sombre, spacieuse, tournante. *Arpenter, descendre, emprunter, longer, monter, prendre, suivre, traverser une ~; s'engager, se promener dans une ~; circuler sur une ~.*

ALLERGIE aiguë, banale, bénigne, chronique, durable, foudroyante, fugace, grave, légère, passagère, rare, sévère. *Avoir, causer, contracter, déclencher, développer, engendrer, éprouver, faire, présenter, provoquer, traiter une ~; être atteint/ victime, souffrir d'une ~.* Une ~ apparaît, disparaît, se manifeste.

ALLIANCE chaotique, durable, élargie, étroite, ferme, floue, forcée, forte, fragile, implicite, importante, indéfectible, inégale, intime, monstrueuse, naturelle, permanente, précaire, provisoire, réussie, secrète, solide, stratégique, tacite, tactique, tumultueuse, vague. *Bâtir, briser, cimenter, conclure, consolider, constituer, contracter, dissoudre, étudier, faire, fonder, forger, former, (re)nouer, quitter, réaliser, renforcer, resserrer, rompre, sceller, signer une ~; adhérer, participer, prendre part, renoncer à une ~; entrer, s'engager dans une ~; se dégager, sortir d'une ~.* Une ~ se développe, se disloque, s'effrite, se forme, se réalise.

ALLIÉ, IÉE ambigu, bon, capital, clé, dévoué, difficile, (in)docile, (in)efficace, empressé, encombrant, essentiel, éternel, faible, fervent, fiable, fidèle, formidable, fort, grand, historique, idéal, important, inattendu, inconditionnel, indéfectible, indispensable, inespéré, (dé)loyal, majeur, naturel, objectif, obligé, ombrageux, perfide, précieux, privilégié, proche, puissant, récalcitrant, redoutable, solide, stratégique, sûr, tiède, traditionnel, utile, vital. *Chercher, perdre, posséder, se faire, trouver un ~; disposer d'un ~.*

ALLOCATION confortable, généreuse, grosse, maigre, modeste, substantielle. *Accorder, consentir, demander, donner, obtenir, octroyer, percevoir, recevoir, réduire, supprimer, verser, toucher une ~; avoir droit, être admissible à une ~; bénéficier d'une ~.*

ALLOCUTION applaudie, brève, enflammée, grande, interminable, longue, musclée, percutante, remarquée, savoureuse, solennelle, terne, touchante, vibrante. *Adresser, composer, donner, écouter, écrire, entendre, faire, improviser, préparer, présenter, prononcer une ~.*

ALLUMETTE *Allumer, (faire) craquer, enflammer, éteindre, faire briller/flamber, frotter, gratter, souffler une ~.*

ALLURE (vitesse) accélérée, affolante, (in)appropriée, débridée, cadencée, (in)confortable, considérable, constante, correcte, (dé)croissante, dangereuse, difficile, dynamique, effarante, effrayante, (in)égale, élevée, exagérée, excessive, extrême, faible, fatigante, ferme, folle, forcenée, forte, fougueuse, fulgurante, grande, infernale, inouïe, intense, légère, lente, lourde, maximale, minimale, modérée, modeste, (a)normale, palpitante, persistante, prudente, rapide, réduite, (ir)régulière, respectable, saccadée, soutenue, stable, stupéfiante, (in)suffisante, trépidante, vertigineuse, vive. *Acquérir, adopter, conserver, garder, maintenir, prendre, soutenir, tenir une ~ (+ adj.); accélérer, augmenter, conserver, forcer, garder, maintenir, modérer, précipiter, ralentir, réduire, soutenir l'/son ~; aller, augmenter, avancer, conduire, courir, diminuer, évoluer, filer, fonctionner, marcher, nager, progresser, rouler, s'effectuer, travailler à une ~ (+ adj.); changer d'~.* ♦(démarche, prestance, comportement) allègre, altière, (in)appropriée, assurée, austère, bizarre, (in)correcte, décidée, décontractée, dégagée, délicate, désinvolte, discrète, digne, distinguée, drôle, dynamique, effrayante, effrontée, élancée, (in)élégante, équivoque, étrange, familière, fanfaronne, féroce, fière, fluette, folle, fragile, grave, grotesque, harmonieuse, hésitante, hideuse, impeccable, imposante, jeune, légère, lente, louche, lourde, majestueuse, martiale, mesurée, moderne, modeste, négligée, noble, paisible, paresseuse, pesante, piètre, piteuse, posée, prompte, raide, respectable, sage, singulière, souple, spontanée, sportive, suspecte, triste, vilaine, vulgaire. *Adopter, afficher, avoir, conserver, donner, garder, posséder, prendre, présenter une ~ (+ adj.); avoir l'~ (+ adj.); avoir de l'~; changer d'~.*

ALLUSION ambiguë, amicale, apparente, bienveillante, blessante, brève, (in)certaine, claire, courte, cruelle, dangereuse, délicate, déplacée, désobligeante, (in)directe, discrète, énigmatique, équivoque, évidente, explicite, fausse, fine, flatteuse, franche, froide, fugitive, gênante, (mal)heureuse, implicite, ingénieuse, insipide, ironique, juste, légère, limpide, lourde, malencontreuse, malveillante, méchante, naturelle, obscure, osée, perfide, personnelle, piquante, (dé)plaisante, polie, polissonne, (im)précise, rapide, réconfortante, sarcastique, subtile, timide, transparente, voilée. *Comprendre, faire, glisser, relever, risquer, saisir une ~; parler par ~s.*

ALPHABET caractéristique, complexe, compliqué, difficile, facile, indéchiffrable, mystérieux, (dés)ordonné, propre, riche, simple, simplifié, spécial, unique, universel, usuel. *Apprendre, constituer, créer, écrire, établir, imaginer, inventer, lire, maîtriser un ~.*

ALPINISME estival, glaciaire, hivernal, solitaire. *Pratiquer l'~; faire de l'~.*

ALPINISTE accompli, aguerri, amateur, audacieux, bon, chevronné, confirmé, débutant, (in)expérimenté, intrépide, (im)prudent. Un ~ escalade, gravit, grimpe, monte, progresse, redescend.

ALTERCATION banale, brusque, courte, dure, faible, légère, mineure, sanglante, violente, vive. *Avoir, provoquer une ~; être mêlé, mettre fin, participer, se livrer, s'exposer à une ~; être impliqué dans une ~; dégénérer, tourner en ~.* Une ~ a lieu, commence, dégénère, éclate, intervient, monte, prend fin, s'élève, s'ensuit, se produit, survient.

ALTERMONDIALISATION civilisée, démocratique, égalitaire, intelligente, rationnelle, responsable, solidaire.

ALTERNATIVE affreuse, (in)acceptable, (in)adéquate, (in)appropriée, attrayante, compliquée, concrète, convaincante, crédible, cruelle, définitive, difficile, douloureuse, efficace, embarrassante, extrême, fâcheuse, fausse, grave, (mal)heureuse, incontournable, ingénieuse, intelligente, intéressante, originale, pertinente, (im)possible, pratique, raisonnable, rapide, rationnelle, réaliste, redoutable, réelle, réjouissante, (in)satisfaisante, séduisante, sensée, sérieuse, significative, simple, temporaire, terrible, traditionnelle, tragique, valable, viable, vraie. *Chercher, constituer, donner, élaborer, envisager, fournir, imposer, laisser, offrir, préparer, présenter, proposer, représenter, suggérer, trouver une ~; être, se mettre dans une ~; être, (se) placer qqn, se trouver devant une ~; être confronté, se trouver face à une ~.* Une ~ apparaît, émerge, existe, se présente, s'offre.

ALTITUDE basse, considérable, constante, critique, élevée, faible, haute, maximale, minimale, modeste, moyenne. *Gagner, perdre, prendre de l'~; descendre d'~; être, habiter, monter, séjourner, vivre en ~.*

AMABILITÉ charmante, coutumière, désarmante, douteuse, étonnante, exceptionnelle, excessive, exemplaire, exquise, extérieure, extrême, factice, forcée, généreuse, grande, (in)habituelle, hypocrite, incomparable, indéfectible, permanente, profonde, rare, remarquable, simulée, souriante, spontanée, suprême, suspecte, vraie. *Être, faire preuve d'une ~ (+ adj.); débiter, (se) dire, échanger, (se) faire des ~s; être plein, faire preuve, manquer d'~; rivaliser d'~s.*

AMAIGRISSEMENT brutal, chronique, considérable, continu, durable, efficace, excessif, extrême, faible, fort, général, généralisé, global, harmonieux, important, inexpliqué, insignifiant, intense, léger, lent, limité, local, localisé, majeur, marqué, modéré, progressif, prononcé, rapide, sévère, significatif, soudain, spectaculaire, (in)volontaire. *Assurer, avoir, entraîner, espérer, favoriser, obtenir, permettre, présenter, provoquer, subir un ~ (+ adj.).*

AMANT, ANTE adoré, aimable, ardent, attentionné, banal, blasé, capricieux, comblé, déçu, dépité, dévoué, discret, distant, doux, ennuyeux, exceptionnel, exigeant, (in)expérimenté, extraordinaire, (in)fidèle, fiévreux, frivole, frustré, galant, (mal)heureux, inconstant, jaloux, lamentable, langoureux, médiocre, novice, parfait, passionné, patient, piètre, piteux, sérieux, sincère, tendre, timide, trahi, trompé, viril, volage. *Avoir, conserver, prendre, quitter, rechercher, trouver un ~.*

AMARRE grande, grosse, longue, tendue, tenue. *Accrocher, attacher, attraper, briser, défaire, détacher, envoyer, fixer, jeter, lancer, larguer, mouiller, recevoir, remonter, rompre, saisir, tirer une ~; attacher, lier, retenir avec une ~; se saisir d'une ~.*

AMAS bizarre, chaotique, compact, confus, considérable, curieux, dense, diffus, encombrant, énorme, faible, flou, grand, hétéroclite, immense, important, incohérent, indicible, informe, long, massif, monstrueux, (dés)ordonné, pauvre, (ir)régulier, riche. *Accumuler, constituer, (dé)faire, former un ~.*

AMATEUR (collectionneur) averti, avisé, compulsif, cultivé, distingué, éclairé, enthousiaste, exercé, fanatique, fidèle, frénétique, invétéré, grand, passionné, raffiné, réputé, riche, véritable, vrai. ♦ (non-professionnel) aguerri, ardent, averti, avisé, chevronné, débutant, désinvolte, doué, exigeant, expérimenté, honnête, négligent, sérieux, simple, soigneux.

AMBASSADE *Construire, diriger, édifier, établir, fermer, (r)ouvrir une ~; s'adresser à une ~; communiquer avec une ~; se réfugier, travailler dans une ~; manifester devant une ~; aller, se présenter, se rendre à l'~.*

AMBASSADEUR, DRICE attitré, itinérant, (extra)ordinaire, résidant. *Accréditer, affecter, désigner, nommer, rappeler, renvoyer un ~.*

AMBIANCE accueillante, agitée, (dés)agréable, angoissante, animée, apaisante, austère, authentique, bigarrée, bonne, bruyante, calme, chaleureuse, chaude, consensuelle, conviviale, crispée, débridée, décontractée, délirante, déprimée, détendue, détestable, difficile, douce, électrique, enfiévrée, épouvantable, étrange, euphorique, exceptionnelle, excitée, factice, faible, (dé)favorable, fébrile, féerique, festive, feutrée, folle, forte, froide, glaciale, grave, harmonieuse, heureuse, hostile, houleuse, idéale, impressionnante, indifférente, inquiétante, joyeuse, légère, lourde, ludique, lugubre, macabre, magique, mauvaise, morose, négative, nonchalante, oppressante, palpitante, parfaite, particulière, pauvre, pesante, positive, préoccupante, raffinée, rassurante, relaxante, réussie, (mal)saine, sereine, sérieuse, simple, solennelle, sordide, surchauffée, survoltée, sympathique, tendue, tonique, torride, trépidante, triste, tumultueuse, unique, vibrante, vivante, vivifiante. *Apporter, (re)créer, dégager, donner, installer, mettre, (re)produire, rendre, restituer une ~ (+ adj.); réchauffer,* *refroidir, relever l'~; se mettre dans l'~; mettre de l'~; manquer d'~.* Une ~ règne, se crée, s'installe, subsiste, tombe.

AMBIGUÏTÉ certaine, douteuse, énigmatique, énorme, étrange, évidente, fâcheuse, fondamentale, grande, immense, indéniable, insoluble, majeure, malsaine, particulière, profonde, subtile, totale, volontaire, voulue. *Comporter, créer, dissiper, éliminer, entretenir, laisser planer/subsister, lever, maintenir, provoquer, réduire, régler, résoudre, ressentir une ~; se heurter à une ~.* Une ~ apparaît, demeure, disparaît, existe, perdure, règne, reste, se crée, s'installe, subsiste, tombe.

AMBITION accrue, aigrie, ardente, brûlante, conquérante, contrariée, déchaînée, déguisée, délirante, dévorante, effrénée, égoïste, éhontée, élevée, envahissante, exagérée, exaspérée, excessive, folle, forte, frustrée, généreuse, grande, grandiose, haute, héroïque, (mal)honnête, immense, impérieuse, incontestable, inquiète, insatiable, insensée, intense, juste, (il)légitime, (il)limitée, lointaine, louable, majeure, manifeste, médiocre, (dé)mesurée, (im)modérée, modeste, naissante, noble, obstinée, persévérante, profonde, secrète, tenace, utopique, vaste. *Afficher, assouvir, avoir, caresser, contrecarrer, créer, nourrir, réaliser, susciter une ~ (+ adj.); faire preuve d'une ~ (+ adj.); être animé/dévoré/possédé/poussé/rongé/torturé par l'~; borner, couronner, limiter, modérer ses ~s; être insatiable/modéré dans ses ~s; brûler, manquer d'~.* Une ~ se confirme, se réalise.

AMBULANCE *Appeler, faire venir une ~; être évacué par une ~; être amené/évacué/transporté en ~.*

AMÉLIORATION absolue, apparente, (in)attendue, brusque, (in)complète, concrète, considérable, constante, continue, décisive, drastique, durable, effective, énorme, (in)espérée, évidente, faible, fondamentale, forte, frappante, globale, graduelle, grande, immédiate, immense, importante, impressionnante, incontestable, incroyable, indéniable, indispensable, légère, lente, limitée, majeure, marquée, maximale, mineure, minimale, minime, modeste, nécessaire, nette, notable, notoire, optimale, partielle, passagère, (im)perceptible, permanente, profonde, progressive, radicale, rapide, réelle, relative, remarquable, satisfaisante, sensible, sérieuse, significative, soudaine, souhaitable, spectaculaire, subite, substantielle, subtile, (in)suffisante, superficielle, tangible, timide, totale, transitoire, urgente, utile, visible. *Amener, apporter, connaître, constater, faire, noter, observer, opérer, réaliser, recevoir, subir une ~; bénéficier d'une ~.* Une ~ a lieu, apparaît, intervient, se fait sentir, se produit, s'impose, s'opère, survient.

AMENDE considérable, élevée, énorme, exemplaire, faible, forte, grosse, légère, lourde, modérée, réduite, salée, substantielle, symbolique. *Acquitter, coller, donner, encourir, entraîner, imposer, infliger, payer, risquer une ~; écoper, être passible, s'acquitter d'une ~.*

AMERTUME (<u>*âcreté, aigreur*</u>) âcre, (dés)agréable, caractéristique, discrète, douce, faible, forte, grosse, intense, légère, longue, marquée, modérée, persistance, prononcée, subtile, tenace. *Atténuer, supprimer l'~.* ♦ (<u>*déception, tristesse*</u>) apparente, brève, certaine, contenue, désespérée, dissimulée, douce, énorme, grande, grosse, immense, indicible, infinie, insurmontable, intense, justifiée, légère, légitime, perceptible, persistante, profonde, refoulée, résignée, sceptique, sourde, tenace, terrible, vive. *Adoucir, atténuer, tempérer l'~ de (un échec, etc.); éprouver, exprimer, nourrir, provoquer, ressentir, sentir de l'~; crever, déborder, être rempli d'~.*

AMEUBLEMENT agréable, ancien, assorti, austère, bel, classique, complet, confortable, contemporain, désuet, élégant, fonctionnel, harmonieux, hétéroclite, inutile, luxueux, minimaliste, moderne, modeste, pauvre, prétentieux, raffiné, recherché, riche, rudimentaire, rustique, sobre, soigné, sommaire, somptueux, (in)suffisant, traditionnel. *Avoir, posséder un ~ (+ adj.); disposer, être équipé/pourvu d'un ~ (+ adj.).*

AMI, IE affectueux, aimable, ancien, bienfaisant, bienveillant, bon, charitable, charmant, cher, commun, complaisant, cordial, délicat, désintéressé, dévoué, discret, disponible, doux, éprouvé, excellent, faux, fervent, fiable, (in)fidèle, franc, fraternel, généreux, grand, idéal, imaginaire, inappréciable, inconditionnel, indéfectible, indulgent, influent, inoubliable, intime, irremplaçable, irréprochable, (dé)loyal, nouvel, parfait, particulier, personnel, précieux, rassurant, réservé, rêvé, sincère, solide, suprême, sûr, tendre, tiède, total, véritable, vieil, vrai. *Accueillir, aider, avoir, étreindre, fréquenter, perdre, posséder, réconforter, rencontrer, secourir, se faire, trahir, tromper, (re)trouver un ~; faire appel, recourir à un ~; renouer, se brouiller, se disputer avec un ~; être, rester entre ~s; être sans ~.*

AMITIÉ absolue, affectueuse, ambiguë, amoureuse, ancienne, ardente, attentive, aveugle, bienveillante, bonne, capricieuse, chaleureuse, charmante, chaude, confidentielle, constante, cordiale, douteuse, durable, entière, éprouvée, éternelle, étouffante, étroite, excessive, exclusive, exigeante, extrême, faible, fausse, feinte, ferme, fervente, (in)fidèle, forte, franche, fraternelle, fructueuse, grande, immense, immortelle, impérissable, inappréciable, inconditionnelle, indéfectible, indestructible, indissoluble, inébranlable, innocente, intense, (dés)intéressée, intime, jalouse, longue, mutuelle, naissante, parfaite, partagée, particulière, passagère, passionnée, persévérante, platonique, pointilleuse, possessive, précieuse, profonde, pure, rare, réciproque, respectueuse, secourable, sentimentale, sérieuse, simulée, sincère, solide, soutenue, sûre, susceptible, suspecte, tendre, tiède, touchante, tourmentée, trompeuse, tumultueuse, véritable, vieille, vive, vraie. *Acquérir, briser, cimenter, (re)conquérir, conserver, consolider, cultiver, entretenir, éprouver, fortifier, gagner, garder, manifester, marquer, mériter, (re)nouer, nourrir, obtenir, offrir, perdre, resserrer, retrouver, rompre, ruiner, sceller, trahir une/l' ~; renoncer, répondre à une/l'~; avoir, donner, éprouver, inspirer, manifester, marquer, montrer de l'~; accorder, prouver, témoigner son ~; déborder, faire preuve, se lier, se prendre d'~.* Une ~ croît, dure, grandit, meurt, (re)naît, s'approfondit, se noue, s'établit, s'éteint, s'intensifie, subsiste.

AMNÉSIE aiguë, bénigne, brutale, complète, forte, grave, légère, modérée, momentanée, partielle, profonde, progressive, réelle, sévère, soudaine, subite, temporaire, totale. *Avoir, causer, entraîner, produire, provoquer, subir une ~; être atteint/frappé, souffrir d'~.*

AMNISTIE large, partielle, totale, vaste. *Accorder, annoncer, décréter, faire, garantir, octroyer, promulguer, proposer, réclamer, refuser, voter une ~; procéder à une ~; bénéficier d'une ~.*

AMOUR absolu, ancien, ardent, aveugle, brûlant, compliqué, (in)constant, contrarié, déçu, démesuré, désespéré, despotique, difficile, discret, durable, effréné, entier, éperdu, éphémère, éternel, étrange, excessif, exclusif, exigeant, faible, fanatique, fatal, fervent, (in)fidèle, fort, fou, fragile, frénétique, frivole, fugitif, fusionnel, grand, (mal)heureux, idéal, idyllique, immense, immortel, impérissable, impétueux, inassouvi, inatteignable, inconditionnel, indéfectible, indéfinissable, indestructible, ineffable, inépuisable, infini, innocent, inquiet, insatiable, intense, (dés)intéressé, irrésistible, jaloux, jeune, lascif, libre, maladif, (im)modéré, mutuel, naïf, naissant, normal, opiniâtre, paisible, (im)parfait, partagé, passager, passionné, perdu, platonique, (im)possible, précieux, précoce, profond, pur, raffiné, (dé)raisonnable, raté, réciproque, respectueux, réussi, romantique, satisfaisant, secret, (in)sensé, sensuel, sentimental, sincère, solide, solitaire, spontané, subit, tenace, tendre, tiède, total, tourmenté, tragique, tranquille, transi, unique, véritable, vif, violent. *Avoir, connaître, éprouver, inspirer, ressentir, sentir, susciter, vivre un ~ (+ adj.); connaître, (re)conquérir, entretenir, faire, rayonner, rencontrer, simuler l'~; croire, naître, renoncer, résister, répondre, s'abandonner, s'adonner, se livrer à l'~; avoir, donner, éprouver, inspirer, recevoir, ressentir, sentir, susciter de l'~ ; avouer, cacher, déclarer, dire, donner, entretenir, exprimer, prouver, renforcer son ~; aimer, brûler, languir, mourir, soupirer d'~; vivre sans ~.* Un ~ croît, décline, dure, froidit, grandit, meurt, (re)naît, passe, s'approfondit, s'attiédit, s'éteint, s'intensifie, subsiste.

AMOUREUX, EUSE (mal)adroit, ardent, bafoué, blessé, charmant, comblé, conquérant, déçu, délicat, désespéré, éconduit, éperdu, épris, fervent, (in)fidèle, fou, fougueux, frénétique, (mal)heureux, inconditionnel, intempestif, jaloux, languissant, parfait, passionné, possessif, rebuté, romantique, sincère, solitaire, tendre, timide, tourmenté, transi, vieil. *Avoir, chercher, perdre, remplacer, trouver un ~.*

AMOUR-PROPRE blessé, chatouilleux, colossal, démesuré, effréné, énorme, équilibré, exagéré, excessif, faible, flatté, froissé, humilié, immense, incommensurable, juste, légitime, offensé, ombrageux, révolté, (mal)sain, satisfait, solide, susceptible. *Avoir, montrer, posséder un ~ (+ adj.); être doté, faire preuve d'un ~ (+ adj.); blesser, chatouiller, écorcher, flatter, froisser, heurter, humilier, irriter, ménager, offenser, piquer, révolter, satisfaire, stimuler l'~; être bouffi/dénué/dépourvu/exempt/plein/rempli d'~.*

AMPLEUR alarmante, catastrophique, colossale, considérable, croissante, dramatique, effrayante, exceptionnelle, excessive, extraordinaire, faible, forte, grande, (in)habituelle, importante, impressionnante, inattendue, inconcevable, inédite, inégalée, inespérée, inimaginable, inouïe, inquiétante, insoupçonnée, (in)justifiée, large, (il)limitée, (dé)mesurée, maximale, minimale, modeste, monumentale, modeste, moyenne, négligeable, notable, particulière, phénoménale, préoccupante, (dis)proportionnée, rare, réduite, réelle, remarquable, sans précédent, (in)suffisante, surprenante, unique, vaste. *Atteindre, avoir, connaître, posséder, prendre, revêtir une ~ (+ adj.); être d'une ~ (+ adj.); accroître, constater, déterminer, diminuer, estimer, établir, évaluer, exagérer, limiter, mesurer, relativiser, saisir, sous-estimer, souligner, surestimer l' ~; donner, perdre, prendre de l'~; manquer d'~.*

AMPLI(FICATEUR) bon, défaillant, faible, puissant, tonitruant.

AMPLITUDE absolue, accrue, apparente, arbitraire, basse, considérable, constante, convenable, correcte, courte, élevée, étonnante, exceptionnelle, faible, fixe, formidable, forte, grande, haute, importante, inouïe, limitée, longue, maximale, minimale, modérée, moyenne, négligeable, notable, oscillante, réduite, réelle, réglable, relative, (in)suffisante, totale, variable. *Acquérir, atteindre, avoir, conserver, donner, garder, obtenir, posséder, produire une ~ (+ adj.); accroître, augmenter, diminuer, réduire l'~.*

AMPOULE (~ *électrique*) allumée, bonne, défectueuse, éteinte, faible, grillée, mauvaise, neuve, nue, ordinaire, puissante, spéciale, standard. *Allumer, changer, enlever, éteindre, fixer, installer, remplacer, (dé)visser une ~*. Une ~ brille, éclaire, fonctionne, grésille, grille, s'allume, s'éteint. ♦(*Médecine*) bénigne, crevée, douloureuse, énorme, fermée, grosse, infectée, minuscule, ouverte. *Désinfecter, percer, soigner, traiter une ~; souffrir d'une ~.*

AMUSEMENT agréable, banal, bénin, bref, charmant, créatif, dangereux, débile, doux, érudit, extraordinaire, facile, frivole, futile, innocent, inoffensif, instructif, intéressant, léger, mondain, passager, permanent, plaisant, populaire, puéril, pur, rafraîchissant, récréatif, reposant, sain, sérieux, simple, stupide, superficiel, (in)utile, vain. *Assurer, devenir, être, procurer, rechercher, trouver un ~.*

AN accompli, dernier, écoulé, nouvel, passé, révolu.

ANACHRONISME amusant, choquant, évident, flagrant, frappant, grave, gros, grossier, léger, majeur, malheureux, mineur, ridicule, (in)volontaire. *Commettre, employer, noter, relever, signaler, utiliser un ~; accumuler, éviter, multiplier les ~s .*

ANALOGIE absolue, adéquate, appropriée, (in)complète, curieuse, étroite, évidente, (in)exacte, fondamentale, frappante, juste (im)parfaite, plausible, profonde, remarquable, saisissante, sensible, troublante. *Constater, établir, offrir, présenter, trouver, utiliser une ~*. Une ~ existe, s'aperçoit, se voit.

ANALPHABÉTISME accru, alarmant, élevé, galopant, généralisé, important, massif, notoire, persistant, record, répandu. *Combattre, diminuer, éliminer, éradiquer, faire reculer, prévenir, réduire, vaincre l'~; lutter contre l'~*. L' ~ recule, progresse, régresse.

ANALYSE approfondie, biaisée, bonne, brillante, comparative, complémentaire, (in)complète, complexe, critique, dense, détaillée, erronée, étroite, (in)exacte, exhaustive, fiable, fine, fondée, fouillée, froide, grossière, impitoyable, informée, laborieuse, lucide, méticuleuse, minutieuse, nuancée, objective, optimiste, (im)partiale, patiente, percutante, pertinente, pessimiste, pointilleuse, pointue, ponctuelle, poussée, (im)précise, préliminaire, profonde, prudente, rapide, réussie, rigoureuse, scrupuleuse, sérieuse, serrée, simple, soignée, solide, sommaire, subtile, succincte, superficielle, systématique. *Commencer, conduire, dresser, effectuer, entreprendre, établir, faire, mener, réaliser, subir une ~; procéder, se livrer à une ~; faire l'objet d'une ~.*

ANARCHIE absolue, apparente, chronique, complète, dangereuse, entretenue, épouvantable, extrême, générale, grandissante, incontrôlée, indescriptible, inacceptable, invraisemblable, préparée, profonde, spontanée, terrible, totale, tumultueuse, violente. *Déclencher, entretenir, provoquer, réprimer, semer, susciter l'~; se livrer à l'~; être plongé, s'installer, sombrer, tomber, vivre dans l'~; sortir de l'~.* L'~ prévaut, règne, s'installe, s'instaure.

ANCÊTRE ancien, célèbre, certain, commun, (in)connu, (in)direct, éloigné, hypothétique, illustre, lointain, oublié, plausible, probable, proche, récent, supposé, unique. *Chercher, rechercher, retracer, trouver un ~.*

ANCRE *Jeter, hisser, laisser tomber, lever, mettre, mouiller, relever, remonter, rentrer, virer l'~; être, mettre à l'~.*

ANECDOTE amusante, banale, célèbre, cocasse, croustillante, curieuse, délicieuse, drôle, fausse, grivoise, intéressante, légère, marrante, piquante, plaisante, révélatrice, rigolote, rudimentaire, salace, salée, savoureuse, singulière, truculente, usée, véridique, vraie, (in)vraisemblable. *Citer, conter, livrer, raconter, rappeler, rapporter, relater, se remémorer une ~; se souvenir d'une ~.*

ANGLAIS admirable, appliqué, approximatif, authentique, chantant, charmant, clair, (in)compréhensible, (in)correct, coulant, déplorable, distingué, douteux, épouvantable, excellent, facile, fluide, fondamental, formel, hésitant, horrible, idiomatique, impeccable, incertain, laborieux, limité, mauvais, médiocre, (im)parfait, rudimentaire, simple, sobre, standard. *Parler un ~ (+ adj.); écrire, raconter, rédiger, s'exprimer dans un ~ (+ adj.); apprendre, balbutier, baragouiner, comprendre, connaître, écorcher, estropier, lire, maîtriser, parler, savoir l'~; se mettre à l'~; améliorer, entretenir, parfaire, peaufiner, travailler son ~; être à l'aise/faible/fort/nul, faire des progrès, se débrouiller, s'entretenir, se perfectionner, s'exprimer en ~; parler ~.*

ANGLE (en général) adjacent, aigu, droit, élargi, étroit, faible, fort, grand, important, large, obtus, plat, réduit, rentrant, saillant, vif. *Faire, former, mesurer, obtenir un ~; être en ~; faire ~ avec (une rue, etc.).* ♦(aspect, point de vue) certain, différent, (dé)favorable, inattendu, inédit, négatif, neuf, nouveau, objectif, original, particulier, positif, rare, unique. *Aborder, considérer, envisager, traiter, voir sous un ~ (+ adj.).*

ANGLICISME abusif, barbare, contesté, courant, critiqué, fautif, faux, gros, grossier, inélégant, intolérable, inutile, laid, nécessaire, récent, répandu, superflu, tenace, toléré. *Commettre, constituer, employer, être, utiliser un ~.*

ANGOISSE affreuse, atroce, brève, confuse, contenue, courte, diffuse, effroyable, énorme, étrange, exagérée, existentielle, extrême, folle, grave, horrible, indéfinissable, indescriptible, indicible, inexprimable, insidieuse, insoutenable, insupportable, intolérable, (in)justifiée, légère, longue, lourde, maladive, morbide, mortelle, (im)perceptible, permanente, perpétuelle, profonde, récente, soudaine, sourde, subite, subtile, terrible, vague, vieille, (in)visible. *Avoir une ~ (+ adj.); souffrir d'une ~ (+ adj.); alléger, apaiser, augmenter, calmer, causer, combattre, communiquer, connaître, éprouver, provoquer, secouer, susciter l' ~; être en proie à l' ~; attendre, vivre dans l'~; causer, éprouver, provoquer, susciter de l'~; être fou/plein/rempli/saisi, frémir, frissonner, grelotter, suer, transpirer d'~.* Une ~ apparaît, disparaît, grandit, monte, règne, s'atténue, se calme, se manifeste, s'intensifie, surgit, taraude, tenaille, torture.

ANIMAL affamé, affectueux, agile, agressif, apprivoisé, attachant, avide, bel, bizarre, bon, calme, capricieux, caressant, craintif, criard, cruel, dangereux, (in)docile, (in)domptable, (in)dompté, doux, dressé, élégant, faible, famélique, farouche, fascinant, féroce, fidèle, fin, fort, fougueux, frêle, furieux, géant, gentil, gigantesque, glouton, gracieux, gras, grégaire, impétueux, industrieux, infatigable, inoffensif, intelligent, jeune, laid, large, léger, lent, long, lourd, magnifique, maigre, maladroit, malfaisant, massif, mauvais, méchant, minuscule, nerveux, noble, nonchalant, nuisible, obéissant, paisible, paresseux, pataud, pelé, peureux, (mal)propre, puissant, racé, rapide, rebelle, redoutable, rétif, robuste, rusé, sanguinaire, sauvage, sobre, sociable, solide, solitaire, sot, squelettique, stupide, superbe, svelte, timide, trapu, utile, vaillant, vieil, vigoureux, vif, vorace. *Amadouer, appeler, apprivoiser, attraper, bichonner, calmer, caresser, chasser, domestiquer, dompter, dresser, effaroucher, élever, exciter, flatter, frapper, maltraiter, martyriser, (dé)museler, nourrir, recueillir, siffler, (faire) soigner, stimuler, toiletter un ~.*

ANIMATION considérable, extraordinaire, faible, forte, grande, intense, légère, piètre, réussie, spectaculaire, terne, vive. *Connaître, constater, créer, enregistrer, organiser, posséder, subir, susciter une ~ (+ adj.); assurer l'~ ; s'occuper de l'~; avoir, créer, donner, faire, mettre, susciter de l'~; manquer d'~.*

ANIMOSITÉ acharnée, considérable, contenue, croissante, dissimulée, effrénée, exagérée, extraordinaire, farouche, forte, générale, grande, incroyable, latente, légère, mutuelle, obstinée, opiniâtre, passionnée, permanente, profonde, réciproque, rentrée, sourde, tenace, totale, vieille, violente, virulente, viscérale, vivace, vive. *Avoir, déclencher, entretenir, éprouver, manifester, montrer, nourrir, ressentir, susciter, vouer une ~ (+ adj.); faire preuve d'une ~ (+ adj.); conserver, déclencher, éprouver, exprimer, manifester, nourrir, ressentir, susciter de l'~.* Une ~ existe, monte, règne, s'apaise, se crée, se fait jour, subsiste.

ANNÉE abondante, agitée, ardue, calamiteuse, calme, capitale, catastrophique, chargée, charnière, chaude, courte, cruciale, décisive, désastreuse, déterminante, difficile, dure, éprouvante, épuisante, excellente, exceptionnelle, facile, faste, folle, formidable, froide, (in)fructueuse, glorieuse, grande, grasse, grosse, importante, longue, magique, maigre, mauvaise, médiocre, mémorable, morose, mouvementée, noire, normale, occupée, (extra)ordinaire, pauvre, pénible, prospère, record, riche, rude, sinistre, sombre, terne, terrible, tragique, tumultueuse, unique, vide, vilaine. *Connaître, passer, traverser, vivre une ~ (+ adj.); amorcer, clore, entamer, entreprendre, finir, ouvrir l'~.* Une ~ achève, passe, s'écoule, s'enfuit, suit, tire/touche à sa fin; les ~s filent, s'accumulent.

ANNIVERSAIRE douloureux, (mal)heureux, important, inoubliable, joyeux, mémorable, réussi, triste. *Célébrer, commémorer, fêter, organiser, oublier, souhaiter un ~; être invité, participer, penser à un ~.*

ANNONCE classée, grande, minuscule, petite. *Diffuser, faire paraître, insérer, mettre, passer, placer, publier, retirer, supprimer une ~; répondre à une ~.*

ANOMALIE anodine, apparente, criante, curieuse, énorme, évidente, frappante, grande, grave, grosse, importante, légère, majeure, mineure, notable, regrettable, sérieuse, significative, troublante. *Comporter, constater, corriger, déceler, observer, présenter, relever, signaler une ~; remédier à une ~; souffrir d'une ~.*

ANONYMAT absolu, complet, intégral, prudent, relatif, strict, total. *Assurer, (demander à, préférer, souhaiter, vouloir) conserver, dévoiler, garantir, garder, lever, percer, préserver, rechercher, requérir, respecter, violer l' ~; échapper, retourner à l'~; rester, (re)tomber dans l'~; sortir de l'~; affirmer, déclarer, dire, écrire, parler, s'exprimer, témoigner sous (le) couvert de l'~.*

ANSE (poignée) fine, fixe, large, minuscule, mobile, rétractable. *Comporter une ~; être muni d'une ~.* ♦ (golfe) abritée, accueillante, calme, étroite, fermée, grande, immense, large, minuscule, naturelle, ouverte, profonde, protégée, sableuse, tranquille. *Arriver, faire escale, jeter l'ancre, mouiller, s'arrêter, s'installer dans une ~.*

ANTÉCÉDENT (Médecine) familial, héréditaire, personnel. *Avoir, posséder, présenter un/des ~(s).* ♦ (les ~s d'une personne) bons, douteux, excellents, fâcheux, (dé)favorables, (mal)heureux, mauvais, (in)satisfaisants, solides, variés, vastes. *Avoir, posséder, présenter, produire, rechercher, vérifier des ~s.*

ANTIDOTE bénin, efficace, excellent, faible, fort, idéal, léger, naturel, nécessaire, parfait, puissant, spécifique, sûr, universel. *Administrer, appliquer, apporter, avoir, chercher, constituer, donner, être, fournir, mettre au point, prendre, prescrire, trouver, utiliser un ~; disposer d'un ~.*

ANTIMONDIALISATION démocratique, frénétique, forcenée, intelligente, rationnelle, responsable.

ANTIPATHIE croissante, excessive, farouche, féroce, fondée, forte, générale, grande, incroyable, innée, instinctive, insurmontable, latente, légère, lourde, marquée, mutuelle, naturelle, notoire, passagère, profonde, réciproque, secrète, solide, soudaine, sourde, tenace, vieille, violente, viscérale, vive. *Avoir, concevoir, éprouver, manifester, nourrir, ressentir, témoigner une ~ (+ adj.); faire preuve d'une ~; (s')attirer l'~; avoir, éprouver, inspirer, manifester, ressentir, susciter, témoigner de l'~; afficher, surmonter, vaincre son ~.* Une ~ règne, se manifeste, s'exprime, s'installe.

ANTIQUITÉ (Histoire) basse, haute, lointaine, primitive, reculée, respectable, séculaire, tardive, vénérable, véritable. *Appartenir, remonter à une ~ (+ adj.).* ♦ (meubles anciens) fausse, rare, vraie. *Acheter, acquérir, expertiser, restaurer, vendre une ~; chasser les ~s.*

ANXIÉTÉ accentuée, affreuse, atroce, brève, croissante, cruelle, excessive, fébrile, grande, importante, inexprimable, infondée, insoutenable, insupportable, intense, intolérable, inutile, (in)justifiée, légère, légitime, modérée, mortelle, passagère, permanente, profonde, prolongée, soudaine, vague, vive. *Créer, entraîner, éprouver, occasionner, provoquer, susciter une ~ (+ adj.); amplifier, atténuer, calmer, combattre, contrôler, diminuer, dissiper, intensifier, réduire, renforcer l'~; être en proie à l' ~; lutter contre ~; être, vivre dans l' ~; créer, entraîner, éprouver, faire, occasionner, provoquer de l' ~; être malade, souffrir, transpirer, trembler d'~.* Une ~ augmente, diminue, règne, s'installe, surgit.

APAISEMENT absolu, bienfaisant, certain, considérable, délicieux, durable, extraordinaire, grand, illusoire, immédiat, instantané, momentané, notable, passager, profond, progressif, provisoire, radical, rapide, relatif, temporaire, trompeur, véritable. *Amener, apporter, avoir, chercher, connaître, constater, donner, fournir, offrir, obtenir, procurer, provoquer, ressentir, trouver un ~.*

APATHIE aiguë, béate, certaine, chronique, complète, consternante, contagieuse, déconcertante, déplorable, désespérante, durable, extrême, flagrante, grande, incroyable, indolente, inexplicable, insurmontable, intense, longue, marquée, permanente, persistante, profonde, prolongée, sidérante. *Montrer une ~ (+ adj.); combattre, secouer l'/son ~; s'arracher à l'/son ~; plonger, sombrer, (re)tomber, vivre dans l'~; sortir, se tirer de l'/son ~.* L'~ règne, s'installe.

APERÇU bref, clair, (in)complet, concis, exact, fidèle, général, global, large, léger, mauvais, (im)partial, partiel, précis, premier, rapide, simple, sommaire, schématique. *Avoir, donner, offrir, présenter, voir un ~.*

APLOMB (équilibre) *Conserver, garder, perdre, (re)prendre, retrouver, tenir son ~; être, maintenir, mettre, (se) tenir d'~.* ♦ (confiance) admirable, certain, confondant, considérable, désarmant, étonnant, extraordinaire, formidable, imperturbable, impressionnant, incroyable, inébranlable, inouï, invraisemblable, remarquable, sacré, sidérant, stupéfiant. *Afficher, avoir, montrer, posséder un ~ (+ adj.); faire preuve d'un ~ (+ adj.); affirmer, faire remarquer, mentir, parler, répondre, s'exprimer avec un ~ (+ adj.); conserver, garder, perdre, reprendre, (re)trouver son ~; avoir de l'~.*

APOGÉE considérable, extraordinaire, finale, inouïe, insurpassable, spectaculaire. *Atteindre, avoir, connaître, constituer, être, marquer une ~; être, parvenir à une ~.*

APPAREIL (in)adéquat, ancien, (in)approprié, archaïque, bon, capricieux, compliqué, coûteux, défectueux, désuet, encombrant, économique, (in)efficace, fiable, fidèle, fragile, gros, léger, lourd, mauvais, mince, (ultra)moderne, neuf, obsolète, performant, piètre, précis, puissant, rudimentaire, (ultra)sensible, simple, sophistiqué, utile, vétuste, vieil, volumineux. *Actionner, allumer, (dé)brancher, dépanner, employer, éteindre, faire fonctionner/marcher, fermer, manœuvrer, remettre en état, réparer, utiliser un ~; disposer, être doté/équipé/muni, se doter, se servir, s'équiper, se munir d'un ~.*

APPARENCE (aspect) (dés)agréable, austère, attrayante, bizarre, chétive, convenable, correcte, discrète, effrayante, élégante, exceptionnelle, frêle, (in)habituelle, harmonieuse, hideuse, impeccable, impressionnante, insolite, irréprochable, lisse, lustrée, macabre, massive, mate, mauvaise, misérable, monstrueuse, négligée, nette, normale, ordinaire, (im)parfaite, pauvre, piètre, piteuse, précieuse, rachitique, repoussante, riche, (mal)saine, singulière, soignée, sordide, triste. *Avoir, donner, offrir, prendre une ~ (+ adj.).* ♦(extérieur) anodine, banale, complexe, différente, (dé)favorable, fausse, flatteuse, illusoire, légère, mensongère, normale, nouvelle, plausible, précise, réelle, séduisante, semblable, simple, souriante, trompeuse, (in)vraisemblable. *Garder, ménager, préserver, respecter, sacrifier, sauvegarder, sauver, vaincre les ~s; s'arrêter, se fier aux ~s; se défier, se méfier des ~s; se laisser tromper par les ~s; juger sur les ~s.*

APPARITION (dés)agréable, brève, brusque, brutale, chronique, constante, courte, discrète, durable, éclair, éphémère, fréquente, fugitive, furtive, graduelle, hâtive, impressionnante, imprévue, impromptue, inattendue, inespérée, inexplicable, insolite, massive, mémorable, mystérieuse, permanente, précoce, progressive, rapide, remarquée, (ir)régulière, soudaine, spectaculaire, spontanée, subite, surprenante, surprise, tardive, terrible, timide. *Avoir, faire, occasionner, provoquer une ~.*

APPARTEMENT accueillant, agréable, aéré, austère, banal, calme, chaleureux, charmant, chaud, clair, (in)commode, (in)confortable, cossu, délabré, désaffecté, désuet, discret, disponible, douillet, élégant, empesté, encombré, ensoleillé, équipé, étouffant, étroit, exigu, froid, gai, garni, glacial, grand, (in)habitable, hideux, huppé, immense, impeccable, infect, insonorisé, joli, laid, large, libre, lugubre, lumineux, luxueux, magnifique, (dé)meublé, minable, minuscule, misérable, miteux, modeste, neuf, (in)occupé, pauvre, propre, propret, rénové, riche, (in)salubre, sinistre, sombre, somptueux, sordide, spacieux, standard, superbe, surchauffé, surpeuplé, sympathique, triste, vacant, vaste, vide, vieil. *Acheter, aménager, arranger, cambrioler, chercher, décorer, dénicher, évacuer, habiter, installer, laisser, libérer, louer, meubler, nettoyer, occuper, partager, posséder, rafraîchir, ranger, rechercher, remanier, rénover, repeindre, trouver, vendre, (faire) visiter un/son ~; emménager, habiter, résider, séjourner, se loger, s'installer, vivre dans un ~; changer d'~; vivre en ~.*

APPÂT artificiel, attrayant, (in)efficace, inerte, irrésistible, médiocre, mort, naturel, vivant. *Attacher, fixer, mettre un ~; attirer avec un ~; garnir, munir d'un ~.*

APPAUVRISSEMENT brutal, considérable, continu, croissant, dramatique, drastique, durable, effarant, faible, fort, général, généralisé, immédiat, important, léger, marqué, massif, notable, progressif, rapide, sérieux, systématique. *Constater, entraîner, provoquer, signaler, subir un ~; accroître, combattre, enrayer, favoriser l' ~; contribuer à l' ~; lutter contre l' ~;*

APPEL (cri) aigu, déchirant, faible, guttural, inintelligible, lointain, plaintif, puissant, rauque, strident, terrifiant. *(faire) Entendre, pousser un ~; accourir, répondre à un ~.* Un ~ retentit, se fait entendre. ♦(*~ téléphonique*) bref, court, (in)fructueux, long, rapide. *Avoir, effectuer, faire, passer, prendre, recevoir, réaliser un ~; donner suite, répondre à un ~.* ♦(invitation, sollicitation) anxieux, (in)attendu, déchirant, désespéré, discret, émouvant, faible, ferme, fort, (in)fructueux, impératif, impérieux, insistant, irrésistible, passionné, pathétique, poignant, pressant, puissant, sévère, solennel, spectaculaire, terrifiant, urgent, vibrant, vigoureux. *Adresser, formuler, lancer, recevoir un ~; donner suite, répondre à un ~.*

APPÉTIT aiguisé, (in)assouvi, bon, capricieux, carnassier, colossal, convenable, dévorant, difficile, effrayant, énorme, excessif, extraordinaire, faible, féroce, fluctuant, formidable, fort, furieux, gourmand, glouton, grand, gros, incroyable, insatiable, maladif, médiocre, (im)modéré, modeste, moyen, (a)normal, phénoménal, pressant, puissant, robuste, rude, solide, terrible, vorace. *Avoir un ~ (+ adj.); être doté, faire preuve d'un ~ (+ adj.); aiguiser, assouvir, contenter, contrôler, couper, donner, émousser, (r)éveiller, exciter, fouetter, gâter, (s')ouvrir, perdre, rassasier, refréner, réveiller, satisfaire, stimuler l' ~; manger à son ~; demeurer, rester sur son ~; manquer d'~.* Un ~ augmente, diminue, s'apaise, s'assouvit.

APPLAUDISSEMENTS assourdissants, bruyants, chaleureux, clairsemés, denses, déchaînés, discrets, émus, énormes, enthousiastes, faibles, forts, frénétiques, furieux, ininterrompus, interminables, isolés, longs, maigres, mérités, nombreux, nourris, polis, prolongés, rythmés, tièdes, timides, tumultueux, vifs, vigoureux. *Arracher, déclencher, récolter, soulever, susciter des ~s; crouler sous les ~s; éclater en ~s.* Des ~s cessent, crépitent, éclatent, montent, redoublent, retentissent, roulent, se prolongent, s'éteignent, se taisent.

APPLICATION (mise en pratique) arbitraire, brutale, complexe, concrète, (in)correcte, difficile, (in)directe, effective, erronée, excellente, excessive, facile, faible, fautive, forte, généralisée, immédiate, intégrale, intensive, lâche, large, lente, (il)limitée, machinale, massive, mauvaise, mitigée, modeste, piètre, pointilleuse, pratique, progressive, rapide, scrupuleuse, simple, stricte, (in)suffisante, uniforme. *Assurer, contrôler, favoriser, mettre en œuvre, suspendre une ~; maintenir, mettre en ~.* ♦(attention) ardente, attentive, constante, exemplaire, extrême, faible, fervente, forcenée, forte, infatigable, longue, persévérante, soutenue, studieuse, (in)suffisante, zélée. *Montrer, témoigner de l'~; étudier, travailler avec ~; faire preuve, manquer d'~.*

APPORT appréciable, capital, certain, colossal, considérable, constant, continuel, décisif, énorme, faible, fondamental, formidable, fort, immense, important, inestimable, maigre, majeur, massif, maximal, mince, mineur, minimal, minime, modeste, négligeable, positif, précieux, prodigieux, remarquable, secondaire, significatif, soutenu, substantiel, (in)suffisant. *Avoir, constituer, représenter un (+ adj.); accueillir, amener, assurer, faire, fournir, offrir un ~; bénéficier d'un ~.*

APPRÉCIATION bonne, concrète, consciencieuse, critique, détaillée, élevée, équitable, (in)exacte, excessive, faible, fausse, (dé)favorable, fiable, froide, générale, globale, haute, honnête, (in)juste, mauvaise, mensongère, méticuleuse, mitigée, modérée, négative, objective, ponctuelle, positive, précise, raisonnable, rapide, réaliste, saine, satisfaisante, sincère, sommaire, stricte, subjective, superficielle, tendancieuse. *Donner, émettre, exprimer, faire, formuler, porter une ~; procéder, se livrer à une ~.*

APPRENTI, IE (mal)adroit, (in)habile, jeune, sérieux, simple, travailleur. *Embaucher, former, prendre, recruter, trouver un ~; débuter, se placer, travailler comme ~.*

APPRENTISSAGE accéléré, actif, approfondi, ardu, bref, courageux, court, dur, efficace, facile, laborieux, long, ludique, méthodique, pratique, précoce, progressif, prolongé, rapide, réussi, rigoureux, rude, rudimentaire, simple, suivi, systématique. *Effectuer, faire, offrir, réaliser, suivre un ~; entrer, être, (se) mettre qqn, (se) placer qqn, prendre qqn en ~.*

APPROBATION automatique, bruyante, chaleureuse, claire, complète, conditionnelle, définitive, discrète, enthousiaste, excessive, explicite, expresse, facile, faible, (in)formelle, forte, franche, générale, globale, implicite, large, lente, manifeste, massive, mitigée, muette, nette, officielle, officieuse, polie, préalable, provisoire, rapide, ravie, silencieuse, tacite, totale, ultérieure, unanime, universelle, vive, voilée. *Accorder, avoir, chercher, demander, donner, exprimer, obtenir, quêter, recevoir, réclamer, recueillir, refuser, retirer, solliciter une ~.*

APPROCHE active, (in)adéquate, agressive, (in)appropriée, audacieuse, bonne, ciblée, (in)cohérente, (in)complète, complexe, convenue, créative, différente, difficile, (in)directe, diversifiée, douce, dynamique, (in)efficace, erronée, facile, faible, fine, floue, forte, (in)fructueuse, globale, inédite, innovante, intéressante, inventive, laborieuse, lente, mauvaise, méthodique, négative, neutre, nouvelle, novatrice, nuancée, obscure, originale, particulière, passive, patiente, perspicace, positive, pragmatique, (im)précise, privilégiée, rapide, (ir)rationnelle, (ir)réaliste, rigoureuse, risquée, (mal)saine, simple, simpliste, souple, stricte, subtile, systématique, uniforme, unique. *Adopter, développer, emprunter, entreprendre, mettre au point, privilégier, proposer, tenter, utiliser une ~ (+ adj.).*

APPROVISIONNEMENT abondant, adéquat, aléatoire, chaotique, considérable, constant, continu, déficient, difficile, durable, excessif, facile, faible, fort, important, indispensable, (in)interrompu, intense, lent, minimum, permanent, problématique, rapide, (ir)régulier, stable, (in)suffisant, sûr. *(s')Assurer, avoir, fournir, garantir un ~ (+ adj.); bénéficier, disposer d'un (+ adj.).*

APPUI absolu, amical, (in)certain, (in)complet, concret, (in)conditionnel, considérable, constant, continu, décisif, (in)direct, dynamique, efficace, essentiel, excessif, faible, ferme, fiable, fort, franc, généreux, global, important, incontestable, indéfectible, indispensable, inébranlable, inespéré, massif, mauvais, médiocre, mérité, modeste, mutuel, négligeable, partiel, permanent, ponctuel, précaire, précieux, puissant, relatif, sérieux, solide, soutenu, (in)stable, (in)suffisant, systématique, tiède, total. *Accorder, apporter, (s')assurer, avoir, chercher, constituer, créer, demander, donner, former, fournir, gagner, manifester, (se) ménager, obtenir, offrir, posséder, prendre, prêter, procurer, réaliser, recevoir, rechercher, réclamer, rencontrer, solliciter, trouver un ~; bénéficier, disposer d'un ~.*

À-PROPOS admirable, cinglant, étonnant, excellent, frappant, implacable, impressionnant, incroyable, instantané, mordant, parfait, rare, remarquable, renversant, sidérant, solide. *Être, faire preuve d'un (+ adj.); répondre avec un ~ (+ adj.); manquer d'~.*

APTITUDE acquise, certaine, confirmée, correcte, élevée, éprouvée, étonnante, évidente, exceptionnelle, extraordinaire, faible, forte, importante, impressionnante, incontestable, indispensable, infaillible, innée, (il)limitée, mauvaise, maximale, médiocre, minimale, naturelle, (a)normale, particulière, potentielle, poussée, problématique, rare, reconnue, réelle, remarquable, requise, satisfaisante, singulière, spéciale, suffisante, surprenante, voulue. *Acquérir, adopter, apprendre, avoir, conserver, démontrer, développer, exiger, manifester, montrer, nécessiter, posséder, révéler une ~; attester, disposer, être doté, faire preuve, justifier, témoigner d'une ~.*

AQUARELLE anonyme, colorée, détaillée, fine, gâchée, grande, lumineuse, mauvaise, médiocre, originale, ratée, réussie, signée. *Acheter, acquérir, commencer, contempler, dessiner, exécuter, exposer, faire, finir, peindre, réaliser, reproduire, retoucher, réussir, signer, vendre une ~.*

AQUARIUM énorme, géant, grand, immense, minuscule, moyen, spacieux, vaste. *Aménager, entretenir, installer, monter, posséder, réaliser un ~.*

ARAIGNÉE agressive, dangereuse, énorme, géante, grosse, immense, inoffensive, laide, massive, minuscule, petite, répugnante, velue, venimeuse. *Capturer, élever, observer une ~.* Une ~ bâtit son cocon, mord, pique, tisse sa toile.

ARBITRE bon, chevronné, (in)compétent, discret, fiable, (mal)honnête, imperturbable, impitoyable, incorruptible, inflexible, (in)juste, mauvais, médiocre, neutre, objectif, (im)partial, piètre, véreux, zélé. *Agresser, assigner, avoir, choisir, consulter, corrompre, critiquer, désigner, nommer, récuser, sanctionner, suspendre, trouver un ~; avoir recours, recourir à un ~.*

ARBRE âgé, antique, bas, caverneux, centenaire, chétif, colossal, court, creux, crevassé, cultivé, dégarni, dénudé, dépérissant, dépouillé, déraciné, desséché, dévasté, difforme, droit, dru, élancé, élégant, élevé, émondé, énorme, épais, épineux, étendu, exotique, faible, (in)fertile, feuillu, fleuri, florissant, fort, foudroyé, fourchu, géant, gigantesque, grêle, gros, haut, immense, imposant, impressionnant, isolé, jeune, large, long, luxuriant, magnifique, maigre, majestueux, malade, massif, merveilleux, millénaire, mince, moribond, mort, moussu, nain, noueux, nu, ombreux, parfait, pointu, pourri, poussiéreux, (im)productif, puissant, rabougri, rachitique, ramifié, ratatiné, ravissant, robuste, rugueux, sauvage, sec, séculaire, solide, solitaire, sombre, somptueux, spacieux, stérile, superbe, svelte, tordu, tortueux, touffu, transplanté, trapu, vénérable, verdoyant, vert, vieil, vieillissant, vigoureux, vivant. *Abattre, arracher, couper, cultiver, débiter, décapiter, décortiquer, dégarnir, dépouiller, déraciner, ébrancher, écimer, écorcer, effeuiller, élaguer, émonder, enlever, entailler, escalader, étêter, faire pousser, greffer, inciser, mutiler, (dé)planter, rabattre, redresser, taillader, tailler, transplanter, tronçonner, tuteurer un ~; grimper, monter à un ~; nicher dans un ~; descendre d'un ~; séjourner sous un ~; grimper sur un ~.* Un ~ bourgeonne, croît, fleurit, frissonne, gémit, grandit, grossit, meurt, naît, penche, porte des fruits, pousse, prend racine, s'abat, se décompose, se défeuille, se dégarnit, se déploie, se développe, se dresse, s'effeuille, s'élève, se meurt, s'épanouit, se reproduit, s'évase, tremble, végète, (re)verdit, verdoie, vieillit, vit.

ARBUSTE bas, buissonnant, cultivé, chétif, décoratif, dénudé, élégant, élevé, épais, épineux, étiolé, fleuri, nain, rabougri, rachitique, ramifié, sauvage, solide, souffreteux, touffu, vigoureux. *Cultiver, planter, tailler un ~.* Un ~ croît, grandit, pousse, se développe.

ARC (<u>Sport</u>) court, droit, incurvé, léger, lourd, puissant, robuste, simple, sophistiqué. *Armer, (dé)bander, manier, porter, (dé)tendre, tenir, utiliser un ~; tirer avec un ~; tirer à/de l'~.* ♦ (<u>Géométrie, Architecture</u>) aigu, aplati, brisé, cintré, complet, elliptique, immense, ogival, rond. *Constituer, décrire, dessiner, former, tracer un ~.*

ARCHITECTE accompli, audacieux, bon, célèbre, classique, confirmé, débutant, (sur)doué, (in)expérimenté, génial, grand, mauvais, médiocre, novateur, piètre, renommé, révolutionnaire, talentueux, visionnaire. *Choisir, consulter, prendre, recruter, retenir, trouver un ~; faire appel, recourir, s'adresser à un ~; prendre conseil, se faire assister d'un ~; faire construire par un ~.*

ARCHITECTURE admirable, aérienne, affreuse, agréable, ambitieuse, ancienne, austère, audacieuse, authentique, bizarre, classique, complexe, contemporaine, déficiente, délicate, dépouillée, diversifiée, éblouissante, élaborée, élégante, éphémère, (dés)équilibrée, étrange, exceptionnelle, fine, fonctionnelle, futuriste, gracieuse, grandiose, grossière, harmonieuse, hideuse, imposante, impressionnante, innovatrice, inspirée, intéressante, légère, lourde, magnifique, majestueuse, massive, moderne, monstrueuse, monumentale, noble, novatrice, originale, particulière, prestigieuse, primitive, puissante, raffinée, remarquable, repensée, riche, rustique, sévère, simple, sobre, splendide, stricte, superbe, svelte, traditionnelle, typique, unique. *Afficher, arborer, avoir, concevoir, créer, développer, élaborer, offrir, posséder, présenter, réaliser une ~ (+ adj.); être doté d'une ~ (+ adj.).*

ARCHIVES (in)accessibles, contemporaines, courantes, inédites, oubliées, poussiéreuses, vieilles, secrètes. *(re)Classer,* *consulter des ~; éplucher, feuilleter, visiter les ~; mettre aux ~; (re)chercher, fouiller, trouver dans les ~.*

ARDEUR agressive, âpre, certaine, combative, constante, contenue, continue, débordante, déchaînée, dévorante, énorme, éphémère, excessive, extrême, exubérante, farouche, fébrile, folle, forcenée, fougueuse, frémissante, frénétique, furieuse, immuable, impatiente, impétueuse, impressionnante, inassouvie, incroyable, inextinguible, infatigable, inouïe, insensée, intense, invincible, joyeuse, mitigée, (im)modérée, noble, nouvelle, opiniâtre, passionnée, précipitée, rare, remarquable, sauvage, soudaine, soutenue, tempérée, violente, vive. *Démontrer, déployer, manifester, mettre, susciter une ~ (+ adj.); être animé/doué/plein/rempli, faire preuve d'une ~ (+ adj.); être emporté par une ~ (+ adj.); affaiblir, attiser, (r)aviver, calmer, diminuer, enflammer, éteindre, exalter, exciter, freiner, modérer, ralentir, ranimer, refroidir, réveiller, stimuler, tempérer l' ~; apporter, déployer, montrer, témoigner de l'~; être bouillant/plein, pétiller, redoubler d'~.* Une ~ augmente, diminue, fluctue, (re)naît, refroidit, se réchauffe, s'éteint, tombe.

ARÊTE (*~ d'une pierre, etc.*) aiguë, arrondie, coupante, pointue, (ir)régulière, saillante, tranchante, vive. ♦ (*~ d'une chaîne de montagnes*) acérée, aiguë, courte, déchiquetée, difficile, effilée, escarpée, étroite, facile, fine, hardie, horizontale, inclinée, large, longue, massive, proéminente, raide, vertigineuse. *Attaquer, atteindre, escalader, franchir, gravir, passer, rejoindre, remonter, suivre une ~.* Une ~ se dresse. ♦ (*~ d'un poisson*) aiguë, centrale, dorsale, fine, grosse, importante, longue, piquante, principale. *Avaler, enlever, extraire, trouver une ~; s'étrangler avec une ~.*

ARGENT (*métal*) blanc, doré, fin, massif, mat, plaqué, véritable, vieil, vif. *Aviver, faire briller, polir, ternir l'~.* ♦ (*Finance*) bon marché, cher, comptant, courant, difficile, disponible, facile, fertile, frais, dormant, gagné, inemployé, liquide, mort, noir, propre, rapide, rare, sale, solide. *Accumuler, allouer, amasser, avancer, avoir, blanchir, brasser, changer, débourser, demander, dépenser, déposer, détourner, devoir, dissimuler, donner, échanger, économiser, emprunter, encaisser, engager, engloutir, entasser, épargner, éparpiller, escroquer, exiger, extorquer, faire, faire fructifier/profiter/travailler, gagner, gaspiller, gérer, investir, jeter, jouer, laver, léguer, manipuler, percevoir, perdre, placer, posséder, prêter, prodiguer, promettre, quémander, ramasser, rapporter, réaliser, recevoir, réclamer, récolter, recueillir, récupérer, refuser, rembourser, rendre, restituer, se procurer, soutirer, subtiliser, toucher, trouver, verser, voler (de) l' ~; crever, être (dé)muni/(dé)pourvu, manquer, regorger d'~.* L'~ afflue, circule, court, dort, file, part, rentre, s'accumule. ♦ (*Sport*) *Arracher, décrocher, gagner, obtenir, prendre, rafler, rater, remporter, s'adjuger l' ~.*

ARCHÉOLOGIE *Étudier, pratiquer l' ~; s'initier, s'intéresser à l' ~.*

ARGILE absorbante, claire, compacte, crue, douce, dure, durcie, élastique, épaisse, étanche, ferme, fine, fluide, grasse, grossière, humide, légère, liquide, lisse, lourde, malléable, molle, onctueuse, pauvre, (im)perméable, pure, raide, riche, sèche, souple, soyeuse, tendre, visqueuse. *Cuire, dé-*

layer, façonner, manier, modeler, pétrir, travailler l'~.

ARGUMENT absolu, absurde, bidon, clair, (in)cohérent, concluant, (in)consistant, constructif, (in)contestable, convaincant, crédible, décisif, déterminant, douteux, efficace, essentiel, facile, faiblard, faible, fallacieux, faux, (dé)favorable, fondamental, fort, fragile, frappant, frivole, grossier, imparable, implacable, important, inattaquable, incontournable, indémontrable, inédit, infaillible, insoutenable, invincible, irréprochable, irrésistible, juste, léger, (il)logique, loufoque, majeur, mauvais, médiocre, négatif, objectif, officiel, pathétique, pauvre, percutant, persuasif, pertinent, piètre, plausible, positif, pressant, primaire, probant, puéril, puissant, (dé)raisonnable, (ir)rationnel, (ir)recevable, (ir)réfutable, ressassé, ridicule, rigoureux, saugrenu, sérieux, simple, simpliste, sincère, solide, sophistiqué, stérile, subtil, subjectif, (in)suffisant, suprême, tordu, tranchant, trompeur, ultime, unique, usé, valable, (in)valide, vicieux, victorieux, vrai, (in)vraisemblable. *Admettre, apporter, asséner, avancer, brandir, chercher, combattre, contester, démonter, démontrer, détruire, développer, donner, écarter, élucider, exposer, faire valoir, fournir, invoquer, mettre en avant, objecter, opposer, présenter, proposer, récuser, réfuter, rejeter, renforcer, repousser, résoudre, rétorquer, sortir, soulever, soupeser, soutenir, utiliser un ~; répondre, résister, souscrire à un ~; s'incliner devant un ~; disposer, être à court/en panne/(dé)pourvu d'~s.*

ARME absolue, (in)adéquate, (in)appropriée, autorisée, (dé)chargée, compacte, courte, dangereuse, défensive, démodée, dérisoire, destructrice, désuète, dévastatrice, (in)efficace, effilée, effrayante, émoussée, encombrante, énorme, épouvantable, fiable, impressionnante, légère, longue, lourde, massive, mauvaise, meurtrière, minuscule, mortelle, offensive, performante, pesante, piètre, portative, (im)précise, primitive, prohibée, puissante, redoutable, réelle, rudimentaire, secrète, sérieuse, simple, sophistiquée, stratégique, terrible, terrifiante, tranchante, ultime, (in)utile. *(dés)Armer, brandir, braquer, (dé)charger, confisquer, déclarer, dégainer, détenir, diriger, dissimuler, employer, essayer, exhiber, fabriquer, garder, lancer, maîtriser, manier, manipuler, nettoyer, pointer, porter, posséder, rengainer, saisir, se procurer, tenir, tirer, transporter, utiliser, (dé)verrouiller une ~; tirer, viser avec une ~; faire usage, menacer, se servir d'une ~; abandonner, déposer, mettre bas, prendre, rendre les ~s.*

ARMÉE affaiblie, aguerrie, amie, brave, considérable, défaite, (in)disciplinée, ennemie, entraînée, éprouvée, (in)expérimentée, faible, forte, héroïque, immense, importante, impressionnante, improvisée, inférieure, invincible, irréductible, mobile, moderne, nombreuse, opérationnelle, (dés)organisée, performante, permanente, pitoyable, professionnelle, puissante, redoutable, réduite, (ir)régulière, sophistiquée, squelettique, supérieure, triomphante, vaincue, vétuste, victorieuse. *Affaiblir, affronter, anéantir, armer, attaquer, battre, commander, conduire, (re)constituer, (re)construire, défaire, déployer, détruire, diriger, écraser, entretenir, exterminer, (re)faire, former, lever, licencier, (dé)mobiliser, organiser, ravitailler, recruter, réunir, vaincre une ~; se doter d'une ~; quitter l'~; faire appel à l'~; entrer, être, faire carrière, s'engager, s'enrôler, servir dans l'~.* Une ~

attaque, avance, capitule, débarque, défile, déserte, intervient, marche, recrute, recule, se défend, se dissout, se modernise, se réorganise, se replie, se retire, tient.

ARMISTICE (in)acceptable, déshonorant, fragile, honorable, humiliant. *Accepter, accorder, conclure, demander, exiger, imposer, négocier, observer, obtenir, offrir, proposer, réclamer, refuser, rompre, signer, violer un ~.*

ARÔME âcre, (dés)agréable, agressif, âpre, capiteux, caractéristique, corsé, délicat, délicieux, (in)discret, distinctif, doux, envoûtant, épicé, étrange, exquis, faible, fin, fleuri, fort, frais, incomparable, indicible, indiscret, inhabituel, intense, irrésistible, léger, lourd, neutre, parfumé, pauvre, pénétrant, persistant, piquant, profond, prononcé, puissant, pur, raffiné, riche, savoureux, soutenu, suave, sublime, subtil, tenace, unique, velouté, vif, vigoureux. *Avoir, posséder un ~ (+ adj.); dégager, exhaler, humer, libérer, répandre un ~.* Un ~ émane, se dégage, se libère, se répand.

ARRANGEMENT (agencement, classement) bon, harmonieux, judicieux, mauvais, naturel, ordonné, original, (ir)régulier, savant, simple. *Créer, former un ~ (+ adj.).* ♦(accord, compromis) (à l') amiable, (dés)avantageux, bon, clair, confus, généreux, global, mauvais, provisoire, raisonnable, (in)satisfaisant. *Accepter, avoir, chercher, faire, négocier, obtenir, prendre, proposer, refuser, signer, trouver un ~; arriver, consentir, parvenir, souscrire à un ~; convenir d'un ~.* Un ~ intervient, prévoit, stipule. ♦(Musique) inédit, mauvais, original. *(re)Construire, écrire, élaborer, (re)faire, réaliser un ~.*

ARRESTATION abusive, arbitraire, brève, discrète, importante, (in)justifiée, (il)légale, majeure, massive, mineure, mouvementée, musclée, préventive, prolongée, rapide, ratée, (ir)régulière, réussie, sensationnelle, spectaculaire. *Effectuer, faire, opérer, ordonner, organiser une ~; échapper, procéder à une ~; protester contre une ~.*

ARRÊT (en général) accidentel, bref, brusque, brutal, (in)complet, (in)correct, court, définitif, facultatif, fixe, forcé, global, immédiat, imminent, inopiné, long, mauvais, momentané, obligatoire, partiel, permanent, prévu, progressif, prolongé, provisoire, rapide, soudain, subit, temporaire, total, (in)volontaire. *Causer, effectuer, entraîner, exécuter, faire, marquer, ordonner, provoquer, rater, réaliser, réussir, subir un ~; être, rester, tomber en ~.* Un ~ a lieu, se produit. ♦(Sport) acrobatique, capital, clé, décisif, délicat, déterminant, difficile, extraordinaire, facile, important, incroyable, inespéré, magnifique, mauvais, miraculeux, réflexe, somptueux, spectaculaire, superbe, tranquille. *Effectuer, exécuter, faire, rater, réaliser, réussir un ~.*

ARRIVÉE (in)attendue, brusque, discrète, fortuite, fracassante, hâtive, immédiate, imminente, importante, importune, impromptue, inopinée, intempestive, lente, massive, mauvaise, (in)opportune, précoce, (im)prévue, providentielle, rapide, remarquée, soudaine, spectaculaire, subite, tardive, triomphale. *Faire une ~ (+ adj.); appréhender, attendre, célébrer, craindre, espérer, guetter, hâter, précipiter, redouter, retarder, signaler une/l'~ de qqn/qqch.*

ARROGANCE bornée, brutale, déconcertante, démesurée, déplacée, étonnante, excessive, extrême, immense, inacceptable, inadmissible, inconsciente, incroyable, injustifiable, inouïe, insensée, insolente, insoupçonnée, insultante, insupportable, invraisemblable, navrante, rare, totale. *Être, faire preuve, se montrer d'une ~ (+ adj.); manifester, montrer de l'~.*

ART (adresse, habileté) admirable, certain, complexe, consommé, déconcertant, délicat, difficile, discret, efficace, époustouflant, étonnant, évident, exceptionnel, extraordinaire, extrême, facile, incomparable, indiscutable, inégalé, infini, ingénieux, inimitable, inouï, insurpassable, laborieux, magistral, maîtrisé, merveilleux, précis, puissant, raffiné, rare, remarquable, rigoureux, savant, simple, spontané, subtil, supérieur, suprême, sûr, unique, virtuose. *Acquérir, apprendre, approfondir, connaître, enseigner, étudier, exercer, maîtriser, posséder, pratiquer, savoir un ~; s'adonner, se consacrer, se livrer, se vouer à un ~; exceller, se perfectionner dans un ~.* ♦ (beauté, esthétique) abstrait, académique, ancien, authentique, brut, classique, conventionnel, dépouillé, désuet, élevé, exubérant, figé, figuratif, fruste, grand, grossier, léger, lourd, luxuriant, majeur, mineur, moderne, monumental, naïf, noble, nouveau, novateur, officiel, original, pompeux, populaire, primitif, pur, raffiné, réaliste, révolutionnaire, robuste, rudimentaire, savant, séduisant, sobre, somptueux, sublime, suprême, total, traditionnel, véritable, vivant. *Aimer, comprendre, cultiver, encourager, enseigner, étudier, protéger, soutenir l'/les ~(s); se consacrer à l'/aux ~s.*

ARTÈRE (Anatomie) bouchée, importante, malade, minuscule, obstruée, ouverte, rétrécie, saine, secondaire, vitale. *Ligaturer, se rompre, se trancher une ~.* Une ~ saigne, se bouche, se rétrécit, se rompt, s'obstrue, s'ouvre. ♦ (avenue, boulevard) ample, animée, bruyante, déserte, encombrée, étroite, fréquentée, grande, importante, large, longue, ombragée, passante, prestigieuse, rectiligne, sinueuse, vivante. *Atteindre, emprunter, rejoindre, traverser une ~; déboucher sur une ~.*

ARTICLE (Commerce) bon, défectueux, encombrant, endommagé, épuisé, exclusif, invendable, minuscule, périmé, soldé, standard. *Acheter, commander, demander, échanger, écouler, proposer, recevoir, retourner, solder, tenir, vendre un ~.* ♦ (Presse) aéré, agréable, bon, bref, cinglant, clair, confus, décousu, documenté, erroné, (in)exact, excellent, grand, gros, indigeste, informe, insipide, (in)intéressant, mauvais, mince, minuscule, objectif, (im)partial, passionnant, percutant, pertinent, remarquable, remarqué, retentissant, rigoureux, sensationnel, subjectif, vaseux, vif, virulent. *Bâcler, commettre, composer, construire, écrire, élaborer, faire, insérer, lire, parcourir, préparer, publier, rédiger, remanier, soumettre, terminer un ~; réagir, travailler à un ~.* Un ~ paraît, sort.

ARTICULATION ankylosée, coincée, déboîtée, démise, déplacée, douloureuse, enflammée, engourdie, gonflée, luxée, (im)mobile, nouée, raide, raidie, (in)stable, tendue. *Se déboîter, se démettre, se déplacer, se disloquer, se fouler, se luxer, replacer une ~; se faire craquer les ~s.* Une ~ joue, s'ankylose, se déboîte, s'enflamme.

ARTILLERIE considérable, désuète, efficace, faible, forte, grosse, importante, impressionnante, légère, lourde, massive, mobile, modeste, nombreuse, puissante, redoutable, sophistiquée, (in)suffisante. *Avoir, posséder une ~ (+ adj.); utiliser l'~; faire appel à l'~.* Une ~ gronde, tonne.

ARTISAN, ANE admirable, adroit, bon, capable, compétent, délicat, excellent, expérimenté, grand, habile, honnête, industrieux, ingénieux, inventif, laborieux, mauvais, médiocre, merveilleux, méticuleux, minutieux, perfectionniste, petit, piètre, sérieux, talentueux.

ARTISANAT abondant, authentique, créatif, développé, diversifié, dynamique, élémentaire, excellent, exceptionnel, important, intéressant, inventif, original, raffiné, répétitif, réputé, riche, sommaire, superbe, traditionnel, unique, varié, vivace, vivant. *Posséder un ~ (+ adj.); défendre, développer, encourager, pratiquer, promouvoir, soutenir l'~.* Un ~ apparaît, (re)fleurit, prospère, se développe, se maintient, subsiste.

ARTISTE accompli, admiré, adroit, adulé, audacieux, authentique, célèbre, comblé, complet, confirmé, consacré, démuni, doué, émérite, éminent, exceptionnel, exigeant, expérimenté, extravagant, fantaisiste, fécond, génial, grand, habile, immense, important, incomparable, ingénieux, inimitable, inspiré, majeur, méconnu, médiocre, merveilleux, méticuleux, mineur, obscur, original, prolifique, prometteur, puissant, raffiné, raté, reconnu, renommé, réputé, scrupuleux, secondaire, superbe, talentueux, tourmenté, véritable. *Devenir, être, se montrer, se révéler un ~.* Un ~ évolue, expose, réalise, se produit.

ASCENSEUR exigu, moderne, panoramique, vaste, vétuste, vitré. *Appeler, attendre, emprunter, faire descendre/ monter, prendre, utiliser un ~; entrer, monter dans un ~.* Un ~ descend, est bloqué, monte, tombe en panne.

ASCENSION abrupte, dangereuse, délicate, difficile, dure, facile, hardie, interminable, lente, longue, pénible, périlleuse, progressive, prudente, raide, rapide, réussie, spectaculaire, téméraire, vertigineuse. *Effectuer, entreprendre, faire, organiser, préparer, réaliser, risquer, tenter une ~.*

ASPECT (apparence, allure) admirable, affreux, (dés)agréable, attrayant, bizarre, brillant, charmant, chaud, dégoûtant, délicat, désolé, doux, dur, effrayant, enchanteur, étrange, farouche, froid, gracile, grandiose, grotesque, (in)habituel, hideux, imposant, insolite, léger, lisse, lourd, lugubre, luxueux, magnifique, mat, maussade, merveilleux, minable, misérable, miteux, modeste, monumental, morne, mystérieux, navrant, neuf, parfait, piteux, pittoresque, rébarbatif, (ir)réel, repoussant, riant, rugueux, scintillant, séduisant, serein, sérieux, sévère, sinistre, solide, sombre, sordide, souple, souriant, spectaculaire, sublime, terne, terrifiant, transparent, triste, trouble, vieilli, vieux. *Acquérir, avoir, conférer, conserver, donner, garder, montrer, offrir, prendre, présenter, revêtir un ~ (+ adj.); changer d'~.* ♦ (angle, point de vue) caractéristique, (mé)connu, contraire, controversé, crucial, délicat, déroutant, différent, dynamique, essentiel, étrange, extérieur, fâcheux, fascinant, (dé)favorable, fondamental, général, grave, important, inattendu, inédit, insolite, (in)intéressant, inusité, léger, majeur, méconnu, mineur, négatif, négligeable, nouveau, ordinaire, original, particulier, positif, pratique, précis, rébarbatif, saillant, secondaire, sensible, sérieux, significatif, similaire. *Avoir, conférer, découvrir, donner, garder, montrer, offrir, prendre, présenter, représenter, revêtir un ~ (+ adj.); apparaître, considérer, entrevoir, envisager, (se) présenter, voir sous un ~ (+ adj.); aborder, cerner, considérer, développer, explorer, exposer, occulter, prendre en compte un ~; insister, mettre l'accent, s'attarder, se concentrer sur un ~.*

ASPIRATION (<u>inspiration, expiration</u>) aisée, courte, difficile, lente, longue, profonde, rapide, rauque, violente. ♦(<u>*désir, souhait*</u>) claire, confuse, diffuse, féconde, forte, impérieuse, importante, indestructible, intense, intime, irrépressible, légitime, majeure, naturelle, noble, normale, profonde, pure, sincère, sourde, vague, véritable, vive. *Connaître, éprouver, faire naître une ~; atteindre, concrétiser, exprimer, réaliser, satisfaire ses ~s.* Une ~ mûrit, se concrétise, se fait jour, s'évanouit.

ASSASSIN, INE avoué, célèbre, dément, fou, froid, horrible, impitoyable, insaisissable, méticuleux, monstrueux, notoire, professionnel, présumé, redoutable, redouté, repenti, sadique, sanguinaire, sauvage. *Arrêter, attraper, capturer, démasquer, engager, laisser filer, poursuivre, rechercher, trouver un ~.* Un ~ récidive, rôde, sévit.

ASSASSINAT abominable, atroce, barbare, brutal, crapuleux, déguisé, délibéré, étrange, gratuit, horrible, indescriptible, lâche, manqué, maquillé, mystérieux, odieux, planifié, prémédité, rituel, revendiqué, résolu, sauvage, terrifiant, (in)volontaire. *Commettre, justifier, organiser, perpétrer, planifier, préparer un ~; assister, échapper à un ~; être impliqué, tremper dans un ~; enquêter sur un ~; être coupable/inculpé d'~.*

ASSAUT audacieux, brusque, brutal, dangereux, décisif, définitif, difficile, dramatique, (in)efficace, effroyable, épouvantable, final, frontal, furieux, général, horrible, imminent, impétueux, impitoyable, infructueux, lent, manqué, massif, meurtrier, minable, périlleux, rapide, répété, réussi, rude, sanglant, suicidaire, suprême, ultime, vain, victorieux, vigoureux, violent. *Briser, commander, contenir, déclencher, diriger, donner, essayer, faire, lancer, livrer, mener, ordonner, planifier, préparer, repousser, soutenir, subir, tenter un ~; résister à un ~; se préparer pour un ~; aller, échapper, marcher, monter, partir, passer, résister, revenir, se lancer, s'élancer, se livrer, se précipiter, succomber à l'~; prendre d'~.* Un ~ a lieu, se déclenche, se déroule.

ASSEMBLAGE complexe, (in)correct, difficile, efficace, facile, fiable, méthodique, (im)parfait, pratique, rapide, rigide, simple, souple. *Effectuer, faire, réaliser un ~.*

ASSEMBLÉE agitée, attentive, bruyante, calme, clairsemée, hostile, houleuse, importante, joyeuse, nombreuse, orageuse, passive, record, surchauffée, sympathique, tranquille, tumultueuse, turbulente. *Animer, clore, constituer, convoquer, diriger, dissoudre, former, organiser, ouvrir, préparer,* *présider, reporter, réunir, tenir une ~; aller, assister, participer, prendre part, se rendre à une ~; intervenir dans une ~.* Une ~ a lieu, se déroule, se tient.

ASSENTIMENT actif, aveugle, complet, discret, enthousiaste, explicite, faible, ferme, formel, fort, froid, général, immédiat, implicite, inconditionnel, inébranlable, large, mitigé, passif, préalable, profond, silencieux, sincère, superficiel, tacite, unanime, vague. *Chercher, demander, obtenir, recevoir, recueillir, rencontrer un ~; accorder, donner, exprimer, manifester, refuser son ~.*

ASSIETTE (vaisselle) cassée, creuse, ébréchée, énorme, fêlée, grande, immense, ovale, petite, plate, pleine, profonde, propre, rectangulaire, ronde, sale, vide. *Disposer, poser, servir dans/sur une ~.* ♦(quantité) bonne, délectable, énorme, entière, garnie, généreuse, grosse, immense, minuscule, pauvre, petite, pleine, riche. *Déguster, dévorer, manger, savourer, vider une ~.*

ASSIMILATION accélérée, (in)complète, définitive, difficile, facile, forcée, harmonieuse, hâtive, intégrale, intelligente, laborieuse, lente, (im)parfaite, partielle, permanente, préalable, profonde, progressive, rapide, réelle, régressive, ralentie, réussie, (in)suffisante, superficielle, tardive, totale, véritable. *Assurer, connaître, constater, entraîner, favoriser, garantir, opérer, permettre, subir une ~ (+ adj.).*

ASSISTANCE (aide) (in)compétente, (in)complète, continue, concrète, (in)directe, (in)efficace, étendue, fiable, forte, globale, grande, immédiate, importante indéfectible, indispensable, (il)limitée, minime, modeste, mutuelle, permanente, petite, ponctuelle, précieuse, rapide, substantielle, vitale. *Apporter, demander, donner, fournir, nécessiter, obtenir, octroyer, offrir, implorer, prêter, promettre, proposer, recevoir, réclamer, refuser, trouver une ~; recourir à une ~; bénéficier, profiter d'une ~.* ♦(assemblée) agitée, attentive, clairsemée, faible, forte, houleuse, importante, joyeuse, large, maigre, nombreuse, passive, record, sympathique, tranquille, turbulente. *Charmer, émerveiller, émouvoir, faire vibrer, flatter, saluer l'/son ~.*

ASSOCIATION (société) communautaire, grande, officielle, petite, professionnelle, reconnue, sportive. *Constituer, créer, dissoudre, fonder, former, gérer, organiser, rompre une ~; adhérer, participer, prendre part à une ~; s'engager, travailler dans une ~.* ♦(*~ d'idées, etc.*) amusante, bizarre, (in)cohérente, curieuse, étrange, étroite, faible, forte, (mal)heureuse, inattendue, (il)logique, mauvaise, (im)pertinente, rapide, saugrenue, significative, spontanée, surprenante, tortueuse. *Faire une ~.*

ASSORTIMENT bizarre, complet, correct, diversifié, éclectique, équilibré, étendu, étroit, exceptionnel, faible, hétéroclite, heureux, homogène, important, impressionnant, judicieux, large, limité, mauvais, parfait, prodigieux, remarquable, restreint, unique, varié, vaste. *Choisir, composer, créer, demander, faire, offrir, proposer, réaliser un ~.*

ASSURANCE (confiance en soi) absolue, accrue, calme, déconcertante, démesurée, effrontée, étonnante, exagérée, exceptionnelle, excessive, fausse, ferme, froide, grandissante, imperturbable, impressionnante, incroyable, inentamable, optimiste, parfaite, remarquable, sereine, tranquille. *Montrer une ~ (+ adj.); faire montre/preuve d'une ~ (+ adj.); acquérir, avoir, (se) donner, montrer, prendre de l'~; perdre (de) son ~; être plein, manquer d'~.* ♦(<u>contrat, firme</u>) annuelle, collective, complémentaire, facultative, obligatoire, personnelle, privée, provisoire, spéciale, temporaire. *Acheter, avoir, contracter, payer, prendre, résilier, souscrire une ~; bénéficier d'une ~; être couvert/protégé par une ~.*

ASTRE actif, brillant, brûlant, dense, disparu, éclatant, éloigné, éphémère, errant, éteint, étincelant, fixe, froid, incandescent, inconnu, invisible, lent, lointain, luisant, lumineux, mort, mystérieux, obscur, rapide, refroidi, resplendissant. *Apercevoir, contempler, observer un ~.* Un ~ apparaît, brille, disparaît, irradie, luit, s'allume, scintille, se couche, se lève, s'éteint.

ASTROLOGIE *Apprendre, étudier, pratiquer l'~; s'adonner, se livrer, s'initier à l'~ ; croire à/en l'~.*

ASTRONOMIE *Apprendre, étudier, pratiquer l'~; s'initier à l'~; faire de l'~.*

ASTUCE commode, efficace, infaillible, intéressante, invraisemblable, originale, pratique, simple, utile. *Connaître, rechercher, trouver, utiliser une ~; recourir à une ~.*

ATELIER (<u>lieu</u>) désaffecté, étroit, immense, misérable, modeste, spacieux, vaste. *Aménager, installer, ouvrir, posséder un ~; travailler dans un ~.* ♦(<u>groupe</u>) informel, intensif, interactif, pratique, spécialisé. *Animer, concevoir, diriger, monter, organiser, présenter, proposer, suivre, tenir un ~; assister, participer, s'inscrire à un ~.*

ATHLÈTE accompli, agile, chevronné, combatif, complet, confirmé, débutant, doué, éclectique, (sur)entraîné, exceptionnel, expérimenté, fort, grand, hors pair, idéal, imposant, infatigable, invétéré, magnifique, mauvais, moyen, musclé, naturel, parfait, performant, piètre, puissant, rapide, redoutable, (ir)régulier, remarquable, robuste, rouillé, souple, splendide, superbe, talentueux, véritable. *Développer, entraîner, préparer un ~; être taillé en ~.*

ATMOSPHÈRE (<u>air</u>) brûlante, chaude, claire, confinée, dense, douce, douceâtre, empestée, étouffante, froide, glaciale, humide, idéale, intense, irrespirable, légère, lourde, lumineuse, obscure, odorante, oppressante, orageuse, paisible, pénétrante, pesante, polluée, pure, raréfiée, (in)salubre, saturée, sèche, (in)stable, suffocante, sombre, surchauffée, tiède, toxique, transparente, viciée. *Assainir, polluer, protéger, purifier, rafraîchir, réchauffer, refroidir l'~.* L'~ s'altère, s'améliore, se détériore, se raréfie. ♦(<u>ambiance, climat</u>) accueillante, amicale, animée, austère, brûlante, bruyante, chaleureuse, chaude, conviviale, déplorable, détendue, difficile, douce, douceâtre, douillette, dramatique, enfiévrée, enflammée, enivrante, enjouée, envoûtante, épatante, étouffante, excellente, facile, fantastique, feutrée, froide, glaciale, grave, hallucinante, harmonieuse, hostile, houleuse, hystérique, idéale, inquiétante, intense, irrespirable, joyeuse, légère, lourde, lugubre, magique, mélancolique, mystérieuse, négative, oppressante, orageuse, ouatée, paisible, particulière, pesante, positive, propice, raffinée, relaxante, sereine, sérieuse, singulière, sombre, stimulante, suffocante, sulfureuse, surchauffée, survoltée, sympathique, tendue, terne, triste, trouble. *(re)Créer, dégager une ~ (+ adj.); baigner, vivre dans une ~ (+ adj.); alléger, assainir, assombrir, calmer, décrisper, dégeler, durcir, pourrir, (dé)tendre l'~; changer d'~.* Une ~ règne, se dégage, s'installe.

ATOUT (cartes) maître. *Jouer, utiliser un ~; abattre, éliminer les ~s; avoir de l'~; être sans ~; jouer ~.* ♦(avantage, chance) appréciable, capital, clé, considérable, décisif, déterminant, essentiel, exceptionnel, extraordinaire, faible, formidable, fort, imbattable, important, incomparable, indéniable, indiscutable, indispensable, irrésistible, léger, maître, majeur, mineur, négligeable, précieux, particulier, primordial, puissant, sérieux, significatif, supplémentaire, vital. *Conférer, constituer, être, posséder, présenter un ~; conserver, défendre, exploiter, faire valoir, préserver, utiliser, valoriser ses ~s; disposer d'un/d'~(s).*

ATROCITÉ abominable, affreuse, épouvantable, féroce, incomparable, incroyable, indescriptible, inimaginable, inouïe, inqualifiable, monumentale, odieuse, révoltante. *Être, se montrer d'une ~ (+ adj.); commettre, débiter, dénoncer, dire, répandre, subir une/des ~(s).*

ATTACHEMENT assidu, aveugle, constant, dévoué, durable, effréné, empressé, excessif, exclusif, extrême, faible, fanatique, feint, fidèle, fort, grand, immense, inaltérable, inconditionnel, indéfectible, intéressé, morbide, particulier, passionné, persévérant, précaire, profond, respectueux, sérieux, sincère, tendre, véritable, viscéral. *Avoir, inspirer, manifester, montrer, témoigner un/de l'~.*

ATTAQUE (en général) acharnée, audacieuse, avortée, brusque, brutale, concertée, constante, décisive, déjouée, délibérée, (in)directe, éclair, énergique, faible, feinte, forte, foudroyante, frontale, fulgurante, furieuse, grave, grosse, (mal)habile, hypocrite, imminente, impétueuse, importante, imprévue, inattendue, inopinée, insensée, intempestive, intense, irrésistible, isolée, (in)justifiée, lâche, légère, lourde, majeure, manquée, massive, mineure, molle, mortelle, musclée, (in)opportune, (dés)ordonnée, perfide, persistante, préventive, provoquée, puissante, punitive, rapide, ratée, réussie, sérieuse, sévère, significative, soudaine, sournoise, soutenue, subite, terrible, véhémente, vicieuse, victorieuse, vigoureuse, violente, virulente; répétées, réitérées, sporadiques. *Commander, commettre, contenir, contrer, déclencher, détourner, diriger, effectuer, engager, enrayer, esquiver, essuyer, éviter, faire, faire échouer/réussir/rater, feindre, lancer, livrer, mener, monter, ordonner, organiser, planifier, porter, préparer, prévenir, provoquer, rater, réaliser, refouler, repousser, réussir, souffrir, soutenir, stopper, subir, tenter une ~; parer, réagir, répliquer, répondre, résister, riposter, se préparer à une ~; être l'objet/victime d'une ~; aller, marcher, passer, se lancer, se ruer à l'~.* Une ~ a lieu, intervient, se produit, survient. ♦(Médecine) bénigne, fatale, forte, foudroyante, fulgurante, grave, grosse, légère, mortelle, sérieuse, soudaine, subite, violente. *Avoir, faire une ~; succomber, survivre à une ~; décéder, être frappé/pris/victime, mourir, souffrir d'une ~; être foudroyé/terrassé par une ~.*

ATTENDRISSEMENT affectueux, béat, doux, ému, étrange, excessif, facile, feint, infini, joyeux, muet, passager, profond, secret, sincère, subit, visible, vif, vrai. *Causer, éprouver, exprimer, inspirer, provoquer, ressentir un ~; être saisi d'un ~.*

ATTENTAT affreux, aveugle, avorté, barbare, déjoué, dévastateur, dramatique, épouvantable, gratuit, grave, gros, inexpliqué, lâche, majeur, manqué, meurtrier, monstrueux, odieux, raté, répugnant, réussi, revendiqué, sanglant, signé, spectaculaire, suicidaire, télécommandé, terrible, terrifiant, tragique. *Commanditer, commettre, condamner, déjouer, élucider, exécuter, faire, faire échouer, manigancer, mener, monter, ordonner, perpétrer, planifier, préparer, projeter, revendiquer, télécommander un ~; échapper, participer, survivre à un ~; être impliqué dans un ~; être la cible/(la) victime d'un ~.* Un ~ a lieu, éclate, intervient, se produit, survient.

ATTENTE (le fait d'attendre) angoissante, angoissée, anxieuse, courte, cruelle, désespérée, douloureuse, énervante, ennuyeuse, exaspérante, fébrile, fiévreuse, frustrante, (in)fructueuse, horrible, importante, infernale, inlassable, inquiète, interminable, inutile, irritante, légère, longue, nerveuse, obsédante, oisive, paisible, pénible, prolongée, résignée, sereine, superflue, terrifiante, tranquille, vaine, vigilante. *Prolonger, remplir, tromper l'~; languir, se morfondre dans l'~.* Une/l'~ dure, s'achève, s'allonge, se prolonge, s'éternise. ♦ (espérance, espoir, expectative) comblée, déçue, démesurée, diffuse, énorme, faible, formidable, forte, immense, légitime, passionnée, (in)satisfaite. *Créer, combler, décevoir, satisfaire, susciter une ~; répondre à une ~; anticiper, combler, dépasser, devancer, satisfaire les ~s.*

ATTENTION accrue, aiguë, anxieuse, ardente, concentrée, considérable, constante, (dis)continue, défaillante, diligente, dispersée, distraite, émoussée, énorme, excessive, extrême, faible, fatigante, fine, forte, frénétique, fuyante, grande, indue, inquiète, intense, intermittente, maximale, méticuleuse, minimale, minutieuse, (a)normale, obsessionnelle, opiniâtre, particulière, passionnée, persévérante, (im)précise, profonde, prompte, rare, redoublée, réelle, respectueuse, (in)suffisante, scrupuleuse, sérieuse, sourcilleuse, sournoise, soutenue, suivie, tendue, vigilante, vive. *Accorder, apporter, consacrer, donner, porter, prêter, recevoir, soutenir, susciter une ~ (+ adj.); être/devenir l'objet d'une ~ (+ adj.); absorber, accaparer, attirer, capter, captiver, (dé)concentrer, demander, détourner, diriger, distraire, éveiller, exciter, exiger, fixer, forcer, frapper, lasser, mériter, monopoliser, obtenir, réclamer, retenir, solliciter, soulever, soutenir, susciter l'~; accorder, apporter, consacrer, donner, porter, prêter, recevoir, susciter de l'~.* L'~ faiblit, redouble, se dissipe, se relâche.

ATTERRISSAGE brusque, brutal, correct, court, difficile, dur, facile, forcé, impeccable, long, manqué, mauvais, mouvementé, parfait, raté, réussi, rude, spectaculaire. *Effectuer, faire, rater, réussir un ~; procéder à un ~.*

ATTIRANCE certaine, durable, étrange, évidente, excessive, exclusive, faible, fascinante, forte, grandissante, immédiate, immodérée, indéniable, inexplicable, innée, invincible, irrésistible, marquée, mutuelle, mystérieuse, naturelle, nette, particulière, passagère, persistante, profonde, puissante, réciproque, réelle, (mal)saine, soutenue, spontanée, trouble, vive, vraie. *Avoir, (se) découvrir, éprouver, exercer, manifester, montrer, ressentir, subir une/de l'~.*

ATTITUDE (maintien, pose, posture) accroupie, alanguie, assise, bonne, cambrée, couchée, debout, décontractée, équilibrée, figée, (demi-)fléchie, forcée, gauche, gracieuse, immobile, mauvaise, naturelle, nonchalante, (a)normale, paresseuse, particulière, penchée, pétrifiée, raide, rigide, (in)stable, superbe, voluptueuse. *Adopter, garder, maintenir, (re)prendre, tenir une ~.* ♦ (comportement) (in)acceptable, (in)adéquate, agressive, (dés)agréable, ambiguë, ambivalente, (in)amicale, (in)appropriée, arrogante, choquante, claire, (in)cohérente, (in)compréhensible, condamnable, contestable, convenable, (in)correcte, courageuse, critiquable, défensive, désobligeante, (in)digne, discrète, distante, dure, effacée, (in)efficace, effrontée, énergique, énigmatique, étrange, exemplaire, fausse, ferme, fière, (in)flexible, froide, glacée, guindée, hautaine, héroïque, hostile, humble, impitoyable, implacable, imposante, inadmissible, inconvenante, indulgente, inqualifiable, insolente, insouciante, insultante, intolérable, intransigeante, irréprochable, joyeuse, (in)justifiable, (in)juste, (in)justifiée, louche, mauvaise, mélancolique, menaçante, méprisante, mesquine, modérée, modeste, naturelle, navrante, négative, noble, offensante, offensive, orgueilleuse, passive, patiente, pensive, perspicace, pondérée, posée, positive, pratique, provocante, (im)prudente, (dé)raisonnable, (ir)rationnelle, réservée, (ir)respectueuse, (ir)responsable, (mal)saine, scandaleuse, (in)sensée, silencieuse, sincère, soucieuse, soudaine, soumise, stupéfaite, superficielle, surprenante, suspecte, tiède, timide, timorée, triste, troublante, vexante, vive, voluptueuse. *Avoir, adopter, affecter, arborer, conserver, dicter, garder, (s')imposer, justifier, maintenir, manifester, observer, prendre, se donner, susciter, tenir une ~ (+ adj.); changer d'~.*

ATTRACTION (attirance) certaine, considérable, durable, étrange, évidente, exclusive, extraordinaire, faible, fascinante, forte, grande, grandissante, immédiate, immense, indéniable, inoubliable, invincible, irrésistible, mutuelle, mystérieuse, naturelle, nette, nostalgique, particulière, passagère, profonde, puissante, réciproque, réelle, soutenue, spontanée, trouble, vigoureuse, vive. *Avoir, éprouver, exercer, manifester, montrer, ressentir, subir une ~.* ♦ (centre d'intérêt) importante, majeure, négligeable, notable, spectaculaire, unique. *Devenir, être une ~.*

ATTRAIT certain, considérable, élevé, énorme, évident, extraordinaire, faible, fascinant, fort, immédiat, immense, indéniable, inexplicable, inoubliable, invincible, irrésistible, limité, magique, majeur, mystérieux, naturel, nostalgique, notable, particulier, prodigieux, puissant, réciproque, réel, soudain, vif. *Avoir, éprouver, être, exercer, offrir, présenter un ~; être (dé)pourvu, manquer d'~.*

ATTROUPEMENT considérable, fort, gigantesque, grand, immense, important, monstre. *Constituer, créer, disperser, empêcher, faire, former, provoquer, rencon-*

trer un ~. Un ~ a lieu, se constitue, se crée, se fait, se forme, se produit.

AUBAINE extraordinaire, fantastique, formidable, grosse, incroyable, inespérée, jolie, rare. *Constituer, dénicher, offrir, proposer, représenter, saisir une ~; bénéficier, profiter d'une ~.*

AUBE argentée, blafarde, blanche, blême, bleue, brutale, claire, éblouissante, éclatante, exaltante, flamboyante, fraîche, froide, grelottante, grise, incolore, indécise, jaune, lactée, laiteuse, livide, morose, naissante, noire, pâle, pure, radieuse, resplendissante, rouge, rougeâtre, rougissante, sereine, tardive, tiède, torride, verdâtre, vermeille. *Rentrer, se lever à l'~.* L'~ arrive, croît, émerge, grandit, naît, (ap)paraît, pointe, se lève, s'éveille.

AUBERGE accueillante, bondée, célèbre, chaleureuse, charmante, confortable, conviviale, coquette, humble, minable, miteuse, passable, rustique, simple, sympathique, typique. *Ouvrir, tenir une ~; coucher, descendre, entrer, (se) loger, s'arrêter dans une ~.*

AUDACE admirable, aveugle, brusque, calculée, candide, certaine, confondante, considérable, effrayante, exagérée, excessive, extrême, fantastique, folle, formidable, impayable, imperturbable, incroyable, inouïe, insensée, insolente, irrésistible, (dé)mesurée, payante, (im)prudente, rare, (ir)réfléchie, stupéfiante, suprême, téméraire, tempérée, tranquille. *Déployer, manifester, montrer une ~ (+ adj.); faire preuve, témoigner d'une ~ (+ adj.); avoir, manifester, montrer, prendre, témoigner de l'~; faire preuve, manquer, redoubler, user d'~.*

AUDITEUR, TRICE assidu, (in)attentif, averti, curieux, distrait, enthousiaste, silencieux. *Accrocher, charmer, divertir, émouvoir, fatiguer, informer, intéresser, lasser les/ses ~s.*

AUDITION (<u>écoute</u>) attentive, bonne, confortable, défaillante, déficiente, difficile, diminuée, facile, faible, forte, intensive, mauvaise, nette, (a)normale, parfaite, réduite, sélective, valable. *Avoir, posséder, présenter une ~ (+ adj.).* ♦(<u>*Musique, Théâtre*</u>) *Accorder, avoir, décrocher, demander, mener, monter, organiser, (faire) passer, rater, réaliser, réussir une ~; participer, procéder à une ~.*

AUDITOIRE admiratif, amusé, assidu, attentif, captif, choisi, cible, clairsemé, conquis, curieux, difficile, distrait, diversifié, ébahi, enthousiaste, faible, famélique, fort, hétérogène, homogène, hostile, important, inlassable, insatiable, large, nombreux, passionné, réceptif, restreint, sélect, subjugué, vaste. *Bouleverser, capter, captiver, charmer, conquérir, décevoir, désappointer, éblouir, émerveiller, émouvoir, enchanter, endormir, ennuyer, envoûter, étonner, fasciner, gagner, influencer, intéresser, lasser, persuader, ravir, séduire, secouer, subjuguer, toucher un/l'/son ~; s'adresser à un/l'/son ~; parler devant un/l'/son ~.*

AUGMENTATION abusive, accélérée, accrue, alarmante, (in)attendue, brusque, brutale, catastrophique, considérable, constante, continue, continuelle, courte, dérisoire, dramatique, drastique, durable, élevée, énorme, exagérée, exceptionnelle, exorbitante, exponentielle, extraordinaire, faible, formidable, forte, fulgurante, générale, gigantesque, globale, graduelle, importante, impressionnante, incessante, indéfinie, inquiétante, (in)justifiée, insignifiante, légère, lente, (il)limitée, majeure, marquée, massive, mineure, minime, modeste, négligeable, nette, (a)normale, notable, passagère, (im)perceptible, persistante, petite, préoccupante, prodigieuse, progressive, prompte, (dé)raisonnable, rapide, réduite, (ir)régulière, remarquable, (in)sensible, significative, soudaine, soutenue, spectaculaire, spontanée, substantielle, timide, uniforme, vertigineuse, (in)volontaire. *Accorder, accuser, connaître, constater, demander, donner, enregistrer, entraîner, espérer, favoriser, freiner, noter, observer, obtenir, octroyer, offrir, permettre, provoquer, recevoir, réclamer, refuser, revendiquer, subir, toucher, vouloir une ~; bénéficier d'une ~; être en ~.*

AURORE blême, brillante, calme, charmante, éblouissante, éclatante, empourprée, grise, joyeuse, limpide, lugubre, mystérieuse, naissante, pure, radieuse, rouge, sanglante, sombre, superbe, tardive, triste, vaporeuse, vermeille, verte, violette. *Devancer l'~; se lever à/avant l'~.* L'~ commence à paraître, naît, (ap)paraît, pointe, se lève.

AUSTÉRITÉ absolue, apparente, confondante, déconcertante, délibérée, draconienne, excessive, extrême, froide, grave, impressionnante, inquiétante, pénible, relative, ridicule, rigoureuse, sévère, stricte, totale, triste, volontaire. *Afficher, dégager une ~ (+ adj.); être, faire preuve d'une ~ (+ adj.); imposer, prôner l'~.*

AUTEUR, EURE abondant, apprécié, attachant, bon, brillant, célèbre, chevronné, choyé, comblé, confirmé, (in)connu, difficile, distingué, doué, éminent, estimable, excellent, facile, favori, fécond, génial, grand, illustre, immense, incontournable, inégal, infatigable, inimitable, inspiré, intéressant, léger, majeur, marquant, maudit, mauvais, méconnu, médiocre, néophyte, obscur, original, piètre, pitoyable, populaire, profond, prolifique, prometteur, puissant, raté, reconnu, renommé, remarqué, réputé, respecté, stérile, subtil, surfait, valable. *Apprécier, citer, consulter, critiquer, découvrir, étudier, goûter, lire, plagier, recommander, savourer un ~; plonger dans un ~; raffoler d'un ~.*

AUTHENTICITÉ absolue, (in)certaine, conservée, (in)discutable, douteuse, éclatante, établie, garantie, incontestable, incroyable, indéniable, indubitable, perdue, précieuse, préservée, prétendue, rare, remarquable, retrouvée, rigoureuse, vraie. *Être d'une ~ (+ adj.); affirmer, attester, certifier, contester, discuter, douter, garantir, nier, préserver, prouver, vérifier l'~ de qqch.; croire à l'~ de qqch.; douter de l'~ de qqch.*

AUTO(MOBILE) agressive, bruyante, climatisée, confortable, coûteuse, décapotable, défectueuse, déglinguée, délabrée, d'occasion, écologique, économe, économique, élégante, excellente, fiable, fragile, gourmande (en essence), grande, grosse, impeccable, importante, légère, lente, lourde, luxueuse, minuscule, modeste, nerveuse, neuve, performante, polluante, populaire, poussive, propre, (sur)puissante, (ultra)rapide, robuste, rouillée, rutilante, sage, séduisante, silencieuse, sobre, solide, spacieuse, verte, vieille. *Acheter, acquérir, arrêter, conduire, dépanner, dépasser, em-*

bouter, essayer, faire démarrer/fonctionner/ partir, garer, immobiliser, louer, manœuvrer, piloter, posséder, ralentir, ranger, remiser, remorquer, réparer, réviser, stationner, stopper, vidanger une ~; entrer, monter, s'embarquer, s'engouffrer, s'installer dans une ~; descendre, sortir d'une ~; aller, (re)monter, rouler, se balader en ~. Une ~ avance, démarre, dérape, fait une embardée, file, fonce, freine, pétarade, ralentit, ronfle, roule, s'arrête, s'ébranle, se range, s'immobilise, stationne.

AUTOBUS bondé, comble, (in)confortable, lent, plein, rapide, rempli, vide. *Attendre, attraper, conduire, prendre, rater un ~; embarquer, monter dans un ~; débarquer, descendre d'un ~.*

AUTOGRAPHE *Accorder, avoir, demander, donner, obtenir, réclamer, signer, solliciter un ~.*

AUTOMNE agréable, ardent, avancé, brumeux, calamiteux, chatoyant, chaud, clément, coloré, court, doux, ensoleillé, exceptionnel, flamboyant, frais, frileux, froid, gris, humide, long, lumineux, mélancolique, naissant, pluvieux, précoce, radieux, remarquable, rougissant, sec, somptueux, tardif, tiède, triste. L'~ approche, avance, fait place à l'hiver, rayonne, s'installe, touche à sa fin, (re)vient.

AUTONOMIE absolue, accrue, complète, considérable, élargie, grande, intégrale, large, limitée, maximale, minimale, optimale, partielle, raisonnable, réduite, réelle, relative, renforcée, stricte, substantielle, (in)suffisante, totale, trompeuse, véritable. *Accorder, acquérir, affirmer, donner, octroyer, perdre, réclamer, refuser, rejeter, retrouver, vouloir l' ~; bénéficier, jouir de l'~.*

AUTOPSIE approfondie, complète, détaillée, minutieuse, poussée, rapide, sommaire. *Demander, effectuer, faire, mener, opérer, ordonner, pratiquer, réaliser, réclamer, subir une ~; procéder à une ~.*

AUTORISATION définitive, exceptionnelle, expresse, formelle, permanente, préalable, provisoire, spéciale, tacite, temporaire. *Accorder, avoir, demander, dénier, donner, obtenir, offrir, présenter, recevoir, refuser, solliciter une ~.*

AUTORITÉ absolue, chancelante, (in)compétente, (in)contestée, despotique, dictatoriale, (in)directe, discrétionnaire, douce, émoussée, établie, excessive, exorbitante, faible, forte, fragile, grande, importante, inébranlable, irrésistible, (in)juste, (il)légale, (il)légitime, nécessaire, nulle, oppressive, pleine, précaire, puissante, reconnue, redoutable, responsable, restreinte, rigoureuse, sévère, supérieure, suprême, stricte, tranchante, tyrannique, usurpée, violente. *Abdiquer, acquérir, (ré)affirmer, avoir, conférer, déléguer, détenir, donner, (r)établir, exercer, fortifier, garder, imposer, limiter, obtenir, partager, perdre, (re)prendre, respecter, restaurer, supprimer, usurper l'~; faire appel, s'adresser se soumettre, se soustraire à l'/aux ~(s); abuser, disposer, jouir, s'affranchir, user de l'~; manquer d'~.* Une ~ s'affaiblit, s'affermit, s'effrite.

AUTOROUTE bondée, cahoteuse, (sur)chargée, congestionnée, dangereuse, déserte, droite, encombrée, engorgée, étroite, fréquentée, large, lisse, mauvaise, monotone, pittoresque, plate, rapide, rectiligne, saturée, sinueuse, tortueuse. *Emprunter, parcourir, prendre, quitter une ~; circuler, filer, rouler, s'engager, se trouver sur une ~ ; faire de l'~.* Une ~ bifurque, descend, remonte, s'élargit, se resserre, serpente, tourne.

AVALANCHE compacte, énorme, fatale, forte, gigantesque, grosse, immense, légère, meurtrière, poudreuse, (im)prévisible, ravageuse, sèche, venteuse. *Déclencher, faire partir, produire, provoquer une ~; être pris/tué, mourir, périr dans une ~; être balayé/bloqué/écrasé/emporté/enseveli/surpris par une ~; être enseveli sous une ~.* Une ~ a lieu, descend, meurt, naît, part, s'abat, se déclenche, se forme, se produit, survient.

AVANCE (avancement) appréciable, certaine, colossale, concrète, confortable, considérable, courte, décisive, énorme, faible, forte, foudroyante, fulgurante, importante, imposante, indéniable, inexorable, irrattrapable, irrémédiable, irrésistible, large, légère, lente, longue, majeure, minime, modeste, négative, nette, positive, rapide, réelle, remarquable, sérieuse, significative, spectaculaire, substantielle, tangible. *Accentuer, accroître, acquérir, augmenter, avoir, créer, creuser, garder, maintenir, perdre, posséder, prendre, ralentir, réaliser une ~ .* Une ~ s'amenuise, se creuse. ♦ (Commerce, Finance) forte, grosse, importante, légère, modeste, petite, substantielle. *Accorder, consentir, demander, donner, faire, gagner, obtenir, percevoir, recevoir, refuser, régler, rembourser, toucher, verser une ~.*

AVANCÉE appréciable, bonne, certaine, colossale, concrète, considérable, courte, décisive, déterminante, énorme, faible, forte, foudroyante, fulgurante, historique, importante, indéniable, inexorable, irrésistible, large, légère, lente, majeure, mineure, minime, modeste, nette, perceptible, positive, prodigieuse, rapide, réelle, remarquable, sérieuse, significative, spectaculaire, substantielle, tangible, timide. *Constituer, être une ~ (+ adj.); accomplir, effectuer, enregistrer, marquer, permettre, prendre, réaliser, représenter une ~.*

AVANCEMENT (progrès, amélioration) appréciable, bénéfique, chaotique, cohérent, considérable, concret, constant, décisif, faible, fulgurant, global, graduel, important, inquiétant, lent, normal, notable, notoire, progressif, prometteur, qualitatif, raisonnable, rapide, (ir)régulier, remarquable, satisfaisant, significatif, uniforme. *Constituer, être un ~ (+ adj.); assurer, connaître, constater, mesurer, noter, obtenir, permettre, représenter un ~.* ♦ (promotion) accéléré, automatique, bloqué, fulgurant, plafonné, rapide. *Avoir, chercher, espérer, obtenir, offrir, procurer, refuser, solliciter un ~; postuler, prétendre à un ~; bénéficier, être privé d'un ~; avoir, demander, donner, obtenir, prendre, recevoir de l'~.*

AVANTAGE (in)appréciable, circonstanciel, concret, considérable, (in)contestable, décisif, dérisoire, (in)direct, douteux, écrasant, énorme, essentiel, évident, excessif, fabuleux, faible, fort, frêle, grand, illusoire, immédiat, immense, important, incalculable, incomparable, indéniable, inestimable, insigne, léger, lointain, lourd, maigre, majeur, marquant, mince, mineur, momentané, négatif, négligeable, net, notable, palpable, particulier, pauvre, piètre, positif, pratique, précieux, réel, remarquable, secondaire, sérieux, significatif, solide, stimulant, stratégique, substantiel, terrible. *Constituer, représenter un ~ (+ adj.); accorder, apporter, (s')assurer, attribuer, avoir, concéder, conserver, donner, exploiter, faire ressortir/valoir, garantir, garder, maintenir, obtenir, offrir, perdre, (re)prendre, présenter, procurer, rapporter, remporter, supprimer, tirer, utiliser un ~; renoncer à un ~; abuser, bénéficier, jouir, profiter, se servir d'un ~; cumuler, multiplier, peser, soupeser les ~s.* Un ~ se présente, s'évanouit, s'offre.

AVARICE absolue, apparente, déconcertante, déguisée, évidente, exécrable, exagérée, extrême, grossière, incroyable, inimaginable, inouïe, insatiable, invétérée, maladive, malsaine, mesquine, monstrueuse, noire, rusée, sordide. *Être, faire preuve, se montrer d'une ~ (+ adj.); se livrer à l'~.*

AVARIE grave, grosse, importante, légère, majeure, mineure, minime, sérieuse. *Avoir, causer, connaître, constater, éprouver, éviter, occasionner, réparer, signaler, subir une/des ~(s).* Une ~ se produit, survient.

AVENIR aléatoire, assombri, assuré, banal, bouché, brillant, (in)certain, confortable, (in)connu, (in)déterminé, difficile, douteux, dramatique, éloigné, facile, florissant, flou, fructueux, grand, (mal)heureux, hypothéqué, idyllique, immédiat, immense, inéluctable, inquiétant, insondable, (il)limité, lointain, lumineux, magnifique, meilleur, menaçant, mirobolant, morne, négatif, obscur, paisible, périlleux, positif, prédestiné, (im)prévisible, (im)probable, problématique, prochain, proche, prometteur, prospère, radieux, rapproché, rassurant, rayonnant, reluisant, riant, serein, solide, sombre, (in)stable, superbe, terni, terrible, tranquille, sûr, vague, viable. *Avoir, (s')assurer, (se) bâtir, (se) construire, garantir, (se) ménager, promettre, (se) préparer un ~ (+ adj.); aspirer, être promis à un ~ (+ adj.); affronter, anticiper, appréhender, attendre, compromettre, connaître, craindre, découvrir, devancer, deviner, dévoiler, échafauder, entrevoir, envisager, esquisser, évoquer, façonner, gâcher, imaginer, prédire, préparer, préserver, prévoir, questionner, redouter, scruter, sonder l' ~; faire confiance, penser, se raccrocher, songer à l'~; se projeter, vivre dans l'~; avoir peur, désespérer, douter, être anxieux/inquiet/insouciant/soucieux, se désintéresser, se préoccuper, se soucier, s'inquiéter, s'occuper de l' ~; avoir foi, croire, espérer en l'~.*

AVENTURE alléchante, amusante, banale, bizarre, brève, cauchemardesque, cocasse, comique, curieuse, dangereuse, effrayante, époustouflante, étonnante, étourdissante, étrange, exaltante, extraordinaire, fâcheuse, folle, formidable, grande, hasardeuse, (mal)heureuse, hilarante, incroyable, inoubliable, inouïe, insolite, invraisemblable, lamentable, malencontreuse, merveilleuse, mouvementée, passionnante, pénible, périlleuse, piquante, plaisante, prodigieuse, réussie, risquée, rocambolesque, savoureuse, singulière, sinistre, téméraire, terrible, tragique, triste, tumultueuse, vertigineuse. *Connaître, conter, narrer, raconter, vivre une ~; participer à une ~; (s') embarquer, se lancer dans une ~; sortir d'une ~; aimer, risquer, tenter l'~; aller, errer, marcher, partir à l'~ .* Une ~ arrive, commence, débute, s'achève, se produit, se termine, survient.

AVENTURIER, IÈRE audacieux, chevronné, confirmé, courageux, entreprenant, intrépide, passionné, solitaire, téméraire, tenace.

AVENUE animée, déserte, élégante, immense, large, longue, ombragée, pentue, pimpante, sombre, spacieuse, verdoyante, verte. *Arpenter, croiser, descendre, emprunter, gagner, monter, parcourir, quitter, remonter, traverser une ~; bifurquer, habiter, entrer, tourner dans une ~; habiter sur une ~.*

AVERSE abondante, bénéfique, brève, brusque, brutale, continue, copieuse, courte, diluvienne, douce, exceptionnelle, faible, forte, glaciale, grosse, imminente, importante, imprévisible, interminable, longue, menaçante, orageuse, passagère, persistante, petite, rafraîchissante, résiduelle, soudaine, soutenue, subite, tiède, torrentielle, violente; fréquentes, sporadiques. *Essuyer, prendre, recevoir, subir une ~; être pris/surpris/trempé par une ~; rester sous l'~.* Une ~ arrive, crève, s'abat, s'annonce, se déchaîne, se déclare, se déclenche, survient, tombe.

AVERSION aveugle, certaine, complète, durable, excessive, héréditaire, immodérée, importante, instinctive, insurmontable, invincible, irraisonnée, irrationnelle, irrépressible, maladive, naturelle, particulière, profonde, prolongée, spontanée, suprême, unanime, violente, viscérale, vive. *Avoir, concevoir, développer, éprouver, exprimer, inspirer, manifester, ressentir, surmonter, vaincre une ~; avoir, concevoir, éprouver, inspirer, manifester, ressentir de l' ~; exprimer, manifester, surmonter, vaincre son ~.*

AVERTISSEMENT amical, charitable, clair, (in)direct, faible, ferme, final, (in)formel, fort, grave, (in)justifié, léger, lourd, menaçant, musclé, mystérieux, net, préalable, précis, précoce, prémonitoire, puissant, sage, salutaire, sérieux, sévère, solennel, subtil, tardif, ultime. *Adresser, diffuser, donner, écouter, émettre, formuler, infliger, ignorer, lancer, négliger, notifier, prononcer, recevoir, refuser, servir, suivre un ~; s'exposer à un ~; écoper d'un ~; multiplier les ~s; être sourd aux ~s.*

AVERTISSEUR clignotant, lumineux, puissant, sonore. *Actionner, activer, déclencher un ~; être doté/équipé/muni d'un ~.* Un ~ émet un signal, retentit, se déclenche, se fait entendre.

AVEU brutal, choquant, (in)complet, coûteux, criant, décisif, déguisé, douloureux, doux, explicite, faible, forcé, (in)formel, fort, franc, humble, humiliant, implicite, inconscient, lourd, malheureux, naïf, partiel, passionné, pénible, réticent, secret, significatif, sincère, spontané, tacite, tendre, terrible, triste, véritable, (in)volontaire. *Arracher, devoir, échapper, entendre, extorquer, faire, obtenir, provoquer, recevoir, retirer, rétracter un ~; passer aux ~x; revenir sur ses ~x.*

AVIDITÉ bestiale, curieuse, effrénée, énorme, extrême, grande, furieuse, extraordinaire, gloutonne, impitoyable, incontrôlable, inextinguible, insatiable, intarissable, notable, vorace. *Être d'une ~ (+ adj.); boire, désirer, dévorer, écouter, lire, manger, regarder avec ~ (+ adj.).*

AVION bruyant, (in)confortable, désuet, furtif, géant, gigantesque, grand, (ultra)léger, lent, lourd, maniable, minuscule, (ultra)moderne, moyen, pesant, petit, rapide, silencieux, vieil. *Affréter, cabrer, conduire, dérouter, diriger, faire voler, gouverner, noliser, piloter, poser, rater, utiliser un ~; embarquer, entrer dans un ~; débarquer, descendre d'un ~; prendre l'~; changer, descendre d'~; aller, monter, partir, survoler, voyager en ~; voyager par ~.* Un ~ acquiert de la vitesse, arrive, atterrit, décolle, descend, disparaît, évolue, monte, perd son altitude, pique (du nez), plane, plonge, prend de la hauteur, quitte la piste, ronfle, roule, s'abîme, s'écrase, se désintègre, se détache du sol, se fracasse, s'élève, se pose, sort de la piste, survole, tangue, tombe, tourne, tournoie, vire, vole, voyage, vrille, vrombit.

AVIRON court, léger, long, lourd. *Manier, tenir un ~; être muni, se servir d'un ~; manier, pratiquer l'~; s'initier à l'~; faire de l'~.*

AVIS affectueux, amical, charitable, clair, confidentiel, contradictoire, contraire, différent, (in)direct, dissident, divergeant, éclairé, erroné, excellent, (dé)favorable, (in)formel, humble, important, (dés)intéressé, mitigé, modéré, net, partagé, (im)partial, partiel, précis, prédominant, raisonnable, réaliste, rigoureux, sage, salutaire, secret, sérieux, sévère, sincère, solide, sûr, tardif, tranché, unanime, utile. *Avoir, demander, donner, écouter, émettre, énoncer, exposer, exprimer, faire connaître, formuler, négliger, partager, peser, prendre, proposer, recevoir, rejeter, solliciter, soutenir, suivre un/l'~ de qqn; se conformer, se ranger, se rendre à un/l'~ de qqn; faire cas, tenir compte d'un ~; être de l'~ de qqn; dire, donner, émettre, exposer, exprimer, faire connaître, formuler son ~; changer d'~.*

AVOCAT, ATE astucieux, bon, brillant, célèbre, chevronné, (in)compétent, controversé, convaincant, éloquent, éminent, excellent, fantasque, grand, grandiloquent, illustre, incisif, marron, mauvais, médiocre, minable, moyen, piètre, prestigieux, pugnace, redoutable, réputé, retors, rigoureux, talentueux, véreux. *Avoir, consulter, prendre, (aller) voir un ~; avoir accès à un ~.*

AVOIR considérable, misérable, modeste, modique, suffisant. *Posséder un ~; disposer, hériter d'un ~; dilapider, gérer son ~.*

AVORTEMENT accidentel, clandestin, difficile, facile, horrible, intentionnel, laborieux, (il)licite, naturel, provoqué, spontané, tardif, thérapeutique, (in)volontaire. *Demander, pratiquer, procurer, provoquer, réclamer, subir un ~; avoir recours, procéder à un ~; admettre, autoriser, condamner, décriminaliser, dépénaliser, interdire, légaliser, punir, refuser, tolérer l'~; être (dé)favorable, s'opposer à l'~.*

AZUR ardent, clair, douteux, éclatant, foncé, inimitable, intense, limpide, lumineux, pâle, profond, pur, sombre, soutenu, tendre.

B

BAC(CALAURÉAT) *Avoir, entreprendre, faire, obtenir, passer, préparer, posséder, rater un ~; échouer, être recalé/refusé au/à son ~; être titulaire d'un ~.*

BACTÉRIE banale, coriace, courante, dangereuse, fréquente, inoffensive, mortelle, nocive, redoutable, résistante, tenace, terrible. *Attraper, avoir, combattre, contracter, porter une/des ~(s).* Une ~ meurt, mute, se développe.

BADAUD amusés, curieux, ébahis, enthousiastes, médusés, oisifs. *Attirer, (faire) attrouper, disperser, écarter, faire circuler, rassembler les ~s.* Des ~s accourent, s'agglutinent, s'attroupent, se bousculent, se dispersent, se pressent.

BAGAGE (*valises*) embarrassants, encombrants, gros, indispensables, légers, lourds, menus, modestes, nécessaires, rigides, souples, superflus, (in)utiles, volumineux. *Apprêter, emporter, (faire) enregistrer, (dé)faire, fouiller, porter, poser, préparer, récupérer, retirer, transporter des/ses ~s; voyager sans ~s.* ♦(*connaissances*) considérable, énorme, étendu, faible, fort, grand, immense, imposant, impressionnant, indispensable, léger, lourd, maigre, mince, minimum moyen, nécessaire, pertinent, précieux, remarquable, solide, (in)suffisant, supplémentaire, vaste. *Accumuler, acquérir, apporter, avoir, détenir, donner, inculquer, posséder, transmettre un ~ (+ adj.).*

BAGARRE acharnée, affreuse, brève, bruyante, courte, dure, effrénée, effroyable, énorme, épique, équilibrée, farouche, féroce, formidable, furieuse, générale, horrible, impitoyable, inégale, infernale, intense, mémorable, mortelle, rude, sanglante, sauvage, sévère, soutenue, terrible, totale, violente. *Commencer, déclencher, empêcher, engager, entraîner, éviter, faire cesser, gagner, perdre, provoquer, (se) livrer une ~; assister, être mêlé, mettre fin, participer, prendre part à une ~; être impliqué, intervenir, se trouver pris, s'interposer dans une ~; se sauver, se tirer d'une ~; aimer, chercher, refuser, vouloir la ~.* Une ~ a lieu, commence, éclate, explose, fait rage, se déclenche, se déroule, s'engage, s'ensuit, se produit, survient.

BAGUE brillante, éclatante, élégante, étincelante, fine, garnie/sertie (de diamants, etc.), impressionnante, jolie, magnifique, ornée, précieuse, riche, simple, superbe, torsadée. *Porter une ~; enlever, faire glisser, mettre, ôter, retirer sa/ses ~(s).*

BAIE abritée, ample, étroite, fermée, gigantesque, immense, large, longue, marécageuse, ouverte, protégée, profonde, rectiligne, resserrée, retirée, sablonneuse, sauvage, secrète, vaste, venteuse. *Aborder, longer, parcourir une ~; entrer, mouiller, pénétrer, s'ancrer dans une ~.*

BAIGNADE agréable, bonne, brève, chaude, courte, forcée, froide, glacée, longue, méritée, prolongée, rafraîchissante, rapide, relaxante, revigorante, tonique, (in)volontaire. *Effectuer, faire une ~.*

BAIL à vie, courant, de courte/longue durée, écrit, notarié, renouvelable, verbal. *Casser, céder, conclure, continuer, contracter, dénoncer, faire, négocier, passer, rédiger, renouveler, résilier, rompre, signer un ~.* Un ~ commence, démarre, échoue, précise, prévoit, stipule.

BÂILLEMENT bref, bruyant, contagieux, énorme, gros, immense, intempestif, irrépressible, léger, long, nerveux, prolongé, puissant, sonore. *Déclencher, dissimuler, émettre, étouffer, faire entendre, feindre, lâcher, pousser, provoquer, réfréner, réprimer, retenir un ~.*

BAIN aromatique, brûlant, chaud, délassant, froid, glacé, moussant, parfumé, rafraîchissant, savonneux, tiède. *Donner, prendre, préparer un ~; faire couler, remplir, vider le ~.*

BAISER affectueux, amoureux, ardent, avide, brûlant, caressant, chaste, dégoûtant, doux, enflammé, enivrant, éperdu, fougueux, froid, furieux, furtif, humide, innocent, langoureux, languissant, léger, maladroit, muet, piquant, profond, prolongé, râpeux, rapide, retentissant, savoureux, sensuel, sonore, tendre, violent, voluptueux, vorace. *Appliquer, cueillir, demander, déposer, dérober, donner, échanger, envoyer, mendier, mettre, poser, prendre, recevoir, refuser, rendre, voler un/des ~(s); couvrir, dévorer, manger de ~s.*

BAISSE abusive, accélérée, accrue, alarmante, (in)attendue, brusque, brutale, catastrophique, considérable, constante, continue, continuelle, courte, dramatique, drastique, élevée, énorme, exagérée, exceptionnelle, exponentielle, extraordinaire, faible, formidable, forte, fulgurante, générale, gigantesque, globale, graduelle, immense, importante, impressionnante, incessante, indéfinie, inquiétante, (in)justifiée, légère, lente, (il)limitée, majeure, marquée, massive, mineure, modeste, négligeable, nette, (a)normale, notable, passagère, (im)perceptible, persistante, préoccupante, prodigieuse, progressive, prompte, (dé)raisonnable, rapide, réduite, (ir)régulière, remarquable, (in)sensible, significative, soudaine, soutenue, spectaculaire, spontanée, substantielle, timide, uniforme, vertigineuse, (in)volontaire. *Accuser, annoncer, connaître, constater, contrer, enregistrer, entraîner, favoriser, freiner, imposer, infliger, observer, opérer, palier, refuser, subir une ~; être en ~.*

BAL champêtre, costumé, grand, masqué. *Donner, faire, organiser, ouvrir un ~; aller, être invité, participer à un ~.* Un ~ a lieu, se déroule, se tient.

BALADE accompagnée, courte, facile, grande, jolie, longue, magnifique, plaisante, relaxe, sportive, superbe, tranquille. *Effectuer, faire, organiser une ~; aller, être en ~.*

BALANCE (in)exacte, fidèle, folle, juste, sensible. *(r)Ajuster une ~; se servir d'une ~.*

BALCON couvert, énorme, étroit, exigu, fleuri, grand, immense, large, long, massif, modeste, ouvragé, suspendu, vaste. *Voir d'un ~; apparaître, s'accouder, se mettre, se pencher au ~.*

BALEINE énorme, géante, grosse, majestueuse, monstrueuse. *Observer les ~s.* Une ~ émerge, nage, plonge, saute, s'échoue, surgit.

BALLADE banale, douce, envoûtante, légère, lente, mélodieuse, mielleuse, romantique, rythmée, sentimentale, simple, sirupeuse, sucrée, vieille. *Chanter, chantonner, composer, écrire, fredonner, interpréter, jouer, siffloter une ~.*

BALLE (Sport) aérienne, amortie, arrêtée, basse, coupée, correcte, dure, facile, fausse, haute, immobile, libre, mauvaise, molle, morte, nulle, oblique, ovale, puissante, rapide, ronde, roulante, soulevée, tenue, vivante, volante. *Arrêter, attraper, bloquer, contrôler, diriger, écraser, (r)envoyer, frapper, immobiliser, intercepter, jouer, (re)lancer, manquer, passer, perdre, placer, (re)pousser, (re)prendre, rabattre, rater, réceptionner, recevoir, récupérer, retourner, saisir, toucher, une/la ~; s'emparer d'une/de la ~; jouer avec une ~; jouer à la ~.* Une ~ rebondit, ricoche, roule, sort du jeu. ♦ (projectile) caoutchoutée, explosive, fatale, meurtrière, perdue, réelle, traçante. *Recevoir, tirer une ~; abattre qqn, mourir d'une ~; être atteint/blessé/frappé par une ~; tirer à ~s; être abattu/blessé/touché/tué par ~(s).* Une ~ claque, ricoche, ronfle, siffle; des ~s crépitent, pleuvent.

BALLERINE célèbre, délicate, élégante, fine, gracieuse, grande, illustre, talentueuse. Une ~ danse, fait des pointes, pivote, tourne.

BALLET *Danser, exécuter, interpréter, (aller) voir un ~; assister à un ~.*

BALLON (Sport) aérien, arrêté, bas, correct, dur, facile, glissant, haut, immobile, libre, mauvais, mort, mou, ovale, puissant, rapide, rond, roulant, soulevé, tenu, vivant. *Arrêter, attraper, bloquer, contrôler, diriger, (r)envoyer, frapper, immobiliser, intercepter, jouer, (re)lancer, manquer, parer, passer, perdre, placer, (re)pousser, (re)prendre, rabattre, rater, réceptionner, recevoir, récupérer, reprendre, stopper, suivre, taper, toucher, transmettre un/le ~; jongler, s'amuser avec un/le ~; s'emparer, se saisir d'un/du ~; jouer au ~.* ♦ (Aviation) *Amarrer, (dé)gonfler, lancer, (dé)lester, piloter un ~; aller, monter, se balader, voler, voyager en ~.* Un ~ atterrit, décolle, dérive, descend, monte, part, s'abaisse, se balance, s'élève, s'envole, vole.

BANALITÉ absolue, affligeante, aimable, attristante, complète, confondante, consternante, crasse, déconcertante, décourageante, déroutante, désarmante, désespérante, effrayante, ennuyeuse, étonnante, extrême, grande, incroyable, inquiétante, insupportable, lamentable, navrante, parfaite, plate, rare, remarquable, suprême, totale. *Être d'une ~ (+ adj.); débiter, dire, échanger, écrire, énoncer, répondre des ~s; s'écarter, sortir de la ~.*

BANC bas, bringuebalant, (in)confortable, court, étroit, grand, haut, large, long, rembourré, solide, vieux. *Être allongé/assis, prendre place, s'allonger, s'asseoir, se laisser tomber, s'installer sur un ~.*

BANDAGE ajusté, énorme, épais, étroit, grand, gros, grossier, immense, improvisé, lâche, large, léger, long, mince, minuscule, propre, provisoire, serré, sommaire, souillé, stérile, temporaire. *Appliquer, arracher, confectionner, effectuer, enlever, enrouler, (dé)faire, mettre, porter, poser, réaliser, (des)serrer un ~.*

BANDE armée, criminelle, dangereuse, hétéroclite, joyeuse, mafieuse, misérable, organisée, puissante, rebelle, redoutable, rivale, structurée. *Créer, diriger, former, infiltrer, mener, organiser, recruter une ~; appartenir à une ~; enrôler qqn, entrer dans une ~; faire partie d'une ~; aller, partir, se mettre, se regrouper, sortir en ~.* Une ~ fait régner la terreur, sévit.

BANDIT affreux, armé, célèbre, dangereux, intrépide, notoire, recherché, redoutable, repenti, sanguinaire, terrible, vilain. *Arrêter, capturer, intercepter, poursuivre, traquer un ~.*

BANLIEUE aisée, anonyme, banale, calme, chaude, chic, cossue, défavorisée, déprimante, déserte, difficile, élégante, éloignée, ennuyeuse, huppée, industrielle, lointaine, lugubre, médiocre, misérable, moche, ouvrière, paisible, pauvre, (sur)peuplée, proche, propre, résidentielle, sale, sensible, sinistre, sordide, tentaculaire, tranquille, triste. *Habiter une ~; demeurer, habiter, vivre dans une ~; demeurer, habiter, résider, rester, s'installer, vivre en ~.*

BANQUE compétente, huppée, louche, modeste, prestigieuse, renommée, réputée, sérieuse. *Administrer, attaquer, braquer, dévaliser, diriger une ~; travailler dans une ~; aller, aller chercher/déposer de l'argent, emprunter à la ~; s'endetter auprès des ~s; avoir un compte/de l'argent en ~.* Une ~ périclite, prospère.

BANQUET grand, grandiose, plantureux, prestigieux, somptueux. *Donner, offrir, organiser, préparer, tenir un ~; assister, convier qqn, être convié/invité, inviter qqn, participer, prendre part à un ~.* Un ~ a lieu, se déroule, se tient.

BANQUISE compacte, crevassée, dérivante, énorme, épaisse, étroite, fissurée, flottante, fragile, immense, impénétrable, imposante, infranchissable, longue, mince, (im)mobile, plate, spectaculaire, vierge. *Heurter une ~; échouer sur une ~.* Une ~ dérive, se disloque, se forme.

BAR achalandé, à la mode, animé, branché, bruyant, célèbre, chic, clinquant, délabré, désert, élégant, enfumé, malfamé, huppé, immense, louche, lugubre, luxueux, minable, modeste, paisible, populaire, réputé, sale, sélect, sombre, somptueux, tranquille, vaste, vieux. *Fréquenter, tenir un ~; aller, entrer dans un ~; prendre une consommation au ~; faire la tournée des ~s.*

BARBARIE abominable, absolue, atroce, aveugle, cruelle, débridée, épouvantable, exacerbée, horrible, incontestable, indescriptible, insoutenable, intolérable, odieuse, inouïe, raffinée, révoltante, sauvage, totale. *Commettre une ~; avoir recours, recourir, se livrer à la ~; basculer, s'enfoncer, sombrer, (re)tomber dans la ~; commettre/faire subir/perpétrer des actes de ~.*

BARBE abondante, argentée, blanchâtre, blanche, blonde, broussailleuse, brune, carrée, chenue, chevelue, clairsemée, cotonneuse, courte, crasseuse, décolorée, disciplinée, drue, dure, embroussaillée, épaisse, fausse, fleurie, florissante, foncée, forte, fourchue, fournie, frisante, grande, grisâtre, grise, grisonnante, grosse, hérissée, jeune, large, légère, longue, lourde, luxuriante, mêlée, mince, naissante, négligée, noire, piquante, plantureuse, pointue, rare, rasée, rêche, romantique, roussâtre, rousse, rude, sale, soignée, soyeuse, taillée, touffue, vénérable. *Avoir, porter la ~ (+ adj.); couper, écourter, épointer, (se) faire, (se) laisser pousser, négliger, (se) peigner, (se) raser, se faire faire/raser, se lisser, (se) tailler, (se) teindre la/sa ~; avoir de la ~.*

BAROMÈTRE *Consulter, surveiller le ~.* Le ~ baisse, (re)chute, (re)descend, est à la pluie/au beau fixe/au variable, fléchit, (re)monte.

BARQUE courbe, courte, effilée, énorme, étanche, étroite, fine, frêle, grosse, immense, large, légère, longue, lourde, mauvaise, minuscule, neuve, plate, profonde, rapide, ronde, solide, ventrue, vieille. *Amarrer, conduire, démarrer, détacher, diriger, échouer, ensabler, faire chavirer, gouverner, haler, manier, manœuvrer, piloter, remorquer, tirer une ~; embarquer, monter dans une ~; débarquer, sortir d'une ~; aller, pêcher, se promener en ~.* Une ~ accoste, coule, dérive, (s')échoue, prend l'eau, se renverse, sombre, tangue, vogue.

BARRAGE (~ *d'une rivière, un lac*) artificiel, fixe, imposant, mobile, monumental, naturel, provisoire. *Construire, ériger, établir un ~.* Un ~ cède, résiste, se disloque, s'effondre, se rompt. ♦(~ *policier, routier*) filtrant, hermétique, musclé, strict. *Contourner, édifier, enlever, ériger, établir, éviter, forcer, franchir, installer, lever, maintenir, mettre en place, percer, rencontrer un ~.*

BARRE (*Droit, juridique*) *Amener qqn, comparaître, être appelé, paraître, s'avancer, se présenter, traîner qqn à la ~; être cité devant la ~.* ♦(*Nautique*) *Prendre, redresser, tenir la ~; donner un coup de ~.* ♦(*Sport*) asymétriques, fixes, parallèles. *Travailler la ~; travailler aux ~s.*

BARRICADE dérisoire, énorme, frêle, haute, imposante, improvisée, solide. *Attaquer, construire, créer, dresser, élever, enfoncer, enlever, ériger, établir, forcer, franchir, (dé)monter, poser, prendre d'assaut, renverser, rompre une ~; se poster derrière une ~.*

BARRIÈRE (*clôture*) basse, élevée, énorme, épaisse, fine, frêle, grillagée, haute, mince, minuscule, solide. *Aménager, construire, contourner, dresser, élever, enjamber, ériger, fermer, former, franchir, implanter, installer, ouvrir, pousser, sauter une ~; entourer, munir d'une ~.* ♦(*obstacle*) considérable, (in)efficace, étanche, faible, forte, (in)franchissable, importante, légère, nette, puissante, réelle, sérieuse, (in)suffisante, supplémentaire, (in)surmontable, symbolique. *Constituer, construire, créer, dresser, ériger, établir, former, franchir, représenter, surmonter une ~ (+ adj.); abattre, abolir, affronter, briser, dresser, élever, faire sauter/tomber, franchir, rompre les ~s.*

BAS courts, épais, fins, longs, neufs, percés, propres, raccommodés, rapiécés, sales, troués, vieux. *Chausser, enfiler, enlever, mettre, ôter, porter, raccommoder, rapiécer, tirer des/ses ~.*

BASE (*en général*) bonne, branlante, chancelante, efficace, élargie, étroite, faible, fausse, forte, fragile, frêle, inébranlable, large, (il)limitée, précaire, puissante, réduite, solide, (in)stable, sûre, vacillante. *Donner, fournir, offrir, procurer une ~; avoir des ~s (+ adj.); assurer, constituer, ébranler, établir, faire, élargir, renforcer, saper la/les ~(s) de qqch.* ♦(*Militaire, etc.*) désaffectée, immense, importante, opérationnelle, permanente, secrète, stratégique. *Aménager, établir, installer, mettre sur pied une ~.* ♦(*Informatique*) *Constituer, consulter, créer, exploiter, gérer, interroger une ~; accéder, avoir accès à une ~.*

BASE-BALL *Pratiquer le ~; jouer au ~; être un adepte/fan/fidèle/inconditionnel/mordu/passionné de ~.*

BASKET-BALL *Pratiquer le ~; jouer au ~; être un adepte/fan/fidèle/inconditionnel/mordu/passionné de ~.*

BASSESSE absolue, affligeante, déconcertante, écœurante, étonnante, extrême, flagrante, honteuse, ignoble, incroyable, inimaginable, inouïe, inqualifiable, insupportable, lamentable, manifeste, notoire, rare, repoussante, répugnante. *Être d'une ~ (+ adj.); commettre, dire, faire une/des ~(s).*

BATAILLE acharnée, âpre, ardente, atroce, affreuse, courte, cruciale, cruelle, décisive, défensive, déplorable, désastreuse, désespérée, désordonnée, difficile, douteuse, dure, effroyable, énorme, épique, épouvantable, épuisante, (dés)équilibrée, facile, farouche, féroce, feutrée, formidable, furieuse, gagnée, gigantesque, glorieuse, grosse, horrible, impitoyable, importante, imprévue, incertaine, incessante, indécise, inégale, longue, majeure, mauvaise, mémorable, meurtrière, mineure, offensive, perdue, périlleuse, permanente, rapide, remportée, rude, sanglante, sauvage, serrée, solitaire, spectaculaire, stratégique, suicidaire, suprême, tactique, terrible, titanesque, ultime, vaine, victorieuse, violente. *Abandonner, accepter, affronter, commencer, conduire, déclencher, disputer, engager, entamer, faire cesser, fuir, gagner, (se) livrer, mener, ouvrir, perdre, préparer, refuser, rompre, soutenir une/la ~; assister, mettre fin, participer, prendre part, se préparer à une/la ~; entrer, se jeter, s'engager dans une/la ~.* Une/la ~ a lieu, éclate, fait rage, s'achève, s'amplifie, se déclenche, se déroule, se livre, s'engage, s'enlise, se produit, se termine, s'intensifie.

BATEAU amarré, avarié, cassé, (in)confortable, court, délabré, démâté, échoué, effilé, englouti, enlisé, énorme, ensablé, équipé, étroit, frêle, géant, immense, insubmersible, large, léger, lent, long, lourd, luxueux, mauvais, minuscule, naufragé, plat, poussif, profond, rapide, rouillé, solide, (in)stable, sûr, ventru, vieux. *Aborder, amarrer, barrer, conduire, construire, démarrer, détacher, diriger, exploiter, faire appareiller, gouverner, gréer, haler, lancer, manier, manœuvrer, mener, piloter, prendre, quitter, remorquer, réparer un ~; débarquer d'un ~; embarquer, monter sur un ~; faire du ~; aller, partir, se promener, sortir en ~; voyager par ~.* Un ~ accoste, appareille, coule, démarre, démâte, dérive, essuie une tempête, est à flot/à l'ancre/à quai, fait escale, gagne le large, gîte, glisse, lève l'ancre, mouille, navigue, prend la mer, remue, rentre au port, rompt ses amarres, s'amarre, se brise, s'échoue, s'engloutit, s'enlise, sombre, stationne, tangue, vogue.

BÂTIMENT abandonné, ample, ancien, banal, bas, colossal, (in)confortable, cossu, décent, dégradé, délabré, désaffecté, discret, élégant, élevé, énorme, exigu, géant, gigantesque, grandiose, haut, historique, immense, impersonnel, important, imposant, impressionnant, inhabitable, insalubre, joli, laid, long, lourd, lugubre, luxueux, magnifique, majestueux, massif, miteux, moderne, modeste, monumental, neuf, pompeux, prestigieux, récent, (ir)régulier, remarquable, rénové, restauré, rudimentaire, rutilant, sévère, sinistre, sombre, somptueux, spacieux, splendide, superbe, triste, vaste, vétuste, vieux. *Acheter, acquérir, construire, (faire) démolir, édifier, élever, entretenir, ériger, habiter, louer, occuper,* *raser, réhabiliter, rénover, réparer, restaurer, vendre un ~; travailler dans le ~.* Un ~ se dresse, s'élève.

BÂTON courbé, court, énorme, épais, étroit, fin, fort, fourchu, fragile, grand, gros, large, léger, long, lourd, mince, noueux, recourbé, robuste, solide. *Brandir, lancer, tenir un ~; menacer d'un ~; s'appuyer sur un ~.*

BATTEMENT (*~ d'ailes*) accélérés, continuels, courts, énergiques, faibles, forts, légers, lents, longs, précipités, rapides, (ir)réguliers, saccadés, vifs, vigoureux, violents. *Effectuer, exécuter, faire, réaliser des ~s.*

BATTERIE à plat, (dé)chargée, épuisée, faible, puissante. *(re)Charger une ~.*

BAVARD, ARDE brillant, grand, impénitent, incorrigible, incurable, indiscret, insupportable, intarissable, invétéré.

BAVARDAGE bruyants, calomnieux, confus, décousus, ennuyeux, futiles, incessants, indiscrets, ininterrompus, intarissables, interminables, intolérables, inutiles, médisants, stériles, vains. *Étouffer, éviter, faire cesser les ~s.*

BAVURE énorme, fâcheuse, grave, grosse, immense, meurtrière, sanglante, terrible, tragique. *Admettre, camoufler, commettre, couvrir, faire, maquiller, reconnaître une ~; être victime d'une ~; accumuler, multiplier les ~s.*

BEAUTÉ admirable, artificielle, austère, classique, curieuse, délicate, dépouillée, durable, éblouissante, éclatante, élégante, émouvante, empruntée, enchanteresse, enivrante, envoûtante, épanouie, époustouflante, essentielle, étonnante, étrange, exceptionnelle, exotique, exquise, extrême, fade, fanée, fantastique, fascinante, fausse, fatale, féerique, fine, florissante, fragile, fraîche, frappante, fulgurante, glacée, grande, grandiose, idéale, imposante, incomparable, inconcevable, indéniable, indescriptible, indiscutable, inégalable, infinie, inhabituelle, inimaginable, inimitable, inoubliable, insolente, insolite, insurpassable, intemporelle, intérieure, irréelle, lumineuse, magnétique, magnifique, majestueuse, merveilleuse, mièvre, modeste, mystérieuse, naïve, naturelle, négligée, noble, (extra)ordinaire, originale, paradisiaque, (im)parfaite, passagère, périssable, plastique, provocante, pure, radieuse, rare, ravissante, rayonnante, rechercher, (ir)régulière, remarquable, resplendissante, saisissante, sauvage, séduisante, sereine, sévère, singulière, sobre, sombre, sophistiquée, spéciale, splendide, sublime, superficielle, surnaturelle, surprenante, touchante, trompeuse, virile, vraie. *Avoir, posséder une ~ (+ adj.); être d'une ~ (+ adj.); se (re)faire une ~; admirer, apprécier, contempler, louer la ~ de qqn/qqch.; être (in)sensible à la ~; conserver, entretenir, ignorer, négliger, perdre sa ~; prendre soin de sa ~.*

BÉBÉ agité, braillard, brailleur, bruyant, calme, charmant, difficile, docile, énorme, facile, geignard, gras, grassouillet, grognon, gros, joufflu, minuscule, obèse, pleurnichard, rose, sage, splendide, turbulent. *Allaiter, attendre, avoir, changer, garder, nourrir, porter, vouloir un ~.* Un ~ babille, braille, gazouille, pleure, rampe, réclame son biberon, se traîne, vagit.

BEC acéré, aplati, arrondi, bizarre, cannelé, conique, corné, costaud, courbe, (re)courbé, court, crochu, dentelé, difforme, droit, effilé, élancé, énorme, épais, fin, fort, grand, imposant, impressionnant, large, lisse, long, massif, menu, mince, plat, pointu, proéminent, puissant, recourbé, robuste, rond, trapu, tranchant, tronqué, volumineux. *Avoir, posséder un ~ (+ adj.); être affublé/doté/muni/pourvu d'un ~ (+ adj.).*

BEIGE abricoté, argenté, cendré, chaud, clair, crasseux, crème, défraîchi, délavé, délicat, discret, doré, douteux, doux, effacé, élégant, fauve, foncé, ivoire, lumineux, mat, moyen, neutre, nuancé, orangé, pâle, perlé, prononcé, rosé, roux, sable, sale, sombre, tendre, terne.

BELVÉDÈRE aménagé, élevé, étroit, exceptionnel, extraordinaire, fleuri, immense, intéressant, large, magnifique, naturel, panoramique, remarquable, rocheux, superbe, unique, vaste. *Atteindre, gagner un ~; accéder, avoir accès, parvenir à un ~; s'installer sur un ~.* Un ~ se dresse.

BÉNÉFICE bon, brut, concret, confortable, considérable, copieux, coquet, dérisoire, douteux, élevé, énorme, escompté, espéré, excédentaire, exceptionnel, excessif, exorbitant, fabuleux, faible, fantastique, fort, gigantesque, gros, hasardeux, (mal)honnête, honteux, immense, important, inestimable, joli, juteux, (il)licite, maximum, médiocre, minime, minimum, modéré, modeste, modique, négligeable, net, normal, notable, piteux, plantureux, raisonnable, rapide, réel, remarquable, riche, rondelet, scandaleux, significatif, substantiel, tangible, véritable. *Accuser, afficher, allouer, calculer, capitaliser, distribuer, donner, empocher, encaisser, enregistrer, escompter, espérer, dégager, faire, gagner, générer, gonfler, maximiser, obtenir, partager, prévoir, produire, rapporter, réaliser, recueillir, répartir, (re)tirer, toucher un/des/les ~(s).* Les ~s augmentent, fléchissent, progressent, régressent.

BÉNÉVOLAT *Encourager, pratiquer, susciter le ~; se lancer dans le ~.*

BÉNÉVOLE actif, confirmé, convaincu, dévoué, enthousiaste, fidèle, généreux, inlassable, méritant, passionné, précieux, responsable, serviable.

BÉQUILLE *Porter, utiliser des ~s; circuler, marcher, se déplacer avec des ~s ; s'appuyer, se déplacer, se tenir, se traîner sur des ~s; être, se déplacer en ~s.*

BERGE abrupte, basse, boisée, dégagée, élevée, escarpée, fleurie, haute, marécageuse, ombragée, plate, sablonneuse, visqueuse. *Descendre, gagner, gravir, longer, remonter, suivre la ~; marcher, monter, s'asseoir, se promener sur la ~.*

BESOGNE absorbante, ardue, aride, assommante, colossale, considérable, dégradante, délicate, désagréable, difficile, énorme, éreintante, excellente, facile, fatigante, grosse, harassante, importante, infernale, ingrate, lourde, méchante, pénible, rude, salissante, sinistre, sordide, titanesque, urgente, utile. *Abattre, accélérer, accomplir, achever, bâcler, continuer, entreprendre, expédier, exécuter, faire, finir, poursuivre une/la/sa ~; s'attarder, s'atteler, se livrer, se mettre, s'occuper à une/la/sa ~; se charger d'une ~; être accablé/débordé/submergé/surchargé de ~.*

BESOIN absolu, absurde, aigu, artificiel, (in)assouvi, avide, brusque, chronique, comblé, (in)compréhensible, confus, constant, continuel, criant, dément, désespéré, dévorant, douloureux, effréné, élémentaire, énorme, entêtant, envahissant, essentiel, existentiel, extraordinaire, extrême, factice, faible, ferme, fort, fougueux, frénétique, furieux, gigantesque, grand, immédiat, immense, impératif, impérieux, impitoyable, important, incessant, incontrôlable, inextinguible, insatiable, insensé, instantané, instinctif, intense, irraisonné, irréfutable, irrépressible, irrésistible, lancinant, latent, légitime, maladif, momentané, particulier, pathétique, pathologique, permanent, perpétuel, précis, pressant, primaire, primordial, prioritaire, profond, puissant, (ir)raisonnable, rassasié, réel, ressenti, (in)satisfait, soudain, spécifique, spontané, subit, tenace, total, urgent, vague, vif, violent, viscéral, vital. *Assouvir, assurer, avoir, avouer, combler, créer, déceler, définir, dramatiser, éprouver, évoquer, exprimer, faire naître, manifester, modérer, percevoir, réduire, réprimer, ressentir, satisfaire, sentir, sonder, supprimer un/les/ses ~(s); correspondre, faire face, parer, pourvoir, répondre, résister, s'ajuster, subvenir à un/aux/ses ~(s); être, se trouver dans le ~; être à l'abri du ~.* Un ~ apparaît, croît, diminue, disparaît, existe, grandit, naît, s'affirme, s'agrandit, s'amplifie, s'apaise, s'atténue, se fait sentir, se résorbe, s'estompe, s'éteint, surgit.

BÉTAIL *Conduire, élever, faire paître, garder, surveiller le ~.*

BÊTE affamée, affectueuse, agressive, apprivoisée, attachante, avide, bizarre, bonne, brave, brute, calme, colossale, craintive, cruelle, dangereuse, (in)docile, (in)domptée, douce, effrayante, étrange, faible, farouche, fauve, féroce, forte, fascinante, fougueuse, frêle, furieuse, géante, gentille, gigantesque, gracieuse, hideuse, horrible, impétueuse, indomptable, infatigable, innocente, inoffensive, intelligente, jeune, laide, large, légère, lente, longue, magnifique, maigre, malade, malfaisante, massive, mauvaise, méchante, minuscule, monstrueuse, nerveuse, nuisible, obéissante, paresseuse, pataude, puissante, racée, rapide, redoutable, rétive, robuste, rusée, sauvage, sobre, solide, stupide, superbe, timide, trapue, utile, vieille, vigoureuse, vorace. *Apprivoiser, attraper, élever, nourrir, soigner une ~; aimer les ~s.*

BÊTISE absolue, atroce, consternante, décourageante, désespérante, désolante, énorme, étonnante, exaspérante, extrême, gigantesque, grave, grossière, hallucinante, idiote, impardonnable, inavouable, incommensurable, inconcevable, incroyable, indescriptible, infinie, inimaginable, insensée, irracontable, irréparable, méchante, monstrueuse, monumentale, notoire, parfaite, phénoménale, profonde, provocante, rare, ridicule, singulière. *Être, faire preuve d'une ~ (+ adj.); commettre, dire, écrire, faire, préparer, racheter, raconter, réparer, répéter, répondre, sanctionner une ~.*

BÉTON aggloméré, allégé, armé, poreux, précontraint. *Fabriquer, préparer du ~; construire avec du ~; enduire de ~; construire en ~.*

BEURRE cru, doux, fin, fondu, fort, frais, pasteurisé, persillé, ramolli, rance, salé. *Faire cuire/frire/rissoler/sauter, passer, faire la cuisine au ~.*

BÉVUE amusante, colossale, énorme, grave, grossière, irrattrapable, irréparable, légère, lourde, monumentale, risible, stupide, terrible, tragique. *Commettre, corriger, faire, rattraper, reconnaître, réparer une ~; accumuler, collectionner, multiplier les ~s.*

BIBELOT ancien, coûteux, joli, précieux, rare, sans valeur. *Choisir, offrir un ~; collectionner des ~s; être encombré/orné de ~s.*

BIBERON *Donner, faire bouillir, préparer, stériliser un ~; donner le ~; élever, nourrir au ~; boire, réclamer son ~.*

BIBLIOGRAPHIE abondante, brève, (in)complète, considérable, courte, définitive, dense, énorme, étoffée, exhaustive, importante, impressionnante, intégrale, longue, modeste, pauvre, riche, savante, sélective, sommaire, succincte, utile, volumineuse. *Dresser, écrire, établir, faire, préparer, rédiger une ~.*

BIBLIOTHÈQUE (*édifice, pièce*) abondante, colossale, complète, considérable, convenable, énorme, exhaustive, fournie, garnie, immense, importante, imposante, impressionnante, intéressante, modeste, moyenne, pauvre, remarquable, riche, sérieuse, spacieuse, spécialisée, spectaculaire, vaste. *Avoir, posséder une ~ (+ adj.); consulter, fréquenter une ~; avoir accès à une ~; aller dans une ~; disposer d'une ~; écumer, fouiller les ~s; travailler en ~.* ♦ (*meuble*) immense, murale, vitrée. *Arranger, garnir, mettre en ordre, ranger une/sa ~.*

BICEPS (sur)développés, énormes, forts, galbés, gros, herculéens, impressionnants, incroyables, inexistants, maigres, puissants, saillants. *Avoir des ~ (+ adj.); jouer, rouler des ~; contracter, exercer, exhiber, faire saillir, gonfler, montrer, muscler, solliciter les/ses ~.*

BICYCLETTE déglinguée, équipée, légère, lourde, neuve, robuste, rouillée, rutilante, vieille. *Conduire, enfourcher, pousser, préparer, ranger, réparer, utiliser une/sa ~; circuler, grimper, monter, pédaler, sauter, rouler sur une/sa ~; faire de la ~; aller, avancer, courir, monter, partir, rouler, se déplacer, se promener à ~; descendre, tomber de ~.*

BIDONVILLE crasseux, délabré, énorme, malfamé, immense, immonde, improvisé, infâme, insalubre, misérable, miteux, pitoyable, pouilleux, sinistre, sordide, surpeuplé, triste. *Habiter, vivre dans un ~; éradiquer, détruire, raser les ~s.*

BIEN (*avantage, bienfait, intérêt*) absolu, appréciable, commun, considérable, durable, énorme, fou, général, grand, immense, inestimable, incontestable, infini, nécessaire, passager, précieux, public, rare, solide, souverain, suprême, terrible, unique, vital. *Faire, procurer, prodiguer un ~ (+ adj.); faire, poursuivre, pratiquer, rechercher le ~; vouloir le ~ de qqn; dire, faire, vouloir du ~.* ♦ (*possession, richesse*) colossaux, considérables, énormes, immenses, importants, menus, négligeables, riches. *Acheter, accumuler, acquérir, amasser, avoir, céder, confisquer, convoiter, donner, exploiter, hypothéquer, laisser, louer, offrir, posséder, recevoir, réclamer, revendiquer, saisir, transmettre, vendre un/des ~(s); disposer, hériter d'un ~;*

dépenser, manger, partager son ~; augmenter, dilapider, léguer, prodiguer ses ~s .

BIEN-ÊTRE (matériel) élevé, extraordinaire, légitime, modeste, suffisant. *Jouir d'un ~ (+ adj.); améliorer, augmenter, rechercher son ~; jouir, profiter de son ~.* ♦(physique) absolu, complet, diffus, général, global, grand, immédiat, indicible, passager, profond, réel, suprême, total, tranquille, véritable. *Éprouver, ressentir un ~ (+ adj.); atteindre le ~; éprouver, ressentir du ~.*

BIENFAISANCE active, admirable, gratuite, immense, inépuisable, rare. *Être, se montrer d'une ~ (+ adj.); pratiquer la ~.*

BIENFAIT (in)appréciable, concret, considérable, (in)direct, énorme, essentiel, évident, grand, immédiat, immense, important, incomparable, incroyable, inattendu, incalculable, indescriptible, indiscutable, inégalable, inestimable, insigne, insoupçonné, irremplaçable, léger, merveilleux, notable, particulier, précieux, profond, secondaire, sensible, significatif, substantiel. *Constituer, représenter un ~ (+ adj.); accepter, accorder, apporter, apprécier, connaître, goûter, méconnaître, mépriser, obtenir, offrir, procurer, prodiguer, rapporter, recevoir, connaître, refuser, ressentir, utiliser un/des/les ~(s) de qqch.; jouir d'un/des ~(s) de qqch.*

BIEN-FONDÉ *Contester, démontrer, discuter, établir, examiner, maintenir, mettre en doute/question, prouver, reconnaître le ~ de qqch.; s'interroger sur le ~ de qqch.*

BIENSÉANCE affectée, appréciable, exquise, extrême, hypocrite, irréprochable, oppressive, raffinée. *Choquer, connaître, garder, ignorer, méconnaître, observer, oublier, respecter, sauvegarder la/les ~(s); enfreindre/observer/respecter les règles de la ~; manquer aux règles de la ~.*

BIENVEILLANCE absolue, accrue, aimable, apparente, attentive, condescendante, constante, douce, évidente, excessive, exquise, extraordinaire, fausse, franche, généreuse, grande, gratuite, incroyable, inépuisable, justifiée, mutuelle, naturelle, ouverte, parfaite, particulière, polie, prévenante, remarquable, réciproque, sincère, soudaine, superficielle, suspecte, sympathique, tendre, touchante. *Être, faire preuve d'une ~ (+ adj.); capter, gagner, mériter, perdre, s'attirer la ~ de qqn; abuser de la ~ de qqn; manifester, marquer, montrer, témoigner de la/sa~; faire preuve, manquer de ~.*

BIENVENUE amicale, chaleureuse, cordiale, particulière. *Souhaiter une ~ (+ adj.)/la ~.*

BIÈRE âcre, aigre, amère, bonne, claire, corsée, crémeuse, douce, épaisse, fine, foncée, forte, fruitée, légère, mousseuse, parfumée, pétillante, piquante, plate, raffinée, veloutée; (ses couleurs) ambrée, blanche, blonde, brune, cuivrée, noire, rousse. *Absorber, boire, commander, déguster, ingurgiter, prendre, savourer, siroter, servir une/de la ~.*

BIJOU ancien, clinquant, délicat, discret, élégant, énorme, (de) fantaisie, faux, fin, grossier, luxueux, magnifique, minuscule, original, précieux, prestigieux, raffiné, riche, scintillant, simple, somptueux, tape-à-l'œil, unique, véritable, voyant. *Acheter, créer, monter, (s')offrir, porter, recevoir un ~; mettre, porter des*

~x; étaler, montrer, ranger ses ~x; être couvert/paré, s'orner de ~x.

BILAN accablant, affligeant, alarmant, approximatif, bénéficiaire, catastrophique, convenable, critique, décevant, décisif, décourageant, déficitaire, définitif, désastreux, détaillé, discutable, dramatique, effrayant, effroyable, élogieux, encourageant, épouvantable, (dés)équilibré, (in)exact, exagéré, excellent, excessif, exhaustif, faux, fidèle, final, flatteur, flou, général, global, hâtif, impeccable, important, impressionnant, incertain, inquiétant, léger, lourd, maigre, maquillé, mauvais, médiocre, minable, mince, minutieux, mitigé, modeste, négatif, nuancé, objectif, officiel, optimiste, partiel, pessimiste, piètre, positif, (im)précis, prématuré, préoccupant, provisoire, remarquable, riche, (in)satisfaisant, sérieux, sévère, sincère, soigneux, sombre, sommaire, terne, terrible, terrifiant, total, tragique, triste, truqué. *Adopter, approuver, avancer, communiquer, déposer, donner, dresser, établir, faire, falsifier, fournir, maquiller, nuancer, présenter, publier, rédiger, relativiser un ~.* Un/le ~ augmente, diminue, enfle, évolue, grandit, s'aggrave, s'alourdit.

BILINGUISME intégral, officiel, parfait, réel, total, véritable. *Défendre, encourager, favoriser, imposer, pratiquer, promouvoir le ~.*

BILLET (~ de train, etc.) bon, périmé, valable, valide. *Acheter, composter, émettre, payer, prendre, présenter, valider un/son ~.* ♦ (argent) *Changer un ~; payer en ~s.*

BIOGRAPHIE autorisée, brève, calomnieuse, (in)complète, controversée, courte, détaillée, documentée, édifiante, élogieuse, excellente, exhaustive, flatteuse, généreuse, grande, importante, imposante, intelligente, intéressante, longue, magistrale, minutieuse, monumentale, objective, officielle, (im)partiale, partisane, passionnante, précise, remarquable, riche, rigoureuse, romancée, scientifique, sérieuse, subjective, volumineuse. *Écrire, établir, faire, publier, romancer une ~.*

BISE (vent) cinglante, faible, féroce, forcenée, forte, fraîche, froide, glacée, glaciale, légère, mordante, persistante, tranchante, vigoureuse, violente. Une ~ se lève, souffle. ♦ (baiser) affectueuse, amicale, chaleureuse, fugitive, grosse, légère, petite, rapide, sonore. *Donner, échanger, faire une ~; se faire la ~.*

BIZARRERIE absurde, choquante, comique, criante, curieuse, drôle, énorme, étrange, extrême, grande, incompréhensible, inexplicable, inimaginable, insondable, malicieuse, ridicule, risible, stupéfiante, sympathique.

BLAGUE amicale, anodine, audacieuse, bonne, cochonne, déplacée, douteuse, drôle, éculée, énorme, excellente, facile, fine, grasse, grivoise, grossière, idiote, innocente, inoffensive, légère, lourde, marrante, mauvaise, méchante, obscène, piquante, propre, raciste, réchauffée, risquée, salace, sarcastique, sexiste, spirituelle, stupide, subtile, usée, vaseuse. *Débiter, dire, faire, (faire) gober, lâcher, pousser, raconter, sortir une/des ~(s).*

BLÂME affectueux, amical, cinglant, (in)direct, discret, embarrassant, grave, humiliant, infamant, (in)justifié, léger, lourd, (im)mérité, muet, outrageant, sérieux, sévère, tacite, universel. *Adresser, donner, encourir, essuyer, infliger, jeter,* *justifier, lancer, mériter, recevoir, s'attirer, subir un ~; échapper, s'exposer à un ~.*

BLANC ambré, argenté, bleuâtre, bleuté, brillant, cassé, crème, crémeux, cristallin, cru, douteux, éblouissant, éclatant, écru, étincelant, franc, gris, grisâtre, intense, irréprochable, ivoire, jaunâtre, jaune, jauni, laiteux, luisant, lumineux, (im)maculé, mat, moiré, nacré, neige, net, parfait, perlé, pur, radieux, resplendissant, rosé, sale, scintillant, terne, terni, translucide, verdâtre.

BLANCHEUR bleutée, crue, éblouissante, éclatante, étincelante, immaculée, impeccable, irréprochable, laiteuse, lumineuse, maladive, nacrée, parfaite, pure, terne, transparente.

BLÉ clairsemé, doré, jaune, jaunissant, mûr, vert; coupés, drus, hauts, houleux, ondoyants, serrés. *Battre, cultiver, engranger, faucher, moudre, produire, récolter, rentrer, semer, vanner le/du ~.* Le ~ blondit, croît, fleurit, jaunit, lève, mûrit, pousse.

BLESSÉ, ÉE allongé, (in)conscient, couché, grand, grave, inanimé, inerte, inopérable, léger, lourd, récupérable, (in)transportable. *Assister, évacuer, hospitaliser, opérer, ranimer, secourir, soigner, traiter, transporter un ~; prendre soin d'un ~.* Un ~ gémit, se plaint.

BLESSURE affreuse, anodine, apparente, béante, bénigne, bonne, cicatrisée, creuse, (in)curable, dangereuse, douloureuse, envenimée, épidermique, grave, grosse, hideuse, horrible, importante, indolore, infectée, insignifiante, légère, majeure, mauvaise, mineure, mortelle, négligée, profonde, purulente, saignante, sanglante, sérieuse, sévère, superficielle, suppurante, vilaine, vive. *Apaiser, bander, causer, cicatriser, élargir, envenimer, examiner, faire, fermer, guérir, (dés)infecter, négliger, (r)ouvrir, panser, porter, provoquer, ressentir, soigner, suturer, traiter une ~; souffrir d'une ~; succomber, survivre à ses ~s; être couvert de ~s.* Une ~ bâille, (se) cicatrise, (se) guérit, saigne, se (re)ferme, s'ouvre, suppure.

BLEU (d')acier, ardent, ardoise, (d')azur, céleste, cendré, ciel, clair, décoloré, délavé, doux, dur, éclatant, étincelant, étonnant, fatigué, foncé, frais, froid, gris, gros, horizon, incertain, indéfinissable, indigo, intense, (de) jade, laiteux, lavande, limpide, lumineux, marine, mat, métallique, nuit, océan, pâle, pastel, pervenche, pétrole, profond, pur, roi, sombre, soutenu, superbe, tendre, terne, turquoise, verdâtre, vert, vif, violacé.

BLIZZARD aveuglant, cinglant, démentiel, dense, dévastateur, effrayant, épouvantable, féroce, froid, glacial, grand, mordant, sibérien, soudain, sournois, violent. *Affronter, essuyer le ~; lutter, marcher contre le ~.* Un ~ déferle, éclate, explose, fait rage, hurle, se déchaîne, se lève, sévit, souffle.

BLOC (*~ de pierre, etc.*) compact, énorme, équarri, immense, imposant, massif, solide. *Dégrossir, équarrir, former, tailler un ~.* ♦(*groupe, union*) cohérent, compact, concentré, fort, homogène, indissociable, massif, résistant, solidaire, solide, soudé, uni. *Former un ~; faire ~ avec/contre qqn/qqch.*

BLOCUS complet, effectif, (in)efficace, fictif, implacable, inhumain, partiel, rigoureux, sévère, total. *Alléger, assouplir, atténuer, briser, déclarer, décréter, dénoncer, desserrer, durcir, exercer, faire, forcer, imposer, instaurer, (faire) lever, maintenir, mettre en place, organiser, renforcer, resserrer, rompre, (faire) subir, violer un ~; être soumis, mettre fin, résister à un ~.*

BLOND, BLONDE (couleur) ardent, argent, cendré, châtain, clair, doré, fade, feu, filasse, foncé, pâle, platine, roussâtre, roux, sombre, terne, vénitien, vif. ♦(femme) fausse, incendiaire, peroxydée, platinée, vraie.

BLOUSE ajustée, ample, bouffante, courte, décolletée, fine, flottante, lâche, large, légère, longue, neuve, plissée, propre, serrée, transparente, vaporeuse, vieille. *Enfiler, mettre, passer, porter, revêtir une ~.*

BLOUSON chaud, confortable, court, défraîchi, élimé, étriqué, frangé, imperméable, léger, long, miteux, neuf, réversible, simple, sport, troué, usé, vieux. *Enfiler, mettre, passer, porter un ~.*

BOIS (forêt) clair, clairsemé, dense, désert, désordonné, épais, feuillu, frais, humide, impénétrable, inaccessible, mystérieux, profond, propre, sauvage, silencieux, sombre, touffu, vieux. *Aménager, éclaircir, explorer, longer, traverser un ~; entrer, s'enfoncer dans un ~; aller, se promener au ~; errer, marcher dans les ~.* ♦(matériau) blanc, blond, brun, brut, clair, compact, décomposé, dense, doré, dur, équarri, exotique, fort, franc, gâté, gros, humide, léger, lourd, luisant, lustré, massif, mat, mort, mouillé, mûr, nerveux, noble, noirci, noueux, odorant, piqué, poli, pourri, précieux, rabougri, rare, renflé, résineux, résistant, rond, rongé, rugueux, sain, satiné, sec, solide, sombre, souple, spongieux, tenace, tendre, tordu, tourné, travaillé, veiné, vermoulu, verni, vert. *Abattre, allumer, brûler, chercher, corder, couper, débiter, équarrir, fendre, ouvrer, raboter, ramasser, scier, travailler, tronçonner le/du ~.*

BOISSON (dés)agréable, aigre, alcoolique, alcoolisée, amère, apéritive, aromatisée, (im)buvable, brûlante, chaude, dangereuse, désaltérante, digestive, distillée, douce, effervescente, énergétique, fade, fermentée, forte, fraîche, froide, gazéifiée, gazeuse, glacée, infusée, insipide, mélangée, naturelle, pétillante, potable, pure, rafraîchissante, (mal)saine, savoureuse, spéciale, tiède, tonique, veloutée. *Consommer, ingurgiter, prendre, préparer, savourer, siroter une ~.* Une ~ désaltère, enivre, étanche la soif, rafraîchit.

BOÎTE basse, carrée, énorme, étroite, grande, grosse, haute, immense, légère, longue, lourde, ovale, petite, pleine, rectangulaire, ronde, vide. *(dé)charger, expédier, (re)fermer, (r)ouvrir, porter, soulever, traîner, transporter une ~.*

BOMBARDEMENT accidentel, aveugle, chirurgical, ciblé, continu, continuel, destructeur, dur, effroyable, formidable, (in)fructueux, grand, important, incessant, infernal, ininterrompu, intense, intensif, long, massif, meurtrier, précis, rapide, sévère, soutenu, spectaculaire, stratégique, systématique, terrible, vif,violent. *Déclencher, effectuer, essuyer, exécuter, lancer, ordonner, subir, vivre un ~; être soumis, procéder à un ~; être tué, périr dans un ~; arrêter, (faire)* *cesser, interrompre, poursuivre les ~s.* Les ~s diminuent, se poursuivent, s'intensifient.

BOMBE artisanale, énorme, guidée, incendiaire, intelligente, légère, lourde, puissante, redoutable, rudimentaire, sale, sophistiquée, télécommandée. *Actionner, déposer, désamorcer, fabriquer, faire éclater/exploser/sauter, jeter, lâcher, laisser tomber, lancer, larguer, manipuler, neutraliser, placer, planter, préparer, transporter une ~; être blessé/tué par une ~.* Une ~ cliquette, éclate, explose, fait explosion, s'abat, se déclenche.

BOND court, élevé, énorme, foudroyant, immense, important, léger, précis, prodigieux, rapide, spectaculaire. *Effectuer, faire, réaliser un ~; entrer, franchir, sauter, s'échapper, se déplacer, se dresser, s'élancer, se (re)lever, s'élever, sortir d'un ~; avancer, procéder par ~s.*

BONHEUR absolu, artificiel, assuré, authentique, calme, céleste, certain, (im)complet, (in)constant, contagieux, court, détruit, difficile, disparu, douteux, durable, éphémère, exaltant, extraordinaire, extrême, facile, fragile, frêle, fugace, gâché, grand, grisant, harmonieux, idyllique, illimité, illusoire, immédiat, immense, immuable, imprévu, inaccessible, inattendu, indescriptible, inespéré, inestimable, inexprimable, infini, inoubliable, inouï, insolent, intégral, intense, long, menacé, menu, merveilleux, mièvre, modeste, négatif, paisible, palpable, paradisiaque, (im)parfait, passager, perdu, (im)périssable, permanent, petit, précaire, précieux, prodigieux, provisoire, pur, radieux, rare, (ir)réalisable, relatif, savoureux, serein, simple, solide, soutenu, (in)stable, suprême, tangible, total, tranquille, triomphant, véritable, visible, vrai. *Apporter, (s')assurer, chercher, connaître, découvrir, goûter, obtenir, posséder, procurer, promettre, réaliser, rechercher, rencontrer, souhaiter, (re)trouver un ~ (+ adj.); apporter, chercher, cultiver, défendre, donner, goûter, obtenir, posséder, procurer, promettre, rechercher, redécouvrir, refléter, rencontrer, saisir, savourer, souhaiter le ~; apporter, donner, obtenir, procurer, promettre, souhaiter, (re)trouver du ~; cacher, cultiver, défendre, dissimuler, goûter, ignorer, montrer, prolonger, sacrifier, saisir, savourer, (re)trouver son ~; arriver, aspirer, atteindre, contribuer, croire, goûter, renoncer au ~; nager dans le ~; délirer, être fou/ivre, exulter, pleurer, rayonner, transporter de ~.*

BONJOUR affectueux, aimable, amical, chaleureux, cordial, froid, gentil, habituel, rapide, sec, sonore, vague. *Adresser, dire, envoyer, faire, lancer un ~; dire, rendre, (se) souhaiter le ~.*

BON SENS brutal, extraordinaire, foncier, grand, gros, inné, imperturbable, inaltérable, naturel, rare, robuste, solide. *Faire preuve d'un ~ (+ adj.); heurter, offenser, outrager, trahir le ~; faire appel, ramener qqn, rappeler qqn au ~; agir en dépit du ~;être doté/plein/(dé)pourvu, manquer de ~.*

BONSOIR affectueux, aimable, amical, chaleureux, cordial, froid, gentil, habituel, rapide, sec, sonore, vague. *Adresser, dire, envoyer, faire un ~; dire, rendre, (se)souhaiter le ~.*

BONTÉ angélique, attendrie, bourrue, compatissante, excessive, expansive, extrême, foncière, généreuse, grande, gratuite, immense, impuissante, incarnée, indulgente, inépuisable, infinie, inlassable, innée, insondable, larmoyante, maladroite, naïve, naturelle, pure, secourable, spontanée, suprême, véritable, vraie. *Être d'une ~ (+ adj.); accueillir, recevoir, traiter avec ~; être plein de ~.*

BOOM énorme, exceptionnel, extraordinaire, faible, formidable, historique, important, inattendu, léger, majeur, phénoménal, remarquable, spectaculaire, vertigineux. *Connaître, constater, créer, entraîner, garantir, générer, prévoir, provoquer un ~.*

BORD (arête) arrondi, aigu, coupant, pointu, (ir)régulier, tranchant, vif. ♦(*frange*) effilé, effiloché, effrangé, ourlé.

BORNE étroites, fixées, légitimes, permises, prescrites, raisonnables. *Assigner, atteindre, établir, fixer, franchir, mettre, (dé)passer, reculer, transgresser des/les ~s de (les convenances, le respect, etc.).*

BOSQUET chétif, dense, énorme, épais, grand, immense, maigre, minuscule, serré, sombre, touffu. *Explorer, fouiller, traverser un ~; entrer, pénétrer dans un ~.*

BOTTE avachies, basses, brillantes, (in)confortables, courtes, éculées, élégantes, étroites, fermées, fortes, fourrées, grandes, grosses, hautes, larges, légères, longues, lourdes, molles, ouvertes, percées, petites, pointues, propres, sales, superbes. *Cirer, enlever, mettre, ôter, porter, tirer des/ses ~s.*

BOUCHE adorable, amère, amoureuse, appétissante, arrogante, avide, béante, bée, boudeuse, charnue, close, crispée, dédaigneuse, défaite, dessinée, douloureuse, édentée, empâtée, énorme, épaisse, étroite, expressive, fardée, ferme, fermée, fine, fraîche, gourmande, grande, humide, immense, indécise, ingénue, jolie, joviale, laide, large, lippue, maquillée, maussade, mauvaise, mielleuse, mince, moqueuse, moustachue, narquoise, (entr)ouverte, parfaite, pâteuse, petite, pincée, pleine, (dis)proportionnée, provocante, pulpeuse, pure, (ir)régulière, ricaneuse, rieuse, saine, sèche, sensuelle, sérieuse, serrée, sévère, souriante, (a)symétrique, tendre, tentante, tuméfiée, vermeille, vigoureuse, vilaine, volontaire, voluptueuse, vulgaire. *Avoir une/la ~ (+ adj.); fermer, froncer, (entr)ouvrir, pincer, plisser, se rincer, serrer, s'essuyer la ~; baiser, (s') embrasser qqn, se donner un baiser sur la ~.*

BOUCHON (*~ de carafe, etc.*) étanche, hermétique, inextricable, lâche, serré, vissé. *Enlever, faire sauter, (re)mettre, ôter, retirer, (dé)visser un ~.* Un ~ part, saute. ♦(*embouteillage*) énorme, gigantesque, gros, immense, important, impressionnant, interminable. *Causer, créer, éviter, former, occasionner, provoquer, signaler un/des ~(s); être bloqué/coincé/pris, se retrouver, se trouver dans un ~; se dégager, sortir d'un ~.* Un ~ a lieu, se produit.

BOUE compacte, durcie, dure, épaisse, fangeuse, fétide, glissante, gluante, grasse, humide, infecte, liquide, malodorante, molle, profonde, ruisselante, sèche, (des)séchée. *Enlever, nettoyer, ôter la ~; barboter, glisser, marcher, patauger, piétiner, s'empêtrer, se plonger, se rouler, se vautrer, tomber, (se) traîner, trébucher dans la ~.*

BOUGIE *Allumer, éteindre, moucher, planter, souffler une ~; souffler sur une ~; s'éclairer à la ~.*

BOULEVARD ample, animé, bruyant, désert, désastreux, élégant, encombré, étroit, fleuri, fréquenté, grand, important, large, long, ombragé, planté, prestigieux, rectiligne, sinueux, vide. *Arpenter, croiser, descendre, gagner, emprunter, monter, parcourir, quitter, remonter, traverser un ~; demeurer, habiter, rouler sur un ~.*

BOULEVERSEMENT abrupt, accéléré, brusque, catastrophique, complet, dramatique, durable, effroyable, extraordinaire, formidable, général, gigantesque, grand, important, imprévu, lent, majeur, mineur, minuscule, notable, (im)perceptible, permanent, phénoménal, profond, radical, rapide, sensible, significatif, soudain, spectaculaire, subit, terrible, total, véritable. *Amener, causer, connaître, engendrer, entraîner, noter, observer, produire, provoquer, subir, susciter un/des ~(s).* Un ~ a lieu, intervient, se produit, s'opère, survient.

BOULON *Bloquer, (re)serrer, (dé)visser un ~; maintenir avec des ~s.*

BOUQUET admirable, charmant, élégant, énorme, fané, frais, magnifique, maigre, splendide. *Acheter, apporter, arranger, assembler, composer, cueillir, envoyer, faire, offrir un ~.*

BOURBIER dangereux, fangeux, fétide, glissant, gluant, humide, infect, malodorant, profond, sec. *Entrer, s'enfoncer, se vautrer, tomber dans un ~; (se) sortir, (se) tirer (qqn, une voiture, etc.) d'un ~.*

BOURDE colossale, énorme, fantastique, gigantesque, grave, immense, incroyable, irrattrapable, irréparable, légère, lourde, monumentale, phénoménale, ridicule, stupide, terrible, tragique. *Commettre, corriger, échapper, faire, rattraper, relever, réparer, signaler une ~ ; accumuler, collectionner, multiplier les ~s.*

BOURGEON charnu, cireux, épanoui, fermé, fragile, gonflé, jeune, latent, minuscule, mûr, naissant, ouvert, pâle, prometteur, stérile, tendre. Un ~ apparaît, éclate, éclôt, évolue, fleurit, pousse, se développe, se forme, s'épanouit, s'ouvre, surgit.

BOURRASQUE affreuse, aveuglante, brève, effroyable, épouvantable, forte, froide, glacée, grande, sauvage, soudaine, subite, violente. *Affronter, essuyer la ~; lutter contre la ~.* Une ~ éclate, fait rage, hurle, se déchaîne, se lève, souffle, surgit.

BOURSE (<u>Bourse</u>) animée, calme, dynamique, euphorique, faible, florissante, forte, hésitante, optimiste, performante, pessimiste, prospère, puissante, stagnante. *Faire flamber/redémarrer/sombrer, perturber, relancer, soutenir, (dé)stabiliser, stimuler la ~; gagner, investir, jouer, s'enrichir, se ruiner, spéculer à la ~.* La ~ baisse, chute, clôture en baisse/hausse, décroche, dégringole, descend, diminue, est en baisse/hausse, fait un bond, gagne/perd du terrain, (re)monte, plonge, recule, s'effondre, se redresse, se reprend. ♦ (<u>Université</u>) considérable, généreuse, intéressante, modeste, prestigieuse. *Accorder, attribuer, demander, obtenir, offrir, percevoir, solliciter, verser une ~; bénéficier d'une ~.*

BOUTADE amusante, bonne, célèbre, connue, cruelle, cynique, drôle, joviale, mordante, ridicule, spirituelle, vieille, vive. *Dire, hasarder, lancer, oser, tenter une ~; répondre par une ~.*

BOUTEILLE carrée, (in)cassable, courte, élégante, (in)entamée, étroite, fragile, large, légère, longiligne, longue, lourde, opaque, pansue, plate, pleine, rebondie, rectangulaire, ronde, solide, transparente, ventrue, vide. *Boire, (re)boucher, chambrer, déboucher, décapiter, décapsuler, (r)emplir, entamer, terminer, vider une ~.*

BOUTIQUE achalandée, alléchante, chic, cossue, élégante, fournie, luxueuse, spacieuse, vaste, vide. *Approvisionner, établir, fermer, garder, gérer, installer, monter, ouvrir, tenir une ~.*

BOUTON *Actionner, effleurer, enfoncer, pousser, presser, tourner un ~; appuyer, cliquer sur un ~.*

BOXE *Apprendre, pratiquer la ~; s'initier à la ~.*

BOXEUR agressif, confirmé, débutant, défensif, entraîné, excellent, (in)expérimenté, grand, lent, rapide, rude, talentueux, usé.

BRACONNAGE considérable, effréné, éhonté, excessif, généralisé, grand, important, impitoyable, incontrôlé, intense, intensif, irresponsable, meurtrier, scandaleux, toléré. *Arrêter, combattre, contrôler, décourager, diminuer, empêcher, encourager, éradiquer, faire cesser, favoriser, pratiquer, réduire, réprimer, sanctionner le ~; lutter contre le ~; faire du ~; vivre de ~; être arrêté pour ~.* Le ~ persiste, sévit, s' intensifie.

BRANCHE basse, chargée, courbe, courte, dénudée, dépouillée, énorme, faible, feuillue, fleurie, flexible, forte, fourchue, frêle, haute, immense, longue, maîtresse, monumentale, morte, moussue, noueuse, nouvelle, nue, pendante, solide, souple, tendre, tordue, tortueuse, tourmentée, vermoulue, verte. *Atteindre, baisser, casser, couper, courber, effeuiller, élaguer, émonder, plier, ployer, tailler une ~.* Une ~ cède, craque, fléchit, penche, plie, ploie, s'abaisse, se courbe, se rompt, s'étend, s'incline.

BRAS agile, ankylosé, ballant, charnu, décharné, dodu, doux, dur, engourdi, faible, ferme, fléchi, fort, frêle, gourd, grêle, gros, maigre, mince, mou, musclé, nerveux, noueux, nu, potelé, puissant, replet, robuste, rond, solide, souple, superbe, svelte, tendu, velu, vigoureux; courts, croisés, écartés, longs, pendants, tombants. *Avoir des/le/les ~ (+ adj.); abaisser, agiter, allonger, baisser, balancer, bouger, croiser, déployer, écarter, élever, étendre, étirer, (se) fermer, fléchir, lever, ouvrir, (re)plier, remuer, secouer, se croiser, soulever, tendre le/les/ses ~.*

BRAVOURE chevaleresque, farouche, héroïque, insurpassable, intrépide, noble, spectaculaire, téméraire. *Avoir la ~ de (+ inf.); avoir, témoigner de la ~; se battre, se comporter avec ~; faire preuve, manquer de ~.*

BRÈCHE béante, étroite, fine, grosse, large, mince, minuscule, profonde, superficielle. *Agrandir, colmater, creuser, élargir, faire, fermer, ouvrir, percer, réparer, tailler une ~.* Une ~ se creuse, s'élargit.

BREVET déchu, expiré. *Accorder, acheter, agréer, céder, commercialiser, contre-*

faire, délivrer, demander, déposer, exploiter, faire enregistrer, obtenir, posséder un ~; être titulaire, se munir d'un ~.

BRIÈVETÉ absolue, déconcertante, déroutante, désespérante, excessive, extrême, fulgurante, imbattable, impressionnante, incroyable, inouïe, intense, relative.

BRIO certain, constant, déroutant, désarmant, enviable, exceptionnel, époustouflant, étourdissant, évident, exceptionnel, hallucinant, impressionnant, inattendu, indéniable, indiscutable, inégalé, inespéré, inouï, magistral, rare, remarquable, stupéfiant.

BRISE bonne, capricieuse, caressante, chaude, constante, délicieuse, douce, embaumée, faible, forte, fraîche, froide, humide, légère, lourde, matinale, naissante, odorante, paisible, parfumée, rafraîchissante, rude, tiède, vivifiante. La ~ fraîchit, mollit, se calme, se lève, souffle, tombe.

BROCHURE attrayante, complète, détaillée, exclusive, explicative, générale, inédite, informative, instructive, intéressante, pratique, promotionnelle. *Commander, concevoir, consulter, créer, demander, diffuser, éditer, élaborer, envoyer, fournir, illustrer, imprimer, présenter, produire, publier, réaliser, recevoir, rédiger, utiliser une ~.*

BRONZAGE cuivré, doré, durable, éclatant, (in)égal, foncé, fréquent, homogène, idéal, immédiat, impeccable, impressionnant, intégral, intensif, modéré, moyen, parfait, progressif, rapide, réussi, sain, satiné, suffisant, superbe, uni, uniforme. *Acquérir, arborer, avoir, obtenir un ~ (+ adj.).*

BRONZE (métal) brillant, bruni, clair, doré, étincelant, foncé, jaunâtre, mat, patiné, poli, terne, verdâtre, vieilli. *Nettoyer, patiner, polir, utiliser, travailler le ~.* ♦ (Sport) *Arracher, décrocher, gagner, obtenir, prendre, rafler, rater, remporter, s'adjuger le ~.*

BROUILLARD bas, blanc, blanchâtre, bleu, cotonneux, dense, enveloppant, épais, fin, fumeux, givrant, glacé, glacial, gris, grisâtre, humide, intense, laiteux, léger, mince, moite, obscur, obstiné, opaque, sombre, stagnant, suspendu. *Disperser, dissiper, percer le ~; disparaître, être perdu/pris, se perdre, s'orienter dans le ~.* Un/le ~ enveloppe, déferle, mouille, recouvre, s'éclaircit, se dissipe, s'effiloche, se lève, s'épaissit, s'étale, tombe, transperce.

BROUILLON clair, complet, définitif, détaillé, grossier, laborieux, (il)lisible, précis, rapide. *Créer, écrire, élaborer, établir, faire, griffonner, préparer, rédiger, relire, tracer, travailler un ~.*

BRUINE brillante, épaisse, fine, fraîche, froide, glacée, grise, incessante, insistante, interminable, légère, lumineuse, matinale, opaque, pénétrante, tenace, verglaçante. Une ~ crachine, tombe.

BRUIT (son) abrutissant, agaçant, (dés)agréable, ahurissant, aigu, ambiant, assourdi, assourdissant, bizarre, bref, clair, confus, (dis)continu, cristallin, (dé)croissant, déchirant, diffus, discordant, discret, doux, dur, éclatant, effroyable, (in)égal, énervant, énorme, épouvantable, étouffé, étourdissant, étrange, exaspérant, faible, familier, fatigant, feutré, fin, formidable, fort, fracassant, frêle, furtif, grand, grave, grêle, grinçant, gros, harcelant, harmonieux, horrible, immense, importun, inaccoutumé, incessant, incommodant, incongru, indéfinissable, infernal, inhabituel, inquiétant, insolite, intense, intermittent, intolérable, inusité, irritant, joyeux, léger, lointain, long, lourd, mat, mélodieux, menaçant, métallique, monotone, monstrueux, mystérieux, (a)normal, obsédant, omniprésent, ouaté, pénétrant, pénible, perçant, (im)perceptible, permanent, perpétuel, persistant, petit, plaintif, (dé)plaisant, (im)précis, proche, profond, prolongé, rassurant, (ir)régulier, répété, retentissant, saccadé, sec, sifflant, sonore, soudain, sourd, strident, stridulant, subit, (in)supportable, terrible, terrifiant, uniforme, vibrant, vif, violent. *Amortir, assourdir, distinguer, écouter, émettre, entendre, étouffer, faire, percevoir, produire un ~; aimer, atténuer, augmenter, craindre, détester, diminuer, redouter, réduire, régler, supporter le ~; entendre, faire du ~.* Un ~ (dé)croît, descend, diminue, éclate, faiblit, grandit, grossit, meurt, monte, persiste, règne, résonne, retentit, rugit, s'accroît, s'affaiblit, s'amplifie, s'apaise, s'arrête, s'assoupit, s'assourdit, se calme, s'élève, s'enfle, s'entend, se perçoit, se perd, se précise, se prolonge, se répercute, se répète, s'estompe, se tait, s'éteint. ♦(*rumeur*) absurde, alarmant, calomnieux, consternant, désobligeant, fâcheux, faux, indiscret, infâme, injurieux, malintentionné, malveillant, mauvais, mensonger, odieux, préjudiciable, vague. *Colporter, confirmer, démentir, étouffer, éviter, faire circuler/courir, lancer, propager, répandre, répéter, tuer, vérifier un/des ~(s).* Un/le ~ circule, court, se propage, se répand.

BRÛLURE bénigne, douloureuse, étendue, grave, intense, légère, localisée, profonde, sévère, superficielle. *Ressentir, se faire, sentir, soigner, traiter une ~.*

BRUME argentée, bleutée, cotonneuse, diaphane, dorée, épaisse, fine, flottante, laiteuse, légère, matinale, ouatée, persistante, translucide, transparente, vaporeuse. *Disperse, dissiper, percer la ~; disparaître, s'enfoncer, se perdre dans la ~.* Une/la ~ floconne, monte, s'éclaircit, se dissipe, s'effiloche, se lève, s'épaissit, tombe.

BRUN brillant, caramel, cendré, charbonneux, chaud, chocolat, clair, cuivré, dense, doré, ferrugineux, foncé, froid, gris, grisâtre, indéfini, jaunâtre, jaune, léger, lustré, marron, mat, noir, noirâtre, obscur, olivâtre, olive, orange, orangé, pâle, profond, riche, rouge, rougeâtre, roux, sale, sombre, soutenu, terne, verdâtre, vert.

BRUTALITÉ ahurissante, aveugle, bestiale, contenue, disproportionnée, étonnante, excessive, extrême, féroce, forte, grande, horrifiante, incroyable, inhumaine, inouïe, insensée, insoutenable, insupportable, inutile, odieuse, rare, révoltante, sauvage, terrifiante. *Être, faire preuve d'une ~ (+ adj.); commettre, faire une ~; dire des ~s; agir, parler, réagir, répondre, s'exprimer avec ~.*

BUDGET amputé, bénéficiaire, colossal, confortable, (in)décent, déficitaire, dérisoire, énorme, (dés)équilibré, étroit, excédentaire, exorbitant, faramineux, fixe, flexible, fragile, généreux, gigantesque, grevé, gros, immense, impressionnant, insuffisant, large, léger, (il)limité, lourd, minuscule, modeste, (extra)ordinaire, petit, (dis)proportionné, provisoire, raisonnable, restreint, rigoureux, serré, (in)stable, (in)suffisant, titanesque. *Accroître, allouer, amputer, approuver, arrondir, assainir, boucler, contrôler, dépasser, déséquilibrer, discuter, dresser, écorner, élaborer, engloutir, (ré)équilibrer, établir, exécuter, geler, gérer, gonfler, grever, mettre en œuvre, préparer, présenter, réaménager, réduire, refuser, repousser, suivre, tenir un/le/son~.* Un/le ~ augmente, diminue, est en augmentation/déficit/excédent, rétrécit.

BUÉE abondante, épaisse, fine, légère, odorante, transparente, vaporeuse. Une/la ~ flotte, monte, se condense, se dissipe, se forme.

BUREAU (*meuble, cabinet de travail*) ancien, dégagé, élégant, encombré, étroit, fonctionnel, gigantesque, grand, immense, imposant, large, long, massif, minuscule, monumental, net, petit, rangé, surchargé, vide, vieux. *S'asseoir à un/son ~; être assis, s'asseoir, s'installer, travailler derrière un/son ~; travailler sur un/son ~; être assis/accoudé à son ~.* ♦ (*lieu de travail, édifice*) aéré, ample, austère, bondé, clair, confortable, élégant, étroit, exigu, feutré, fonctionnel, gigantesque, grand, immense, lumineux, luxueux, minuscule, modeste, nu, obscur, petit, propre, sobre, sombre, somptueux, spacieux, surpeuplé, sympathique, vaste, vétuste, vide. *Avoir, occuper, ouvrir, partager, tenir un ~; entrer, (faire) pénétrer, travailler dans un ~; sortir d'un ~; aller, se rendre au ~; rentrer du ~; demeurer, être, passer, recevoir à son ~.*

BUREAUCRATIE (in)compétente, corrompue, dévouée, écrasante, (in)efficace, énorme, envahissante, étouffante, gigantesque, hypertrophiée, importante, irresponsable, lente, lourde, modeste, onéreuse, paperassière, paralysante, pesante, puissante, tatillonne, tentaculaire, zélée. *Alléger, alourdir, combattre, éviter, réduire, supprimer la ~; s'enliser dans la ~.*

BUS bondé, comble, (in)confortable, lent, plein, rapide, rempli, vide. *Affréter, attendre, attraper, conduire, prendre, rater un ~; embarquer, monter dans un ~; débarquer, descendre d'un ~.*

BUSTE court, droit, épanoui, étroit, fin, généreux, gracile, immobile, large, lourd, magnifique, mince, puissant, raide, souple, svelte. *Avoir un/le ~ (+ adj.); (re)dresser, incliner, pencher, plier, reculer, redresser, relever, renverser le ~.* Un ~ se redresse.

BUT (*objectif*) éloigné, fixe, mobile, rapproché. *Atteindre, manquer, toucher, viser un/le ~.* ♦ (*intention*) absurde, (in)accessible, apparent, (in)avoué, blâmable, caché, commun, criminel, déclaré, défini, (in)déterminé, égoïste, éloigné, essentiel, évident, explicite, extravagant, final, fixe, flou, (mal)honnête, honorable, immédiat, implicite, indéniable, (dés)intéressé, (il)légitime, lointain, louable, lucratif, majeur, mineur, noble, obscur, précis, premier, primordial, principal, prioritaire, recherché, secret, sensé, stratégique, ténébreux, ultime, unique, vraisemblable. *Afficher, atteindre, avouer, cacher, découvrir, définir, dépasser, deviner, dissimuler, (se) donner, entrevoir, exposer, (se) fixer, indiquer, manquer, outrepasser, poursuivre, (se) proposer, réaliser, rechercher, remplir, toucher, viser un/le/son ~; aspirer, parvenir, répondre,* *toucher à un/au ~; approcher, s'éloigner d'un/du ~.* ♦ (Sport) contesté, décisif, égalisateur, fulgurant, gagnant, imparable, important, litigieux, magnifique, précieux, refusé, spectaculaire, superbe, victorieux. *Accorder, admettre, arrêter, concéder, contester, encaisser, enregistrer, inscrire, manquer, marquer, prendre, rater, refuser, rentrer, réussir un ~; lancer, tirer au ~; courir, se ruer vers le ~.*

BUTIN abondant, considérable, encombrant, énorme, extraordinaire, fabuleux, facile, généreux, grand, hétéroclite, immense, important, intéressant, lourd, maigre, modique, précieux, prodigieux, rachitique, riche. *Amasser, cacher, découvrir, (se) distribuer, emporter, (se) partager, prendre, rapporter, réaliser, trouver un/le ~; s'enfuir avec un/le ~; s'emparer d'un/du ~; avoir part, participer au ~.*

BUVEUR, EUSE ancien, assidu, chronique, dépendant, endurci, excessif, fréquent, grand, gros, guéri, impénitent, incorrigible, intelligent, invétéré, jeune, joyeux, mondain, moyen, normal, occasionnel, précoce, régulier, repenti, rude, social, solitaire, vieux.

C

CABINET élégant, étroit, exigu, feutré, fonctionnel, immense, luxueux, minuscule, modeste, obscur, propre, prestigieux, prospère, sombre, somptueux, spacieux, vaste, vétuste. *Avoir, diriger, gérer, ouvrir, tenir un ~; travailler dans un ~; demeurer, être, recevoir, se rendre à son ~.*

CACHET (style, caractère) certain, distinctif, évident, extraordinaire, incomparable, incontestable, indéniable, original, particulier, personnel, rare, remarquable, spécial, supplémentaire, unique. *Avoir, conférer, donner, offrir, posséder un ~ (+ adj.); avoir du ~; manquer de ~.* ♦(honoraires, rétribution, salaire) colossal, considérable, décent, dérisoire, élevé, énorme, exorbitant, faible, faramineux, fixe, fort, généreux, important, imposant, minable, minuscule, mirobolant, modeste, raisonnable, ridicule, royal, substantiel. *Demander, donner, offrir, payer, recevoir, toucher un ~.*

CACHETTE bonne, excellente, idéale, improvisée, introuvable, mauvaise, parfaite, piètre, provisoire, secrète, sommaire, sûre. *(s')Aménager, chercher, découvrir, offrir, posséder, se ménager, (se) trouver une ~; se réfugier dans une ~; sortir d'une ~; servir de ~.*

CADAVRE décapité, déchiqueté, déchiré, décomposé, défiguré, dépecé, exsangue, hideux, inerte, infect, intact, livide, mutilé, pantelant, pourri, pourrissant, putréfié, sanguinolent, verdâtre. *Autopsier, découvrir, embaumer, enterrer, identifier, incinérer, inhumer, (re)pêcher, reconnaître, traîner, trouver un ~.* Un/le ~ se décompose, se putréfie, tombe en décomposition.

CADEAU (in)adéquat, apprécié, (in)approprié, délicat, énorme, extraordinaire, fabuleux, généreux, idéal, inédit, inestimable, inoubliable, insignifiant, joli, magnifique, mémorable, menu, merveilleux, mesquin, minuscule, mirobolant, original, parfait, piètre, précieux, présentable, raffiné, royal, somptueux, symbolique. *Accepter, acheter, chercher, choisir, déballer, donner, effectuer, emballer, envoyer, espérer, (se) faire, mériter, (s')offrir, présenter, recevoir, refuser, rendre, trouver un ~; distribuer des ~x; accabler, combler de ~x.*

CADENAS fermé, ouvert, résistant, robuste, solide, (dé)verrouillé, rouillé. *Briser, casser, crocheter, défaire, faire sauter, (re)fermer, fracturer, mettre, ouvrir, poser, sectionner, (dé)verrouiller un ~.* Un ~ cède, résiste.

CADENCE accélérée, ahurissante, bonne, croissante, débridée, détendue, douce, (in)égale, endiablée, entraînante, épuisante, excellente, faible, forte, frénétique, haletante, hallucinante, harmonieuse, implacable, infernale, insensée, juste, lancinante, lente, maximale, maximum, minimale, minimum, monotone, moyenne, (a)normale, obsédante, paisible, précipitée, ralentie, rapide, réduite, (ir)régulière, requise, saccadée, soutenue, trépidante, vertigineuse, vive, voulue. *Accélérer, accroître, augmenter, donner, forcer, garder, (s')imposer, maintenir, marquer, modifier, perdre, presser, ralentir, relâcher, suivre, tenir une/la/les ~(s); changer de ~.*

CADRE (encadrement) doré, énorme, étroit, immense, large, ouvragé, ovale, peint, rectangulaire, rond, sculpté. *Accrocher, décrocher, fixer un ~.* ♦(décor, entourage) agréable, austère, chaleureux, champêtre, charmant, convivial, dépouillé, enchanteur, exceptionnel, grandiose, idyllique, impressionnant, insolite, luxueux, magique, majestueux, merveilleux, paisible, paradisiaque, pittoresque, plaisant, quelconque, sauvage, sévère, simple, spectaculaire, splendide, superbe, sympathique. *Aménager, créer, former, offrir un ~; s'adapter, s'ajuster à un ~; changer, servir de ~.* ♦ (limites, contexte) astreignant, compliqué, confortable, contraignant, défini, étroit, flou, incertain, inhabituel, limité, précis, prédéterminé, privilégié, propice, rassurant, réducteur, restreint, rigide, simple, strict, vaste. *Adapter, définir, fixer, fournir, imposer, offrir, respecter un/le ~ de qqch.; (r)entrer, être, mettre, rester, s'inscrire, s'insérer dans un/le ~ de qqch.* ♦ (chef, responsable) ambitieux, capable, confirmé, débutant, décontracté, dévoué, dirigeant, dynamique, expérimenté, important, jeune, moyen, opérant, performant, polyvalent, qualifié, supérieur, vieux. *Rajeunir, renouveler les/ses ~s; faire partie, rayer des ~s; être, passer ~.*

CAFÉ (boisson) allongé, aromatisé, bon, bouillant, brûlant, corsé, crème, décaféiné, épais, express, faible, filtre, flambé, fort, frappé, froid, fumant, glacé, grillé, imbuvable, instantané, léger, mauvais, moulu, musclé, nature, noir, parfumé, petit, pur, réchauffé, refroidi, savoureux, soluble, tiède, tonique, torréfié. *Absorber, boire, commander, consommer, faire, faire réchauffer, humer, laisser bouillir, moudre, prendre, préparer, remuer, se confectionner, servir, siroter, tourner, verser un/le/du/son ~; renoncer au ~.* ♦ (lieu) achalandé, animé, branché, bruyant, chic, clinquant, délabré, désert, élégant, enfumé, huppé, immense, minable, modeste, paisible, populaire, propre, sale, select, tranquille, vaste, vieux. *Fréquenter, tenir un ~; aller, entrer, s'installer dans un ~.*

CAHIER énorme, épais, grand, ligné, mince, minuscule, quadrillé, petit, rigide, souple, surchargé, vierge, volumineux. *Feuilleter un ~; écrire, noter dans/sur un ~.*

CAILLOU arrondi, dur, étroit, fin, friable, gros, lisse, lourd, petit, plat, pointu, poli, poreux, rond, strié.

CAISSE (conteneur) grosse, légère, lourde, petite, pleine, vide. *(dé)charger, expédier, porter, soulever, traîner, transporter une ~.* ♦ (guichet) *Faire la queue, passer, payer, se présenter à la ~.*

CALCUL (opération) approximatif, biaisé, bon, compliqué, considérable, (in)correct, difficile, erroné, (in)exact, facile, fautif, faux, fin, grossier, juste, long, mauvais, mental, obsolète, (im)précis, rapide, savant, simple, sommaire. *Effectuer, faire, opérer, résoudre un ~; se tromper dans un/ses ~(s); être bon/faible/fort/mauvais en ~.* ♦ (plan) biaisé, bon, cynique, dangereux, désastreux, diabolique, égoïste, embrouillé, faux, fin, froid, glacial, hasardeux, intéressé, lucide, machiavélique, malhonnête, mauvais, médiocre, mesquin, payant, pertinent, pur, raisonnable, risqué, savant, (in)sensé, sordide, stupide, subtil. *Faire un ~ (+ adj.); bouleverser, déjouer, déranger, entraver, fausser, gêner, perturber le/les ~(s) de qqn; s'embrouiller, se tromper dans ses ~s.*

CALEMBOUR amusant, banal, bas, bon, brillant, célèbre, douteux, éculé, facile, heureux, humoristique, ingénieux, léger, lourd, mauvais, plat, risqué, sarcastique, spirituel, usé. *Débiter, dire, faire un/des ~(s); adorer les ~s.*

CALENDRIER (jour et mois) *Consulter le ~; cocher sur le ~.* ♦(programme) ambitieux, (in)complet, contraignant, (sur)chargé, clair, défini, dense, détaillé, difficile, facile, (dé)favorable, fixe, flou, fourni, hypothétique, immuable, imposé, impressionnant, intenable, optimiste, pessimiste, précis, (ir)réaliste, rigide, rigoureux, serré, souple, strict, vague, varié. *Avoir un ~ (+ adj.); adopter, bousculer, chambouler, donner, établir, fixer, gérer, mettre au point, perturber, réaliser, respecter, s'imposer, subir, surcharger, tenir un/le/son ~; être en avance/retard sur son ~.*

CALLIGRAPHIE appliquée, artistique, belle, claire, compliquée, difficile, élégante, enfantine, fine, illisible, impeccable, indéchiffrable, jolie, maladroite, nette, ornée, particulière, relâchée, simple, sobre, soignée. *Avoir une ~ (+ adj.).*

CALME absolu, admirable, affecté, apaisant, apparent, circonspect, complet, confiant, désarmant, effrayant, énervant, éphémère, étonnant, exaspérant, excessif, extraordinaire, feutré, fragile, froid, glacial, grand, impassible, imperturbable, imposant, impressionnant, inaltérable, ineffable, infini, inouï, inquiétant, insolent, insolite, long, majestueux, parfait, passager, plat, précaire, profond, provisoire, rassurant, relatif, remarquable, reposant, serein, stupéfiant, surprenant, total, trompeur. *Avoir, (r)établir, garder, maintenir, montrer un ~ (+ adj.); être, faire preuve d'un ~ (+ adj.); chercher, (r)établir, faire régner, garder, goûter, imposer, instaurer, maintenir, perdre, perturber, ramener, respirer, simuler, (re)trouver le ~; conserver, garder, maintenir, montrer, perdre, retrouver, troubler son ~; aspirer, être, faire appel au ~; travailler, vivre dans le ~; avoir besoin, manquer de ~.* Un/le ~ est rétabli/revenu, prévaut, règne, renaît, revient, se fait, se maintient, se rétablit, s'établit, s'instaure.

CALORIE *Absorber, brûler, dépenser, fournir, produire des ~s; être faible/pauvre/riche en ~s.*

CALVITIE avancée, complète, croissante, débutante, distinguée, étendue, forte, galopante, grandissante, légère, naissante, partielle, précoce, prématurée, prononcée, ridicule, sévère, totale. *Avoir, développer, montrer, présenter une ~; être affligé d'une ~; arrêter, combattre, corriger, entraîner, faire reculer, freiner, prévenir, stopper, traiter, vaincre la ~; lutter contre la ~; assumer, cacher, dissimuler, masquer sa ~.* Une ~ apparaît, naît, progresse, s'accentue, s'aggrave, se développe.

CAMARADE ancien, bon, charmant, grand, jeune, mauvais, nouveau, petit, vieux, vilain, vrai. *Aider, défendre, rencontrer un ~; prêter main-forte à un ~; se faire des ~s; sortir en ~s.*

CAMARADERIE amicale, bonne, familière, éphémère, franche, immense, loyale, rude, saine, solide. *Être, faire preuve d'une ~ (+ adj.).*

CAMBRIOLAGE audacieux, avorté, mystérieux, nocturne, parfait, raté, réussi, spectaculaire. *Commettre, effectuer, faire, perpétrer un ~; participer, prendre part à un~; être victime d'un ~; être condamné pour un ~; se protéger contre les ~s; être accusé/inculpé de ~.* Un ~ a lieu, se produit.

CAMBRIOLEUR, EUSE amateur, audacieux, insaisissable, invétéré, professionnel, redoutable. *Arrêter, poursuivre, surprendre un ~.*

CAMÉRA bonne, (ultra)légère, lourde, miniature, modeste, neuve, (ultra)perfectionnée, puissante, (ultra)sensible, simple, sophistiquée, vieille. *Charger, manier, manipuler, opérer une ~; fuir les ~s; courir après les ~s; échapper, faire face à la/aux ~(s); prendre la parole, s'exprimer, se présenter devant la/ les ~(s).*

CAMION bâché, brinquebalant, bruyant, (sur)chargé, découvert, énorme, fermé, immense, léger, lourd, moyen, neuf, ouvert, polluant, polyvalent, poussif, puissant, robuste, rutilant, vétuste, vide, vieux. *(re)Charger, conduire un ~; monter, voyager dans un ~; débarquer, décharger, descendre d'un ~; monter, transporter sur un ~; embarquer, se déplacer en ~.*

CAMP (emplacement) énorme, immense, misérable, moderne, permanent, provisoire. *Construire, lever, (dé)monter un ~; entrer, pénétrer, résider, vivre dans un ~; aller, arriver, rentrer au ~.* ♦ (parti) adverse, ennemi, opposé, victorieux. *Être, se ranger dans un ~; choisir, défendre, trahir son ~; changer de ~.*

CAMPAGNE (habitat, paysage) agréable, aride, assoupie, boisée, cultivée, dépeuplée, déserte, désertée, ensoleillée, étendue, fertile, fleurie, immense, jolie, lumineuse, monotone, morne, muette, nue, paisible, pauvre, pittoresque, plaisante, plantureuse, plate, profonde, prospère, reculée, riche, somptueuse, tranquille, triste, vallonnée, vaste, verdoyante, verte. *Abandonner, aimer, détester, exécrer, gagner, habiter, parcourir, quitter la ~; aller, habiter, grandir, partir, rester, se plaire, se promener, se rendre, se retirer, s'exiler, s'installer, sortir, vivre à la ~; marcher dans la ~.* ♦ (*Militaire, Politique, Publicité*) acharnée, animée, ardente, avortée, brillante, bruyante, calamiteuse, chaotique, ciblée, courte, coûteuse, décisive, démentielle, déterminante, difficile, discrète, douce, dure, dynamique, efficace, énergique, épuisante, étonnante, excitante, féroce, fracassante, habile, implacable, intelligente, intensive, longue, manquée, mauvaise, médiocre, méthodique, modeste, molle, monstre, mouvementée, moyenne, musclée, odieuse, ouverte, partisane, passionnée, piètre, populaire, provocatrice, ratée, réussie, secrète, sobre, soutenue, subtile, tapageuse, trépidante, triomphale, tumultueuse, vague, victorieuse, vigoureuse, vive. *Amorcer, bâtir, conduire, couvrir, déclencher, dynamiser, élaborer, entamer, entreprendre, faire, intensifier, lancer, mener, orchestrer, organiser, ouvrir, piloter une/la ~; participer, prendre part à une ~; s'investir dans une ~; entrer, être, partir, se mettre en ~.* Une/la ~ bat son plein, commence, débute, porte ses fruits, prend fin, se déroule, se met en branle, s'engage, se termine, s'intensifie, s'ouvre.

CAMPING accueillant, agréable, bondé, aménagé, calme, confortable, convivial, ensoleillé, immense, improvisé, itinérant, joli, (ultra)moderne, ombragé, rustique, sauvage, spacieux, superbe, verdoyant. *Fréquenter, rechercher, réserver, trouver un ~; aimer, détester, pratiquer le ~; faire du ~; partir en ~.*

CANAL étroit, grand, large, long, mince, navigable, profond. *Aménager,* *combler, construire, creuser, curer, descendre, entretenir, franchir, nettoyer, ouvrir, parcourir, remonter un ~; entrer dans un ~; sortir d'un ~.*

CANDEUR attendrissante, désarmante, confondante, désarmante, embarrassante, émouvante, étonnante, extrême, fausse, immense, innocente, insipide, naïve, parfaite, placide, provocante, puérile, rafraîchissante, remarquable, ridicule, surprenante, suspecte, touchante. *Afficher, manifester, montrer une ~ (+ adj.); être d'une ~ (+ adj.); avouer, demander, parler avec ~.*

CANDIDAT, ATE (in)admissible, ambitieux, battu, brillant, choisi, compétent, confirmé, convenable, décevant, défait, désigné, écarté, (in)éligible, éliminé, élu, entrant, évincé, faible, favori, fort, (mal)heureux, idéal, malchanceux, motivé, officiel, pertinent, possible, potentiel, probable, recherché, refusé, retenu, sélectionné, solide, sortant, tenace, tiède, victorieux. *Admettre, appuyer, battre, défaire, désigner, écarter, éliminer, élire, évincer, interroger, investir, pousser, préparer, présenter, proposer, sélectionner, supplanter un ~; voter pour un ~; être, se porter ~.* Un ~ se déclare, se désiste, se manifeste, se (re)présente.

CANDIDATURE (in)attendue, conditionnelle, écartée, officielle, officieuse, reçue, rejetée, retenue, sollicitée, spontanée. *Annoncer, appuyer, bloquer, déclarer, déposer, écarter, maintenir, officialiser, patronner, poser, présenter, recevoir, rejeter, retenir, retirer, soigner, soutenir, transmettre, valider une/sa ~; apporter son soutien, renoncer à une ~.*

CANNE courbée, courte, énorme, ferrée, fine, fragile, légère, longue, lourde, massive, mince, noueuse, robuste, sculptée, solide. *Brandir, lever, poser, prendre, tenir une/sa ~; s'appuyer sur une/sa ~.*

CANOË court, étroit, facile, immense, insubmersible, large, léger, long, lourd, minuscule, neuf, performant, rapide, stable, ventru, vieux. *Conduire, diriger, guider, manier, manœuvrer, piloter un/son ~; monter dans un/son ~; débarquer d'un/de son ~; pratiquer le ~; s'initier au ~; aller, pêcher, ramer, se promener en ~.* Un ~ coule, dérive, fait naufrage, gîte, prend l'eau, se renverse, tangue, vogue.

CANON lourd, moyen, puissant. *Braquer, (dé)charger, entretenir, (dé)monter, pointer, poser un ~; attaquer au ~; tirer du ~; être à portée de ~.* Le ~ crache, gronde, rugit, se tait, tonne.

CANOT énorme, étanche, excellent, frêle, immense, insubmersible, large, léger, long, lourd, minuscule, neuf, plat, rapide, solide, ventru, vieux. *Amarrer, conduire, diriger, haler, manier, manœuvrer, piloter un ~; embarquer, monter dans un ~; descendre d'un ~; faire du ~.* Un ~ accoste, coule, dérive, prend l'eau, se renverse.

CANOTAGE *Pratiquer le ~; faire du ~; être expert en ~.*

CAP abrupt, avancé, dangereux, élevé, escarpé, immense, imposant, impressionnant, majestueux, solitaire, spectaculaire. *Doubler, franchir, (dé)passer, tourner un ~.*

CAPACITÉ accrue, basse, bonne, considérable, déclinante, déconcertante, défaillante, déficiente, élevée, (in)employée, énorme, éprouvée, étonnante, exceptionnelle, extraordinaire, faible, formidable, forte, grande, grandissante, haute, illusoire, importante, impressionnante, inférieure, infinie, inquiétante, (il)limitée, moyenne, négligeable, notable, phénoménale, potentielle, prodigieuse, rare, redoutable, réduite, réelle, remarquable, sous-estimée, supérieure, (in)suffisante, surestimée, vaste. *Avoir, posséder une ~ (+ adj.); disposer, être, faire preuve d'une ~ (+ adj.); accroître, améliorer, développer, élargir, renforcer ses ~s; manquer de ~.*

CAPITAL actif, appréciable, considérable, énorme, faible, (il)limité, immense, important, initial, maximal, minimal, nécessaire, négligeable, oisif, passif, pauvre, (im)productif, puissant, réduit, réel, requis, riche, (in)suffisant, vaste. *Accumuler, amasser, apporter, avancer, collecter, (se) constituer, emprunter, engager, fournir, (ré)injecter, (ré)investir, placer, posséder, réaliser, rembourser, réunir, trouver, verser un/des ~(x) ; augmenter, dilapider, entamer, épuiser, faire fructifier, manger, réduire son ~; disposer, manquer de ~x.* Les ~x abondent, se font rares, sont abondants.

CAPITALE actuelle, ancienne, cosmopolite, déchue, énorme, historique, immense, imposante, populeuse, tentaculaire, vieille.

CAPITALISME agressif, arriéré, avancé, bon, civilisé, conservateur, débridé, déchaîné, démocratique, déréglé, égalitaire, équitable, extrême, féroce, flexible, forcené, global, (in)humain, impitoyable, industriel, inégal, libéral, malade, mauvais, modéré, mondialisé, nouveau, populaire, renouvelé, responsable, rigide, sans frein, sauvage, social, triomphant, véritable. *Abolir, améliorer, corriger, dénoncer, prêcher, réformer, réglementer le ~; résister, s'adapter, se convertir au ~.*

CAPITULATION avantageuse, complète, déshonorante, honorable, honteuse, humiliante, inconditionnelle, lâche, limitée, massive, rapide, totale. *Demander, exiger, imposer, négocier, obtenir, offrir, ratifier, signer une ~.*

CAPRICE bizarre, cruel, enfantin, extravagant, farfelu, passager, petit, puéril, ridicule, satisfait, soudain. *Avoir, faire, se permettre des ~s ; satisfaire un ~; céder, obéir, répondre à un ~; contenter, laisser faire, suivre les ~s de (qqn, la mode, etc.); céder, être soumis, obéir, se plier, se soumettre aux ~s de (qqn, la mode, etc.); agir par ~.*

CAR bondé, comble, (in)confortable, lent, plein, rapide, rempli, vide. *Affréter, attendre, attraper, conduire, prendre, rater un ~; embarquer, monter dans un ~; débarquer, descendre d'un ~ .*

CARABINE courte, légère, longue, lourde. *Épauler, essayer, (savoir) manier, mettre en joue une ~; tirer à la ~.*

CARACTÈRE (*tempérament*) abject, acariâtre, accommodant, acerbe, acrimonieux, affable, affectueux, affirmé, (dés)agréable, agressif, aimable, allègre, amorphe, apathique, ardent, arrogant, atroce, attachant, audacieux, autoritaire, avenant, bas, belliqueux, bienveillant, bizarre, bohème, bon, borné, boudeur, bouillant, bourru, brusque, brutal, capricieux, cassant, chagrin, changeant, charmant, chatouilleux, chevaleresque, coléreux, (in)commode, complaisant, compliqué, conciliant, confiant, (in)constant, courageux, craintif, cruel, cupide, débonnaire, décidé, démonstratif, (in)dépendant, despotique, déterminé, détestable, difficile, (in)discipliné, docile, dominateur, doux, dur, effacé, (in)égal, égoïste, émotif, emporté, énergique, enflammé, énigmatique, enjoué, enthousiaste, étonnant, étrange, exagéré, excessif, exécrable, expansif, extraverti, extrême, exubérant, facile, faible, farouche, fermé, fier, flegmatique, (in)flexible, flottant, fort, fougueux, franc, frivole, froid, frondeur, gai, généreux, grave, grognon, haineux, hardi, hargneux, héroïque, hésitant, (mal)heureux, impérieux, imperturbable, impétueux, impossible, impulsif, indécis, individualiste, indomptable, influençable, inquiet, insupportable, intransigeant, introverti, irascible, irritable, jaloux, jovial, joyeux, lunatique, malléable, maniable, maussade, mauvais, mesquin, méticuleux, minutieux, morose, noble, obstiné, ombrageux, opiniâtre, optimiste, orgueilleux, outrancier, ouvert, paisible, pantouflard, passif, passionné, (im)patient, pénible, pessimiste, peureux, placide, pointilleux, pointu, pondéré, posé, précautionneux, prévenant, récalcitrant, renfermé, renfrogné, réservé, (ir)résolu, rétif, revêche, sauvage, sérieux, serviable, sévère, simple, (in)sociable, sombre, sordide, soupçonneux, souple, (in)stable, stoïque, susceptible, sympathique, taciturne, taquin, téméraire, tenace, têtu, timide, tracassier, véhément, versatile, vif, violent, volcanique. *Avoir, manifester, montrer, posséder un ~ (+ adj.); être, faire preuve d'un ~ (+ adj.); adoucir, affermir, aigrir, altérer, assouplir, façonner, former, fortifier le ~; avoir, montrer du/son ~; faire preuve, manquer de ~.* ♦(<u>caractéristique, aspect</u>) actuel, aléatoire, ambigu, ambitieux, approximatif, arbitraire, artificiel, authentique, (in)compatible, concret, confidentiel, contraignant, crucial, difficile, discret, distinctif, dominant, essentiel, étonnant, étrange, évolutif, exceptionnel, facile, factice, facultatif, fondamental, (in)formel, général, grave, hétérogène, hybride, immuable, imposant, incongru, indiscutable, indispensable, inédit, inéluctable, inévitable, inquiétant, insolite, intrigant, irréversible, marquant, marqué, mystérieux, onéreux, particulier, passager, permanent, pittoresque, plausible, précaire, primitif, prioritaire, propre, provisoire, (ir)régulier, saillant, spécifique, spontané, sublime, typique, universel. *Acquérir, avoir, conférer, conserver, posséder, prendre, présenter, revêtir un ~ (+ adj.); avoir du ~; être dénué de ~; être sans ~.*

CARACTÉRISTIQUE capitale, commune, distinctive, essentielle, extrinsèque, fondamentale, importante, intrinsèque, majeure, marquante, mineure, notable, notoire, particulière, principale, propre, remarquable, secondaire, singulière, spécifique, unique, universelle. *Avoir, être, posséder, présenter une/la ~ (+ adj.) de qqn/qqch.; avoir pour ~.*

CARAMBOLAGE énorme, gigantesque, grand, grave, meurtrier, monstre, terrible, violent. *Causer, entraîner, provoquer un ~; être impliqué dans un ~; être victime d'un ~.* Un ~ a lieu, s'ensuit, se produit.

CARBURANT alternatif, léger, lourd, polluant, propre, synthétique, vert. *Économiser le ~; consommer du ~; manquer de ~; être économe/gourmand, se ravitailler en ~.*

CARENCE aiguë, chronique, criante, cruelle, désastreuse, dramatique, énorme, évidente, faible, flagrante, forte, grave, grosse, immense, incroyable, inquiétante, légère, momentanée, partielle, passagère, préoccupante, sérieuse, totale, tragique. *Combler, compenser, constater, corriger, pallier, présenter, réparer, suppléer une ~; remédier, suppléer à une ~; souffrir d'une ~.*

CARESSE affectueuse, agréable, amicale, amoureuse, apaisante, ardente, brève, brûlante, brutale, chaude, délicate, douce, enveloppante, excitante, froide, furtive, glaciale, grosse, imperceptible, innocente, lascive, légère, lente, maladroite, passionnée, réservée, sensuelle, subtile, tendre, tiède, voluptueuse. *Donner, échanger, faire, obtenir, prodiguer, recevoir une/des ~(s); accabler, combler, couvrir, priver de ~s.*

CARGAISON abondante, considérable, dangereuse, énorme, faible, forte, immense, importante, légère, maigre, mince, précieuse, riche. *Apporter, (dé)charger, débarquer, embarquer, recevoir, transporter une ~.*

CARICATURE amusante, bonne, burlesque, cruelle, décapante, désobligeante, drôle, fausse, féroce, fidèle, flatteuse, grossière, grotesque, ironique, (in)juste, légère, lourde, mauvaise, méchante, mordante, naïve, odieuse, outrancière, ratée, réaliste, ressemblante, réussie, simpliste, spirituelle. *Dessiner, exécuter, faire, réaliser une ~; brosser, dresser, faire, tracer la ~ de (qqn, une société, un milieu, etc.).*

CARIE débutante, grave, importante, légère, négligée, profonde, (in)visible. *Avoir, combler, détecter, enlever, obturer, soigner, traiter une ~; souffrir d'une ~.* Une ~ apparaît, débute, naît, prend naissance, se développe, se forme, s'installe, survient.

CARILLON cristallin, fin, incessant, léger, joyeux, léger, mélodieux, rapide. Un ~ résonne, retentit, sonne, tinte.

CARNAGE abominable, affreux, atroce, barbare, effroyable, énorme, épouvantable, gigantesque, impitoyable, horrible, immense, inhumain, meurtrier, monstrueux, organisé, sanglant, sauvage. *Commettre, organiser, provoquer, subir un ~; échapper, se livrer, survivre à un ~.*

CARNAVAL animé, coloré, endiablé, gigantesque, grand, grandiose, multicolore, populaire, spectaculaire. *Organiser un ~; assister, participer à un ~.* Un ~ a lieu, se déroule, se produit, se tient.

CARNET épais, gros, large, mince, petit, plat, rempli, vide, vierge. *Consulter, remplir, tenir un ~; consigner, écrire, griffonner, marquer, noter dans/sur un ~.*

CARREAU (carrelage) abîmé, brillant, émaillé, mat, vernissé. *Cirer, nettoyer les ~x.* ♦(vitre) *Briser, casser, placer, poser, remettre, remplacer un ~; fermer, laver, ouvrir les ~x; frapper, taper au ~.*

CARREFOUR dangereux, désert, encombré, fréquenté, important, passant, stratégique. *Atteindre, franchir, rejoindre,* *traverser un ~; arriver, bifurquer à un ~; déboucher sur un ~.*

CARRELAGE abîmé, brillant, ciré, dur, étincelant, froid, glissant, rugueux. *Installer, poser un ~; astiquer, cirer, laver, nettoyer le ~.*

CARRIÈRE (*mine*) abandonnée, à ciel ouvert, ancienne, désaffectée, en activité, profonde, souterraine. *Abandonner, creuser, exploiter, fermer, fouiller, ouvrir une ~; travailler dans une ~.* ♦ (*profession*) agitée, alléchante, ascendante, aventureuse, avortée, belle, brève, brillante, chaotique, classique, comblée, contrariée, courte, descendante, diversifiée, dynamique, éclair, éclatante, énorme, éphémère, étonnante, exceptionnelle, exemplaire, fascinante, féconde, fermée, (in)fructueuse, fulgurante, galopante, honorable, houleuse, impeccable, interrompue, jeune, languissante, lente, linéaire, longue, magnifique, marginale, médiocre, météorique, mirobolante, modeste, montante, mouvementée, obscure, ouverte, précaire, prestigieuse, prodigieuse, prometteuse, prospère, radieuse, rangée, rapide, rectiligne, remarquable, remplie, rémunératrice, réussie, riche, spectaculaire, stable, stagnante, tardive, terne, tortueuse, traditionnelle, tranquille, tumultueuse, vaste, vertigineuse. *Connaître une ~ (+ adj.); abandonner, accomplir, briser, casser, choisir, clore, commencer, compromettre, consolider, écourter, embrasser, engager, entamer, entraver, finir, freiner, inaugurer, interrompre, lancer, mener, poursuivre, prolonger, rater, réorienter, réussir, se forger, suivre, tenter, terminer une/sa ~; mettre un terme, renoncer, s'attacher, se destiner à une ~; débuter, entrer, s'avancer, se lancer, s'embarquer dans une ~.* Une ~ commence, débute, démarre, s'achève, s'enlise, se termine, s'interrompt, s'ouvre.

CARROSSERIE aérodynamique, allongée, anguleuse, arrondie, basse, bombée, distinctive, effilée, élégante, esthétique, fuselée, haute, imposante, (ultra)légère, logeable, longue, lourde, massive, panoramique, parfaite, particulière, profilée, raffinée, ronde, spacieuse, surbaissée, typique, unique. *Avoir, offrir, posséder, présenter une ~ (+ adj.).*

CARRURE athlétique, belle, chétive, délicate, développée, élégante, énorme, épaisse, étroite, faible, fluette, forte, fragile, frêle, géante, gigantesque, herculéenne, immense, imposante, impressionnante, large, massive, musclée, osseuse, parfaite, proportionnée, puissante, robuste, solide, svelte. *Avoir, posséder une ~ (+ adj.); être d'une ~ (+ adj.); avoir la ~ (+ adj.) .*

CARTE (*~ de géographie, touristique, etc.*) chargée, claire, complète, détaillée, (il)lisible, partielle, (im)précise, réduite. *Consulter, déployer, dresser, établir, étaler, étudier, faire, lire, modifier, (dé)plier, regarder, tracer une/la ~ de (une région, etc.); être, figurer, localiser, situer sur une/la ~.* ♦ (*~ de restaurant*) bonne, élaborée, gastronomique, goûteuse, honnête, raffinée, riche, simple, soignée, somptueuse, variée. *Consulter, demander, parcourir la ~; déjeuner, dîner, manger à la ~.* ♦ (*~ de crédit, paiement*) *Accepter, détenir, honorer une ~; payer avec une ~; être muni, se munir d'une ~.* ♦ (*~ à jouer*) basse, bonne, fausse, haute, maîtresse. *Abattre, (re)battre, brasser, brouiller, conserver, couper,* *couvrir, demander, distribuer, donner, écarter, étaler, faire tomber, fournir, jeter, jouer, lever, mélanger, (re)mêler, montrer, ramasser, retourner, servir, tenir une/des/la/les/ses ~ (s); jouer, tricher aux ~s.*

CAS accidentel, avéré, bénin, bizarre, clair, classique, complexe, compliqué, concret, confirmé curieux, déchirant, déplorable, désespéré, (in)déterminé, différent, difficile, douteux, éclatant, embarrassant, énigmatique, étonnant, étrange, éventuel, (in)évitable, exceptionnel, exemplaire, extrême, facile, (dé)favorable, fortuit, fréquent, général, grave, hypothétique, identique, important, insolite, intéressant, inusité, isolé, limite, litigieux, négatif, (a)normal, nouveau, opposé, particulier, pathologique, (im)possible, préoccupant, positif, (im)prévisible, (im)prévu, privilégié, (im)probable, rare, rarissime, remarquable, secondaire, semblable, sérieux, significatif, simple, singulier, spécial, surprenant, tragique, transparent, triste, type, (a)typique, unique, urgent. *Appliquer, citer, confirmer, constater, déceler, détecter, découvrir, enregistrer, étudier, examiner, exposer, prendre, rapporter, résoudre, signaler, trancher un ~; s'intéresser à un ~; s'occuper d'un ~; se pencher sur un ~.*

CASCADE abondante, bruyante, cristalline, écumante, haute, impétueuse, jolie, longue. *Descendre, se précipiter, tomber en ~.* Une ~ bondit, jaillit.

CASIER chargé, fourni, important, intact, notoire, vierge. *Avoir, posséder un ~ (+ adj.); inscrire, porter au ~.*

CASQUE gros, léger, lourd, plat, profilé. *Arborer, enfoncer, enlever, mettre, ôter, porter, retirer un/le/son ~; être coiffé, s'affubler d'un ~.*

CASQUETTE dure, grosse, inamovible, large, molle, neuve, plate, ronde, vieille. *Arborer, abaisser, enfoncer, enlever, mettre, ôter, porter, redresser une/la/sa ~; être coiffé d'une ~.*

CASSE-TÊTE (*problème difficile*) angoissant, complexe, compliqué, délicat, difficile, embêtant, énorme, épouvantable, facile, horrible, immense, impossible, inextricable, insoluble, insurmontable, léger, majeur, mineur, permanent, préoccupant, pressant, redoutable, simple, vaste, véritable, vrai. *Constituer, devenir, être, provoquer, résoudre un/le ~; être confronté, s'attaquer à un/au ~.* Un ~ se dresse, se pose, surgit. ♦(*jeu*) amusant, bon, classique, compliqué, difficile, excellent, facile, innovant, intéressant, parfait, passionnant, progressif, simple. *Réaliser, résoudre, réussir un ~.*

CASSURE belle, franche, lisse, mauvaise, nette, présumée, simple, vive.

CATACLYSME affreux, brutal, dévastateur, effroyable, énorme, épouvantable, formidable, gigantesque, grave, horrible, immense, inéluctable, majeur, meurtrier, soudain, subit, terrible, tragique. *Déclencher, entraîner, provoquer, subir un ~; échapper, survivre à un ~; être victime d'un ~.* Un ~ a lieu, arrive, se produit, survient.

CATALOGUE (in)complet, détaillé, documenté, illustré, prestigieux, somptueux. *Consulter, dresser, établir, feuilleter, préparer, tenir à jour un/le ~; travailler à un ~; lire dans un ~.*

CATASTROPHE affreuse, annoncée, brutale, colossale, cruelle, effroyable, épouvantable, (in)évitable, gigantesque, grande, horrible, imminente, inattendue, inéluctable, inouïe, irrémédiable, majeure, meurtrière, mineure, (im)prévisible, (im)prévue, programmée, ruineuse, sanglante, sinistre, soudaine, subite, terrible, tragique, traumatisante, universelle, vaste. *Craindre, créer, déchaîner, déclencher, élucider, empêcher, entraîner, éviter, gérer, précipiter, prévenir, provoquer, subir une ~; aboutir, échapper, faire face, survivre à une ~; se relever d'une ~; être victime d'une ~; friser, frôler, voir venir la ~; courir à la ~.* Une ~ a lieu, arrive, se prépare, se produit, survient.

CATÉGORIE commune, distincte, étroite, fourre-tout, générale, inférieure, intermédiaire, large, spéciale, spécifique, supérieure, unique, vaste. *Accéder, appartenir à une~; (se) classer, (r)entrer, être compris, placer, (se) ranger, (se) situer, tomber dans une ~; faire partie d'une ~; classer, (re)grouper, ranger, tomber sous une ~.*

CATHÉDRALE ancienne, austère, belle, célèbre, colossale, élégante, énorme, gracile, grandiose, haute, immense, imposante, magnifique, majestueuse, massive, récente, riche, somptueuse, splendide, svelte, trapue, vieille. *Admirer, bâtir, construire, édifier, élever, ériger, restaurer, visiter une ~; entrer, pénétrer dans une ~.* Une ~ se dresse, s'élève.

CAUCHEMAR abominable, affreux, angoissant, atroce, bref, effrayant, effroyable, épouvantable, étrange, fréquent, gros, horrible, insoutenable, interminable, mystérieux, obsédant, perpétuel, persistant, sinistre, terrible, troublant, vague. *Avoir, faire des ~s; se débattre contre un ~; s'éveiller d'un ~; être sujet au ~.*

CAUSE (motif, raison) accidentelle, apparente, claire, (in)connue, décelable, déterminante, (in)déterminée, (in)directe, éloignée, essentielle, étrangère, externe, floue, fondamentale, fortuite, futile, grave, hypothétique, indiscutable, inexpliquée, initiale, interne, involontaire, juste, légère, légitime, lointaine, majeure, mineure, mystérieuse, obscure, occasionnelle, originelle, passagère, plausible, possible, présumée, principale, proche, profonde, réelle, secondaire, secrète, sérieuse, unique; diverses, multiples, variées. *Attribuer, chercher, comprendre, connaître, débusquer, déterminer, diagnostiquer, établir, être, isoler, préciser, rechercher, reconnaître, supprimer, trouver une/la ~.* Une ~ (ré)apparaît. ♦ (*Droit, Juridique*) bonne, célèbre, (in)défendable, difficile, embrouillée, facile, fondée, gagnée, imperdable, irréfutable, intéressante, mauvaise, pendante, perdue, (in)soutenable. *Défendre, discuter, entendre, étudier, évoquer, examiner, gagner, juger, perdre, plaider, remettre, soutenir une ~; être chargé, se charger d'une ~ ; statuer sur une ~.* ♦ (*ensemble d'intérêts*) belle, bonne, désespérée, entendue, grande, honorable, (in)juste, mauvaise, noble, perdue, sacrée, sérieuse. *Abandonner, adopter, aider, compromettre, défendre, faire triompher, favoriser, plaider, prendre en main, servir, soutenir, trahir une ~; se consacrer, se donner, se vouer, s'identifier, s'intéresser à une ~; croire en une ~ ; combattre, lutter, mourir, souffrir pour une ~.*

CAUSERIE (conversation) aimable, banale, décousue, délicieuse, gaie, spirituelle, superficielle. *Engager, nouer une ~.* ♦(confé-rence) brève, brillante, captivante, étincelante, intéressante, interminable, longue, passionnante, pédante, savante. *Donner, faire, présenter, prononcer, suivre une ~; assister à une ~.*

CAUTION *Accorder, admettre, apporter, certifier, demander, déposer, exiger, fournir, payer, rembourser, verser une ~; servir de ~.*

CAVALIER, IÈRE accompli, adroit, confirmé, doué, émérite, excellent, (in)habile, hardi, mauvais, passable, piètre. *Démonter, désarçonner un ~.* Un ~ caracole, enfourche, est désarçonné.

CAVE (pièce) fraîche, froide, humide, nauséabonde, obscure, profonde, sombre, vaste, voûtée. *Aller, descendre à la ~; remonter de la ~.* ♦(~ à vins) abondante, bonne, excellente, garnie, remplie, riche, somptueuse. *Avoir, posséder, se constituer une ~.*

CAVERNE abandonnée, basse, désaffectée, étroite, fraîche, haute, immense, immergée, large, obscure, profonde, sombre, ténébreuse, vaste. *Découvrir, explorer, visiter une ~; entrer, être bloqué, pénétrer, se réfugier dans une ~.*

CAVITÉ béante, énorme, étroite, immense, large, profonde. *Agrandir, approfondir, boucher, combler, creuser, faire, obturer une ~.*

CEINTURE courte, étroite, large, longue. *Agrafer, attacher, (dé)boucler, défaire, détacher, (dé)nouer, relâcher, (des)serrer une/sa ~.*

CÉLÉBRATION discrète, exceptionnelle, extraordinaire, grandiose, joyeuse, modeste, solennelle, somptueuse, sympathique. *Organiser une ~; présider, procéder, s'associer une ~.* Une ~ a lieu, se déroule.

CÉLÉBRITÉ (renommée) certaine, durable, énorme, enviée, excessive, grande, honteuse, immédiate, immense, instantanée, juste, (in)justifiée, lamentable, (im)méritée, passagère, prodigieuse, relative, soudaine, surprenante, triste, vaine. *Acquérir, avoir, connaître, se faire, se forger, se tailler une ~ (+ adj.); bénéficier, jouir d'une ~ (+ adj.); acquérir, aimer, connaître, conquérir, dédaigner, mépriser, rechercher, viser la ~; accéder, parvenir, viser à la ~.*

CÉLIBATAIRE aigri, endurci, hésitant, maniaque, obstiné, vieux.

CENDRE brûlante, brûlée, chaude, froide, grise, rougeoyante, tiède. *Déposer la ~ (d'une cigarette); (faire) cuire sous la ~; laisser tomber de la ~.*

CENSURE absolue, abusive, complète, déguisée, (in)directe, (in)efficace, excessive, extrême, féroce, forte, (mal)habile, impitoyable, implacable, préalable, redoutable, rigoureuse, sévère, stricte, subtile, tatillonne, totale, vigilante, voilée, volontaire. *Exercer, pratiquer, subir une ~ (+ adj.); abolir, alléger, contourner, déjouer, durcir, (r)établir, exercer, lever, pratiquer, renforcer, subir, supprimer la ~; échapper, être soumis, se heurter, s'exposer, soumettre à la ~.* Une/la ~ fait rage, règne, se fait sentir, sévit, s'impose.

CENTENAIRE *Célébrer, fêter, marquer un ~.*

CENTRALISATION abusive, bureaucratique, excessive, effrénée, extrême.

CERCLE (forme, figure) complet, concentrique, excentrique, parfait, tangent. *Décrire, faire, imprimer, tracer un ~; entourer d'un ~; être assis/disposé/rangé en ~.* ♦ (étendue) considérable, étroit, immense, infini, large, (il)limité, vaste. *Accroître, agrandir, augmenter, élargir, étendre le/son ~ de (les connaissances, ses amis, etc.).*

CÉRÉMONIE austère, brève, brillante, commémorative, courte, dépouillée, digne, discrète, émouvante, expéditive, faste, fastueuse, gigantesque, grande, grandiose, impressionnante, interminable, intime, médiatique, modeste, mystérieuse, officielle, officieuse, poignante, rapide, rituelle, silencieuse, simple, sobre, sombre, somptueuse, sophistiquée, touchante. *Célébrer, clôturer, organiser, ouvrir, présider, régler, suivre une ~; assister, convoquer, être présent, inviter, manquer, participer, prendre part, procéder à une ~; figurer dans une ~.* Une/la ~ a lieu, commence, finit, s'achève, se déroule, se termine.

CERF jeune, léger, tacheté, timide, vieux, vif, vigoureux. *Épauler, lever, poursuivre, traquer un ~; chasser le ~.* Un ~ brame, détale, est aux abois, paît, rumine, trotte.

CERTITUDE absolue, ancrée, arrogante, atroce, belle, brusque, calme, chancelante, complète, douce, durable, ébranlée, élémentaire, entière, établie, factice, fausse, ferme, (in)fondée, froide, grande, illusoire, immense, imperturbable, indiscutable, inébranlable, intime, intuitive, joyeuse, mathématique, morale, naïve, obscure, profonde, raisonnable, réconfortante, relative, scientifique, sereine, sincère, totale, tranquille. *Acquérir, affirmer, avoir, dire, ébranler, exprimer, fortifier, posséder, renforcer une ~; bouleverser, chambouler les ~s; être bardé/bourré/pétri/plein de ~s.*

CERVEAU agile, borné, brillant, brûlé, creux, débile, dérangé, détraqué, distingué, ébranlé, encyclopédique, endormi, engourdi, étroit, excellent, exceptionnel, faible, fatigué, fêlé, inventif, lucide, malade, obtus, productif, puissant, ramolli, remarquable, rétif, simpliste, subtil, supérieur, timbré, troublé. *Avoir un/le ~ (+ adj.); se creuser, se torturer, troubler le ~; monter au ~; germer, s'enfoncer, s'enraciner dans le ~; stopper l'exode/la fuite des ~x.*

CESSEZ-LE-FEU absolu, complet, durable, fragile, général, généralisé, global, immédiat, indéterminé, négocié, partiel, précaire, progressif, prolongé, provisoire, significatif, unilatéral. *Accepter, (faire) appliquer, arranger, conclure, déclarer, décider, décréter, établir, fragiliser, instaurer, négocier, observer, obtenir, proclamer, réaliser, rejeter, respecter, signer un ~; appeler, parvenir, travailler à un ~; convenir, discuter d'un ~; s'entendre sur un ~.* Un/le ~ a été décrété/proclamé, dure, entre en vigueur, prévaut, tient.

CHAGRIN amer, confus, cruel, cuisant, douloureux, émoussé, grand, immense, immérité, inapaisable, incommensurable, inconsolable, incurable, inguérissable, inquiet, intime, léger, long, lourd, mortel, passager, poignant, profond, refoulé, secret, sincère, sombre, tenace, terrible, vaniteux, vif, violent. *Adoucir, aggraver, alléger, apaiser, cacher, calmer, causer, chasser, consoler, dissimuler, dissiper,* *donner, entretenir, éprouver, exprimer, faire, faire paraître, laisser échapper, noyer, occasionner, provoquer, ravaler, renfermer, renforcer, ressasser, ressentir, ruminer, secouer, soulager, surmonter, taire un/le/du/son ~; être abattu/accablé/écrasé/usé par le ~; être fou/malade/plein/rempli, languir, mourir, pleurer, se consumer, s'effondrer de ~.*

CHAHUT assourdissant, épouvantable, étourdissant, horrible, indescriptible, infernal, incontrôlable, intense, intolérable, joli, joyeux, monstre, monstrueux, terrible. *Déclencher, faire, mener, organiser, provoquer, susciter un ~; faire du ~.*

CHAÎNE cassée, délicate, épaisse, faible, fine, forte, fragile, frêle, lâche, longue, mince, persistante, solide, souple, renforcée, tendue. *Attacher, détacher, (dé)faire, relâcher, (dé)tendre, tirer une ~; barrer, fermer avec une/des ~(s); attacher, mettre à une ~; attacher, lier avec une ~; tirer sur une ~.* ♦ (*Télévision*) câblée, cryptée, généraliste, payante, spécialisée, thématique. *Capter, lancer, regarder une ~; changer de ~.*

CHAIR (*forme, peau*) abondante, arrondie, avachie, bouffie, dodue, douce, dure, éclatante, élastique, épanouie, ferme, flasque, fraîche, gonflée, laiteuse, lisse, meurtrie, molle, nacrée, nue, pâle, plantureuse, potelée, rose, saine, satinée, tendre, tiède, translucide, unie, vive. *Dévoiler, exposer, laisser voir, montrer la ~; enfoncer, entrer, pénétrer dans la ~.* ♦ (*viande*) blanche, bouillie, coriace, crue, cuite, déchiquetée, délicate, délicieuse, dépecée, dure, ferme, fraîche, fine, grasse, juteuse, maigre, parfumée, putride, rose, rosée, rôtie, rouge, salée, savoureuse, tendre.

CHAISE bancale, basse, boiteuse, branlante, capitonnée, (in)confortable, droite, haute, pliable, pliante, rembourrée, (in)stable. *Avancer, enfourcher, offrir, prendre, présenter, tirer une ~; être adossé à une ~; être avachi, monter, s'agiter, s'appuyer, s'asseoir, s'assoupir, se balancer, se caler, s'écrouler, se laisser tomber, se renverser sur une/sa ~; se lever de sa ~.*

CHALET accueillant, chaleureux, charmant, confortable, coquet, cossu, délabré, énorme, humble, immense, isolé, luxueux, magnifique, modeste, neuf, ravissant, rudimentaire, rustique, somptueux, spacieux, splendide, superbe, tranquille, vieux. *Bâtir, construire, édifier, habiter, posséder un ~; séjourner dans un ~.*

CHALEUR accablante, (dés)agréable, ardente, aride, assoupissante, bonne, brutale, caniculaire, croissante, cuisante, diffuse, douce, écrasante, effrayante, effroyable, énervante, énorme, épouvantable, éprouvante, équatoriale, étouffante, exceptionnelle, excessive, extraordinaire, extrême, faible, forte, grande, homogène, horrible, humide, importante, incandescente, incommodante, infernale, insoutenable, intenable, intense, légère, lourde, modérée, moite, molle, mortelle, (a)normale, oppressante, orageuse, pesante, relative, sèche, sourde, stagnante, suffocante, (in)supportable, tempérée, terrible, (in)tolérable, torride, torturante, tropicale, vive. *Apporter, dégager, diffuser, dispenser, donner, émettre, fournir, libérer, procurer, produire, sentir (de) la ~; être résistant/sensible à la ~; se plaindre de la ~; être assommé/incommodé par la ~; écraser, mourir, transpirer de ~.* Une/la ~ accable, augmente, brûle, dessèche, diminue, émane, pénètre, réchauffe, règne, se dégage, se répand, se propage, sévit, tombe.

CHAMBRE accueillante, agréable, attenante, belle, calme, claire, climatisée, communicante, (in)confortable, contiguë, délabrée, élégante, encombrée, ensoleillée, étroite, exiguë, fraîche, gaie, habitable, immense, infecte, inhabitée, insonorisée, lugubre, lumineuse, luxueuse, magnifique, mansardée, meublée, minuscule, modeste, nue, (dés)ordonnée, passable, poussiéreuse, propre, rangée, ravissante, silencieuse, sombre, sordide, spacieuse, surchauffée, vaste, vide. *Aérer, aménager, arranger, balayer, demander, entretenir, faire, libérer, louer, nettoyer, posséder, ranger, réserver, retenir une/sa ~; se barricader, se confiner, se retirer, se tenir, vivre dans sa ~.*

CHAMP (*Agriculture*) aride, boisé, bosselé, boueux, caillouteux, cultivé, découvert, dénudé, descendant, détrempé, ensemencé, fertile, glaiseux, herbeux, hersé, humide, inculte, labouré, marécageux, moissonné, montant, pentu, pierreux, planté, plat, sablonneux, stérile, vaste. *Cultiver, ensemencer, fumer, herser, irriguer, labourer, moissonner, semer un ~; travailler aux ~s; se promener dans les ~s.* ♦ (*domaine*) connexe, divers, étendu, étroit, exclusif, grand, immense, infini, insoupçonné, large, (il)limité, modeste, pointu, privilégié, prometteur, restreint, sensible, vaste. *Agrandir, élargir, étendre, investir, limiter, ouvrir un/le ~ de (ses recherches, une science, etc.).*

CHAMPIGNON comestible, douteux, mortel, toxique, vénéneux. *Cueillir, cultiver, ramasser des ~s.*

CHAMPION, IONNE (*Sport*) battu, confirmé, défait, grand, imbattable, invincible, mondial, olympique, (in)vaincu. *Acclamer, battre, défaire, vaincre un ~.* ♦ (*défenseur*) acharné, ardent, fervent, inconditionnel, incontesté, infatigable, inlassable, intrépide, invincible, zélé.

CHAMPIONNAT annuel, international, junior, mondial, national, senior. *Gagner, remporter un ~; participer à un ~; concourir dans un ~; s'entraîner pour un ~.*

CHANCE accrue, aléatoire, belle, bonne, dernière, douteuse, égale, énorme, exceptionnelle, exponentielle, extraordinaire, fabuleuse, faible, forte, fugitive, gaspillée, grande, historique, honnête, honorable, immense, importante, incroyable, inédite, inespérée, inouïe, insensée, insolente, maigre, manquée, mauvaise, (im)méritée, mince, minuscule, mitigée, nouvelle, raisonnable, ratée, réaliste, réelle, sacrée, saisie, sérieuse, ténue, ultime, véritable, vraie. *Augmenter, avoir, calculer, compromettre, courir, diminuer, donner, entamer, forcer, gâcher, garder, gâter, guetter, laisser passer, maximiser, multiplier, perdre, peser, posséder, préserver, réduire, rejeter, risquer, saisir, supputer, tenter une/la/les/sa/ses ~(s); jouir, profiter d'une ~; se fier à la ~; avoir de la ~.* La ~ sourit, tourne; les ~s augmentent, diminuent, s'amenuisent, se renouvellent.

CHANDAIL ajusté, ample, avachi, chaud, confortable, court, défraîchi, élimé, épais, étroit, fatigué, gros, informe, large, léger, long, moulant, rapiécé, serré, seyant, troué, usé. *Arborer, enfiler, mettre, passer, porter, revêtir un ~.*

CHANDELLE grande, grosse, longue, mince, minuscule, petite. *Allumer, éteindre, moucher, souffler une ~; s'éclairer à la ~.*

CHANGEMENT abrupt, absolu, accéléré, anticipé, apparent, appréciable, (in)attendu, audacieux, brusque, brutal, catastrophique, complet, considérable, continu, continuel, contradictoire, cosmétique, décisif, désastreux, (in)désiré, douloureux, doux, dramatique, drastique, durable, énorme, escompté, (in)espéré, essentiel, étonnant, exceptionnel, faible, (dé)favorable, fondamental, fort, fracassant, frappant, fréquent, gigantesque, graduel, grand, (mal)heureux, immédiat, immense, important, inaperçu, incessant, indispensable, inéluctable, inévitable, infime, insignifiant, irréversible, léger, lent, marqué, mélioratif, mineur, minime, minuscule, mou, notable, notoire, occasionnel, partiel, passager, pénible, (im)perceptible, permanent, perpétuel, plausible, préoccupant, préparé, (im)prévisible, (im)prévu, (im)probable, prochain, profond, progressif, prompt, prononcé, prudent, qualitatif, quantitatif, radical, rapide, rassurant, remarquable, revigorant, rude, salutaire, secondaire, (in)sensible, significatif, soudain, souhaitable, spectaculaire, sporadique, subit, subtil, superficiel, surprenant, total, véritable, vertigineux, visible, vrai. *Accomplir, amener, amorcer, anticiper, apporter, causer, constater, créer, effectuer, encadrer, engager, entraîner, faire, générer, imposer, introduire, nécessiter, noter, observer, obtenir, opérer, pratiquer, préconiser, produire, promouvoir, provoquer, réaliser, revendiquer, signaler, subir, supporter, susciter, vouloir un ~; assister, faire face, procéder, s'adapter à un ~; aimer, craindre, favoriser, freiner, incarner, rechercher, refuser, stimuler le ~; être sensible au ~.* Un/le ~ a lieu, intervient, s'accélère, s'amorce, s'effectue, se produit, s'impose, s'opère, survient.

CHANSON ancienne, badine, calme, charmante, comique, courtoise, dansante, douce, drôle, envoûtante, folklorique, funèbre, gaie, gaillarde, grivoise, intimiste, jolie, langoureuse, légère, libertine, mélancolique, mélodieuse, naïve, nostalgique, populaire, réaliste, satirique, sensible, sentimentale, simple, suave, tendre, traditionnelle, triste, vieille. *Chanter, composer, créer, écouter, écrire, enregistrer, entonner, exécuter, harmoniser, inventer, roucouler, siffler une ~.*

CHANT (dés)agréable, allègre, belliqueux, bruyant, doux, entraînant, envoûtant, épique, étrange, folklorique, grave, guttural, harmonieux, intense, joyeux, mélancolique, mélodieux, merveilleux, monotone, mystérieux, nasillard, nostalgique, paisible, perçant, plaintif, populaire, profond, puissant, pur, suave, traditionnel, traînard, triste. *Écouter, émettre, (faire) entendre, entonner, exécuter, fredonner, harmoniser, interpréter, murmurer un ~; apprendre, enseigner, travailler le ~.* Un ~ jaillit, monte, s'élève.

CHANTAGE abject, abominable, affreux, constant, diabolique, (in)direct, énorme, honteux, horrible, ignoble, inacceptable, inadmissible, infâme, intolérable, manqué, monstrueux, odieux, réussi, sordide, sournois, subtil, traumatisant, vil. *Dénoncer, effectuer, exercer, faire, monter, pratiquer, (faire) subir un ~; avoir recours, céder, échapper, être soumis, se livrer, (se) soumettre qqn à un ~; être victime d'un ~; faire du ~.*

CHANTEUR, EUSE amateur, ambulant, bon, célèbre, charismatique, charmeur, complet, (in)connu, déchaîné, doué, engagé, excellent, exceptionnel, jeune, mauvais, mélancolique, médiocre, moyen, piètre, populaire, professionnel, remarquable, renommé, romantique, sérieux, survolté, talentueux, vieux, virtuose. *Accompagner, aimer, applaudir, conspuer un ~.*

CHANTIER gigantesque, grand, gros, immense, petit, titanesque, vaste. *Conduire, diriger, fermer, ouvrir, terminer, visiter un ~; travailler sur un ~.*

CHAOS absolu, complet, énorme, épouvantable, extraordinaire, final, généralisé, incontrôlable, incontrôlé, indescriptible, inextricable, informe, terrible, total, véritable, violent. *Être, plonger, sombrer, vivre dans un ~ (+ adj.); créer, éviter, faire régner, provoquer, semer le ~; être en proie, tourner, virer au ~; jeter, plonger, sombrer, (re)tomber dans le ~; dégager, sortir du ~.* Le ~ règne, s'installe, s'instaure.

CHAPEAU cintré, conique, (r)enfoncé, évasé, large, mou, petit, plat, pointu, rabattu, rond. *Porter un ~; se coiffer, se couvrir d'un ~; enfoncer, enlever, fixer, mettre, ôter, porter, rabattre son ~.*

CHAPELLE ancienne, belle, désaffectée, humble, jolie, minuscule, modeste. *Bâtir, construire, ériger une ~.* Une ~ s'élève.

CHAPITRE antérieur, captivant, central, court, ennuyeux, essentiel, important, interminable, long, monotone, passionnant, précédent, préliminaire, suivant. *Achever, commencer, dicter, finir, rédiger un ~.*

CHARGE (fardeau) accablante, écrasante, élevée, énorme, épouvantable, excessive, faible, forte, grosse, immense, infime, légère, lourde, maximale, pénible, pesante. *Accroître, augmenter, diminuer, porter, réduire, supporter une ~; céder, plier, ployer, succomber sous une ~.* Une ~ accable, écrase, pèse. ♦ (rôle, fonction) appréciable, considérable, élevée, éminente, énorme, enviable, épouvantable, épuisante, fastidieuse, grosse, immense, importante, légère, lourde, modeste, particulière, pénible, prestigieuse, redoutable, subalterne, surhumaine. *Accepter, assumer, confier, donner, exercer, imposer, occuper, prendre, supprimer, tenir une ~; être nommé à une ~; s'acquitter d'une ~; être, entrer, prendre en ~.*

CHARGEMENT (in)complet, équilibré, important, léger, lourd. *Effectuer un ~; procéder à un ~; s'occuper d'un ~.*

CHARISME certain, énorme, ensorcelant, envoûtant, époustouflant, extraordinaire, fort, fou, immense, impressionnant, incontestable, incroyable, indéfinissable, indéniable, inexistant, inouï, invincible, irrésistible, particulier, personnel, puissant, réel, subtil, véritable. *Avoir, dégager, posséder un ~ (+ adj.); avoir du ~; être dépourvu, manquer de ~.*

CHARITÉ admirable, discrète, douce, froide, généreuse, inépuisable, inlassable, sincère. *Demander, faire, implorer, solliciter la ~; vivre de la ~.*

CHARME agréable, attirant, austère, capiteux, captivant, caressant, délicat, délicieux, désuet, discret, disparu, éclatant, enivrant, énorme, ensorcelant, enveloppant, envoûtant, époustouflant, étrange, évident, exquis, familier, fatal, fou, immense, inaltérable, incomparable, incontestable, indéfinissable, indescriptible, indicible, inégalé, inexprimable, inouï, insolite, invincible, irrésistible, langoureux, languissant, magique, magnétique, maléfique, mélancolique, mièvre, mystérieux, naïf, naturel, nonchalant, nostalgique, particulier, plaisant, profond, puissant, ravissant, rieur, rustique, sauvage, secret, séducteur, sensuel, singulier, subtil, suprême, sûr, suranné, sympathique, trompeur, troublant, vif, vieillot, voluptueux. *Avoir un ~ (+ adj.); briser, dégager, déployer, détruire, enlever, éprouver, exercer, garder, ôter, rompre, subir un ~; déployer, éprouver, exercer, garder son ~; être (in)sensible au ~; demeurer, être sous le ~; avoir, faire du ~; manquer, être plein de ~.* Un/le ~ agit, opère.

CHASSE (~ au fusil) abondante, abusive, artisanale, bonne, exceptionnelle, (in)fructueuse, industrielle, mauvaise, récréative, vitale. *Faire une ~ (+ adj.); fermer, ouvrir la ~; aller, emmener qqn, partir à la ~; partir pour la ~.* ♦(poursuite) acharnée, effrénée, haletante impitoyable, minutieuse, mouvementée, obstinée, tenace. *Abandonner, déclencher, donner, faire la ~; prendre qqn en ~.*

CHASSEUR, EUSE (mal)adroit, bon, bredouille, enragé, (mal)habile, (mal)heureux, infatigable, intrépide, mauvais, passionné, (ir)responsable.

CHAT, CHATTE actif, adorable, agile, agressif, aimable, altier, câlin, calme, caressant, chétif, commun, (in)docile, dodu, doux, effaré, efflanqué, errant, espiègle, famélique, farouche, gentil, gracieux, gras, indépendant, intelligent, jeune, joueur, laid, lascif, magnifique, maigre, méfiant, minuscule, nerveux, pacifique, paisible, paresseux, pelé, peureux, rabougri, racé, robuste, sociable, sournois, stupide, vieux; (ses couleurs) blanc, crème, écaille, gris, marbré, noir, roux, tigré, tricolore. *Amadouer, appeler, avoir, caresser, castrer, dresser, flatter, maltraiter, martyriser, recueillir un ~.* Un ~ détale, flaire, gambade, gémit, grogne, lape, (se) lèche, miaule, rentre ses griffes, ronronne, roucoule, se hérisse, se pelotonne, se pourlèche, se prélasse, s'étire.

CHÂTAIN cendré, clair, foncé, roux, sombre.

CHÂTEAU abandonné, ancien, austère, classé, délabré, démantelé, détruit, élégant, énorme, fier, fort, fortifié, historique, immense, imposant, impressionnant, lugubre, magnifique, majestueux, merveilleux, meublé, minuscule, pittoresque, prétentieux, privé, ravissant, restauré, royal, ruiné, sévère, somptueux, splendide, vaste, vieux. *Construire, élever, habiter, rénover, réparer, restaurer, sauver, visiter un ~; vivre dans un ~.* Un ~ se dresse, s'élève.

CHÂTIMENT abusif, bénin, cruel, doux, dur, effroyable, excessif, exemplaire, humiliant, impitoyable, (in)juste, léger, lourd, (im)mérité, (dis)proportionné, révoltant, rigoureux, sévère, suprême, terrible. *Appliquer, encourir, éviter, exercer, infliger, lever, mériter, recevoir, réclamer, souffrir, subir un ~; échapper à un ~.*

CHAUFFAGE bon, coûteux, défectueux, déficient, économique, mauvais, *Avoir un ~ (+ adj.); arrêter, baisser, mettre, ouvrir le ~.* Le ~ est détraqué/en panne, marche.

CHAUSSÉE accidentée, asphaltée, bitumée, bombée, carrossable, crevassée, dangereuse, défoncée, déformée, dégradée, détrempée, dure, effondrée, empierrée, engorgée, étroite, glissante, goudronnée, impeccable, large, lisse, longue, mouillée, ondulée, pavée, (im)praticable, raboteuse, ravinée, sèche, sinueuse, trempée. *Emprunter, traverser une ~; marcher, rouler, s'élancer sur la ~.*

CHAUSSETTE courtes, épaisses, fines, impeccables, longues, neuves, percées, propres, raccommodées, rapiécées, sales, trouées, vieilles. *Chausser, enfiler, enlever, mettre, ôter, porter, raccommoder, rapiécer, tirer des/ses ~s.*

CHAUSSURE abîmées, avachies, basses, brillantes, cirées, (in)confortables, déformées, éculées, grosses, élégantes, étroites, fermées, inusables, légères, lourdes, montantes, percées, plates, pointues, sales, solides, sportives, usées. *Briser, cirer, déformer, dénouer, enfiler, enlever, épousseter, faire reluire, frotter, mettre, ôter, porter, (faire) ressemeler des/ses ~s.* Des ~s blessent, crient.

CHEF ambitieux, autoritaire, bienveillant, charismatique, (in)compétent, (in)contesté, courageux, cruel, despotique, énergique, estimé, exceptionnel, exigeant, faible, fort, habile, hautain, important, indiscuté, (in)juste, naturel, puissant, reconnu, redouté, respecté, secondaire, sourcilleux, spontané, subalterne, suprême, tyrannique. *Élire, former, nommer, se donner, suivre un ~; (dés)obéir à un ~; accepter, choisir, reconnaître pour ~.*

CHEF-D'ŒUVRE absolu, accompli, (in)achevé, admirable, authentique, complet, éclatant, grand, immortel, impérissable, incomparable, incontestable, inégalé, inestimable, insurpassable, magistral, majeur, merveilleux, mineur, parfait, phénoménal, prodigieux, raté, remarquable, réussi, suprême, total, ultime, unique, véritable, vrai. *Accomplir, admirer, composer, concevoir, constituer, contempler, créer, être, exécuter, produire, réaliser un ~; aboutir à un ~.*

CHEMIN abrupt, accidenté, affreux, (mal)aisé, ardu, asphalté, battu, boueux, bourbeux, cabossé, cahotant, cahoteux, caillouteux, capricieux, carrossable, compliqué, (in)connu, craquelé, creux, crevassé, dangereux, défoncé, descendant, désert, détourné, détrempé, difficile, (in)direct, droit, dur, (in)égal, égaré, embroussaillé, empierré, encaissé, entretenu, épouvantable, escarpé, étroit, facile, familier, fangeux, fourchu, (in)fréquenté, glissant, herbeux, improvisé, incliné, interminable, large, mauvais, montant, nonchalant, ombragé, passant, pénible, pentu, perdu, périlleux, pierreux, pittoresque, plat, poussiéreux, (im)praticable, principal, raboteux, raide, raviné, rocailleux, ronceux, rude, sablonneux, secondaire, serpentant, sinueux, solitaire, sombre, sûr, tordu, tortueux, trempé, uni, vaseux, vallonné, vilain. *Arpenter, baliser, bloquer, construire, élargir, emprunter, encombrer, enfiler, entretenir, fermer, (se) frayer, gagner, longer, ouvrir, parcourir, percer, pratiquer, prendre, quitter, suivre, tracer, traverser un ~; s'engager dans/sur un ~; barrer, couper le ~; aller, demander, montrer à qqn, passer, perdre, (pour)suivre son ~; se tromper de ~.* Un ~ bifurque, borde, (re)descend, divague, grimpe, monte, ondule, s'arrête, se perd, se rétrécit, se resserre, se scinde, se sépare, serpente, vagabonde.

CHEMINÉE (~ intérieure) allumée, brûlante, chargée, chauffée, éteinte, flamboyante, immense, imposante. *Ramoner une ~; faire du feu, brûler du bois, faire une flambée, remettre une bûche dans la ~; être accroupi/assis, s'asseoir, se chauffer devant la ~.* Une/la ~ éclaire, pétille, ronfle, s'allume, s'éteint, trône. ♦ (~ extérieure) basse, élancée, énorme, fumante, haute, immense, imposante, polluante. Une ~ fume, se dresse, s'élève, se pointe.

CHEMINEMENT difficile, facile, laborieux, lent, long, patient, pénible, précis, sinueux, sûr, tortueux. *Effectuer, emprunter, suivre, tracer un ~.*

CHEMISE ajustée, ample, bigarrée, bouffante, cintrée, confortable, courte, criarde, débraillée, dépenaillé, discrète, élimée, empesée, épaisse, étroite, fine, flottante, large, légère, longue, lourde, molle, neuve, plissée, pressée, propre, râpée, sale, simple, sobre, souple, transparente, usée, vieille, voyante. *Endosser, enfiler, enlever, garder, mettre, ôter, passer, porter, revêtir une/sa ~; changer de ~.*

CHÈQUE barré, bloqué, certifié, encaissable, encaissé, endossé, falsifié, faux, gros, périmé, sans provision, suspect. *Accepter, annuler, barrer, émettre, encaisser, endosser, faire, falsifier, formuler, honorer, libeller, percevoir, postdater, recevoir, rédiger, remettre, remplir, signer, toucher un ~; payer par ~.*

CHERCHEUR, EUSE acharné, appliqué, ardent, assidu, bon, brillant, célèbre, confirmé, consciencieux, curieux, débutant, doué, dynamique, efficace, émérite, éminent, enthousiaste, forcené, grand, infatigable, inlassable, insatiable, intelligent, isolé, mauvais, médiocre, méticuleux, minutieux, obstiné, opiniâtre, passionné, patient, persévérant, productif, réputé, sérieux, solitaire, talentueux, tenace.

CHEVAL agile, amaigri, ardent, arqué, bas, bridé, cabré, capricieux, courageux, courtaud, craintif, décharné, difficile, (in)docile, (in)dompté, doux, dur, dressé, écumant, effarouché, effilé, efflanqué, élancé, emballé, endurant, énorme, épuisé, étique, étroit, facile, faible, famélique, farouche, fatigué, fin, fort, fougueux, fourbu, frais, fringant, fumant, gracieux, gras, haletant, harassé, hargneux, harnaché, haut, impétueux, increvable, jeune, large, léger, lent, long, lourd, magnifique, maigre, maniable, (im)patient, mauvais, minuscule, moyen, nerveux, noble, obéissant, ombrageux, paisible, pétulant, piaffeur, puissant, racé, rapide, rebelle, récalcitrant, rétif, robuste, sanglé, sauvage, sellé, sobre, squelettique, superbe, traître, trapu, usé, vaillant, vieux, vif, vigoureux; (ses couleurs) alezan, bai, blanc, gris, moucheté, noir, pie, pommelé, rouan, roux, tacheté, tigré, truité. *Arrêter, attacher, atteler, bouchonner, (dé)brider, brosser, cabrer, caresser, conduire, contrôler, cravacher, crever, détacher, diriger, dompter, dresser, élever, enfourcher, entraîner, éperonner, étriller, exercer, faire cabrer/caracoler/parader/reculer, fatiguer, (dé)ferrer, flatter, forcer, gouverner, harasser, (dés)harnacher, maîtriser, manier, ménager, mener, monter, nettoyer, panser, piquer, pousser, retenir, rudoyer, (des)sangler, (des)seller, soigner, surmener, talonner,* *vaincre un/son ~; lâcher la bride/les rênes, mettre/passer le mors à un ~; descendre d'un ~; galoper, (re)monter, sauter, se hisser sur un ~; faire du ~; aller, (re)monter, se mettre, se promener, se tenir à ~; descendre, tomber de ~.* Un ~ amble, boite, caracole, court, désarçonne/renverse/secoue son cavalier, dresse les oreilles, fait une chute, fouette de la queue, galope, hennit, lance des ruades, mâche/ronge/secoue son mors, part au galop, piaffe, prend le mors aux dents, regimbe, renâcle, rue, s'ébroue, se cabre, s'emballe, trotte, trottine.

CHEVELURE abondante, belle, bouclée, bouffante, brillante, broussailleuse, clairsemée, courte, crépue, défaite, dense, (in)docile, droite, drue, ébouriffée, éclatante, embroussaillée, emmêlée, énorme, épaisse, éparse, étincelante, filasse, fine, flottante, floue, folle, fournie, fragile, frisée, frisottée, gominée, gonflante, grasse, grosse, hérissée, hirsute, huileuse, immense, indisciplinée, laineuse, laquée, lisse, lissée, (mi-) longue, lourde, luisante, lustrée, luxuriante, magnifique, maigre, malade, nattée, (dé)nouée, ondoyante, ondulante, ondulée, (dés)ordonnée, (dé)peignée, plantureuse, plaquée, plate, raide, rare, ravissante, rebelle, (mal)saine, sèche, soignée, somptueuse, souple, soyeuse, terne, tombante, tondue, touffue, vaporeuse; (ses couleurs) blanche, blanchie, blanchissante, blonde, brune, châtain(e), claire, dorée, ébène, flamboyante, grisonnante, neigeuse, noire, rousse. *Avoir une/la ~ (+ adj.); arranger, brosser, caresser, coiffer, démêler, discipliner, lisser, peigner sa/la ~ de qqn.*

CHEVEU abondants, annelés, bouclés, bouffants, brillants, broussailleux, cassants, clairsemés, courts, crêpelés, crépus, défaits, denses, (in)dociles, droits, drus, ébouriffés, éclatants, embroussaillés, emmêlés, énormes, épais, épars, étincelants, faux, filasse, fins, flottants, flous, fourchus, fournis, fous, fragiles, frisés, frisottants, frisottés, gominés, gonflants, gras, gros, hérissés, hirsutes, huileux, immenses, indisciplinés, laineux, laqués, lisses, lissés, (mi-)longs, lourds, luisants, lustrés, magnifiques, maigres, malades, nattés, (dé)noués, ondoyants, ondulés, (dés)ordonnés, peignés, plantureux, plaqués, plats, poisseux, raides, rares, ras, rasés, ravissants, rebelles, sains, secs, serrés, soignés, somptueux, souples, soyeux, teints, ternes, tirés, tombants, tondus (ras), torsadés, touffus, vaporeux, vigoureux, vilains; (ses couleurs) argentés, auburn, blancs, blonds, bruns, cendrés, châtains, couleur d'acajou/d'ébène/d'or, dorés, ébène, filasse, noirs, platinés, poivre et sel, rouges, roux, sombres. *Avoir le/les ~(x) (+ adj.); porter les ~x (+ adj.); aplatir, (s')arranger, attacher, bouffer, (se) brosser, coiffer, (se faire) couper, (se) décolorer, défaire, démêler, détacher, ébouriffer, effiler, (dé)friser, (se) laisser pousser, (se) laver, lisser, lustrer, natter, (dé)nouer, (se) peigner, perdre, raccourcir, (se) raser, rattacher, relever, retrousser, (se) secouer, se nouer, soigner, tailler, (se) teindre, (se faire) tondre, (se) tresser les/ses ~x.* Des/les ~x blanchissent, blondissent, bouclent, bouffent, croissent, foncent, flottent, grisonnent, ondulent, pendent, s'ébouriffent, se dressent, se hérissent, se mêlent, (re)tombent.

CHEVILLE délicate, douloureuse, enflée, épaisse, fêlée, fine, foulée, frêle, (dé)gonflée, grêle, mince, osseuse, robuste. *Avoir* *les ~s (+ adj.); (se faire) soigner, se fouler une ~; être blessé à une ~; s'enfoncer jusqu'à la/aux ~(s).*

CHEVREUIL agile, alerte, gracieux, jeune, rapide, timide, vif. *Épauler, lever, poursuivre, traquer un ~; chasser le ~.* Un ~ brame, détale, est aux abois, paît, rumine, trotte.

CHICANE banale, épique, interminable, mesquine, puérile, ridicule, stérile, vive. *Provoquer, régler, résoudre, susciter une ~; être mêlé, prendre part à une ~; aimer la ~; avoir horreur des ~s.*

CHIEN, CHIENNE aboyeur, adorable, affamé, affectueux, agressif, aimable, aimant, amical, assoiffé, bon gardien, borgne, calme, caressant, costaud, courtaud, craintif, dangereux, démonstratif, docile, doux, dressé, écumant, énorme, enragé, errant, famélique, fidèle, flasque, fou, frétillant, furieux, galeux, géant, gentil, gourmand, grondant, haletant, hargneux, hurlant, immense, imposant, impressionnant, incontrôlable, indépendant, inoffensif, intelligent, jappeur, jeune, joueur, joyeux, maigre, maigrichon, massif, méchant, muselé, (dés)obéissant, pantelant, pelé, perdu, protecteur, puissant, racé, rapide, robuste, sage, sauvage, savant, servile, sociable, soumis, têtu, timide, traître, vieux, vif, vigoureux, vorace. *Agacer, attacher, battre, caresser, chasser, déchaîner, détacher, dresser, enfermer, épucer, exciter, faire coucher, flatter, lâcher, lapider, libérer, maltraiter, mater, (dé)museler, nettoyer, recueillir, siffler, sortir, toiletter, tondre un/son ~.* Un ~ aboie, agite/remue la queue, détale, fait le beau, flaire, gambade, gémit, glapit, grogne, halète, hurle, jappe, lape, lèche, renifle, ronge son os, s'ébroue, s'étire, trotte.

CHIFFRE absolu, accablant, alarmant, alarmiste, appréciable, approximatif, arrondi, astronomique, bas, bon, brut, colossal, concluant, confortable, conséquent, considérable, constant, contestable, contesté, convaincant, coquet, décevant, définitif, dépassé, douteux, dramatique, effrayant, effroyable, élevé, éloquent, encourageant, énorme, erroné, étonnant, étourdissant, évocateur, (in)exact, exagéré, exceptionnel, excessif, exorbitant, faible, fantaisiste, faramineux, farfelu, fatidique, fiable, gonflé, immense, important, imposant, impressionnant, incalculable, incroyable, inférieur, insignifiant, lamentable, mauvais, modeste, mirobolant, net, officiel, officieux, parlant, pitoyable, (im)précis, préoccupant, record, réel, relatif, révélateur, ridicule, risible, rond, (in)satisfaisant, significatif, (in)suffisant, sous-estimé, sous-évalué, stable, stupéfiant, supérieur, surestimé, surévalué, terrible, vertigineux. *Abaisser, additionner, aligner, arrondir, atteindre, augmenter, avancer, citer, contester, dépasser, diminuer, évoquer, forcer, gonfler, interpréter, intervertir, manier, manipuler, maquiller, réaliser, relativiser, retenir, revoir, sous-estimer, sous-évaluer, surestimer, surévaluer, truquer, un/des/le/les ~(s); jongler avec les ~s.* Les ~s augmentent, baissent, diminuent, gonflent, manquent, se confirment, stagnent.

CHIGNON bas, bouclé, épais, faux, frisé, gonflé, haut, lisse, lourd, maigre, natté, serré, strict. *(r)Ajuster, défaire, (se) (re)faire, fixer, porter, rattacher, relever un/son ~; ramasser/relever ses cheveux, se coiffer en ~.*

CHIMIE *Apprendre, enseigner, étudier la ~.*

CHIRURGIE agressive, banale, bénigne, compliquée, délicate, difficile, douloureuse, facile, grave, indolore, légère, lourde, majeure, mineure, minime, radicale, ratée, réussie, robotisée, simple, urgente. *Faire, pratiquer, réaliser, subir une ~; apprendre, enseigner, exercer, pratiquer la ~; avoir recours à la ~.*

CHIRURGIEN, IENNE bon, brillant, célèbre, compétent, éminent, excellent, expérimenté, grand, habile, illustre, mauvais, remarquable, renommé, réputé, spécialisé.

CHOC affreux, brusque, brutal, désagréable, dur, effroyable, énorme, épouvantable, faible, fatal, formidable, fort, grand, grave, immense, imperceptible, imprévu, inattendu, intense, joli, léger, lent, long, lourd, mauvais, menu, meurtrier, minime, minuscule, mortel, profond, puissant, rapide, retentissant, rude, sanglant, sec, sérieux, sévère, soudain, stimulant, terrible, vigoureux, violent. *Administrer, amortir, asséner, atténuer, attraper, avoir, causer, encaisser, éprouver, éviter, produire, provoquer, recevoir, ressentir, soutenir, subir, supporter un ~; résister à un ~; se remettre, souffrir d'un ~; bondir, crouler, plier, se déformer, s'effondrer, se rompre, succomber, tituber, tomber, vaciller sous le ~.* Un ~ aplatit, bosselle, brise, broie, déforme, disperse, écrase, fêle, fracasse, met en pièces, réduit en morceaux.

CHOIX (décision) aberrant, absolu, absurde, adéquat, arbitraire, ardu, assumé, (in)attendu, bon, brutal, capital, clair, concret, (in)contestable, (in)contesté, contraignant, contraire, courageux, critiquable, crucial, cruel, déchirant, définitif, délibéré, délicat, désastreux, difficile, douloureux, douteux, dramatique, drastique, éclairé, (in)efficace, embarrassant, ennuyeux, épineux, erroné, essentiel, étonnant, étrange, excellent, exquis, facile, ferme, forcé, fortuit, funeste, grave, hasardeux, hâtif, (mal)heureux, honorable, impératif, important, inéluctable, insolite, intelligent, irréversible, irrévocable, judicieux, juste, justifiable, justifié, laborieux, lent, libre, long, malaisé, mauvais, naturel, novateur, partial, partiel, passager, pénible, périlleux, pertinent, ponctuel, pondéré, (im)possible, pratique, précipité, précis, (im)probable, (dé)raisonnable, rapide, (ir)rationnel, (ir)réaliste, redoutable, sage, significatif, soudain, souhaitable, subjectif, surprenant, tardif, total, volontaire. *(dés)Approuver, arrêter, assumer, contester, déplorer, éclairer, effectuer, entériner, faire, fixer, imposer, influencer, justifier, motiver, ratifier un/son/ses ~; être acculé/confronté, faire face, procéder, se trouver face à un ~; persévérer, s'enfermer dans un ~; peser sur un ~; avoir, donner, laisser le ~.* Un ~ se pose, s'impose. ♦(*variété*) abondant, ample, bon, complet, éclectique, énorme, excellent, hétéroclite, immense, infini, inégalable, large, (il)limité, maigre, pauvre, restreint, riche, varié, vaste. *Laisser, offrir, présenter, proposer un ~; avoir du ~; manquer de ~.* Un ~ existe, s'offre.

CHÔMAGE bas, caché, camouflé, catastrophique, chronique, complet, conjoncturel, croissant, cyclique, déclaré, déguisé, élevé, endémique, faible, fort, galopant, généralisé, grandissant, grave, important, indemnisé, inexistant, marginal, massif, partiel, persistant, prolongé, record, réel, saisonnier, temporaire, total, (in)visible. *Abaisser, accentuer, aggraver, annihiler, combattre, connaître, diminuer, élever, endiguer, engendrer, enrayer, éviter, faire baisser/reculer, favoriser, freiner, provoquer, réduire, résorber, résoudre, subir, supprimer, vaincre le ~; échapper, être, être condamné/confronté/mis/promis/ réduit, faire face, rester, se retrouver, s'attaquer au ~; lutter contre le ~; être victime, souffrir, venir à bout du ~; être, mettre en ~.* Le ~ augmente, baisse, croît, diminue, grimpe, est en augmentation/baisse/progression/recul, explose, fait son apparition, frappe, (re)monte, persiste, progresse, règne, régresse, reste élevé, s'abaisse, s'accentue, s'accroît, s'aggrave, s'amplifie, sévit, s'intensifie, s'installe.

CHÔMEUR, EUSE enregistré, partiel, saisonnier, total.

CHORALE amateur, dynamique, féminine, improvisée, jeune, masculine, mixte, modeste, nombreuse, populaire, prestigieuse, professionnelle, sérieuse, vieille. *Animer, constituer, créer, diriger, fonder, mettre sur pied, monter, organiser, renforcer une ~; chanter, entrer dans une ~; faire partie d'une ~.* Une ~ chante, donne un concert, exécute un chant, interprète une œuvre, joue, se produit.

CHORÉGRAPHIE abstraite, audacieuse, bâclée, brillante, contemporaine, conventionnelle, décalée, élaborée, étonnante, exceptionnelle, improvisée, innovatrice, inventive, ludique, minutieuse, moderne, novatrice, originale, parfaite, prévisible, riche, simple, singulière. *Composer, concevoir, créer, diriger, élaborer, exécuter, interpréter, présenter, produire, réaliser, régler, signer une ~; faire la ~ de (une œuvre, etc.); faire de la ~.*

CHOSE abominable, admirable, admise, (dés)agréable, aimable, (mal)aisée, amusante, (in)animée, anodine, banale, bizarre, (in)certaine, charmante, choquante, claire, (in)compréhensible, (in)concevable, confuse, (in)connue, convenue, (in)croyable, curieuse, difficile, douteuse, effrayante, ennuyeuse, énorme, épouvantable, essentielle, étonnante, étrange, étrangère, (in)évitable, excellente, exécutée, extraordinaire, facile, (in)faisable, familière, fausse, formidable, fragile, frivole, futile, grave, héroïque, horrible, impensable, importante, inattendue, incomparable, inconcevable, indispensable, inédite, inéluctable, inexplicable, infime, inimaginable, inouïe, insignifiante, insolite, insupportable, intéressante, intolérable, introuvable, lourde, magnifique, mauvaise, menue, merveilleuse, monstrueuse, naturelle, nécessaire, négative, nouvelle, odieuse, oubliée, pénible, périssable, (dé)plaisante, positive, (im)possible, précieuse, préoccupante, (im)prévue, (im)probable, profonde, rare, (ir)réalisable, reconnue, redoutable, réelle, regrettable, (ir)régulière, remarquable, résolue, sérieuse, simple, singulière, sotte, sûre, surprenante, touchante, triste, (in)utile, voluptueuse, vraie, (in)vraisemblable. *Accélérer, affirmer, arranger, bouger, brusquer, compliquer, connaître, corriger, dédramatiser, écrire, embrouiller, envenimer, étudier, examiner, faciliter, faire, faire avancer/progresser/traîner, ignorer, laisser aller, précipiter, présenter, rectifier, se rappeler, simplifier, supprimer, varier une/des/les ~(s).* Une ~ couve, se prépare; les ~s changent, évoluent, s'aggravent, s'améliorent, se compliquent, se corsent, se dégradent, se gâtent, se précipitent, se tassent.

CHRONIQUE *Diriger, publier, rédiger, tenir une ~.*

CHRONOLOGIE détaillée, douteuse, erronée, (in)exacte, incertaine, minutieuse, précise, rigoureuse, serrée. *Établir, respecter la ~.*

CHUCHOTEMENT admiratif, bavard, confus, discret, doux, imperceptible, incessant, indistinct, insaisissable, joyeux, léger, lointain, long, mystérieux, vague. *Entendre, étouffer, percevoir un ~.*

CHUTE accélérée, accidentelle, (in)attendue, brusque, brutale, catastrophique, considérable, constante, désastreuse, dramatique, durable, faible, fatale, grave, historique, imminente, importante, inéluctable, inévitable, inexorable, irrémédiable, irrévocable, lente, libre, longue, malencontreuse, massive, mauvaise, mortelle, naturelle, (im)prévisible, rapide, régulière, regrettable, (in)sensible, sérieuse, sévère, soudaine, spectaculaire, subite, terrible, tragique, vertigineuse, violente. *Accélérer, amortir, arrêter, brusquer, causer, effectuer, enrayer, entraîner, éviter, faire, freiner, hâter, noter, précipiter, provoquer, retarder, souhaiter une/la ~ de qqn/qqch.; être entraîné dans une ~; se relever, se ressentir d'une ~.*

CIBLE alléchante, attrayante, désignée, difficile, éloignée, facile, fixe, (im)mobile, mouvante, parfaite, rapprochée, tentante. *Atteindre, frapper, manquer, toucher, viser une /la ~; tirer sur une ~; servir de ~; être pris, prendre pour ~.*

CICATRICE affreuse, béante, belle, courte, creuse, difforme, discrète, douloureuse, dure, épaisse, exubérante, fermée, fine, fraîche, horrible, grave, importante, indélébile, infectée, inesthétique, insignifiante, laide, large, légère, longue, mauvaise, mince, monstrueuse, ouverte, profonde, sèche, (in)sensible, superficielle, vieille, vilaine. *Avoir une (+ adj.); fermer, garder, porter, soigner, traiter une ~.* Une ~ saigne, se ferme, se referme, se rompt, s'ouvre, suinte.

CIEL ardent, assombri, aveuglant, bas, blafard, bleu, bleuâtre, brillant, brouillé, brumeux, calme, changeant, chargé, clair, (in)clément, constellé, (dé)couvert, constellé/criblé/étincelant/parsemé d'étoiles, cristallin, de plomb, dégagé, délavé, diaphane, doux, embrasé, embrumé, empourpré, enfumé, ensoleillé, épais, éteint, étoilé, étouffant, flamboyant, floconné, foncé, fumeux, gris, grisâtre, haut, immaculé, immense, implacable, inaltérable, incertain, incolore, indiscernable, infini, laiteux, lavé, libre, limpide, livide, lourd, lumineux, magnifique, maussade, menaçant, métallique, morne, moutonneux, nébuleux, net, neutre, noir, nuageux, obscur, opaque, orageux, paisible, pâle, pâlissant, plombé, pluvieux, pourri, profond, pur, radieux, resplendissant, rougeoyant, rougissant, serein, sombre, splendide, tamisé, ténébreux, terne, tourmenté, tranquille, translucide, transparent, tumultueux, uniforme, vaporeux, vaste, voilé. *Admirer, contempler, observer, scruter le ~.* Le ~ étincelle, pâlit, rougeoie, s'assombrit, s'éclaircit, s'éclaire, se constelle d'étoiles, se couvre, se dégage, s'embrouille, se noircit, se rembrunit, s'étoile, se voile, s'illumine, s'obscurcit, tonne.

CIGARE bagué, bon marché, court, coûteux, énorme, fort, gros, immense, long, minuscule, petit. *(r)Allumer, apprécier, fumer, goûter, griller, mâchonner, mâchouiller, offrir, savourer, se permettre, sucer un ~; tirer sur un ~.*

CIGARETTE fine, longue; blondes, brunes, fortes, légères. *(s')Allumer, apprécier, brûler, commencer, écraser, éteindre, finir, fumer, goûter, griller, jeter, mâchouiller, offrir, prendre, proposer, (se) rouler, savourer, tapoter, tendre, tripoter une/sa ~; tirer sur une/sa ~; arrêter la ~; renoncer à la ~; être en panne, faire abus de ~s; fumer ~ sur ~.*

CIL cambrés, (re)courbés, courts, démesurés, épais, étoilés, fins, fournis, fragilisés, jolis, longs, raides, rares, soyeux, ténébreux, touffus. *Avoir des/les ~s (+ adj.); abaisser, lever, entrouvrir, (dé)maquiller les ~s; battre des ~s.*

CIME (*~ d'une montagne*) abrupte, (in)accessible, acérée, aiguë, altière, aplatie, aride, arrondie, boisée, dentelée, déserte, élégante, élevée, érodée, escarpée, fière, haute, infranchissable, majestueuse, médiocre, modeste, neigeuse, orgueilleuse, pelée, pointue, rocheuse, solitaire, vertigineuse, vierge. *Atteindre, conquérir, escalader, franchir, gravir une ~.* Une/la ~ domine, émerge, se détache, se dresse, s'élance, s'élève, s'embrume, se profile. ♦ (*~ d'un arbre*) aiguë, altière, aplatie, arrondie, élevée, élégante, fière, haute, majestueuse, médiocre, modeste, neigeuse, orgueilleuse, pointue, touffue. Une/la ~ domine, émerge, s'élance, s'élève, s'incline.

CIMENT durci, liquide, mou. *Injecter, mettre, préparer, verser du ~; enduire, remplir de ~; construire en ~.*

CIMETIÈRE abandonné, célèbre, désaffecté, entretenu, fleuri, gigantesque, hanté, immense, isolé, lugubre, minuscule, modeste, nu, ombragé, oublié, paisible, particulier, pauvre, paysager, privé, riche, silencieux, sinistre, solitaire, triste, vaste, verdoyant. *Profaner, visiter un ~; entrer, pénétrer, se balader dans un ~; être déposé/enseveli/inhumé, se rendre au ~.*

CINÉASTE brillant, célèbre, chevronné, conventionnel, de talent, engagé, exigeant, fin, grand, habile, hollywoodien, jeune, majeur, méconnu, médiocre, mineur, novateur, perfectionniste, piètre, populaire, prodigieux, prolifique, prometteur, prolixe, remarquable, talentueux, vieux.

CINÉMA actuel, audacieux, bon, burlesque, classique, comique, culturel, divertissant, dynamique, élitiste, engagé, expérimental, hollywoodien, indépendant, innovant, inventif, marginal, original, pauvre, populaire, réaliste, riche, sentimental, sérieux, spectaculaire, vivant. *Aller, se rendre au ~; être dans le ~; faire, tâter du ~; être amateur/féru/intoxiqué/passionné, se gaver de ~.*

CIRCONSTANCE accidentelle, actuelle, (in)adéquate, (dés)agréable, (in)appropriée, atroce, attristante, bizarre, controversée, critique, cruelle, décisive, délicate, déplorable, désastreuse, difficile, douloureuse, dramatique, effrayante, effroyable, énigmatique, épouvantable, étrange, excellente, exceptionnelle, extérieure, extrême, fâcheuse, (dé)favorable, floue, fortuite, grave, (mal)heureuse, historique, idyllique, impérieuse, importante, imprévisible, inédite, inespérée, inouïe, insolite, intéressante, intérieure, mauvaise, mémorable, mystérieuse, (a)normale, obscure, opportune, (extra)ordinaire, particulière, passagère, pénible, périlleuse, plausible, précaire, précise, présente, pressante, (im)prévue, propice, rare, regrettable, remarquable, révélatrice, sérieuse, singulière, terrible, tragique, triste, troublée, urgente. *Connaître, traverser, vivre des ~s (+ adj.); connaître, déterminer, élucider, établir, étudier, examiner, observer, peser, relater, remarquer, se rappeler, voir les ~s de (un événement, etc.); céder, obéir, s'accommoder, s'adapter, se plier, se soumettre aux ~s; agir d'après/selon/suivant les ~s; dépendre, profiter, s'accommoder, tenir compte des ~s.*

CIRCULATION bloquée, chaotique, chargée, dense, difficile, élevée, embarrassée, embouteillée, encombrée, énorme, facile, faible, fluide, forte, impressionnante, inexistante, infernale, intense, intensive, laborieuse, lente, lourde, normale, (dés)ordonnée, paralysée, perturbée, ralentie, rapide, régulière, restreinte, tumultueuse. *Améliorer, arrêter, assurer, bloquer, canaliser, contrôler, détourner, dévier, diriger, embarrasser, embouteiller, encombrer, entraver, (r)établir, faciliter, gêner, interdire, interrompre, maîtriser, obstruer, perturber, ralentir, réglementer, régler, régulariser, suspendre, troubler la ~.*

CIRQUE acrobatique, ambulant, animalier, célèbre, contemporain, fixe, forain, géant, gigantesque, grandiose, impressionnant, inventif, itinérant, pédagogique, prestigieux, stable, traditionnel, voyageur. *Créer, diriger un ~ ; travailler, vivre dans un ~; aimer le ~; aller au ~.* Un ~ arrive, donne une représentation, plante son chapiteau, se déplace, se produit, s'installe.

CITATION abrégée, appropriée, authentique, banale, brève, choisie, (in)complète, (in)correcte, courte, déformée, (in)directe, erronée, (in)exacte, fameuse, fausse, fautive, intégrale, intéressante, longue, mauvaise, originelle, partielle, rebattue, savoureuse, textuelle, tronquée. *Chercher, corriger, déformer, écourter, emprunter, extraire, faire, prendre, rechercher, rectifier, relever, tirer, tronquer, vérifier une ~; faire des ~s; multiplier les ~s; émailler, illustrer, orner, remplir, saupoudrer, truffer de ~s.* Une ~ appuie, corrobore, dit.

CITÉ agréable, animée, bruyante, calme, cosmopolite, dangereuse, déserte, difficile, dure, dynamique, énorme, étendue, fantôme, fourmillante, géante, gigantesque, grouillante, immense, joyeuse, jolie, laide, magnifique, misérable, monstrueuse, opulente, paisible, pauvre, populeuse, propre, prospère, riche, sale, sensible, silencieuse, sinistre, somptueuse, spacieuse, superbe, tentaculaire, trépidante, triste, violente, vivante. *Habiter une/la ~; vivre dans une/la ~.*

CITOYEN, ENNE actif, bon, engagé, exemplaire, grand, honnête, honorable, illustre, mauvais, obscur, paisible, passif, respectueux, responsable. *Mobiliser les ~s ; accomplir son devoir de ~; agir en ~.*

CITOYENNETÉ double, internationale, mondiale, multiple, simple, triple, unique, universelle. *Accorder, acquérir, obtenir, recevoir la ~ (canadienne, etc.); recouvrer, retirer à qqn sa ~; renoncer à sa ~; dépouiller qqn, être dépouillé de sa ~.*

CIVILISATION ancienne, avancée, barbare, brillante, décadente, disparue, dynamique, éclatante, énigmatique, éteinte, étonnante, étrange, évanouie, évoluée, fatiguée, florissante, grande, inférieure, inouïe, majeure, menacée, mineure, mystérieuse, opulente, originale, pétrifiée, prestigieuse, primitive, prospère, raffinée, rayonnante, rétrograde, riche, rudimentaire, supérieure, véritable, vieille, vieillissante, vivace, vivante. *Fuir, quitter, rejoindre, retrouver la ~.* Une ~ atteint son apogée, croît, décline, dépérit, disparaît, meurt, naît, périclite, prend de l'ampleur, se développe, s' épanouit, vieillit.

CIVISME amélioré, collectif, contagieux, douteux, élémentaire, exacerbé, exceptionnel, exemplaire, individuel, intelligent, irréprochable, joyeux, partagé, rébarbatif, remarquable, responsable, rigoureux. *Encourager, enseigner, favoriser, imposer, promouvoir, prôner, restaurer, rétablir le ~ ; avoir du ~; faire preuve, manquer de ~.*

CLAIRIÈRE circulaire, cultivée, douce, éblouissante, ensoleillée, féerique, fleurie, herbeuse, idyllique, immense, pentue, plate, solitaire, vaste. *Atteindre, traverser, trouver une ~; accéder, arriver à une ~; arriver, déboucher, entrer dans une ~.* Une ~ s'ouvre.

CLAIRVOYANCE aiguë, diabolique, étonnante, exceptionnelle, extraordinaire, extrême, impressionnante, incomparable, indéniable, infaillible, inimaginable, inouïe, limpide, particulière, phénoménale, prodigieuse, rare, redoutable, remarquable, singulière, supérieure, surprenante. *Agir, anticiper, comprendre, prédire avec une ~ (+ adj.); bénéficier, disposer, être, être doué/pourvu, faire preuve d'une ~ (+ adj.); analyser (une situation, etc.) avec ~; manquer, faire preuve de ~.*

CLAMEUR aiguë, assourdissante, bruyante, confuse, désespérée, effrayante, formidable, furieuse, générale, immense, indescriptible, infernale, joyeuse, large, lointaine, longue, prodigieuse, profonde, sauvage, terrible, triomphante, tumultueuse, vive. *Entendre, faire retentir, jeter, pousser une ~.* Une/la ~ enfle, grandit, gronde, jaillit, monte, s'amplifie, se fait entendre, s'élève, se propage.

CLANDESTINITÉ forcée, longue, (in)volontaire. *Chercher, gagner la ~; être condamné/contraint à la ~; agir, basculer, entrer, passer, plonger, rester, travailler, vivre dans la ~; sortir de la ~; entrer en ~.*

CLAQUE énorme, forte, immense, large, légère, lourde, magistrale, mémorable, retentissante, sonore, violente, vive. *Administrer, allonger, appliquer, asséner, donner, ficher, flanquer, infliger, mériter, recevoir une ~.*

CLARTÉ (lumière, lueur) abondante, anémique, avare, aveuglante, blafarde, blanchâtre, blanche, blême, bleuâtre, brillante, brumeuse, brusque, brutale, crue, dense, diffuse, douce, douteuse, éblouissante, faible, forte, froide, fulgurante, glauque, implacable, incertaine, incomparable, intense, jaunâtre, jaune, laiteuse, limpide, livide, lumineuse, maladive, métallique, nacrée, morne, nette, pâle, parcimonieuse, perçante, pourpre, puissante, pure, radieuse, rassurante, rose, rouge, rougeâtre, soudaine, (in)suffisante, tamisée, tremblante, vacillante, vague, verdâtre, verte, violente, vive. *Répandre, verser une ~ (+ adj.); être d'une ~ (+ adj.); apercevoir, voir une ~.* Une/la ~ apparaît, (dé)croît, éblouit, éclaire, faiblit, jaillit, inonde, se dissipe, se répand, s'éteint, s'intensifie, surgit. ♦(netteté, précisions) absolue, apparente, aveuglante, cristalline, crue, éblouissante, étonnante, évidente, exceptionnelle, extraordinaire, fulgurante, impeccable, impressionnante, intense, irréprochable, limpide, lumineuse, nouvelle, parfaite, précieuse, remarquable, superficielle, surprenante, transparente, trompeuse. *Être, faire preuve d'une ~ (+ adj.); viser la ~; avoir de la ~ dans (les idées, etc.); parler, s'exprimer avec ~.*

CLASSE (catégorie sociale) aisée, aristocratique, basse, dirigeante, dominante, élevée, exploitée, gouvernante, haute, indigente, industrielle, inférieure, laborieuse, montante, moyenne, opprimée, opulente, ouvrière, pauvre, privilégiée, prolétarienne, riche, supérieure, travailleuse. ♦(École) active, agitée, agréable, amorphe, apathique, attentive, bruyante, calme, (sur)chargée, chahuteuse, difficile, (in)disciplinée, dissipée, docile, dynamique, excellente, facile, faible, forte, impossible, intenable, motivée, nombreuse, passable, passive, rebelle, sage, sérieuse, silencieuse, studieuse, tapageuse, turbulente. *Commencer, contrôler, discipliner, faire, motiver, préparer, suivre, (savoir) tenir, terminer une/la/sa ~; sortir d'une/de la ~; aller, entrer, partir, se rendre en ~.*

CLASSEMENT (rangement) aléatoire, alphabétique, alphanumérique, approximatif, chronologique, commode, complet, définitif, exhaustif, fiable, général, logique, méthodique, objectif, précis, provisoire, rationnel, rigoureux, scientifique, subjectif, systématique, thématique. *Effectuer, établir, faire, opérer un ~; faire du ~.* ♦(rang) bon, excellent, honorable, mauvais, méritoire, passable. *Avoir un ~ (+ adj.); être en tête, prendre la tête d'un ~.*

CLASSIFICATION artificielle, (in)complète, définitive, exhaustive, floue, logique, méthodique, nette, objective, (im)précise, provisoire, rationnelle, rigide, rigoureuse, scientifique, subjective, systématique, vague. *Effectuer, établir, faire, opérer une ~.*

CLAUSE abusive, confidentielle, expresse, inacceptable, (il)légale, litigieuse, rigide, secrète, souple, spéciale, tacite, valable. *(faire)Adopter, annuler, arracher, détourner, enfreindre, établir, imposer, insérer, introduire, respecter, rompre, violer une ~.* Une ~ déclare, prévoit, signifie, stipule.

CLAVIER *Tapoter, toucher un/le ~; pianoter, taper, tapoter sur un/le/son ~; se mettre au ~.*

CLÉ ou CLEF épaisse, fausse, lourde, minuscule, spéciale, tordue. *Essayer, fabriquer, faire jouer, forcer, forger, introduire, limer, mettre, rentrer, tourner, une/la ~; faire cliqueter des ~s; mettre, tenir sous ~.*

CLICHÉ biaisé, commode, dépassé, éculé, en vogue, facile, habituel, inusable, outré, persistant, raciste, réducteur, répandu, ressassé, sexiste, simpliste, tenace, usé, vieux. *Employer, emprunter, éviter, véhiculer un/des ~(s); avoir recours, recourir à un/des ~(s); abuser, sortir d'un/des ~(s); accumuler, combattre, éviter les ~s ; tomber dans les ~s.*

CLIENT, CLIENTE aisé, assidu, bon, captif, considérable, difficile, éventuel, exigeant, facile, fidèle, fidélisé, fortuné, gros, hésitant, huppé, important, indécis, intéressant, intraitable, occasionnel, pauvre, potentiel, privilégié, (ir)régulier, revendicatif, riche, (in)satisfait, sérieux, (in)solvable. *Accrocher, allécher, aller chercher, appâter, attirer, capter, chasser, contenter, exploiter, fidéliser, garder, perdre, racoler, rebuter, recevoir, recruter, séduire, soigner un/des/le/les/ses ~(s).*

CLIENTÈLE abondante, aimable, aisée, assidue, captive, choisie, clairsemée, considérable, cosmopolite, difficile, élective, élégante, étrangère, exigeante, facile, fidèle, fidélisée, fortunée, grosse, hétéroclite, huppée, importante, indifférenciée, innombrable, intéressante, internationale, intraitable, large, locale, nombreuse, occasionnelle, pauvre, pléthorique, ponctuelle, potentielle, privilégiée, raffinée, rare, (ir)régulière, riche, (in)satisfaite, sélecte, solide, (in)solvable, vaste, volatile. *Accroître, acheter, appâter, attirer, avoir, conquérir, conserver, (se) constituer, détourner, développer, diversifier, fidéliser, fournir, gagner, garder, grossir, perdre, posséder, prospecter, retenir, s'assurer, satisfaire, se créer, séduire, se faire, servir, solliciter, vendre une/la/sa ~; bénéficier d'une ~; plaire à la ~.*

CLIMAT (ciel, température) accablant, (dés)agréable, âpre, aride, bienfaisant, brûlant, brumeux, capricieux, chaud, (in)clément, contrasté, dangereux, débilitant, délicieux, déprimant, déréglé, désertique, détestable, détraqué, difficile, doux, dur, égal, ensoleillé, éprouvant, épuisant, équatorial, excellent, exceptionnel, excessif, (dé)favorable, fixe, frais, froid, généreux, glacial, heureux, (in)hospitalier, hostile, humide, idéal, incertain, lourd, lumineux, maritime, mauvais, médiocre, meurtrier, modéré, mou, nocif, nuisible, paradisiaque, pénible, pesant, pluvieux, pourri, revigorant, rigoureux, rude, (mal)sain, (in)salubre, salutaire, sec, (in)stable, (in)supportable, tempéré, tiède, tonifiant, tonique, torride, uniforme, variable, varié, venteux, vivifiant. *Avoir, offrir un ~ (+ adj.); être, vivre dans un ~ (+ adj.); bénéficier, jouir, souffrir d'un ~ (+ adj.); résister, s'adapter, se faire, succomber à un ~; s'accommoder, souffrir du ~; être abattu/éprouvé/fatigué par le ~.* ♦ (ambiance) (dés)agréable, apaisé, banal, chaleureux, conflictuel, convivial, (dé)crispé, dangereux, dégénéré, dégradé, déprimant, déprimé, détendu, difficile, doux, dramatique, dur, électrisé, empoisonné, enthousiaste, envoûtant, éprouvant, étrange, euphorique, explosif, (dé)favorable, feutré, fielleux, fiévreux, grave, (mal)heureux, (in)hospitalier, hostile, infernal, inhumain, inquiet, insaisissable, intenable, léger, lourd, mauvais, mitigé, morbide, morose, oppressant, orageux, passionnel, pernicieux, pesant, poli, pourri, privilégié, (ir)respectueux, sécurisant, serein, sérieux, sévère, singulier, sinistre, surréaliste, sympathique, tendu, tiède, torride, tranquille, trouble, tumultueux, virulent. *Avoir lieu, baigner, évoluer, se dérouler, se tenir, travailler, vivre dans un ~ (+ adj.).* Un/Le ~ s'aggrave, s'améliore, se dégrade, se détériore, s'instaure.

CLIN D'ŒIL amusé, approbateur, appuyé, chaleureux, complice, discret, humoristique, ironique, léger, lourd, provocant, rapide. *Adresser, décrocher, échanger, faire, lancer un ~.*

CLINIQUE fonctionnelle, luxueuse, (ultra)moderne, modeste, obscure, prestigieuse, privée, prospère, réputée, riche, vaste, vétuste. *Consulter, diriger, ouvrir, tenir une ~; se présenter à une ~; être admis, travailler dans une ~.*

CLOCHE affaiblie, aiguë, argentine, bruyante, déchaînée, énorme, grave, joyeuse, lointaine, lugubre, monumentale, modeste, pure, retentissante, sinistre, sonore, triste. *Actionner, agiter, ébranler, mettre en branle, (entendre) sonner une ~.* Une ~ carillonne, entre en branle, frémit, résonne, retentit, se tait, sonne, tinte.

CLOCHER aigu, ajouré, aplati, audacieux, bas, bulbeux, carillonnant, carré, ciselé, colossal, crénelé, croulant, dentelé, effilé, élancé, élégant, élevé, énorme, fier, frêle, gracieux, gracile, hardi, haut, immense, léger, lourd, magnifique, majestueux, massif, pointu, polygonal, puissant, pyramidal, rond, sculpté, svelte, trapu, vrillé. Un ~ se dresse, s'élève.

CLOISON amovible, basse, coulissante, épaisse, étanche, fixe, haute, insonorisée, légère, mince, mobile, rigide, solide. *Abattre, bâtir, construire, dresser, élever, monter, poser, supprimer une ~; séparer par une ~.* Une ~ délimite, isole, sépare.

CLÔTURE basse, élevée, épaisse, faible, fine, forte, grillagée, haute, infranchissable, large, métallique, mince, solide. *Bâtir, construire, dresser, édifier, élever, ériger, établir, faire, poser, franchir une ~; entourer d'une ~.*

CLOU court, fin, gros, long, petit, rouillé, tordu, vieux. *Arracher, cogner, enfoncer, étêter, faire pénétrer, fixer, frapper, planter, rabattre, redresser, river un ~; assembler, attacher, fixer avec un/des ~(s); taper sur un ~.*

CLUB célèbre, chic, fermé, huppé, poussiéreux, prestigieux, sélect, snob, somptueux, vénérable. *Constituer, créer, diriger, fonder, monter, ouvrir un ~; appartenir, s'inscrire à un ~; être admis/reçu dans un ~.*

COALITION difficile, disparate, efficace, étroite, faible, floue, formidable, forte, fortuite, fragile, fructueuse, hétéroclite, hétérogène, lâche, large, précaire, puissante, restreinte, solide, spontanée, vaste. *Appuyer, bâtir, cimenter, conduire, constituer, créer, diriger, faire éclater/voler en éclats, fonder, forger, former, joindre, mener, mettre en place, monter, renforcer, rompre, saper une ~; participer, prendre part, se joindre à une ~; se lancer dans une ~.* Une/la ~ éclate, fait long feu, naît, se disloque, se distend, s'effrite, se noue, s'étiole.

CODE (<u>*règles*</u>) drastique, précis, rigide, sévère, sourcilleux, strict. *Amender, appliquer, assouplir, édicter, élaborer, enfreindre, établir, mettre en place, observer, respecter, transgresser, violer un ~; être assujetti, obéir, se conformer à un ~.* Le ~ dispose, dit, établit, exige, interdit, oblige, stipule. ♦ (<u>*Automobile*</u>) *Allumer, éteindre, mettre ses ~s; rouler, se mettre en ~s.*

CŒUR (<u>*Anatomie*</u>) anémique, bon, défaillant, excellent, faible, fatigué, fort, fragile, instable, malade, robuste, solide. *Avoir un/le ~ (+ adj.); ausculter le ~; ménager, surmener son ~.* ♦ (<u>*siège des sentiments, etc.*</u>) abattu, accablé, affligé, agité, aimant, allègre, amer, amoureux, ardent, aride, attendri, avide, battant, bienveillant, blessé, bon, bondissant, bouleversé, brave, brisé, broyé, brûlant, candide, changeant, chaviré, compatissant, content, contrit, crevé, crispé, débordant, déchiré, délicat, désolé, desséché, désespéré, désolé, dévoué, doux, droit, dur, ému, endurci, enthousiaste, épanoui, épris, excellent, fermé, fidèle, fier, franc, froid, gai, généreux, glacé, gonflé, grand, (mal)heureux, honnête, immense, impitoyable, indomptable, indulgent, inexorable, ingrat, innocent, intraitable, intrépide, jaloux, joyeux, lâche, lassé, léger, libre, lourd, mauvais, meurtri, misérable, naïf, navré, noble, (in)occupé, oppressé, ouvert, paisible, palpitant, passionné, pauvre, percé, profond, pur, rebelle, reconnaissant, rempli, sec, (in)sensible, serré, simple, sincère, solide, solitaire, souffrant, tendre, touché, trahi, tremblant, triste, troublé, ulcéré, vaillant, vibrant, vide, vieux, volage. *Avoir un/le ~ (+ adj.); adoucir, agiter, apaiser, arracher, attendrir, attrister, blesser, bouleverser, briser, broyer, conquérir, crever, déchirer, (r)emplir, enflammer, envahir, épanouir, étreindre, faire battre/bondir/palpiter/tressaillir, fendre, glacer, gonfler, inonder, meurtrir, pénétrer, percer, ranimer, ravir, réchauffer, réjouir, remuer, ronger, se sentir battre, serrer, soulever, tordre, toucher, transpercer, troubler, ulcérer un/le ~; conquérir, enthousiasmer, faire tourner, gagner, scruter, sonder les ~s; faire (chaud, froid, mal) au ~; jaillir, monter, sortir, venir du ~; consulter, découvrir, dévoiler, donner, écouter, endurcir, épancher, fermer, libérer, offrir, ouvrir, partager, refuser, soulager, verser, vider son ~; emporter/garder/graver qqn/qqch. dans son ~; manquer de ~; apprendre, connaître, réciter, retenir, savoir par ~.* Un/le ~ bondit, déborde, éclate, palpite, s'attendrit, s'attriste, saute, se brise, se déchire, se fend, se glace, se gonfle, s'élance, s'emballe, s'émeut, sent, s'épanche, s'épanouit, se réjouit, se serre, s'ouvre, tressaille.

COFFRE logeable, minuscule, restreint, spacieux, vaste. *Fermer, ouvrir, remplir le ~; mettre ses bagages dans le ~.*

COHUE bruyante, dense, énorme, épouvantable, fiévreuse, folle, grouillante, (in)habituelle, horrible, immense, incroyable, indescriptible, insensée, joyeuse, tumultueuse. *Se faufiler dans la ~.* La ~ règne.

COIFFURE bouclée, bouffante, compliquée, coquette, courte, crépue, droite, ébouriffée, élégante, énorme, excentrique, floue, frisée, frisottée, gigantesque, gonflante, grosse, haute, hirsute, indescriptible, légère, lisse, longue, lourde, magnifique, négligée, nette, (dé)nouée, ondulante, ondulée, (dé)ordonnée, originale, parfaite, plate, raide, relevée, sévère, simple, somptueuse, vaporeuse. *Avoir une/la ~ (+ adj.); adopter, faire, fignoler, modeler une ~; apprendre la ~; travailler dans la ~; changer de ~.*

COIN agréable, calme, charmant, discret, enchanteur, idéal, inexploré, ombragé, paisible, perdu, plaisant, silencieux, splendide, superbe, sublime, tranquille, unique. *Chercher un ~ (+ adj.); être tapi, se cacher, se retirer dans un ~; habiter dans le ~; être du ~; rester, vivre dans son ~.*

COÏNCIDENCE amusante, bizarre, croyable, curieuse, étonnante, étrange, extraordinaire, fâcheuse, fortuite, frappante, funeste, (mal)heureuse, imprévue, improbable, incroyable, intéressante, invraisemblable, parfaite, providentielle, pure, remarquable, signifiante, simple, singulière, surprenante, troublante.

COL (~ *de manteau, etc.*) amovible, boutonné, défraîchi, droit, dur, empesé, fermé, grand, haut, montant, mou, ouvert, rabattu, raide, rond, roulé, souple. *Rabattre, relever un/son ~.* ♦ (*Géologie*) (in)accessible, difficile, enneigé, étroit, facile, fermé, (in)franchissable, ouvert, pentu, (im)praticable, profond, tortueux. *Atteindre, escalader, franchir, passer, traverser un ~.*

COLÈRE apaisée, âpre, ardente, aveugle, blanche, bleue, (in)compréhensible, confuse, contenue, cruelle, démesurée, effrénée, énorme, épouvantable, excusable, fausse, feinte, folle, forte, frénétique, froide, furibonde, furieuse, grande, grave, grosse, imbécile, impatiente, implacable, impuissante, inapaisable, inassouvie, incohérente, incommensurable, intérieure, jalouse, (in)juste, (in)justifiée, latente, légère, (il)légitime, longue, meurtrière, modérée, muette, musclée, noire, profonde, puissante, refoulée, rentrée, risible, rouge, saine, sainte, secrète, sombre, sourde, stérile, subite, tempérée, tenace, terrible, vaste, véhémente, véritable, violente, volcanique, voilée. *Entrer, être dans une ~ (+ adj.); adoucir, apaiser, assouvir, attirer, calmer, contenir, crier, déchaîner, déclencher, désamorcer, désarmer, détourner, dissimuler, dominer, dompter, exacerber, exhaler, (sur)exciter, exprimer, faire, gérer, hurler, laisser échapper/éclater/exploser, maîtriser, modérer, piquer, pousser, provoquer, ranimer, ravaler, refouler, refréner, rentrer, réprimer, retenir, satisfaire, savourer, sentir, simuler, soulever, susciter, (faire) taire une/sa/la ~ (de qqn); céder, donner libre cours, s'abandonner, se laisser aller, se livrer, succomber à la/sa ~; être aveuglé/mû, se laisser emporter par la ~; agir sous l'effet/empire/influence de la ~; concevoir, écumer, éprouver, garder, manifester, ressentir de la ~; bégayer, bondir, bouillir, bouillonner, crier, étouffer, être blême/pâle/rempli/rouge/violet, frémir, grimacer, pâlir, piétiner, pleurer, rougir, rugir, s'étrangler, suffoquer, trembler, trépigner de ~; entrer, être, mettre qqn, se (re)mettre en ~.* Une/la ~ apparaît, éclate, explose, gronde, monte, se calme, s'élève, s'évanouit, s'exprime, tombe.

COLIS affranchi, défait, dépaqueté, embarrassant, encombrant, énorme, immense, léger, lourd, minuscule, ouvert, plat, recommandé, volumineux. *Acheminer, adresser, affranchir, apporter, cacheter, envoyer, expédier, (dé)faire, faire partir/parvenir, ficeler, ouvrir, porter, poster, prendre, recevoir, remettre, retourner, transporter, trimballer un/des ~.*

COLLABORATEUR, TRICE anonyme, bon, compétent, dévoué, disponible, efficace, éminent, enthousiaste, excellent, fiable, fidèle, fréquent, indispensable, inestimable, loyal, mauvais, occasionnel, ponctuel, précieux, proche, rémunéré, satisfaisant, sérieux, utile, zélé. *Engager, recruter, s'adjoindre, trouver un ~; s'entourer de ~s.*

COLLABORATION active, aimable, bénévole, brève, conflictuelle, difficile, (in)directe, discrète, durable, (in)efficace, étroite, excellente, exceptionnelle, exemplaire, faible, forcée, forte, franche, (in)fructueuse, généreuse, gratuite, harmonieuse, inappréciable, inestimable, insignifiante, intelligente, intense, (dés)intéressée, longue, loyale, massive, modeste, ouverte, parcimonieuse, parfaite, permanente, précieuse, prolongée, (ir)régulière, renforcée, significative, soutenue, substantielle, (in)volontaire. *Apporter, demander, entretenir, fournir, maintenir, offrir, renforcer, solliciter une/sa/la ~ (de qqn); faire appel à la ~.* Une ~ naît, prend fin, se noue, s'établit.

COLLE adhésive, blanche, contact, épaisse, fine, forte, gluante, liquide, pâteuse, tenace, visqueuse. *Joindre avec de la ~; appliquer de la ~; badigeonner, enduire de ~.*

COLLECTE fabuleuse, colossale, exceptionnelle, gigantesque, importante, modeste, précieuse. *Faire, effectuer, organiser une ~; participer, procéder à une ~.*

COLLECTION admirable, assortie, (in)complète, considérable, dépareillée, énorme, excellente, exceptionnelle, fabuleuse, fastueuse, gigantesque, grande, grandiose, immense, importante, impressionnante, incroyable, inépuisable, inestimable, intéressante, magnifique, modeste, particulière, précieuse, prestigieuse, prodigieuse, rare, remarquable, riche, somptueuse, spectaculaire, sublime, superbe, unique. *Acquérir, amasser, commencer, compléter, constituer, créer, dépareiller, disperser, enrichir, exposer, faire, former, léguer, réunir une ~.*

COLLECTIONNEUR, EUSE acharné, averti, compulsif, éclairé, émérite, enragé, enthousiaste, érudit, grand, infatigable, insatiable, passionné.

COLLECTIVITÉ éloignée, hétérogène, homogène, immense, isolée, pauvre, restreinte, riche, rurale, urbaine, vaste. *Habiter, servir une/la ~; appartenir, se rattacher, s'intégrer à une/la ~; habiter, se mêler, s'établir, s'intégrer, travailler, vivre dans une/la ~; vivre en ~.*

COLLÈGE bon, excellent, mauvais, modeste, moyen, obscur, prestigieux, réputé. *Diriger un ~; aller, entrer, mettre qqn, être au ~.*

COLLIER court, délicat, discret, énorme, faux, fin, gros, long, luxueux, magnifique, minuscule, original, précieux, raffiné, riche, scintillant, serré, simple, somptueux, voyant. *Acheter, monter, (s')offrir, porter, recevoir un ~.*

COLLINE abrupte, aplatie, aride, arrondie, basse, boisée, chauve, cultivée, dégagée, dénudée, dominante, douce, élevée, érodée, escarpée, gracieuse, granitique, haute, imposante, lointaine, minuscule, ombragée, ondulée, pelée, pierreuse, plantée, pointue, raide, ravinée, rocailleuse, rousse, rugueuse, verdoyante, vieille. *Escalader, gravir, grimper, monter une ~; descendre d'une ~.* Une ~ domine, se dresse, s'élève.

COLLISION banale, bénigne, dramatique, effroyable, épouvantable, (in)évitable, fâcheuse, fatale, frontale, grave, horrible, inexpliquée, légère, majeure, malheureuse, meurtrière, mineure, mortelle, stupide, terrible, tragique, violente, volontaire. *Causer, entraîner, éviter, occasionner, prévenir, produire, provoquer, subir, susciter une ~; parer à une ~; être blessé/tué, mourir, périr dans une ~; entrer en ~ avec qqn/qqch.* Une ~ a lieu, arrive, se produit, survient.

COLLOQUE bref, couru, important, intéressant, passionnant, sérieux. *Animer, organiser, suivre, tenir un ~; assister,* *participer, s'inscrire à un ~.* Un ~ se déroule, se tient.

COLONNE (*~ de voitures, etc.*) imposante, impressionnante, ininterrompue, interminable, longue. ♦(*Architecture*) colossale, courte, creuse, cylindrique, élancée, élégante, élevée, fuselée, galbée, haute, imposante, impressionnante, massive, ornée, renflée, ronde, sculptée, serpentine, torsadée, torse, trapue, tronquée, unie. Une ~ se dresse, s'élève, s'érige.

COLORIS agréable, agressif, brillant, charmant, chaud, clair, délicat, discret, doux, dur, éclatant, énergique, extraordinaire, flamboyant, foncé, frais, froid, harmonieux, indéfini, indéfinissable, inédit, intense, léger, lumineux, merveilleux, original, pâle, particulier, pétillant, raffiné, remarquable, resplendissant, riche, sobre, sombre, somptueux, soutenu, suave, tendre, terne, uni, uniforme, vif, vigoureux, violent. *Être d'un ~ (+ adj.); choisir un ~.*

COMBAT acharné, affreux, âpre, ardent, atroce, court, courageux, crucial, décisif, décousu, défensif, dérisoire, désespéré, désordonné, difficile, douteux, dur, effroyable, énorme, épique, épouvantable, (dés)équilibré, facile, farouche, féroce, fictif, formidable, frontal, furieux, gagné, gigantesque, héroïque, honorable, horrible, impitoyable, implacable, important, incertain, indécis, inégal, juste, laborieux, légitime, long, (dé)loyal, mauvais, mémorable, meurtrier, offensif, pathétique, perdu, périlleux, permanent, perpétuel, prolongé, rapide, remporté, rude, sanglant, sauvage, serré, solitaire, suicidaire, suprême, terrible, titanesque, ultime, vain, victorieux, violent. *Abandonner, accepter, affronter, arrêter, (re)commencer, conduire, déclencher, disputer, engager, entamer, faire cesser, fuir, gagner, livrer, mener, offrir, ouvrir, perdre, refuser, préparer, remporter, soutenir un/le ~; assister, mettre fin, participer, prendre part, se préparer à un/au ~; s'engager, se lancer dans un/le ~; aller, marcher, monter au ~.* Un/le ~ a lieu, commence, dégénère, éclate, émerge, fait rage, intervient, perdure, rebondit, s'achève, s'aggrave, s'amplifie, s'apaise, se déclenche, se déroule, se désamorce, se détériore, se durcit, se généralise, s'engage, s'enlise, se (dé)noue, s'ensuit, s'envenime, se produit, s'étend, se termine, s'intensifie, surgit, survient.

COMBATTANT, ANTE acharné, aguerri, audacieux, brave, courageux, féroce, fier, héroïque, intrépide, invincible, loyal, redoutable, remarquable, rude, terrible, vaillant, valeureux.

COMBINAISON audacieuse, bizarre, complète, complexe, curieuse, disparate, équilibrée, gagnante, harmonieuse, hétéroclite, hétérogène, heureuse, homogène, idéal, infinie, intime, judicieuse, multiple, nouvelle, parfaite, pauvre, possible, riche, savante, simple, subtile, unique, variée. *Effectuer, faire, opérer, réaliser une ~.*

COMBINÉ *Décrocher, (re)poser, raccrocher, soulever le ~.*

COMÉDIE absurde, agréable, aimable, amère, amusante, attachante, attendrissante, burlesque, caustique, complexe, courte, cruelle, débile, débridée, décapante, délicieuse, délirante, divertissante, drôle, dynamique, endiablée, enjouée, enlevée, étrange, féroce, fine, folichonne, frivole, gaie, grinçante, grossière, hilarante, intelligente, irrésistible, joyeuse, larmoyante, légère, loufoque, lugubre, macabre, mauvaise, mièvre, mordante, musclée, noire, optimiste, piètre, plaisante, ratée, réussie, ringarde, savoureuse, simple, sympathique, touchante, vulgaire. *Composer, donner, écrire, interpréter, jouer, mettre en scène, monter, produire, représenter, tourner une ~; jouer dans une ~.*

COMÉDIEN, IENNE accompli, aguerri, bon, brillant, cabotin, célèbre, chevronné, complet, confirmé, débutant, doué, énorme, excellent, exceptionnel, extraordinaire, fini, formidable, génial, habile, honnête, immense, incomparable, intelligent, jeune, magnifique, mauvais, médiocre, merveilleux, minable, modeste, moyen, passable, piètre, pitoyable, polyvalent, populaire, prestigieux, prodigieux, prolifique, raté, remarquable, renommé, sensationnel, talentueux, vieux. *Applaudir, conspuer, critiquer, rappeler, siffler un ~.*

COMIQUE absurde, achevé, amer, burlesque, décontracté, déplacé, énorme, épais, extravagant, féroce, fin, forcé, franc, gai, gras, grinçant, gros, involontaire, irrésistible, léger, lugubre, macabre, navrant, outré, parodique, poignant, satirique, solide, tragique. *Cultiver, pratiquer un/le ~ (+ adj.); être d'un ~ (+ adj.); avoir le sens du ~.*

COMITÉ ample, consultatif, permanent, plénier, provisoire, restreint, spécial. *Constituer, consulter, convoquer, créer, désigner, élire, établir, former, nommer, présider, réunir, supprimer un ~; siéger à un ~; être membre, faire partie d'un ~; se constituer, se grouper en ~.*

COMMANDE (Commerce) (in)complète, ferme, forte, importante, intéressante, modeste, pressée, urgente. *Accepter, adresser, annuler, compléter, confirmer, décrocher, émettre, enregistrer, exécuter, expédier, faire, inscrire, livrer, obtenir, passer, placer, prendre, recevoir, recueillir, refuser, renouveler, satisfaire, servir, solliciter, traiter, transcrire, transmettre une/des/les ~(s); donner suite, satisfaire à une ~; s'occuper d'une ~; cesser, espacer, réduire les/ses ~s; faire, réaliser sur ~.* ♦ (Aviation, Technique) *Lâcher, manier, passer, tenir les ~s; être, se mettre aux ~s; se familiariser avec les ~s.*

COMMANDEMENT bref, clair, explicite, exprès, ferme, formel, froid, impératif, précis, pressant, rude, sec, tacite. *Donner, enfreindre, exécuter, hurler, lancer, transgresser, transmettre un ~; (dés)obéir, se soumettre à un ~.*

COMMENTAIRE abrupt, (in)adéquat, admiratif, acerbe, agressif, amusé, (in)approprié, bref, brillant, clair, contradictoire, critique, désabusé, désobligeant, diffus, éclairé, édulcoré, élogieux, embarrassé, enthousiaste, équivoque, expéditif, facétieux, filandreux, fracassant, gauche, hâtif, hostile, incongru, indulgent, ironique, irresponsable, judicieux, laconique, léger, lourd, lumineux, malencontreux, malveillant, négatif, odieux, orienté, (im)partial, partisan, passionné, percutent, (im)pertinent, positif, (im)précis, profond, (im)prudent, rapide, rassurant, savant, sincère, sobre, superficiel, superflu, (in)utile, vague, valable, verbeux.

Ajouter, émettre, exprimer, faire, formuler, provoquer, susciter un ~.

COMMENTATEUR, TRICE avisé, bon, compétent, clairvoyant, éclairé, excellent, expérimenté, fin, incisif, influent, lucide, judicieux, objectif, (im)partial, perspicace, redoutable, subtil, superficiel.

COMMERÇANT, ANTE, dynamique, jovial, (mal)honnête, prospère, riche, ruiné, rusé, (peu) scrupuleux.

COMMERCE (*activités commerciales*) abondant, actif, captif, clandestin, considérable, équitable, florissant, fort, fructueux, languissant, libre, (il)licite, lucratif, parallèle, prospère, rémunérateur, spécialisé. *(r)Animer, décourager, développer, encourager, entraver, faire, favoriser, gêner, immobiliser, intensifier, protéger, réglementer, stimuler un/le ~; s'adonner, se livrer au ~; être, s'établir, se trouver, travailler dans le ~; faire du ~.* Le ~ grandit, languit, périclite, prospère, se développe. ♦ (*boutique*) achalandé, chic, élégant, lucratif, luxueux, prospère, spacieux. *Acheter, diriger, entreprendre, entretenir, faire marcher, fermer, fonder, gérer, lancer, monter, organiser, ouvrir, tenir un ~.*

COMMISSION (*comité restreint*) consultative, élue, indépendante, nommée, permanente, spéciale. *Charger, constituer, consulter, créer, désigner, diriger, dissoudre, élire, ériger, établir, fonder, former, installer, instituer, lancer, mettre en place, nommer, présider une ~; siéger à une ~; se présenter devant une ~; être membre, faire partie d'une ~; être, se réunir en ~. Une ~ se dissout, se forme.* ♦ (*mandat*) importante, officielle, officieuse, secrète, urgente. *Accomplir, confier, donner, effectuer, exécuter, faire, recevoir, remplir, transmettre une ~; charger qqn, s'acquitter d'une ~.* ♦ (*pourcentage*) confortable, considérable, dérisoire, élevée, énorme, exorbitante, faible, faramineuse, forte, généreuse, grosse, importante, minable, minuscule, modeste, occulte, substantielle. *Accorder, encaisser, prélever, prendre, recevoir, retenir, soutirer, toucher, verser une ~.*

COMMUNAUTÉ diverse, dynamique, éclatée, éloignée, (dé)favorisée, fermée, forte, hétérogène, homogène, immense, importante, influente, isolée, large, majoritaire, minoritaire, ouverte, paisible, pauvre, puissante, riche, soudée, unie, vaste. *Habiter, servir une/la ~; appartenir, se rattacher, s'intégrer à une/la ~; habiter, se mêler, s'établir, s'intégrer, travailler, vivre dans une/la ~.*

COMMUNICATION (*liaison, relation*) artificielle, authentique, biaisée, chaleureuse, compliquée, constructive, difficile, directe, durable, dynamique, (in)efficace, étroite, facile, franche, froide, (in)fructueuse, harmonieuse, intense, mauvaise, naturelle, négative, permanente, positive, profonde, réciproque, sèche, sereine, spontanée, (in)suffisante, superficielle, vivante. *Avoir, bâtir, créer, développer, entretenir, (ré)établir, maintenir, promouvoir, susciter une ~ (+ adj.); contribuer à une ~ (+ adj.); entrer, être, mettre en ~.* Une ~ émerge, se noue, s'établit, se tisse, s'installe, s'instaure. ♦ (*information, diffusion*) (in)adaptée, (in)appropriée, brève, claire, complète, complexe, constante, continue, dynamique, (in)efficace, étroite, fiable, (in)fructueuse, immédiate, importante, instantanée, longue, médiocre, objective, officielle, officieuse, pertinente, pressante, rapide, ratée, régulière, responsable, réussie, simple, solide, (in)suffisante, transparente, urgente. *Assurer, entretenir, établir, fournir, garantir, maintenir, permettre une ~ (+ adj.); donner, élaborer, faire, préparer, présenter, soumettre une ~.* ♦(Télécommunication, appel) *Avoir, couper, demander, établir, interrompre, obtenir, payer, prendre, recevoir, transmettre une/la ~; mettre fin à une/la ~; couper, interrompre les ~s; entrer en ~.*

COMMUNIQUÉ ambigu, bref, clair, confus, court, explicite, final, important, laconique, lapidaire, long, obscur, officiel, précis, sec, solennel, vague. *Diffuser, émettre, envoyer, faire, obtenir, publier, rédiger, signer, transmettre un ~; réagir, répondre à un ~.* Un ~ déclare, dit, note.

COMPAGNE bonne, dévouée, fidèle, inséparable, joyeuse, loyale, mauvaise, nouvelle.

COMPAGNIE (entourage) agréable, appréciée, bonne, choisie, encombrante, galante, idéale, joyeuse, mauvaise, nombreuse, précieuse. *Être d'une ~ (+ adj.); aimer, apprécier, rechercher la ~; s'ennuyer, se plaire dans/en la ~ de qqn; aller, dîner, être en ~.* ♦(société) dynamique, florissante, géante, grande, importante, innovante, moderne, modeste, moribonde, novatrice, performante, prospère, puissante, rentable, saine, spécialisée, viable. *Créer, diriger, dissoudre, fonder, former, gérer, lancer, liquider, mettre sur pied, monter, redresser, sauver une ~.* Une/la ~ cesse ses activités, démarre, dépérit, disparaît, naît, périclite, prospère, voit le jour.

COMPAGNON attachant, bon, brave, dévoué, fidèle, idéal, imaginaire, indispensable, inséparable, jeune, joyeux, loyal, mauvais, précieux, proche, vieux.

COMPARAISON absurde, abusive, approfondie, (in)appropriée, audacieuse, biaisée, blessante, boiteuse, bonne, brillante, charmante, contestable, curieuse, défectueuse, déficiente, délicate, déplacée, désobligeante, difficile, douteuse, étroite, (in)exacte, facile, faible, (dé)favorable, fine, flatteuse, fondamentale, (in)fondée, forcée, forte, hardie, hasardeuse, hâtive, (mal)heureuse, inattendue, ingénieuse, injurieuse, instructive, jolie, (in)juste, lointaine, maladroite, minutieuse, odieuse, originale, pauvre, poétique, poussée, profonde, ridicule, rigoureuse, séduisante, superficielle, triviale, usée, valable. *Effectuer, employer, établir, faire, poursuivre, risquer, trouver une ~; se livrer à une ~; se servir, user d'une ~; s'appuyer sur une ~; craindre, soutenir, supporter la ~.*

COMPASSION attendrie, déplacée, douce, excessive, extraordinaire, extrême, grande, immense, inépuisable, infinie, larmoyante, naïve, naturelle, ostensible, profonde, sincère, spontanée, tendre, universelle, véritable, vive, vraie. *Émouvoir, exciter, inspirer, stimuler la ~; avoir, inspirer, montrer de la ~; être ému/plein/pris/touché, faire preuve, s'émouvoir de ~.*

COMPENSATION (dédommagement) (in)adéquate, (in)complète, dérisoire, (in)directe, énorme, (in)équitable, excessive, faible, forte, généreuse, immédiate, importante, intégrale, (in)juste, large, légère, modeste, (dé)raisonnable, rapide, (in)satisfaisante, sérieuse, substantielle, (in)suffisante, totale. *Accepter, accorder, chercher, demander, donner, obtenir, offrir, procurer, recevoir, réclamer, soutirer, verser, vouloir une ~.* ♦(<u>*consolation, récompense*</u>) ample, avantageuse, bienfaisante, dérisoire, (in)directe, douce, énorme, faible, forte, immédiate, large, légère, maigre, modeste, triste. *Apporter, chercher, donner, obtenir, offrir, procurer, trouver une ~.*

COMPÉTENCE acceptable, acquise, adéquate, appropriée, attestée, avancée, bonne, certaine, confirmée, considérable, cruciale, (in)discutable, éprouvée, essentielle, étendue, étonnante, excellente, exceptionnelle, extraordinaire, haute, importante, impressionnante, incontestée, indiscutable, indispensable, innée, notable, notoire, nouvelle, parfaite, particulière, précieuse, rare, recherchée, reconnue, réelle, remarquable, remarquée, (in)satisfaisante, spéciale, (in)suffisante, transversale, utile. *Avoir, démontrer, montrer, posséder une ~ (+ adj.); être, faire preuve d'une ~ (+ adj.); accroître, accumuler, acquérir, améliorer, avoir, développer, élargir, étendre, maintenir, maîtriser, posséder, utiliser une/des/ses ~(s); manquer de ~.*

COMPÉTITEUR, TRICE acharné, confirmé, coriace, déclaré, direct, expérimenté, faible, féroce, (mal)honnête, (dé)loyal, (non)négligeable, performant, piètre, potentiel, puissant, redoutable, rude, sérieux.

COMPÉTITION acharnée, amicale, âpre, ardente, dure, effrénée, exacerbée, extrême, faible, féroce, forcenée, formidable, forte, grande, impitoyable, implacable, importante, (in)juste, (dé)loyale, ouverte, redoutable, rude, sauvage, serrée, sévère, victorieuse, vive. *(se) Livrer une ~ (+ adj.); faire face à une ~ (+ adj.); organiser une ~; participer, prendre part, renoncer à une ~; se retirer, sortir vainqueur d'une ~; abandonner, affronter, éviter, soutenir, supporter la ~; être engagé dans la ~; entrer, être, se trouver en ~.*

COMPLET avachi, défraîchi, démodé, élégant, élimé, étriqué, fatigué, fripé, froissé, impeccable, léger, neuf, serré, vieux. *Enfiler, enlever, mettre, ôter, passer, porter un/son ~; être habillé/vêtu d'un ~; être (habillé) en ~.*

COMPLEXE fort, grave, gros, léger, lourd. *Alimenter, avoir, développer, donner, nourrir, ressentir, se faire, surmonter un/des ~(s); être libéré, prendre conscience, se guérir, souffrir d'un/de ses ~(s); être bourré de ~s; être sans ~(s).*

COMPLEXITÉ absolue, croissante, déroutante, effrayante, effroyable, élevée, énorme, extrême, faible, forte, haute, horrible, immense, importante, incroyable, indéniable, inextricable, infinie, inouïe, insoluble, insurmontable, légère, lourde, majeure, mineure, notable, notoire, particulière, profonde, progressive, rare, réelle, relative, riche, singulière, stupéfiante. *Comporter, présenter, revêtir une ~ (+ adj.); être d'une ~ (+ adj.).*

COMPLICATION banale, bénigne, constante croissante, effrayante, effroyable, énorme, exceptionnelle, extraordinaire, extrême, fréquente, graduelle, grave, grosse, immense, importante, imprévisible, imprévue, inattendue, incroyable, indésirable, inextricable, insoluble, insurmontable, inusitée, inutile, légère, lourde, majeure, mineure, particulière, rare, réelle, secondaire, sérieuse, sévère, singulière, supplémentaire. *Être d'une ~ (+ adj.); apporter, constater, craindre, éliminer, engendrer, faire, observer, prévenir, prévoir, provoquer, rencontrer, résoudre, soupçonner, subir, surmonter, susciter, suspecter une/des ~(s); éviter, fuir, rechercher les ~s.* Une ~ apparaît, se présente, surgit, survient.

COMPLICE actif, consentant, coupable, criminel, involontaire, lâche, passif. *Avoir, déclarer, dénoncer, donner, livrer, utiliser, vendre un ~; disposer d'un ~ ; être, se faire le ~ de (qqn, un crime, etc.).*

COMPLICITÉ active, amicale, amoureuse, discrète, étrange, exceptionnelle, flagrante, forte, manifeste, objective, obscure, parfaite, passive, profonde, rare, tacite, totale. *Être, faire preuve d'une ~ (+ adj.); établir, prouver la ~ de qqn; avouer, nier, reconnaître sa ~; accuser qqn, être accusé/inculpé/soupçonné, soupçonner qqn de ~.*

COMPLIMENT affectueux, ambigu, appuyé, bref, chaleureux, discret, entortillé, épais, exagéré, excessif, fade, flatteur, galant, gracieux, grinçant, habile, hypocrite, magnifique, insipide, ironique, long, lourd, maladroit, mérité, mitigé, obligé, outré, pincé, rude, simple, sincère, vain. *Accepter, adresser, débiter, décocher, distribuer, faire, présenter, quêter, recevoir, servir, transmettre un/des/ses ~(s); répondre à un ~; aimer, dédaigner, fuir, rechercher, redouter les ~s; être (in)sensible aux ~s; rougir sous le ~; couvrir qqn, être avide/friand/prodigue/sobre de ~s.*

COMPLOT (mal)adroit, affreux, atroce, caché, concerté, diabolique, grossier, (mal)habile, horrible, infâme, infernal, louche, manqué, meurtrier, noir, obscur, odieux, raté, réussi, rusé, sanglant, sinistre, ténébreux. *Arranger, arrêter, conduire, couver, découvrir, déjouer, démanteler, démasquer, dénoncer, désamorcer, dévoiler, empêcher, étouffer, éventer, faire, favoriser, fomenter, former, machiner, mijoter, monter, nouer, orchestrer, organiser, percer, préparer, réprimer, révéler, subir, tramer un ~; participer, s'affilier à un ~; entrer, être impliqué, mettre qqn, s'embarquer, s'engager, tremper dans un ~; faire l'objet d'un ~; crier au ~.* Un ~ avorte, échoue, éclate, réussit, se noue, se trame.

COMPORTEMENT aberrant, abrupt, absurde, (in)acceptable, (in)adapté, admirable, (in)admissible, affectueux, agressif, (in)approprié, arrogant, asocial, banal, barbare, bizarre, bon, (in)cohérent, (in)correct, (in)compréhensible, courageux, criminel, (in)conséquent, cruel, curieux, défensif, dégradant, dément, déplorable, (in)désirable, déviant, (in)digne, effronté, émotionnel, énergique, excessif, exécrable, exemplaire, (in)explicable, ferme, fermé, fier, fluctuant, (in)habituel, héroïque, impeccable, inconcevable, inconvenant, inqualifiable, inquiétant, insignifiant, insultant, intelligent, irréprochable, isolé, latent, (il)logique, lunatique, maladroit, malséant, manifeste, mauvais, modéré, moutonnier, négatif, (a)normal, odieux, offensif, ostentatoire, ouvert, paradoxal, pathologique, performant, positif, (im)prudent, puéril, (ir)rationnel, regrettable, remarquable, répréhensible, (ir)respectueux, (ir)responsable, sadique, (mal)sain, (in)satisfaisant, sauvage, (in)sensé, significatif, singulier, stupide, suicidaire, surprenant, suspect, sympathique, tendre, (in)tolérable. *Adopter, afficher, avoir, emprunter, garder, prendre, présenter un ~ (+ adj.); admettre, analyser, arrêter, blâmer, changer, corriger, critiquer, dicter, empêcher, entraîner, étudier, examiner, excuser, expliquer, influencer, interpréter, justifier, modifier, observer, quitter, régir, régler, renforcer, réprouver, scruter, susciter un/son ~; se conformer à un ~; s'enfermer, se retrancher dans un ~; influer sur un ~.* Un ~ persiste, se maintient, s'établit, s'installe.

COMPOSANTE bonne, capitale, centrale, considérable, cruciale, décisive, déterminante, essentielle, faible, fondamentale, forte, importante, incontournable, indispensable, insignifiante, majeure, mineure, nécessaire, précieuse, significative, substantielle. *Constituer une ~ (+ adj.).*

COMPRÉHENSION (indulgence) attentive, douce, étonnante, excessive, fausse, généreuse, inépuisable, noble, sincère, sympathique. *Avoir, manifester, montrer de la ~; faire preuve, manquer de ~.* ♦(*fait ou faculté de comprendre*) aiguë, approfondie, (in)correcte, difficile, étendue, facile, fausse, fine, froide, grande, immédiate, intelligente, intime, intuitive, juste, large, lente, mauvaise, (im)parfaite, pénétrante, pleine, prodigieuse, profonde, rapide, remarquable, superficielle, totale. *Avoir la ~ (+ adj.); faire preuve d'une ~ (+ adj.); faciliter, gêner la ~.*

COMPRESSION brutales, considérables, draconiennes, énormes, excessives, faibles, fortes, graves, grosses, immenses, importantes, massives, modestes, notables, radicales, sensibles, significatives, soudaines, substantielles. *Connaître, effectuer, exercer, faire, imposer, réaliser, subir des ~s; procéder à des ~s.*

COMPROMIS (in)acceptable, amiable, (dés)avantageux, boiteux, bon, branlant, chancelant, conciliant, définitif, difficile, douloureux, équitable, excellent, facile, (dé)favorable, fragile, généreux, global, habile, historique, honorable, honteux, important, introuvable, juste, laborieux, large, mauvais, minimal, nécessaire, (im)parfait, partiel, (im)possible, précaire, provisoire, raisonnable, rapide, réussi, (in)satisfaisant, stratégique, substantiel, subtil, tiède, tortueux, vaste, véritable, viable. *Accepter, adopter, atteindre, chercher, consentir, dégager, demander, échafauder, envisager, examiner, faire, imposer, négocier, obtenir, proposer, réaliser, rechercher, refuser, respecter, sauvegarder, souhaiter, tenir, trouver un ~; aboutir, arriver, conduire, consentir, en venir, parvenir à un ~; déboucher sur un ~; s'acheminer vers un ~.* Un/le ~ aboutit, est atteint, intervient, prend forme, se dessine, tient.

COMPTABILITÉ approximative, bonne, erronée, (in)exacte, floue, honnête, mauvaise, minutieuse, occulte, précise, (ir)régulière, sévère, sommaire, stricte, transparente, truquée. *Contrôler, examiner, faire, falsifier, gérer, prendre en charge, tenir, vérifier une/la ~ de (une entreprise, etc.).*

COMPTABLE agréé, avisé, bon, (in)compétent, confirmé, débutant, excellent, expérimenté, (mal)honnête, mauvais, qualifié, responsable, sourcilleux, véreux. *Embaucher, rechercher un ~.*

COMPTE (Banque, Comptabilité, calcul, facture ou addition) (in)actif, (dés)approvisionné, bon, courant, découvert, déficitaire, détaillé, dormant, erroné, (in)exact, (dé)garni, juste, mauvais, ouvert, passif, provisoire, rapide, rond, sommaire. *Acquitter, alimenter, approuver, (ré)approvisionner, balancer, boucler, clore, clôturer, contrôler, corriger, créditer, débiter, dépouiller, dresser, élaborer, enfler, éplucher, équilibrer, établir, examiner, faire, falsifier, fausser, fermer, gérer, gonfler, liquider, maquiller, ouvrir, payer, présenter, rectifier, redresser, régler, réviser, solder, tenir, truquer, vérifier un/des/son/ses ~ (s); disposer d'un ~.* ♦ (explications) *Demander, devoir, exiger, fournir, réclamer, rendre des ~s.*

COMPTE RENDU bienveillant, bon, bref, clair, cohérent, (in)complet, compliqué, concis, confus, court, critique, dense, détaillé, édulcoré, élogieux, embrouillé, ennuyeux, (in)exact, (dé)favorable, (in)fidèle, flatteur, global, (in)juste, long, loyal, minutieux, nuancé, objectif, (im)partial, partiel, (im)précis, satisfaisant, simple, succinct, (in)suffisant, touffu, vague. *Approuver, demander, donner, établir, faire, fournir, publier, rédiger un ~.*

CONCENTRATION accrue, adéquate, appréciable, constante, critique, croissante, dangereuse, dense, élevée, énorme, excessive, extrême, faible, forte, graduelle, grande, importante, inquiétante, intense, limite, massive, maximale, minimale, moyenne, passagère, périlleuse, préoccupante, progressive, riche, suffisante, supérieure, totale, variable. *Atteindre, connaître, donner, former, maintenir, obtenir, permettre, posséder, réaliser une ~.*

CONCEPT abstrait, (in)adéquat, (in)applicable, (in)approprié, approximatif, astucieux, audacieux, banal, bas, bizarre, clair, (in)cohérent, complexe, concret, confus, connu, contestable, conventionnel, curieux, dangereux, défini, dépassé, diffus, éculé, élargi, élevé, embrouillé, erroné, essentiel, étrange, (in)exact, étroit, excellent, exclusif, extravagant, extrême, faible, farfelu, faux, flexible, flou, fondamental, fort, général, généreux, génial, hardi, hasardeux, haut, (mal)heureux, immuable, important, inébranlable, ingénieux, innovant, intéressant, intrigant, judicieux, (in)juste, lumineux, magnifique, mauvais, merveilleux, nébuleux, négatif, net, neuf, nouveau, novateur, obscur, opportun, original, (im)parfait, périmé, pertinent, positif, (im)précis, (dé)raisonnable, (ir)rationnel, (ir)réalisable, (ir)réaliste, répandu, révolutionnaire, riche, rigide, séduisant, (in)sensé, simple, singulier, superficiel, transparent, unique, (in)utile, vague, vaste. *Avoir, posséder un ~ (+ adj.); abandonner, admettre, adopter, analyser, appliquer, approfondir, approuver, chercher, clarifier, concevoir, construire, créer, défendre, définir, développer, écarter, éclaircir, élaborer, élargir, élucider, enrichir, épouser, expliquer, exposer, exprimer, former, formuler, introduire, inventer, mettre au point/en pratique, partager, préconiser, rechercher, soutenir, trouver un ~; adhérer, souscrire à un ~.* Un/le ~ grandit, naît, périt, progresse, se développe, se fait jour, se forme, s'élabore, se précise, surgit.

CONCEPTION ancienne, audacieuse, avancée, claire, classique, (in)complète, contestable, critiquable, curieuse, (in)défendable, dépassée, élargie, erronée, étriquée, étroite, évoluée, fausse, figée, flexible, hardie, hasardeuse, (in)juste, large, limpide, logique, mauvaise, nette, naïve, neuve, nouvelle, novatrice, nuancée, obscure, originale, particulière, périmée, personnelle, pondérée, primordiale, (ir)rationnelle, récente, révolutionnaire, rigide, robuste, schématique, simple, souple, stricte, surannée, téméraire, traditionnelle, vague, vaste, vétuste, vraisemblable. *Avoir, se faire une ~ (+ adj.); être de ~ (+ adj.); accepter, adopter, nourrir, rejeter, vulgariser une ~; souscrire à une ~; s'appuyer sur une ~; modifier, réviser sa/ses ~(s).*

CONCERT admirable, agréable, bref, brillant, captivant, charmant, décevant, divertissant, éblouissant, ennuyeux, extraordinaire, fabuleux, grand, grandiose, impressionnant, improvisé, inoubliable, intéressant, interminable, intimiste, long, magnifique, mauvais, médiocre, merveilleux, minable, misérable, passionnant, piètre, pitoyable, ravissant, splendide, sublime. *Apprécier, arranger, diffuser, diriger, donner, offrir, organiser, savourer, suivre, tenir un ~; aller, assister, participer, prendre part, se rendre à un ~; se produire en ~.* Un ~ a lieu, se déroule, se tient.

CONCESSION (in)acceptable, (in)admissible, apparente, capitale, concrète, difficile, douloureuse, énorme, essentielle, facile, forcée, historique, importante, lâche, large, libre, maigre, minimale, mutuelle, notable, (im)possible, réciproque, ruineuse, satisfaisante, significative, subite, substantielle, tardive, unilatérale, volontaire. *Accepter, accorder, arracher, demander, faire, négocier, obtenir, refuser, solliciter une ~; aboutir à une ~.*

CONCISION absolue, admirable, appropriée, étonnante, excessive, extrême, implacable, impressionnante, incroyable, inouïe, maximale, merveilleuse, militaire, poussée, précise, rare, relative, remarquable, surprenante. *Décrire, écrire, s'exprimer avec une ~ (+ adj.); être, faire preuve d'une ~ (+ adj.).*

CONCLUSION abrupte, absurde, acerbe, (dés)agréable, (in)attendue, audacieuse, brutale, claire, courageuse, cruciale, décevante, décourageante, définitive, différente, difficile, douteuse, encourageante, erronée, étonnante, évidente, explicite, facile, fausse, (dé)favorable, frappante, fructueuse, hardie, hâtive, (mal)heureuse, implacable, implicite, inattaquable, indécise, inéluctable, inévitable, intéressante, (in)juste, légère, (il)légitime, (il)logique, lourde, maigre, modérée, négative, nette, nuancée, optimiste, pénible, (im)pertinente, pessimiste, plausible, positive, pratique, précise, prématurée, prévisible, prompte, provisoire, rapide, (ir)rationnelle, ridicule, rigoureuse, (in)satisfaisante, sévère, simple, sombre, spectaculaire, stupéfiante, surprenante, tardive, tentante, terrible, timide, triste, ultime, (in)utile, (in)vraisemblable. *Adopter, affirmer, confirmer, déduire, dégager, émettre, établir, faire, formuler, infirmer, justifier, repousser, tirer une ~; aboutir, adhérer, arriver, conduire, mener à une ~; accélérer, hâter, précipiter la ~.*

CONCOURS (*jeu, compétition*) célèbre, convoité, couru, important, populaire, prestigieux. *Emporter, gagner, instituer, organiser, ouvrir, remporter, rater, réussir un ~; échouer, être admis/disqualifié/reçu/refusé, participer, prendre part, procéder, se présenter, s'inscrire, tricher à un ~.* ♦ (*aide, coopération*) adéquat, appréciable, considérable, décisif, déterminant, efficace, empressé, enthousiaste, (in)espéré, essentiel, exceptionnel, faible, fort, immédiat, indispensable, inestimable, modeste, occasionnel, précieux, substantiel, (in)suffisant, tardif, utile. *Apporter, fournir, prêter un/son ~.* ♦(rencontre, hasard) accidentel, bizarre, curieux, extraordinaire, fabuleux, fâcheux, (dé)favorable, fortuit, hasardeux, incroyable, (mal)heureux, imprévu, incroyable, inespéré, singulier, triste.

CONCURRENCE acharnée, agressive, aiguë, âpre, civilisée, dangereuse, débridée, dure, effective, effrénée, ennuyeuse, extrême, faible, féroce, forcenée, forte, frauduleuse, gênante, impitoyable, implacable, insoutenable, insuffisante, (in)juste, libre, (il)licite, lourde, (dé)loyale, ouverte, potentielle, (im)puissante, redoutable, réelle, ruineuse, saine, sauvage, serrée, sévère, stimulante, subtile, terrible, victorieuse, vive. *Pratiquer, se livrer, subir une ~ (+ adj.); accroître, affronter, battre, braver, casser, contrer, craindre, défier, détruire, diminuer, embêter, enrayer, entretenir, faire jouer, freiner, intensifier, maintenir, protéger, refuser, supporter, tenir la ~; être soumis, faire face, résister, se heurter, se soustraire, s'ouvrir, tenir tête à la ~; lutter, se défendre contre la ~; pâtir, se débarrasser de la ~; entrer, être, se trouver en ~.* La ~ fait rage, s'accentue, s'intensifie.

CONCURRENT, ENTE acharné, coriace, (in)direct, faible, féroce, fort, imbattable, (mal)heureux, lamentable, (dé)loyal, malchanceux, négligeable, piètre, redoutable, sérieux, terrible. *Contrer, distancer, écarter, éliminer, éloigner, évincer, gêner, neutraliser, semer, supplanter, surpasser, susciter, talonner, vaincre un/son/ses ~(s); se heurter à un ~; se débarrasser, se démarquer, triompher d'un/de son/de ses ~(s); avoir l'avantage, l'emporter sur un/son/ses ~(s).*

CONDAMNATION aggravée, (in)appropriée, arbitraire, claire, cruelle, définitive, dérisoire, douce, douteuse, dure, excessive, exemplaire, expéditive, explicite, ferme, globale, impitoyable, implicite, (in)juste, (in)justifiée, irrévocable, légère, lourde, (im)méritée, (dis)proportionnée, rapide, rigoureuse, sévère, solennelle, suprême, timide, totale, unanime, vague. *Adoucir, aggraver, alléger, alourdir, annuler, appliquer, atténuer, casser, encourir, éviter, exécuter, infliger, mériter, prononcer, purger, réduire, risquer, subir, supprimer une ~.*

CONDITION (état, circonstances) abominable, (in)acceptable, (in)adéquate, (dés)agréable, atroce, calamiteuse, changeante, critique, (in)décente, dégradée, délicate, déplorable, désastreuse, difficile, (in)digne, douloureuse, durable, dure, effroyable, épouvantable, étrange, excellente, exceptionnelle, extrême, facile, (dé)favorable, effrayante, grave, hostile, (in)humaine, idyllique, inadmissible, inédite, inévitable, inouïe, insupportable, intenable, lamentable, mauvaise, médiocre, misérable, néfaste, (a)normale, (im)parfaite, particulière, passagère, pénible, piètre, pitoyable, précaire, (im)prévisible, privilégiée, propice, rude, (mal)saine, (in)satisfaisante, sérieuse, terrible, triste, trouble. *Connaître, présenter, subir, traverser une/des ~(s) (+ adj.); être, se maintenir, se mettre, se retrouver, travailler, vivre, voyager dans une/des ~(s) (+ adj.).* Des/les ~s s'aggravent, s'améliorent, se dégradent, se détériorent. ♦(stipulation, exigence) (in)acceptable, arbitraire, (dés)avantageuse, définie, difficile, draconienne, drastique, élémentaire, équitable, essentielle, établie, exagérée, excellente, exceptionnelle, excessive, exorbitante, exigée, explicite, expresse, facile, formelle, impérative, implicite, impossible, indispensable, indésirable, indispensable, nécessaire, ordinaire, particulière, préalable, précise, prescrite, prévue, requise, rigide, rigoureuse, (in)satisfaisante, sévère, stricte, tacite. *Accepter, adoucir, alléger, assouplir, assurer, consentir, créer, définir, dicter, écarter, énoncer, établir, exécuter, faire connaître, fixer, imposer, indiquer, marquer, mettre, poser, prescrire, refuser, régler, remplir, requérir, réunir, violer une/des/les/ses ~(s); accéder, déroger, répondre, satisfaire, se soumettre à une ~.* Une ~ condition fait défaut; les ~s sont accomplies/réunies/(in)satisfaites.

CONDOLÉANCES attristées, sincères, vives. *Adresser, envoyer, exprimer, faire, offrir, présenter ses ~.*

CONDUCTEUR, TRICE bon, chevronné, émérite, excellent, (in)expérimenté, lent, mauvais, médiocre, piètre, (im)prudent, rapide.

CONDUITE (pilotage) (in)adaptée, (mal)adroite, agressive, avisée, bonne, (dé)contractée, dangereuse, défensive, détendue, difficile, (in)égale, excellente, (in)expérimentée, facile, lente, maîtrisée, mauvaise, précise, préventive, (im)prudente, rapide, (ir)régulière, remarquable, uniforme. ♦(comportement) aberrante, abjecte, admirable, absurde, (in)adaptée, (mal)adroite, agressive, bienséante, bizarre, blâmable, bonne, changeante, chevaleresque, circonspecte, (in)cohérente, (in)correcte, courageuse, critiquée, dangereuse, (in)défendable, déplorable, déréglée, détendue, (in)digne, droite, édifiante, effrontée, élégante, énigmatique, équivoque, erronée, étrange, excentrique, (in)excusable, exemplaire, glorieuse, héroïque, (mal)honnête, honteuse, ignoble, impardonnable, impeccable, inacceptable, inadmissible, inattaquable, inattendue, inavouable, inconvenante, indécise, inexplicable, innommable, inqualifiable, insupportable, intelligente, (dés)intéressée, irréprochable, (in)justifiable, légère, libertine, (il)logique, louable, louche, (dé)loyale, mauvaise, méritoire, modèle, (im)morale, mystérieuse, odieuse, offensante, (dés)ordonnée, originale, outrageante, payante, pitoyable, (im)polie, problématique, (im)prudente, (dé)raisonnable, (ir)rationnelle, (ir)régulière, relâchée, remarquable, (ir)répréhensible, (ir)respectueuse, ridicule, rigoureuse, sage, satisfaisante, sauvage, scandaleuse, (in)sensée, simple, singulière, sournoise, stéréotypée, suspecte, uniforme, versatile, vulgaire. *Adopter, afficher, avoir, posséder, tenir une ~ (+ adj.); améliorer, amender, (dés)approuver, blâmer, changer, critiquer, interpréter, juger, justifier, légitimer, louer, modifier, observer une/sa ~; changer de ~.*

CONFÉRENCE assommante, brève, brillante, célèbre, courue, ennuyeuse, fatigante, importante, improvisée, intéressante, interminable, longue, monotone, passionnante, plénière, prestigieuse. *Accueillir, boycotter, convoquer, donner, faire, organiser, ouvrir, promouvoir, prononcer, rater, suivre, tenir, terminer une ~; appeler, assister, participer, prendre part, s'inscrire à une ~; sortir d'une ~.* Une ~ a lieu, se déroule, se tient, s'ouvre.

CONFÉRENCIER, IÈRE agréable, bavard, bon, brillant, chevronné, concis, distingué, éloquent, éminent, ennuyeux, excellent, expérimenté, grand, habile, intéressant, monotone, passionnant, piètre, prestigieux, prétentieux, prolixe, recherché, savant, talentueux. *Écouter, entendre, présenter un ~.*

CONFESSION bouleversante, choquante, complète, délicate, entière, étonnante, étrange, forcée, franche, humble, humiliante, hypocrite, imprudente, ingénue, naïve, partielle, publique, simple, sincère, spontanée, terrible, triste, troublante, (in)volontaire. *Arracher, entendre, extorquer, faire, provoquer, susciter une ~.*

CONFIANCE absolue, admirable, assurée, aveugle, bienveillante, candide, (in)conditionnelle, contagieuse, démesurée, ébranlée, enfantine, énorme, entière, éperdue, exagérée, excessive, explicite, extrême, formidable, fragile, généreuse, grande, hésitante, imbécile, immense, imperturbable, implicite, imprudente, incontestable, incroyable, indestructible, inébranlable, ingénue, inconsciente, infinie, insensée, insoucieuse, intacte, invincible, juste, (in)justifiée, (il)limitée, merveilleuse, mutuelle, naïve, partagée, pleine, profonde, rare, réciproque, (ir)réfléchie, relative, sereine, solide, sotte, spontanée, tendre, totale, touchante. *Avoir, éprouver, montrer, témoigner une ~ (+ adj.); accorder, accroître, attirer, capter, décevoir, donner, ébranler, engager, entamer, faire renaître, (re)gagner, inspirer, justifier, manifester, mériter, obtenir, partager, perdre, posséder, raffermir, ranimer, rechercher, refuser, rendre, renouer, restaurer, retirer, retrouver, saper, stimuler, témoigner, trahir, tromper la/sa ~; abuser, jouir de la ~ de qqn; déborder, être (in)digne, manquer de ~; mettre qqn en ~; avoir, donner, faire, inspirer, perdre, reprendre ~.* La ~ règne, se détériore, s'effrite, s'érode, s'installe.

CONFIDENCE agréable, bouleversante, délicate, discrète, étonnante, étrange, fausse, franche, humble, imprudente, inattendue, ingénue, inopportune, intime, maladroite, naïve, simple, sincère, spontanée, terrible, touchante, triste. *Arracher, attirer, échanger, (se) faire, lâcher, provoquer, recevoir, révéler, solliciter, trahir une/des/les ~(s) de qqn; se laisser aller à une ~; entrer, être, mettre qqn dans la ~.*

CONFIDENT, ENTE attentif, avisé, compatissant, dévoué, (in)discret, éclairé, fiable, fidèle, idéal, infatigable, intime, loyal, précieux, privilégié, régulier, secret, sûr.

CONFIRMATION (in)complète, contraire, définitive, éclatante, erronée, faible, fausse, forte, frappante, hâtive, incontestable, juste, négative, officielle, officieuse, pleine, positive, tardive. *Apporter, attendre, demander, donner, envoyer, obtenir, recevoir une/la ~.*

CONFLIT acharné, aigu, âpre, armé, bref, brutal, court, cruel, décisif, déclaré, désastreux, dévastateur, douloureux, dur, effroyable, énorme, épique, épouvantable, éternel, exacerbé, extérieur, externe, faible, fatal, feutré, fort, frontal, généralisé, grave, immense, imminent, impitoyable, incertain, indécis, inéluctable, inévitable, insoluble, intérieur, interminable, interne, irréductible, irrémédiable, latent, localisé, long, majeur, meurtrier, mineur, ouvert, passionné, pathétique, permanent, profond, prolongé, (ir)résolu, rude, sanglant, sanguinaire, sauvage, serré, sévère, terrible, tragique, ultime, vaste, victorieux, vif, violent. *Accroître, alimenter, apaiser, aplanir, arbitrer, arrêter, calmer, causer, circonscrire, commencer, conduire, créer, déclencher, dénouer, désamorcer, élargir, engager, entamer, entretenir, étouffer, éviter, exacerber, faire cesser/durer, fomenter, fuir, gérer, liquider, livrer, maîtriser, mener, ouvrir, perdre, prévenir, prévoir, prolonger, provoquer, réduire, régler, résorber, résoudre, soulever, supprimer, surmonter, susciter, terminer, trancher un ~; prendre part, répondre à un ~; entrer, être impliqué/pris, intervenir, l'emporter, prendre parti, s'engager, s'interposer dans un ~; sortir d'un ~; rester/se tenir en dehors d'un ~.* Un/le ~ a lieu, commence, dégénère, éclate, émerge, fait rage, intervient, perdure, rebondit, s'achève, s'aggrave, s'amplifie, s'apaise, se déclenche, se déroule, se désamorce, se détériore, se durcit, se généralise, s'engage, s'enlise, se (dé)noue, s'ensuit, s'envenime, se produit, s'étend, se termine, s'intensifie, surgit, survient.

CONFORT absolu, acceptable, approximatif, bon, discret, douillet, exceptionnel, factice, généreux, grand, inouï, irréprochable, luxueux, maximal, maximum, minimal, minimum, moderne, modeste, monastique, ouaté, parfait, précaire, raffiné, réel, relatif, remarquable, rudimentaire, rustique, sommaire, total. *Aimer, rechercher le/son ~; créer, offrir, procurer du ~; tenir à son ~; manquer, s'entourer de ~.*

CONFRONTATION brutale, désespérée, étroite, générale, perpétuelle, rude, stérile, totale. *Alimenter, entraîner une/la ~; pousser à la ~.*

CONFUSION (honte) déguisée, dissimulée, extrême, fausse, inexprimable, profonde, réelle, vive. *Éprouver, manifester, ressentir de la ~; cacher sa ~; être plein/rouge, mourir, remplir qqn, rougir de ~.* ♦ (erreur) chronologique, déplorable, étrange, grande, grave, grossière, légère, lourde, majeure, malencontreuse, mineure. *Commettre, créer, dissiper, éclaircir, faire une ~; être victime d'une ~; prêter à ~.* ♦ (désordre, trouble, embarras) absolue, bruyante, complète, effroyable, entretenue, épouvantable, explicable, extrême, générale, horrible, incroyable, indescriptible, inextricable, inimaginable, légère, lourde, profonde, totale. *Alimenter, entretenir, mettre, semer la ~; être dans la ~; créer, provoquer de la ~.* Une/la ~ augmente, domine, plane, prévaut, règne, s'instaure.

CONGÉ autorisé, complet, court, définitif, excellent, exceptionnel, fixe, illimité, long, mérité, mobile, partiel, payé, permanent, prolongé, rémunéré, renouvelable, sabbatique, spécial, temporaire, total. *Accorder, demander, écourter, obtenir, octroyer, prendre, prolonger, refuser, solliciter un ~; bénéficier d'un ~; être en ~.*

CONGÉDIEMENT abusif, arbitraire, collectif, immédiat, imminent, individuel, (in)justifié, (il)légitime, massif, (im)mérité. *Annoncer, contester, effectuer, pratiquer, subir un ~; procéder à un ~; protester contre un ~; menacer d'un ~.*

CONGÈRE grosse, énorme, haute, immense, petite. *Percuter une ~; être coincé/pris, s'enfoncer, s'enliser dans une ~; émerger d'une ~; s'amasser en ~s.* Une ~ se forme.

CONGRÈS couru, ennuyeux, houleux, important, intéressant, interminable, prestigieux, (in)utile. *Accueillir, animer, clore, donner, faire, organiser, préparer, présider, suivre, terminer tenir un ~; assister, être présent, participer, prendre part à un ~; se réunir en ~.* Un ~ a lieu, se déroule, se tient, s'ouvre.

CONJECTURE absurde, audacieuse, contestable, dangereuse, difficile, fâcheuse, fantaisiste, fausse, gratuite, hardie, hasardeuse, incertaine, mauvaise, optimiste, pessimiste, (im)possible, (im)probable, rationnelle, sotte, trompeuse, vaine, vraisemblable. *Émettre, établir, faire, former, hasarder, tirer une/des ~(s); en être réduit, se livrer à des ~s; s'épuiser, se perdre en~s.*

CONJONCTURE accidentelle, actuelle, (dés)agréable, (dés)avantageuse, complexe, dégradée, délicate, difficile, dure, exceptionnelle, fâcheuse, fatale, (dé)favorable, florissante, funeste, grave, hésitante, (mal)heureuse, imprévisible, incertaine, mauvaise, momentanée, morose, particulière, pénible, périlleuse, piètre, ponctuelle, privilégiée, prospère, remarquable, tendue, terrible, tragique, transitoire, triste. *Connaître, traverser une ~ (+ adj.); se trouver dans une ~ (+ adj.); jouir, profiter d'une ~ (+ adj.); contrôler, maîtriser la ~; pâtir de la ~.*

CONNAISSANCE (*savoir, choses connues, science*) absolue, abstraite, (in)adéquate, ample, approfondie, (in)appropriée, approximative, authentique, balbutiante, (in)certaine, claire, concrète, confuse, considérable, convenable, détaillée, (in)directe, disparate, distincte, élémentaire, empirique, encyclopédique, étendue, évidente, (in)exacte, excellente, exceptionnelle, expérimentale, faible, fine, fondamentale, forte, fragile, fragmentaire, générale, illusoire, immédiate, impressionnante, incommunicable, indispensable, infime, innée, instinctive, intellectuelle, intime, intuitive, juste, livresque, maîtrisée, mauvaise, mémorisée, minimale, minutieuse, nécessaire, nette, objective, obscure, parcellaire, (im)parfaite, passable, piètre, ponctuelle, poussée, pratique, précise, profonde, rationnelle, réelle, rudimentaire, (in)satisfaisante, sérieuse, solide, subjective, (in)suffisante, sûre, superficielle, théorique, (in)utile, vague, variée, vaste, vérifiable. *Avoir, posséder une/des ~(s) (+ adj.); accroître, acquérir, actualiser, affiner, amasser, approfondir, assimiler, augmenter, communiquer, contrôler, cultiver, développer, donner, élargir, emmagasiner, enrichir, entasser, entretenir, étendre, faire progresser, inculquer, montrer, perfectionner, pratiquer, propager, transmettre, vulgariser des/sa/ses ~(s).* ♦ (*ami, relation*) ancienne, nouvelle, simple, vieille. *Se faire des ~s.*

CONNEXION active, directe, efficace, étroite, fiable, immédiate, (il)limitée, nécessaire, performante, permanente, rapide, simple. *Activer, assurer, créer, demander, établir, garder, effectuer, exploiter, fermer, maintenir, ouvrir, partager, terminer, utiliser une ~; mettre fin à une ~; disposer d'une ~.*

CONQUÊTE aisée, amère, brève, (in)certaine, (in)complète, (in)contestable, décisive, définitive, dévastatrice, difficile, douce, durable, dure, éclair, éclatante, facile, foudroyante, fragile, fulgurante, grisante, historique, importante, impossible, inattendue, inespérée, laborieuse, large, magnifique, mémorable, méritoire, modeste, nouvelle, pacifique, pénible, périlleuse, précieuse, rapide, significative, spectaculaire, stratégique, superbe, totale, tranquille, vaste. *Connaître une ~ (+ adj.); achever, célébrer, concéder, entreprendre, faire, fêter, obtenir, opérer une ~; multiplier les ~s; assurer, conserver, étendre ses ~s.*

CONSCIENCE aiguë, basse, délicate, difficile, douloureuse, droite, élastique, endurcie, facile, faible, (in)flexible, haute, inquiète, intègre, intense, (in)juste, large, légère, lourde, lucide, mauvaise, minutieuse, nette, obscure, pointilleuse, pure, saine, scrupuleuse, souple, timide, torturée, tourmentée, tranquille, trouble, ulcérée, vague. *Avoir, posséder une/la ~ (+ adj.); éveiller, opprimer, violenter, violer les ~s; apaiser, blesser, décharger, écouter, faire taire, interroger, libérer, soulager, troubler sa ~; obéir à sa ~; être en paix avec sa ~; agir contre/selon/suivant sa ~.*

CONSEIL amical, attentionné, avisé, bienveillant, bon, charitable, dangereux, discret, éclairé, erroné, excellent, ferme, fiable, fin, funeste, généreux, (mal)heureux, humble, important, insidieux, (dés)intéressé, judicieux, mauvais, pertinent, pratique, précieux, pressant, (im)prudent, raisonnable, rassurant, sage, salutaire, sérieux, sincère, stérile, sûr, (in)utile. *Accepter, adresser, appliquer, arracher, demander, donner, écouter, émettre, énoncer, exprimer, formuler, prodiguer, proposer, quêter, recevoir, rejeter, repousser, retenir, solliciter, suivre un ~; profiter d'un ~; être sourd aux ~s; tenir compte des ~s; aider, assister, être avare/prodigue de ses ~s.*

CONSEILLER, ÈRE adroit, avisé, bon, déplorable, éminent, habile, importun, influent, mauvais, médiocre, piètre, prudent, rigoureux, sage.

CONSENSUS absolu, ample, apparent, bon, clair, confortable, difficile, écrasant, efficace, envisageable, explicite, facile, faible, final, forcé, (in)formel, fort, fragile, global, implicite, imposé, indéniable, indispensable, large, mauvais, menacé, minimal, momentané, mou, obligé, officiel, officieux, partiel, passager, pieux, précaire, précis, profond, relatif, remarquable, sacré, significatif, solide, substantiel, (in)stable, total, trompeur, unanime, universel, vague. *Atteindre, briser, constituer, construire, créer, dégager, élaborer, établir, forger, imposer, obtenir, préserver, réaliser, rechercher, recueillir, rencontrer, réunir, trouver un ~; arriver, parvenir, se heurter, se rallier à un ~; rompre avec un ~; bénéficier, se dissocier d'un ~.* Un/le ~ dure, émerge, est en vue, existe, règne, s'ébauche, se brise, se dégage, se dessine, se fait, s'effiloche, s'effrite, s'établit, s'impose, tient, vacille, vole en éclats.

CONSENTEMENT bon, commun, complet, (in)conditionnel, cordial, définitif, explicite, exprès, faible, forcé, (in)formel, général, global, implicite, large, minimal, mutuel, nécessaire, officiel, officieux, partiel, plein, préalable, précis, réciproque, tacite, temporaire, unanime, universel, vague, (in)volontaire. *Accepter, accorder, arracher, donner, entraîner, montrer, notifier, obtenir, refuser un/son ~.*

CONSÉQUENCE (dés)agréable, (in)attendue, bénéfique, capitale, catastrophique, (in)certaine, concrète, curieuse, décisive, décourageante, déplorable, désastreuse, (in)désirable, dévastatrice, différée, (in)directe, dommageable, dramatique, durable, effroyable, éloignée, encourageante, énorme, escomptée, (in)espérée, étonnante, évidente, (in)évitable, excessive, extrême, fâcheuse, faible, fatale, (dé)favorable, forcée, forte, funeste, grave, (mal)heureuse, immanquable, immédiate, immense, importante, incalculable, incroyable, inéluctable, inquiétante, insoupçonnée, intéressante, irrémédiable, irréversible, (in)juste, limitée, logique, lointaine, lourde, majeure, mineure, naturelle, nécessaire, néfaste, négative, négligeable, obligée, particulière, périlleuse, positive, possible, pratique, préoccupante, (im)prévisible, (im)prévue, proche, radicale, redoutable, regrettable, salutaire, secondaire, sérieuse, suprême, surprenante, tangible, tardive, terrible, timide, tragique, triste, troublante, ultime, (in)volontaire. *Accepter, admettre, amener, anticiper, avoir, comporter, contrôler, craindre, diminuer, engendrer, entraîner, entrevoir, envisager, estimer, établir, évaluer, éviter, mesurer, peser, prédire, prévoir, produire, redouter, soupeser, sous-estimer, subir, suivre, supporter, surestimer, tirer une/des/les ~(s); parer, remédier, s'adapter à une/des ~(s); penser aux ~s.* Une ~ découle, résulte, se fait sentir, s'ensuit.

CONSIDÉRATION (attention, examen) accrue, approfondie, attentive, certaine, extrême, intéressée, judicieuse, longue, minutieuse, mûre, objective, particulière, poussée, profonde, rigoureuse, sérieuse, soigneuse, soutenue, spéciale, suivie. *Accorder, demander, mériter, nécessiter une ~ (+ adj.); bénéficier, jouir d'une (+ adj.); être digne de ~; prendre qqn/qqch. en ~.* ♦(raisons, observations) abstraites, approfondies, complexes, compliquées, détaillées, diverses, élaborées, générales, intéressantes, interminables, longues, multiples, particulières, personnelles, ponctuelles, poussées, précises, sérieuses, solides, vagues, variées. *Échanger, émettre, évoquer, faire valoir, formuler, présenter, soulever, susciter des ~s (+ adj.); faire appel, se livrer, s'en tenir à des ~s (+ adj.); entrer, se lancer dans des ~s (+ adj.).* ♦(respect, réputation) accrue, basse, certaine, croissante, élevée, énorme, générale, grande, haute, immense, importante, (in)justifiée, (im)méritée, particulière, profonde, sincère, unanime. *Avoir, garder une ~ (+ adj.); bénéficier, jouir d'une ~ (+ adj.); mériter, rechercher la ~; acquérir, avoir, obtenir de la ~; manifester, marquer, montrer sa ~.*

CONSIGNE catégorique, ferme, floue, (in)formelle, impérative, impitoyable, implacable, inflexible, permanente, précise, rigoureuse, sévère, stricte. *Adopter, braver, connaître, défier, dépasser, donner, exécuter, faire appliquer, forcer, lever, observer, outrepasser, recevoir, respecter, rompre, suivre, transmettre, violer une/la/les ~(s); manquer, (dés)obéir, se conformer, se plier à une/la/aux ~(s).*

CONSOLATION douce, durable, efficace, énorme, faible, forte, immédiate, immense, inestimable, intime, légère, maigre, mince, momentanée, passagère, piètre, profonde, solide, suprême, vive. *Avoir, éprouver, ressentir une ~ (+ adj.); apporter, chercher, donner, offrir, procurer, trouver une/de la ~; avoir besoin, être privé de ~.*

CONSOMMATEUR, TRICE acharné, actif, aisé, assidu, averti, avide, avisé, bon, captif, compulsif, exigeant, (in)fidèle, fortuné, important, intensif, occasionnel, passif, pauvre, raisonnable, riche, (in)satisfait. *Accrocher, allécher, appâter, attirer, convaincre, exploiter, fidéliser, garder, perdre, séduire un/le/les ~s.*

CONSOMMATION (<u>achats</u>) abusive, accrue, courante, croissante, débridée, diversifiée, effrayante, effrénée, effroyable, énorme, épouvantable, exagérée, excessive, exorbitante, faible, forcenée, forte, globale, immense, intense, languissante, massive, (im)modérée, (a)normale, permanente, raisonnable, réduite, (ir)régulière, soutenue, (in)stable, stagnante, totale. *Faire une ~ (+ adj.); déprimer, diminuer, favoriser, modérer, réduire, relancer, soutenir, stimuler la ~; pousser à la ~.* La ~ augmente, diminue, faiblit, fléchit, rebondit, se contracte, s'effondre, se tasse. ♦(<u>*~ dans un café*</u>) *Boire, payer, prendre, renouveler, régler une ~.*

CONSPIRATION affreuse, cachée, clandestine, énorme, gigantesque, immense, infâme, manquée, massive, meurtrière, obscure, odieuse, ratée, sanglante, secrète, sinistre, sombre, ténébreuse, vaste. *Arrêter, découvrir, déjouer, démanteler, démasquer, dénoncer, dévoiler, empêcher, étouffer, éventer, faire, fomenter, former, machiner, monter, organiser, ourdir, préparer, tramer une ~; participer, prendre part, se joindre à une ~; être engagé/impliqué, tremper dans une ~.* Une ~ a lieu, avorte, échoue, éclate, réussit, se noue, se trame.

CONSTAT (<u>accident</u>) (à l') amiable. *Dresser, établir, faire un ~.* ♦(<u>bilan</u>) accablant, ahurissant, alarmant, amer, banal, brutal, clair, critique, cruel, décevant, décourageant, déprimant, désabusé, désastreux, douloureux, dramatique, élogieux, éloquent, encourageant, épouvantable, flatteur, implacable, impressionnant, incontestable, incontournable, inquiétant, lourd, maigre, médiocre, mitigé, nuancé, objectif, optimiste, paradoxal, partagé, pénible, pessimiste, préoccupant, prudent, rude, réaliste, satisfaisant, sévère, subjectif, terrible, triste, troublant, unanime. *Dresser, établir, faire, formuler, tirer un ~; aboutir à un ~; partir d'un ~.* Un ~ se dégage, s'impose.

CONSTATATION accablante, (dés)agréable, blasée, croissante, curieuse, désabusée, évidente, fondée, générale, indiscutable, intéressante, juste, négative, pénible, perspicace, pertinente, positive, profonde, superficielle, surprenante, triste. *Faire une ~; procéder à une ~; faire part de ses ~s.* Une ~ se dégage, s'impose.

CONSTERNATION affreuse, douloureuse, durable, extrême, générale, immense, inquiète, muette, passagère, profonde, résignée, terrible, totale, universelle, véritable. *Apporter, causer, jeter, provoquer, répandre, susciter la ~; être, être plongé, sombrer dans la ~; être frappé de ~.*

CONSTITUTION (<u>conformation, santé</u>) athlétique, chancelante, chétive, délicate, faiblarde, faible, forte, fragile, frêle, herculéenne, maladive, malingre, massive, mauvaise, parfaite, piètre, puissante, robuste, saine, solide, usée, vigoureuse. *Avoir une ~ (+ adj.); être d'une ~ (+ adj.).* ♦(<u>charte, loi, règlement</u>) autoritaire, bonne, démocratique, faible, flexible, forte, mauvaise, médiocre, (im)parfaite, rigide, satisfaisante, solide. *Adopter, abroger, amender, appliquer, (se)* *donner, écrire, édicter, élaborer, établir, faire, fixer, modifier, préparer, promulguer, ratifier, rédiger, réformer, respecter, réviser, transgresser, violer, voter une/la ~; se doter d'une ~.* La ~ déclare, prévoit, stipule.

CONSTRUCTION banale, basse, belle, bonne, clinquante, délabrée, de qualité, détériorée, élégante, élevée, énorme, étroite, fragile, grandiose, haute, hideuse, immense, imposante, impressionnante, jolie, laide, longue, majestueuse, massive, moderne, monumentale, moyenne, neuve, prestigieuse, provisoire, récente, (ir)régulière, robuste, rustique, (in)salubre, soignée, solide, somptueuse, spacieuse, vaste, vétuste, vieille. *Bâtir, consolider, élever, entretenir, ériger, réhabiliter, réparer, restaurer, solidifier une ~.*

CONSULTATION approfondie, brève, courte, délicate, difficile, étendue, exhaustive, (in)formelle, fouillée, gigantesque, large, longue, (im)partiale, périodique, ponctuelle, rigoureuse, superficielle, transparente, vaste. *Donner, effectuer, faire, lancer, mener, organiser, préparer, réaliser, subir une ~; avoir recours, participer, prendre part, procéder, se soumettre à une ~.*

CONTACT (toucher) doux, dur, étroit, fortuit, fugitif, granuleux, intime, léger, moelleux, rapide, rugueux, satiné, soyeux, velouté, visqueux. *Établir, éviter, interrompre, maintenir, rompre un/le ~; entrer, être, mettre, venir en ~.* ♦ (rapport, relation, communication) bon, chaleureux, continu, délicat, difficile, (in)direct, discret, étroit, excellent, facile, (in)formel, harmonieux, heureux, mauvais, moyen, officiel, officieux, permanent, préliminaire, prolongé, répété, serré, suivi. *Avoir un/des ~(s) (+ adj.); assurer, augmenter, entretenir, établir, favoriser, garder, intensifier, maintenir, multiplier, nouer, organiser, perdre, rompre un/des/le/les ~(s); entrer, (se) mettre qqn, rester en ~.*

CONTAGION accidentelle, (in)directe, effroyable, endémique, étrange, extrême, généralisée, lente, meurtrière, mystérieuse, rapide, redoutable, suspecte, terrible. *Arrêter, circonscrire, combattre, craindre, déceler, endiguer, enrayer, entraîner, éviter, maîtriser, propager, provoquer, transmettre une ~; échapper, résister, s'exposer à une ~; se protéger d'une ~; lutter, se prémunir contre une ~.* Une/la ~ gagne, menace, se communique, se propage, se répand, s'étend, sévit.

CONTE agréable, amusant, bizarre, bouleversant, bref, captivant, comique, court, cruel, délicieux, divertissant, drôle, dur, ennuyeux, étonnant, fabuleux, insipide, intéressant, joli, long, macabre, magnifique, merveilleux, passionnant, savoureux, tendre, touchant, tragique, triste. *Composer, créer, écouter, imaginer, inventer, lire, réciter un ~.*

CONTENU accessible, actualisé, adapté, amélioré, (in)approprié, complexe, concis, concret, diversifié, dynamique, efficace, exhaustif, faible, fiable, fort, important, imposant, impressionnant, intéressant, (il)limité, maigre, novateur, original, particulier, passionnant, pauvre, pertinent, pratique, précis, riche, unique, utile, varié. *Avoir, concevoir, créer, donner, offrir, présenter, proposer un ~ (+ adj.).*

CONTESTATION acharnée, bruyante, dure, excessive, frontale, générale, globale, grave, importante, majeure, mineure, ouverte, permanente, profonde, radicale, stérile, timide, tumultueuse, véhémente, vigoureuse, violente, virulente, vive. *Alimenter, déclencher, désamorcer, entretenir, étouffer, éveiller, éviter, fomenter, provoquer, résoudre, soulever, susciter, trancher une ~.* Une/la ~ dégénère, éclate, monte, se durcit, se généralise, s'élève, s'étend, surgit.

CONTEUR, EUSE agréable, bon, charmant, doué, excellent, expérimenté, fidèle, mauvais, médiocre, merveilleux, passionnant, piètre, prolifique, remarquable, talentueux.

CONTEXTE avantageux, certain, chaotique, complexe, compliqué, confus, (in)défini, délicat, différent, difficile, dynamique, étroit, évolutif, excellent, explosif, (dé)favorable, fermé, flou, général, global, (mal)heureux, historique, idéal, incertain, inédit, large, morose, mouvant, négatif, nouveau, ouvert, particulier, permanent, positif, précaire, précis, riche, simple, (in)stable, structuré, tendu, troublé, vague, vaste, varié. *Créer, établir, fournir, offrir un ~; évoluer, placer, remettre, replacer, restituer, saisir, s'inscrire, (se)situer dans un/le/son ~.*

CONTOUR adouci, anguleux, arrondi, capricieux, confus, découpé, défini, délicat, (in)déterminé, doux, élégant, estompé, exact, ferme, fin, flou, gracieux, gras, incertain, indécis, informe, net, onduleux, parfait, plein, (im)précis, prononcé, rectiligne, schématique, sinueux, souple, vague, vigoureux, voilé. *Avoir un ~ (+ adj.); arrondir, délimiter, dessiner, esquisser, estomper, tracer les ~s de qqch.* Un ~ s'accuse, s'atténue, se découpe, se distingue, s'estompe, se profile.

CONTRACEPTION *Suivre une ~; condamner, pratiquer, préconiser, prescrire, recommander, rejeter la ~; avoir recours à la ~; choisir sa ~; être sous ~.*

CONTRADICTION absolue, absurde, apparente, certaine, concrète, criante, essentielle, étrange, évidente, flagrante, fondamentale, formelle, frappante, grave, grossière, insoluble, insupportable, insurmontable, irréductible, légère, lourde, majeure, manifeste, mineure, perpétuelle, violente, visible. *Accepter, apercevoir, constater, contenir, déceler, découvrir, impliquer, intégrer, présenter, réduire, relever, remarquer, résoudre, souligner, voir une ~; être confronté, se heurter à une ~; se buter sur une ~; être empêtré, s'enferrer, s'enliser dans les/ses ~s; entrer, être, se mettre, se trouver en ~.*

CONTRAINTE bénéfique, douce, dure, encombrante, excessive, exorbitante, grande, importante, injustifiée, insupportable, intolérable, légère, lourde, majeure, maximale, mineure, minimale, oppressive, pénible, perpétuelle, rigoureuse, stricte, supplémentaire, violente. *Constituer, devenir, être, représenter une ~ (+ adj.); desserrer, éprouver, exercer, (s') imposer, lever, subir, supporter, surmonter une ~; échapper, être soumis, faire face à une ~; plier devant une ~; fuir, rejeter les ~s; vivre dans la ~.*

CONTRAIRE *Affirmer, prouver, soutenir le ~; concilier, cultiver les ~s; jurer, protester du ~.*

CONTRARIÉTÉ bénigne, grande, importante, imprévue, légère, majeure, mineure, minuscule, passagère, permanente, profonde, rentrée, sérieuse, subtile, temporaire, violente, vive. *Avoir, calmer, causer, connaître, éprouver, oublier, provoquer, rencontrer, ressentir, subir, supporter, surmonter, tolérer une ~ ; réagir à une ~*. Une ~ apparaît, surgit, survient.

CONTRASTE amusant, apparent, brusque, brutal, considérable, criant, curieux, éclatant, éloquent, énorme, étonnant, étrange, évident, excessif, extrême, faible, flagrant, fondamental, fort, franc, frappant, grand, immense, important, léger, marqué, menu, minime, net, notable, (im)perceptible, permanent, prodigieux, profond, prononcé, réel, remarquable, révélateur, saisissant, sensible, sérieux, significatif, singulier, soudain, spectaculaire, substantiel, subtil, (in)suffisant, tranché, triste, vif, violent. *Accentuer, affaiblir, amoindrir, amplifier, atténuer, constater, créer, établir, faire ressortir, former, mettre en valeur, noter, observer, offrir, présenter, remarquer, souligner, voir un ~*. Un/le ~ s'accentue, s'estompe.

CONTRAT alléchant, ambitieux, (dés)avantageux, caduc, colossal, complet, contraignant, définitif, douteux, durable, énorme, exorbitant, fabuleux, ferme, fermé, (in)formel, fructueux, généreux, global, (mal)honnête, immense, important, (in)juste, juteux, (il)légal, (il)licite, long, mauvais, négocié, nul, officiel, officieux, ouvert, périmé, précaire, renouvelable, (ir)révocable, rigide, (in)satisfaisant, secret, solide, souple, substantiel, superbe, suspect, temporaire, vague, valable, valide. *Accepter, adjuger, annuler, approuver, arracher, attribuer, casser, concéder, conclure, confirmer, décrocher, défaire, discuter, dresser, établir, exécuter, faire, honorer, modifier, négocier, parachever, parapher, passer, perdre, préparer, prolonger, proposer, ratifier, réaliser, rédiger, remplir, remporter, renouveler, résilier, respecter, révoquer, rompre, signer, solliciter, souscrire, (sous-)traiter un ~; mettre fin, se conformer à un ~; se dégager se libérer, sortir d'un ~; travailler au ~; être sous ~*. Un/le ~ arrive à expiration, engage, entre en application/vigueur, expire, lie, prend fin, prévoit, stipule.

CONTRAVENTION (*infraction*) flagrante, grave, légère, majeure, mineure. *Commettre une ~ ; être accusé d'une ~ ; être coupable de ~ ; être en ~* . ♦(*procès-verbal, amende*) légère, lourde, salée. *Acquitter, attraper, coller, donner, dresser, encourir, faire sauter, flanquer, imposer, infliger, payer, ramasser, risquer une ~; collectionner des ~s; écoper d'une ~*.

CONTRE-ATTAQUE brusque, brutale, décisive, dure, éclair, énergique, frontale, (in)fructueuse, furieuse, impétueuse, inattendue, insoupçonnée, irrésistible, majeure, maladroite, massive, manquée, mineure, musclée, provoquée, rude, soudaine, sournoise, soutenue, subite, véhémente, victorieuse, vigoureuse, violente. *Briser, contrer, déclencher, diriger, effectuer, engager, enrayer, essuyer, exécuter, faire, lancer, livrer, mener, monter, organiser, préparer, refouler, repousser, soutenir, subir, tenter une ~; être confronté, faire face à une ~*. Une ~ échoue, réussit.

CONTREBANDE active, endémique, florissante, haute, illicite, lucrative, prospère. *Combattre, éliminer, empêcher, éradiquer, freiner, pourchasser, pratiquer, réprimer la ~; se livrer à la ~; lutter contre* *la ~; acheter, vendre de la ~; faire entrer, introduire, passer en ~.* Une/la ~ augmente, baisse, diminue, fleurit, progresse, recule, régresse, se fait, sévit.

CONTREBANDIER, IÈRE grand, gros, petit, professionnel. *Arrêter, attraper, dénoncer, pourchasser, poursuivre, suivre, traquer un/des ~s.*

CONTRÉE accueillante, agréable, âpre, aride, austère, calme, dangereuse, déserte, désertique, désolée, douce, éloignée, étrangère, exotique, (in)fertile, florissante, (in)hospitalière, hostile, immense, impénétrable, inaccessible, inconnue, inexplorée, ingrate, inhabitable, isolée, légendaire, lointaine, magique, montagneuse, mystérieuse, opulente, oubliée, paisible, paradisiaque, pauvre, plate, prospère, reculée, retirée, riante, riche, rude, sauvage, vaste, verdoyante, verte, vierge. *Couvrir, traverser une ~.*

CONTREFAÇON grossière, grotesque, habile, maladroite, mauvaise, réussie, subtile. *Se méfier des ~s; poursuivre la ~; lutter, se protéger contre la ~.*

CONTRE-OFFENSIVE désespérée, efficace, (in)fructueuse, générale, importante, irrésistible, massive, meurtrière, puissante, redoutable, spectaculaire, vaste, victorieuse, vigoureuse. *Briser, contrer, déclencher, engager, essuyer, exécuter, freiner, lancer, mener, organiser, préparer, repousser, subir une ~; résister à une ~.* Une ~ échoue, réussit.

CONTRESENS déplorable, évident, fâcheux, flagrant, gros, grossier, léger, lourd, malencontreux, manifeste, monumental, terrible. *Commettre, comporter, éviter, faire un ~.*

CONTRETEMPS banal, considérable, cruel, déplaisant, déplorable, ennuyeux, énorme, fâcheux, grave, imprévu, inopportun, léger, majeur, malheureux, mineur, passager, regrettable, sérieux, soudain, stupide. *Avoir, entraîner, éprouver, éviter, produire, rencontrer, subir un ~.* Un ~ apparaît, se produit, surgit, survient.

CONTRIBUABLE consciencieux, honnête, insolvable, ordinaire, pauvre, retardataire, riche. *Alléger, décharger, dépouiller, détrousser, dévorer, exonérer, ponctionner, pressurer, rançonner, saigner, surtaxer un/le/les ~(s).*

CONTRIBUTION (*participation*) active, anonyme, capitale, considérable, constructive, créative, cruciale, décisive, déterminante, (in)directe, énorme, essentielle, exceptionnelle, faible, fondamentale, forte, généreuse, immense, importante, inappréciable, incontestable, intéressante, large, massive, médiocre, méritoire, minimale, modérée, modeste, neuve, notable, occasionnelle, originale, passive, piètre, positive, précieuse, réelle, remarquable, responsable, sérieuse, significative, substantielle, symbolique, utile, volontaire. *Apporter, fournir, offrir, proposer une/sa ~.* ♦ (*impôts*) *Lever, payer, percevoir, prélever, verser une ~.*

CONTRÔLE (*surveillance, vérification*) abusif, accrû, approfondi, banal, bon, complet, constant, continu, difficile, draconien, drastique, (in)efficace, étanche, étroit, exact, exorbitant, facile, incessant, inopiné, intermittent, mauvais, performant, permanent, pointilleux, préventif, rapide, régulier, renforcé, rigoureux, sérieux, serré, sévère, sommaire, souple, sourcilleux, strict, surprise, tatillon, tracassier, vigilant. *Effectuer, établir, exercer, instaurer, lever, opérer, pratiquer, renforcer, restaurer, subir un/des ~(s); procéder, se prêter, (se) soumettre qqn/qqch. à un ~; intensifier, multiplier, réduire, renforcer les ~s.* ♦ (maîtrise) absolu, bon, étonnant, exceptionnel, faible, fort, impeccable, mauvais, médiocre, (im)parfait, piètre, rare, réel, relatif, total. *Avoir, posséder un ~ (+ adj.); faire preuve d'un ~ (+ adj.); exercer, garder, perdre, prendre, s'assurer le ~ de (une société, ses nerfs, soi, etc.).*

CONTROVERSE acerbe, amère, énorme, furieuse, grande, grosse, immense, importante, intense, interminable, longue, minime, musclée, passionnée, petite, rude, stérile, tenace, terrible, vieille, virulente, vive. *Alimenter, apaiser, attiser, aviver, créer, déchaîner, déclencher, engager, engendrer, enterrer, provoquer, relancer, résoudre, soulever, soutenir, susciter une ~; répondre à une ~; entrer dans une ~; être l'objet d'une ~; être matière, prêter à ~.* Une/la ~ éclate, enfle, fait rage, grandit, persiste, prend de l'ampleur, s'amplifie, s'apaise, se durcit, se produit, surgit, survient.

CONVALESCENCE complète, difficile, entière, lente, longue, parfaite, pénible, prompte, rapide. *Connaître une ~ (+ adj.); entrer, être en ~.* La ~ avance, commence, s'achève, traîne.

CONVENANCE bonnes, élémentaires, mauvaises. *Blesser, braver, connaître, heurter, mépriser, observer, respecter, violer les ~s; manquer, rappeler qqn, se conformer aux ~s; s'embarrasser, se soucier des ~s.*

CONVERSATION abondante, (dés)agréable, aimable, aisée, amicale, amoureuse, amusante, animée, badine, banale, belle, bonne, brève, brillante, bruyante, calme, captivante, confidentielle, cordiale, courante, courte, courtoise, cruciale, crue, décousue, délicieuse, détendue, difficile, éblouissante, enflammée, ennuyeuse, éprouvante, étincelante, étonnante, étrange, facile, fade, familière, fastidieuse, fatigante, (in)formelle, franche, frivole, (in)fructueuse, futile, gaie, grande, grave, grossière, habituelle, hachée, hésitante, hostile, houleuse, idiote, inconvenante, insignifiante, insipide, instructive, intelligente, intéressante, interminable, languissante, légère, libre, longue, mondaine, monotone, morne, oiseuse, orageuse, (extra)ordinaire, paisible, particulière, passionnante, pédante, pénible, pétillante, polie, privée, puérile, rapide, reposante, savante, secrète, sérieuse, sincère, spirituelle, stupide, substantielle, subtile, suivie, tendue, terne, tortueuse, traînante, triviale, vague, vivante, vive. *Avoir une/la ~ (+ adj.); accaparer, alimenter, amorcer, (r)animer, arrêter, commencer, continuer, déclencher, démarrer, détourner, diriger, écouter, égayer, enchaîner, engager, entamer, entendre, entretenir, faire, faire dévier/rebondir, finir, interrompre, meubler, (re)nouer, poursuivre, prolonger, quitter, rapporter, répéter, reprendre, rompre, se remémorer, soutenir, suivre, surprendre, terminer, troubler une/la ~; couper court, (se) mêler qqn, mettre fin/un terme, participer, prendre part, se joindre à une/la ~; intervenir dans une/la ~; s'emparer de la ~; être l'objet des ~s; avoir de la ~; changer de ~; entrer, être en ~.* Une/la ~ débute, languit, rebondit, repart, s'achève, s'anime, s'ébauche, s'échauffe, s'engage, se prolonge, se ranime, s'éteint, s'éternise, se termine, (se) traîne.

CONVERSION apparente, authentique, brusque, brutale, complète, définitive, durable, éclatante, étonnante, fausse, fondamentale, fragile, fulgurante, graduelle, importante, inévitable, lente, majeure, mineure, notable, partielle, profonde, progressive, radicale, rapide, réussie, (ir)réversible, soudaine, spectaculaire, subite, superficielle, surprenante, tardive, véritable. *Amorcer, assurer, effectuer, faire, observer, noter, opérer, réaliser, subir une ~; procéder à une ~*. Une ~ intervient, s'effectue, se produit, s'impose, s'opère, survient.

CONVICTION absolue, ancrée, ardente, bornée, chancelante, chaude, complète, ébranlée, enracinée, enthousiaste, entière, étroite, farouche, ferme, imperturbable, indéracinable, indubitable, inébranlable, intacte, intime, invincible, irrévocable, mitigée, naïve, personnelle, profonde, puissante, raisonnée, sereine, sincère, solide, tranquille. *Acquérir, affirmer, avoir, défendre, ébranler, entraîner, épouser, exprimer, nourrir, partager, perdre, posséder, proclamer, renforcer, ressentir, se forger une/ses ~(s); arriver à une ~; s'accrocher à ses ~s; manquer de ~; agir par ~.*

CONVIVE agréable, aimable, amusant, charmant, choisi, de marque, ennuyeux, indélicat, joyeux, ponctuel, retardataire, sobre. *Accueillir, inviter, recevoir des ~s.*

CONVIVIALITÉ belle, empressée, étonnante, exceptionnelle, extrême, factice, forcée, forte, impressionnante, incroyable, joyeuse, remarquable, sincère. *Être, faire preuve d'une (+ adj.).*

CONVOI exceptionnel, important, imposant, interminable, lent, long, minuscule. *Accompagner, conduire, escorter, faire, former, mener, organiser, suivre un ~; participer à un ~*. Un ~ arrive, part, passe, quitte, s'ébranle, se prépare.

CONVOITISE âpre, ardente, (in)assouvie, avide, brutale, dissimulée, effrénée, énorme, extrême, féroce, ferme, forcenée, folle, forte, frénétique, immense, immodérée, impétueuse, inassouvissable, inavouable, insatiable, intense, maladive, profonde, réprimée, rude, vive, violente. *Aiguiser, allumer, apaiser, assoupir, assouvir, attiser, calmer, contenter, déchaîner, endormir, éteindre, éveiller, exciter, inspirer, réprimer, satisfaire, susciter, vaincre la/sa/les ~(s); éprouver, ressentir de la ~; devenir/être/faire l'objet de ~.*

COOPÉRATION accrue, active, authentique, balbutiante, bonne, complète, concrète, constructive, cruciale, délicate, difficile (in)directe, durable, effective, (in)efficace, étroite, excellente, exceptionnelle, facile, faible, forte, (in)fructueuse, généreuse, harmonieuse, inappréciable, inestimable, intense, intensive, (dés)intéressée, longue, loyale, massive, mutuelle, obligée, ouverte, parfaite, piètre, réelle, précieuse, prolongée, (ir)régulière, sélective, significative, soutenue, totale, utile, (in)volontaire. *Apporter, établir, fournir, maintenir, offrir, renforcer, solliciter une/sa/la ~ (de qqn).* Une ~ naît, prend fin, se noue, s'établit.

COORDINATION bonne, difficile, (in)complète, complexe, défaillante, défectueuse, déficiente, (in)efficace, étroite, excellente, exceptionnelle, exemplaire, facile, faible, forte, habile, impeccable, large, lâche, mauvaise, médiocre, méthodique, minutieuse, (im)parfaite, piètre, précieuse, rigide, souple, totale. *Assurer une ~ (+ adj.); parvenir à une ~ (+ adj.); améliorer, réaliser, renforcer la ~; manquer de ~.*

COPAIN ancien, bon, dévoué, fidèle, indéfectible, influent, loyal, meilleur, parfait, précieux, sincère, sûr, vieux. *Aider, perdre, posséder, rencontrer, se faire un ~; se brouiller, se disputer avec un ~.*

COPIE (Scolaire) bonne, excellente, faible, mauvaise, passable. *Éplucher une ~; corriger, distribuer, ramasser, remettre les ~s; remettre, rendre sa ~.* ♦ (*~ d'un tableau, etc.*) belle, bonne, correcte, (in)exacte, faible, (in)fidèle, habile, maladroite, mauvaise, pâle, ressemblante, réussie.

COPINE ancienne, bonne, dévouée, fidèle, gentille, grande, indéfectible, loyale, meilleure, parfaite, sincère, vieille. *Aider, perdre, posséder, rencontrer, se faire une ~; se brouiller, se disputer avec une ~.*

CORDE distendue, épaisse, fine, forte, frêle, grosse, lâche, longue, mince, pourrie, raide, résistante, solide, souple, tendue. *Accrocher, couper, détordre, fabriquer, (dé)faire, (dé)nouer, relâcher, serrer, (dé)tendre, tirer, (dé)tortiller, tresser une ~; attacher, lier, suspendre, tirer avec une ~.*

CORNE acérées, annelées, arquées, caduques, coupées, courbes, courbées, courtes, creuses, dangereuses, droites, dures, effilées, enroulées, étroites, fines, fortes, grêles, grosses, longues, lourdes, luisantes, menaçantes, pointues, puissantes, ramifiées, recourbées, relevées, sciées, tordues, torsadées, zébrées. *Avoir, porter des ~s; donner, frapper, heurter de la ~; secouer ses ~s.*

COROLLE close, courbe, délicate, dentelée, double, éclose, en coupe, épanouie, fermée, large, longue, ouverte, (ir)régulière, retombante, simple, velue. Une ~ se déploie, s'épanouit, s'ouvre, tombe.

CORPS (anatomie) affaibli, affreux, agile, amaigri, anorexique, athlétique, blafard, boursouflé, charmant, charnu, chétif, courbatu, décharné, déformé, délicat, désirable, difforme, dodu, élancé, élégant, émacié, endurci, énorme, épais, épanoui, épuisé, exténué, faible, fatigué, félin, ferme, fier, fin, flexible, fluet, fragile, frais, frêle, (dis)gracieux, gracile, gras, grassouillet, harmonieux, hideux, infirme, informe, léger, lisse, long, lourd, magnifique, maigre, maigrelet, maigrichon, malade, maladif, malingre, massif, mince, minuscule, monstrueux, mou, musclé, musculeux, nerveux, noueux, nu, obèse, osseux, parfait, pataud, pesant, potelé, proportionné, puissant, rabougri, raide, robuste, sain, sculpté, sculptural, sec, somptueux, souffreteux, souple, squelettique, sublime, superbe, svelte, tendre, trapu, usé, velu, vieilli, vif, vigoureux, voluptueux, voûté. *Avoir, posséder un ~ (+ adj.); cambrer, développer, exercer, incliner, redresser, replier le/son ~.* ♦ (cadavre) déchiqueté, défiguré, désarticulé, disloqué, ensanglanté, enseveli, inanimé, inerte, lacéré, meurtri, mort, mutilé. *Embaumer, ensevelir, enterrer, incinérer, inhumer, rapatrier un ~.*

CORPULENCE athlétique, élégante, épaisse, faible, ferme, fine, forte, frêle, mince, moyenne, normale, robuste, svelte. *Être de ~ (+ adj.); avoir de la ~;*

CORRECTION (amélioration, modification) bonne, brusque, brutale, durable, faible, forte, graduelle, (mal)heureuse, importante, infime, légère, majeure, mineure, minime, nécessaire, permanente, profonde, progressive, sérieuse, sévère, significative, subtile, (in)suffisante, totale. *Apporter, effectuer, exécuter, faire, introduire, opérer, subir une ~; procéder à une ~.* Une ~ se produit, s'impose, s'opère. ♦(punition) abusive, bonne, brutale, douce, dure, exagérée, grosse, injuste, (in)justifiée, légère, lourde, magistrale, (im)méritée, (dis)proportionnée, salutaire, sévère, solide, terrible, vigoureuse. *Administrer, appliquer, donner, encourir, flanquer, infliger, mériter, recevoir, servir, s'attirer, subir une ~.*

CORRESPONDANCE (conformité, ressemblance) apparente, éloignée, étonnante, étrange, étroite, évidente, exacte, extraordinaire, extrême, fausse, fortuite, frappante, importante, incontestable, légère, lointaine, (im)parfaite, profonde, réelle, subtile, superficielle, surprenante, totale, vague. *Avoir, constater, établir, noter, observer, présenter une ~.* ♦(courrier) abondante, active, affectueuse, amicale, amoureuse, considérable, espacée, fréquente, galante, importante, intense, intéressante, intime, longue, minime, nombreuse, nourrie, passionnée, réglée, (ir)régulière, secrète, soutenue, suivie, vaste, volumineuse. *Avoir une ~ (+ adj.); amorcer, commencer, échanger, entreprendre, entretenir, lier, maintenir, nourrir, recevoir une ~; acheminer, classer, décacheter, dépouiller, effectuer, expédier, faire, lire, ouvrir, rédiger, trier la/sa ~.* ♦(transports) directe. *Attendre, demander, manquer, prendre, rater une ~.*

CORRIDOR désert, encombré, étroit, exigu, interminable, long, mince, obscur, resserré, sinueux, sombre, sonore, ténébreux, vaste. *Emprunter, enfiler, prendre, suivre, traverser un ~; déboucher, disparaître, errer, pénétrer, s'enfoncer, s'engager dans un ~.*

CORRUPTION active, aiguë, douce, effrénée, endémique, flagrante, galopante, généralisée, gigantesque, grossière, haute, immense, institutionnalisée, monstrueuse, omniprésente, ordinaire, passive, profonde, rampante, spectaculaire, systématique, tenace, voilée. *Alimenter, combattre, dénoncer, déraciner, détruire, éliminer, endiguer, enrayer, entraîner, éradiquer, promouvoir, refuser, réprimer, semer, traquer la ~; mettre fin, s'attaquer à la ~; lutter contre la ~; tremper dans la ~; être convaincu/reconnu coupable/soupçonné/suspecté de ~ : être condamné pour ~.* La ~ prévaut, règne, sévit.

CORSAGE ajusté, ample, blousant, court, croisé, décolleté, échancré, étroit, fermé, lacé, léger, long, maigre, montant, moulant, opaque, ouvert, plat, serré, voyant. *Porter un ~; être vêtu d'un ~.*

CORTÈGE brillant, bruyant, coloré, considérable, étrange, harmonieux, hétéroclite, imposant, interminable, joyeux, long, magnifique, maigre, lent, long, majestueux, officiel, rapide, silencieux, somptueux, triomphal, tumultueux. *Conduire, disperser, fermer, former, mener, organiser, ouvrir, rencontrer, suivre un ~; participer, prendre part, se joindre, se mêler à un ~; marcher, se former, se réunir* *en ~.* Un/le ~ défile, grossit, s'ébranle, se compose, se déploie, se désagrège, se disloque, se forme, se met en marche, se réunit, se sépare, s'étire, s'organise.

CORVÉE abominable, accablante, affreuse, ardue, désagréable, difficile, ennuyeuse, éreintante, exigeante, facile, fastidieuse, fatigante, harassante, ignoble, ingrate, insupportable, légère, lourde, monotone, mortelle, pénible, pesante, quotidienne, rude, sinistre. *Accomplir, entreprendre, effectuer, esquiver, éviter, exécuter, faire, finir, imposer, infliger, organiser une ~; s'atteler à une ~; s'acquitter, se débarrasser d'une ~; être de ~.*

COSTUME affreux, ajusté, ample, burlesque, cintré, clair, classique, collant, confortable, convenable, correct, cossu, court, crasseux, criard, croisé, défraîchi, démodé, dépenaillé, désuet, discret, droit, éblouissant, élaboré, élégant, élimé, étriqué, étroit, fatigué, fermé, flottant, foncé, fripé, froissé, impeccable, indémodable, inusable, juste, large, lâche, léger, long, lourd, luisant, luxueux, magnifique, misérable, miteux, neuf, ouvert, raide, râpé, recherché, ridicule, sale, serré, seyant, simple, soigné, sombre, somptueux, sordide, strict, usagé, usé, vieux. *Adopter, ajuster, endosser, enfiler, enlever, essayer, garder, mettre, ôter, passer, porter, revêtir un ~; se revêtir d'un ~; être à l'aise/serré dans un ~; changer de ~* . Un ~ convient, flotte, moule, serre, sied.

COTE bonne, certaine, considérable, constante, déclinante, élevée, énorme, enviable, étonnante, exceptionnelle, faible, favorable, flatteuse, forte, grandissante, grosse, haute, impressionnante, incroyable, méritée, négative, phénoménale, positive, solide, stable. *Avoir, posséder une ~ (+ adj.); bénéficier, jouir d'une ~ (+ adj.); conserver, perdre, remonter, retrouver, soigner sa ~.* Une ~ fléchit, remonte, s'effrite, s'effondre, s'étiole, s'infléchit.

CÔTE (Anatomie) décharnées, maigres, saillantes. *(se) Briser, (se) casser, enfoncer, (se) fêler, (se) fracturer une ~.* ♦ (pente) abrupte, ardue, aride, boisée, dénudée, difficile, douce, dure, escarpée, facile, faible, fertile, forte, modérée, pénible, prononcée, raide, rapide, rude, verdoyante, vertigineuse. *Descendre, dévaler, gravir, grimper, (re)monter une ~.* ♦ (littoral) (in)abordable, accostable, basse, dangereuse, déchiquetée, découpée, échancrée, élevée, escarpée, fréquentée, inaccessible, irrégulière, longue, marécageuse, plate, rectiligne, rocheuse, sablonneuse, sauvage, sinueuse, tempétueuse, tourmentée. *Aborder, border, longer, raser, remonter, suivre une ~.*

COTEAU abrupt, aride, arrondi, bas, boisé, dénudé, doux, élevé, escarpé, fertile, haut, pierreux, pointu, raide, rocheux, verdoyant. *Escalader, gravir, monter un ~; descendre d'un ~.*

COTISATION bonne, dérisoire, élevée, énorme, faible, forte, généreuse, légère, lourde, minime, modérée, modeste, obligatoire, raisonnable, réduite, substantielle, symbolique. *Payer, régler, verser une/sa ~.*

COU allongé, amaigri, blanc, charmant, court, décharné, délicat, droit, élancé, engoncé, épais, fin, flexible, fort, frêle, gracieux, gracile, grêle, gros, joli, long, maigre, mince, musclé, musculeux, plein, potelé, puissant, raide, rentré, robuste, rond, solide, souple, svelte, tendre, tendu, vigoureux. *Allonger, arrondir, courber, incliner, plier, redresser, tendre, (se) tordre le ~.*

COUCHE (in)égale, épaisse, fine, grosse, mince, (ir)régulière, superficielle, unie, uniforme. *Appliquer, étaler, passer une ~; recouvrir d'une ~; disposer par ~s.*

COUCHER féerique, joli, magnifique, somptueux, spectaculaire, splendide, sublime, superbe. *Admirer, contempler un ~.*

COUDE (Anatomie) décharné, écorché, éraflé, maigre, pointu. *S'appuyer, se soulever sur un ~; écarter, serrer les ~s; heurter, repousser du ~.* ♦ (~ d'une rivière, une route) brusque, dangereux, large, léger, périlleux, raide, serré, sinueux, soudain. *Faire, former, négocier, présenter un ~.*

COULEUR affreuse, agressive, (in)altérable, ardente, assortie, belle, blafarde, blême, bonne, brillante, brutale, cadavérique, changeante, chargée, charmante, chatoyante, chaude, choquante, claire, contrastante, crayeuse, criarde, crue, cuivrée, défraîchie, dégradée, délavée, délicate, diaphane, discordante, discrète, disparate, (in)distincte, dorée, douce, douteuse, dure, éblouissante, éclatante, effacée, estompée, éteinte, étincelante, fade, fanée, fatiguée, féerique, flamboyante, floue, foncée, fondue, forte, fraîche, franche, frappante, froide, gaie, horrible, incertaine, incomparable, indécise, indéfinissable, indéterminée, inqualifiable, intense, intermédiaire, jeune, jolie, laide, laiteuse, lavée, légère, livide, louche, luisante, lumineuse, magnifique, mate, mélangée, merveilleuse, métallique, morne, neutre, nuancée, obscure, opaque, opposée, pâle, pâlissante, passée, pauvre, (im)précise, prédominante, primaire, profonde, problématique, pure, ravissante, reposante, résistante, riche, secondaire, séduisante, sobre, sombre, soutenue, subtile, superbe, tendre, terne, tranchée, translucide, transparente, triste, unie, uniforme, vibrante, vieille, vilaine, violente, vive, voyante. *Avoir, posséder une ~ (+ adj.); être d'une ~ (+ adj.); adoucir, altérer, atténuer, (r)aviver, dégrader, éclaircir, faire ressortir, réchauffer, rehausser, relever, renforcer une ~; amalgamer, assortir, combiner, discerner, harmoniser, mélanger, marier, varier des/les ~s; changer de ~.* Des/les ~s contrastent, se heurtent, se marient, s'harmonisent, s'opposent.

COULOIR désert, encombré, étroit, exigu, interminable, long, mince, obscur, resserré, sinueux, sombre, sonore, ténébreux, vaste. *Emprunter, enfiler, prendre, suivre, traverser un ~; déboucher, disparaître, errer, pénétrer, s'enfoncer, s'engager dans un ~.*

COUP assuré, bas, brusque, correct, cruel, cuisant, dangereux, décisif, déloyal, douloureux, droit, dur, épouvantable, faible, fatal, formidable, foudroyant, fourré, franc, funeste, furieux, habile, illicite, imperceptible, imprévu, inattendu, inévitable, infaillible, joli, juste, léger, lugubre, magistral, maladroit, manqué, mauvais, mortel, net, rageur, rapide, redoutable, retentissant, rude, sale, sec, sensible, sérieux, sévère, soudain, sourd, terrible, unique, vicieux, vigoureux, violent. *Administrer, allonger,* *amortir, appliquer, asséner, attraper, délivrer, détourner, dévier, distribuer, (se) donner, échanger, écoper, encaisser, envoyer, esquiver, éviter, frapper, lancer, manquer, parer, placer, porter, prendre, préparer, ramasser, rater, recevoir, rendre, ressentir, tirer un/des ~(s); riposter à un ~; en venir aux ~s; accabler, assommer, cribler, marteler, meurtrir, rouer de ~s.*

COUPABLE avéré, déclaré, impuni, reconnu. *Amnistier, appréhender, arrêter, châtier, dénoncer, détenir, emprisonner, enfermer, incarcérer, punir un ~; découvrir, rechercher, tenir, trouver le ~.*

COUP D'ÉTAT avorté, brutal, déjoué, gros, manqué, meurtrier, parfait, raté, réussi, sanglant. *Commettre, condamner, conduire, déjouer, exécuter, faire, fomenter, mener, monter, perpétrer, préparer, réaliser, réussir, tenter un ~; échapper, participer, survivre à un ~.* Un ~ a lieu, éclate, intervient, se produit, survient.

COUP DE POING brusque, énergique, faible, ferme, formidable, fort, léger, magistral, puissant, rageur, solide. *Administrer, allonger, asséner, balancer, bloquer, contrer, décocher, donner, envoyer, lancer, recevoir, rendre un ~; assommer, frapper, menacer d'un ~.*

COUP D'ŒIL acéré, aimable, amusé, (dés)approbateur, bref, circulaire, favorable, fulminant, furtif, impassible, inquiet, intéressé, juste, malicieux, méchant, méfiant, mélancolique, menaçant, moqueur, négligent, oblique, observateur, précis, prompt, rapide, satisfait, sommaire, soupçonneux, sûr, tendre, vague, vindicatif. *Adresser, échanger, jeter, lancer un ~.*

COUPE (~ *à boire*) basse, élancée, évasée, haute, opaque, transparente. *Remplir, tenir, vider, tendre une ~; boire dans une ~.* ♦(~ *de cheveux, d'un vêtement, etc.*) classique, courte, décente, élégante, impeccable, irréprochable, longue, nette, originale, parfaite, propre, raffinée, ridicule, sobre. *Avoir, posséder une ~ (+ adj.); être d'une ~ (+ adj.).* ♦(*Sport*) convoitée, importante, prestigieuse, spéciale. *Décerner, décrocher, disputer, gagner, mériter, remporter, rafler, s'adjuger une ~; participer à une ~.*

COUPLE âgé, amoureux, (dés)assorti, brisé, charmant, conformiste, conventionnel, déchiré, disloqué, disparate, enlacé, épatant, établi, étonnant, extravagant, fatigué, fidèle, fragile, fusionnel, heureux, idéal, indestructible, infernal, inséparable, jeune, légendaire, magnifique, mythique, normal, parfait, rangé, romanesque, scandaleux, séparé, traditionnel, tumultueux, (dés)uni, vieux. *Former, réconcilier, (dés)unir un ~; vivre en ~.* Un ~ se déchire, s'effiloche, se forme, s'enlace, se sépare, s'unit.

COUPURE banale, béante, bénigne, fraîche, grave, horrible, importante, insignifiante, large, légère, longue, mauvaise, profonde, saignante, sanglante, superficielle. *Causer, désinfecter, (se) faire, guérir, (s')infliger, recevoir, soigner, subir, traiter une ~.* Une ~ guérit, saigne, se cicatrice, se ferme, s'infecte, s'ouvre.

COUR arborée, broussailleuse, carrée, carrelée, cimentée, clôturée, dallée, emmurée, ensoleillée, entretenue, étroite, exiguë, fermée, fleurie, immense, jolie, large, longue, minuscule, modeste, obscure, paisible, pavée, paysagée, profonde, sinistre, sombre, sordide, spacieuse, vaste. *Entretenir, nettoyer, traverser une ~; sortir d'une ~; entrer dans une ~.*

COURAGE abattu, admirable, audacieux, aveugle, calme, (in)certain, chancelant, débile, défaillant, déterminé, éclatant, énorme, éprouvé, étonnant, exceptionnel, excessif, extrême, faible, ferme, fier, formidable, fort, fou, grand, héroïque, immense, incorruptible, incroyable, indémontable, indomptable, inébranlable, inflexible, inouï, insolent, intrépide, inutile, invincible, invulnérable, irréfléchi, maigre, méritoire, obstiné, opiniâtre, (extra)ordinaire, persévérant, prodigieux, rare, réel, remarquable, résigné, surhumain, téméraire, vacillant, viscéral, vrai. *Avoir, déployer, manifester, montrer un ~ (+ adj.); faire preuve d'un ~ (+ adj.); abattre, accroître, affermir, (r)animer, augmenter, briser, déployer, (re)donner, exciter, fortifier, manifester, mesurer, mobiliser, montrer, prouver, puiser, raffermir, rappeler, rassembler, réchauffer, relever, remonter, réveiller, se sentir, soutenir, (re)trouver le/son ~; avoir, déployer, (re)donner, manifester, montrer du ~; faire acte/montre/preuve, manquer, rivaliser, s'armer, se munir, user de ~.* Un ~ chancelle, faiblit, mollit, s'affaiblit, s'émousse, se raffermit, se relâche, se ranime, se relève, s'évanouit.

COURANT constant, contraire, dangereux, étroit, faible, fort, impérieux, impétueux, irrésistible, large, lent, maigre, mince, nonchalant, paresseux, puissant, raide, rapide, sinueux, soutenu, torrentueux, traître, violent. *Descendre, remonter, suivre le ~; résister, s'abandonner au ~; nager avec le ~; aller, lutter, nager, ramer contre le ~; être entraîné par le ~.* Un ~ coule, court, descend, remonte, roule.

COURBE (en général) bombée, brisée, concave, convexe, douce, fermée, forte, large, légère, oblique, onduleuse, ouverte, prononcée. *Adoucir, effectuer, étendre, décrire, dessiner, épouser, faire, former, tracer une ~.* ♦ (tournant, virage) brusque, dangereuse, douce, forte, légère, lente, onduleuse, périlleuse, prononcée, raide, rapide, serrée, sinueuse, soudaine, traître. *Aborder, amorcer, effectuer, emprunter, entamer, faire, manquer, négocier, prendre, suivre une ~; accélérer, déraper, doubler, entrer, freiner, ralentir, s'engager dans une ~.*

COUREUR, EUSE aguerri, amateur, bon, célèbre, confirmé, débutant, épuisé, excellent, expérimenté, extraordinaire, habitué, infatigable, intrépide, invétéré, mauvais, médiocre, moyen, nerveux, piètre, professionnel, rapide, (ir)régulier.

COURRIEL *Adresser, diffuser, envoyer, expédier, faire parvenir, imprimer, lire, ouvrir, recevoir, rédiger un ~; répondre à un ~.*

COURRIER abondant, important, nombreux, urgent, volumineux. *Apporter, dépouiller, distribuer, expédier, faire, intercepter, lire, ouvrir, parcourir, poster, transporter un/le/son ~.* ♦ (Informatique) infecté, piraté. *Adresser, diffuser, envoyer, expédier, faire parvenir, imprimer, lire, ouvrir, recevoir, rédiger un ~; répondre à un ~.*

COURS (déroulement, évolution, progression) accéléré, dramatique, effréné, évolutif, fatidique, (dé)favorable, fulgurant, (mal)heureux, immuable, implacable, imprévisible, imprévu, inattendu, incertain, inévitable, ininterrompu, irrésistible, mystérieux, précipité, prodigieux, tragique, tranquille. *Accélérer, arrêter, changer, entraver, freiner, hâter, influencer, interrompre, perturber, reprendre, retarder, subir, suivre le ~.* ♦ (fleuve, rivière, ruisseau) capricieux, droit, étroit, faible, fort, fougueux, impétueux, imprévisible, large, lent, long, maigre, majestueux, mince, nonchalant, paisible, paresseux, raide, rapide, rectiligne, (ir)régulier, sinueux, torrentueux, tortueux, tranquille. *Descendre, enjamber, franchir, remonter, suivre, traverser un/le~.* Un ~ coule, court, déborde, descend, inonde, jaillit, retourne dans son lit, s'apaise, s'écoule, se jette, se répand, se verse, sort de son lit, suit sa pente. ♦ (leçon, conférence) accéléré, avancé, bref, bon, brillant, complet, débutant, efficace, ennuyeux, exceptionnel, extraordinaire, fondamental, général, intensif, interactif, intéressant, intermédiaire, interminable, long, monotone, optionnel, particulier, passionnant, précis, rapide, sérieux, spécialisé, structuré, théorique, traditionnel. *Assurer, avoir, dispenser, donner, faire, improviser, manquer, organiser, prendre, préparer, recevoir, rédiger, sécher, subir, suivre un ~; assister, être assidu/attentif, participer, s'inscrire à un ~.* Un ~ commence, débute, se termine, prend fin.

COURSE (action de courir, discipline) captivante, courte, échevelée, effrénée, endiablée, folle, frénétique, infernale, lente, longue, rapide. *Chronométrer, courir, gagner, perdre, remporter une ~; participer à une ~; accélérer, prendre, ralentir sa ~; faire de la ~.* ♦ (fuite, succession, suite) désespérée, désordonnée, échevelée, effrénée, endiablée, éperdue, folle, frénétique, incessante, infernale, précipitée, vertigineuse. ♦ (achats, commissions, emplettes) frénétiques, précipitées. *Effectuer, (aller) faire, ranger ses ~s.*

COURTOISIE affectée, cérémonieuse, charmante, distante, élégante, élémentaire, exagérée, excessive, exemplaire, exquise, extrême, forcée, froide, glacée, glaciale, grande, irréprochable, parfaite, raffinée, respectueuse, surannée, vraie. *Être, faire preuve d'une ~ (+ adj.); parler, répondre, saluer, traiter qqn avec ~; manquer de ~.*

COÛT (in)abordable, abusif, (in)acceptable, (in)accessible, adéquat, avantageux, bas, bon, colossal, comparatif, (in)compressible, concurrentiel, considérable, constant, convenable, correct, (dé)croissant, démesuré, dérisoire, (in)direct, dissuasif, effrayant, élevé, énorme, estimatif, étonnant, exagéré, exceptionnel, excessif, exorbitant, exponentiel, extravagant, faible, faramineux, fixe, global, grand, immense, important, infime, insensé, insignifiant, intéressant, juste, (in)justifié, léger, lourd, modéré, modeste, modique, moyen, négligeable, net, prodigieux, prohibitif, (dis)proportionné, (dé)raisonnable, réduit, réel, total, unitaire, variable. *Avoir, constituer, entraîner, nécessiter, occasionner, posséder, représenter un ~ (+ adj.); acquitter, alourdir, assumer, baisser, calculer, comprimer, déterminer, diminuer, établir, évaluer, fixer, maîtriser, réduire, restreindre, sous-estimer, supporter, surestimer un/le/les ~s.*

COUTEAU acéré, affilé, ébréché, effilé, émoussé, fin, fort, gros, long, mince, pointu, tranchant. *Affûter, aiguiser, brandir, ébrécher, fermer, ouvrir un ~ ; se servir d'un ~.* Un ~ coupe, tranche.

COUTUME abandonnée, abolie, agonisante, ancestrale, ancienne, ancrée, barbare, bizarre, consacrée, constante, courante, cruelle, désuète, disparue, établie, étrange, excellente, grande, immémoriale, immuable, inhumaine, insolite, louable, millénaire, obscure, passagère, perdue, plaisante, récente, respectable, ridicule, séculaire, solide, sotte, tenace, touchante, traditionnelle, usée, vieille. *Abandonner, conserver, continuer, enfreindre, faire revivre, instaurer, introduire, maintenir, observer, perpétuer, pratiquer, préserver, répandre, respecter, ressusciter, restaurer, transmettre une/la ~; déroger, obéir, se conformer à une/la ~.* Une ~ disparaît, persiste, se conserve, se généralise, se perpétue, se répand, s'établit, s'introduit, tombe en désuétude; la ~ affirme, dit, exige, prétend, raconte, veut.

COUVERTURE (~ de lit) belle, bonne, confortable, douce, épaisse, chaude, mince, moelleuse, piquante. *S'enrouler dans une ~; s'entourer d'une ~; rejeter, soulever la/les ~(s).* ♦(~ d'un cahier, d'un livre) accrocheuse, alléchante, austère, belle, bonne, brochée, cartonnée, discrète, élégante, forte, originale, rigide, solide, souple, toilée. *Avoir, posséder une ~ (+ adj.).* ♦(~ médicale, sociale, etc.) adéquate, appropriée, avantageuse, bonne, complète, coûteuse, efficace, faible, forte, gratuite, intégrale, maximale, minimale, obligatoire, partielle, réduite, solide, universelle, (in)suffisante. *Avoir, posséder une ~ (+ adj.); bénéficier, disposer d'une ~ (+ adj.); avoir droit à une ~ (+ adj.).*

COUVRE-FEU absolu, allégé, complet, continu, court, draconien, durci, général, indéfini, (il)limité, long, nocturne, partiel, permanent, prolongé, provisoire, sévère, strict, total. *Annoncer, décider, décréter, défier, établir, faire appliquer, imposer, instaurer, lever, observer, proclamer, respecter, subir, violer un ~; être soumis, se conformer à un ~.* Un ~ est en vigueur, perdure.

CRAINTE absurde, affreuse, aiguë, atroce, brève, (in)compréhensible, confuse, déplacée, effroyable, entretenue, épouvantable, exagérée, excessive, extrême, faible, fausse, (in)fondée, forte, grande, grave, horrible, illusoire, imaginaire, incessante, intense, inutile, irraisonnée, irrationnelle, irréfléchie, juste, (in)justifiée, légère, légitime, majeure, maladive, (im)motivée, mystérieuse, obscure, panique, paralysante, passagère, perpétuelle, persistante, (im)précise, profonde, puérile, (dé)raisonnable, réelle, respectueuse, salutaire, subite, superstitieuse, temporaire, tenace, terrible, vague, vive. *Accroître, apaiser, avouer, bannir, cacher, calmer, causer, concevoir, confirmer, dissimuler, dissiper, engendrer, éprouver, éveiller, exciter, exprimer, formuler, inspirer, justifier, manifester, partager, produire, provoquer, ressentir, semer, surmonter, susciter une/des/la/de la/sa/ses ~(s); céder à la ~; vivre dans la ~; être talonné par la ~; jouer sur la/les ~s; être saisi, figer, frémir, pâlir, trembler, tressaillir, tressauter de ~.* Une/la ~ augmente, gagne, persiste, règne, se répand, s'installe, s'intensifie, surgit.

CRAN *Avancer, baisser, descendre, hausser, monter, reculer d'un ~.*

CRÂNE allongé, aplati, arrondi, bas, bombé, carré, chauve, chevelu, dégarni, dénudé, déplumé, difforme, émacié, énorme, épais, fin, haut, lisse, luisant, minuscule, nu, pelé, plat, pointu, poli, profond, (dis)proportionné, puissant, rasé, rond, volumineux. *Avoir le ~ (+ adj.).*

CRAQUEMENT agaçant, aigu, bref, désagréable, doux, effrayant, énorme, épouvantable, étrange, faible, formidable, fort, grinçant, horrible, infernal, inquiétant, insolite, intolérable, irritant, isolé, léger, lointain, lourd, menaçant, mystérieux, net, proche, prolongé, puissant, retentissant, sec, sinistre, sonore, soudain, sourd, terrifiant. *Entendre, percevoir, produire, provoquer un ~.* Un ~ retentit, se fait entendre.

CRAVATE bigarrée, épaisse, étroite, horrible, irréprochable, jolie, lâche, large, mince, moirée, molle, ridicule, serrée, sobre, somptueuse, unie, voyante. *(r)Ajuster, arranger, (dé)faire, (dé)nouer, ôter, porter, (des)serrer une ~ ; retirer sa ~.*

CRAYON court, effilé, fin, gras, gros, long, mâchonné, neuf, pointu, sec, vieux. *Affûter, épointer, mâchonner, manier, tailler, tenir un/son ~; dessiner avec un ~.*

CRÉATEUR, TRICE accompli, adulé, comblé, contesté, expérimenté, fécond, génial, important, inclassable, inspiré, intelligent, inventif, original, passionné, populaire, prolifique, prolixe, remarquable, sensible, unique, visionnaire.

CRÉATION astucieuse, belle, bonne, collective, complexe, difficile, dynamique, facile, faible, forte, géniale, inédite, inspirée, instantanée, marquante, majeure, mineure, miraculeuse, originale, pure, remarquable, riche, simple, soudaine, spontanée, unique. *Élaborer, faire, réaliser une ~; favoriser, promouvoir, provoquer, susciter la ~; se lancer dans la ~.*

CRÉATIVITÉ (sur)abondante, accrue, admirable, certaine, débordante, délirante, éblouissante, épuisante, étonnante, exceptionnelle, extraordinaire, fabuleuse, féconde, foisonnante, folle, incroyable, indiscutable, inépuisable, intarissable, merveilleuse, prodigieuse, rare, remarquable. *Être, faire preuve d'une ~ (+ adj.); cultiver, stimuler la ~; déborder, être dépourvu, manquer de ~.*

CRÉDIBILITÉ accrue, basse, certaine, ébranlée, élevée, énorme, entachée, exceptionnelle, faible, forte, fragile, grande, haute, importante, incontestable, incroyable, indispensable, intacte, irréprochable, méritée, mince, minimale, nulle, reconnue, suffisante. *Avoir, posséder une ~ (+ adj.); bénéficier, jouir d'une une ~ (+ adj.); établir, miner, renforcer, restaurer, saper la ~ de qqn/qqch.; accroître, asseoir, détériorer, entamer sa ~; manquer de ~.*

CRÉDIT bas, bon, durable, élevé, entamé, épuisé, établi, faible, fort, intact, (il)limité, solide, (in)stable, (in)suffisant. *Avoir, posséder un ~ (+ adj.).*

CRÈME (<u>*culinaire*</u>) allégée, battue, épaisse, fade, fine, fouettée, fraîche, légère, moelleuse, onctueuse, savoureuse, veloutée. *Alléger, épaissir, étoffer une ~.* ♦(produit pour la toilette) démaquillante, douce, épaisse, fine, grasse, hydratante, légère, onctueuse, pénétrante, raffermissante, rajeunissante, régénératrice, revitalisante, riche, veloutée. *Appliquer une ~; recouvrir d'une ~ (+ adj.); étaler de la ~; se frotter, s'enduire de ~.*

CRÉPUSCULE blême, bleu, brillant, brumeux, déclinant, doux, faible, frais, glacé, glacial, gris, naissant, sanglant, sombre. Le ~ arrive, décline, descend, monte, naît, se lève.

CRÊTE (*~ d'une montagne, etc.*) acérée, aérienne, aiguë, arrondie, boisée, dentelée, dénudée, disloquée, ébréchée, effilée, élevée, étroite, fine, neigeuse, rocheuse, vierge, vertigineuse. *Escalader, franchir, gravir une ~.* ♦(*~s d'une vague*) argentées, blanchies d'écume, courbées, écumantes, écumeuses, étincelantes, noires, ondoyantes, pointues. Les ~ déferlent, grandissent.

CREVASSE (*~ d'un mur, etc.*) béante, énorme, étroite, immense, imperceptible, large, longue, profonde, visible. *Combler, obturer, remplir une ~.* ♦(*~ d'un glacier*) dangereuse, énorme, étroite, géante, immense, infranchissable, large, longue, menaçante, obscure, ronde, sans fond, sombre. *Découvrir, explorer, franchir, traverser une ~; tomber dans une ~.*

CRI affreux, aigu, angoissé, apeuré, assourdissant, atroce, bouleversant, bref, bruyant, clair, court, craintif, déchirant, dément, désespéré, douloureux, éclatant, effrayant, effroyable, énorme, enroué, enthousiaste, épouvantable, étouffé, étranglé, faible, féroce, fort, frénétique, furieux, glaçant, grave, grinçant, guttural, horrible, hystérique, immense, inarticulé, inhumain, intempestif, intense, involontaire, joyeux, lancinant, léger, long, lugubre, mélancolique, minuscule, monotone, monstrueux, perçant, persistant, plaintif, pointu, profond, prolongé, puissant, rageur, rauque, répété, rocailleux, saccadé, sauvage, sec, sinistre, sonore, sourd, soutenu, strident, surhumain, terrible, terrifiant, timide, tonitruant, tumultueux, violent. *Arracher, élever, émettre, (faire) entendre, étouffer, faire, jeter, laisser échapper, lancer, pousser, proférer, répandre, répéter, réprimer, retenir un/des ~(s).* Un ~ jaillit, monte, résonne, retentit, se fait entendre, s'élève.

CRIME abject, abominable, affreux, aggravé, atroce, avilissant, (in)avoué, barbare, bizarre, crapuleux, dangereux, déchirant, démentiel, effroyable, élucidé, énorme, épouvantable, étrange, flagrant, gratuit, grave, haineux, hideux, horrible, ignoble, immense, immonde, impardonnable, improuvable, infâme, innommable, inouï, inqualifiable, inutile, irréparable, monstrueux, mystérieux, odieux, parfait, passionnel, prémédité, sanglant, sévère, sinistre, sordide, terrible, terrifiant, (in)volontaire. *Accomplir, avouer, châtier, commettre, comploter, dénoncer, dévoiler, élucider, empêcher, expier, faire, juger, machiner, méditer, nier, organiser, perpétrer, planifier, préméditer, punir, reconstituer, subir un ~; s'associer à un ~; être impliqué, tremper dans un ~; accuser, disculper, inculper d'un ~; enquêter sur un ~; décourager, encourager, favoriser, pourchasser, punir, réprimer* *le ~; retomber, s'endurcir, s'enfoncer dans le ~.*

CRIMINALITÉ endémique, forte, galopante, grandissante, juvénile, nouvelle, organisée, rampante, virulente. *Combattre, éliminer, enrayer, faire baisser, réduire, stimuler la ~; lutter contre la ~; verser dans la ~.* La ~ augmente, baisse, diminue, progresse, recule, régresse, sévit.

CRIMINEL, ELLE atavique, avéré, dangereux, dégénéré, enchaîné, endurci, errant, fou, grave, notoire, récidiviste, repenti, (ir)responsable. *Appréhender, arrêter, capturer, condamner, démasquer, dépister, détenir, interroger, juger, poursuivre, punir un ~.*

CRINIÈRE abondante, belle, brillante, courte, ébouriffée, énorme, épaisse, flamboyante, flottante, fournie, frisée, hérissée, large, lisse, longue, lourde, magnifique, majestueuse, ondulée, rebelle, rude, soyeuse, splendide, superbe. *Arborer, avoir une ~ (+ adj.); brosser, peigner, tondre, tresser une ~; secouer sa ~.*

CRISE (Médecine) aiguë, douloureuse, fatale, grave, imminente, lancinante, légère, majeure, mineure, soudaine, subite, violente. *Avoir, causer, faire, prévenir, subir une ~; succomber à une ~; être frappé/pris/victime, mourir, récupérer d'une ~; être terrassé par une ~.* Une/la ~ est passée, se calme, se déclenche, survient. ♦ (accès, colère) feinte, grosse, petite, soudaine, subite, terrible, violente. *Avoir, faire, piquer une ~.* ♦ (bouleversement) aggravée, aiguë, amère, angoissante, atroce, brève, continuelle, courte, cyclique, décisive, définitive, douloureuse, dramatique, durable, épisodique, fatale, générale, généralisée, grandissante, grave, gravissime, imminente, inattendue, inopinée, insoluble, interminable, interne, latente, légère, localisée, longue, majeure, mineure, momentanée, montante, naissante, ouverte, passagère, pénible, périodique, permanente, perpétuelle, ponctuelle, (im)prévisible, profonde, prolongée, provisoire, salutaire, sérieuse, sévère, soudaine, spectaculaire, subite, temporaire, terrible, totale, traumatisante, violente. *Affronter, aggraver, anticiper, apaiser, approfondir, atténuer, causer, circonscrire, connaître, contenir, craindre, créer, déchaîner, déclencher, dénouer, désamorcer, déterminer, écarter, endiguer, enrayer, envenimer, éviter, faire, gérer, maîtriser, manier, manipuler, ouvrir, pallier, précipiter, pressentir, provoquer, régler, renforcer, résoudre, subir, surmonter, susciter, traverser, vaincre, vivre une ~; échapper, être confronté, faire face, mettre fin, réagir, remédier à une ~; passer au travers d'une ~; être aux prises avec une ~; lutter contre une ~; intervenir dans une ~; se remettre, sortir d'une ~; passer par une ~; déboucher sur une ~; entrer en ~.* Une/la ~ augmente, couve, (dé)croît, diminue, dure, éclate, frappe, menace, monte, pointe, règne, s'aggrave, s'alourdit, s'apaise, s'atténue, se calme, se dénoue, se dessine, se développe, s'enlise, se produit, se profile, sévit, s'installe, s'intensifie.

CRITÈRE (in)applicable, avancé, bon, concret, contestable, déterminant, essentiel, exigeant, flou, fondamental, incertain, incontournable, indiscutable, infaillible, irrécusable, mesurable, objectif, pertinent, pointu, pratique, principal, qualitatif, quantitatif, rigoureux, solide, souple, spécifique, strict, subjectif, suprême, sûr, tangible, vague, valable, vérifiable. *Adopter, appliquer, assouplir, choisir, constituer, définir, devenir, durcir, fixer, imposer, modifier, observer, prendre en compte, proposer, remettre en question, remplir, respecter, retenir, trouver un/des ~(s); échapper, obéir, recourir, répondre, satisfaire, se soumettre à un/des ~(s); se fonder sur un/des ~(s).*

CRITIQUE (*jugement, observation, reproche*) acerbe, acérée, acidulée, acrimonieuse, amère, anodine, approfondie, âpre, assassine, belle, bénigne, bienveillante, bonne, brève, chaleureuse, cinglante, constructive, corrosive, décapante, délicate, déplorable, désabusée, détaillée, (in)directe, discrète, dithyrambique, dure, éclairée, élogieuse, enjouée, enthousiaste, équitable, exagérée, excellente, excessive, explicite, (dé)favorable, féroce, feutrée, fine, (in)fondée, globale, habile, hâtive, (mal)honnête, hostile, impitoyable, implicite, indulgente, insolente, (dés)intéressée, irréprochable, judicieuse, (in)juste, (in)justifiée, légitime, louangeuse, lucide, maladroite, malveillante, mauvaise, méchante, mesurée, méticuleuse, minutieuse, mitigée, mordante, négative, nuancée, ouverte, (im)partiale, passable, passionnée, (im)pertinente, polie, pondérée, positive, prévisible, radicale, rude, saine, sarcastique, sereine, sérieuse, sévère, solide, stimulante, stupide, subtile, systématique, tiède, timide, unanime, utile, véhémente, venimeuse, vexante, vigoureuse, violente, virulente, vive, vivifiante, voilée. *Adresser, diriger, élever, émettre, essuyer, faire, formuler, lancer, présenter, provoquer, réfuter, s'attirer, soulever, susciter une/des ~(s); donner prise, échapper, être en butte/en proie/imperméable/ouvert, répliquer, se heurter, se prêter, s'exposer à une/des/la/aux ~(s); accepter, admettre, désamorcer, désarmer, souffrir, subjuguer, supporter la ~; être adulé/encensé/maltraité par la ~; être exempt/l'objet de ~s; se répandre en ~s; être dénué, manquer de ~.* ♦ (*juge, commentateur*) acerbe, attitré, averti, bon, clairvoyant, compétent, éclairé, envieux, érudit, exigeant, féroce, grand, habile, impitoyable, implacable, indulgent, influent, informé, irascible, ironique, judicieux, malveillant, méchant, mordant, négatif, nuancé, (im)partial, perspicace, pointilleux, positif, pressé, redoutable, redouté, réputé, savant, sévère, subtil, superficiel, virulent.

CROISIÈRE agréable, belle, coûteuse, décevante, extravagante, incomparable, longue, luxueuse, magnifique, merveilleuse, mouvementée, paisible, paradisiaque, reposante, sublime, superbe, somptueuse, tranquille. *Accomplir, effectuer, faire, projeter, réserver, se payer, s'offrir une ~; emmener qqn, partir en ~.*

CROISSANCE accélérée, apparente, brusque, brutale, considérable, débridée, démesurée, désordonnée, durable, effrénée, équilibrée, exceptionnelle, exemplaire, explosive, exponentielle, extraordinaire, faible, flamboyante, formidable, forte, fragile, fulgurante, galopante, harmonieuse, hâtive, impressionnante, (in)interrompue, inattendue, insignifiante, languissante, lente, linéaire, modérée, modeste, molle, négative, nulle, perpétuelle, phénoménale, positive, précoce, prolongée, ralentie, rapide, record, réduite, (ir)régulière, remarquable, robuste, saine, (in)satisfaisante, (in)significative, solide, soutenue, spectaculaire, stable, surprise, vigoureuse, zéro. *Connaître, enregistrer une ~ (+ adj.); accélérer, affaiblir, arrêter, bloquer, entraver, entretenir, étouffer, favoriser, freiner, ralentir, relancer, renforcer, soutenir, stimuler la ~; être en pleine ~*. Une/la ~ (re)démarre, perdure, (se) ralentit, rebondit, repart, se maintient, se poursuit.

CROQUIS correct, grossier, hâtif, joli, maladroit, malhabile, minutieux, net, (im)parfait, (im)précis, rapide, raté, réussi, schématique, simple, sommaire, succinct, superbe, vague, vigoureux. *Crayonner, dessiner, ébaucher, esquisser, exécuter, faire, griffonner, prendre, réaliser, tracer un ~.*

CROYANCE absolue, ancrée, aveugle, commune, durable, ébranlée, enracinée, établie, faible, fausse, ferme, fervente, forte, générale, illusoire, immense, imperturbable, inconditionnelle, indestructible, indiscutable, inébranlable, intime, invétérée, naïve, obscure, obstinée, populaire, profonde, puérile, répandue, sincère, subjective, superstitieuse, téméraire, tenace, totale, universelle, vague, véritable, vieille, vivace. *Acquérir, affirmer, avoir, conforter, ébranler, exprimer, nier, perdre, posséder, professer, réfuter, renier, respecter une ~; être imbu, se défaire, se nourrir d'une ~.*

CRU bon, célèbre, décevant, estimé, excellent, exceptionnel, grand, haut, magnifique, médiocre, moyen, prestigieux, prometteur, réputé, renommé, savoureux.

CRUAUTÉ affreuse, assouvie, atroce, barbare, brutale, cannibalesque, calculée, douce, dure, effroyable, épouvantable, exceptionnelle, excessive, extrême, farouche, forcenée, froide, furieuse, gratuite, horrible, impensable, impitoyable, implacable, inacceptable, incompréhensible, inconsciente, incroyable, indéfendable, indescriptible, indigne, inégalée, inhumaine, inimaginable, injuste, injustifiable, inouïe, insatiable, insensée, insoupçonnable, insoutenable, intolérable, inutile, meurtrière, odieuse, opiniâtre, perverse, raffinée, rare, rude, sanguinaire, sauvage, terrible, terrifiante, tyrannique. *Être, faire preuve d'une ~ (+ adj.); commettre, endurer, exercer, faire subir, infliger, souffrir des ~s; pratiquer la ~; manifester, montrer, témoigner de la ~.*

CRUE brusque, catastrophique, désastreuse, dévastatrice, dramatique, énorme, exceptionnelle, faible, forte, gigantesque, grave, historique, immense, importante, intense, majeure, menaçante, meurtrière, majeure, mineure, occasionnelle, périodique, soudaine, spectaculaire, subite. *Causer, connaître, provoquer, subir une ~ (+ adj.).* Une/la ~ augmente, croît, diminue, se stabilise, s'étend.

CUIR bouilli, doux, dur, durci, épais, fin, fort, gaufré, grené, grenu, lisse, mince, repoussé, rigide, rude, rugueux, souple, uni, véritable. *Polir le ~.*

CUISINE (pièce) agréable, aménagée, basse, claire, commode, énorme, équipée, étroite, exiguë, fonctionnelle, haute, immense, jolie, large, longue, malodorante, microscopique, minuscule, (ultra)moderne, modeste, nauséabonde, (dés)ordonnée, (mal)propre, nette, rangée, sale, sombre, sordide, spacieuse, vaste, vétuste. *(re)Aménager, installer, refaire, rénover, transformer une ~; entretenir, laver, nettoyer, ranger, tenir la ~.* ♦ (culinaire) accessible, acceptable, actuelle, agréable, allégée, ancienne, audacieuse, authentique, bonne, classique, colorée, contemporaine, convenable, conviviale, copieuse, créative, délicate, délicieuse, diététique, distinctive, élaborée, élégante, épicée, excellente, exquise, facile, fade, familiale, fine, généreuse, gourmande, grande, grasse, grosse, guindée, harmonieuse, haute, honnête, imaginative, indigeste, insipide, internationale, inventive, jouissive, légère, lourde, maigre, mauvaise, médiocre, minceur, originale, parfumée, pauvre, pimentée, piquante, populaire, raffinée, rapide, régionale, relevée, remarquable, renommée, réputée, riche, saine, (in)salubre, savante, savoureuse, simple, soignée, sophistiquée, subtile, succulente, traditionnelle, typique, unique, variée. *Découvrir, faire, offrir, proposer, servir, goûter, savourer une ~ (+ adj.); apprendre, faire, préparer, soigner la ~; être passionné de ~.*

CUISINIER, IÈRE accompli, amateur, autodidacte, bon, célèbre, chevronné, (in)compétent, confirmé, connu, doué, émérite, excellent, expérimenté, extraordinaire, grand, habile, mauvais, médiocre, parfait, professionnel, remarquable, renommé, réputé, talentueux.

CUISSE adipeuses, admirables, arquées, arrondies, belles, bonnes, charnues, courtes, délicates, énormes, fermes, fines, fortes, fuselées, galbées, grasses, grêles, grosses, légères, lisses, longues, lourdes, maigres, menues, minces, musclées, musculeuses, opulentes, pleines, potelées, puissantes, rebondies, rondes, solides, squelettiques, superbes, tendres, velues, volumineuses. *Avoir des/les ~s (+ adj.); disjoindre, écarter, fermer, ouvrir les ~s.*

CULPABILITÉ collective, diffuse, énorme, évidente, faible, flagrante, forte, grande, grandissante, immense, indubitable, insupportable, personnelle, précise, prouvée, reconnue, vague. *Avoir, éprouver, ressentir une ~ (+ adj.); souffrir d'une ~ (+ adj.); affirmer, déclarer, démontrer, établir, prouver la ~ de qqn; conclure à la ~ de qqn; vivre dans la ~; douter de la ~ de qqn; éprouver, ressentir de la ~; admettre, avouer, nier, reconnaître sa ~.* Une/la ~ oppresse, ronge.

CULTE (vénération) absolu, délirant, démesuré, effréné, enthousiaste, exceptionnel, excessif, exclusif, fanatique, fervent, immense, immodéré, inconditionnel, inouï, intense, particulier, passionné, total, véritable. *Rendre, vouer un ~; avoir le ~ de (la beauté, etc.).* Un ~ a la vie dure, s'étiole. ♦ (pratiques, religion) extérieur, intérieur, personnel, privé, public, pur, rigide, rigoureux, sincère. *Abolir, célébrer, interdire, maintenir, pratiquer, professer, rendre, rétablir, tolérer un ~.*

CULTURE (~ d'un champ) adaptée, alternative, archaïque, artisanale, biologique, conventionnelle, développée, difficile, durable, élargie, étroite, extensive, facile, familiale, florissante, forcée, hâtée, industrielle, intensive, mécanisée, moyenne, pauvre, prospère, rapide, rentable, respectueuse de l'environnement, riche, soutenue, traditionnelle, verte. *Pratiquer une ~ (+ adj.); s'adonner, se livrer à une ~ (+ adj.); intensifier, relancer, stimuler la ~; mettre une terre en ~.*

♦ (~ *de l'esprit*) adaptée, alternative, ancienne, archaïque, authentique, belle, bonne, classique, décadente, diverse, durable, dynamique, éblouissante, éclectique, élégante, élémentaire, élitiste, encyclopédique, érudite, étendue, étrange, étroite, exceptionnelle, extraordinaire, exubérante, fausse, florissante, forte, générale, grande, grossière, haute, honnête, immense, insipide, large, livresque, marginale, multiple, nécessaire, originale, pauvre, populaire, préservée, prodigieuse, profonde, prospère, raffinée, riche, rudimentaire, simpliste, solide, sommaire, stupéfiante, superficielle, traditionnelle, universelle, variée, vaste, vieille, vivante. *Acquérir, avoir, posséder une ~ (+ adj.); accéder à ~ (+ adj.); une bénéficier, être, jouir d'une ~ (+ adj.); développer, encourager, enrichir, favoriser, mépriser, préserver, promouvoir la ~; acquérir, avoir, posséder de la ~; être dépourvu/épris/féru/imprégné, manquer de ~.* Une/la ~ décline, est en expansion, fleurit, rayonne, se développe, s'épanouit, se répand.

CURE appropriée, difficile, (in)efficace, énergique, extraordinaire, intensive, inutile, longue, merveilleuse, miraculeuse, nécessaire, palliative, radicale, rigoureuse, sévère. *Entreprendre, essayer, faire, ordonner, poursuivre, prescrire, recevoir, subir, suivre, tenter une ~; se soumettre à une ~.* Une ~ échoue, réussit.

CURIEUX, EUSE *Attirer, (faire) attrouper, écarter, faire circuler, éloigner, rassembler les ~.* Des/les ~ accourent, s'agglutinent, s'attroupent, se bousculent, se dispersent, se pressent, se rassemblent.

CURIOSITÉ active, aiguisée, aimable, amusée, anxieuse, ardente, artistique, (in)assouvie, attentive, audacieuse, avide, belle, bonne, boulimique, certaine, compréhensible, créatrice, dévorante, (in)discrète, émoussée, énorme, étonnée, exacerbée, excessive, extrême, faible, fatale, féroce, forte, frivole, fureteuse, futile, gourmande, immense, impatiente, importune, inapaisée, incompressible, incontrôlable, inépuisable, inextinguible, infatigable, inlassable, innocente, inquiète, insatiable, insolente, intense, irrésistible, légitime, louable, maladive, malveillante, maniaque, mauvaise, mesurée, morbide, naïve, naturelle, (a)normale, passive, (im)patiente, (im)prudente, puérile, (dé)raisonnable, (mal)saine, (in)satisfaite, sautillante, scientifique, tardive, téméraire, tranquille, vaine, vive, vorace. *Être d'une ~ (+ adj.); activer, aiguillonner, aiguiser, assouvir, attirer, attiser, contenir, contenter, émousser, éveiller, exacerber, exciter, piquer, provoquer, rassasier, réprimer, réveiller, satisfaire, solliciter, soulever, soutenir, stimuler, susciter la/sa ~; être dévoré par la ~; éprouver, inspirer, ressentir de la ~; brûler, faire preuve, griller de ~.*

CURRICULUM (VITÆ) aéré, bon, bref, clair, cohérent, complet, compliqué, concis, court, étoffé, excellent, exhaustif, flatteur, honnête, impeccable, impressionnant, intéressant, interminable, irréprochable, mince, modeste, objectif, pauvre, personnalisé, piètre, prestigieux, prétentieux, riche, simple, sobre, soigné. *Avoir, posséder un ~ (+ adj.); actualiser, adresser, analyser, envoyer, déposer, établir, lire, préparer, réaliser, rédiger un/son ~.*

CUVÉE bonne, décevante, excellente, exceptionnelle, honnête, médiocre, modeste, (extra)ordinaire, précieuse, prestigieuse, rare, réussie, somptueuse, spéciale, superbe, unique. *Créer, élaborer, faire, produire, proposer, réaliser, servir une ~.*

CYCLONE dévastateur, dévastateur, effroyable, énorme, épouvantable, formidable, fort, immense, imminent, imprévisible, majeur, menaçant, spectaculaire, terrible, violent. *Affronter, annoncer, essuyer, subir un ~; échapper, survivre à un ~; disparaître, être disparu/ emporté dans un ~.* Un/le ~ déferle, disparaît, enfle, faiblit, fait rage, gronde, menace, naît, redouble, s'affaiblit, se déchaîne, se développe, s'élève, s'éloigne, se rapproche, sévit.

CYNISME absolu, acerbe, achevé, choquant, confondant, consommé, déconcertant, déplorable, désabusé, désarmant, effronté, éhonté, étonnant, exagéré, extraordinaire, extrême, féroce, froid, gênant, impertinent, implacable, inacceptable, inadmissible, incommensurable, incroyable, incurable, indécent, inébranlable, inimaginable, inouï, inqualifiable, intolérable, mordant, odieux, outrancier, profond, rare, redoutable, remarquable, révoltant, stupéfiant, terrifiant, total, tranquille. *Afficher, manifester, montrer, témoigner un ~ (+ adj.); être, faire preuve d'un ~ (+ adj.); cultiver le ~.*

D

DANGER accru, affreux, apparent, calculé, colossal, considérable, constant, démesuré, (in)direct, effroyable, élevé, éloigné, énorme, envisageable, évident, (in)évitable, excessif, extrême, faible, fort, grand, grandissant, grave, gravissime, imaginaire, immédiat, immense, imminent, important, improbable, inattendu, insignifiant, insurmontable, inutile, latent, limité, lointain, majeur, menaçant, mince, mineur, minime, modéré, mortel, négligeable, nul, patent, permanent, perpétuel, persistant, potentiel, pressant, (im)prévisible, probable, (dé)raisonnable, redoutable, réel, secondaire, sérieux, soudain, subit, terrible, ultime, véritable, (in)visible. *Constituer, représenter un ~ (+ adj.); affronter, appréhender, causer, comporter, constituer, contrer, courir, créer, devenir, écarter, éliminer, éloigner, encourir, entraîner, être, éviter, flairer, fuir, poser, présenter, prévenir, prévoir, provoquer, réduire, représenter, signaler un ~; échapper, être confronté/exposé, faire face, parer, s'exposer à un ~; avertir, (se) prémunir, prévenir, (se) protéger d'un ~; agir, fuir, reculer, s'enfuir devant un ~; aimer, attirer, craindre, défier, mesurer, sentir, sous-estimer, surestimer, voir (venir) le ~; courir après le ~; être en ~; être hors de ~.* Un ~ apparaît, demeure, diminue, guette, menace, persiste, plane, se précise, se présente, se produit, subsiste, surgit, survient.

DANSE affriolante, bizarre, compliquée, débile, débridée, difficile, douce, dynamique, effrénée, élégante, endiablée, énergique, enlevée, envoûtante, exaltée, exotique, extravagante, facile, folle, fougueuse, frénétique, gracieuse, grave, grisante, grotesque, joyeuse, langoureuse, lascive, légère, lente, lourde, populaire, raffinée, rapide, ridicule, rythmée, saccadée, sautillante, sauvage, savante, sensuelle, sentimentale, simple, spectaculaire, survoltée, tourbillonnante, traditionnelle, trépidante, violente, vive, voluptueuse. *Apprendre, connaître, conduire, (savoir) danser, demander, effectuer, entamer, exécuter, improviser, interpréter, obtenir, pratiquer, refuser une ~; être invité, inviter qqn à une ~; aimer, détester la ~; s'adonner, se livrer à la ~; raffoler de la ~; faire de la ~.* Une ~ (re)commence, languit, reprend, se termine.

DANSEUR, EUSE accompli, agile, bon, célèbre, charmant, chevronné, confirmé, débutant, élégant, enragé, excellent, exceptionnel, (in)expérimenté, extraordinaire, (dis)gracieux, impeccable, infatigable, mauvais, médiocre, passable, piètre, rapide, remarquable, réputé, souple, talentueux, virtuose. Un ~ évolue, exécute un pas de danse, ondule, se trémousse, tourbillonne, virevolte.

DATE actuelle, antérieure, (in)appropriée, approximative, butoir, capitale, (in)certaine, charnière, choisie, clé, convenue, (in)correcte, courante, cruciale, décisive, (in)définie, dépassée, (in)déterminée, donnée, éloignée, (in)exacte, exceptionnelle, extrême, fatidique, fausse, ferme, fixe, floue, future, historique, importante, libre, limite, lointaine, marquante, mauvaise, maximale, mémorable, minimale, officielle, officieuse, optimiste, particulière, passée, (im)possible, postérieure, (im)précise, (im)prévue, (im)probable, promise, quelconque, rapprochée, (ir)réaliste, récente, symbolique, tardive, ultérieure, ultime, unique. *Accepter, adopter, annoncer, apposer, arrêter, attribuer, avancer, calculer, chercher, choisir, citer, commémorer, demander, désigner,* *déterminer, donner, établir, fêter, fixer, fournir, indiquer, inscrire, marquer, mentionner, mettre, modifier, négocier, noter, obtenir, oublier, préciser, prévoir, proposer, rechercher, reculer, reporter, réserver, retenir, suggérer, trouver une ~; décider, se souvenir d'une ~.* Une ~ approche, avance, recule, s'éloigne.

DÉBÂCLE (dégel) anormale, brutale, (in)complète, énorme, exceptionnelle, hâtive, immense, imminente, meurtrière, partielle, précoce, prématurée, printanière, rapide, subite, tranquille. *Connaître, créer, déclencher, entraîner, éviter, provoquer, susciter une ~.* Une ~ a lieu, menace, se produit, survient. ♦ (*défaite, ruine, fuite*) (in)attendue, catastrophique, certaine, cuisante, désastreuse, dramatique, (in)évitable, foudroyante, générale, imminente, indescriptible, inéluctable, irrésistible, lamentable, lourde, magistrale, mémorable, (im)prévisible, profonde, retentissante, spectaculaire, surprenante, surprise, terrible, totale. *Accélérer, atténuer, causer, connaître, craindre, enregistrer, éviter, infliger, prévenir, prévoir, produire, provoquer, subir, susciter, vivre une ~; assister, échapper, être confronté, résister, survivre à une ~; dégénérer, se transformer en une ~; se solder, se terminer par une ~; aller, se diriger vers une ~.*

DÉBAT acerbe, acharné, acrimonieux, agité, amical, animé, approfondi, ardent, aride, bref, brûlant, brutal, calme, chaud, civilisé, complexe, confus, controversé, court, courtois, décisif, difficile, digne, ennuyeux, épineux, essentiel, éternel, explosif, facile, fermé, franc, (in)fructueux, grand, grave, gros, honnête, houleux, important, intense, intéressant, interminable, laborieux, large, long, mouvementé, musclé, nécessaire, objectif, oisif, orageux, ouvert, (im)partial, passionnant, passionné, pondéré, posé, prolongé, serein, sérieux, serré, sourd, stérile, superficiel, tortueux, tranché, tumultueux, urgent, vif, vigoureux, virulent. *Aborder, alimenter, (dés)amorcer, animer, apaiser, arbitrer, aviver, (dé)bloquer, clarifier, clore, déclencher, diriger, élargir, élever, éluder, engager, entamer, éviter, fermer, (re)lancer, mener, nourrir, ouvrir, poursuivre, prolonger, provoquer, réclamer, régler, soulever, suivre, susciter, tenir, terminer, trancher un ~; mettre fin, participer, se joindre à un ~; intervenir, prendre parti/position, rester neutre dans un ~; se mêler d'un ~.* Un ~ éclate, enfle, rebondit, s'amorce, s'engage, s'enlise, s'ouvre, tourne court, traîne.

DÉBIT (*~ d'un cours d'eau, d'une machine, etc.*) accéléré, (in)adéquat, bon, considérable, (in)constant, (dé)croissant, égal, élevé, énorme, faible, fiable, fixe, immense, important, inférieur, limité, maximal, modéré, modeste, négligeable, (a)normal, nul, permanent, potentiel, prompt, puissant, ralenti, réduit, (ir)régulier, soutenu, standard, (in)suffisant, supérieur, (in)stable, (in)variable. *Assurer, atteindre, avoir, donner, fournir, obtenir, offrir, posséder, produire un ~ (+ adj.); augmenter, contrôler, diminuer, maintenir, régler un ~.* ♦ (*élocution, prononciation*) accéléré, agréable, aisé, bégayant, (in)compréhensible, convenable, difficile, ennuyeux, facile, haché, impressionnant, lent, mesuré, monotone, naturel, nonchalant, pénible, rapide, saccadé, tranquille. *Avoir un/le ~ (+ adj.); accélérer, ralentir son ~.*

DÉBOIRE amers, coûteux, ennuyeux, fâcheux, gigantesques, importants, inutiles, lamentables, passagers, retentissants, sérieux, sévères, spectaculaires, tragiques. *Accumuler, avoir, connaître,* *éprouver, essuyer, éviter, occasionner, rencontrer, s'épargner, subir des ~s.* Les ~s commencent, s'accumulent, se poursuivent.

DÉBOUCHÉ assuré, avantageux, bon, certain, considérable, décevant, difficile, énorme, étroit, exceptionnel, facile, faible, fantastique, idéal, immédiat, immense, important, inattendu, inespéré, intéressant, large, lucratif, majeur, mince, modeste, naturel, nouveau, prometteur, rapide, rémunérateur, rentable, secondaire, stable, (in)suffisant, sûr, vaste. *Avoir un ~ (+ adj.); assurer, (re)chercher, constituer, créer, donner, exploiter, explorer, fournir, garantir, obtenir, offrir, ouvrir, procurer, représenter, trouver un ~.* Un ~ existe, se présente, s'offre, s'ouvre.

DÉBRIS affreux, dangereux, encombrants, fumants, gigantesques, vastes, volumineux. *Accumuler, conserver, détruire, éliminer, enlever, jeter, ramasser, recueillir, récupérer, recycler des/les ~.*

DÉBUT brillant, calamiteux, chaotique, convaincant, décevant, difficile, éblouissant, éclatant, encourageant, facile, hâtif, hésitant, (mal)heureux, important, médiocre, modeste, officiel, officieux, prématuré, prometteur, simple, tardif, timide. *Constituer, marquer un ~; effectuer, faire, rater, retarder, réussir ses ~s.*

DÉCADENCE absolue, accélérée, brusque, brutale, certaine, complète, dramatique, durable, fatale, générale, graduelle, imminente, incroyable, inexorable, inouïe, inquiétante, irréductible, irrémédiable, irréversible, irrésistible, irrévocable, lente, longue, marquée, préoccupante, profonde, progressive, rapide, terrible, totale. *Connaître, enrayer, entraîner, provoquer, subir une ~; entrer, être, tomber en ~.*

DÉCALAGE (<u>écart</u>) certain, considérable, croissant, dangereux, énorme, étonnant, évident, faible, flagrant, formidable, fort, immense, important, léger, minuscule, notable, perceptible, réel, significatif, subtil, total. *Accélérer, accroître, augmenter, combler, constater, creuser, déceler, diminuer, observer, réduire un ~.* Un ~ apparaît, se creuse, se fait sentir, subsiste. ♦ (<u>*~ horaire*</u>) énorme, grand, important, léger, lourd, petit, raisonnable. *Subir, vivre un ~; encaisser, digérer, supporter le ~; se remettre du ~; s'acclimater, s'adapter, s'ajuster, s'habituer au ~; récupérer, souffrir du ~.*

DÉCEPTION affreuse, amère, atroce, certaine, complète, compréhensible, croissante, cruelle, cuisante, diffuse, douloureuse, énorme, évidente, grande, grandissante, grave, horrible, immense, incrédule, indescriptible, insurmontable, légère, majeure, mineure, palpable, profonde, rageuse, résignée, secrète, sévère, superficielle, terrible, totale, visible, vive. *Avoir, causer, connaître, éprouver, exprimer, essuyer, éviter, infliger, provoquer, ressentir, se préparer, subir, surmonter une ~.* Une/la ~ persiste, s'amplifie, s'atténue, se fait sentir, se manifeste, s'installe, subsiste.

DÉCÈS accidentel, affreux, atroce, brusque, brutal, cruel, dramatique, énigmatique, étrange, foudroyant, héroïque, horrible, immédiat, imminent, imprévu, inattendu, inexpliqué, inopiné, instantané, mystérieux, naturel, précoce, prématuré, rapide, soudain, subit, suspect, tragique, violent, volontaire. *Causer, constater, entraîner, provoquer, subir un ~.* Un ~ intervient, se produit, survient.

DÉCHÉANCE absolue, accélérée, avancée, brusque, brutale, certaine, complète, éprouvante, extrême, générale, inéluctable, inévitable, inimaginable, irrémédiable, irréversible, lente, longue, pathétique, profonde, progressive, rapide, terrible, totale. *Connaître la ~; mourir, s'enfoncer, s'installer, sombrer, tomber, vivre dans la ~.*

DÉCHET dangereux, dégradables, encombrants, polluants, propres, recyclables, secs, solides, souillés, toxiques, visibles. *Collecter, composter, éliminer, enfouir, générer, incinérer, jeter, produire, récupérer, recycler, réduire, réutiliser, stocker, (re)traiter, transformer, trier des/les ~s.*

DÉCHIREMENT (déchirure, lacération) complet, grave, important, léger, majeur, mineur, partiel, total, violent. *Provoquer, ressentir, se faire, subir un ~; souffrir d'un ~.* ♦ (*chagrin, souffrance*) amer, atroce, cruel, douloureux, énorme, extrême, grand, immense, inconsolable, indescriptible, insoutenable, intense, intolérable, léger, majeur, passager, pénible, profond, terrible, vif, violent. *Éprouver, provoquer, ressentir un ~.*

DÉCHIRURE (*accroc*) anodine, énorme, importante, légère, longue, minuscule, sérieuse, vilaine. *Avoir, faire, raccommoder, recoudre, réparer une ~.* ♦ (*~ musculaire*) bénigne, complète, grave, grosse, partielle, superficielle, vilaine. *Avoir, ressentir, se faire, soigner, subir une ~; se remettre, souffrir d'une ~.*

DÉCISION absurde, arbitraire, (in)attendue, banale, bonne, bouleversante, brusque, brutale, capitale, catastrophique, choquante, claire, (in)cohérente, (in)compréhensible, concrète, (in)consciente, consensuelle, constructive, contestable, contestée, controversée, courageuse, critique, cruciale, cruelle, décevante, déchirante, définitive, délicate, désastreuse, difficile, douloureuse, dure, éclairée, efficace, énergique, équilibrée, étrange, expéditive, fâcheuse, facile, fatidique, ferme, finale, (in)formelle, grave, habile, hasardeuse, hâtive, héroïque, (mal)heureuse, historique, impitoyable, importante, impromptue, inconséquente, inébranlable, infaillible, inflexible, informée, instantanée, irréversible, irrévocable, judicieuse, (in)juste, (in)justifiable, lucide, majeure, maladroite, malencontreuse, mauvaise, mesurée, mineure, nécessaire, négative, objective, officielle, officieuse, (in)opportune, paradoxale, pondérée, pénible, périlleuse, positive, pragmatique, précipitée, prématurée, préméditée, prompte, puérile, radicale, (dé)raisonnable, raisonnée, rapide, (ir)rationnelle, ravageuse, réaliste, (ir)réfléchie, (ir)responsable, risquée, sage, scandaleuse, sereine, sérieuse, soudaine, spectaculaire, stupide, subite, subjective, surprenante, symbolique, tardive, terrible, tranchante, unilatérale, urgente, visionnaire. *Accepter, ajourner, annoncer, appliquer, approuver, appuyer, arracher, arrêter, attendre, brusquer, combattre, dénoncer, différer, écarter, éclairer, endosser, exprimer, forcer, formuler, honorer, imposer, influencer, justifier, maintenir, mettre en œuvre, modifier, motiver, mûrir, peser, prendre, provoquer, rejeter, repousser, réclamer, reporter, respecter, retarder, suspendre une ~; aboutir, adhérer, applaudir, arriver, obéir, se rallier, se soumettre à une ~; s'élever contre une ~; persévérer, persister dans une ~; informer d'une ~; s'incliner devant une ~; agir, déboucher, influer, peser, revenir sur une ~.* Une ~ intervient, mûrit, s'impose.

DÉCLARATION absurde, accablante, agressive, alarmiste, ambiguë, apaisante, (in)attendue, brève, cinglante, claire, contradictoire, creuse, curieuse, difficile, discutable, embarrassée, émouvante, emphatique, énergique, enflammée, erronée, (in)exacte, explosive, fanfaronne, fausse, ferme, (in)formelle, fracassante, grave, (mal)heureuse, inacceptable, incendiaire, incongrue, inintelligible, intempestive, intrigante, laborieuse, longue, loufoque, malencontreuse, mensongère, mesurée, modérée, négative, obscure, officielle, officieuse, optimiste, percutante, pessimiste, pompeuse, positive, précipitée, provocante, provocatrice, (im)prudente, rassurante, retentissante, scandaleuse, sévère, (in)sincère, solennelle, tapageuse, tendancieuse, tonitruante, touchante, trompeuse, vague, verbeuse, violente, voilée. *Atténuer, commenter, confirmer, contredire, corroborer, émettre, endosser, étayer, étoffer, exiger, exprimer, faire, formuler, maintenir, mettre en doute, prononcer, publier, rédiger, renouveler, rétracter, signer, solliciter, vérifier une ~.* Une ~ intervient.

DÉCOLLAGE brusque, brutal, correct, court, délicat, difficile, doux, facile, forcé, hasardeux, impeccable, impressionnant, laborieux, mauvais, mouvementé, normal, parfait, périlleux, prématuré, raide, raté, réussi, spectaculaire, tardif. *Effectuer, exécuter, faire, rater, réaliser, réussir un ~ ; procéder à un ~.*

DÉCOLLETÉ audacieux, énorme, généreux, grand, hardi, immense, large, léger, modeste, parfait, plongeant, profond, provocant, vertigineux.

DÉCOMBRES accumulés, calcinés, fumants. *Creuser, déblayer, dégager, enlever, entasser, évacuer, explorer, fouiller, inspecter, ratisser les ~; extirper/retirer (les cadavres, les blessés) des ~; crouler, disparaître, être bloqué/broyé/coincé/emprisonné/englouti/enseveli/enterré, mourir, périr, survivre sous les ~.*

DÉCOR (dans une maison, un restaurant, au théâtre, etc.) abstrait, admirable, aéré, agréable, amusant, austère, avenant, branché, chaleureux, (sur)chargé, charmant, classique, clinquant, délabré, dépouillé, éblouissant, efficace, épuré, exceptionnel, extraordinaire, fade, fastueux, féerique, feutré, fonctionnel, froid, gai, grand, grandiose, guindé, immaculé, immense, immuable, imposant, inexistant, insipide, joli, judicieux, léger, lourd, luxuriant, magnifique, minimal, minimaliste, modeste, opulent, original, (im)personnel, plaisant, pompeux, précieux, (ultra)raffiné, remarquable, sévère, simple, sobre, soigné, sombre, somptueux, sophistiqué, spectaculaire, superbe, tapageur, unique. *Changer, concevoir, créer, élaborer, exécuter, faire, (dé)monter, rajeunir, réaliser, renouveler, signer un ~.* ♦ (paysage) admirable, agréable, apaisant, aride, attrayant, charmant, démesuré, éblouissant, enchanteur, époustouflant, évocateur, étonnant, étrange, exceptionnel, extraordinaire, fastueux, féerique, grandiose, idyllique, immense, immuable, impressionnant, incomparable, infini, inoubliable, joli, lugubre, lumineux, lunaire, luxuriant, magnifique, majestueux, mélancolique, monotone, mystérieux, paisible, paradisiaque, prodigieux, remarquable, reposant, sauvage, serein, sinistre, somptueux, sordide, spectaculaire, splendide, sublime, superbe, unique, vaste, verdoyant. *Admirer, contempler un ~.*

DÉCORATION (action, art de décorer) agréable, austère, chaleureuse, (sur)chargée, classique, clinquante, convenable, dépouillée, éblouissante, élaborée, élégante, épurée, exceptionnelle, fade, fastueuse, féerique, froide, gaie, grandiose, harmonieuse, impersonnelle, insipide, jolie, légère, lourde, luxuriante, magnifique, minimale, modeste, opulente, originale, plaisante pompeuse, précieuse, raffinée, recherchée, remarquable, riche, sobre, soignée, sommaire, somptueuse, sophistiquée, stricte, superbe, vulgaire. *Changer, effectuer, exécuter, rénover une/la ~ de (un appartement, etc.).* ♦ (médaille) éclatante, prestigieuse. *Accorder, conférer, décerner, épingler, mériter, obtenir, porter, recevoir, remettre une ~.*

DÉCOURAGEMENT absolu, affreux, court, extrême, grand, immense, indéfinissable, indescriptible, inexplicable, infini, insurmontable, long, profond, sombre, tenace, total. *Éprouver, justifier, produire, semer un/le ~; céder, se laisser aller au ~; (re)tomber dans le ~; réagir, se défendre contre le ~.*

DÉCOUVERTE accablante, accidentelle, ahurissante, brillante, capitale, curieuse, décisive, déprimante, désagréable, émouvante, essentielle, étonnante, étrange, fabuleuse, fantastique, fondamentale, formidable, fortuite, fulgurante, géniale, grande, (mal)heureuse, importante, incessante, inopinée, inouïe, inquiétante, macabre, magnifique, majeure, merveilleuse, palpitante, porteuse, précieuse, primordiale, progressive, récente, révolutionnaire, sensationnelle, significative, soudaine, spectaculaire, stupéfiante, surprenante, terrible, troublante, utile. *Annoncer, appliquer, assimiler, faire, favoriser, permettre, préparer, publier, réaliser, réussir, utiliser une ~; aboutir, procéder à une ~.*

DÉCROCHAGE alarmant, dramatique, élevé, faible, hâtif, inquiétant, massif, préoccupant, précoce, significatif, volontaire. *Connaître, constater, entraîner, enregistrer, observer, occasionner, provoquer un ~ (+ adj.); accroître, contrer, diminuer, empêcher, encourager, engendrer, éviter, favoriser, freiner, limiter, prévenir, réduire, restreindre le ~; lutter contre le ~.*

DÉDAIN amer, arrogant, brutal, écrasant, excessif, fier, froid, grand, hautain, immense, immérité, injustifié, insolent, insultant, insupportable, ironique, (in)juste, léger, majestueux, moqueur, narquois, profond, railleur. *Avoir, exprimer, manifester, ressentir, témoigner un/du/son ~.*

DÉDOMMAGEMENT adéquat, ample, approprié, avantageux, complet, dérisoire, élevé, équitable, excessif, exorbitant, faible, intégral, juste, large, léger, partiel, raisonnable, rapide, substantiel, (in)suffisant, symbolique, total. *Accepter, accorder, allouer, demander, donner, espérer, exiger, fixer, obtenir, payer, percevoir, recevoir, réclamer, toucher un/des ~(s); procéder à un/des ~(s).*

DÉFAILLANCE (évanouissement) brève, brusque, courte, légère, longue, prolongée, soudaine, subite. *Avoir une ~; tomber en ~.* ♦ (insuffisance) certaine, criante, flagrante, forte, frappante, grave, importante, imprévisible, inopinée, irrémédiable, majeure, manifeste, mineure, notoire, passagère, profonde, prolongée, soudaine, subite. *Avoir, combler, connaître, constater, pallier une ~; parer, remédier, suppléer à une ~; souffrir d'une ~.*

DÉFAITE abjecte, (in)attendue, brûlante, certaine, cinglante, complète, (in)contestable, (in)contestée, courte, cruelle, cuisante, définitive, démoralisante, désastreuse, douloureuse, dramatique, éclatante, écrasante, embarrassante, (in)évitable, fatale, finale, foudroyante, générale, glorieuse, grande, grave, historique, honorable, honteuse, humiliante, indéniable, inéluctable, irréversible, injuste, lamentable, légère, lourde, magistrale, majeure, mémorable, mineure, nette, passagère, piteuse, (im)prévisible, profonde, relative, sanglante, sèche, sévère, sinistre, surprenante, surprise, terrible, totale, tragique, trompeuse. *Assumer, avouer, causer, connaître, craindre, encaisser, enregistrer, entraîner, essuyer, éviter, prévoir, provoquer, reconnaître, relativiser, souffrir, subir, vivre une ~; échapper, être confronté, s'exposer, survivre à une ~; s'acheminer, se diriger vers une ~; accumuler, collectionner, multiplier les ~s.*

DÉFAUT apparent, caché, capital, criant, dangereux, énorme, essentiel, évident, flagrant, frappant, grand, grave, immense, important, incorrigible, inquiétant, insupportable, intolérable, irrémédiable, léger, lourd, majeur, mince, mineur, notable, nuisible, préoccupant, principal, profond, regrettable, secondaire, sérieux, spectaculaire, vilain. *Avoir, avouer, combler, compenser, constater, corriger, couvrir, déceler, découvrir, déplorer, excuser, masquer, pallier, pardonner, présenter, relever, remarquer, signaler, suppléer, tolérer, trouver un ~; remédier, suppléer à un ~; être affligé, se corriger, se défaire d'un ~.*

DÉFECTUOSITÉ apparente, cachée, connue, flagrante, fortuite, grand, grave, importante, irrémédiable, légère, majeure, mineure, temporaire. *Avoir, causer, constater, corriger, déceler, découvrir, détecter, indiquer, noter, pallier, posséder, présenter, relever, réparer, signaler une ~.* Une ~ se manifeste, se produit, surgit.

DÉFENSE acharnée, active, admirable, courageuse, désespérée, dure, efficace, énergique, entêtée, faible, fanatique, farouche, féroce, forcenée, héroïque, importante, intrépide, invincible, légitime, longue, méthodique, obstinée, opiniâtre, passive, ponctuelle, rapprochée, restreinte, rigoureuse, rude, tenace, victorieuse. *Assurer, esquisser, organiser, prendre, préparer, renforcer, tenter une/la ~ de qqn/qqch.; aller, contribuer, courir à la ~ de qqch.; se charger de la ~ de qqn/qqch.; être sans ~.*

DÉFENSEUR acharné, ardent, efficace, énergique, grand, infatigable, inlassable, intrépide, passionné, puissant, solide.

DÉFENSIVE absente, acharnée, active, agressive, améliorée, costaude, courageuse, craintive, efficace, énergique, équilibrée, étanche, faible, farouche, forcenée, formidable, forte, furieuse, impeccable, impénétrable, importante, impressionnante, intrépide, molle, momentanée, obstinée, oisive, opiniâtre, outrancière, paresseuse, passive, perméable, poreuse, prolongée, redoutable, remarquable, robuste, (res)serrée, solide, stratégique, talentueuse, tenace, totale, vigilante, vigoureuse. *Avoir, manifester, offrir, posséder, présenter une ~ (+ adj.); se butter, se heurter à une ~ (+ adj.); faire preuve d'une ~; être, rester, se mettre, se tenir sur la ~.*Une ~ s'ajuste.

DÉFI ambitieux, audacieux, courageux, cruel, difficile, essentiel, exigeant, fondamental, formidable, gigantesque, grand, grave, herculéen, humiliant, important, impossible, imprudent, inédit, joyeux, léger, lourd, majeur, méritoire, mineur, orgueilleux, réaliste, redoutable, sérieux, significatif, stimulant, téméraire, titanesque. *Accepter, adresser, affronter, assumer, battre, constituer, craindre, jeter, lancer, porter, poser, rater, recevoir, relever, réussir un ~; être confronté, faire face, répondre à un ~.*

DÉFICIENCE absolue, accrue, aiguë, avancée, chronique, définitive, grave, légère, lourde, majeure, marquée, mineure, modérée, moyenne, passagère, permanente, préoccupante, profonde, prolongée, prononcée, relative, sérieuse, sévère, soudaine, superficielle. *Avoir, cacher, combler, constater, observer, pallier, présenter une ~; remédier, suppléer à une ~; vivre avec une ~; être atteint/victime, souffrir d'une ~.*

DÉFICIT aggravé, chronique, colossal, considérable, criant, croissant, démesuré, écrasant, énorme, excessif, formidable, galopant, gigantesque, global, grave, immense, important, insignifiant, léger, lourd, momentané, partiel, persistant, provisoire, sérieux, vertigineux. *Accuser, alourdir, combler, compenser, contenir, couvrir, creuser, enregistrer, éponger, éprouver, financer, occasionner, présenter, provoquer, réduire, résorber, subir, supprimer un ~; pourvoir, remédier, suppléer à un ~; souffrir, venir à bout d'un ~; être, mettre en ~.* Un/le ~ empire, est sous contrôle, persiste, s'alourdit, s'amplifie, se creuse, se résorbe, subsiste.

DÉFILÉ brillant, coloré, élégant, énorme, hétéroclite, immense, impeccable, imposant, incessant, ininterrompu, interminable, joyeux, lent, long, magnifique, maigre, majestueux, officiel, rapide, silencieux, somptueux, spectaculaire, traditionnel, triomphal. *Conduire, faire, mener, observer, ordonner, organiser, régler, suivre un ~; participer, prendre part, se mêler à un ~.* Un ~ grossit, s'ébranle, se compose, se déploie, se désagrège, se disloque, se forme, se met en marche, se prépare, se sépare, s'étire, s'organise.

DÉFINITION abrégée, abstraite, (in)adéquate, alambiquée, ambiguë, approfondie, (in)appropriée, arbitraire, brève, claire, (in)complète, concise, confuse, convenable, (in)correcte, courte, élargie, élégante, éloquente, équivoque, erronée, étroite, (in)exacte, explicite, fausse, implicite, (in)intelligible, juste, large, limitée, longue, mauvaise, médiocre, objective, obscure, (im)parfaite, piètre, pratique, (im)précise, profonde, rapide, réductrice, restrictive, rigoureuse, (in)satisfaisante, schématique, simple, sommaire, subjective, succincte, (in)suffisante, superbe, superficielle, transparente, vague, valable. *Arrêter, compléter, donner, ébaucher, élaborer, énoncer, établir, mettre au point, proposer une ~.*

DÉGÂT considérable, effroyable, énorme, étendu, grand, grave, gros, immense, important, inestimable, insignifiant, léger, limité, lourd, minime, modéré, notable, (ir)réparable, ruineux, sensible, sérieux, spectaculaire, terrible. *Causer, commettre, considérer, constater, essuyer, établir, évaluer, faire, mesurer, occasionner, payer, produire, provoquer, réparer, subir un/des/les ~(s).*

DÉGOÛT absolu, amer, énorme, extrême, horrible, immense, inexprimable, instinctif, insurmontable, intense, justifié, léger, mortel, opiniâtre, profond, terrible, véritable, vif, violent, viscéral. *Avoir, éprouver, inspirer, porter, ressentir un ~ (+ adj.); éprouver, inspirer, manifester, marquer, provoquer, ressentir, témoigner le/du ~; dissimuler, surmonter, vaincre son ~.*

DÉGRADATION (*détérioration*) considérable, continue, inexorable, flagrante, forte, graduelle, inéluctable, inquiétante, irrémédiable, lente, longue, massive, (im)perceptible, préoccupante, profonde, progressive, rapide, (in)sensible, soudaine, subite, visible. *Enrayer, favoriser la ~.* ♦(*dégâts*) considérables, énormes, étendues, faibles, fortes, graves, immenses, importantes, insignifiantes, légères, limitées, lourdes, minimes, modérées, sérieuses. *Causer, commettre, constater, entraîner, faire, infliger, observer, provoquer, réparer, subir des ~s.*

DEGRÉ absolu, avancé, bas, élevé, éminent, étonnant, extraordinaire, extrême, faible, fort, haut, incroyable, inédit, inouï, maximal, minimal, rare, relatif, remarquable, (in)satisfaisant, (in)suffisant, suprême, variable, zéro. *Atteindre, posséder un ~ (+ adj.); monter, parvenir à un ~ (+ adj.).*

(PETIT-)DÉJEUNER abondant, agréable, bon, chaud, complet, consistant, convenable, copieux, correct, excellent, expédié, exquis, froid, frugal, gastronomique, généreux, gourmand, gras, gros, infect, léger, lourd, maigre, mauvais, modeste, plantureux, rapide, savoureux, simple, soigné, sommaire, somptueux, substantiel, succulent, tardif. *Achever, attaquer, commander, expédier, faire, finir, improviser, offrir, partager, prendre, préparer, savourer, servir, terminer un/le ~; convier, inviter à un ~.*

DÉLAI achevé, allongé, bref, considérable, contraignant, convenu, court, (pré)déterminé, échu, écoulé, éloigné, envisageable, excessif, expiré, extrême, ferme, fixe, fixé, inextensible, (il)limité, long, maximum, minimum, normal, permis, précis, prescrit, pressant, prolongé, (dé)raisonnable, rapide, rapproché, (ir)réaliste, réglementaire, révolu, serré, (in)suffisant, supplémentaire. *Abréger, (s')accorder, allonger, assigner, consentir, demander, déterminer, (se) donner, écourter, exiger, (se) fixer, imposer, marquer, observer, obtenir, octroyer, préciser, prolonger, raccourcir, reconduire, réduire, refuser, repousser, respecter, resserrer, s'octroyer, suivre, tenir un/des/les ~(s); bénéficier, disposer, jouir d'un ~; être, terminer, livrer dans les ~s.* Un ~ échoit, expire, prend fin, s'allonge.

DÉLICATESSE absolue, admirable, charmante, exceptionnelle, excessive, exquise, extraordinaire, fausse, fine, grande, infinie, inouïe, parfaite, rare, recherchée. *Choquer, heurter, rechercher la ~; manquer à la ~; manifester, montrer, témoigner de la ~; manquer, user de ~.*

DÉLICE doux, exquis, extrême, pur, rare, sublime, véritable, vrai. *Faire les ~s de qqn ~.*

DÉLINQUANCE endémique, grande, grave, mineure, ordinaire, organisée, petite, urbaine, violente. *Combattre, endiguer, favoriser la ~; échapper, s'adonner, se livrer à la ~; rompre avec la ~; lutter contre la ~; basculer, plonger, s'enfoncer, vivre dans la ~; sortir de la ~; se diriger, se tourner vers la ~.* La ~ apparaît, augmente, baisse, diminue, disparaît, progresse, recule, règne, régresse, s'aggrave, s'atténue, sévit, stagne.

DÉLINQUANT, ANTE dangereux, jeune, notoire, petit. *Condamner, détenir, juger, punir, réhabiliter un ~.*

DÉLIT abominable, crapuleux, épouvantable, flagrant, grand, grave, important, impuni, inqualifiable, insignifiant, léger, mince, punissable, réitéré. *Accomplir, commettre, constituer, découvrir, faire, punir, réprimer, sanctionner un ~; être accusé d'un ~; être incriminé pour un ~; être coupable de ~.*

DEMANDE absurde, (in)acceptable, anodine, audacieuse, banale, bizarre, brutale, capitale, (in)complète, complexe, compliquée, (in)correcte, délicate, difficile, (in)directe, (in)discrète, (in)efficace, embarrassante, équitable, essentielle, étrange, exigeante, exorbitante, explicite, expresse, facile, faible, fastidieuse, folle, (in)fondée, (in)formelle, forte, (in)fructueuse, grave, humble, humiliante, impérative, impérieuse, implicite, importante, incongrue, inconsidérée, insidieuse, insistante, insolente, insolite, intempestive, intéressante, (in)juste, (in)justifiée, (il)légitime, naïve, négative, obstinée, officielle, officieuse, (in)opportune, originale, osée, (im)pertinente, positive, (im)précise, prématurée, préméditée, pressante, (dé)raisonnable, réitérée, résolue, respectueuse, simple, sotte, spontanée, ultime, urgente, (in)utile, vaine. *Accepter, accorder, accueillir, adresser, agréer, appuyer, déposer, écarter, étudier, examiner, exaucer, exposer, exprimer, faire, formuler, hasarder, honorer, justifier, présenter, recommander, refuser, réitérer, rejeter, renouveler, repousser, risquer, satisfaire, soumettre, soutenir, transmettre une ~; accéder, acquiescer, donner satisfaction/suite, renoncer, répondre, satisfaire, souscrire à une ~; acheminer, canaliser les ~s; accabler, harceler de ~s.*

DÉMANGEAISON désagréable, douloureuse, faible, forte, généralisée, grave, importante, incommodante, insupportable, intense, intermittente, intolérable, légère, locale, permanente, persistante, sévère, soudaine, subite, tenace, terrible. *Avoir, calmer, causer, entraîner, éprouver, faire cesser, provoquer, ressentir, soulager, sentir une ~.* Une/la ~ (ré)apparaît, cesse, disparaît, s'aggrave, se manifeste, survient.

DÉMARCATION absolue, arbitraire, artificielle, claire, étroite, floue, large, mince, nette, objective, (im)précise, prononcée, rigoureuse, stricte, subtile, superficielle, ténue, tranchée. *Établir, opérer, tracer une ~.*

DÉMARCHE (<u>*façon de marcher*</u>) agile, ailée, aisée, allègre, altière, assurée, athlétique, balancée, bondissante, chancelante, claudicante, (in)correcte, dansante, dégingandée, difficile, digne, élastique, (in)élégante, embarrassée, empesée, empruntée, engourdie, étrange, féline, fière, gauche, (dis)gracieuse, grave, hautaine, hésitante, houleuse, imposante, incertaine, indolente, inégale, lasse, légère, lente, leste, lourde, majestueuse, maladroite, malhabile, mauvaise, modeste, naturelle, nerveuse, noble, nonchalante, ondoyante, ondulante, orgueilleuse, paresseuse, particulière, pataude, pesante, prétentieuse, raide, rapide, régulière, rythmée, saccadée, sautillante, séduisante, silencieuse, solennelle, souple, timide, titubante, traînante, trébuchante, vacillante, vive, volontaire, voûtée, zigzagante. *Avoir,* *posséder une/la ~ (+ adj.).* ♦ (intervention) absurde, ambitieuse, (in)amicale, ardue, audacieuse, banale, capitale, circonspecte, compliquée, (in)conséquente, constructive, (in)correcte, décisive, délicate, déplacée, (in)efficace, ennuyeuse, difficile, facile, fastidieuse, (in)formelle, (in)fructueuse, habile, hardie, hasardeuse, hâtive, (mal)honnête, humble, humiliante, incomprise, incongrue, inconsidérée, indispensable, inexplicable, intempestive, (dés)intéressée, logique, louche, malintentionnée, nécessaire, obstinée, (in)opportune, originale, osée, pacifique, précipitée, prématurée, préméditée, pressante, (im)prudente, (dé)raisonnable, (ir)rationnelle, réitérée, rigoureuse, risquée, satisfaisante, significative, simple, singulière, sinueuse, spontanée, suspecte, téméraire, transparente, ultime, (in)utile, vaine. *Accélérer, accomplir, (dés)approuver, conseiller, continuer, différer, effectuer, entamer, entreprendre, expliquer, faire, hâter, justifier, motiver, poursuivre, précipiter, recommander, regretter, réitérer, renouveler, soutenir, tenter une ~; multiplier les ~s.*

DÉMARRAGE (*~ d'une voiture, d'un ordinateur, etc.*) aisé, assuré, bon, délicat, difficile, doux, excellent, exceptionnel, facile, fiable, foudroyant, fulgurant, garanti, immédiat, impeccable, laborieux, lent, long, pénible, précipité, rapide, spectaculaire, spontané, sûr. *Assurer, garantir, offrir, permettre un ~ (+ adj.); caler au ~.* ♦ (*départ, réussite*) assuré, bon, brillant, difficile, doux, excellent, exceptionnel, facile, foudroyant, fulgurant, garanti, grand, hâtif, immédiat, laborieux, lent, long, massif, mitigé, modeste, pénible, précaire, précipité, progressif, prompt, rapide, remarquable, spectaculaire, sûr, tardif. *Avoir, connaître, effectuer, faire, réaliser un ~ (+ adj.).*

DÉMÉNAGEMENT bon, bref, complet, court, difficile, facile, forcé, improvisé, long, mauvais, partiel, pénible, permanent, planifié, rapide, réussi, ruineux, temporaire, urgent; continuels, fréquents, incessants. *Annoncer, assurer, effectuer, faire, gérer, improviser, organiser, planifier, préparer, prévoir, réaliser un ~; procéder à un ~.*

DEMEURE agréable, charmante, confortable, coquette, cossue, décrépite, élégante, fastueuse, grandiose, hospitalière, humble, immense, imposante, luxueuse, magnifique, majestueuse, pimpante, prétentieuse, princière, récente, royale, sévère, solitaire, somptueuse, spacieuse, splendide, superbe, vieille.

DÉMISSION anticipée, brusque, brutale, complète, courageuse, définitive, déguisée, différée, forcée, fracassante, immédiate, imminente, inattendue, inéluctable, lâche, massive, regrettable, soudaine, spectaculaire, subite, surprise, tonitruante, volontaire. *Accepter, demander, donner, envoyer, différer, motiver, offrir, présenter, provoquer, recevoir, refuser, remettre, retarder, retirer une/sa ~; acculer qqn, contraindre qqn, être acculé/contraint/poussé, pousser qqn à la ~.*

DÉMOCRATE authentique, bon, convaincu, enthousiaste, fervent, vrai.

DÉMOCRATIE absolue, autoritaire, avancée, chancelante, directe, efficace, émergente, exemplaire, factice, faible, forte, fragile, impeccable, jeune, mature, naissante, parfaite, populaire, précaire, relative, représentative, réussie, saine, (in)stable, totalitaire, véritable, vieille, vivace, vraie, vulnérable. *Atteindre, bâtir, choisir, consolider, construire, défendre, détruire, entraver, (r)établir, exercer, faire avancer, favoriser, instaurer, menacer, mettre en péril, prêcher, préserver, privilégier, promouvoir, prôner, protéger, ramener, renforcer, restaurer, sauver la ~; accéder, aspirer, croire, nuire, parvenir, passer, renoncer à la ~; croire dans la ~; être, vivre en ~.* La ~ progresse, recule, régresse, se dégrade, triomphe.

DÉMOGRAPHIE (in)contrôlée, explosive, exponentielle, faible, (dé)favorable, forte, galopante, maîtrisée.

DÉMONSTRATION (*manifestation, protestation*) brutale, bruyante, calme, chaleureuse, émouvante, énergique, enthousiaste, excessive, exubérante, faible, géante, gigantesque, hostile, houleuse, importante, imposante, impressionnante, massive, pacifique, paisible, patiente, spontanée, tonitruante, tumultueuse, vaine, violente. *Couvrir, faire, organiser, préparer, tenir une ~.* ♦ (*preuve, argument*) claire, complète, concrète, convaincante, éblouissante, éclatante, efficace, époustouflante, faible, forte, impeccable, implacable, irréfutable, légère, limpide, lumineuse, magistrale, méthodique, objective, piètre, pratique, probante, puissante, remarquable, rigoureuse, scientifique, simple, sobre, solide, tangible. *Apporter, donner, fournir une ~ (+ adj.); se livrer à une ~ (+ adj.); faire, organiser, préparer une ~.*

DÉNONCIATION acharnée, anonyme, calomnieuse, (in)directe, fausse, fondée, furieuse, grave, importante, irréfutable, (in)juste, (in)justifiée, mensongère, (im)précise, vague, vigoureuse, virulente. *Émettre, formuler, lancer une ~; se livrer à une ~.*

DÉNOUEMENT abrupt, brutal, catastrophique, corsé, écourté, fatal, (dé)favorable, hâtif, (mal)heureux, horrible, imminent, implacable, inattendu, inéluctable, inévitable, intéressant, logique, mystérieux, optimiste, pessimiste, (im)prévisible, (im)prévu, raisonnable, rapide, rigoureux, tardif, tragique, ultime, (in)vraisemblable. *Attendre, brusquer, hâter, ménager, précipiter, trouver un/le ~.* Un/le ~ approche, tarde.

DENSITÉ basse, constante, critique, élevée, exceptionnelle, faible, forte, haute, importante, incroyable, infinie, maximale, (a)normale, parfaite, profonde, rare, (in)suffisante, uniforme, variable. *Avoir, présenter une ~ (+ adj.).*

DENT abîmée, absente, branlante, cariée, creuse, déchaussée, définitive, ébréchée, fausse, fracturée, gâtée, malade, morte, pointue, pourrie, saine, sensible, tranchante, vivante; blanches, brillantes, courtes, éblouissantes, écartées, éclatantes, espacées, étincelantes, fraîches, jaunâtres, jaunes, larges, longues, magnifiques, mauvaises, noires, parfaites, propres, (ir)régulières, sales, splendides, superbes, vilaines. *Arracher, (se) casser, combler, extraire, obturer, perdre, plomber, se faire soigner une ~; se brosser, se curer, se faire détartrer, se laver, se nettoyer, se rincer, (des)serrer les ~s; avoir mal aux ~s; déchiqueter, déchirer, mâcher, mastiquer, mordiller, mordre avec les ~s; claquer, crisser, grincer, souffrir des ~s;*

brosser, faire, percer, perdre ses ~s. Une ~ bouge, branle, perce, pousse, remue, se déchausse; des ~s claquent, grincent, s'entrechoquent.

DÉNUEMENT abject, absolu, affreux, complet, criant, effroyable, extrême, grand, honteux, humiliant, indescriptible, insupportable, intolérable, noir, profond, réel, relatif, sordide, total. *Être, vivre dans un ~ (+ adj.).*

DÉPART anticipé, brusque, définitif, désiré, différé, discret, excellent, faux, forcé, foudroyant, fracassant, fulgurant, furtif, grand, hâtif, immédiat, imminent, imprévu, impromptu, inattendu, inopiné, intempestif, laborieux, lointain, massif, mauvais, mystérieux, précipité, précoce, prématuré, proche, prometteur, prompt, rapide, retardé, soudain, spectaculaire, spontané, subit, tardif, (in)volontaire. *Ajourner, annoncer, avancer, décaler, différer, fixer, hâter, manquer, précipiter, prendre, presser, reculer, remettre, retarder un/le/son ~.*

DÉPASSEMENT audacieux, dangereux, difficile, hasardeux, illicite, intempestif, interdit, imprudent, permis, rapide, téméraire. *Effectuer, faire, opérer, pratiquer, rater, réussir, tenter un ~.*

DÉPAYSEMENT absolu, agréable, assuré, certain, complet, continu, continuel, court, garanti, grisant, immédiat, inégalable, instantané, intégral, intense, intéressant, maximum, profond, spectaculaire, surprenant, subtil, total, unique. *Constituer, créer, donner, goûter, offrir, procurer, proposer, vivre un ~ (+ adj.); aimer, rechercher le ~.*

DÉPENDANCE (liaison, corrélation) accrue, apparente, bonne, complexe, croissante, cruciale, (in)directe, effective, éloignée, entière, essentielle, étroite, évidente, explicite, faible, fondamentale, forte, implicite, intime, logique, lointaine, mutuelle, nécessaire, permanente, réciproque, réelle, significative, simple, stricte, subtile. *Bâtir, créer, établir une ~.* ♦(accoutumance, soumission) accrue, chronique, croissante, durable, étroite, faible, forte, graduelle, immédiate, importante, intense, irréversible, légère, lente, lourde, permanente, progressive, rapide, totale, (in)volontaire. *Constituer, créer, développer, entraîner, entretenir, éprouver, induire, maintenir, provoquer, ressentir une ~; s'affranchir, se libérer d'une ~; être dans/sous la ~ de qqn/qqch.; être en état de ~.* Une ~ diminue, persiste, s'amplifie, se crée, s'établit, s'installe, s'intensifie.

DÉPENSE abusive, colossale, considérable, croissante, dérisoire, effrénée, effroyable, élevée, énorme, (in)évitable, exagérée, excessive, exorbitante, extravagante, faible, folle, formidable, grosse, immense, importante, injustifiable, inouïe, insensée, insignifiante, lourde, menue, minime, (im)modérée, modique, nécessaire, occasionnelle, onéreuse, (extra)ordinaire, (im)prévue, (dé)raisonnable, ridicule, ruineuse, superflue, supplémentaire, (in)utile. *Acquitter, allouer, assumer, calculer, couvrir, défrayer, effectuer, engager, entraîner, évaluer, faire, imposer, justifier, nécessiter, occasionner, prendre en charge, provoquer, régler, rembourser, renouveler, restreindre, soutenir, supporter une/des ~(s); faire face à une ~; se lancer, s'engager dans des ~s; augmenter, comprimer, contrôler, diminuer, enfler, freiner, limiter, modérer, multiplier, réduire, restreindre, stimuler, surveiller la/les/ses ~(s); entraîner, inviter, pousser, regarder à la ~.*

DÉPISTAGE affiné, approfondi, ciblé, complet, fin, grossier, hâtif, massif, méthodique, méticuleux, précis, précoce, routinier, sélectif, sommaire, systématique, tardif. *Effectuer, faire, pratiquer, subir un ~ ; procéder à un ~.*

DÉPIT amer, cruel, douloureux, extrême, furieux, grand, immense, invincible, léger, orgueilleux, pénible, profond, secret, (in)visible. *Avoir, causer, concevoir, éprouver, ressentir un/du ~; cacher, dissimuler, manifester son ~; être rouge, grimacer, pleurer de ~.*

DÉPLACEMENT court, éclair, ennuyeux, grand, important, inutile, long, pénible, ponctuel, précipité, prolongé, rapide, régulier, soudain, temporaire; continuels, fréquents, incessants. *Effectuer, faire, opérer un ~; être en ~.*

DÉPLOIEMENT agressif, aisé, brusque, brutal, complet, difficile, (in)efficace, facile, fastidieux, graduel, grand, intégral, judicieux, lent, (il)limité, long, massif, poussé, préventif, progressif, rapide, soudain, spectaculaire, subit, sûr, synchronisé, systématique, total. *Assurer, effectuer, opérer, préparer, réaliser un ~; procéder à un ~.*

DÉPOLLUTION avancée, complète, considérable, coûteuse, douce, efficace, importante, limitée, lourde, massive, naturelle, partielle, permanente, poussée, progressive, radicale, rapide, sélective, suffisante, totale. *Effectuer, faire, pratiquer, réaliser, subir une ~; procéder à une ~.*

DÉPOTOIR énorme, géant, immense, nauséabond, sauvage, vaste.

DÉPRÉCIATION considérable, continue, excessive, faible, formidable, forte, graduelle, large, légère, lente, longue, progressive, rapide, sensible, significative. *Causer, connaître, entraîner, provoquer, subir une ~.*

DÉPRESSION chronique, forte, grave, importante, latente, légère, longue, majeure, mineure, précoce, profonde, prolongée, récurrente, sérieuse, sévère, tardive. *Développer, faire, manifester, présenter, soigner, traiter, traverser, vivre une ~; faire face à une ~; guérir, sortir, souffrir d'une ~; plonger, sombrer dans la ~; souffrir de ~.* Une ~ s'installe.

DÉPUTÉ absentéiste, besogneux, bon, dévoué, dynamique, efficace, énergique, expérimenté, influent, responsable, siégeant, simple, sortant, travailleur. *(ré)Élire, exclure, expulser, interpeller, invalider, nommer, suspendre un ~; devenir, être élu/nommé ~.*

DÉROULEMENT accéléré, bref, chaotique, continu, court, curieux, efficace, fatal, fatidique, foudroyant, fulgurant, graduel, (mal)heureux, imperturbable, inattendu, incertain, inéluctable, inévitable, infini, (in)interrompu, lent, linéaire, lisse, logique, long, magnifique, mauvais, monotone, naturel, normal, paisible, perpétuel, (im)prévisible, progressif, ralenti, rapide, (ir)régulier, rigoureux, tragique. *Accélérer, arrêter, bloquer, brusquer, contrôler, entraver, favoriser, freiner, gêner, hâter, perturber, retarder, suivre, troubler le ~ de qqch.*

DÉROUTE amère, catastrophique, cinglante, complète, cruelle, cuisante, désastreuse, dramatique, énorme, fatale, foudroyante, générale, honteuse, humiliante, immense, imminente, inévitable, laborieuse, lourde, mémorable, piteuse, sévère, spectaculaire, terrible, totale. *Connaître, entraîner, infliger, provoquer, subir une/la ~; échapper à une/la ~; s'acheminer vers une/la ~; être, mettre en ~.*

DÉSACCORD absolu, aigu, brusque, choquant, cruel, entier, essentiel, flagrant, fondamental, grave, inévitable, insurmontable, intolérable, irréconciliable, irréductible, irrémédiable, léger, long, majeur, manifeste, mineur, patent, profond, radical, sérieux, total, violent. *Accentuer, amener, aplanir, avoir, causer, engendrer, entraîner, exprimer, faire cesser, prévenir, provoquer, réduire, régler, trancher un ~; être, se trouver en ~.* Un/le ~ existe, grandit, perdure, persiste, règne, s'amplifie, se produit.

DÉSAGRÉMENT croissant, cuisant, énorme, grave, extrême, immense, majeur, mineur, notoire, passager, pénible, profond, vif. *Attirer, avoir, causer, éprouver, occasionner, provoquer, susciter un/du/des ~(s).*

DÉSAPPOINTEMENT affreux, amer, certain, complet, cruel, douloureux, énorme, extrême, fâcheux, fort, immense, léger, légitime, motivé, profond, total, vif. *Avoir, éprouver, ressentir un ~; avouer, cacher, dire, dissimuler, exprimer, manifester, montrer son ~.*

DÉSAPPROBATION catégorique, explicite, ferme, forte, implicite, (in)justifiée, manifeste, nette, ouverte, pincée, profonde, silencieuse, totale, vive. *Encourir, entraîner, soulever, susciter une/la ~; dire, faire connaître, manifester, marquer, montrer, témoigner sa ~.*

DÉSARMEMENT complet, contrôlé, effectif, efficace, équilibré, général, global, immédiat, massif, négocié, pacifique, progressif, rapide, sélectif, systématique, total, universel, vérifiable, véritable, volontaire. *Effectuer, négocier, obtenir, viser un ~ (+ adj.); aboutir, parvenir, procéder à un ~ (+ adj.); prôner, relancer le ~; militer pour le ~.*

DÉSASTRE absolu, affreux, annoncé, brutal, considérable, effroyable, énorme, épouvantable, fatal, funeste, général, gigantesque, horrible, immense, inattendu, inévitable, inouï, irréparable, lamentable, majeur, mineur, lourd, (im)prévisible, terrible, total, vrai. *Empêcher, entraîner, éviter, frôler, maîtriser, occasionner, présager, prévenir, provoquer, réparer un ~; aboutir, conduire, échapper, faire face, survivre à un ~; être enlisé, sombrer dans un ~; être rescapé, sauver d'un ~; déboucher sur un ~.* Un ~ frappe, menace, plane, s'élargit, se profile, s'étend.

DÉSAVANTAGE certain, considérable, énorme, évident, flagrant, grand, immense, important, léger, majeur, mineur, momentané, ostensible, passager, permanent, profond, sérieux. *Avoir, comporter, présenter un ~ (+ adj.); tourner au ~ de qqn; se mettre, se montrer à son ~.*

DÉSAVEU absolu, catégorique, cinglant, clair, complet, éclatant, formel, manifeste, muet, net, ouvert, profond, public, silencieux, vif. *Encourir, essuyer, infliger, recevoir un ~.*

DESCENDANCE ancienne, (in)certaine, (in)connue, (in)directe, douteuse, illustre, lointaine, noble, nombreuse, obscure, riche, simple. *Avoir une ~ (+ adj.); être d'une/de ~ (+ adj.).*

DESCENTE aisée, brève, chaotique, courte, dangereuse, difficile, douce, droite, dure, facile, faible, fatigante, forte, grandiose, hardie, hasardeuse, légère, lente, longue, prononcée, périlleuse, (im)prudente, raide, rapide, (in)sensible, sinueuse, superbe, téméraire, vertigineuse. *Amorcer, effectuer, entamer, opérer une ~.*

DESCRIPTION abrégée, adéquate, affreuse, agréable, appropriée, approximative, artificielle, banale, brève, brillante, caricaturale, claire, colorée, complaisante, (in)complète, correcte, courte, crue, détaillée, élégante, éloquente, erronée, étendue, étoffée, étonnante, évocatrice, (in)exacte, excellente, exhaustive, fantaisiste, fausse, féroce, (in)fidèle, flatteuse, fouillée, frappante, généreuse, humoristique, imagée, impressionnante, intéressante, (in)juste, livresque, longue, lourde, mélancolique, méthodique, minutieuse, monotone, naïve, nette, objective, (im)parfaite, parlante, particulière, passionnée, pauvre, personnelle, pertinente, pittoresque, (im)précise, ramassée, rapide, réaliste, remarquable, ressemblante, riche, sommaire, subjective, succincte, systématique, vague, véridique, vigoureuse, vivante, vive, vraisemblable. *Donner, établir, faire, fournir, lire, rédiger, trouver une ~; correspondre, répondre, se livrer à une ~.*

DÉSÉQUILIBRE accru, croissant, faible, fort, fragile, grand, grandissant, grave, gravissime, inquiétant, instable, intense, irrémédiable, léger, menaçant, perceptible, précaire, préoccupant, profond, prononcé. *Aggraver, compenser, corriger, créer, éliminer, entraîner, faire cesser, introduire, résorber un ~; remédier à un ~.*

DÉSERT ardent, (semi-)aride, brûlant, calciné, illimité, immense, infini, inhabitable, nu, ondulé, sablonneux, stérile, torride, vaste. *Fertiliser, irriguer, peupler, traverser un ~.*

DÉSESPOIR absolu, affreux, amer, calme, clairvoyant, énorme, extrême, faux, feint, froid, grand, immense, incommensurable, indéfinissable, indescriptible, inexplicable, infini, inguérissable, lâche, lucide, profond, sincère, sombre, tenace, terrible, total, tragique, violent, vrai. *Alimenter, cacher, éprouver, hurler, nourrir, renforcer, ressentir un/le/son ~; mettre, porter, pousser, réduire, céder, être, s'abandonner, s'adonner, se laisser aller, se livrer, succomber au ~; se défendre, lutter, réagir contre le ~; s'effondrer, s'enfoncer, se plonger, sombrer, (re)tomber dans le ~; sauver qqn du ~; être ivre, hurler, languir, mourir, sangloter, s'écrouler, s'effondrer de ~.*

DÉSILLUSION amère, complète, croissante, cruelle, cuisante, douce, douloureuse, dure, énorme, fausse, forte, grande, grandissante, grave, horrible, immense, légère, majeure, profonde, sévère, terrible, totale, vive. *Causer, connaître, éprouver, exprimer, subir, surmonter une ~; avoir peur d'une ~; sombrer dans la ~.* Une/la ~ persiste, s'amplifie, se fait jour, subsiste.

DÉSINTÉRÊT absolu, accru, complet, croissant, extrême, général, grandissant, ostensible, profond, soudain, subit, suprême, total. *Afficher, démontrer, exprimer, manifester, nourrir un ~ (+ adj.).*

DÉSIR accru, aigu, ambitieux, apaisé, ardent, (in)assouvi, aveugle, avide, bas, brûlant, brusque, cher, clair, comblé, complexe, confus, (in)conscient, (in)constant, contenu, continuel, croissant, cuisant, cupide, débridé, désespéré, dissimulé, dominant, doux, effréné, énorme, éperdu, éphémère, excessif, exclusif, extrême, faible, féroce, ferme, fiévreux, forcené, fort, fou, fougueux, frénétique, frustré, fugitif, furieux, hésitant, immense, impatient, impérieux, impétueux, impossible, inapaisable, inassouvissable, inavouable, inavoué, incessant, inextinguible, inflexible, informe, inguérissable, insatiable, insensé, instinctif, insurmontable, intelligent, intense, irraisonné, irrésistible, lancinant, légitime, maladif, manifeste, (im)modéré, modeste, momentané, morbide, mutuel, naïf, naturel, nostalgique, obsédant, obstiné, opiniâtre, passionné, perpétuel, persévérant, (im)précis, pressant, profond, puissant, (dé)raisonnable, (ir)réalisable, réfléchi, refoulé, refroidi, réprimé, retenu, (in)satisfait, secret, sincère, sournois, spontané, suspect, téméraire, tendre, trouble, vague, vain, véhément, vif, violent, vorace. *Accomplir, aiguiser, (r)allumer, apaiser, assouvir, attiser, aviver, caresser, combler, concevoir, contenir, contenter, contrecarrer, créer, déguiser, devancer, entretenir, éprouver, éteindre, étouffer, éveiller, exacerber, exagérer, exaspérer, exaucer, exposer, exprimer, faire naître, favoriser, former, formuler, freiner, inspirer, limiter, manifester, modérer, montrer, nourrir, provoquer, réaliser, refouler, refréner, régler, renouveler, repousser, réprimer, ressentir, retenir, satisfaire, tuer un/le/les/son/ses ~(s); accéder, acquiescer, céder, obéir, résister, satisfaire à un/son/ses/aux ~(s) de qqn; être animé/enflammé/pénétré d'un ~; être travaillé par un/le ~; brûler, flamber, frémir de ~.* Un ~ croît, enfle, grandit, monte, naît, s'accentue, s'atténue, s'attiédit, se déclenche, s'émousse, s'éteint, s'exaspère, s'exacerbe.

DÉSOBÉISSANCE acharnée, active, chronique, continuelle, délibérée, entêtée, flagrante, formelle, manifeste, opiniâtre, ostentatoire, ouverte, passive, systématique, totale. *Faire une preuve d'une ~ (+ adj.); pratiquer la ~; appeler, inciter à la ~.*

DÉSORDRE (chaos, confusion, désorganisation) absolu, affreux, anarchique, apparent, certain, complet, considérable, effroyable, énorme, épouvantable, extrême, horrible, immense, inaccoutumé, incroyable, indescriptible, inexprimable, inextricable, inimaginable, léger, organisé, parfait, permanent, relatif, savant, soudain, spontané, terrible, total, volontaire, voulu. *Être, se trouver dans un ~ (+ adj.); réparer, supporter le ~; mettre du ~; être, mettre en ~.* Un/le ~ règne, se propage, s'installe.

DESSERT appétissant, compliqué, consistant, copieux, délectable, délicat, délicieux, élaboré, excellent, exotique, exquis, favori, fin, gourmand, insipide, inventif, léger, lourd, manqué, onctueux, raffiné, réussi, savant, savoureux, simple, somptueux, sublime, succulent, traditionnel, velouté. *Apprécier, concocter, confectionner, cuisiner, déguster, faire, manger, (s')offrir, prendre, réaliser, savourer un ~; avoir, manger, prendre du ~; être privé, priver qqn de ~.*

DESSIN abstrait, (mal)adroit, affreux, agréable, amusant, approximatif, confus, conventionnel, délicat, ébauché, élégant, épuré, esquissé, exact, fignolé, figuratif, flou, franc, grossier, hâtif, hideux, humoristique, (im)parfait, (in)correct, (in)habile, ingénieux, joli, laid, léché, mauvais, minutieux, naïf, original, (im)précis, rapide, réaliste, réussi, robuste, rigoureux, schématique, sévère, soigné, sobre, sommaire, souple, superbe, vigoureux. *(dé)Calquer, copier, ébaucher, effacer, esquisser, estomper, exécuter, faire, fignoler, fixer, graver, imiter, ombrer, réaliser, rectifier, rehausser, relever, reproduire, retoucher, suivre, tracer un ~; apprendre, enseigner, pratiquer le ~; être doué/faible pour le ~; faire du ~.*

DESSINATEUR, TRICE bon, célèbre, compétent, confirmé, débutant, délicat, (sur)doué, élégant, expérimenté, génial, grand, habile, hardi, inimitable, mauvais, médiocre, minutieux, passable, piètre, réputé, sublime, talentueux, vigoureux.

DESTIN bizarre, bouleversant, brillant, brisé, broyé, chaotique, contrarié, cruel, déplorable, doux, éclatant, enviable, envieux, étonnant, étrange, exceptionnel, extraordinaire, fabuleux, (dé)favorable, foudroyé, glorieux, grandiose, (mal)heureux, ignoble, illustre, immuable, impitoyable, implacable, inéluctable, inexorable, insensé, insolite, ironique, irrémédiable, irrésistible, lamentable, lourd, magnifique, misérable, mouvementé, mystérieux, noble, pathétique, (im)pitoyable, propice, rigoureux, rude, sévère, singulier, tourmenté, tragique, triste, unique. *Avoir, connaître un ~ (+ adj.); accomplir, briser, changer, contrarier, déjouer, fixer, forcer, influencer, maîtriser, modifier, se construire, subir, suivre un/le/son ~; abandonner qqn, échapper, faire face, obéir, résister, se soumettre au/à son ~; décider, être maître/responsable de son ~; croire en son ~.*

DESTINATION (in)accessible, agréable, attrayante, calme, célèbre, chic, classique, courue, coûteuse, dangereuse, extraordinaire, favorite, fréquentée, inconnue, incontournable, inédite, insolite, intéressante, lointaine, magique, majeure, mythique, obscure, paisible, paradisiaque, perdue, précise, préférée, prestigieuse, privilégiée, proche, recherchée, rêvée, sûre, tranquille. *Chercher, découvrir, fréquenter, visiter, trouver une ~ (+ adj.); partir pour une ~ (+ adj.); arriver, être rendu, parvenir à ~.*

DESTRUCTION accrue, agressive, aveugle, brusque, brutale, certaine, (in)complète, considérable, croissante, définitive, délibérée, durable, efficace, globale, graduelle, imminente, importante, insidieuse, intégrale, irrémédiable, irréversible, lente, massive, méthodique, nette, partielle, progressive, rapide, sauvage, significative, sommaire, soudaine, spectaculaire, systématique, totale, vaste, violente. *Connaître, provoquer, subir une ~ (+ adj.); procéder à une ~ (+ adj.); semer la ~; être voué à la ~.*

DÉTAIL accessoire, amusant, anecdotique, anodin, banal, captivant, caractéristique, cocasse, concis, concret, croustillant, curieux, dérisoire, douloureux, effrayant, ennuyeux, essentiel, étrange, (in)exact, horrible, immense, important, inattendu, inédit, infime, insignifiant, insolite, instructif, intéressant, léger, litigieux, maigre, mesquin, microscopique, mince, minime, minuscule, minutieux, navrant, négligeable, parcimonieux, particulier, (im)perceptible, pertinent, piquant, pitoyable, pittoresque, (dé)plaisant, pratique, précieux, précis, regrettable, révélateur, saisissant, saugrenu, savoureux, significatif, sordide, superflu, suspect, troublant, (in)utile, vérifiable; (sur)abondants, fastidieux, infinis, innombrables, menus, nombreux, variés. *Accumuler, ajouter, apprendre, connaître, demander, donner, établir, examiner, exposer, faire ressortir, fournir, noter, omettre, oublier, peaufiner, préciser, raconter, raffiner, rappeler, régler, relater, savoir, travailler un/des/le/les ~(s); entrer, s'empêtrer, se lancer, se noyer, se perdre dans des/le/les ~(s); discuter, glisser, insister, passer, raffiner, s'appesantir sur un/le/les ~(s); être attentif, s'arrêter, s'intéresser aux ~s; être obsédé par les ~s; être avare en ~s; décrire, raconter en ~.*

DÉTENTE (*délassement*) assurée, bienfaisante, bonne, complète, considérable, exceptionnelle, générale, immédiate, intense, maximale, méritée, profonde, progressive, saine, totale. *Amener, apporter, assurer, connaître, entraîner, éprouver, favoriser, procurer, ressentir, trouver une ~; avoir besoin d'une ~; être propice, inviter, laisser place, se laisser aller à la ~.* ♦ (*déclic, ressort, gâchette*) brutale, douce, dure, facile, rapide, sensible. *Avoir la ~ (+ adj.); lâcher, presser la ~; appuyer, avoir le doigt sur la ~.*

DÉTENTION abusive, arbitraire, brève, courte, cruelle, illégale, illimitée, immédiate, longue, irrégulière, perpétuelle, préventive, prolongée, provisoire. *Être maintenu/placé, rester en ~.*

DÉTENU, UE exemplaire, modèle, récalcitrant. *Enfermer, exécuter, libérer un ~.*

DÉTÉRIORATION brusque, brutale, complète, considérable, constante, dramatique, durable, faible, forte, générale, graduelle, inquiétante, irrémédiable, légère, partielle, permanente, progressive, rapide, régulière, soudaine, soutenue, subite, substantielle, systématique, temporaire, violente, visible, (in)volontaire. *Connaître une ~ (+ adj.); causer, entraîner, provoquer, subir une ~.*

DÉTERMINATION absolue, aveugle, certaine, courageuse, cruelle, exceptionnelle, farouche, fière, fragile, froide, grande, immuable, inébranlable, inflexible, intacte, irréversible, irrévocable, opiniâtre, rare, remarquable, sauvage, secrète, sereine, solide, soudaine, soutenue, spontanée, tenace, totale, volontaire. *Avoir, afficher, manifester, montrer, posséder une ~ (+ adj.); faire preuve d'une ~ (+ adj.); avoir, montrer de la ~ ; afficher, affirmer, manifester, montrer sa ~.*

DÉTONATION bruyante, effroyable, énorme, faible, formidable, forte, fracassante, immense, puissante, soudaine, sourde, subite, violente, terrible. *Causer, entendre, produire, provoquer une ~.* Une ~ a lieu, claque, éclate, retentit, se fait entendre, se produit.

DÉTOUR bref, brusque, court, grand, important, inutile, large, long, obligatoire, petit. *Effectuer, éviter, (faire) faire, mériter, prendre un ~.*

DÉTRESSE accablante, amère, apparente, énorme, extrême, grande, immense, importante, incroyable, incurable, indescriptible, indicible, infinie, inguérissable, inouïe, insoutenable, intense, intime, noire, persistante, pitoyable, profonde, sombre, terrible, totale. *Être, être plongé, tomber, vivre dans une ~ (+ adj.); atténuer, soulager la ~ de qqn; compatir à la ~ de qqn; être, patauger, tomber dans la ~; sortir de la ~; être en ~.*

DETTE (in)acceptable, accrue, accumulée, acquittée, active, astronomique, bonne, colossale, considérable, consolidée, criarde, croissante, échue, écrasante, élevée, énorme, exorbitante, faible, flottante, grosse, grossissante, immense, importante, imposante, impressionnante, jolie, légère, lourde, minime, modeste, petite, pressante, (ir)recouvrable, réduite, substantielle. *Acquitter, alléger, amortir, avoir, avouer, consolider, contracter, couvrir, endosser, éponger, éteindre, faire, liquider, nier, payer, rayer, réclamer, reconnaître, recouvrer, réduire, échelonner, régler, rembourser, remettre, solder une ~; (se) libérer qqn, s'acquitter, se charger, se dégager d'une ~; être embourbé, plonger, se débattre, s'enfoncer, s'enliser, se noyer, se perdre, sombrer dans les ~s; crouler sous les ~s; être accablé/chargé/criblé/rempli de ~s.* Une ~ augmente, grimpe, s'aggrave, s'alourdit, s'éteint.

DEUIL accidentel, affreux, atroce, brutal, cruel, déchirant, difficile, douloureux, épouvantable, familial, horrible, important, imprévu, inconsolable, national, pénible, poignant, prématuré, prolongé, rapide, soudain, subit, terrible, tragique, triste. *Accomplir, annoncer, connaître, faire, ressentir, surmonter, traverser, vivre un ~; être confronté, se préparer à un ~; se remettre d'un ~; être frappé/touché/traumatisé par un ~.* Un ~ se produit.

DÉVALUATION bonne, brutale, considérable, constante, continue, continuelle, (in)contrôlée, déguisée, dramatique, élevée, excessive, faible, forcée, forte, graduelle, importante, inéluctable, insignifiante, lente, majeure, massive, progressive, rapide, régulière, sauvage, sensible, significative, substantielle, (in)suffisante, vertigineuse, (in)volontaire. *Anticiper, connaître, craindre, décider, décréter, entraîner, imposer, opérer, pratiquer, provoquer, réclamer, subir une ~; se réjouir d'une ~.*

DEVANTURE alléchante, attractive, attrayante, austère, décorée, délabrée, discrète, éclairée, élégante, engageante, étroite, grotesque, imposante, large, permanente, poussiéreuse, sobre, soignée, sombre, sophistiquée, superbe, tape-à-l'œil, traditionnelle. *Admirer, concevoir, contempler, créer, décorer, égayer, modifier, observer, offrir, orner, rénover une ~.*

DÉVASTATION aveugle, brusque, chronique, complète, considérable, énorme, entière, forte, générale, graduelle, immense, inévitable, irrémédiable, irréparable, lente, partielle, progressive, rapide, systématique, terrible, totale. *Causer, commettre, entraîner, provoquer, subir une/des ~s.*

DÉVELOPPEMENT accru, anarchique, (in)attendu, brusque, brutal, (in)cohérent, (in)complet, considérable, continu, continuel, (in)contrôlé, croissant, débridé, difficile, dramatique, durable, dynamique, effréné, embryonnaire, énorme, entier, (dés)équilibré, étonnant, évolutif, exagéré, excessif, exorbitant, exponentiel, fabuleux, facile, faible, forcené, formidable, foudroyant, fulgurant, global, harmonieux, hâtif, (mal)heureux, immense, important, impressionnant, inquiétant, intégral, lent, logique, long, majeur, marquant, maximal, mineur, minimal, modeste, monstrueux, (a)normal, notable, nouveau, optimal, (extra)ordinaire, partiel, phénoménal, planifié, précoce, préoccupant, (im)prévisible, (im)prévu, prodigieux, progressif, ralenti, rapide, raté, (ir)régulier, remarquable, réussi, rigoureux, (in)satisfaisant, sauvage, (in)sensible, significatif, solide, soutenu, spectaculaire, spontané, (in)suffisant, systématique, tardif, tentaculaire, uniforme, variable. *Assurer, atteindre, connaître, envisager, faire, permettre, prendre un ~ (+ adj.); accélérer, arrêter, bloquer, encourager, entraver, éradiquer, faciliter, favoriser, freiner, gêner, handicaper, prévenir, promouvoir, retarder, stimuler, stopper, susciter un/le ~ de qqch.* ♦ (sujet) ample, court, grand, long, précis, structuré. *Écrire, élaborer, faire, rédiger un ~.*

DEVIS approximatif, descriptif, détaillé, estimatif, gratuit, précis, préliminaire. *Approuver, demander, donner, établir, faire, obtenir, présenter, recevoir un ~.*

DEVISE (formule) adéquate, appropriée, bonne, courte, efficace, heureuse, jolie, simple. *Adopter, avoir, (se) chercher, choisir, prendre, trouver une ~; prendre pour ~.* ♦ (monnaie, change) convertible, faible, flottante, forte. *Acheter, changer, échanger, convertir, exporter, importer, rapatrier, se procurer une/des ~(s).*

DEVOIR (École) ardu, court, difficile, excellent, facile, faible, insuffisant, long, mauvais, médiocre, passable. *Achever, bâcler, corriger, donner, expédier, faire, finir, réaliser, rédiger, remettre, rendre, soigner, terminer un/son ~; exempter de ~.* ♦ (obligation, responsabilité, tâche) absolu, (in)accompli, (in)achevé, affreux, (dés)agréable, ardu, aride, austère, colossal, contraignant, cruel, délicat, difficile, dur, élémentaire, ennuyeux, énorme, essentiel, étroit, exaltant, facile, fastidieux, humble, immense, impératif, impérieux, important, impossible, incontournable, indispensable, ingrat, juste, (il)limité, lourd, majeur, mineur, modeste, nécessaire, noble, pénible, précieux, pressant, primordial, redoutable, rigoureux, rude, sacré, secondaire, strict, surhumain, terrible, triste, tyrannique, urgent. *Accomplir, assumer, assurer, connaître, (se) créer, dicter, faire, (s') imposer, négliger, observer, oublier, remplir, suivre, trahir un/des/son/ses ~(s); faillir, manquer, ramener/rappeler/remettre qqn, satisfaire, se conformer, se dérober, se dévouer, se soustraire à un/son/ses ~(s); s'acquitter, s'affranchir, s'écarter, se détourner d'un/de son/ses ~(s).* Un ~ commande, exige, incombe, réclame, s'impose.

DÉVOUEMENT absolu, admirable, aveugle, complet, constant, croissant, désintéressé, édifiant, entier, éprouvé, exceptionnel, exemplaire, extraordinaire, extrême, fervent, généreux, illimité, immense, inaltérable, incomparable, indéfectible, inébranlable, inemployé, inépuisable, infatigable, inlassable, intéressé, méritoire, opiniâtre, parfait, profond, remarquable, spontané, sublime, total. *Avoir, manifester, montrer, porter un ~ (+ adj.); être, faire montre/preuve d'un ~ (+ adj.); manifester, ménager, montrer, prodiguer, promettre son ~.*

DEXTÉRITÉ certaine, déconcertante, élevée, étonnante, extraordinaire, extrême, faible, impressionnante, incroyable, indéniable, inégalée, inimaginable, inouïe, irréprochable, maximale, merveilleuse, minimale, moyenne, optimale, prodigieuse, rare, remarquable, surprenante, unique. *Avoir, posséder une ~ (+ adj.); être, faire montre/preuve d'une ~ (+ adj.).*

DIAGNOSTIC alarmant, bon, complet, complexe, confirmé, définitif, difficile, discutable, erroné, (in)exact, facile, faux, (in)formel, global, impartial, implacable, inquiétant, irréfutable, juste, long, lucide, mesuré, minutieux, nuancé, objectif, optimiste, partiel, pessimiste, précis, précoce, prématuré, préoccupant, rapide, rassurant, sévère, simple, sombre, sûr, tardif, total, vraisemblable. *Avoir un ~ (+ adj.); accepter, conduire, confirmer, donner, dresser, effectuer, élaborer, émettre, établir, faire, formuler, infirmer, livrer, porter, poser, prononcer, proposer, réaliser, refuser, rendre, réserver, risquer, tracer un/son ~.*

DIALECTE complexe, étrange, local, oublié, spécifique, vieux. *Comprendre, parler, pratiquer, utiliser un ~.*

DIALOGUE amical, animé, âpre, banal, bref, brillant, captivant, consensuel, constructif, court, courtois, décousu, difficile, efficace, élargi, facile, (in)fructueux, houleux, insignifiant, intérieur, interrompu, languissant, long, musclé, passionné, rude, sec, sincère, stérile, véritable, vif. *Assurer, engager, entamer, (r)établir, favoriser, instaurer, interrompre, maintenir, (re)nouer, (r)ouvrir, permettre, poursuivre, refuser, relancer, rompre, soutenir, tenter un/le ~.* Un/le ~ s'engage, s'établit, s'installe, s'instaure.

DIAMANT authentique, brillant, brut, célèbre, clair, dur, énorme, épais, étincelant, factice, faux, fin, gros, inestimable, large, limpide, luisant, magnifique, précieux, prestigieux, pur, scintillant, serti, somptueux, superbe, synthétique, taillé, terne, véritable. *(re)Monter, polir, sertir, tailler un ~.* Un ~ brille, luit, scintille.

DICTATEUR, TRICE abominable, absolu, affreux, agressif, arrogant, atroce, autoritaire, brutal, corrompu, cruel, dangereux, despotique, dur, ignoble, impitoyable, implacable, inhumain, méchant, monstrueux, puissant, répressif, sanguinaire, sinistre, terrible, tyrannique. *Éliminer, renverser, supprimer un ~; lutter, s'insurger contre un ~ se débarrasser d'un ~.*

DICTATURE abominable, affreuse, agonisante, agressive, arbitraire, arrogante, assurée, atroce, autoritaire, bienveillante, brutale, corrompue, cruelle, despotique, douce, dure, épouvantable, féroce, ferme, finissante, grande, ignoble, implacable, inhumaine, longue, mégalomane, petite, répressive, sanguinaire, sinistre, terrible, totale, tranquille, vacillante. *Détruire, éliminer, fonder, imposer, instaurer, renverser, supprimer une ~; être libéré d'une ~; connaître la ~.* Une/la ~ règne, s'effrite, s'installe, tombe, vacille.

DICTÉE compliquée, courte, difficile, facile, longue, parfaite, ratée, réussie, simple. *Administrer, corriger, donner, (faire) faire, rendre, subir une ~.*

DICTION admirable, affectée, agréable, aisée, bégayante, chantante, charmante, châtiée, claire, convenable, correcte, défectueuse, difficile, distincte, douce, élégante, étudiée, excellente, facile, familière, ferme, forte, grave, hachée, intelligente, (in)intelligible, lente, mauvaise, monotone, naturelle, nette, obscure, (im)parfaite, rapide, saccadée, soignée, trébuchante. *Avoir une ~ (+ adj.); soigner, (faire) travailler sa ~.*

DICTIONNAIRE bon, énorme, épais, gros, illustré, mince. *Consulter, écrire,* *élaborer, établir, feuilleter, rédiger, utiliser un ~.*

DICTON ancien, célèbre, connu, populaire, vieux. Un/le ~ affirme, circule, dit, prétend, souligne, veut.

DIÈTE absolue, amaigrissante, draconienne, épuisante, (dés)équilibrée, hypocalorique, longue, rigoureuse, (mal)saine, sévère, stricte. *Commencer, enfreindre, (s') imposer, observer, ordonner, prescrire, recommander, suivre une ~; être, (se) mettre qqn à la ~.*

DIFFÉRENCE absolue, apparente, (in)appréciable, capitale, caractéristique, colossale, complète, considérable, énorme, essentielle, évidente, extrême, faible, flagrante, floue, fondamentale, forte, franche, frappante, gigantesque, grande, immense, importante, infime, insaisissable, insignifiante, légère, majeure, manifeste, marquée, menue, mineure, minime, minuscule, négligeable, nette, notable, (im)palpable, (im)perceptible, principale, profonde, prononcée, radicale, réelle, relative, remarquable, (in)sensible, sérieuse, significative, substantielle, subtile, ténue, terrible, totale. *Abolir, accentuer, accuser, apercevoir, aplanir, apprécier, constater, déceler, établir, expliquer, faire, marquer, noter, observer, offrir, percevoir, présenter, réduire, remarquer, saisir, sentir, souligner, trouver, voir une/des/sa/la/les ~(s).*

DIFFÉREND aigu, amer, banal, difficile, essentiel, fondamental, grave, historique, important, insurmontable, interminable, irréductible, léger, long, majeur, mineur, profond, sérieux, vaste, vieux, vif, violent, virulent. *Accentuer, apaiser, aplanir, arbitrer, arranger, avoir, calmer, causer, concilier, conclure, éliminer, engendrer, faire naître, liquider, prévenir, provoquer, réduire, régler, soulever, surmonter, susciter, terminer, trancher un ~; mettre fin à un ~; intervenir dans un ~.* Un ~ existe, règne, se creuse, s'envenime, s'éternise.

DIFFICULTÉ absolue, abstraite, accablante, aiguë, angoissante, ardue, banale, chronique, complexe, compliquée, constante, croissante, cruciale, délicate, dure, durable, embarrassante, énorme, épineuse, essentielle, éternelle, extrême, gigantesque, grande, grandissante, grave, horrible, immédiate, immense, importante, imprévue, inattendue, incroyable, indéniable, inédite, inévitable, inextricable, infime, infranchissable, inouïe, insoluble, insoupçonnable, insurmontable, invincible, légère, majeure, menue, mineure, momentanée, notoire, nouvelle, particulière, passagère, permanente, ponctuelle, pratique, pressante, profonde, progressive, récurrente, redoutable, réelle, relative, singulière, subtile, (in)surmontable, terrible, urgente, vieille. *Aborder, affronter, aggraver, alléger, aplanir, approfondir, attaquer, avoir, causer, cerner, comporter, connaître, constituer, contourner, créer, démêler, dénouer, dominer, éluder, engendrer, entraîner, entrevoir, envisager, éprouver, esquiver, être, éviter, gérer, franchir, fuir, occasionner, offrir, pallier, présenter, pressentir, prévenir, provoquer, rencontrer, résoudre, s'attirer, soulever, soupçonner, supprimer, surmonter, susciter, trancher, trouver, vaincre une/des/les ~(s); échapper, être confronté, faire face, parer, remédier, s'attaquer, se cogner, se heurter à une/des ~(s); être/se trouver aux prises, jongler avec des/les ~s; lutter contre* *des/les ~s; nager, patauger, s'embarrasser, se noyer dans des/les ~s; sortir, triompher, venir à bout d'une/des ~(s); être mis, mettre qqn, se trouver en ~.* Une ~ (ré)apparaît, commence, s'élève, se présente, (re)surgit.

DIFFUSION abondante, constante, continue, élargie, (in)équitable, harmonieuse, large, massive, parcimonieuse, planétaire, rapide, (ir)régulière, rigoureuse, (in)suffisante, vaste. *Assurer, entraver, favoriser, gêner la ~ de qqch.; procéder à la ~ de qqch.*

DIGESTION aisée, bonne, difficile, dure, facile, laborieuse, lente, longue, lourde, mauvaise, paresseuse, pénible, rapide. *Avoir une/la ~ (+ adj.); activer, faciliter, favoriser, ralentir, stimuler, troubler la ~.*

DIGNITÉ bafouée, bouleversante, émouvante, empesée, extraordinaire, hautaine, incroyable, indéniable, particulière, perdue, remarquable, respectable, retrouvée, susceptible. *Posséder une ~ (+ adj.); être, être doté/empreint, faire preuve, jouir d'une ~ (+ adj.); avoir de la ~; avoir, conserver, perdre, reconquérir, reprendre, sauver sa ~; manquer de ~.*

DIGUE basse, crevée, élevée, fissurée, fragile, géante, haute, imposante, insubmersible, naturelle, percée, rompue, solide. *Bâtir, briser, construire, créer, crever, démolir, édifier, élever, ériger, percer, réaliser, rompre une ~.* Une ~ cède, s'écroule, se rompt.

DILEMME abominable, affreux, angoissant, complexe, cruel, déchirant, difficile, douloureux, embarrassant, existentiel, facile, faux, formidable, grave, inacceptable, indéniable, insoluble, perpétuel, redoutable, tenace, terrible, tragique. *Affronter, éluder, poser, refuser, résoudre, ruminer, supprimer, surmonter un ~; être confronté, se heurter, se trouver, face à un ~; en finir avec un ~; s'enfermer dans un ~; être, être mis/placé, se (re)trouver devant un ~; s'échapper, sortir d'un ~.* Un ~s'impose, surgit.

DIMENSION (étendue, grandeur, mesure) colossale, considérable, démesurée, écrasante, effrayante, exacte, exagérée, faible, forte, généreuse, impressionnante, inaccoutumée, insoupçonnée, limitée, maximum, médiocre, microscopique, modeste, monumentale, moyenne, normale, ordinaire, raisonnable, réduite, réelle, respectable, restreinte, standard, stupéfiante, supérieure, totale, variable. *Augmenter, diminuer, prendre, réduire, relever, respecter, vérifier la/les ~s.* ♦ (importance) capitale, considérable, démesurée, essentielle, excessive, faible, forte, inouïe, insignifiante, privilégiée, secondaire, tragique, universelle, vitale. *Acquérir, avoir, comporter, conférer, donner, prendre, revêtir une ~ (+ adj.).*

DIMINUTION absolue, alarmante, ample, brusque, brutale, considérable, constante, continue, draconienne, drastique, durable, énorme, exceptionnelle, exponentielle, extrême, générale, graduelle, grave, immense, importante, infime, inquiétante, (in)justifiée, légère, lente, majeure, massive, mineure, minime, modeste, nette, (a)normale, notable, permanente, progressive, (dis)proportionnée, radicale, rapide, réelle, (ir)régulière, relative, (in)sensible, significative, spectaculaire, substantielle, symbolique, temporaire, totale, uniforme. *Accepter,* *accorder, accuser, annoncer, causer, connaître, consentir, constater, décider, demander, donner, enregistrer, entraîner, noter, observer, obtenir, octroyer, offrir, opérer, provoquer, recevoir, réclamer, refuser, subir, vouloir une ~; procéder à une ~; être en ~.*

DÎNER abondant, agréable, bon, chaud, chic, complet, consistant, convenable, copieux, correct, excellent, exceptionnel, exquis, fastueux, festif, fin, froid, frugal, gastronomique, généreux, gourmand, grand, gros, guindé, habillé, impeccable, impromptu, infect, irréprochable, léger, lourd, luxueux, mauvais, modeste, passable, plantureux, raffiné, rapide, raté, réussi, savoureux, silencieux, simple, soigné, sommaire, somptueux, substantiel, succulent. *Achever, attaquer, (dé)commander, donner, expédier, finir, improviser, offrir, partager, préparer, rater, réussir, savourer, servir un/le ~; convier, être présent, inviter à un/au ~.*

DIPLOMATE accompli, adroit, avisé, célèbre, chevronné, circonspect, discret, distingué, éminent, excellent, fin, flegmatique, grand, habile, impassible, piètre, retors, rusé, subtil.

DIPLOMATIE (Politique) active, adroite, agissante, agressive, ambitieuse, aventureuse, avisée, belliqueuse, brouillonne, calme, cohérente, combative, complexe, coopérative, défensive, discrète, dissuasive, dynamique, efficace, entreprenante, excellente, ferme, habile, imprévoyante, inventive, musclée, novatrice, offensive, passive, persuasive, pragmatique, préventive, responsable, (im)puissante, secrète, souple, subtile, vigoureuse. *Élaborer, exercer, pratiquer, réaliser une ~ (+ adj.); se destiner, se préparer à la ~; entrer, s'engager, s'inscrire, travailler dans la ~.* La ~ intervient, refait surface, reprend de la vigueur, s'active. ♦(adresse, tact) complexe, compliquée, grande, ingénieuse, instinctive, patiente, rusée, souple, subtile. *Faire preuve d'une ~ (+ adj.); user de ~.*

DIPLÔME (titre) élevé, impressionnant, modeste, prestigieux, rare, solide. *Conférer, conquérir, décerner, décrocher, délivrer, donner, emporter, exiger, obtenir, posséder, postuler, préparer, recevoir un ~; être détenteur/muni/titulaire d'un ~; être armé/bardé/pourvu de ~s.* ♦(examen) *Passer, préparer un ~; échouer, réussir, se présenter à un ~.*

DIRECTEUR, TRICE autoritaire, charismatique, (in)compétent, défaillant, despotique, dynamique, efficace, énergique, estimé, exigeant, habile, (mal)honnête, intransigeant, laxiste, mauvais, modeste, performant, prudent, respecté, visionnaire, tyrannique.

DIRECTION (sens) approximative, bonne, (in)connue, contraire, fausse, inverse, mauvaise, opposée, précise, rectiligne. *Donner, fournir, indiquer, prendre, suivre une ~; descendre, monter, partir, s'enfoncer, s'engager, tourner dans une ~; chercher, demander, perdre sa ~; changer, se tromper de ~.* ♦(orientation, tour) (in)adéquate, bonne, claire, concrète, conventionnelle, différente, durable, efficace, forte, imprévue, inattendue, inconnue, judicieuse, mauvaise, négative, nouvelle, opposée, particulière, positive, précise, (im)prudente, révolutionnaire, saine, surprenante, valable, véritable. *Adopter, conférer, donner, prendre une ~ (+ adj.).* ♦(action d'administrer) active, autoritaire, bonne, cohérente, douce, dure, dynamique, efficace, énergique, excellente, ferme, mauvaise, prudente, rigoureuse, souple, transparente. *Assumer, assurer, avoir, confier, obtenir, prendre, solliciter une/la ~ de (une entreprise, etc.); être chargé/responsable de la ~ de (une équipe, etc.); travailler sous la ~ de qqn.*

DIRECTIVE approximatives, brèves, cohérentes, complexes, contraignantes, draconiennes, explicites, (in)formelles, générales, impératives, implicites, longues, officielles, officieuses, particulières, précises, pressantes, rigoureuses, simples, strictes, urgentes. *Adopter, demander, donner, élaborer, faire appliquer, mettre en œuvre, recevoir, suivre une/des ~(s); obtempérer, satisfaire, se conformer, se plier à une/des/aux ~(s).*

DIRIGEANT, ANTE autoritaire, charismatique, (in)compétent, despotique, dynamique, énergique, estimé, exigeant, faible, grand, habile, haut, (mal)honnête, important, incontesté, influent, intransigeant, mauvais, médiocre, modéré, modeste, naturel, piètre, (im)prudent, puissant, respecté, tyrannique.

DISCERNEMENT adéquat, aigu, approprié, éclairé, élevé, équilibré, étonnant, excellent, extrême, faible, ferme, fin, hallucinant, haut, implacable, inouï, juste, limité, notable, profond, rare, remarquable, rigoureux, sain, solide, subtil, sûr. *Avoir, posséder un ~ (+ adj.); faire preuve d'un ~ (+ adj.); avoir, manifester, montrer du ~; manquer de ~.*

DISCIPLE convaincu, déclaré, dévoué, dissident, docile, enthousiaste, fanatique, fervent, fidèle, inconditionnel, sincère, strict, zélé.

DISCIPLINE (obéissance, règle) absolue, aveugle, bonne, contraignante, de fer, discrète, draconienne, dure, élastique, excessive, exemplaire, ferme, grande, impeccable, implacable, imposée, inhumaine, lâche, militaire, modérée, relâchée, relative, rigide, rigoureuse, rude, sévère, souple, stricte. *Adopter, adoucir, avoir, enfreindre, (r)établir, exiger, faire régner, garder, (s')imposer, infliger, maintenir, observer, recevoir, relâcher, resserrer, restaurer, subir, suivre, tempérer une/la ~; être rebelle/réfractaire/soumis, (dés)obéir, (se) plier qqn, se conformer à une/la ~.* Une ~ se durcit, se relâche. ♦(étude, matière, science) connexe, fondamentale, vaste. *Apprendre, enseigner, maîtriser, posséder, pratiquer une ~; exceller, se spécialiser dans une ~.*

DISCORDE durable, épique, fatale, funeste, furieuse, générale, grave, importante, insurmontable, irréductible, ouverte, passagère, permanente, perpétuelle, ridicule, sanglante, tenace, totale, vieille, violente. *Apaiser, attiser, augmenter, causer, créer, engendrer, entretenir, envenimer, fomenter, générer, jeter, mettre, nourrir, provoquer, semer, surmonter une/la ~.* Une/la ~ éclate, intervient, règne, s'installe, surgit, survient.

DISCOURS abondant, admirable, (mal)adroit, agressif, aimable, alambiqué, ambigu, amusant, ardent, assommant, audacieux, blessant, bref, brillant, brutal, célèbre, clair, (in)cohérent, comique, concis, confus, convaincant, convenable, courageux, creux, crucial, cruel, décousu, démagogique, dense, déplacé, doux, dur, éblouissant, électrisant, élogieux, éloquent, embrouillé, émouvant, emphatique, endormant, énergique, enflammé, ennuyeux, entortillé, étincelant, étourdissant, euphorisant, exalté, excellent, extravagant, fade, faible, fallacieux, familier, fameux, fastidieux, fin, flatteur, fougueux, frivole, froid, futile, grandiloquent, grave, (mal)habile, idiot, imagé, impressionnant, impromptu, improvisé, incendiaire, incisif, inconsistant, injurieux, insignifiant, insipide, intarissable, (in)intelligible, intelligent, interminable, juste, léger, long, longuet, louangeur, lourd, mémorable, mensonger, méprisant, mesuré, monotone, moralisant, musclé, naturel, nébuleux, neutre, obscur, onctueux, optimiste, (dés)ordonné, passionné, pathétique, pédant, percutant, persuasif, pertinent, pessimiste, pétillant, piteux, pitoyable, plat, poli, pompeux, posé, précis, prétentieux, prudent, radical, raisonné, rassurant, remarquable, remarqué, répétitif, réprobateur, retentissant, ronflant, savant, savoureux, sec, séduisant, sensé, senti, sérieux, simple, sincère, sinistre, sobre, stérile, subtil, succinct, superflu, terne, tonique, torrentueux, tortueux, touchant, trompeur, utile, vaseux, véhément, verbeux, vibrant, vide, vigoureux, viril, virulent, vivant, vulgaire. *Abréger, adresser, apprendre, clore, commencer, composer, concevoir, conclure, débiter, développer, dire, écourter, écouter, entamer, entendre, étoffer, faire, fignoler, finir, improviser, lire, polir, poursuivre, préparer, prononcer, raccourcir, récapituler, réciter, roder, suivre, tenir, terminer, (re)travailler un ~.*

DISCRÉTION absolue, appréciable, assurée, élémentaire, exagérée, excessive, exemplaire, extrême, garantie, (in)habituelle, impénétrable, incroyable, indispensable, notable, parfaite, rare, réduite, remarquable, sourcilleuse, stricte, surprenante, totale, ultime. *Être, faire preuve d'une ~ (+ adj.); conserver, cultiver, demander, exiger, garder, imposer, observer, réclamer, recommander, respecter la ~; compter sur la ~; manquer de ~.*

DISCRIMINATION cachée, cruelle, (in)directe, faible, flagrante, forte, illicite, inacceptable, invisible, (il)légale, légère, négative, positive, prohibée. *Commettre, constituer, établir, exercer, infliger, instaurer, pratiquer, subir une/des ~(s); être exposé à une/des ~(s); être (l')objet/victime d'une ~; combattre, entretenir, éradiquer, faire cesser, pratiquer, supprimer la ~; lutter, se battre contre la ~.* Une ~ existe, perdure.

DISCUSSION acerbe, acharnée, (dés)agréable, aiguë, allègre, amicale, animée, aride, banale, brève, brutale, bruyante, calme, captivante, chaotique, chaude, (in)cohérente, confuse, cordiale, courte, (dis)courtoise, décousue, délicieuse, détendue, difficile, diffuse, enflammée, étonnante, étrange, excellente, facile, (in)féconde, franche, frivole, (in)fructueuse, futile, grave, honnête, houleuse, impromptue, insipide, intéressante, interminable, large, légère, libre, longue, loyale, mondaine, morne, mouvementée, oiseuse, opiniâtre, orageuse, paisible, passionnante, passionnée, pénible, prolongée, ridicule, satisfaisante, savante, sérieuse, serrée, stérile, superflue, tendue, tumultueuse, vague, vaine, vide, violente, vivante, vive. *Aborder, accaparer, alimenter, amorcer, animer, clore, (re)commencer, déclencher, diriger, engager, entamer, éterniser, étouffer, éviter, fermer, (re)lancer, mener, meubler, ouvrir, poursuivre, pousser, prolonger, provoquer, refuser, résumer, soulever, soutenir, stimuler,* *tenir, terminer, trancher une/la ~; participer, prendre part, se joindre, se mêler à une/la ~; intervenir, s'ingérer dans une/la ~; se mêler d'une ~; entrer, être en ~.* Une/la ~ dégénère, rebondit, s'anime, s'égare, s'engage, se noue, s'envenime, se renouvelle, s'établit, s'éternise, traîne.

DISETTE affreuse, catastrophique, chronique, criante, croissante, dramatique, effroyable, endémique, épouvantable, factice, flagrante, générale, gigantesque, grande, grave, locale, passagère, réelle, sérieuse, terrible, totale. *Causer, provoquer une ~; être confronté, faire face, remédier à une ~; souffrir d'une ~ ; être menacé de ~.* Une/la ~ perdure, règne, se fait sentir, sévit, s'installe.

DISPARITION brève, brusque, brutale, complète, courte, définitive, forcée, foudroyante, fréquente, fulgurante, immédiate, imminente, imprévue, inéluctable, inquiétante, insidieuse, irrémédiable, longue, momentanée, mystérieuse, notable, notoire, partielle, préoccupante, prochaine, progressive, prolongée, rapide, regrettable, soudaine, subite, suspecte, temporaire, totale, (in)volontaire. *Constater, noter, observer, remarquer une/la ~ de qqn/qqch.; s'apercevoir d'une/de la ~ de qqn/qqch.; être en voie de ~.*

DISPONIBILITÉ accrue, constante, entière, exceptionnelle, généreuse, grande, importante, incroyable, large, (il)limitée, permanente, ponctuelle, raisonnable, rare, réduite, remarquable, suffisante, totale. *Être, faire preuve d'une ~ (+ adj.); manquer de ~.*

DISPOSITIF (in)adapté, (in)adéquat, (in)approprié, bon, commode, coûteux, délicat, (in)efficace, énorme, fiable, fragile, immense, important, impressionnant, incontournable, indispensable, ingénieux, irremplaçable, léger, lourd, maniable, mauvais, obsolète, perfectionné, performant, polyvalent, pratique, précieux, puissant, révolutionnaire, robuste, simple, solide, sophistiqué, sûr, (in)utile, vétuste, vieux. *Adapter, améliorer, apprêter, imaginer, installer, lancer, mettre en place, perfectionner, utiliser un ~.*

DISPOSITION (*mesures, précautions*) draconiennes, efficaces, essentielles, hâtives, nécessaires, précipitées, transitoires, utiles. *Adopter, appliquer, envisager, mettre en œuvre, prendre, renforcer des ~s.* ♦ (*manière d'être, aptitude*) acquise, bonne, excellente, exceptionnelle, fâcheuse, favorable, innée, mauvaise, naturelle, particulière; grandes, heureuses, requises, sérieuses, solides. *Afficher, avoir, montrer une/des ~(s) (+ adj.); être dans une ~ (+ adj.).*

DISPROPORTION choquante, considérable, démesurée, éclatante, effarante, énorme, évidente, excessive, extraordinaire, flagrante, manifeste, notable, radicale. *Atteindre, prendre, revêtir une/des ~(s) (+ adj.).*

DISPUTE acharnée, courte, envenimée, farouche, grosse, interminable, légère, longue, occasionnelle, oiseuse, stérile, violente, virulente. *Alimenter, apaiser, déclencher, envenimer, faire naître, provoquer une ~; mettre fin, s'exposer à une ~; intervenir, s'interposer dans une ~; tourner à la ~.* Une ~ éclate, se rallume, s'élève.

DISSUASION convaincante, crédible, douce, ferme, redoutable, subtile, verbale. *Employer, pratiquer la ~; recourir à la ~.*

DISTANCE appréciable, commode, considérable, constante, courte, déterminée, énorme, faible, formidable, grande, immense, incommensurable, infinie, infranchissable, longue, minime, moyenne, parcourue, raisonnable, remarquable, respectable, respectueuse, variable. *Abattre, abolir, abréger, allonger, apprécier, calculer, conserver, couvrir, déterminer, diminuer, écourter, élargir, estimer, établir, évaluer, franchir, garder, introduire, maintenir, marquer, mesurer, observer, parcourir, prendre, raccourcir, rapprocher, supprimer une/la/les/ses ~(s).*

DISTINCTION (différence, séparation) absolue, apparente, artificielle, capitale, caractéristique, claire, considérable, cruciale, délicate, énorme, essentielle, évidente, faible, fausse, fine, flagrante, floue, fondamentale, forte, fragile, immense, importante, (in)justifiée, légère, majeure, manifeste, marquée, mince, mineure, minime, nette, notable, profonde, prononcée, radicale, relative, substantielle, subtile, totale, tranchée. *Créer, effectuer, élaborer, élimer, établir, faire, introduire, marquer, opérer, supprimer une ~.* Une/la ~ se manifeste, s'estompe, s'établit. ♦(éducation, élégance) affectée, désuète, exagérée, exquise, extrême, incontestable, raffinée, rare, recherchée, remarquable, suprême. *Être, faire preuve d'une ~ (+ adj.); avoir de la ~; manquer de ~.* ♦(décoration, honneur) flatteuse, haute, honorifique, prestigieuse. *Accepter, accorder, attribuer, conférer, décerner, mériter, obtenir, octroyer, recevoir, remettre une ~.*

DISTRACTION (inattention) complète, coupable, dangereuse, déplorable, faible, fatale, forte, impardonnable, inconcevable, incorrigible, inexcusable, légendaire, légère, momentanée, petite, profonde, regrettable. *Être, faire montre/preuve d'une (+ adj.); avoir, commettre des ~s; être sujet à des ~s.* ♦(passe-temps) active, agréable, aimable, amusante, coûteuse, enrichissante, favorite, frivole, importante, incroyable, inoffensive, insignifiante, instructive, intéressante, nécessaire, passionnante, passive, piètre, plaisante, populaire, préférée, prenante, saine, sérieuse, simple, (in)utile, valable. *Avoir, chercher, offrir, pratiquer, procurer, se permettre, trouver une ~; avoir besoin de ~(s).*

DISTRIBUTION (diffusion, partage) abondante, (in)adéquate, constante, continue, correcte, (in)égale, (in)équitable, harmonieuse, (in)juste, large, lente, (il)limitée, massive, mauvaise, méthodique, (dés)ordonnée, parcimonieuse, rapide, rationnelle, (ir)régulière, restreinte, rigoureuse, systématique, uniforme, vaste. *Assurer, entraver, favoriser, gêner une/la ~ de qqch.; procéder à une/la ~ de qqch.* ♦(Cinéma, Théâtre) alléchante, bonne, brillante, catastrophique, compétente, éblouissante, éclatante, efficace, élogieuse, étonnante, exceptionnelle, formidable, hétéroclite, impeccable, impressionnante, inégale, intelligente, irréprochable, limitée, magistrale, magnifique, mauvaise, parfaite, pertinente, prestigieuse, puissante, réduite, restreinte, riche, solide, sûre. *Avoir, rassembler, regrouper, réunir une ~ (+ adj.); bénéficier, jouir, souffrir d'une ~ (+ adj.).*

DIVERGENCE absolue, apparente, considérable, énorme, essentielle, évidente, faible, flagrante, fondamentale, forte, franche, grave, immense, inévitable, insurmontable, irréductible, irrémédiable, légère, majeure, mineure, nette, persistante, profonde, radicale, sensible, sérieuse. *Accroître, amener, amplifier, atténuer, combler, corriger, créer, creuser, diminuer, éliminer, entraîner, harmoniser, provoquer, réduire, supprimer, surmonter, susciter une/des/les ~(s).* Une/la ~ diminue, éclate, persiste, s'accentue, s'atténue, se creuse, se manifeste.

DIVERSITÉ abondante, déconcertante, élevée, énorme, étonnante, exceptionnelle, exemplaire, extrême, immense, impressionnante, incroyable, infinie, inouïe, insoupçonnée, (il)limitée, prodigieuse, rare, réduite, remarquable, riche, spectaculaire, stupéfiante, surprenante, unique, vaste. *Offrir, présenter une ~ (+ adj.); Être d'une ~ (+ adj.).*

DIVERTISSEMENT abrutissant, agréable, aimable, amusant, captivant, correct, coûteux, drôle, facile, favori, frivole, honnête, inoffensif, instructif, intelligent, léger, médiocre, passionnant, plaisant, populaire, réussi, sain, sérieux, simple. *Offrir, pratiquer, procurer un ~.*

DIVIDENDE élevé, énorme, faible, honnête, important, joli, juteux, modeste, négligeable, notable, raisonnable, (ir)régulier, substantiel. *Accorder, accumuler, déclarer, donner, encaisser, engendre, enregistrer, payer, percevoir, produire, rapporter, réaliser, recevoir, réclamer, récolter, rendre, toucher un/des ~(s).*

DIVISION (problème) compliquée, erronée, (in)exacte, simple. *Calculer, commencer, effectuer, exécuter, faire, finir, opérer, poser, réaliser, vérifier une ~.* ♦(partage, répartition) commode, complète, (in)égale, (in)équitable, (in)juste, partielle, totale. *Effectuer, opérer une ~; procéder à une ~.* ♦(désaccord, rupture) apparente, brusque, douloureuse, fondamentale, grande, grave, insurmontable, irréductible, irrémédiable, irréparable, manifeste, nette, profonde, radicale, sérieuse, totale. *Aggraver, engendrer, entretenir, envenimer, exciter, fomenter, introduire, mettre, provoquer, semer, susciter la/des ~(s).*

DIVORCE (à l')amiable, âpre, conflictuel, difficile, douloureux, facile, hostile, onéreux. *Admettre, consommer, demander, envisager, obtenir, prononcer un/le ~; consentir, être contraint au ~; être en cours/instance de ~.*

DOCILITÉ absolue, apparente, complaisante, étonnante, excessive, exemplaire, extraordinaire, extrême, grande, inattendue, inespérée, merveilleuse, moutonnière, parfaite, particulière, rare, remarquable, servile, singulière, stupéfiante, surprenante, totale. *Montrer ~ (+ adj.); être, faire montre/preuve d'une ~ (+ adj.).*

DOCTORAT *Avoir, entreprendre, faire, passer, posséder, préparer un ~; être titulaire d'un ~.*

DOCUMENT (in)accessible, authentique, bon, bref, capital, clair, (dé)classé, complexe, (in)compréhensible, concis, confidentiel, court, crucial, dense, difficile, efficace, énorme, épais, essentiel, étoffé, exceptionnel, explosif, facile, fastidieux, faux, fouillé, immense, implacable, important, inédit, (in)intelligible, introuvable, long, manquant, mince, officiel, officieux, original, précieux, probant, puissant, rare, secret, significatif, simple, touffu, unique, volumineux. *Accumuler, actualiser, amasser, chercher, citer, communiquer, concevoir, conserver, consulter, convertir, créer, déchiqueter, dépouiller, détenir, distribuer, écrire, éditer, emprunter, enregistrer, établir, examiner, exhiber, fabriquer, falsifier, forger, fournir, imprimer, joindre, lire, modifier, montrer, obtenir, ouvrir, préparer, présenter, prêter, (re)produire, publier, ranger, rassembler, rechercher, recueillir, rédiger, réunir, supprimer, vérifier, visualiser un/des ~(s); avoir accès, se rapporter à un ~; apparaître, figurer, naviguer dans un ~.*

DOCUMENTATION abondante, (in)complète, considérable, dense, difficile, dispersée, disponible, énorme, efficace, (in)exacte, exhaustive, facile, foisonnante, immense, importante, impressionnante, inexistante, lacunaire, légère, limitée, maximale, mince, minimale, parcellaire, pauvre, précieuse, précise, rare, riche, rudimentaire, satisfaisante, (in)suffisante, touffue, variée, vaste, volumineuse. *Compléter, consulter, dépouiller, établir, lire, rassembler, rechercher, préparer, recevoir, réunir une/de la/sa ~.*

DOIGT (mal)adroits, agiles, allongés, ankylosés, arthritiques, boudinés, courts, crevassés, crispés, crochus, décharnés, délicats, écartés, effilés, engourdis, énormes, épais, fins, fluets, fuselés, gauches, gourds, grands, gras, grassouillets, (mal)habiles, jolis, longs, maigres, menus, minces, petits, potelés, raides, souples, tâtonnants, trapus, velus, violacés. *Lever un/le ~; écarter, faire craquer, pourlécher, se lécher les/ses ~s; claquer, frapper, suivre, taper, tapoter du ~; caresser, effleurer, manger, palper, pincer, prendre, presser, serrer, tâter, toucher avec ses ~s; être (mal)habile de ses ~s.*

DOIGTÉ (*Musique*) agile, bon, excellent, fluide, inouï, léger, merveilleux, prodigieux, sensationnel. *Avoir, posséder un ~ (+ adj.).* ♦(*tact, savoir-faire*) exceptionnel, extraordinaire, infaillible, raffiné, remarquable, subtil. *Avoir, posséder un ~ (+ adj.); avoir, demander, exiger du ~; manquer de ~.*

DOLLAR, EURO, ETC. affaibli, déclinant, faible, flottant, fort, sous-évalué, surévalué. *Changer, liquider des ~s; abandonner, dévaluer, faire baisser/ chanceler/ monter, malmener, soutenir, stabiliser le ~.* Le ~ baisse, dégringole, est en baisse/ chute libre/hausse, flambe, flanche, glisse, monte en flèche, perd de sa valeur, plonge, recule, remonte, résiste, s'affaiblit, se déprécie, s'envole, se raffermit, se redresse, tient bon.

DOMAINE (*terre, propriété, chez-soi*) ample, charmant, cossu, étendu, gigantesque, grandiose, humble, immense, imposant, joli, magnifique, modeste, prestigieux, spacieux, splendide, superbe, vaste, vieux. *Agrandir, (se) constituer, diriger, exploiter, gérer, entretenir, posséder un ~; hériter d'un ~.* ♦(*matière, spécialité, sphère*) abondant, ample, avancé, clé, connexe, (in)connu, critique, défini, émergent, exclusif, immense, inépuisable, large, (il)limité, pointu, pauvre, privilégié, restreint, riche, sensible, vaste. *Circonscrire, conquérir, couvrir, délimiter, étudier, explorer, maîtriser, ouvrir un ~; se borner, se limiter à un ~; exceller, innover dans un ~; déborder d'un ~.*

DOMICILE actuel, ancien, (in)connu, fixe, légal, permanent, personnel, provisoire, réel. *Avoir, choisir, posséder un ~; atteindre, élire, établir, fixer, quitter, regagner, réintégrer son~; être servi, livrer, porter, travailler à ~; être sans ~.*

DOMINATION absolue, brutale, complète, (in)contestée, continue, despotique, durable, écrasante, exclusive, farouche, globale, impitoyable, implacable, incontestable, injuste, insupportable, irrésistible, irréversible, nette, pacifique, permanente, pesante, rapide, systématique, temporaire, totale, tyrannique. *Affirmer, établir, étendre, exercer, imposer, subir une/la ~ de qqn/qqch.; échapper, se soustraire à une/la ~ de qqn/qqch.; se défaire d'une/la ~ de qqn/qqch.; être, tomber, vivre sous une/la ~ de qqn/qqch.*

DOMMAGE considérable, énorme, faible, grand, grave, gravissime, gros, immense, important, indemnisable, inestimable, insignifiant, irrémédiable, irréversible, léger, limité, minime, notable, (ir)réparable, sensible, sérieux. *Causer, constater, endurer, éprouver, essuyer, évaluer, faire, infliger, occasionner, provoquer, réparer, subir un/des ~(s); pâtir, souffrir d'un ~; causer, faire du ~.*

DON (<u>*cadeau*</u>) considérable, généreux, important, menu, modeste, précieux, substantiel. *Accepter, accorder, distribuer, effectuer, faire, octroyer, offrir, recevoir, recueillir, refuser, remettre, répartir, solliciter un/des ~(s).* ♦(<u>*aptitude, qualité, talent*</u>) certain, éclatant, étonnant, évident, exceptionnel, extraordinaire, fabuleux, fantastique, heureux, incomparable, incontestable, indéniable, inné, merveilleux, naturel, particulier, précieux, rare, remarquable, remarqué, subtil, unique. *Avoir un ~ (+ adj.); cultiver, développer, employer, enfouir, exploiter, faire connaître/valoir, gâcher, galvauder, mettre en valeur, posséder, révéler un/des/ses ~(s).*

DONNÉE (in)accessible, (in)adéquate, alarmante, (in)appropriée, bonne, brute, chiffrée, (in)contestable, (in)contestée, disponible, éclairante, empirique, erronée, essentielle, exacte, fausse, fondamentale, fragmentaire, historique, importante, incontournable, indiscutable, gonflée, inquiétante, majeure, mineure, objective, périmée, pertinente, (im)précise, préoccupante, sérieuse, subjective. *Acquérir, collecter, fournir, gérer, infirmer, invoquer, prendre en compte, présenter, recueillir, traiter, utiliser une/des ~(s); disposer, manquer de ~s.*

DOPAGE abusif, généralisé, institutionnalisé, (il)licite, médicalisé, sauvage. *Combattre, éradiquer, faire reculer, interdire, pratiquer, utiliser le ~; être confronté au ~; agir, lutter, sévir contre le ~; être convaincu/pris en flagrant délit de ~; être suspendu pour ~.*

DOS bombé, cambré, cassé, courbé, droit, étriqué, étroit, filiforme, fluet, large, musclé, musculeux, penché, plat, robuste, rond, solide, souple, trapu, voûté. *Avoir le ~ (+ adj.); arrondir, bomber, courber, creuser, dresser, plier, redresser, tendre le ~.*

DOSAGE (in)adéquat, (mal)adroit, (in)approprié, (in)correct, délicat, difficile, (dés)équilibré, étudié, exact, facile, habile, idéal, mauvais, parfait, (im)précis, raffiné, rapide, réussi, savant, subtil.

DOSE abondante, bonne, certaine, croissante, énorme, excessive, faible, forte, foudroyante, généreuse, habituelle, haute, imperceptible, infime, infinitésimale, journalière, large, légère, lourde, massive, maximale, minime, modérée, mortelle, moyenne, nécessaire, optimale, sérieuse. *Absorber, administrer, augmenter, avaler, calculer, dépasser, diminuer, étudier, évaluer, exagérer, fixer, forcer, mesurer, prendre, prescrire, recevoir, réduire, renouveler, servir, s'injecter une/la ~.*

DOSSIER (<u>*siège*</u>) bas, (in)confortable, droit, dur, enveloppant, haut, inclinable, incliné, incommode, mou, moelleux, réglable, rembourré. ♦ (documents, affaire) accablant, brûlant, chargé, clos, (in)complet, complexe, convaincant, délicat, détaillé, difficile, embrouillé, épineux, essentiel, étoffé, explosif, facile, faible, fourni, important, intéressant, léger, litigieux, lourd, majeur, mince, mineur, remarquable, secret, sensible, simple, solide, sulfureux, vide, vierge, vital, volumineux. *Aborder, ajourner, analyser, approfondir, bâtir, (dé)bloquer, boucler, communiquer, compléter, concocter, confier, (se) constituer, construire, consulter, débroussailler, décortiquer, déposer, dépouiller, dresser, égarer, élaborer, enterrer, éplucher, établir, étayer, étoffer, étudier, évoquer, examiner, faire avancer, fermer, feuilleter, fouiller, geler, ouvrir, parcourir, plaider, préparer, présenter, produire, rassembler, réaliser, régler, remettre, reprendre, retirer, réunir, réviser, suivre, traiter, transmettre un/des ~(s); avoir accès, s'atteler à un ~; être impliqué dans un ~; prendre connaissance, se désister d'un ~; progresser sur un ~; déposer, incorporer, insérer, joindre, verser au ~; connaître, posséder ses ~s.*

DOUCEUR absolue, affectée, agréable, angélique, bonne, céleste, charmante, délectable, délicate, enchanteresse, engageante, enveloppante, étonnante, exceptionnelle, excessive, exquise, extraordinaire, extrême, factice, fade, forcée, idéale, imperturbable, impressionnante, inaltérable, incomparable, incroyable, indicible, ineffable, inégalable, inexprimable, infinie, opiniâtre, particulière, sincère, singulière, suprême, trompeuse. *Avoir, posséder une ~ (+ adj.); être d'une ~ (+ adj.); employer la ~; prendre qqn par la ~; user de ~.*

DOUCHE bouillante, bienfaisante, brève, chaude, courte, fraîche, froide, glacée, glaciale, interminable, longue, rafraîchissante, rapide, revigorante, stimulante, tiède, tonifiante, tonique, revitalisante. *Prendre une ~.*

DOULEUR (physique) accablante, affreuse, agaçante, aiguë, atroce, brève, brûlante, brusque, brutale, chronique, cinglante, constante, continue, courte, cuisante, diffuse, effroyable, endurable, excessive, extrême, faible, feinte, forte, foudroyante, fulgurante, générale, généralisée, grande, grave, horrible, immense, incroyable, inouïe, insistante, insoutenable, intense, intermittente, interne, irradiante, lancinante, légère, localisée, longue, passagère, pénétrante, pénible, permanente, persistante, poignante, profonde, rayonnante, soudaine, sourde, sournoise, subite, (in)supportable, tenace, terrible, (in)tolérable, tranchante, violente, vive. *Adoucir, aggraver, apaiser, altérer, atténuer, augmenter, (r)aviver, calmer, causer, diminuer, éprouver, exacerber, exaspérer, faire cesser/disparaître, ôter, provoquer, raviver, ressentir, réveiller, sentir, simuler, soulager, supporter, supprimer, tolérer, vaincre une/la ~; se ressentir d'une ~; être résistant/(in)sensible à la ~; crier, gémir, grimacer, grogner, hurler, languir, pâlir, pleurer, se rouler, se tordre, s'évanouir, tressaillir de ~.* Une/la ~ (ré)apparaît, disparaît, éclate, envahit, rayonne, s'accentue, s'amplifie, s'atténue, se calme, se fait sentir, se résorbe, se réveille, s'exacerbe, s'installe. ♦ (morale) affreuse, amère, ancienne, âpre, assoupie, atroce, contenue, courte, cruelle, cuisante, déchirante, extrême, folle, horrible, immense, incommensurable, inconsolable, incroyable, indicible, infinie, inguérissable, insondable, intolérable, longue, muette, poignante, silencieuse, sincère, solitaire, suprême, véridique. *Assoupir, confier, consoler,* *dissiper, dompter, éprouver, exprimer, infliger, laisser éclater, manifester, montrer, raviver, ressentir, réveiller, (faire) taire, témoigner, traîner une/de la/sa ~; partager les ~s de qqn; se complaire dans la/sa ~; être écrasé/envahi/tenaillé par la ~.* Une/la ~ s'émousse, se réveille, s'estompe.

DOUTE absolu, affreux, amer, angoissant, apparent, complet, cruel, déprimant, éclairci, existentiel, faible, (in)fondé, horrible, indestructible, inexprimé, insupportable, (in)juste, (in)justifié, léger, légitime, obsédant, passager, pénible, perpétuel, profond, radical, sérieux, soudain, subit, terrible. *Alimenter, avoir, concevoir, confirmer, conserver, créer, dissiper, éclaircir, élever, émettre, enlever, éprouver, étouffer, exprimer, faire disparaître/naître/peser, formuler, fortifier, garder, inspirer, introduire, jeter, laisser, lever, nourrir, raviver, rencontrer, semer, soulever, soupeser un/des/le/ses ~(s); être gagné/harcelé/tenaillé/torturé par un/le ~; être, vivre dans le ~.* Un/le ~ grandit, persiste, plane, se forme, se glisse, s'évanouit, s'installe, surgit.

DRAME affreux, angoissant, atroce, déchirant, douloureux, effroyable, émouvant, épouvantable, horrible, inexpliqué, mystérieux, passionnel, pitoyable, sanglant, silencieux, sordide, terrible, terrifiant, tragique, véritable. *Connaître, déclencher, étouffer, minimiser, pressentir, provoquer, soupçonner, traverser, vivre un ~; être témoin/victime d'un ~; frôler le ~; tourner au ~.* Un ~ éclate, mûrit, se (dé)noue.

DRAPEAU déchiré, dépenaillé, déployé, déteint, énorme, immense, large, minuscule, troué. *Agiter, arborer, brandir, déployer, engainer, enrouler, exhiber, faire flotter, hisser, (re)lever, planter, porter, rouler, saluer un ~; pavoiser de ~x.* Un ~ claque, est en berne, flotte, frémit, frissonne, ondoie, ondule, se déploie.

DROGUE anodine, banale, chic, connue, dangereuse, douce, dure, expérimentale, faible, fatale, forte, inodore, inoffensive, interdite, (il)légale, (il)licite, ludique, majeure, marginale, mineure, mortelle, nocive, nouvelle, populaire, prohibée, puissante, redoutable, sociale, toxique. *Absorber, acheter, (s')administrer, consommer, dissimuler, essayer, expérimenter, fournir, fumer, goûter, inhaler, (s')injecter, prendre, se procurer, trafiquer, utiliser, (re)vendre une/de la/des ~(s); devenir/être dépendant d'une ~; combattre, consommer, éradiquer, quitter la ~; être adonné, goûter, recourir, renoncer, s'adonner, toucher à la ~; plonger, se jeter, s'enfoncer, se réfugier, sombrer, tomber dans la ~; être délivré/habitué, sortir, trafiquer, vivre de la ~; se tourner vers la ~; être sous l'effet/emprise/influence de la ~.*

DROGUÉ, ÉE dangereux, dépendant, grand, impénitent, invétéré, minable, notoire, occasionnel, pathétique, permanent, perpétuel, repenti, sevré. *Désintoxiquer, traiter un ~.*

DROIT (*prérogative*) absolu, acquis, certain, clair, (in)contestable, douteux, équitable, essentiel, établi, exclusif, fondamental, imprescriptible, inaliénable, inaltérable, intangible, inviolable, légitime, litigieux, renforcé, sacré, souverain, strict. *Abandonner, abdiquer, abolir, accorder, acquérir, (s')attribuer, bafouer, céder, concéder, conférer, (mé)connaître, conquérir, consentir, contester, défendre, déléguer, dénier, discuter, établir, excéder, exercer, garantir, invoquer, limiter, nier, obtenir, outrepasser, perdre, proclamer, promouvoir, proroger, protéger, réclamer, recouvrer, refuser, (faire) respecter, restreindre,* *retirer, revendiquer, s'approprier, sauvegarder, se réserver, soutenir, supprimer, usurper, utiliser, violer un/son/ses ~(s); accéder, porter atteinte, renoncer à un ~; abuser, bénéficier, disposer, jouir, priver, se désister, se prévaloir, se réclamer, user d'un ~; lutter pour le ~; être dans son ~.* Un ~ cesse d'être/entre en vigueur, se périme, s'éteint. ♦(Droit, Juridique) *Enseigner, étudier, exercer, pratiquer le ~; faire du/son ~.* ♦(taxe) élevé, excessif, exorbitant, modéré, modique. *Acquitter, exiger, payer, percevoir, prélever, réclamer, recouvrer, régler, rembourser, toucher un ~; être assujetti/soumis/sujet à un ~; être dispensé/exempté/frappé/passible d' un ~; être exempt/libre de ~s.*

DROITE *Garder la ~; prendre, s'engager sur la ~; se diriger vers la ~; appuyer, dévier, doubler, marcher, obliquer, prendre, rouler, tourner, virer à ~.*

DRÔLERIE absolue, époustouflante, étonnante, extraordinaire, extrême, formidable, imbattable, impayable, incroyable, insurpassable, irrésistible, rare, savoureuse. *Être d'une ~ (+ adj.); débiter, dire, raconter des ~s.*

DUEL acharné, âpre, effroyable, épique, féroce, implacable, indécis, inégal, intense, mortel, mouvementé, pathétique, rude, sanglant, serré, titanesque. *Accepter, faire, gagner, lancer, livrer, perdre, provoquer, refuser, remporter un ~; assister, participer, se mêler à un ~.*

DUNE aride, basse, boisée, dénudée, élevée, énorme, escarpée, gigantesque, haute, herbue, longue, rase, sablonneuse. *Descendre, dévaler, escalader, franchir, gravir, grimper, monter, traverser une ~; descendre d'une ~; grimper, monter, s'asseoir sur une ~.*

DURÉE appréciable, bonne, brève, (in)certaine, (in)connue, considérable, constante, continuelle, courte, (in)définie, (in)déterminée, effective, élevée, énorme, éphémère, exagérée, excessive, faible, fixe, forte, idéale, immense, infinie, infinitésimale, ininterrompue, (il)limitée, longue, maximale, minimale, modeste, moyenne, (a)normale, prolongée, (dé)raisonnable, réelle, requise, (in)stable, totale, (in)variable, voulue. *Abréger, accroître, augmenter, calculer, déterminer, diminuer, établir, évaluer, fixer, garantir, limiter, mesurer, prolonger, raccourcir, sous-estimer, surestimer une/la ~.*

DURETÉ élevée, étonnante, exagérée, exceptionnelle, excessive, extrême, faible, forte, impitoyable, implacable, incroyable, insoutenable, insupportable, moyenne, parfaite, rare, remarquable, suffisante. *Avoir, posséder une ~ (+ adj.); être, faire preuve d'une ~ (+ adj.).*

DYNAMISME débordant, étonnant, exceptionnel, extraordinaire, exubérant, faible, fantastique, fébrile, formidable, fort, important, impressionnant, incomparable, incroyable, irrésistible, nerveux, particulier, rare. *Avoir, posséder un ~ (+ adj.); faire preuve d'un ~ (+ adj.); accroître, conserver, déclencher, enclencher, exprimer, nourrir, perdre, présenter, réduire, supporter le ~; avoir, montrer du ~; manquer de ~.*

DYNASTIE brève, courte, déchue, éphémère, faible, florissante, forte, grande, jeune, longue, modeste, prestigieuse, prospère, puissante, riche, vieille. *Asseoir, créer, établir, fonder, former, restaurer une ~.* Une ~ apparaît, disparaît, naît, règne, s'écroule, se développe, s'éteint.

E

EAU abondante, amère, assoupie, basse, blanchâtre, blanche, bleuâtre, bleue, bonne, boueuse, bouillante, bouillonnante bourbeuse, brillante, bruyante, (im)buvable, calme, capricieuse, captive, chaude, claire, condensée, congelée, corrompue, courante, cristalline, croupissante, dangereuse, délicieuse, diaphane, dormante, douce, dure, écumante, épaisse, fangeuse, fraîche, frémissante, froide, fumante, glacée, glauque, gluante, grasse, grisâtre, grise, haute, houleuse, huileuse, impétueuse, incolore, infecte, inodore, insipide, (re)jaillissante, jaunâtre, jaune, jaunie, lente, limoneuse, limpide, livide, lumineuse, mauvaise, (im)mobile, morte, murmurante, naturelle, nauséabonde, nette, noirâtre, noire, obscure, ondoyante, onduleuse, opaline, paisible, paresseuse, pestilentielle, pluviale, poissonneuse, polluée, potable, profonde, propre, puante, (im)pure, rafraîchissante, rapide, résiduaire, rouge, rougeâtre, ruisselante, sableuse, saine, sale, (in)salubre, salée, saline, saumâtre, souterraine scintillante, silencieuse, sombre, souillée, stagnante, suave, sucrée, superficielle, tarie, tempérée, tiède, traitée, tranquille, translucide, transparente, trouble, troublée, tumultueuse, turbulente, turquoise, usée, vaseuse, verdâtre, verte, vierge, vive. *Corrompre, économiser, évacuer, filtrer, gaspiller, polluer, purifier, retenir, souiller, traiter l'~; barboter, entrer, flotter, (se) jeter, nager, patauger, plonger, sauter, tomber, (se) tremper dans l'~; glisser sur l'~; avaler, boire, consommer, ingurgiter, prendre de l'~; (s')arroser, (s')asperger, (s')imbiber d'~.* L'~ bouillonne, cascade, clapote, coule, court, croupit, déborde, dégouline, frise, jaillit, monte, ondule, recule, ruisselle, sautille, s'écoule, se corrompt, se retire, se trouble, s'évapore, s'infiltre, stagne, suinte, tombe (en cascade), tourbillonne.

ÉBAUCHE (in)achevée, admirable, bonne, embryonnaire, grossière, impressionnante, informe, jolie, légère, magistrale, magnifique, originale, (im)précise, première, rapide, sublime, superbe, vague, vigoureuse. *Concevoir, effectuer, faire, improviser, polir, réaliser, tracer une ~.*

ÉBRIÉTÉ avancée, complète, flagrante, légère, poussée. *Être dans un état d'~ (+ adj.); conduire, être, être arrêté, prendre le volant en état d'~.*

ÉCART béant, certain, confortable, considérable, décisif, démesuré, énorme, étroit, faible, formidable, grandissant, grave, immense, important, impressionnant, incompressible, injustifiable, inquiétant, (in)justifié, large, léger, mince, minime, minuscule, momentané, négatif, négligeable, notable, occasionnel, passager, permanent, persistant, positif, préoccupant, profond, sensible, sérieux, significatif. *Avoir un ~ (+ adj.); accentuer, accroître, accuser, agrandir, annuler, augmenter, causer, combler, corriger, creuser, diminuer, entraîner, gommer, occasionner, provoquer, rattraper, réduire, résorber, resserrer, subir un/des/l'/les ~(s).* Un/l'~ faiblit, s'accentue, s'amenuise, s'amplifie, s'approfondit, s'atténue, se crée, se creuse, se réduit, se resserre.

ÉCHAFAUDAGE démontable, étroit, fixe, frêle, large, léger, long, lourd, mobile, permanent, pliant, provisoire, robuste, solide, (in)stable, tremblant.

Construire, dresser, enlever, faire, (dé)monter, retirer un ~; dégringoler, tomber d'un ~; grimper, se hisser, monter sur un ~. Un ~ s'abat, s'écroule, s'effondre.

ÉCHANGE *(conversation, Sport)* acrimonieux, animé, approfondi, bref, chaleureux, constructif, courtois, efficace, énergique, enrichissant, ferme, froid, (in)fructueux, harmonieux, intensif, intéressant, interminable, interrompu, long, musclé, mutuel, passionné, réciproque, riche, spontané, vif, vigoureux, violent. *Avoir un/des ~(s) (+ adj.).* ♦ *(action d'échanger qqch.)* (dés)avantageux, (in)égal, (in)équitable, (dé)favorable, (in)fructueux, important, (in)juste, rapide, réussi. *Effectuer, entretenir, faire, obtenir, offrir, proposer, réaliser, refuser un ~; aboutir, procéder à un ~; bénéficier d'un ~.*

ÉCHÉANCE brève, courte, cruciale, décisive, délicate, déterminée, difficile, éloignée, facile, fatale, ferme, fixe, floue, imminente, implacable, importante, inéluctable, irrévocable, lointaine, longue, précise, proche, rapprochée, (ir)réaliste, retardée, rigide, serrée, souple, stricte, vague. *Avoir une ~ (+ adj.); déterminer, différer, éloigner, établir, fixer, proroger, reculer, remettre, reporter, repousser, respecter, retarder une ~.*

ÉCHEC absolu, ample, annoncé, appréhendé, assuré, certain, cinglant, colossal, complet, confirmé, cruel, cuisant, définitif, démoralisant, désastreux, déshonorant, dissuasif, douloureux, éclatant, énorme, (in)évitable, fatal, final, flagrant, fulgurant, gigantesque, grave, honorable, honteux, humiliant, immense, inattendu, incontestable, indéniable, inéluctable, inexorable, injuste, intolérable, lamentable, léger, majeur, mémorable, (im)mérité, minable, mineur, parfait, passager, patent, piteux, (im)prévisible, programmé, provisoire, radical, relatif, retentissant, rude, sanglant, sérieux, sévère, sinistre, spectaculaire, total, tragique, (in)volontaire; rapprochés, répétés, successifs. *Affronter, compenser, connaître, craindre, essuyer, éviter, expliquer, infliger, masquer, relativiser, réparer, ressentir, subir un ~; courir, s'exposer à un ~; se solder par un ~; aller (tout droit) vers un ~; frôler l'~; accumuler, collectionner les ~s.*

ÉCHELLE *(objet)* chancelante, coulissante, courte, fixe, longue, pliante, solide, tremblante, vieille. *Appliquer, dresser, escalader, planter, poser une ~; grimper, monter à/sur une ~; (re)descendre, glisser, sauter, tomber d'une ~.* ♦ *(dimension)* grande, grandiose, macroscopique, microscopique, petite, planétaire, réduite, vaste. *Opérer, travailler sur une ~ (+ adj.).*

ÉCHELON *(barreau, marche) Descendre, gravir, grimper, monter, passer, sauter un/des ~(s).* ♦ *(grade, niveau)* bas, dernier, élevé, haut, inférieur, initial, intermédiaire, maximal, minimal, premier, supérieur. *Descendre, monter un ~; avancer, descendre, monter d'un ~; grimper, sauter les ~s.*

ÉCLAIR aveuglant, brillant, éblouissant, faible, foudroyant, fourchu, fulgurant, lumineux, menaçant, puissant, rapide, soudain, vif, violent. Un ~ apparaît, brille, déchire/illumine/sillonne/traverse/zèbre le ciel, jaillit, luit.

ÉCLAIRAGE artificiel, aveuglant, blanc, clair-obscur, cru, déficient, (in)direct, doux, dur, éblouissant, excessif, faible, fantomatique, féerique, fort, glauque, indigent, irréel, jaune, louche, lugubre, naturel, parcimonieux, puissant, réduit, (in)satisfaisant, sommaire, sophistiqué, (in)suffisant, superficiel, tamisé, vif, violent.

ÉCLAIRCIE courte, longue, passagère, radieuse, timide. *Attendre, guetter une ~; jouir, profiter d'une ~.*

ÉCLAIRCISSEMENT brefs, complémentaires, complets, concis, concrets, détaillés, importants, majeurs, mineurs, partiels, préalables, précis, satisfaisants, supplémentaires, utiles. *Apporter, demander, donner, exiger, fournir, obtenir, réclamer des ~s.*

ÉCLAT affaibli, aveuglant, brillant, chatoyant, criard, discret, doux, dur, éblouissant, étincelant, étrange, exceptionnel, extraordinaire, faux, inaccoutumé, inaltérable, inhabituel, insolite, insoutenable, merveilleux, métallique, particulier, passager, radieux, resplendissant, scintillant, singulier, soyeux, tapageur, trompeur, vif, violent, voilé. *Avoir un ~ (+ adj.); briller d'un ~ (+ adj.); augmenter, aviver, diminuer, renforcer, ternir l'~ de qqch.; briller avec ~.*

ÉCLIPSE brève, courte, longue, lunaire, partielle, solaire, totale. *Admirer, observer, regarder, voir une ~; assister à une ~.* Une ~ a lieu, se déroule, se produit.

ÉCŒUREMENT absolu, aigu, certain, complet, croissant, général, grandissant, indicible, inexprimable, infini, inconcevable, inimaginable, insurmontable, intense, las, persistant, profond, vague, violent. *Éprouver, inspirer, manifester, provoquer, ressentir un ~ (+ adj.); être pris/saisi d' un ~ (+ adj.).*

ÉCOLE (collège, université, cours) célèbre, grande, huppée, prestigieuse, renommée, réputée. *Diriger une ~; abandonner, délaisser, fréquenter, quitter l' ~; aller, enseigner, entrer, étudier, s'inscrire à l' ~; s'absenter, sortir de l' ~;* ♦ *(édifice, bâtiment)* énorme, immense, moderne, modeste, imposante, vétuste.

ÉCOLIER, IÈRE (in)appliqué, assidu, attentif, brillant, curieux, (in)discipliné, distrait, (in)docile, doué, excellent, faible, fort, intelligent, mauvais, médiocre, moyen, négligent, nonchalant, paresseux, passable, sérieux, studieux, timide, travailleur, turbulent.

ÉCOLOGIE délicate, durable, dynamique, fragile, menacée, naturelle, préservée, protégée, riche, saine, sensible, unique, vulnérable. *Favoriser, promouvoir, pratiquer une ~ (+ adj.); bénéficier, jouir d'une ~ (+ adj.); altérer, apprendre, dégrader, détruire, enseigner, préserver, protéger, respecter l'~; se convertir à l'~; investir dans l'~; être respectueux/soucieux d'~.*

ÉCONOMIE *(Science, Politique)* chancelante, concurrentielle, convalescente, croissante, déclinante, désastreuse, (sous-)développée, dynamique, faible, florissante, forte, fragile, pauvre, précaire, prospère, riche, saine, solide, souterraine, (in)stable, stagnante, vigoureuse, vulnérable. *Affaiblir, développer, diversifier, faire fonctionner/rouler, gérer, (re)lancer, maîtriser, perturber, prendre en main, renflouer, rétablir, revigorer, soutenir, stimuler une/l'~.* L'~ chute, décline, diminue, languit, prospère, (se) ralentit, repart, s'accélère, s'améliore, s'écroule, se dégrade, se redresse, se ressaisit, s'essouffle, se stabilise, stagne. ♦(gain) appréciable, colossale, considérable, dérisoire, énorme, faible, illusoire, importante, insignifiante, légère, mince, sérieuse, significative, substantielle. *Faire, permettre, réaliser, représenter une ~.*

ÉCORCE amère, charnue, craquante, dure, enroulée, épaisse, fine, frisée, gercée, jaunie, lisse, mince, morte, noueuse, raboteuse, rabougrie, ridée, rude, rugueuse, sèche, tendre. *Décoller, enlever, gratter, inciser, peler, percer l'~ de (un arbre, un fruit, etc.).*

ÉCOSYSTÈME délicat, durable, dynamique, énorme, fragile, immense, important, intact, mature, menacé, naturel, riche, sain, (ultra)sensible, vaste, vierge, vivant, vulnérable. *Altérer, dégrader, détruire, mettre en péril, préserver, protéger un ~.*

ÉCOUTE active, assidue, attentive, bienveillante, bonne, compréhensive, distraite, excellente, exceptionnelle, extraordinaire, formidable, incroyable, intelligente, intense, intéressée, longue, mauvaise, passive, polie, précieuse, respectueuse, soutenue. *Accorder, avoir, faire, posséder, prêter une ~ (+ adj.); faire preuve d'une ~ (+ adj.); être à l'~ de qqn.*

ÉCRAN (~ de cinéma) géant, grand, large, petit. *Mettre, paraître, porter à l'~.* ♦(~ d'ordinateur) correctionnel, multifonctions, plat, tactile. *Allumer, brancher un~; être doté/équipé d'un ~; pianoter sur un ~.*

ÉCRITURE admirable, affreuse, agréable, anguleuse, appliquée, arrondie, bizarre, claire, couchée, cursive, dense, descendante, distincte, droite, (in)égale, élégante, énorme, épaisse, espacée, facile, ferme, filiforme, fine, grasse, grosse, horrible, immense, inclinée, indéchiffrable, jolie, large, lente, (dé)liée, (il)lisible, maigre, maladroite, mauvaise, menue, minuscule, minutieuse, montante, moulée, nerveuse, nette, ordonnée, passable, penchée, pointue, pondérée, posée, rapide, (ir)régulière, renversée, ronde, serrée, simplifiée, sinueuse, soignée, souple, symétrique, terrible, tremblante, uniforme. *Avoir une ~ (+ adj.); déchiffrer, lire, mouler, reconnaître, tracer une ~; imiter l'~ de qqn; déguiser, serrer, soigner son ~.*

ÉCRIVAIN, AINE abondant, accompli, authentique, besogneux, bon, brillant, célèbre, chevronné, comblé, compulsif, concis, confirmé, (in)connu, consacré, cultivé, débutant, démodé, distingué, doué, éminent, engagé, estimé, excellent, (in)expérimenté, faible, (in)fécond, fort, froid, frustré, génial, glacial, glorieux, grand, guindé, habile, hermétique, illustre, immense, important, inclassable, inégal, inimitable, inintelligible, insipide, inspiré, intéressant, intraduisible, jeune, laborieux, majeur, maniéré, manqué, marginal, mauvais, méconnu, médiocre, mièvre, mineur, naissant, naturel, né, nébuleux, objectif, obscur, original, percutant, piètre, pitoyable, productif, profond, prolifique, prolixe, raffiné, rapide, raté, reconnu, remarquable, renommé, réputé, respecté, solitaire, superbe, surfait, talentueux, virtuose, visionnaire, vieil.

ÉCROU brasé, fileté. *Ôter, (des)serrer, tarauder, (dé)visser un ~.*

ÉCUEIL (récif, rocher) caché, couvert, dangereux, immergé, mortel, périlleux, redoutable, redouté, submergé, (in)visible. *Esquiver, éviter, heurter, parer, reconnaître, rencontrer un ~; échouer, heurter, se briser contre un ~; donner, se briser, se fracasser sur un ~.* ♦ *(danger, difficulté, obstacle)* effroyable, énorme, funeste, glissant, grave, immense, imprévu, inattendu, incontournable, inévitable, infranchissable, insurmontable, invincible, majeur, menaçant, mineur, périlleux, permanent, redoutable, réel, secret, sérieux, terrible. *Éviter, rencontrer, représenter, signaler un ~; se heurter à un ~; tomber dans un ~; butter sur un ~.*

ÉCUME argentée, blanche, bondissante, bouillonnante, déferlante, énorme, floconneuse, formidable, furibonde, furieuse, immense, jaillissante, légère, lourde, montante, mourante, nacrée, noire, puissante, rugissante, salée. Une/l'~ arrive, déferle, monte, roule, se brise, se retire.

ÉDIFICE abandonné, ample, austère, banal, bas, bel, branlant, colossal, délabré, désaffecté, élancé, élégant, élevé, énorme, esthétique, étroit, exigu, géant, gigantesque, grand, grandiose, haut, hétéroclite, hideux, historique, immense, impersonnel, imposant, impressionnant, laid, long, lugubre, majestueux, massif, miteux, moderne, modeste, monumental, orgueilleux, petit, pompeux, prestigieux, remarquable, rutilant, sévère, sinistre, sinistré, somptueux, spacieux, splendide, superbe, trapu, triste, vaste, vétuste, vieil. *Bâtir, (re)construire, démolir, détruire, élever, entretenir, ériger, gérer, habiter, inaugurer, restaurer un ~; entrer, pénétrer dans un ~; sortir d'un ~.* Un ~ croule, s'écroule, se dresse, s'effondre, s'élève.

ÉDUCATION *(école, enseignement)* adaptée, appropriée, (in)complète, conventionnelle, fondamentale, méthodique, permanente, professionnelle, progressive, sommaire, spécialisée, (in)suffisante. *Assurer, dispenser, fournir, obtenir, offrir, procurer, recevoir, suivre une ~; accéder, avoir accès à une ~; améliorer, continuer, parfaire son ~.* ♦ *(formation, bonnes manières)* austère, autoritaire, barbare, bornée, complète, cultivée, déplorable, distinguée, effrayante, excellente, exigeante, faible, fervente, forte, grave, lamentable, laxiste, manquée, mauvaise, médiocre, négligée, parfaite, permissive, piètre, raffinée, relâchée, répressive, réussie, rigide, rigoureuse, rude, sévère, soignée, solide, souple, spartiate, stricte. *Avoir, donner, recevoir, subir une ~ (+ adj.); faire l'~ de (un enfant, etc.); avoir de l'~; manquer d'~; être sans ~.*

EFFECTIF compétent, complet, considérable, expérimenté, important, maigre, minimum, nombreux, qualifié, réduit, restreint, solide, squelettique, stable, (in)suffisant, vieillissant. *Avoir, posséder un ~ (+ adj.); disposer d'un ~ (+ adj.); alléger, augmenter, dégraisser, étoffer, grossir, rajeunir, redéployer, réduire, renforcer, resserrer un/des/les/son/ses ~(s).*

EFFET (dés)agréable, apparent, (in)attendu, automatique, (dés)avantageux, bénéfique, bizarre, catastrophique, certain, cocasse, concret, considérable, constant, contagieux, contraire, curieux, dangereux, décisif, déplorable, dérisoire, désastreux, (in)désirable, déstabilisateur, dévastateur, différé, (in)direct, dissuasif, dommageable, douteux, dramatique, durable, effroyable, énorme, escompté, (in)espéré, étonnant, évident, extrême, fâcheux, faible, (dé)favorable, fort, foudroyant, frappant, funeste, général, grand, grandiose, (mal)heureux, immédiat, immense, important, inévitable, insoupçonné, instantané, irrémédiable, irrésistible, irréversible, manifeste, mauvais, mécanique, merveilleux, mirobolant, mobilisateur, modeste, momentané, monstre, nécessaire, néfaste, négatif, négligeable, nocif, nuisible, palpable, paradoxal, pénible, (im)perceptible, pervers, ponctuel, positif, préjudiciable, (im)prévisible, (im)prévu, prolongé, puissant, radical, ravageur, réel, remarquable, saisissant, salutaire, (in)sensible, significatif, singulier, stimulant, stressant, stupéfiant, surprenant, tangible, tranquillisant, variable, varié, vilain, visible. *Accomplir, alléger, amortir, annuler, attendre, atténuer, avoir, causer, cerner, contrecarrer, corriger, créer, détruire, entraîner, escompter, espérer, faire, limiter, manquer, ménager, obtenir, occasionner, pallier, produire, provoquer, rater, rechercher, ressentir, réussir, viser un/des/l'/son/les ~(s); agir sous l'~ de (la colère, etc.); demeurer, être, rester sans ~; faire ~.* Un ~ perdure, se fait sentir, se produit, s'estompe, s'intensifie.

EFFICACITÉ absolue, (in)acceptable, accrue, certaine, (in)complète, considérable, (in)contestable, diabolique, (in)discutable, douteuse, durable, effrayante, élevée, évidente, exceptionnelle, extraordinaire, extrême, faible, formidable, forte, grande, impressionnante, incomparable, inégalée, inférieure, limitée, maximale, médiocre, mince, minimale, moindre, nulle, optimale, permanente, persistante, prodigieuse, provisoire, puissante, rare, redoutable, réelle, relative, remarquable, (in)satisfaisante, (in)suffisante, superbe, supérieure, suprême, surprenante, tangible, temporaire, terrible, terrifiante, totale. *Afficher, déployer, manifester, montrer, présenter une (+ adj.); être, faire preuve d'une (+ adj.); accroître, améliorer, démontrer, maximiser, paralyser, privilégier, renforcer l'/son ~; gagner en ~.*

EFFORT accompli, accru, acharné, admirable, ambitieux, assidu, audacieux, brave, collectif, colossal, combiné, commun, concerté, conjugué, constant, constructif, (dis)continu, continuel, courageux, décisif, délibéré, démentiel, désespéré, déterminant, déterminé, difficile, douloureux, doux, dur, dynamique, (in)efficace, effréné, effroyable, énergique, énorme, épuisant, essoufflant, évident, exceptionnel, excessif, extrême, fantastique, formidable, (in)fructueux, généreux, gigantesque, global, grisant, héroïque, illusoire, immense, important, impressionnant, incessant, individuel, inespéré, inestimable, ingrat, ininterrompu, initial, inlassable, inouï, insistant, insoutenable, intempestif, intense, intensif, isolé, laborieux, lâche, léger, long, louable, magnifique, maigre, majeur, massif, maximal, méritoire, mesuré, mineur, minimal moindre, momentané, nécessaire, obstiné, opiniâtre, particulier, pathétique, patient, payant, pénible, percutant, perpétuel, persévérant, persistant, personnel, précieux, précipité, prodigieux, prolongé, (im)puissant, (dé)raisonnable, raisonné, récompensé, redoublé, réel, (ir)régulier, réitéré, ridicule, rigoureux, sérieux, sincère, soudain, soutenu, spectaculaire, spontané, sporadique, stérile, subit, substantiel, suivi, superflu, supplémentaire, suprême, surhumain, systématique, tardif, tâtonnant, tenace, terrible, titanesque, total, ultime, urgent, (in)utile, vain, valeureux, véhément, vif, violent, visible. *Accélérer, accomplir, appuyer, cesser, conjuguer, continuer, contrecarrer, coordonner, couronner, demander,* *déployer, disperser, doser, encourager, entraver, épargner, exagérer, faciliter, faire, fournir, freiner, grouper, (s')imposer, investir, ménager, mener, mériter, mobiliser, nécessiter, neutraliser, paralyser, poursuivre, produire, ralentir, réaliser, réitérer, relâcher, renouveler, répéter, retarder, seconder, s'imposer, soutenir, stimuler, supporter, tenter, unir un/des/les/son/ses ~(s); glorifier, prôner l'~; redoubler, rivaliser d'~s.* Un ~ s'accroît, se poursuit, se relâche, s'intensifie.

EFFROI communicatif, énorme, immense, indescriptible, indicible, inexplicable, insurmontable, léger, mortel, passager, salutaire, subit, terrible, vague. *Apaiser, calmer, inspirer, répandre, semer l'~; vivre dans l'~; causer, éprouver, inspirer, provoquer, ressentir de l'~; contenir, maîtriser son ~; être saisi, frémir, mourir, pâlir, trembler d'~.*

ÉGALITÉ (équilibre) absolue, apparente, complète, effective, idéale, illusoire, parfaite, réelle, relative, totale, véritable. *Atteindre, obtenir, promouvoir, refuser, rétablir, revendiquer, soutenir l'~.* ♦ *(Sport) Briser, créer, maintenir, obtenir, provoquer l'~ ; être à ~.*

ÉGLISE admirable, ancienne, antique, austère, basse, chic, claire, colossale, décorée, dépouillée, désaffectée, déserte, élégante, énorme, exiguë, fermée, grandiose, haute, humble, immense, imposante, impressionnante, jolie, lumineuse, magnifique, majestueuse, massive, menue, minuscule, (ultra)moderne, modeste, neuve, nue, obscure, pauvre, pimpante, pittoresque, pure, ravissante, récente, remarquable, riche, sévère, silencieuse, sobre, sombre, somptueuse, spacieuse, superbe, trapue, vaste, vide, vieille. *Bâtir, bénir, construire, consacrer, desservir, édifier, élever, ériger, fréquenter, restaurer, visiter une ~; entrer, prier dans une ~.* Une ~ se dresse, s 'élève, se tient.

EGO blessé, boursouflé, démesuré, (sur)développé, élevé, enflé, énorme, exacerbé, excessif, faible, fort, fragile, (sur)gonflé, gros, humble, hypertrophié, immense, important, imposant, mégalomane, monumental, sensible, solide, surdimensionné. *Avoir, posséder un/l'~ (+ adj.); être doté, souffrir d'un ~ (+ adj.).*

ÉGOCENTRISME démesuré, époustouflant, exacerbé, incroyable, inébranlable, inquiétant, mégalomane, monstrueux, rare, renversant. *Afficher, manifester, montrer un ~ (+ adj.); être, faire preuve d'un ~ (+ adj.).*

ÉGOÏSME absolu, aveugle, brutal, cynique, dur, exacerbé, exécrable, exigeant, extraordinaire, extrême, farouche, féroce, fondamental, fort, froid, glacial, impitoyable, implacable, incroyable, insensé, maladif, mesquin, monstrueux, odieux, profond, rare, révoltant, satisfait, sain, solide, sordide, sot, stérile, superbe, vil. *Être, faire montre/preuve, témoigner d'un ~ (+ adj.); être enfermé/isolé/muré, se réfugier, sombrer dans l'/son ~.*

ÉGRATIGNURE bonne, infime, insignifiante, légère, mauvaise, profonde, récente, superficielle, vieille, vilaine. *Avoir, causer, (se) faire, (s') infliger, nettoyer une ~.*

ÉLABORATION assidue, complexe, concertée, difficile, dynamique, graduelle, lente, méthodique, minutieuse, précise, progressive, rapide, rationnelle, réfléchie, rigoureuse, soigneuse, urgente. *Assurer l' ~ de qqch.; collaborer, participer, prendre part à l'~ de qqch.*

ÉLAN (bond, envol, vitesse) faible, formidable, fort, furieux, lent, rapide. *Acquérir, affaiblir, arrêter, avoir, briser, calculer, contenir, donner, enrayer, perdre, (re)prendre un/de l'/son' ~; être emporté par son ~.* ♦(ardeur, enthousiasme) agressif, aveugle, brusque, capricieux, chaleureux, éphémère, excessif, extraordinaire, fougueux, freiné, généreux, impétueux, inattendu, indéniable, irrésistible, passager, passionné, patriotique, primesautier, soudain, spontané, subit, vaste, volontaire. *Contenir, créer, maîtriser, refouler, réfréner, soutenir un/ses ~(s); céder à un/ses ~(s).* Un ~ retombe, rebondit.

ÉLECTEUR, TRICE combatifs, désabusés, désillusionnés, flottants, hésitants, indécis, indifférents, informés, mécontents, modérés, traditionnels. *Conquérir, convaincre, corrompre, mobiliser, perdre, racoler, rallier, séduire, soigner, solliciter un/des/les/ses ~(s).*

ÉLECTION anticipée, assurée, (in)attendue, (in)contestable, contestée, controversée, crédible, cruciale, démocratique, difficile, douteuse, (in)équitable, facile, frauduleuse, hasardeuse, (mal)honnête, indécise, inutile, (in)juste, (il)légitime, libre, manipulée, mouvementée, normale, ouverte, partielle, précipitée, propre, (ir)régulière, scandaleuse, serrée, significative, sincère, tendue, transparente, tranquille, triomphale, truquée. *Ajourner, annoncer, annuler, boycotter, contester, disputer, enlever, faire, falsifier, gagner, invalider, mener, organiser, perdre, préparer, proclamer, provoquer, remporter, reporter, repousser, superviser, truquer, (in)valider une/des/l'/les ~(s); participer, procéder à une/des/à l'/aux ~(s); être battu, se faire battre, se porter candidat, se (re)présenter, triompher, voter aux ~s; sortir affaibli/victorieux des ~s.* Une ~ a lieu, se déroule, se tient.

ÉLECTRICITÉ abondante, coûteuse, défaillante, économique, fiable, polluante, propre, rare, sûre. *Allumer, couper, éteindre l'~.*

ÉLÉGANCE affectée, classique, conventionnelle, décontractée, désuète, discrète, exagérée, excentrique, exquise, extrême, fabuleuse, fausse, fine, glacée, gracieuse, grande, hautaine, incomparable, innée, insolente, insoucieuse, instinctive, majestueuse, maniérée, minutieuse, naturelle, négligée, parfaite, prétentieuse, raffinée, rare, recherchée, remarquable, sèche, sévère, simple, sobre, somptueuse, suprême, surannée, ultime. *Être d'une ~ (+ adj.); avoir de l'~; être dépourvu, manquer, rivaliser d'~.*

ÉLÉMENT (composant, morceau, partie) anodin, banal, capital, central, composé, contradictoire, contraire, contrastant, critique, crucial, décisif, déterminant, différent, dominant, essentiel, (dé)favorable, fondamental, important, incontournable, indispensable, inséparable, insignifiant, intéressant, majeur, marginal, mineur, nécessaire, négligeable, précieux, principal, secondaire, significatif, simple, substantiel. *Accumuler, agencer, arranger, associer, combiner, coordonner, dégager, dissocier, (re)grouper, rassembler, réunir, séparer des/les ~s de qqch.*

ÉLEVAGE difficile, énorme, extensif, facile, immense, intensif, méthodique, vaste. *Commencer, entreprendre, exploiter,* *faire, mener, pratiquer, réaliser un ~; s'occuper d'un ~; s'adonner, se consacrer, se livrer à l'~; faire de l'~.*

ÉLÉVATION abrupte, brusque, courte, difficile, douce, dure, facile, faible, forte, légère, lente, longue, minime, progressive, rapide, régulière, soudaine, subite.

ÉLÈVE (hyper)actif, agité, agréable, amorphe, apathique, (in)appliqué, astucieux, attachant, attardé, (in)attentif, avancé, bavard, bon, brillant, calme, consciencieux, contestataire, courageux, débutant, décevant, décourageant, décrocheur, déplorable, difficile, (in)discipliné, disponible, dissipé, distrait, (in)docile, (sur)doué, étourdi, excellent, exceptionnel, exemplaire, faiblard, faible, fainéant, fort, impertinent, indisciplinable, indolent, inerte, insolent, insuffisant, intelligent, jeune, laborieux, lent, mauvais, médiocre, méritant, modèle, (dé)motivé, moyen, négligent, nonchalant, (dés)obéissant, paresseux, parfait, passable, passif, perturbateur, piètre, poli, ponctuel, précoce, prometteur, (ir)régulier, remarquable, (ir)respectueux, retardataire, sage, sérieux, silencieux, studieux, subtil, timide, timoré, travailleur, turbulent, zélé. *Chasser, dresser, expulser, interroger, motiver, pousser, réprimander, secouer, suivre un ~; contrôler, savoir tenir un/ses ~(s).*

ÉLIMINATION absolue, brusque, complète, définitive, globale, graduelle, massive, méthodique, partielle, progressive, radicale, systématique, totale.

ÉLITE brillante, choisie, choyée, compétente, cultivée, éclairée, étroite, exceptionnelle, fausse, fortunée, impeccable, large, minoritaire, minuscule, mondiale, mondialisée, nombreuse, petite, performante, prétendue, rare, responsable, resserrée, restreinte, riche. *Constituer, former une/l' ~; appartenir à une/l' ~; faire partie d'une/de l'~.*

ÉLOCUTION affectée, agréable, aisée, chaleureuse, claire, confuse, convenable, coulante, défectueuse, difficile, distincte, distinguée, douce, embarrassée, embrouillée, empâtée, facile, grande, hésitante, incompréhensible, intelligible, lamentable, lente, naturelle, nette, nonchalante, parfaite, pénible, puérile, rapide, soignée, traînante, tranchante. *Avoir une ~ (+ adj.).*

ÉLOGE (mal)adroit, appuyé, courageux, douteux, éclatant, enflammé, enivrant, enthousiaste, exagéré, exalté, excessif, fade, flatteur, grand, froid, habile, hypocrite, juste, magnifique, (im)mérité, mesuré, mielleux, modéré, objectif, outré, pompeux, sincère, superbe, suspect, tardif, unanime, vague, vain. *Accepter, accorder, adresser, décerner, distribuer, donner, faire, obtenir, recevoir, s'attirer un/des ~(s); être réservé dans ses ~s; parler de qqn/qqch. avec ~; combler, couvrir, être comblé/couvert/digne d'~s; se répandre en ~s.*

ÉLOIGNEMENT absolu, appréciable, bon, brusque, considérable, définitif, énorme, faible, forcé, formidable, immense, long, passager, précipité, progressif, radical, relatif, respectueux, soudain, subit, total.

ÉLOQUENCE abondante, agréable, aisée, brillante, charmante, concise, difficile, drue, éblouissante, électrisante, émue, enflammée, ennuyeuse, entraînante, extraordinaire, extrême, facile, fausse, frénétique, froide, grande, impétueuse, impressionnante, magnifique, naturelle, persuasive, pompeuse, rapide, rare, redoutable, remarquable, sobre, sublime, torrentielle, touchante, tumultueuse, véhémente, véritable, vigoureuse, vraie. *Avoir, posséder une ~ (+ adj.); être d'une ~ (+ adj.); déployer (toute) son ~; user de (toute) son ~; parler avec ~; manquer d'~.*

ÉMANATION dangereuse, faible, fétide, forte, infecte, irritante, légère, malsaine, mortelle, nuisible, pestilentielle, puante, putride, subtile, volatile, toxique. *Dégager, libérer, produire, respirer, (res)sentir une ~; s'apercevoir d'une ~.*

EMBALLAGE adéquat, attrayant, banal, décoratif, défectueux, discret, écologique, endommagé, étanche, hermétique, impeccable, opaque, parfait, pratique, protecteur, recyclé, résistant, rigide, robuste, sécuritaire, soigné, solide, souillé, spécial, transparent. *Choisir, concevoir, ouvrir, utiliser un ~ (+ adj.).*

EMBALLEMENT aveugle, communicatif, contagieux, délirant, effréné, excessif, immense, inconsidéré, indescriptible, irraisonné, malsain, outré, soudain, touchant. *Afficher, avoir, exprimer, montrer un ~ (+ adj.).*

EMBARCATION délabrée, énorme, étanche, étroite, frêle, gracieuse, immense, large, légère, lente, longue, lourde, luxueuse, mauvaise, mince, plate, rapide, rustique, ventrue, vieille. *Amarrer, ancrer, conduire, démarrer, diriger, gouverner, gréer, lancer, manier, manœuvrer, mener, piloter, prendre une ~; monter dans une ~; descendre d'une ~.* Une/l'~ coule, dérive, échoue, glisse, navigue, sombre, tangue.

EMBARGO absolu, cruel, drastique, (in)efficace, général, généralisé, implacable, improductif, inacceptable, inhumain, interminable, long, partiel, rigoureux, sévère, strict, temporaire, terrible, théorique, total, unilatéral. *Alléger, appliquer, assouplir, atténuer, briser, contourner, déclarer, décréter, dénoncer, durcir, exercer, faire, imposer, lever, mener, mettre en place, renforcer, (faire) respecter, resserrer, révoquer, rompre, subir, suspendre, violer un ~; contrevenir, être soumis, passer outre, résister à un ~; sortir d'un ~.*

EMBARRAS affligeant, angoissant, certain, compréhensible, considérable, constant, croissant, épouvantable, évident, extrême, incroyable, insoluble, insurmontable, irréductible, léger, perceptible, profond, réel, sérieux, simulé, sincère, suspect, terrible, visible. *Causer, constituer, créer, occasionner, provoquer, susciter un ~; cacher, dissimuler, manifester, montrer, ressentir, surmonter, trahir son ~; être, jeter qqn, (se) mettre qqn, se trouver dans l'~; éprouver de l'~; se sortir, se tirer d'~.*

EMBELLIE courte, passagère, rapide. *Attendre, connaître, mettre à profit une ~; profiter d'une ~.*

EMBÊTEMENT énorme, grave, gros, léger, majeur, mineur, passager, pénible, sérieux, supplémentaire. *Avoir, causer, créer, éviter, occasionner, rencontrer des ~s.*

EMBONPOINT certain, confortable, encombrant, excessif, extrême, faible, fort, généreux, grave, léger, important, précoce, remarquable, soutenu. *Accuser, avoir, présenter un ~ (+ adj.); faire de l'~; souffrir d'~.*

EMBOUTEILLAGE complet, colossal, considérable, effroyable, énorme, épouvantable, formidable, gigantesque, immense, important, impressionnant, imprévisible, inextricable, interminable, léger, monstre, partiel. *Créer, former, éviter, provoquer, signaler un ~; être bloqué/coincé/pris, s'enliser, se (re)trouver, tomber dans un ~; se dégager, sortir d'un ~.* Un ~ se produit.

EMBRASSADE affectueuse, amicale, chaleureuse, étouffante, franche, générale, passionnée, tendre. *Échanger, (se) faire des ~s; assister à des ~s; subir les ~s de qqn; se dégager des ~s de qqn.*

ÉMERVEILLEMENT complet, constant, enchanteur, grandissant, immense, perpétuel. *Garder, provoquer, ressentir, susciter l'~; être plongé dans l'~; ressentir de l'~; exprimer, faire partager, manifester son ~.*

ÉMEUTE bruyante, énorme, grave, immense, importante, menaçante, meurtrière, monstre, sanglante, soudaine, spontanée, terrible, tumultueuse, violente. *Calmer, combattre, contenir, contrôler, déchaîner, déclencher, endiguer, enrayer, entraîner, fomenter, maîtriser, mater, mener, préparer, prévenir, provoquer, réprimer, susciter une ~; participer, prendre part à une ~; tourner à l'~.* Une ~ couve, éclate, fermente, gronde, se déchaîne, se produit, survient.

ÉMIGRATION clandestine, forcée, forte, importante, jeune, massive, obligatoire, sauvage, temporaire, volontaire. *Freiner, provoquer, susciter une ~; être contraint à l'~.*

ÉMISSION captivante, débile, distractive, divertissante, ennuyeuse, excellente, futile, intéressante, marginale, minable, passionnante, piètre, pitoyable, populaire, ratée, satirique, tardive. *Animer, concevoir, créer, diffuser, écouter, enregistrer, faire, lancer, manquer, parrainer, présenter, produire, programmer, rater, réaliser, regarder, suivre une ~; participer à une ~.*

ÉMOI apparent, certain, communicatif, compréhensible, considérable, dissimulé, doux, énorme, excessif, extrême, (in)fondé, général, grand, immense, important, intense, (in)justifié, légitime, particulier, passager, profond, réel, sensible, vif. *Causer, produire, provoquer, ressentir, semer, soulever, susciter un/l'/de l' ~; cacher, dissimuler, maîtriser, surmonter son ~; revenir de son ~; frémir, mourir, palpiter, trembler, tressaillir d'~; être, (se) mettre qqn en ~.* Un/l' ~ étreint, s'empare, s'intensifie.

ÉMOTION aiguë, authentique, brusque, confuse, contenue, délicate, délicieuse, diffuse, dissimulée, douce, douloureuse, effroyable, enivrante, énorme, évidente, extrême, feinte, fine, forte, fugitive, (mal)heureuse, immense, indéfinissable, indescriptible, indicible, inexprimable, intempestive, intense, intérieure, intime, jaillissante, (in)justifiée, légère, légitime, lourde, (im)palpable, paralysante, passagère, passionnée, (im)perceptible, poignante, pure, rare, refoulée, retenue, sincère, simple, stimulante, subite, tangible, tendre, violente, vive, vraie. *Afficher, cacher, calmer, causer, communiquer, contenir, créer, dégager, dissimuler, dominer, donner, émousser, entretenir, éprouver, étouffer, feindre, maîtriser, manifester, masquer, provoquer, refléter, refouler, renforcer, répandre, réprimer, ressentir, simuler, susciter, taire, trahir, transmettre, vivre une/l'/son/ses ~(s); s'abandonner, se laisser aller, succomber à une/l' ~; crier, être bouleversé/étranglé/ivre/*

plein/tremblant/vibrant, frapper, frémir, frissonner, pâlir, pleurer, rougir, s'évanouir, suer, trembler, tressaillir d'~. Une ~ (dé)croît, passe, s'émousse, s'intensifie.

EMPÊCHEMENT évident, grave, imprévu, inopiné, insurmontable, majeur, mineur, permanent, soudain, subit, temporaire, valable. *Avoir, constituer, entraîner, (re)présenter un ~ (+ adj.); être retenu par un ~.* Un ~ se produit, surgit, survient.

EMPIRE croulant, déchu, démesuré, disparu, éphémère, gigantesque, grand, immense, planétaire, puissant, tentaculaire, vaste. *Bâtir, construire, créer, démanteler, démembrer, disloquer, fonder, fragmenter, renverser, se disputer, se tailler un ~.* Un ~ décline, naît, s'écroule, s'effondre, se fracasse.

EMPLACEMENT adéquat, approprié, commode, convenable, discret, exact, extraordinaire, fixe, intéressant, perdu, précis, privilégié, propice, secret, sûr, tranquille, unique. *Aménager, chercher, choisir, fixer, indiquer, préparer, trouver un/l'~ de qqch.*

EMPLOI *(usage)* abondant, abusif, accru, ample, (in)approprié, avantageux, bon, commode, constant, (in)correct, courant, critiqué, délicat, difficile, (in)direct, excellent, excessif, exclusif, facile, fantaisiste, frauduleux, fréquent, fructueux, généralisé, important, impropre, insolite, intensif, inusité, judicieux, (in)justifié, large, (il)légitime, libre, (il)limité, lucratif, massif, mauvais, (im)modéré, (a)normal, nouveau, obligatoire, provisoire, rare, restreint, (ir)régulier, systématique. *Faire un ~ (+ adj.); être d'un ~ (+ adj.); (dé)conseiller, déterminer, développer, étendre, exiger, généraliser, nécessiter, préconiser un/l' ~ de qqch.* ♦ *(poste, travail)* absorbant, accaparant, adéquat, aléatoire, attrayant, avantageux, bénévole, convoité, décevant, disponible, durable, éminent, enviable, éphémère, excellent, fixe, flexible, gratifiant, honorable, humiliant, important, intérimaire, intermittent, lucratif, marginal, mauvais, médiocre, minable, modeste, précaire, privilégié, rémunérateur, rémunéré, prestigieux, satisfaisant, solide, stable, stressant, subalterne, supérieur, vacant. *Abandonner, accepter, accorder, assumer, avoir, chercher, conserver, convoiter, créer, cumuler, décrocher, demander, exercer, garder, geler, générer, obtenir, occuper, offrir, posséder, postuler, perdre, prendre, préserver, procurer, proposer, protéger, quitter, rechercher, refuser, remplir, solliciter, supprimer, (re)trouver, viser un/des ~(s); accéder, assigner, postuler, se destiner, se présenter, se proposer à un ~; (se) démettre qqn, démissionner, renvoyer qqn d'un ~; améliorer, défendre, développer, faire repartir, favoriser, menacer, mettre en péril, préserver, protéger, réduire, sauvegarder, sécuriser l'~; changer d'~; être, se retrouver sans ~.* L'~ décline, est en baisse/hausse, évolue, recule, s'améliore, se raréfie.

EMPLOI DU TEMPS allongé, bouleversé, (sur)chargé, élastique, immuable, léger, minuté, minutieux, pratique, précis, rigide, rigoureux, serré, strict, varié. *Avoir un ~ (+ adj.); aménager, arranger, dresser, élaborer, établir, observer, organiser, rédiger, respecter un/son ~.*

EMPLOYÉ, ÉE assidu, charmant, (in)compétent, consciencieux, correct, diligent, (in)efficace, émérite, excellent, exemplaire, exploité, (in)fidèle, (mal)honnête, impeccable, indélicat, intelligent, irréprochable, médiocre, modèle, modeste, négligent, ordonné, parfait, ponctuel, (ir)régulier, scrupuleux, sérieux, subalterne, supérieur, zélé. *Congédier, convoquer, destituer, embaucher, (r)engager, exploiter, licencier, mettre à pied, muter, occuper, payer, prendre (à l'essai), remercier, remplacer, renvoyer, restituer, rétribuer, révoquer, talonner, tyranniser un/des/ses ~(s).*

EMPREINTE *(piste, trace)* abondantes, bonnes, brouillées, faibles, fraîches, nombreuses, suspectes, vieilles. *Effacer, identifier, imprimer, laisser, prendre, relever une/des ~(s).* ♦*(influence)* apparente, considérable, décisive, déterminante, durable, faible, forte, incontestable, indéniable, légère, négative, négligeable, nette, notable, passagère, permanente, positive, profonde, vive. *Imprimer, laisser une ~ (+ adj.); mettre son ~ sur qqch.; marquer qqch./qqn de son ~.*

EMPRESSEMENT avide, calculé, certain, constant, dissimulé, enthousiaste, étonnant, évident, excessif, extraordinaire, feint, gauche, inaccoutumé, incroyable, inhabituel, joyeux, marqué, nerveux, rare, salutaire, servile, suspect, tiède. *Être, faire preuve d'un ~ (+ adj.); manifester, marquer, montrer, témoigner de l'~.*

EMPRISE absolue, accrue, bonne, complète, considérable, croissante, difficile, (in)directe, douce, dure, efficace, énorme, excessive, facile, faible, ferme, forte, funeste, grande, immense, incroyable, malsaine, néfaste, profonde, puissante, réduite, réelle, relative, totale. *Avoir, exercer, posséder, réduire, relâcher, resserrer, secouer, subir une ~; échapper à une ~; se dégager d'une ~; être sous l'~ de qqn/qqch.; avoir de l'~ sur qqn.*

EMPRISONNEMENT arbitraire, illégal, injuste, massif. *Ordonner un/des ~(s); être passible d'un ~; condamner qqn à l'~.*

EMPRUNT amortissable, avantageux, consolidé, extraordinaire, forcé, garanti, gros, petit, remboursable, sûr. *Accorder, amortir, clore, consolider, contracter, couvrir, émettre, faire, garantir, négocier, ouvrir, réaliser, rembourser, restituer, souscrire un ~; procéder, recourir, souscrire à un ~.*

ÉMULATION acharnée, excessive, faible, féconde, folle, forte, honnête, légère, loyale, mutuelle, (mal)saine, stimulante. *Déclencher, encourager, éveiller, exciter, provoquer, stimuler, susciter l'~.*

ENCADREMENT attentif, bon, compétent, constant, continuel, discret, dynamique, étroit, fiable, lâche, rigoureux, (in)satisfaisant, solide, soutenu, strict, structuré, (in)suffisant, systématique. *Assurer, garantir, mettre en place, nécessiter, offrir, proposer un ~; bénéficier, disposer d'un ~.*

ENCOURAGEMENT actif, appréciable, bienveillant, considérable, décisif, déterminant, discret, efficace, énorme, enthousiaste, exceptionnel, explicite, faible, fort, généreux, immense, implicite, important, inattendu, indéfectible, inespéré, inestimable, maigre, massif, mérité, modeste, négligeable, occasionnel, passif, piètre, ponctuel, précieux, puissant, sincère, solide, substantiel, (in)suffisant, tacite, utile, tiède, vain, vif, voilé. *Constituer, être, représenter un ~ (+ adj.); adresser, apporter, exprimer, guetter, offrir, mériter, prodiguer, recevoir, trouver un/des ~(s); bénéficier d'un ~; avoir besoin d'~.*

ENCRE claire, épaisse, fine, fluide, foncée, fraîche, humide, indélébile, invisible, pâlie, persistante, sèche, séchée, spéciale, visqueuse.

ENCYCLOPÉDIE complète, énorme, épaisse, géante, gigantesque, grande, immense, illustrée, large, volumineuse. *Consulter, lire, utiliser une ~; disposer, se servir d'une ~.*

ENDETTEMENT chronique, colossal, élevé, énorme, excessif, faible, fort, gros, immense, important, indu, léger, lourd, massif, modéré, (in)soutenable, substantiel, (in)supportable, vertigineux. *Avoir, posséder un ~ (+ adj.); aggraver, causer, creuser, réduire l'~; s'enfoncer dans l'~; sortir de l'~.*

ENDROIT (in)accessible, accueillant, (in)adéquat, affreux, (dés)agréable, aimable, animé, (in)approprié, banal, calme, charmant, chic, commode, (in)confortable, convenable, dangereux, délicieux, désert, désolé, (in)déterminé, discret, distant, dynamique, écarté, enchanteur, ensoleillé, exquis, extraordinaire, fréquenté, (mal)heureux, humide, idyllique, incroyable, insolite, intéressant, intime, inusité, isolé, joli, magique, magnifique, mauvais, minable, mystérieux, obscur, oublié, paisible, paradisiaque, particulier, passant, perdu, (im)précis, préféré, prestigieux, privilégié, proche, propice, propre, quelconque, ravissant, reculé, reposant, retiré, (mal)sain, sale, saugrenu, sauvage, sec, secret, sévère, sinistre, sombre, sophistiqué, sordide, spécial, superbe, sûr, tranquille, unique, (in)vivable, vivant. *Chercher, découvrir, désigner, examiner, fixer, fréquenter, quitter, repérer, trouver, visiter un ~; accéder, arriver, parvenir, passer, se poster à un ~; entrer, se cacher, séjourner, se plaire, se rendre dans un ~; partir d'un ~; changer d'~.*

ENDURANCE acharnée, active, admirable, bonne, convaincante, coriace, élevée, étonnante, exceptionnelle, extrême, faible, formidable, forte, grande, héroïque, importante, infaillible, inouïe, irrésistible, longue, moyenne, obstinée, opiniâtre, passive, redoutable, remarquable, stupéfiante, (in)suffisante, tenace. *Avoir une ~ (+ adj.); être, faire preuve d'une ~ (+ adj.); accroître, améliorer, renforcer l/son' ~; avoir, montrer de l'~; manquer d'~.*

ÉNERGIE *(force, vigueur, courage)* ardente, calme, colossale, considérable, décuplée, démente, effrayante, épouvantable, euphorique, excessive, extraordinaire, extrême, exubérante, farouche, féroce, folle, formidable, incroyable, indomptable, inépuisable, inlassable, intacte, obstinée, passionnée, persévérante, phénoménale, placide, rare, sauvage, singulière, soutenue, supérieure, surhumaine, vivace, vive. *Apporter, concentrer, consacrer, dépenser, déployer, (re)donner, fournir, montrer, perdre, prodiguer, rassembler, récupérer, renouveler, retrouver de l'/son ~; déborder, faire acte/montre/preuve, manquer, redoubler d'~; être, se sentir sans ~.* ♦ *(Physique, Technique)* conventionnelle, disponible, domestique, douce, naturelle, nouvelle, polluante, propre, rare, renouvelable, sûre, traditionnelle, verte. *Capter, consommer, domestiquer, employer, exploiter, fournir, gaspiller, libérer, mobiliser, produire, récupérer l/de l'~.*

ÉNERVEMENT accru, certain, contenu, extrême, fébrile, fiévreux, grandissant, incroyable, indu, intense, irrationnel, justifié, légitime, néfaste, palpable, passager, perceptible, permanent, rentré, soudain, subit. *Faire montre/preuve d'un ~ (+ adj.); céder à l'~; calmer, contenir, dissimuler, manifester, montrer son ~; piétiner, trépigner d'~.*

ENFANCE abandonnée, banale, bizarre, brisée, calme, chaotique, choyée, comblée, confortable, délinquante, déplorable, désastreuse, dévastée, difficile, dorée, douloureuse, dure, ennuyeuse, épouvantable, équilibrée, espiègle, facile, (dé)favorisée, flétrie, (mal)heureuse, horrible, idyllique, insouciante, lamentable, magnifique, maladive, maltraitée, martyre, meurtrie, merveilleuse, misérable, modeste, mouvementée, naturelle, normale, (extra)ordinaire, pauvre, perturbée, ravagée, recluse, rude, saccagée, sereine, simple, solitaire, (in)stable, tendre, terrible, tragique, traumatisante, triste, troublée, turbulente, violente. *Avoir une ~ (+ adj.); sortir de l'~; évoquer, reconstituer, regretter, revivre, se rappeler, revoir, se remémorer son ~; se reporter à son ~; se souvenir de son ~; replonger en ~.*

ENFANT abandonné, accaparant, (in)actif, adorable, adroit, affectueux, agité, agréable, aimable, arriéré, asocial, attachant, attentif, bagarreur, boudeur, braillard, bruyant, buté, câlin, calme, candide, capricieux, caressant, charmant, chétif, coléreux, criard, déboussolé, déchaîné, dégourdi, délaissé, délicat, difficile, (in)docile, (sur)doué, douillet, doux, effronté, émotif, endiablé, énergique, énervant, enjôleur, enjoué, entêté, épanoui, équilibré, espiègle, éveillé, (sur)excité, exigeant, facile, faible, famélique, farouche, fort, fragile, frêle, frétillant, gai, gâté, gazouilleur, gentil, gourmand, gracieux, gracile, gras, grassouillet, (mal)heureux, impossible, impulsif, inadapté, incorrigible, ingrat, insouciant, insupportable, intelligent, intenable, isolé, jeune, joli, joyeux, magnifique, maigre, maigrelet, malade, maladif, malicieux, malingre, manipulateur, martyr, maussade, menu, mignon, naïf, négligé, (hyper)nerveux, normal, (dés)obéissant, opprimé, (dés)ordonné, pâle, pâlot, passif, perturbé, peureux, pleureur, pleurnicheur, poli, polisson, potelé, précoce, prodige, prodigieux, (sur)protégé, questionneur, rachitique, raisonnable, rebelle, remuant, renfermé, respectueux, retardé, rieur, robuste, sage, sauvage, (hyper)sensible, sérieux, silencieux, superbe, taciturne, tapageur, tendre, terrible, têtu, timide, tranquille, turbulent, tyran(nique), unique, vif, volontaire. *Abandonner, aduler, agresser, allaiter, attendre, bercer, border, brusquer, brutaliser, cajoler, câliner, calmer, choyer, concevoir, couver, dorloter, dresser, éduquer, élever, émerveiller, endormir, entretenir, fasciner, frapper, gâter, gifler, idolâtrer, maltraiter, martyriser, mettre au monde, nettoyer, nourrir, porter, (sur)protéger, punir, reprendre, réprimander, sécuriser, sevrer, surveiller, taper, traumatiser un/son ~; s'occuper d'un ~; veiller sur un ~.*

ENGAGEMENT clair, concret, contraignant, creux, croissant, crucial, décisif, désintéressé, déterminant, mutuel, passionné, personnel, positif, pratique, précaire, profond, raisonnable, réciproque, réel, résolu, (ir)révocable, sincère, solennel, superficiel, tacite, unilatéral. *Accepter, accomplir, affirmer, annoncer, assumer, conclure, contracter, décommander, enfreindre, exécuter, garantir, honorer, négliger, observer, obtenir, passer, prendre, réitérer, remplir, renforcer, renier, renouveler, répudier, résilier, respecter, rétracter, rompre,* *sceller, signer, suivre, tenir, trahir un/ses ~(s); déroger, faillir, manquer, mettre fin, satisfaire, se soustraire à un/ses ~(s); (se) délier qqn, (se) libérer qqn, s'acquitter d'un/de ses ~(s); être lié par ses ~s; être libre d'~.* Un ~ lie, tient.

ENGOUEMENT absurde, béat, communicatif, considérable, contagieux, débordant, délirant, durable, effréné, énorme, éphémère, épidémique, excessif, explosif, extrême, factice, fanatique, franc, frénétique, hystérique, immense, indescriptible, irraisonné, irréfléchi, (in)justifié, marqué, mitigé, modéré, outré, passager, planétaire, profond, sincère, soudain, spectaculaire, subit, vif. *Afficher, constater, manifester, montrer, provoquer, susciter un ~ (+ adj.).*

ÉNIGME angoissante, captivante, complexe, difficile, effroyable, élucidée, étonnante, étrange, facile, fondamentale, grande, grave, impénétrable, incompréhensible, indéchiffrable, inexplicable, inextricable, inquiétante, insoluble, insondable, intéressante, mystérieuse, opaque, passionnante, préoccupante, profonde, redoutable, (ir)résolue, simple, transparente, troublante, véritable. *Déchiffrer, démêler, éclaircir, élucider, expliquer, interpréter, percer, résoudre, trouver une ~; être confronté à une ~; parler par ~s.* Une/l' ~ demeure, perdure, persiste, subsiste.

ENJEU ambitieux, capital, central, complexe, concret, conflictuel, considérable, crucial, décisif, élevé, énorme, essentiel, fondamental, grave, immense, important, limité, majeur, mineur, négligeable, primordial, secondaire, significatif, symbolique, véritable, vital. *Constituer, être, poser, représenter un ~ (+ adj.); être confronté à un ~ (+ adj.); cerner, clarifier, comprendre, fixer, saisir les ~x.*

ENNEIGEMENT (sur)abondant, aléatoire, artificiel, assuré, constant, convenable, correct, durable, excellent, exceptionnel, faible, (dé)favorable, fort, garanti, généreux, idéal, important, intense, limité, maximum, minimum, moindre, naturel, optimal, parfait, parcimonieux, perpétuel, précoce, privilégié, prolongé, rapide, record, réduit, (ir)régulier, remarquable, restreint, (in)satisfaisant, spectaculaire, (in)suffisant, sûr, tardif. *Assurer, connaître, garantir, offrir un ~ (+ adj.); bénéficier, jouir, profiter d'un ~ (+ adj.).*

ENNEMI, IE absolu, acharné, affaibli, aguerri, ancestral, audacieux, battu, commun, coriace, cruel, dangereux, déclaré, déterminé, éternel, faible, farouche, féroce, fort, impitoyable, implacable, important, inconciliable, infatigable, insaisissable, intime, intraitable, invincible, irréconciliable, irréductible, juré, lâche, notoire, omniprésent, opiniâtre, (im)puissant, redoutable, respectable, rude, rusé, sauvage, secret, sournois, vaincu, violent. *Abattre, aborder, affaiblir, affronter, anéantir, arrêter, attaquer, attendre, attirer, battre, chasser, combattre, contenir, craindre, déjouer, démoraliser, désarmer, dominer, écraser, entourer, éreinter, espionner, frapper, fuir, guetter, intimider, mater, narguer, poursuivre, pousser, presser, pulvériser, refouler, rejeter, repousser, retarder, soumettre, sous-estimer, supprimer, surestimer, surprendre, talonner, terrasser, tromper, vaincre un/l'/son ~; réconcilier, s'attirer, se faire des ~s; aller, passer, résister, se livrer, se rendre à l'~; pactiser avec l'~; reculer devant l'~; travailler pour l'~.*

ENNUI *(désœuvrement)* absolu, accablant, communicatif, complet, confondant, continuel, désespéré, écrasant, éprouvant, grand, immense, incommensurable, incurable, indéfinissable, insondable, insupportable, insurmontable, intenable, léger, mélancolique, monumental, mortel, pesant, phénoménal, profond, terrible, vague. *Être d'un ~ (+ adj.); causer, chasser, combattre, connaître, dégager, dissiper, distiller, engendrer, éprouver, éviter, provoquer, répandre, susciter, tromper, vaincre l'~; lutter contre l'~; sombrer, tomber dans l'~.* ♦ *(tracas)* gros, imprévus, inutiles, insurmontables, majeurs, mineurs, pénibles, perpétuels, petits, sérieux. *(s') Attirer, avoir, causer, chercher, (se) créer, encourir, éviter, faire, occasionner, provoquer, susciter des ~s; s'exposer à des ~s; fuir les ~s.*

ÉNONCÉ ambigu, bref, clair, (in)complet, court, détaillé, élémentaire, équivoque, erroné, froid, (in)intelligible, interminable, laconique, lapidaire, limpide, long, objectif, (im)partial, (im)précis, rassurant, remarquable, simple, sommaire, subjectif, succinct, vague. *Comprendre, confirmer, construire, dire, émettre, formuler, lire, nuancer, réitérer un ~.*

ÉNORMITÉ *(grandeur)* croissante, excessive, impressionnante, incroyable, monumentale, phénoménale. *Être d'une ~ (+ adj.).* ♦ *(propos inconvenant, extravagance)* choquante, gratuite, grosse, hardie, inconvenante, insultante, irrespectueuse. *Affirmer, commettre, dire, écrire, faire, lâcher, proférer, raconter, réaliser, sortir une ~.*

ENQUÊTE approfondie, ardue, bâclée, biaisée, brève, captivante, complaisante, (in)complète, corsée, courte, délicate, détaillée, difficile, discrète, efficace, étendue, étoffée, étroite, exclusive, exhaustive, exigeante, facile, fine, fouillée, (in)fructueuse, gigantesque, honnête, intéressante, interminable, large, lente, longue, lourde, mauvaise, médiocre, méthodique, minutieuse, objective, officielle, officieuse, palpitante, (im)partiale, passionnante, patiente, piétinante, piètre, ponctuelle, poussée, précise, préliminaire, prolongée, rapide, rigoureuse, secrète, sérieuse, serrée, sévère, soignée, solide, sommaire, subjective, subtile, superficielle, systématique, tenace, tortueuse, transparente, vaste. *Activer, bâcler, clore, commander, conduire, demander, démarrer, diriger, effectuer, entraver, entreprendre, exiger, exploiter, faire, freiner, instituer, interrompre, lancer, mener, ordonner, organiser, ouvrir, poursuivre, pousser, provoquer, réaliser, réclamer, résoudre, suspendre une ~; participer, procéder, renoncer, se livrer à une ~; être/faire objet d'une ~; être soumis à ~.* Une/l'~ aboutit, avance, commence, continue, débute, démarre, est en cours, piétine, prend fin, progresse, s'engage, s'enlise, se poursuit, se termine, stagne, suit son cours.

ENRICHISSEMENT abondant, brusque, considérable, constant, continu, durable, exceptionnel, excessif, exponentiel, faible, fort, graduel, important, imprévu, inattendu, incroyable, inespéré, insolent, léger, (il)légitime, lent, (il)licite, massif, notable, outrancier, progressif, rapide, sensible, soudain, spectaculaire, substantiel, subit, sûr, vertigineux.

ENSEIGNANT, ANTE attentionné, autoritaire, bon, brillant, captivant, chevronné, (in)compétent, déplorable, dévoué, disponible, doué, dynamique, efficace, ennuyeux, érudit, excellent, exceptionnel, exigeant, (in)expérimenté, formidable, indulgent, (in)juste, laxiste, mauvais, médiocre, (im)patient, (im)populaire, remarquable, renommé, sévère, strict. *Chahuter, suppléer un ~.*

ENSEIGNE attrayante, banale, clignotante, clinquante, longue, lumineuse, racoleuse, simple, vieille.

ENSEIGNEMENT accéléré, alterné, collectif, complémentaire, complet, correctif, d'appoint, didactique, efficace, expérimental, (in)formel, général, généralisé, individuel, intensif, magistral, méthodique, mutuel, personnalisé, pratique, primaire, professionnel, spécialisé, standardisé, strict, technique, théorique, traditionnel. *Assurer, développer, dispenser, donner, écouter, fournir, inculquer, offrir, organiser, poursuivre, pratiquer, professer, recevoir, suivre un ~; quitter, réformer l'~; se consacrer, se destiner à l'~; entrer, être, faire carrière, travailler dans l'~; s'orienter vers l'~; faire de l'~.* L'~ évolue, s'améliore, se dégrade.

ENSEMBLE admirable, bigarré, bizarre, chaotique, (in)cohérent, compact, complexe, confus, considérable, disparate, divers, énorme, épars, faible, fort, fragile, harmonieux, hétéroclite, homogène, immense, impeccable, imposant, impressionnant, inégal, informe, intéressant, irréprochable, massif, merveilleux, naturel, parfait, pauvre, remarquable, restreint, riche, saisissant, singulier, solide, touchant, unique, varié, vaste, volumineux. *Constituer, former un ~ (+ adj.).*

ENSOLEILLEMENT abondant, agréable, artificiel, assuré, bon, constant, convenable, correct, durable, excellent, exceptionnel, faible, favorable, fort, garanti, généreux, idéal, important, intense, limité, maximal, maximum, minimal, minimum, moindre, naturel, optimal, parfait, perpétuel, précoce, prolongé, rapide, record, réduit, (ir)régulier, remarquable, restreint, (in)satisfaisant, (in)suffisant, tardif. *Assurer, connaître, garantir, offrir un ~ (+ adj.); bénéficier, jouir, profiter d'un ~ (+ adj.).*

ENTENTE (amitié) bonne, chaleureuse, cordiale, entière, harmonieuse, indéfectible, merveilleuse, mutuelle, parfaite, profonde, retrouvée, sincère, véritable. *Afficher une ~ (+ adj.).* L'~ règne. ♦*(accord)* amiable, cordiale, durable, étroite, explicite, fragile, implicite, mutuelle, (im)parfaite, permanente, précaire, (in)satisfaisante, secrète, solide, tacite. *Conclure, établir, négocier, nouer, organiser, passer, ratifier, sceller une ~; aboutir, arriver, contrevenir, parvenir, prendre part, s'opposer à une ~; déboucher sur une ~.* Une ~ dure, fonctionne, tient.

ENTERREMENT dépouillé, discret, émouvant, grand, grandiose, intime, magnifique, pauvre, simple, solennel, somptueux, superbe, touchant, triste. *Faire, suivre un ~; aller, assister, procéder à un ~.*

ENTÊTEMENT absolu, absurde, aveugle, certain, courageux, déraisonnable, désespéré, étonnant, extraordinaire, extrême, farouche, forcené, héroïque, incroyable, insurmontable, invincible, obstiné, opiniâtre, puéril, ridicule, sot, stupide, tenace, terrible. *Manifester, montrer un ~ (+ adj.); être, faire preuve d'un ~ (+ adj.).*

ENTHOUSIASME ardent, aveugle, béat, candide, chaleureux, communicatif, considérable, contagieux, débordant, déchaîné, délirant, démesuré, déplacé, désordonné, dissimulé, énorme, entraînant, envahissant, éphémère, exalté, exaspéré, excessif, expansif, explosif, extrême, facile, factice, fanatique, fiévreux, frénétique, grand, immense, inconditionnel, incurable, indéfectible, indescriptible, intact, intransigeant, invincible, irréfléchi, irrépressible, (il)limité, mitigé, modéré, naïf, outré, partagé, profond, refoulé, remarquable, (mal)sain, (in)sincère, soudain, soutenu, spontané, tempéré, tempétueux, torrentiel, touchant, unanime, vif. *Apporter, avoir, cacher, calmer, communiquer, déchaîner, déclencher, exciter, feindre, inspirer, manifester, modérer, montrer, partager, perdre, prodiguer, provoquer, rayonner, réfréner, refroidir, soulever, susciter, témoigner un/l'/de l'/son ~; se laisser gagner par l'~; brûler, déborder, être ivre/soulevé/transporté, manquer, trépigner, vibrer d'~.* Un/l' ~ baisse, (dé)croît, déborde, déferle, diminue, fléchit, règne, se refroidit, s'estompe, se volatilise.

ENTORSE banale, bénigne, douloureuse, grave, légère, sérieuse, sévère. *Avoir, diagnostiquer, guérir, opérer, se faire, s'infliger, soigner, soulager, subir, traiter une ~; souffrir d'une ~.* Une ~ se produit, survient.

ENTRAIN admirable, certain, charmant, communicatif, constant, contagieux, débordant, déchaîné, endiablé, enjoué, enthousiaste, excessif, extraordinaire, extrême, factice, fébrile, formidable, frénétique, fulgurant, inlassable, irrésistible, magnifique, mitigé, modéré, naïf, particulier, passager, permanent, remarquable, sincère, soudain, soutenu, spontané, subit. *Manifester, montrer un ~ (+ adj.); être, être doté, faire preuve d'un ~ (+ adj.); avoir de l'~; perdre, retrouver son ~; être plein, manquer, se sentir d'~.*

ENTRAÎNEMENT abusif, accéléré, acharné, (in)adéquat, (in)approprié, approfondi, bon, bref, complet, continu, continuel, correct, court, dur, efficace, élémentaire, équilibré, excellent, excessif, exigeant, général, global, intense, intensif, long, mauvais, médiocre, méthodique, méticuleux, misérable, permanent, personnalisé, piètre, pointu, polyvalent, poussé, progressif, réaliste, (ir)régulier, rigoureux, satisfaisant, sérieux, sévère, soigné, sommaire, spartiate, spécial, spécialisé, spécifique, strict, (in)suffisant, superficiel, systématique. *Avoir un ~ (+ adj.); assurer, diriger, dispenser, donner, (faire) faire, pratiquer, recevoir, subir, suivre un ~; (se) soumettre à un ~; bénéficier d'un ~; manquer d'~.*

ENTRAÎNEUR, EUSE autoritaire, bon, certifié, chevronné, (in)compétent, confirmé, dévoué, diplômé, disponible, dynamique, efficace, excellent, exigeant, (in)expérimenté, habile, inflexible, mauvais, médiocre, motivé, qualifié, remarquable, renommé, respecté, rigoureux, sérieux, sévère, zélé. *Chercher, rechercher, trouver un ~.*

ENTRÉE *(arrivée)* brusque, discrète, fracassante, hâtive, imminente, impromptue, inopinée, intempestive, lente, rapide, remarquée, réussie, silencieuse, soudaine, somptueuse, spectaculaire, subite, tapageuse, tardive, théâtrale, tonitruante, tranquille, triomphale. *Faire une ~ (+ adj.); manquer, rater, réussir son ~.* ♦*(accès)* gratuite, interdite, libre, payante. *Interdire, refuser l'~ à qqn.*

ENTREPÔT désaffecté, énorme, gigantesque, immense, insalubre, moderne, propre, sale, spacieux, vétuste, vaste, vieil, vaste. *Louer un ~ ; déposer dans un ~; retirer, sortir d'un ~; servir d' ~; mettre, placer en ~.*

ENTREPRENEUR, EUSE ambitieux, audacieux, compétent, déterminé, dynamique, énergique, important, ingénieux, novateur, prévoyant, prospère, (im)prudent, riche, visionnaire, téméraire.

ENTREPRISE *(dessein, projet, tentative)* ambitieuse, ardue, astucieuse, audacieuse, aventureuse, avortée, brillante, colossale, compliquée, considérable, courageuse, dangereuse, délicate, désastreuse, désespérée, difficile, douteuse, énorme, étonnante, étrange, exaltante, excitante, facile, farfelue, folle, (in)fructueuse, funeste, futile, gigantesque, grandiose, grave, harassante, hardie, hasardeuse, herculéenne, héroïque, (mal)heureuse, immense, importante, incertaine, infernale, interminable, laborieuse, longue, louable, louche, lucrative, malaisée, manquée, mauvaise, mémorable, merveilleuse, mystérieuse, néfaste, passionnante, périlleuse, (im)possible, prématurée, problématique, raisonnable, raisonnée, ratée, réussie, risquée, (in)sensée, simple, suicidaire, sûre, téméraire, titanesque, vaine, vaste, viable. *Abandonner, aider, amorcer, (dés)approuver, commencer, concerter, concevoir, conduire, continuer, contrecarrer, déclencher, exécuter, faire échouer/ réussir, favoriser, mener, organiser, parrainer, piloter, poursuivre, préparer, projeter, réaliser, réussir, ruiner, seconder, tenter une ~; coopérer, se consacrer à une ~; échouer, persévérer, persister, réussir, s'engager dans une ~; venir à bout d'une ~.* Une ~ avorte, échoue, rate, réussit. ♦*(affaire, firme, industrie)* boiteuse, déficiente, dynamique, (in)efficace, florissante, fictive, fragile, (in)fructueuse, géante, gigantesque, grande, grosse, innovante, malade, mauvaise, modèle, modeste, naufragée, novatrice, performante, pilote, pionnière, polluante, prospère, renaissante, rentable, saine, solide, tentaculaire, viable. *Administrer, céder, créer, diriger, établir, fermer, fonder, gérer, implanter, inaugurer, lancer, liquider, mettre sur pied, monter, ouvrir, présider, redresser, relever, renflouer, reprendre, sauver, soutenir une ~; entrer, travailler dans une ~.* Une ~ démarre, cesse ses activités, dépérit, disparaît, déclare faillite, embauche, est en difficulté/mal en point, licencie, marche, périclite, prospère, repart, va à la dérive, végète.

ENTRETIEN *(réparation, soins, surveillance)* (mal)aisé, approfondi, commode, complet, constant, continu, courant, coûteux, défaillant, défectueux, délicat, difficile, efficace, facile, fiable, impeccable, important, irréprochable, léger, limité, mauvais, médiocre, minimal, minime, nécessaire, négligé, onéreux, parfait, périodique, piètre, préventif, rapide, réduit, régulier, rigoureux, simple, soigneux, sommaire, (in)suffisant, superflu, urgent, (in)utile. *Être d'un ~ (+ adj.); effectuer, faire un ~; assurer, prévoir l'~; pourvoir, veiller à l'~; être chargé, s'occuper de l'~.* Un ~ incombe, s'impose. ♦*(conversation)* agréable, aimable, amical, animé, approfondi, banal, bon, bref, captivant, confidentiel, cordial, court, décevant, décousu, délicat, difficile, doux, émouvant, exclusif, familier, fastidieux, (in)fructueux, furtif, futile, grave, houleux, intéressant, interminable, intime, languissant, léger, long, mouvementé, orageux, particulier, passionnant, préliminaire, prolongé, secret, sérieux, substantiel, tendre, touchant, utile, vif. *Accorder, amorcer, avoir, briser, clore, conduire, continuer, décrocher, demander, désigner, engager, éviter, implorer, interrompre, (se) ménager, obtenir, passer, poursuivre, prolonger, provoquer, réaliser, rechercher, réclamer, refuser, rompre, solliciter, suspendre, terminer un ~; assister, couper court, mettre fin/un terme à un ~; sortir d'un ~.* Un/l' ~ a lieu, prend fin, rebondit, s'échauffe, se déroule, s'engage, se prolonge, se termine.

ENTREVUE (dés)agréable, amicale, approfondie, brève, confidentielle, courte, décevante, difficile, efficace, exclusive, franche, (in)fructueuse, furtive, instructive, intéressante, interminable, longue, orageuse, *préliminaire, secrète, sérieuse. Accorder, avoir, clore, conduire, décrocher, demander, donner, faire, fixer, (se) ménager, mener, obtenir, (faire) passer, réaliser, réclamer, refuser, solliciter une ~; se présenter, venir à/pour une ~.*

ÉNUMÉRATION ample, (in)complète, détaillée, ennuyeuse, exacte, exhaustive, fastidieuse, interminable, longue, monotone. *Faire une ~; procéder à une ~.*

ENVIE âpre, (in)assouvie, brûlante, brusque, brutale, cachée, confuse, continuelle, déchaînée, démesurée, désespérée, dévorante, dissimulée, effrénée, énorme, extrême, faible, féroce, folle, forcenée, foncière, formidable, forte, frénétique, furieuse, illusoire, immense, immodérée, impérieuse, inapaisable, insurmontable, irrépressible, irrésistible, légitime, maladive, (im)modérée, modeste, obsédante, précise, pressante, profonde, puissante, (mal)saine, secrète, sincère, sotte, soudaine, subite, tenace, terrible, vague, véhémente, viscérale, vive. *Activer, aiguiser, apaiser, contenter, donner, éprouver, étouffer, éveiller, exciter, ôter, passer, provoquer, réfréner, réprimer, ressentir, satisfaire, susciter une/l'/son/ses ~(s); être dévoré/miné/travaillé par une/l' ~; crever, être dévoré/malade/rongé, pâlir d'~.* Une ~ s'atténue, se précise, s'exprime.

ENVIRONNEMENT accueillant, bruyant, convivial, dégradé, délicat, durable, équilibré, exceptionnel, (dé)favorable, fragile, (in)hospitalier, hostile, menacé, naturel, périlleux, pollué, précaire, préservé, propre, protégé, sain, (in)salubre, sensible, souillé, unique. *Améliorer, aménager, assainir, dégrader, détruire, gérer, menacer, préserver, protéger, respecter l'~; s'intégrer à l'~; être (ir)respectueux/soucieux de l'~; être nocif pour l'~; se préoccuper d'~.*

ÉPAISSEUR colossale, considérable, constante, convenable, démesurée, (in)égale, exceptionnelle, excessive, faible, forte, infime, mince, minuscule, négligeable, normale, (ir)régulière, respectable, (in)suffisante, uniforme, variable. *Être d'une ~ (+ adj.); augmenter, réduire l'~.*

ÉPANOUISSEMENT complet, considérable, durable, équilibré, extraordinaire, formidable, harmonieux, lent, normal, phénoménal, plein, précoce, prodigieux, progressif, rapide, remarquable, soudain, soutenu, spectaculaire, superbe, total, vigoureux. *Assurer, atteindre, connaître, favoriser, permettre, procurer, trouver un ~ (+ adj.); assister à un ~ (+ adj.).*

ÉPARGNE considérable, excédentaire, excessive, forcée, mesquine, rigoureuse, sévère, volontaire. *Avoir des ~s; canaliser, décourager, drainer, encourager, mobiliser, relancer, stimuler l'~.*

ÉPAULE démise, luxée; arrondies, avalées, basses, carrées, charnues, délicates, dures, effacées, épaisses, étroites, faibles, fortes, fragiles, frêles, fuyantes, grêles, hautes, larges, maigres, minces, musclées, musculeuses, nues, pendantes, plates, pointues, potelées, puissantes, pulpeuses, rebondies, rentrées, robustes, rondes, tombantes, voûtées. *Avoir des ~s; (se) déboîter, se disloquer, se luxer l'~; baisser, balancer, hausser, hocher, laisser retomber, lever, pencher, plier, ployer, redresser, remuer, rouler, secouer, serrer, soulever les/ses ~s.*

ÉPAVE fabuleuse, vieille. *Découvrir, exploiter, récupérer, repérer, retrouver, visiter une ~.*

ÉPICERIE complète, fine, gourmande, spécialisée, traditionnelle. *Ouvrir, tenir une ~.*

ÉPIDÉMIE aiguë, cachée, catastrophique, contagieuse, dangereuse, désastreuse, dévastatrice, dormante, effroyable, épouvantable, étrange, faible, forte, foudroyante, fulgurante, funeste, galopante, grave, latente, limitée, maîtrisée, meurtrière, mortelle, ravageuse, recrudescente, redoutable, sévère, silencieuse, terrible, terrifiante, virulente. *Arrêter, circonscrire, endiguer, enrayer, éradiquer, juguler, localiser, maîtriser, prévenir, propager, provoquer, soigner une ~; être confronté, faire face à une ~; réchapper, sortir d'une ~.* Une/l' ~ explose, flambe, gagne, menace, prend de l'ampleur, recule, reflue, règne, s'affirme, se propage, se répand, s'étend, sévit.

ÉPIDERME abîmé, calleux, corné, délicat, doux, dur, éclatant, épais, fin, flétri, flasque, foncé, fragile, gercé, granuleux, gros, lisse, luisant, lustré, mat, pâle, parcheminé, parfait, plissé, rude, rugueux, satiné, soyeux, tendre, velouté. *Blesser, écorcher, égratigner, érafler, fendre, lacérer, soigner, tonifier l'~.*

ÉPISODE absurde, admirable, (dés)agréable, banal, bref, capital, comique, court, crucial, déplorable, désastreux, difficile, douloureux, dramatique, émouvant, épique, fort, grave, (mal)heureux, honteux, important, insignifiant, majeur, long, marquant, méconnu, mémorable, mineur, mouvementé, mystérieux, palpitant, regrettable, rocambolesque, rude, saillant, sanglant, sérieux, sombre, touchant, tragique, triste, troublant. *Connaître, conter, vivre un ~ (+ adj.).*

ÉPITHÈTE adaptée, adéquate, amicale, appropriée, banale, bienveillante, choisie, convenable, déplacée, dérisoire, élogieuse, évocatrice, expressive, fade, faible, (dé)favorable, flatteuse, galvaudée, grossière, heureuse, honorifique, imprévue, infamante, injurieuse, juste, laudative, malsonnante, méprisante, méritée, offensante, originale, péjorative, pertinente, rare, redondante, singulière, superflue, (in)usitée, (in)utile, vague. *Accoler, accrocher, adjoindre, ajouter, appliquer, attribuer, chercher, conférer, donner, trouver une ~.*

ÉPOPÉE émouvante, épique, étonnante, exaltante, extraordinaire, fabuleuse, fantastique, flamboyante, folle, formidable, glorieuse, grande, grandiose, haletante, immense, magique, magnifique, mémorable, merveilleuse, mythique, passionnante, tragique, triste, vaste.

ÉPOQUE actuelle, agitée, ancienne, bénie, capitale, confuse, contemporaine, cruelle, décisive, dépassée, désastreuse, difficile, disparue, dramatique, éloignée, enfiévrée, énigmatique, enivrante, ensanglantée, épouvantable, exaltante, fabuleuse, facile, faste, fastueuse, fatidique, fertile, florissante, formidable, grande, héroïque, (mal)heureuse, importante, incertaine, intéressante, intermédiaire, lointaine, mauvaise, mémorable, merveilleuse, mouvementée, mythique, nouvelle, obscure, opulente, orageuse, passionnante, périmée, prestigieuse, propice, prospère, récente, reculée, remarquable, révolue, sanguinaire, sinistre, sombre, stable, tempétueuse, terrible, tourmentée, transitoire, triste, troublée. *Aborder, clore, connaître, fermer, inaugurer, marquer, ouvrir, reconstituer, recréer, traverser, vivre une ~; appartenir, mettre fin, se rattacher, vivre à une ~; approcher, dater, se souvenir d'une ~; être de son ~.* Une ~ commence, débute, s'achève, s'inaugure.

ÉPOUX, OUSE affectueux, aimant, attentionné, bon, comblé, délaissé, despote, dévoué, excellent, (in)fidèle, (mal)heureux, idéal, despotique, indigne, insupportable, irréprochable, jaloux, mauvais, modèle, passionné, soupçonneux, tendre, trahi, trompé, volage; assortis, clandestins, complices, (mal)heureux, (dés)unis, vieux. *Choisir, prendre pour ~.*

ÉPREUVE *(catastrophe, malheur)* affreuse, capitale, cruelle, cuisante, désagréable, douce, douloureuse, dure, effroyable, énorme, épouvantable, extrême, fatigante, grande, humiliante, immense, imméritée, impitoyable, infernale, inouïe, insurmontable, légère, longue, passagère, pénible, redoutable, rude, salutaire, téméraire, terrible, triste. *Accepter, affronter, assumer, connaître, endurer, essuyer, franchir, infliger, prolonger, subir, supporter, surmonter, traverser, vaincre, vivre une/des ~(s); sortir d'une ~; passer par une ~.* ♦ *(essai, examen, expérimentation)* concluante, convaincante, décevante, décisive, délicate, difficile, dure, facile, hasardeuse, importante, passionnante, périlleuse, probante, ratée, redoutable, réussie. *Accomplir, effectuer, risquer, soutenir, subir, supporter, tenter une ~; mettre, résister, soumettre à l' ~.* ♦ *(Sport)* agréable, décevante, décisive, difficile, disputée, dure, extrême, facile, fatigante, grande, importante, passionnante, rude, serrée, victorieuse. *Disputer, dominer, gagner, remporter, tenter une ~; assister, participer, prendre part à une ~; sortir vainqueur/vaincu d'une ~.*

ÉPUISEMENT brusque, chronique, complet, excessif, extrême, faible, fort, général, intense, léger, manifeste, passager, persistant, profond, rapide, soudain, subit, total. *Accuser, connaître, éprouver, ressentir, sentir, simuler un/de l'~; pleurer, tomber d'~.*

ÉQUATION compliquée, difficile, facile, insoluble, résoluble, simple. *Écrire, poser, réduire, résoudre, transformer une ~; mettre un problème en ~.*

ÉQUILIBRE absolu, affaibli, assuré, bon, complexe, délicat, difficile, durable, éphémère, faible, faux, fort, fragile, habile, harmonieux, heureux, impossible, juste, mauvais, menacé, merveilleux, nouvel, (im)parfait, perdu, perturbé, précaire, relatif, (in)satisfaisant, savant, solide, (in)stable, subtil, (in)suffisant. *Affecter, altérer, assurer, atteindre, bousculer, briser, conserver, déranger, déstabiliser, détruire, ébranler, (r)établir, fausser, garder, maintenir, menacer, mettre en péril, modifier, perdre, perturber, préserver, réaliser, recouvrer, rectifier, reprendre, rompre, troubler, (re)trouver un/l'/son ~; arriver, parvenir à un ~; manquer d'~; être, maintenir, mettre, (se) tenir en ~.* Un/l'~ est rompu, se maintient, se rétablit, se rompt.

ÉQUIPAGE chevronné, compétent, complet, confirmé, expérimenté, hétéroclite, homogène, maigre, nombreux, permanent, qualifié, réduit, restreint, spécialisé, (in)suffisant. *Augmenter, diriger, embaucher, engager, former, grossir, recruter, réduire, réunir un/son ~.*

ÉQUIPE aguerrie, adverse, ardente, cohérente, compétente, complète, décimée, démembrée, disparate, dynamique, excellente, (in)expérimentée, faible, forte, fringante, gagnante, hétérogène, homogène, imbattable, importante, imposante, impressionnante, improvisée, invincible, jeune, légère, motivée, nombreuse, perdante, performante, pléthorique, prodigieuse, puissante, rajeunie, redoutable, réduite, remarquable, renouvelée, resserrée, rodée, solide, soudée, squelettique, survoltée, talentueuse, (in)vaincue, victorieuse, vieille. *Animer, bâtir, composer, (se) constituer, construire, créer, diriger, dynamiser, éliminer, encadrer, entraîner, étoffer, former, intégrer, monter, motiver, pénaliser, piloter, rassembler, recruter, remanier, renforcer, réunir, souder, structurer une ~; appartenir à une ~; évoluer, jouer dans une ~; faire partie d'une ~; travailler en ~.*

ÉQUIPEMENT adéquat, anachronique, commode, complet, complexe, compliqué, coûteux, défectueux, délabré, désuet, endommagé, entretenu, évolutif, impeccable, imposant, impressionnant, léger, lourd, majeur, mineur, minimal, (ultra)moderne, nécessaire, neuf, obsolète, onéreux, perfectionné, performant, périmé, polyvalent, ridicule, rudimentaire, (ultra)sophistiqué, spécialisé, (in)suffisant, sûr, usé, valable, vétuste, vieil. *Moderniser, rajeunir, renouveler un ~; (se) doter qqn/qqch. d'un ~.*

ÉQUITATION *apprendre, enseigner l'~; s'initier à l'~; être doué pour l'~; faire de l'~.*

ÉQUITÉ absolue, apparente, bienveillante, certaine, constante, exemplaire, foncière, impeccable, irréprochable, parfaite, partielle, relative, rigoureuse, scrupuleuse, sereine, stricte, supérieure, totale. *Être, faire preuve d'une ~ (+ adj.); léser, respecter, rétablir, satisfaire, violer l'~; être conforme/contraire à l'~; avoir le sens de l'~; faire preuve d'~.*

ÉRAFLURE discrète, grosse, infime, insignifiante, légère, longue, profonde, superficielle, vive. *Avoir, causer, constater, (se) faire, nettoyer, porter, s'infliger une ~.*

ÈRE ancienne, brève, décisive, dépassée, difficile, disparue, éloignée, exceptionnelle, fabuleuse, facile, faste, florissante, formidable, glorieuse, héroïque, heureuse, incertaine, intense, intéressante, lointaine, longue, mauvaise, mémorable, merveilleuse, mouvementée, mythique, nouvelle, obscure, opulente, passionnante, périmée, prestigieuse, prospère, reculée, révolue, sinistre, sombre, terminée, transitoire, troublée, tumultueuse. *Aborder, clore, inaugurer, ouvrir, traverser, vivre une ~; entrer dans une ~.* Une ~ commence, débute, s'achève, s'ouvre.

ERREUR accidentelle, affreuse, ancienne, anodine, banale, capitale, catastrophique, choquante, cocasse, colossale, courante, coûteuse, criante, cruciale, dangereuse, déplorable, désastreuse, énorme, essentielle, évidente, (in)évitable, (in)explicable, extrême, fâcheuse, faible, fatale, flagrante, fondamentale, fortuite, fréquente, funeste, générale, gigantesque, grave, gravissime, grossière, grotesque, humaine, immense, importante, inacceptable, incorrigible, insignifiante, légère, lourde, malheureuse, majeure, manifeste, mineure, monstrueuse, monumentale, négligeable, opiniâtre, (im)pardonnable, passagère, passée, persistante, phénoménale, profonde, regrettable, répandue, (ir)réparable, ridicule, sérieuse, stratégique, stupide, subtile, tenace, terrible, totale, tragique, (in)volontaire. *Aggraver, avouer, causer, commettre, confesser, constater, contenir, corriger, déceler, découvrir, démasquer, démontrer, dénoncer, déplorer, dissiper, éclaircir, effacer, éviter, faire, laisser passer, propager, provoquer, receler, reconnaître, rectifier, redresser, réfuter, regretter, rejeter, relever, réparer, répéter, reprocher, sanctionner, signaler, susciter, traiter une/des/sa/ses ~(s); remédier à une ~; multiplier les ~s; être sujet à l'~; être bourré/rempli, fourmiller d'~s; induire en ~.*

ÉRUDIT accompli, éminent, excellent, fin, grand, illustre, incontestable, laborieux, patient, véritable, vieil.

ÉRUDITION admirable, affectée, approfondie, brillante, considérable, débordante, discrète, éblouissante, éminente, ennuyeuse, énorme, époustouflante, étendue, étincelante, étonnante, étourdissante, exceptionnelle, excessive, extraordinaire, fausse, fine, formidable, grande, immense, impeccable, importante, impressionnante, incontestable, infaillible, inouïe, irréprochable, livresque, lourde, pédante, précise, prodigieuse, profonde, raffinée, rare, remarquable, solide, stupéfiante, superficielle, surprenante, universelle, variée, vaste. *Avoir, posséder une ~ (+ adj.); être, témoigner d'une ~ (+ adj.); mépriser l'~; avoir de l'~; étaler son ~; faire étalage d'~.*

ESCALADE abrupte, acrobatique, athlétique, courte, dangereuse, difficile, facile, fatigante, hasardeuse, redoutable, rude, solitaire, soutenue, vertigineuse. *Effectuer, faire, tenter une ~; pratiquer l'~; faire de l'~.*

ESCALE brève, courte, facultative, forcée, impromptue, interminable, longue, (im)prévue, prolongée, technique, terminale. *Effectuer, faire, prolonger, subir une ~.*

ESCALIER abrupt, branlant, circulaire, dégagé, difficile, doux, droit, élégant, en colimaçon/spirale/vrille, épuisant, étroit, glissant, grand, hélicoïdal, imposant, impressionnant, interminable, large, long, magnifique, malaisé, mince, monumental, petit, raide, rapide, sombre, somptueux, sonore, spacieux, tortueux, tournant, traître, vaste, vermoulu, vertigineux, vétuste, vieil. *Débouler, dégringoler, (re)descendre, dévaler, emprunter, escalader, gravir, grimper, (re)monter un ~; s'élancer dans un ~; dégringoler d'un ~; monter par un ~.*

ESCAPADE fugace, furtive, improvisée, inoubliable, longue, mémorable, petite, relaxante, romantique. *Faire, offrir, proposer une ~.*

ESCLAVAGE absolu, complet, cruel, dur, éhonté, honteux, impitoyable, lamentable, long, odieux, pénible, révoltant. *Exercer, infliger, subir un ~; s'affranchir, se délivrer, se libérer, sortir d'un ~; pratiquer l'~ ; arracher, réduire à l'~; maintenir, tenir, vivre dans l'~; réduire, soumettre, tomber en ~.*

ESCOMPTE *Accorder, consentir, demander, faire, octroyer un ~; bénéficier, jouir d'un ~.*

ESCROC adroit, célèbre, dangereux, grand, habile, illustre, récidiviste. *Arrêter un ~; être victime d'un ~.*

ESCROQUERIE adroite, colossale, évidente, géniale, gigantesque, grandiose, grossière, habile, importante, manifeste, pure, sophistiquée, subtile, vaste, véritable. *Commettre, découvrir, démasquer, organiser, préparer une ~; être impliqué dans une ~; être victime d'une ~; être accusé/soupçonné d'~; être condamné pour ~.*

ESPACE central, circonscrit, clos, confiné, considérable, découvert, dégagé, délimité, disponible, énorme, étroit, exigu, fermé, généreux, gigantesque, immense, incommensurable, indéfini, infini, interminable, large, libre, (il)limité, maigre, minuscule, occupé, ouvert, réduit, rempli, resserré, restreint, ténu, vacant, vaste, vital. *Aménager, augmenter, couvrir, dégager, délimiter, déterminer, (r)emplir, gagner, laisser, ménager, mettre, meubler, occuper, parcourir, réserver, supprimer un/l'/de l' ~; avoir besoin, manquer d'~.* L' ~ augmente, diminue, manque.

ESPÈCE abondante, commune, dangereuse, diverse, fragile, menacée, préservée, protégée, rare, sauvage, variée, vulnérable. *Préserver, protéger, sauver les ~ s.*

ESPÉRANCE ambitieuse, ardente, audacieuse, belle, bouleversante, calme, chimérique, confuse, crédible, déçue, douce, écroulée, évanouie, exagérée, excessive, faible, fanatique, fausse, ferme, folle, (in)fondée, forte, fragile, frêle, futile, grande, illusoire, immense, incertaine, indestructible, inébranlable, ineffable, insensée, inquiète, invincible, juste, légère, légitime, lointaine, mince, naïve, obstinée, optimiste, (im)patiente, (dé)raisonnable, secrète, sereine, solide, suprême, tenace, tranquille, trompée, vague, vaine, vivace, vive. *Abandonner, anéantir, autoriser, briser, caresser, concevoir, conserver, décevoir, dépasser, donner, enlever, entretenir, exalter, exciter, exprimer, fonder, former, formuler, garder, incarner, lasser, nourrir, ôter, perdre, raviver, réaliser, remplir, retrouver, réveiller, ruiner, trahir, tromper une/des/l'/les ~(s); renoncer, se raccrocher à une ~; se bercer d'une ~; répondre aux ~s; être animé/soulevé/soutenu par l'~; être plein, vivre d'~.* Une/l' ~ grandit, (re)naît, persiste, reste, se réalise, s'évanouit.

ESPION, IONNE amateur, brûlé, célèbre, dangereux, démasqué, double, efficace, fin, ingénieux, mauvais, minable, perspicace, piètre, professionnel, prudent, raffiné, rusé, secret, téméraire, utile, vigilant. *Capturer, démasquer un ~.*

ESPIONNAGE approfondi, constant, discret, étroit, grand, haut, mutuel, permanent, réciproque, systématique, total. *Faire l'objet d'un ~ (+ adj.); exercer, pratiquer l' ~; s'adonner, se livrer à l'~; faire de l'~.*

ESPOIR absurde, agréable, ambitieux, (in)avoué, brisé, chimérique, déçu, démesuré, douteux, doux, durable, énorme, faible, faux, ferme, fervent, fol, formidable, fort, fou/fol, fragile, frêle, fort, fugitif, immense, impossible, inaccessible, inaltérable, incertain, inconcevable, inconsistant, indestructible, inébranlable, ingénu, insensé, invincible, invraisemblable, latent, léger, maigre, mince, momentané, naïf, patient, petit, (ir)réalisé, (ir)réaliste, ruiné, secret, simpliste, solide, suprême, tenace, timide, trompé, ultime, unique, vague, vain, vertigineux. *Anéantir, avoir, caresser, combler, concevoir, conserver, créer, détruire, dissiper, (re)donner, encourager, entretenir, éteindre, éveiller, faire germer/(re)naître, flatter, former, formuler, garder, nourrir, perdre, ranimer, recouvrer, retrouver, ruiner, susciter, tempérer, trahir, tromper un/des/l'/les ~(s); renoncer, se raccrocher à un ~; vivre dans l'~; confier, réaliser, vivre ses ~s; être frémissant/ivre/plein/porteur/riche, se nourrir, se bercer d'~(s).* Un/l' ~ (re)naît, s'amenuise, se brise, se concrétise, s'effondre, s'envole, se réalise, s'estompe, s'évanouit.

ESPRIT absolu, accueillant, acerbe, acéré, actif, agile, agréable, aimable, alerte, audacieux, aventurier, bizarre, borné, bouché, brillant, brouillon, buté, calme, chagrin, changeant, charmant, clair, clairvoyant, combatif, compliqué, compréhensif, concis, confus, constructif, contemplatif, courageux, creux, critique, cultivé, curieux, délicat, dérangé, distingué, doux, éclairé, élevé, éminent, engourdi, enjoué, entêté, entreprenant, épais, équilibré, étroit, éveillé, faible, fantaisiste, fascinant, faux, fermé, fin, fort, frivole, froid, généreux, habile, imaginatif, inculte, inerte, infatigable, influençable, ingénieux, inquiet, inventif, joli, juste, lâche, large, léger, lent, limité, logique, lourd, lucide, lumineux, malade, malfaisant, malicieux, mauvais, méchant, médiocre, méditatif, méthodique, moqueur, mordant, mûr, naïf, négatif, noble, observateur, obtus, occupé, optimiste, opiniâtre, organisé, original, ouvert, paisible, paresseux, passif, pénétrant, perçant, perspicace, pertinent, pesant, pessimiste, pétillant, pointilleux, pondéré, positif, pratique, précis, précoce, préoccupé, prévoyant, profond, prompt, puissant, raffiné, railleur, raisonnable, rapide, rationnel, réaliste, rebelle, réfléchi, remarquable, retors, rétréci, rétrograde, rigoureux, routinier, rusé, sage, (in)satisfait, sensé, serein, simpliste, solide, sophistiqué, soumis, souple, spéculatif, subtil, supérieur, superficiel, surchauffé, talentueux, tatillon, téméraire, timide, timoré, tolérant, tordu, tortueux, tourmenté, tranchant, tranquille, triste, turbulent, universel, vaste, véhément, versatile, vide, vif, vigoureux, visionnaire, volage, volatil. *Être, posséder un ~ (+ adj.); être doué, faire preuve d'un ~ (+ adj.); avoir l'~ (+ adj.); absorber, agiter, aiguiser, alarmer, alimenter, amuser, apaiser, bouleverser, calmer, charmer, cultiver, détendre, développer, éclairer, élargir, entretenir, éveiller, exercer, façonner, former, frapper, hanter, impressionner, meubler, nourrir, obnubiler, obscurcir, (s') occuper, ouvrir, paralyser,* *perdre, se creuser, se fatiguer, se reposer, se torturer, traverser, troubler l'/son ~; calmer, charmer, choquer, échauffer, égarer, embrigader les ~s; avoir, faire de l'~; agiter, garder, graver, repasser, ressasser, retourner, mettre de l'ordre dans son ~; être plein, faire preuve, manquer, pétiller, rivaliser d'~.*

ESQUISSE (in)achevée, floue, grossière, informe, jolie, magnifique, manquée, originale, (im)précise, rapide, ressemblante, réussie, soignée, superbe. *Effectuer, faire, produire, réaliser, tracer une ~.*

ESSAI *(démarche, tentative, expérimentation)* abouti, avorté, bon, concluant, convaincant, décevant, décisif, délicat, difficile, encourageant, facile, faible, (in)fructueux, hasardeux, hésitant, (mal)heureux, important, informe, loyal, maladroit, manqué, périlleux, probant, raté, redoutable, réussi, timide; répétés, successifs. *Accomplir, effectuer, esquisser, faire, mener, rater, réaliser, recommencer, réitérer, répéter, risquer, tenter un ~; procéder, se livrer à des ~s; faire l'~ de (un médicament, un produit, etc.); engager qqn, être pris, mettre qqn/qqch., prendre qqn à l'~.* Un ~ avorte, échoue, réussit. ♦ *(étude)* admirable, brillant, captivant, court, dense, détaillé, documenté, fouillé, intéressant, long, magistral, majeur, marquant, modeste, passionnant, passionné, riche, rigoureux, vif, volumineux. ♦ *(Sport)* décisif, raté, refusé, réussi, transformable, transformé. *Accorder, marquer, refuser, transformer un ~.*

ESSENCE ordinaire, plombée, sans plomb, super. *Consommer, économiser, prendre de l'~.*

ESSOR brusque, considérable, décisif, éphémère, étonnant, exceptionnel, exponentiel, extraordinaire, faible, formidable, fort, fulgurant, heureux, impétueux, important, inattendu, incontestable, indéniable, irrésistible, lent, majeur, merveilleux, notable, passager, phénoménal, précoce, préoccupant, (im)prévisible, prodigieux, progressif, puissant, rapide, remarquable, soudain, subit, spectaculaire, tardif, timide, vaste. *Connaître, prendre un ~ (+ adj.); assister à un ~ (+ adj.); arrêter, briser, contenir, décourager, donner, encourager, entraver, favoriser, réduire, stopper, susciter un/l' ~.* Un ~ se brise, se ralentit, se tasse.

ESTIMATION approximative, aventureuse, basse, (in)contestable, correcte, erronée, élevée, (in)exacte, exagérée, excessive, faible, fantaisiste, fausse, fautive, (dé)favorable, fiable, forte, franche, froide, généreuse, globale, grossière, hasardeuse, haute, infaillible, (in)juste, (in)justifiée, mauvaise, modeste, objective, optimiste, (im)partiale, partielle, (im)précise, prudente, raisonnable, rapide, réaliste, sérieuse, sommaire, subjective, surfaite, (in)suffisante, superficielle, vraisemblable. *Effectuer, demander, faire, gonfler, obtenir, présenter, réaliser, rectifier, réviser une ~; procéder à une ~.*

ESTIME absolue, adéquate, affectueuse, bienveillante, bonne, certaine, considérable, dévalorisée, diminuée, élevée, énorme, exagérée, excessive, extraordinaire, faible, feinte, flatteuse, forte, générale, grandissante, haute, immense, juste, mauvaise, médiocre, méritée, modérée, mutuelle, négative, ouverte, parfaite, particulière, piètre, positive, profonde, réaliste, réciproque, respectueuse, saine, sincère, solide, suffisante, universelle. *Avoir, posséder une ~ (+ adj.);*

jouir d'une ~ (+ adj.); (s') acquérir, (re)conquérir, (re)gagner, garder, mériter, obtenir, perdre, posséder, recouvrer, refuser, s'attirer l'~; avoir droit à l'~; baisser, être, (re)monter dans l'~; accorder, avoir, éprouver, garder, inspirer, jouir, manifester, marquer, montrer, nourrir, prodiguer, témoigner de l'/son ~.

ESTOMAC affamé, avide, capricieux, contracté, creux, délicat, dérangé, détraqué, embarrassé, énorme, faible, fatigué, fragile, gonflé, grand, immense, irritable, lent, lourd, mauvais, noué, pantagruélique, paresseux, pesant, petit, plein, rétréci, robuste, rude, sensible, serré, solide, vide. *Avoir un/l' ~ (+ adj.); (se) charger, (se) détraquer, (se) remplir l'~; avoir mal à l'~.* Un/l' ~ aboie, crie, pleure, se noue.

ESTRADE (sur)élevée, étroite, géante, immense, longue, minuscule, spacieuse. *Dresser, ériger, installer, monter une ~; se presser autour d'une ~; monter, prendre place sur une ~.* Une ~ s'élève.

ÉTABLISSEMENT abandonné, accueillant, chic, convenable, coquet, cossu, délabré, désaffecté, élégant, énorme, fonctionnel, géant, gigantesque, hideux, immense, impeccable, imposant, infect, insalubre, luxueux, magnifique, minable, minuscule, miteux, modeste, neuf, pauvre, prestigieux, sinistre, somptueux, sordide, superbe, vaste, vétuste, vieil. *Bâtir, construire, créer, diriger, édifier, fonder, fréquenter, gérer, tenir un ~.*

ÉTAGE inférieur, intermédiaire, mansardé, souterrain, supérieur. *Descendre, gravir, grimper un ~; aller, être, habiter, monter, résider, vivre à l'~.*

ÉTAGÈRE amovible, basse, bonne, branlante, bringuebalante, (sur)chargée, encombrée, épaisse, étroite, grande, grosse, haute, large, légère, longue, lourde, mobile, petite, rigide, solide, suspendue, vide. *Bricoler, fabriquer, fixer, installer, monter, placer, poser, réaliser une ~; déposer, entreposer, placer, ranger sur une ~.*

ÉTALAGE alléchant, attrayant, banal, éblouissant, fourni, (dé)garni, important, impressionnant, intéressant, luxueux, soigné, spacieux, vide. *Admirer, agencer, changer, contempler, décorer, disposer, dresser, examiner, faire, (dé)garnir, installer, regarder, transformer un ~; s'arrêter à un ~.*

ÉTANG artificiel, asséché, boueux, calme, clair, croupissant, dormant, étroit, limpide, marécageux, poissonneux, profond, sombre, vaste. *Aménager, assécher, curer, tarir, vider un ~.*

ÉTAPE accomplie, achevée, capitale, charnière, clé, courte, critique, cruciale, décisive, délicate, déterminante, éprouvante, essentielle, fatigante, finale, importante, historique, incontournable, indispensable, initiale, intermédiaire, longue, majeure, marquante, mineure, nécessaire, nouvelle, obligatoire, obligée, préliminaire, reposante, réussie, secondaire, sérieuse, spectaculaire, transitoire, ultime, (in)utile, vivifiante. *Constituer, être une ~ (+ adj.); aborder, accomplir, achever, boucler, brûler, constituer, devancer, doubler, entamer, entreprendre, faire, (se) fixer, franchir, griller, jalonner, marquer, ménager, parcourir, sauter, supprimer une/l'/des ~(s); parvenir à une ~; passer par une ~.*

ÉTAT *(condition, situation)* (in)acceptable, (in)achevé, affreux, (dés)agréable, alarmant, apaisant, avancé, bizarre, brillant, catastrophique, constant, cruel, dangereux, définitif, dégradé, délabré, déplorable, désastreux, désespéré, désolant, durable, éblouissant, effroyable, embryonnaire, épouvantable, évolutif, excellent, fâcheux, final, fixe, florissant, général, grave, habituel, (mal)heureux, honteux, horrible, idéal, impeccable, incertain, indescriptible, initial, inquiétant, insolite, lamentable, latent, léthargique, mauvais, médiocre, naturel, (a)normal, olympien, parfait, passager, pénible, périlleux, permanent, perpétuel, piètre, piteux, pitoyable, précaire, préoccupant, prévisible, primitif, probable, provisoire, régulier, ridicule, rude, soutenu, sporadique, stable, stationnaire, temporaire, terrible, tragique, transitoire, triste, typique, (in)variable, vétuste. *Être, être mis, (se) maintenir, se sentir, (se) trouver dans un ~ (+ adj.); améliorer, constater, décrire, empirer un ~; s'enquérir de l'~ de qqn; demeurer, laisser, maintenir, (re)mettre, tenir, rester en ~.* Un ~ empire, évolue, s'aggrave, s'améliore, se détériore, se développe, s'installe. ♦ *(nation, gouvernement)* autonome, affaibli, centralisateur, (dé)centralisé, chancelant, défaillant, (in)dépendant, despotique, (in)efficace, faible, florissant, fort, géant, gigantesque, grand, important, minuscule, modeste, pauvre, petit, populeux, (im)puissant, répressif, riche, souverain, totalitaire, vacillant. *Administrer, affaiblir, contrôler, créer, diriger, établir, gouverner, servir, soutenir un/l'~.* Un/l'~ s'affaiblit, s'édifie, s'effondre.

ÉTÉ accablant, atroce, brûlant, caniculaire, chaud, court, doux, éblouissant, étouffant, finissant, humide, incendiaire, infecte, insupportable, interminable, long, magnifique, mauvais, merveilleux, orageux, paradisiaque, perpétuel, pluvieux, pourri, rayonnant, sec, superbe, torride. *Entrer dans l'~; sortir de l'~.* L'~ (s') achève, (ré)apparaît, approche, avance, prend fin.

ÉTENDUE ample, bornée, brève, colossale, considérable, courte, démesurée, énorme, étroite, exacte, extraordinaire, faible, forte, gigantesque, grande, immense, importante, imposante, impressionnante, incommensurable, indéfinie, infinie, inouïe, large, (il)limitée, médiocre, modeste, moyenne, négligeable, (a)normale, notable, petite, précise, prodigieuse, raisonnable, réduite, respectable, restreinte, spacieuse, stupéfiante, (in)suffisante, variable, vaste. *Avoir, posséder une ~ (+ adj.); être d'une ~ (+ adj.); augmenter, déterminer, diminuer, fixer, établir, mesurer, parcourir, remplir une/l'~ de qqch.*

ÉTINCELLE arborescente, brillante, crépitante, gigantesque, petite, puissante, vive. *Allumer, faire jaillir, lancer, obtenir, produire une/des ~(s).* Des ~s brillent, crépitent, fusent, jaillissent, rougeoient, s'échappent, s'éparpillent.

ÉTIQUETAGE adéquat, approprié, déficient, exhaustif, obligatoire, volontaire.

ÉTIQUETTE *(~ de prix)* adhésive, autocollante, descriptive, électronique, gommée, informative, large, magnétique. *Accoler, agrafer, appliquer, apposer, attacher, coller, coudre, fixer, gratter, mettre, placer, porter, posséder une ~; être doté/muni/pourvu d'une ~.* ♦ *(protocole)* austère, laxiste, pointilleuse, relâchée, rigide, rigoureuse, souple, stricte. *Observer, régler, respecter l'~; commettre une infraction, manquer à l'~; être à cheval/chatouilleux/ strict sur l'~.*

ÉTOFFE bigarrée, brodée, chatoyante, chaude, claire, douce, durable, épaisse, feutrée, fine, floconneuse, fraîche, (in)froissable, glacée, grossière, irrétrécissable, légère, lisse, lourde, moelleuse, moirée, pelucheuse, (im)perméable, précieuse, raide, rêche, rude, satinée, souple, soyeuse, transparente, vaporeuse. Une ~ gode, se chiffonne, se cotonne, s'effiloche, s'élime, se lustre, se peluche, s'éraille, se rétrécit.

ÉTOILE brillante, claire, clignotante, errante, étincelante, filante, fixe, flamboyante, jaune, lointaine, luisante, lumineuse, nébuleuse, pâle, radieuse, resplendissante, scintillante, solitaire, superbe, vacillante, vive. *Être criblé/ parsemé d'~s; admirer, contempler, observer les ~s.* Une ~ apparaît, monte, s'allume; les ~s blêmissent, pâlissent, palpitent, resplendissent, s'éteignent. ♦*(cinéma, danse)* déchue, montante, naissante, pâlissante.

ÉTONNEMENT admiratif, (dés)agréable, compréhensible, extrême, faible, feint, fort, grandissant, imbécile, immense, incrédule, indicible, inépuisable, inexprimable, inquiet, joyeux, léger, passager, perpétuel, profond, ravi, réel, scandalisé, vif. *Causer, éprouver, feindre, jouer, manifester, montrer, provoquer, ressentir, soulever, témoigner un/l'/de l'/son ~; être plongé, tomber dans l'~; être frappé/ muet/pétrifié/rempli/renversé/saisi d'~.*

ÉTOURDERIE énorme, impardonnable, inconcevable, incorrigible, inexplicable, inimaginable, malencontreuse, malheureuse, manifeste, offensante, passagère, regrettable. *Être, faire preuve, souffrir d'une ~ (+ adj.); commettre, faire, pardonner, réparer une ~.*

ÉTRANGER, ÈRE *(personne) Aborder, accueillir, expulser un ~.* ♦*(pays) Aller, investir, résider, se réfugier, s'installer, travailler, (aller) vivre, voyager à l'~; partir pour l'~; rentrer, revenir de l'~.*

ÊTRE abject, adorable, affectueux, authentique, bienfaisant, bienveillant, bizarre, borné, candide, charmant, cher, complet, complexe, délicat, distingué, estimable, étrange, exceptionnel, exquis, fascinant, fragile, grossier, idéal, incomparable, incompréhensible, indépendant, inférieur, influençable, intelligent, (in)juste, libre, malfaisant, médiocre, merveilleux, multiple, original, passionné, privilégié, proche, répugnant, secret, sensé, sensible, simple, singulier, sociable, solitaire, supérieur, unique, vivant, violent.

ÉTREINTE affectueuse, amoureuse, ardente, brève, brusque, brutale, chaleureuse, cordiale, courte, douce, étouffante, étroite, exagérée, exhibitionniste, faible, forte, fougueuse, frénétique, froide, fugitive, furtive, glacée, implacable, insupportable, joyeuse, lancinante, longue, muette, passionnée, profonde, protectrice, puissante, rapide, réconfortante, sèche, silencieuse, sincère, vigoureuse, violente, vive, voluptueuse. *Dénouer, desserrer, rejeter, relâcher, resserrer, sentir une/ son ~; échapper, s'arracher à une ~; se dégager, se libérer d'une ~.*

ÉTUDE *(analyse, recherche)* approfondie, attentive, claire, (in)complète, courte, détaillée, difficile, exhaustive, facile, fine, fouillée, fragmentaire, intéressante, longue, méthodique, minutieuse, objective, (im)partielle, pertinente, pointue, ponctuelle, préalable, précise, préparatoire, réfléchie, rigoureuse, sérieuse, serrée, solide, sophistiquée, subjective, succincte, superficielle, systématique, tenace, théorique, volumineuse. *Achever, effectuer, engager, entamer, entreprendre, lancer, mener, mettre en œuvre, poursuivre, reprendre une ~; procéder, s'adonner, s'appliquer, s'attaquer, se consacrer, se livrer, se mettre à une/l' ~ de (les langues, le dessin, etc.); se (re)plonger dans l'~.* ♦ (Scolaire) ardues, avancées, bonnes, brèves, brillantes, complètes, courtes, inachevées, longues, mauvaises, médiocres, poussées, piètres, sérieuses, solides, supérieures. *(re)Faire, poursuivre des ~s; aimer l'~; encourager, favoriser les ~s; être (in)apte, renoncer, se préparer aux ~s; être doué pour les ~s; abandonner, accomplir, achever, (re)commencer, compléter, continuer, faire, finir, interrompre, négliger, poursuivre, pousser, prolonger, reprendre ses ~s.*

ÉTUDIANT, ANTE absentéiste, (hyper)actif, agité, amorphe, apathique, (in)appliqué, astucieux, attardé, (in)attentif, avancé, bon, brillant, calme, contestataire, courageux, décevant, (in)discipliné, dissipé, distrait, docile, (sur)doué, excellent, faible, fainéant, fort, indolent, inerte, intelligent, jeune, laborieux, mauvais, médiocre, méritant, minutieux, modèle, (dé)motivé, moyen, négligent, nonchalant, paresseux, parfait, passable, passif, piètre, ponctuel, (ir)régulier, remarquable, respectueux, retardataire, sérieux, studieux, subtil, timide, travailleur, turbulent, vieil, zélé. *Interroger, motiver, pousser, réprimander, secouer, suivre un ~; sévir contre un ~; savoir tenir ses ~s.*

EUPHORIE artificielle, complète, contagieuse, douce, éphémère, extrême, factice, générale, grisante, illusoire, immense, incroyable, indescriptible, indicible, intense, passagère, subite, touchante. *Éprouver, manifester, provoquer, ressentir une ~ (+ adj.); être, nager, tomber, vivre dans l'~.* L'~ s'installe, règne.

EUTHANASIE active, clandestine, passive, (in)volontaire. *Autoriser, condamner, envisager, interdire, (faire) légaliser, pratiquer, réaliser, refuser, réprouver l' ~.*

ÉVACUATION expéditive, géante, immédiate, massive, musclée, partielle, préventive, progressive, rapide, totale. *Diriger, organiser, ordonner une ~; participer, prendre part, procéder, se préparer à une ~.* Une/la ~ a lieu, intervient, se produit, s'opère.

ÉVADÉ, ÉE dangereux, insaisissable, recherché. *Capturer, laisser filer, poursuivre, reprendre, traquer un ~.*

ÉVALUATION approximative, basse, (in)contestable, contestée, correcte, élevée, empirique, erronée, (in)exacte, exagérée, excessive, faible, fausse, fautive, (dé)favorable, fiable, forte, franche, généreuse, globale, grossière, haute, honnête, (in)juste, lucide, mauvaise, modérée, modeste, objective, optimiste, (im)partiale, partielle, pertinente, ponctuelle, (im)précise, préliminaire, prématurée, provisoire, prudente, raisonnable, rapide, réaliste, rigoureuse, (in)satisfaisante, sérieuse, sommaire, subjective, superficielle. *Effectuer, demander, faire, gonfler, justifier, obtenir, présenter, réaliser, rectifier, réviser une ~; procéder, se livrer à une ~.*

ÉVANOUISSEMENT bref, brusque, léger, long, profond, prolongé, rapide, soudain, subit. *Avoir, causer, éprouver, provoquer, simuler un ~; revenir, se réveiller d'un ~.*

ÉVASION acrobatique, manquée, massive, parfaite, planifiée, ratée, réussie, spectaculaire. *Méditer, organiser, préparer, tramer une ~.* Une/l' ~ a lieu, se produit.

ÉVÉNEMENT accidentel, (dés)agréable, aléatoire, anodin, atroce, (in)attendu, banal, bénéfique, brutal, capital, catastrophique, célèbre, colossal, (mé)connu, considérable, controversé, couru, crucial, décisif, déplorable, dérangeant, désastreux, déterminant, difficile, distant, douloureux, douteux, effroyable, éloigné, émouvant, ennuyeux, énorme, épouvantable, (in)espéré, essentiel, étonnant, étrange, exceptionnel, fâcheux, facile, fantastique, fatal, (dé)favorable, fortuit, funeste, futur, gigantesque, glorieux, grand, grandiose, grandissime, grave, gravissime, héroïque, (mal)heureux, historique, horrible, ignoré, imaginé, immémorial, immense, impensable, important, imprévu, incertain, inconcevable, incontournable, inédit, inéluctable, inévitable, inhabituel, initial, inopiné, inouï, insignifiant, insolite, insurmontable, inusité, isolé, majeur, malencontreux, marquant, médiatique, (sur)médiatisé, mémorable, merveilleux, mineur, minime, minuscule, miraculeux, mondial, négligeable, obscur, (in)opportun, (extra)ordinaire, pénible, perturbateur, pitoyable, planétaire, ponctuel, prestigieux, (im)prévisible, (im)probable, rapide, rare, rarissime, récent, regrettable, remarquable, saillant, saugrenu, sensationnel, sérieux, significatif, singulier, sinistre, spectaculaire, stressant, symbolique, terrible, terrifiant, tragique, traumatisant, triste, trivial. *Amplifier, anticiper, commémorer, commenter, connaître, consigner, constituer, couvrir, dater, déplorer, dramatiser, enregistrer, envisager, exploiter, fêter, nier, organiser, préparer, prévoir, provoquer, se remémorer, retracer, vivre un/des ~(s); assister, réagir, s'adapter à un/aux ~(s); faire l'~; observer, subir, voir venir les ~s; être bousculé/débordé/dépassé/pressé par les ~s.* Un/l' ~ advient, a lieu, arrive, s'accomplit, se déroule, se passe, se produit, se rapproche, se renouvelle, survient; les ~s évoluent, s'accélèrent, se multiplient, s'enchaînent, se précipitent, se succèdent, se suivent.

ÉVENTAIL *(objet) Agiter, déployer, fermer, ouvrir, plier un ~; jouer de l'~.* ♦*(choix, gamme)* ample, attrayant, bon, complet, élaboré, énorme, étonnant, excellent, gigantesque, grand, immense, impressionnant, incomparable, infini, large, (il)limité, maigre, mince, prodigieux, restreint, somptueux, varié, vaste. *Offrir, présenter, proposer un ~ (+ adj.); enrichir, fermer, limiter, modifier, resserrer l'~.* Un/l' ~ s'amplifie, s'élargit, se rétrécit.

ÉVENTUALITÉ (dés)agréable, angoissante, effrayante, envisageable, évidente, exceptionnelle, fâcheuse, favorable, grave, hypothétique, imminente, imprévue, incertaine, inconcevable, lointaine, menaçante, plausible, (im)probable, rare, réalisable, réaliste, redoutable, redoutée, réjouissante, triste. *Accepter, accueillir, confirmer, considérer, écarter, envisager, étudier, examiner, exclure, explorer, redouter une/l'~ de qqch.; faire face à une ~.* Une ~ se présente, s'offre, subsiste.

ÉVIDENCE absolue, aveuglante, banale, concluante, douce, durable, éclatante, écrasante, élémentaire, établie, immédiate, improuvable, incontournable, indiscutable, inébranlable, intime, irréfutable, irrésistible, joyeuse, manifeste, massive, prétendue, raisonnable. *Admettre, affirmer, confirmer, constituer, démontrer, exprimer, montrer, mûrir, nier, rappeler, reconnaître, refuser, savoir, voir une/l'~; céder, être ramené, se refuser, se rendre à l'~; aller, protester contre l'~; s'incliner devant l'~.* Une ~ s'impose.

ÉVOLUTION appropriée, brusque, brutale, chaotique, considérable, constante, (dis)continue, dangereuse, décevante, décourageante, définitive, délicate, difficile, dynamique, encourageante, énorme, erratique, étrange, explosive, exponentielle, facile, faible, fascinante, (dé)favorable, figée, forte, foudroyante, fulgurante, galopante, graduelle, heureuse, importante, incertaine, incessante, inéluctable, inespérée, inévitable, inexorable, inquiétante, (in)interrompue, inquiétante, irrésistible, irréversible, lente, limitée, logique, longue, magnifique, majeure, médiocre, mineure, modérée, nécessaire, néfaste, négative, normale, notable, passagère, permanente, perpétuelle, ponctuelle, positive, préoccupante, (im)prévisible, profonde, progressive, qualitative, quantitative, radicale, rapide, régressive, régulière, remarquable, retardée, (in)sensible, significative, sinueuse, souhaitable, spectaculaire, tranquille, ultime. *Amorcer, bloquer, compromettre, connaître, contrôler, endiguer, enrayer, entraver, entreprendre, faire cesser, favoriser, freiner, jalonner, maîtriser, mettre en route, retarder, suivre une/l' ~ de qqch.* Une ~ a lieu, se développe, s'effectue, se produit, s'opère.

EXACTITUDE (justesse, précision) absolue, admirable, approximative, détaillée, froide, géométrique, implacable, irréprochable, maladive, méticuleuse, minutieuse, parfaite, phénoménale, pointilleuse, rare, remarquable, rigoureuse, scrupuleuse, sèche, stricte, vague. *Être d'une ~ (+ adj.); affirmer, appliquer, confirmer, contester, garantir, nier, reconnaître, vérifier l'~ de qqch.* ♦(ponctualité) exemplaire, impeccable, imperturbable, inflexible, irréprochable, militaire, parfaite, ponctuelle, remarquable, scrupuleuse. *Être d'une ~ (+ adj.).*

EXAGÉRATION extrême, flagrante, forte, grande, grosse, grossière, insolite, légère, outrée. *Aimer l'~; être porté à l'~; redonner, tomber dans l'~; parler avec ~.*

EXAMEN (Scolaire) blanc, difficile, écrit, facile, oral, probatoire. *Manquer, (re)passer, préparer, rater, réussir, réviser, sécher, subir, travailler un ~; briller, échouer, être admis/recalé/reçu/refusé, réussir, se préparer, se présenter, se rattraper à un ~.* ♦*(étude, évaluation)* analytique, approfondi, approximatif, (in)attentif, (in)complet, correct, critique, désintéressé, détaillé, empirique, exact, général, important, judicieux, laborieux, macroscopique, mesuré, méthodique, minutieux, objectif, (im)partial, partiel, précis, profond, rapide, rigoureux, sérieux, sévère, sommaire, superficiel, vigilant. *Aborder, commencer, effectuer, (faire) faire, poursuivre, pratiquer, (faire) subir un/l' ~ de qqch.*

EXASPÉRATION contagieuse, contenue, délirante, évidente, excessive, grandissante, (in)justifiée, refoulée, rentrée, visible, vive. *Accroître, atténuer,* *contenir, dissimuler, exprimer, manifester l'/de l'/son ~.*

EXCEPTION arbitraire, banale, choquante, curieuse, éclatante, énorme, étrange, évidente, extrême, faible, (mal)heureuse, importante, intéressante, marquante, notable, notoire, rare, remarquable, seule, singulière, unique. *Constituer, être une ~ (+ adj.); admettre, consentir, faire, invoquer, receler, relever, souffrir, tolérer une ~.*

EXCÈS absurde, choquant, criant, flagrant, indécent, inverse, révoltant, ridicule, scandaleux. *Commettre, déplorer, faire, provoquer un/des ~; mettre fin, se laisser aller, se livrer, se porter à un/des ~; tomber, verser dans un/l'~; freiner, réprimer ses ~.*

EXCITATION artificielle, constante, continuelle, effrénée, énergique, énorme, excessive, extrême, faible, fébrile, fiévreuse, forte, frénétique, immense, intense, irrésistible, joyeuse, naturelle, profonde, puissante, véhémente, violente, vive. *Causer, éprouver, produire, provoquer, rechercher, ressentir une/de l' ~; trépigner d'~.*

EXCLAMATION admirative, angoissée, apeurée, confuse, enthousiaste, étonnée, étouffée, faible, furieuse, grossière, horrifiée, inarticulée, incompréhensible, indignée, indistincte, involontaire, joyeuse, lugubre, outrée, rageuse, ravie, sourde. *Étouffer, (faire) entendre, laisser échapper, pousser, provoquer, retenir une ~.* Une ~ fuse, retentit, s'élève.

EXCURSION accompagnée, agréable, brève, bucolique, courte, décevante, difficile, éloignée, épuisante, facile, folle, grande, guidée, improvisée, inoubliable, instructive, intéressante, interminable, jolie, lente, libre, lointaine, longue, magnifique, mouvementée, pénible, rapide, solitaire, superbe, tranquille, verte. *Effectuer, entreprendre, faire, organiser, réaliser une ~; participer, prendre part à une ~; être, partir en ~.*

EXCUSE (in)acceptable, (in)admissible, apparente, boiteuse, claire, cohérente, commode, convaincante, courtoise, crédible, excellente, facile, faible, fallacieuse, fausse, frivole, futile, invérifiable, judicieuse, légitime, mauvaise, mensongère, officielle, oiseuse, pauvre, piètre, piteuse, pitoyable, plausible, possible, (im)probable, puérile, raisonnable, ridicule, sérieuse, sincère, sotte, (in)suffisante, tortueuse, vaine, valable, (in)vraisemblable. *Accepter, admettre, alléguer, apporter, avancer, bafouiller, balbutier, bredouiller, (se) chercher, (se) créer, demander, devoir, (se) donner, exiger, (se) forger, formuler, fournir, improviser, (s')inventer, invoquer, produire, repousser, saisir, (se) trouver une ~; faire, présenter des/ses ~s; servir d'~; se confondre, se répandre en ~s.*

EXÉCUTION (in)achevée, bâclée, brillante, brusque, (in)complète, délicate, difficile, effective, efficace, habile, immédiate, impossible, lente, longue, médiocre, (im)parfaite, partielle, passable, précipitée, précise, prompte, rapide, réelle, stricte. *Accélérer, assurer, avancer, confier, demander, différer, empêcher, entraver, exiger, favoriser, garantir, gêner, ralentir, reporter, retarder, surveiller l'~ de qqch.; procéder, veiller à l'~ de qqch.*

EXEMPLE (in)adéquat, admirable, ancien, (in)approprié, brillant, caractéristique, caricatural, célèbre, choisi, concret, connu, convaincant, courageux, courant, curieux, dangereux, déplorable, désastreux, (in)discutable, douteux, dramatique, éclairant, éclatant, édifiant, effrayant, éloquent, encourageant, étonnant, excellent, extrême, fâcheux, faible, fameux, flagrant, forgé, fort, frappant, fréquent, (mal)heureux, illustratif, illustre, inouï, irréfutable, isolé, magnifique, mauvais, mémorable, néfaste, négatif, notable, parfait, parlant, patent, pernicieux, pertinent, piètre, positif, (im)précis, probant, puissant, rare, récent, redoutable, remarquable, représentatif, révélateur, ridicule, saisissant, salutaire, scandaleux, significatif, singulier, sinistre, sublime, terrible, touchant, type, typique, unique, utile, vivant. *Constituer, être, représenter un ~ (+ adj.); alléguer, apporter, brandir, choisir, citer, copier, corroborer, donner, emprunter, évoquer, fournir, imiter, méditer, offrir, prendre, présenter, rapporter, suivre, trouver un/des ~(s); se prévaloir, s'inspirer d'un ~; démontrer, expliquer, illustrer par un/des ~(s); s'appuyer sur un ~; donner, montrer, offrir l'~; enseigner, prêcher par l'~; servir d'~; citer, donner en ~.* Un ~ confirme, corrobore, démontre, enseigne, indique, montre, prouve; les ~s (sur)abondent, foisonnent, font défaut, fourmillent.

EXERCICE actif, (dés)agréable, bénéfique, bref, continuel, court, difficile, doux, dur, éprouvant, épuisant, excessif, exigeant, exténuant, facile, faible, fatigant, forcené, fort, fréquent, important, impressionnant, intense, intensif, long, mauvais, (im)modéré, pénible, périlleux, plaisant, profitable, prolongé, rebutant, relaxant, rude, salutaire, sérieux, soutenu, stimulant, suivi, vigoureux, violent. *Accomplir, (re)commencer, exécuter, faire, pratiquer, réussir, terminer un ~; participer, s'adonner, se livrer à un ~; faire, prendre de l'~.*

EXIGENCE absolue, abstraite, absurde, abusive, accrue, concrète, considérable, constante, contraignante, cruelle, décisive, déçue, déterminante, draconienne, dure, élevée, énorme, essentielle, exagérée, excessive, extravagante, extrême, faible, floue, fondamentale, forte, grandissante, grave, immense, impérative, impérieuse, implacable, importante, incontournable, indispensable, inéluctable, inflexible, inférieure, infinie, insatiable, insupportable, intolérable, (in)justifiée, (il)limitée, majeure, maniaque, mineure, minime, minutieuse, modérée, modeste, moyenne, objective, outrancière, pénible, pertinente, pointilleuse, précise, préliminaire, pressante, profonde, qualitative, quantitative, (ir)raisonnable, réitérée, rigoureuse, stricte, subjective, supérieure, tenace, tyrannique, urgente, vague, vitale; inconciliables. *Accepter, accroître, adoucir, afficher, augmenter, contourner, diminuer, faire connaître, fixer, formuler, limiter, manifester, modérer, motiver, poser, relever, renforcer, satisfaire une/des/ses ~(s); céder, faire face, satisfaire, se heurter, se plier, se rendre, se soumettre, se soustraire à une/des/aux ~(s).*

EXIL court, définitif, doré, douloureux, dramatique, forcé, intérieur, lointain, long, massif, misérable, mystérieux, obligatoire, permanent, rigoureux, soudain, subit, temporaire, triste, (in)volontaire. *Adoucir, choisir, subir l'~; être condamné/contraint/forcé à l'~; être rappelé, revenir de son ~; rentrer d'~; être, languir, partir en ~.*

EXISTENCE (présence) abstraite, accidentelle, brève, confirmée, concrète, constante, continuelle, courte, discrète, durable, envahissante, éphémère, fortuite, fréquente, furtive, gênante, grandissante, habituelle, inattendue, inexplicable, intermittente, intimidante, (in)justifiée, longue, massive, menaçante, momentanée, obsédante, périodique, permanente, persistante, pesante, précaire, préoccupante, rassurante, sécurisante, tangible, timide, (in)visible. *Avoir une ~ (+ adj.); admettre, affirmer, attester, constater, déceler, découvrir, démontrer, discuter, établir, ignorer, justifier, mettre en évidence, montrer, nier, oublier, reconnaître, révéler, signaler, soupçonner une/l'~ de qqn/qqch.; conclure à l'~ de qqch.; se renseigner sur l' ~ de qqn/qqch.* ♦ (vie quotidienne, mode de vie) active, agitée, agréable, aisée, anonyme, austère, autonome, aventureuse, brillante, brisée, calme, chaotique, captivante, comblée, (in)confortable, convenable, courte, dense, (in)dépendante, dépravée, difficile, discrète, dorée, douce, douillette, douloureuse, dure, dynamique, écorchée, effacée, ennuyeuse, épouvantable, errante, étouffée, étroite, exemplaire, fabuleuse, facile, fade, fascinante, frêle, frivole, grisâtre, hasardeuse, (mal)heureuse, (mal)honnête, honorable, horrible, houleuse, humble, illusoire, insouciante, (in)intéressante, intolérable, invivable, isolée, laborieuse, large, limpide, longue, manquée, marginale, médiocre, minable, misérable, monacale, modeste, monotone, morne, mouvementée, nomade, oisive, (extra)ordinaire, (dés)ordonnée, ouatée, paisible, passionnante, passive, pénible, perdue, périlleuse, plate, poignante, précaire, problématique, raisonnable, recluse, (ir)régulière, remplie, rude, sage, scandaleuse, sédentaire, solitaire, (in)stable, stoïque, tapageuse, terne, tragique, tranquille, triste, turbulente, (in)utile, variée, végétative, vide. *Avoir, mener, (faire) subir, traîner, vivre une ~ (+ adj.); être réduit à une ~ (+ adj.); être confiné dans une ~ (+ adj.); (se) compliquer, (s')empoisonner, (se) faciliter l'~; arranger, embellir, gâcher, meubler, organiser son ~.*

EXODE définitif, douloureux, forcé, intérieur, lointain, long, massif, obligatoire, permanent, soudain, subit, triste, (in)volontaire. *Connaître, subir l'~; être contraint, mettre fin à l'~.*

EXPANSION accélérée, accrue, brusque, complète, considérable, continue, (in)contrôlée, discrète, étonnante, exponentielle, folle, forte, foudroyante, fulgurante, galopante, graduelle, importante, inéluctable, interrompue, inquiétante, irrésistible, large, majeure, mineure, notable, phénoménale, planétaire, préoccupante, prodigieuse, progressive, rapide, réelle, régulière, remarquable, remarquée, sauvage, soutenue, spectaculaire, spontanée, tentaculaire, vigoureuse. *Connaître, prendre une ~ (+ adj.); endiguer, favoriser, freiner, limiter, ralentir, stimuler, stopper l'~; faire obstacle, mettre un frein à l'~.*

EXPÉDITION (envoi) directe, efficace, immédiate, rapide. ♦ (voyage) agréable, ambitieuse, audacieuse, aventureuse, avortée, brève, courte, coûteuse, dangereuse, épuisante, improvisée, inoubliable, intéressante, interminable, longue, mémorable, passionnante, ratée, réussie. *Conduire, diriger, entreprendre, organiser, préparer une ~; participer, prendre part à une ~.*

EXPÉRIENCE (dés)agréable, ambitieuse, amère, amusante, authentique, brève, cauchemardesque, certaine, concluante, confirmée, constante, (in)contrôlée, convaincante, courte, curieuse, dangereuse, décisive, désastreuse, déterminante, (in)directe, diversifiée, douloureuse, dure, efficace, énorme, enrichissante, épouvantable, éprouvante, exaltante, fâcheuse, faible, fascinante, (dé)favorable, féconde, folle, forte, (in)fructueuse, funeste, grisante, hasardeuse, (mal)heureuse, immense, importante, impressionnante, incomparable, inédite, inestimable, insignifiante, intense, intéressante, judicieuse, limitée, longue, majeure, manquée, mince, mineure, modeste, négative, originale, passionnante, pénible, pertinente, ponctuelle, positive, pratique, précieuse, précoce, profonde, prolongée, rapide, ratée, réussie, riche, risquée, significative, solide, timide, tonifiante, tonique, traumatisante, triste, vaste, vécue. *Avoir, posséder une ~ (+ adj.); disposer d'une ~ (+ adj.); acquérir, affronter, concocter, conduire, contrôler, effectuer, faire, inaugurer, lancer, mettre au point, monter, peaufiner, poursuivre, pratiquer, réaliser, recommencer, renouveler, répéter, tenter une/des ~(s); se livrer, se prêter, se soumettre à une/des ~(s); profiter, s'inspirer, tirer profit d'une/de son ~; recourir à l'~; acquérir, avoir, prendre de l'~; être dépourvu, manquer, parler, savoir d'~.* Une ~ échoue, réussit; l'~ confirme, démontre, prouve.

EXPERT, ERTE brillant, chevronné, consommé, éminent, grand, incontesté, indépendant, prétendu, qualifié, reconnu, renommé, réputé. *Affecter, citer, consulter, désigner, inviter, nommer, récuser, s'adjoindre un ~; faire appel à un ~.*

EXPERTISE *(évaluation)* approfondie, approximative, exhaustive, minutieuse, objective, rigoureuse, sommaire, superficielle. *Effectuer, faire, pratiquer, réaliser, (faire) subir une ~; procéder, (se) soumettre à une ~.* ♦*(compétence)* confirmée, éprouvée, incontestée, indiscutable, rare, recherchée, reconnue. *Avoir une ~ dans (un domaine, etc.); recourir à l'~ de (un spécialiste, etc.).*

EXPLICATION absurde, (in)adéquate, alambiquée, ambiguë, animée, (in)appropriée, âpre, banale, boiteuse, bonne, brève, chancelante, claire, (in)cohérente, commode, (in)complète, compliquée, concise, confuse, convaincante, courte, crédible, définitive, détaillée, difficile, embarrassée, embrouillée, ennuyeuse, étendue, évasive, évidente, (in)exacte, exhaustive, facile, fallacieuse, fantaisiste, farfelue, franche, fumeuse, globale, incongrue, ingénieuse, (in)intelligible, insoutenable, interminable, juste, limpide, longue, lumineuse, nébuleuse, nette, nuancée, obscure, oiseuse, orageuse, originale, paresseuse, (im)partiale, partielle, passionnée, pertinente, plausible, préalable, (im)précise, profonde, puérile, rassurante, (ir)rationnelle, ridicule, (in)satisfaisante, savante, scientifique, sèche, séduisante, sempiternelle, sérieuse, simple, sincère, solide, sommaire, sophistiquée, stupide, subtile, (in)suffisante, superflue, supplémentaire, suspecte, tortueuse, totale, vague, vaine, valable, violente, volubile, (in)vraisemblable. *Avoir une ~ (+ adj.); apporter, appuyer, avancer, bégayer, chercher, comprendre, demander, démentir, détenir, donner, esquisser, exiger, fournir, mériter, proposer, provoquer, récuser, répéter,* *solliciter, trouver une/des ~(s); se lancer, s'enferrer dans une ~; s'embarrasser, s'embrouiller, s'emmêler, s'empêtrer dans ses ~s; se perdre en ~s.* Une ~ rassure, s'impose.

EXPLOIT admirable, brillant, épique, époustouflant, étonnant, exceptionnel, extraordinaire, fameux, fantastique, glorieux, héroïque, historique, impressionnant, incommensurable, inconcevable, incroyable, inédit, inégalable, inégalé, inouï, invraisemblable, légendaire, magnifique, mémorable, mérité, merveilleux, prodigieux, rare, rarissime, remarquable, retentissant, sensationnel, surhumain, unique, véritable. *Accomplir, faire, minimiser, réaliser, renouveler, réussir, tenter un ~; s'immortaliser par un ~; accumuler, additionner, multiplier les ~s; se vanter de ses ~s.*

EXPLORATEUR, TRICE audacieux, aventureux, brave, courageux, déterminé, énergique, entreprenant, hardi, infatigable, intrépide, opiniâtre, résolu, téméraire.

EXPLORATION approfondie, complète, détaillée, efficace, exhaustive, (in)fructueuse, intensive, méthodique, minutieuse, passionnante, patiente, poussée, précise, rapide, rigoureuse, sélective, sérieuse, sommaire, systématique. *Procéder, se livrer à une ~ (+ adj.).*

EXPLOSION accidentelle, assourdissante, (in)contrôlée, dévastatrice, effrayante, énorme, faible, formidable, grave, inexpliquée, instantanée, intense, meurtrière, mortelle, mystérieuse, percutante, prématurée, puissante, rapide, retentissante, soudaine, sourde, terrible, violente. *Causer, entendre, prévenir, produire, provoquer une ~; procéder à une ~ ; être blessé/tué dans une ~.* Une ~ retentit, se produit.

EXPORTATION active, florissante, fructueuse, importante, (il)légale, (il)licite, massive, (ir)régulière. *Effectuer, réaliser des ~s ; activer, encourager, favoriser, freiner, limiter, pénaliser, relancer, stimuler l'/les ~(s); faire de l'~.* Les ~s augmentent, diminuent, explosent, s'accroissent, s'intensifient.

EXPOSÉ abstrait, bon, bref, clair, complet, (in)compréhensible, concret, court, détaillé, didactique, efficace, ennuyeux, faible, froid, impromptu, (in)intelligible, laconique, limpide, long, lumineux, maigre, mince, minutieux, monotone, objectif, obscur, (im)partial, pédant, précis, rapide, remarquable, sérieux, sommaire, squelettique, subjectif, substantiel, succinct, synthétique, technique, théorique, touffu, transparent, volumineux. *Consulter, donner, écouter, entendre, faire, lire, préparer, rédiger un ~.*

EXPOSITION *(~ au danger, à la chaleur, etc.)* excessive, intense, modérée, permanente, progressive, prolongée. ♦ *(salon, foire)* ambulante, courue, exceptionnelle, extraordinaire, fascinante, instructive, intéressante, itinérante, ludique, magnifique, passionnante, permanente, prestigieuse, remarquable, rétrospective, riche, somptueuse, temporaire, vaste. *Clôturer, créer, faire, inaugurer, monter, organiser, ouvrir, préparer, présenter, visiter une ~.* Une ~ a lieu, ouvre ses portes, se tient.

EXPRESSION *(air, manifestation)* ahurie, anxieuse, ardente, audacieuse, bizarre, blasée, désabusée, douloureuse, éloquente, ennuyée, énigmatique, épouvantée, étonnée, extasiée, fâchée, farouche, (in)habituelle, hargneuse, hilare, horrifiée, incroyable, indifférente, interrogative, ironique, joyeuse, larmoyante, lourde, majestueuse, mélancolique, modérée, mystérieuse, narquoise, polie, ravie, réjouie, satisfaite, sauvage, sincère, stupéfaite, stupide, suspecte, tendue, tourmentée, tragique, triste, vulgaire. *Arborer une ~ (+ adj.).* ♦ *(mot, phrase)* (in)adéquate, alambiquée, ambiguë, (in)appropriée, archaïque, argotique, audacieuse, choisie, cocasse, (in)correcte, courante, curieuse, démodée, désuète, éculée, élégante, exacte, faible, familière, fautive, figée, figurée, forte, fourvoyée, galvaudée, (mal)heureuse, idiomatique, imagée, impeccable, inédite, juste, maladroite, percutante, populaire, (im)propre, rare, recherchée, relevée, routinière, sarcastique, savoureuse, surannée, triviale, usée, usuelle, vieille, vivante, vulgaire. *Employer, forger, hasarder, retenir, risquer, trouver, utiliser une ~.*

EXTRAIT bref, capital, captivant, caractéristique, choisi, court, éloquent, essentiel, excellent, inédit, intéressant, large, significatif, tronqué. *Citer, découper, donner, écouter, lire, montrer, publier, reproduire un/des ~s.*

F

FABRICATION abondante, aisée, artisanale, bonne, continue, correcte, courante, défectueuse, énorme, exceptionnelle, excessive, exigeante, faible, forte, hâtive, immense, importante, industrielle, inférieure, intensive, intéressante, irréprochable, légère, manuelle, massive, maximale, médiocre, minimale, (a)normale, parfaite, ralentie, rapide, régulière, restreinte, rigoureuse, robuste, rustique, simple, soignée, solide, sophistiquée, spéciale, standard, supérieure, traditionnelle. *Assurer, permettre, réaliser une ~ (+ adj.); être de ~ (+ adj.); accélérer, accroître, améliorer, augmenter, développer, diminuer, diversifier, encourager, faciliter, freiner, limiter, ralentir, restreindre, stimuler la ~.*

FAÇADE admirable, altière, austère, chaleureuse, colossale, curieuse, décorée, décrépite, défraîchie, délabrée, dépouillée, discrète, élégante, étincelante, étroite, fière, froide, gracieuse, grandiose, hideuse, importante, imposante, impressionnante, intéressante, large, longue, magnifique, majestueuse, médiocre, modeste, monumentale, morne, ornée, ouvragée, plate, prestigieuse, (ir)régulière, remarquable, rutilante, sculptée, sévère, simple, sobre, spectaculaire, superbe, surprenante, symétrique, trapue, unie, unique, vieille, vitrée. *Avoir, posséder une ~ (+ adj.); bâtir, rajeunir, réaliser, refaire une ~.*

FACE affreuse, allongée, angélique, anguleuse, aplatie, basanée, blafarde, blanche, blême, bouffie, boursouflée, boutonneuse, burinée, cadavérique, carrée, chafouine, colorée, creusée, crispée, défaite, diabolique, disgracieuse, douce, effilée, émaciée, énergique, épaisse, étroite, fine, glabre, grosse, hâlée, hideuse, hilare, imberbe, impassible, inerte, inquiétante, intelligente, large, livide, maigre, massive, mince, monstrueuse, osseuse, pâle, parcheminée, patibulaire, plate, pleine, poupine, rasée, ratatinée, ravagée, ravinée, répugnante, ridée, ronde, rondelette, rouge, rougeaude, rubiconde, sanguine, souriante, stupide, tannée, terreuse, veinée, violacée. *Avoir la ~ (+ adj.).*

FACILITÉ absolue, accrue, apparente, confondante, déconcertante, déplorable, désarmante, étonnante, étrange, évidente, exceptionnelle, extraordinaire, extrême, grande, grandissante, impressionnante, incomparable, incroyable, inimaginable, inouïe, insolente, lamentable, merveilleuse, prodigieuse, rare, relative, remarquable, saisissante, surprenante, vive. *Être d'une ~ (+ adj.); rechercher, refuser la ~; céder, échapper, renoncer, résister, s'abandonner à la ~; verser, vivre dans la ~.*

FAÇON *(manière)* absolue, abstraite, absurde, (in)adéquate, (mal)adroite, (dés) agréable, aimable, alambiquée, ambiguë, (in)appropriée, approximative, (in)attendue, attentive, bizarre, brève, brillante, brutale, (in)certaine, claire, (in)cohérente, (in)complète, concrète, confuse, (dis)continue, convaincante, (in)correcte, courtoise, cruelle, curieuse, décisive, délicate, désinvolte, différente, (in)directe, (in)discrète, douce, durable, dure, (in)efficace, étrange, évasive, (in)exacte, excessive, exclusive, exhaustive, extravagante, forcenée, fortuite, générale, globale, (dis)gracieuse, grossière, grotesque, (in)habituelle, hétéroclite, homogène, identique, inédite, ingénieuse, inquiétante, (in)intelligible, intempestive, intense, (dés)intéressée, (in)interrompue, joyeuse, lamentable, lente, ludique, mélancolique, méprisante, méthodique, mystérieuse, naïve, naturelle, nette, (a)normale, nouvelle, objective, obscure, optimale, (extra)ordinaire, (dés)ordonnée, originale, paradoxale, (im)parfaite, particulière, partielle, passionnée, permanente, (im)polie, (im)précise, (im)prévue, privilégiée, quelconque, raffinée, (dé)raisonnable, rapide, relative, (ir)responsable, saisissante, (in)satisfaisante, sauvage, significative, simple, soignée, spectaculaire, stricte, subtile, (in)suffisante, superficielle, (in)supportable, systématique, temporaire, triste, unique, (in)visible. *Agir, (se) conduire, décrire, dire, écouter, employer, expliquer, (s') exprimer, faire, fonctionner, jouer, organiser, parler, présenter, réagir, regarder, rire, savoir, sourire, travailler, utiliser, (se) vêtir, vivre de/d'une ~ (+ adj.).* ♦*(manières)* affectées, âpres, bonnes, bourrues, brusques, brutales, curieuses, despotiques, discrètes, élégantes, excellentes, froides, gauches, grossières, hautaines, horribles, insinuantes, maladroites, mauvaises, obséquieuses, polies, précieuses, rebutantes, réservées, rudes, timides, vilaines. *Avoir des ~s (+ adj.).*

FACTEUR banal, capital, (in)certain, (in)connu, crucial, décisif, déterminant, difficile, dominant, efficace, essentiel, (dé)favorable, fixe, fondamental, impondérable, important, incontournable, indéniable, indispensable, insignifiant, intéressant, majeur, mineur, nécessaire, négatif, négligeable, permanent, plausible, ponctuel, positif, précieux, probable, (im)prévisible, puissant, quelconque, secondaire, sérieux, subtil, significatif, variable, vraisemblable. *Constituer, être un ~ (+ adj.); considérer, contrôler, déterminer, écarter, étudier, maîtriser, mesurer, négliger, prendre en compte, sous-estimer, surestimer un ~; tenir compte d'un ~.* Un ~ influe, intervient.

FACTURE allégée, (sur)chargée, copieuse, détaillée, exagérée, excessive, fausse, lourde, originale, (im)payée, salée, surfaite. *Acquitter, adresser, alléger, demander, dresser, encaisser, envoyer, établir, faire, honorer, majorer, payer, préparer, présenter, recouvrer, régler, remettre, solder, vérifier une/la ~; s'acquitter d'une/de la ~.*

FACULTÉ accrues, affectées, affaiblies, affinées, amoindries, anéanties, augmentées, diminuées, endormies, intactes. *Accroître, affiner, développer, exercer, perfectionner, utiliser ses ~s; perdre/recouvrer/retrouver l'usage de ses ~s; jouir de toutes ses ~s.*

FAIBLESSE *(épuisement, défaillance)* chronique, complète, courte, extrême, générale, grande, grave, manifeste, momentanée, passagère, profonde, prolongée, soudaine, subite, totale. *Avoir, connaître, éprouver, ressentir une ~; être pris d'une ~; défaillir, être pris, tomber de ~.* ♦*(lacune, insuffisance)* apparente, cachée, chronique, considérable, criante, croissante, durable, énorme, extrême, générale, grave, immense, importante, incroyable, inquiétante, insurmontable, irrémédiable, manifeste, momentanée, passagère, persistante, préoccupante, profonde, récurrente, relative, sérieuse, totale. *Avoir, connaître, constituer, présenter une ~ (+ adj.); être, souffrir d'une ~ (+ adj.); palier une ~; remédier à une ~.*

FAILLITE complète, énorme, frauduleuse, honnête, honteuse, immédiate, immense, imminente, importante, inéluctable, inévitable, personnelle, record, réelle, retentissante, scandaleuse, soudaine, spectaculaire, subite, totale, virtuelle. *Connaître, déclarer, enregistrer, éviter, prévenir, provoquer une ~; échapper, être acculé à une ~; être impliqué dans une ~; être menacé de ~; être, être déclaré/mis, (se) mettre qqn en ~.*

FAIM affreuse, (in)assouvie, atroce, avide, affreuse, bonne, brusque, cachée, canine, considérable, cruelle, dévorante, enragée, excessive, extraordinaire, extrême, féroce, gloutonne, grande, implacable, inapaisable, inassouvie, inassouvissable, incontrôlable, incroyable, insatiable, intolérable, légère, maladive, (im)modérée, (a)normale, pressante, réelle, robuste, rude, (in)satisfaite, soudaine, subite, terrible, vorace. *Avoir une ~ (+ adj.); aiguiser, apaiser, assouvir, braver, calmer, combattre, connaître, contenir, couper, donner, endurer, éprouver, étancher, (r)éveiller, ignorer, provoquer, rassasier, ressentir, satisfaire, sentir, supporter, supprimer, tromper la/sa ~; être confronté à la ~; combattre contre la ~; souffrir de la ~; être dévoré/rongé/tenaillé/tourmenté par la ~; crier, défaillir, dépérir, gémir, mourir de ~.* Une/la ~ menace, s'assouvit, se fait sentir, tenaille.

FAIT abstrait, absurde, accessoire, accidentel, accompli, acquis, (in)admissible, anecdotique, (dés)agréable, anodin, attesté, avéré, banal, brutal, capital, (in)certain, concret, (in)connu, constant, (in)contestable, (in)contesté, courant, crucial, curieux, décisif, déplorable, déterminant, (in)discutable, dominant, énorme, essentiel, établi, étonnant, étrange, évident, exceptionnel, (in)explicable, (dé)favorable, fondamental, général, grave, (in)habituel, (mal)heureux, historique, immense, important, inconcevable, incontournable, incroyable, indéniable, inédit, inoubliable, inouï, insignifiant, insolite, intéressant, inusité, irréfutable, isolé, léger, manifeste, mémorable, merveilleux, minime, miraculeux, naturel, négatif, (a)normal, notable, notoire, nouveau, obscur, (extra)-ordinaire, paradoxal, particulier, passager, patent, pénible, pertinent, pittoresque, ponctuel, positif, précis, prouvé, providentiel, quotidien, rare, récent, reconnu, réel, regrettable, remarquable, répréhensible, révélateur, révoltant, saillant, secondaire, sensationnel, significatif, simple, singulier, solide, sordide, spectaculaire, sporadique, superficiel, sûr, surprenant, tangible, tragique, troublant, unique, vérifiable, vérifié, vrai, (in)vraisemblable. *Aborder, (faire) admettre, affirmer, alléguer, apprendre, arranger, attester, avancer, citer, commenter, communiquer, confirmer, (mé)connaître, consigner, constater, contester, corroborer, créer, décrire, défigurer, déformer, dégager, démentir, dénaturer, dénoncer, dire, discuter, dissimuler, éclaircir, enjoliver, énoncer, enregistrer, (r)établir, évoquer, exploiter, exposer, faire ressortir, fausser, garantir, ignorer, interpréter, maquiller, masquer, mentionner, narrer, nier, observer, présenter, produire, raconter, rapporter, relater, relever, révéler, signaler, souligner, soupçonner, vérifier un/des/les ~(s); informer d'un ~; insister sur un ~.* Un/le ~ a lieu, arrive, intervient, se présente, se produit, survient.

FAÎTE acéré, aigu, altier, arrondi, élevé, escarpé, étroit, haut, neigeux, pointu, saillant, touffu, vertigineux.

FALAISE abrupte, basse, déchiquetée, échancrée, élevée, escarpée, friable, haute, immense, imposante, impressionnante, inaccessible, majestueuse, pierreuse, raide, rocheuse, spectaculaire, verticale, vertigineuse. *Dégringoler, franchir, gravir, grimper une ~.*

FAMILIARITÉ affectueuse, affligeante, audacieuse, bourrue, charmante, choquante, déconcertante, déplacée, déplaisante, déroutante, étonnante, exagérée, excessive, extrême, grande, inconvenante, maladroite, offensante, respectueuse, révoltante. *Être, faire preuve d'une ~ (+ adj.); se livrer à des ~s; tomber dans des ~s (+ adj.); avoir, commettre, s'autoriser, se permettre des ~s; décourager, empêcher la ~.*

FAMILLE abusive, adoptive, aisée, ancienne, biologique, bonne, brisée, chaleureuse, chancelante, classique, cossue, déchirée, défavorisée, difficile, dispersée, éclatée, élargie, éloignée, énorme, épouvantable, (dés)équilibrée, étendue, explosée, fortunée, grande, (mal)heureuse, honnête, idéale, immense, jeune, misérable, modeste, monoparentale, naturelle, nécessiteuse, nombreuse, opulente, ordinaire, pauvre, proche, puissante, (sur)recomposée, respectable, respectée, restreinte, réunie, riche, soudée, trouble, (dés)unie, traditionnelle, travailleuse, (a)typique. *Abandonner, avoir, bâtir, délaisser, diviser, élever, entretenir, faire vivre, fonder, nourrir, posséder, quitter, soutenir, (dés)unir une/sa ~; appartenir à une ~; entrer dans une ~; être, faire partie de la ~.* Une ~ se déchire, se forme.

FAMINE accidentelle, affreuse, artificielle, atroce, catastrophique, chronique, cruelle, désastreuse, dévastatrice, dramatique, effroyable, endémique, épouvantable, étendue, exceptionnelle, extrême, générale, généralisée, gigantesque, grande, grandissante, grave, imminente, importante, insupportable, majeure, massive, mortelle, programmée, prolongée, ravageuse, sévère, terrible, terrifiante. *Causer, connaître, créer, empêcher, endurer, engendrer, enrayer, entraîner, éviter, occasionner, provoquer, signaler, subir, susciter, vivre une ~; être confronté/en proie, faire face, mettre fin, parer à une ~; être plongé dans une ~; mourir, sortir, souffrir d'une ~; être réduit, réduire qqn à la ~; être menacé de ~.* Une ~ a lieu, commence, éclate, fait rage, menace, règne, s'annonce, se déclare, se développe, se produit, sévit, (sur)vient.

FANTAISIE bizarre, charmante, coûteuse, débridée, extravagante, folle, gentille, heureuse, incontrôlable, incroyable, momentanée, passagère, prétentieuse, ridicule, subite, surprenante. *Être, faire preuve d'une ~ (+ adj.); avoir, contenter, satisfaire, s'offrir, se payer, se permettre une ~; donner libre cours, se laisser aller, vivre à sa ~; agir selon sa ~; être plein, manquer de ~.*

FANTASME assouvi, conscient, courant, excitant, fréquent, inavouable, inavoué, obsédant, puissant, répandu, tenace, vague, vieux. *Accomplir, alimenter, assouvir, avoir, avouer, briser, démolir, exorciser, exprimer, extérioriser, libérer, nourrir, raconter, réaliser, vivre un ~; se laisser aller à des ~s; se débarrasser d'un ~; donner libre cours à ses ~s; vivre dans ses ~s.*

FANTÔME affreux, bon, effrayant, effroyable, épouvantable, hideux, horrible, invisible, maléfique, méchant, pâle, terrifiant. *Apercevoir, croiser, rencontrer, voir un ~.* Un ~ apparaît, disparaît, erre, hante, se manifeste, se déplace, rôde.

FARCE *(plaisanterie, comédie)* aimable, alerte, amère, cruelle, cynique, délirante, désopilante, douteuse, drôle, éculée, enlevée, énorme, excellente, féroce, gaie, hilarante, honteuse, innocente, lamentable, macabre, mauvaise, piètre, savoureuse, sinistre. *Créer, écrire, faire, jouer une ~.* ♦*(hachis)* bonne, consistante, crue, épaisse, excellente, fine, goûteuse, homogène, lisse, moelleuse, parfaite, réussie, savoureuse, simple. *Faire, obtenir, préparer, réaliser une ~.*

FARDEAU abominable, accablant, écrasant, élevé, embarrassant, encombrant, énorme, excessif, faible, grand, horrible, immense, infime, insupportable, inutile, léger, lourd, massif, modéré, oppressant, pénible, pesant, rude, sévère, terrible. *Constituer, être un ~ (+ adj.); alléger, déposer, élever, hisser, lever, porter, remuer, soulever, soutenir, tirer, traîner, transporter un ~; (se) charger qqn, (se) débarrasser qqn, délester, délivrer, (se) soulager qqn d'un ~; ployer sous un ~.*

FASCINATION ambiguë, avouée, certaine, compréhensible, considérable, constante, croissante, durable, écrasante, étrange, exacerbée, extraordinaire, extrême, fatale, forte, énorme, exceptionnelle, grande, illimitée, immédiate, immense, incoercible, incontestable, incroyable, indéfectible, indiscutable, indubitable, inouïe, intense, invincible, irrésistible, malsaine, morbide, particulière, permanente, positive, prononcée, puissante, réelle, soudaine, subite, surprenante, troublante, trouble, vivace. *Avoir, éprouver, exercer, nourrir, subir une ~.*

FASTE apparent, discret, éblouissant, éclatant, effréné, exagéré, excessif, extraordinaire, extravagant, immodéré, impérial, imposant, indécent, inédit, inégalé, inouï, insolent, insupportable, légendaire, ostentatoire, princier, prodigieux, provoquant, raffiné, ruineux, scandaleux, somptueux, tapageur. *Déployer, étaler un ~ (+ adj.); être d'un ~ (+ adj.); aimer le ~; être entouré de ~.*

FATIGUE accumulée, brusque, chronique, bonne, excessive, extrême, forte, générale, grande, immense, importante, insomniaque, insurmontable, intense, inutile, légère, légitime, locale, longue, manifeste, passagère, persistante, profonde, réelle, répétée, résiduelle, saine, soudaine, visible. *Accuser, craindre, endurer, épargner, éprouver, éviter, manifester, oublier, prétexter, ressentir, secouer, sentir, supporter, surmonter une/la/de la/sa ~; céder, être dur/endurci/entraîné/résistant, résister, succomber à la ~; lutter contre la ~; être écrasé/gagné/vaincu par la ~; chanceler, crever, être assommé/écrasé/épuisé/harassé/mort, mourir, pleurer, s'écrouler, s'endormir, se tuer, s'évanouir, succomber, suer, tituber, tomber de ~.*

FAUNE abondante, captivante, dense, diverse, diversifiée, enchantée, étonnante, exceptionnelle, extraordinaire, exubérante, fabuleuse, fantastique, fragile, généreuse, importante, incomparable, inestimable, intacte, luxuriante, importante, intense, magnifique, majestueuse, menacée, nombreuse, omniprésente, originale, précieuse, préservée, protégée, rare, remarquable, riche, sauvage, surprenante, typique, unique, variée. *Être doté/peuplé/pourvu/riche, jouir, regorger d'une ~ (+ adj.); étudier, observer, préserver, protéger la ~; abonder en ~.*

FAUSSETÉ absolue, criante, éclatante, évidente, extrême, flagrante, insupportable, manifeste, radicale, renversante, révoltante. *Être d'une ~ (+ adj.); démontrer, prouver la ~ de qqch.*

FAUTE abominable, apparente, avouée, capitale, colossale, énorme, évidente, (in)excusable, grosse, grossière, immense, impunie, inexplicable, insignifiante, intentionnelle, involontaire, légère, lourde, petite, (ir)réparable, sévère, vénielle. *Constituer une ~ (+ adj.); avouer, cacher, commettre, corriger, déceler, excuser, faire, pardonner, payer, racheter, reconnaître, rectifier, regretter, relever, réparer, reprocher, sanctionner, signaler une ~; punir qqn, être accusé/complice, rougir, s'accuser, se repentir, s'excuser d'une ~.* Les ~s abondent, fourmillent, pullulent.

FAUTEUIL accueillant, bas, bon, branlant, capitonné, (in)confortable, défoncé, ergonomique, éventré, excellent, grand, large, moelleux, pivotant, profond, rembourré, spacieux, tournant, usé. *Avancer, offrir, présenter, tirer un ~; dormir, être affalé/allongé/assis/calé/enfoui/vautré, plonger, pendre place, s'affaisser, s'affaler, s'asseoir, se balancer, se blottir, se caler, s'écraser, s'écrouler, s'effondrer, se jeter, se laisser aller/tomber, se mettre, s'enfoncer, se prélasser, s'installer, tomber dans un ~; (se) reposer, s'écrouler, s'étendre sur un ~.*

FAVEUR énorme, exceptionnelle, exclusive, grande, immense, injustifiée, méritée, particulière, singulière, spéciale. *Accorder, accueillir, apprécier, demander, faire, implorer, obtenir, recevoir, solliciter une/des ~(s); bénéficier d'une ~.*

FAVORITISME crasse, criant, éhonté, flagrant, grossier, inacceptable, manifeste, outré. *Condamner, dénoncer, éliminer, éviter, pratiquer, prévenir le ~; crier, mettre fin, se livrer au ~; faire du ~; être accusé, faire preuve de ~.* Le ~ règne.

FÉCONDITÉ basse, diminuée, élevée, étonnante, exceptionnelle, excessive, extrême, extraordinaire, faible, folle, forte, généreuse, haute, immense, importante, impressionnante, inattendue, indiscutable, inépuisable, infinie, inouïe, maîtrisée, (a)normale, phénoménale, prodigieuse, rare, réduite, remarquable, restreinte, supérieure, surprenante. *Être, demeurer d'une ~ (+ adj.).*

FÉLICITATIONS aimables, chaleureuses, chaudes, cordiales, courtoises, empoisonnées, sincères, vives, vraies. *Accepter, adresser, envoyer, faire, présenter, recevoir des ~.*

FEMME *(opposé à «homme»)* accomplie, active, admirable, adroite, adulée, affable, affectueuse, âgée, (dés)agréable, aguichante, aimable, ambitieuse, ardente, athlétique, attachante, attirante, autoritaire, avenante, avisée, bavarde, bête, bonne, brillante, cajoleuse, calculatrice, câline, calme, captivante, charmante, charnue, chétive, chic, compatissante, complaisante, confiante, coquette, courageuse, criarde, cultivée, délicate, despotique, déterminée, (in)discrète, distante, distinguée, dodue, douce, dure, dynamique, éclairée, effacée, élancée, (in)élégante, énergique, enjouée, énorme, envieuse, épanouie, excellente, exceptionnelle, exquise, extravagante, exubérante, facile, faible, fascinante, fatale, ferme, (in)fidèle, fière, filiforme, fine, flatteuse, forte, frêle, frivole, froide, galante, géante, généreuse, gentille, grande, grasse, grassouillette, grosse, guindée, hautaine, honnête, hystérique, idéale, imaginative, inculte, indécise, indépendante, ingénue, insatiable, insignifiante, insupportable, intelligente, intuitive, jalouse, jeune, jolie, joyeuse, laide, loquace, loyale, magnifique, maigre, masculine, menue, mignonne, mince, minuscule, moderne, molle, mûre, musclée, naine, naturelle, normale, obèse, opulente, (extra)ordinaire, orgueilleuse, osseuse, passionnée, passive, pimpante, plaisante, plantureuse, pleurnicheuse, pratique, précieuse, prétentieuse, provocante, prude, pudique, racée, radieuse, raffinée, raisonnable, ravissante, remarquable, (ir)résolue, respectable, robuste, ronde, rondelette, sage, sculpturale, sèche, séduisante, secrète, sensée, (in)sensible, sensuelle, sentimentale, sévère, simple, solide, sophistiquée, sotte, soumise, spirituelle, splendide, stupide, sublime, subtile, superbe, supérieure, svelte, tendre, timide, vertueuse, vieille, vieillissante, vigoureuse, vilaine, violente, vive, volontaire, vraie, vulgaire. *(re)Conquérir, laisser tomber, posséder, séduire, violer une ~; faire la cour à une ~; coucher, vivre avec une ~; aimer, apprécier, courir, rechercher les ~s; plaire aux ~s; devenir, se sentir ~.* ♦ *(épouse)* divorcée, (in)fidèle, (i)légitime, libre, mariée, seule, veuve. *Épouser, trouver une ~; abandonner, adorer, négliger, quitter, tromper sa ~.*

FENÊTRE ample, arrondie, aveugle, barricadée, basculante, basse, béante, carrée, cassée, claire, condamnée, coulissante, croisée, élevée, énorme, entrebâillée, étroite, fermée, garnie, géante, grillagée, grillée, haute, immense, large, lourde, minuscule, monumentale, (entr)ouverte, ovale, rectangulaire, ronde, treillissée, verrouillée. *Aménager, barricader, boucher, calfeutrer, clore, condamner, entrebâiller, entrouvrir, fermer, fleurir, masquer, ménager, murer, ouvrir, percer, pratiquer, sceller, treillisser, verrouiller une ~; courir, regarder, se mettre, se montrer, se pencher, se précipiter à la ~.*

FER affiné, battu, brut, chromé, coulé, émaillé, fondu, forgé, galvanisé, laminé, nickelé, ouvragé, ouvré, plat, tordu. *Battre, couler, étamer, étirer, forger, galvaniser, laminer le/du ~.* Le ~ rouille, s'altère, se gauchit.

FERME ancienne, délabrée, énorme, familiale, florissante, immense, industrielle, isolée, jolie, modèle, (ultra)moderne, modeste, moyenne, pauvre, propre, prospère, rénovée, riche, sale, soignée, spacieuse, spécialisée, vaste, vétuste, vieille. *Abandonner, acheter, délaisser, diriger, exploiter, gérer, habiter, louer, moderniser, (re)monter, rénover une ~; travailler, vivre dans une ~; vivre à la ~.*

FERMETÉ absolue, accrue, admirable, constante, douce, étonnante, exceptionnelle, excessive, exemplaire, extrême, grande, imperturbable, inattendue, incroyable, inébranlable, inflexible, inhabituelle, inouïe, intransigeante, louable, obstinée, parfaite, particulière, persévérante, polie, rare, remarquable, (in)suffisante, surprenante. *Afficher, cacher, manifester une ~ (+ adj.); être, faire montre/preuve d'une ~ (+ adj.); manquer de ~.*

FERMETURE brusque, brutale, (in)complète, définitive, forcée, générale, graduelle, hâtive, obligatoire, partielle, précipitée, précoce, probable, prolongée, progressive, provisoire, rapide, soudaine, subite, tardive, temporaire, totale, (in)volontaire. *Annoncer, entraîner, imposer, opérer, ordonner, provoquer, réaliser, subir une ~.*

FÉROCITÉ abominable, absolue, aveugle, bestiale, brutale, croissante, épouvantable, extrême, gratuite, grave, impitoyable, implacable, impressionnante, incomparable, incroyable, indicible, inhumaine, inimaginable, inouïe, insoutenable, intense, rare, redoutable, remarquable, retenue, sanguinaire, sauvage, stupéfiante, terrifiante. *Déployer, montrer une ~ (+ adj.); être, faire preuve d'une ~ (+ adj.).*

FERRAILLE récupérable, vieille. *Broyer, fondre, récupérer, recycler, trier (de) la ~; envoyer, jeter, mettre à la ~.*

FESSE basses, charmantes, étroites, fermes, flasques, grosses, hautes, larges, maigres, mignonnes, molles, musclées, opulentes, pendantes, petites, pointues, proéminentes, rebondies, rondes, saillantes, serrées.

FESTIN agréable, brillant, délectable, délicieux, énorme, exquis, gargantuesque, grand, grandiose, immense, joli, joyeux, magnifique, pantagruélique, princier, royal, solennel, somptueux, splendide, superbe. *Donner, faire, organiser, offrir un ~; assister, inviter, prendre part à un ~.*

FESTIVAL bigarré, coloré, couru, énorme, gigantesque, grand, grandiose, majeur, modeste, populaire, prestigieux. *Accueillir, créer, donner, lancer, organiser, préparer, présider, (aller) voir un ~; assister, se rendre à un ~.* Un ~ a lieu, se déroule, se tient.

FESTIVITÉ colorées, gigantesques, grandes, grandioses, mémorables, populaires. *Animer, clôturer, inaugurer, organiser, préparer les ~s.* Les ~s commencent, débutent, ont lieu, se déroulent, se terminent, vont bon train.

FÊTE agréable, bigarrée, brillante, bruyante, charmante, colorée, délicieuse, émouvante, endiablée, énorme, extraordinaire, fastueuse, gâchée, géante, gigantesque, grande, grandiose, huppée, immense, importante, improvisée, joyeuse, mémorable, merveilleuse, minuscule, périodique, prestigieuse, raffinée, remarquable, réussie, somptueuse, splendide, superbe, sympathique. *Animer, annuler, arranger, célébrer, clôturer, contremander, donner, finir, improviser, observer, offrir, organiser, ouvrir, préparer, terminer, troubler une ~; assister, convier, convoquer, inviter, participer, prendre part à une ~.* Une ~ a lieu, débute, se déroule, se termine, s'ouvre.

FEU *(flamme, incendie)* allumé, ardent, bon, brûlant, constant, continuel, (in)contrôlable, crépitant, dansant, dévastateur, dévorant, éclatant, effroyable, éteint, extrême, faible, flamboyant, gigantesque, grand, grave, immense, important, intense, léger, maigre, mortel, mourant, moyen, naissant, pétillant, prompt, puissant, ronflant, soudain, spectaculaire, subit, tempéré, vacillant, violent. *Activer, alimenter, (r)allumer, (r)animer, arrêter, attiser,* *causer, circonscrire, combattre, couvrir, déclencher, entretenir, enrayer, éteindre, étouffer, faire, maîtriser, mater, nourrir, provoquer, noyer, raviver, stabiliser un/le ~; échapper, jeter, lancer, livrer, résister au ~; lutter contre un/le ~; faire du ~; être en ~; prendre ~.* Un ~ brûle, couve, crépite, danse, détruit, dévore, fait rage, flambe, flamboie, gagne, palpite, pétille, prend, progresse, ravage, ronfle, rougeoie, se déclare, se répand, s'éteint, s'étend. ♦*(~x de circulation) Brûler, griller, respecter un ~; (s') arrêter à un ~.* ♦*(militaire)* adverse, continu, croisé, dense, (in)direct, efficace, ennemi, épouvantable, ininterrompu, intense, intensif, intermittent, meurtrier, nourri, (dés)ordonné, puissant, rapide, roulant, sporadique, tenace, terrible, violent. *Échanger, maintenir, nourrir un ~ (+ adj.); être, être pris, se replier, se (re)trouver, tomber sous un ~ (+ adj.); cesser, commander, commencer, concentrer, conduire, déclencher, diriger, disperser, éteindre, ouvrir le ~.*

FEUILLAGE abondant, aéré, bruissant, caduc, clair, clairsemé, décoratif, délicat, dense, éclairci, épais, épineux, fin, foncé, frémissant, glauque, gracieux, gracile, houleux, impénétrable, informe, jaune, jauni, jaunissant, large, léger, lourd, luisant, lustré, luxuriant, maigre, mince, mouvant, naissant, obscur, persistant, poussiéreux, résistant, riche, robuste, sombre, soyeux, superbe, touffu, tremblant, vernis, vernissé, vert. *Arborer, offrir, posséder, porter, présenter, produire un ~ (+ adj.).* Le ~ frémit, tremble.

FEUILLE *(arbre, plante)* allongée, ample, anguleuse, argentée, arrondie, brune, caduque, ciselée, composée, cotonneuse, découpée, dentée, dentelée, dorée, douce, dure, échancrée, étroite, fanée, ferme, filiforme, flétrie, fraîche, grasse, large, légère, longue, minuscule, molle, morte, naissante, nouvelle, odorante, ombrageuse, persistante, piquante, plissée, plate, pointue, raide, ridée, ronde, rouge, rougissante, rouillée, rousse, sèche, séchée, simple, sombre, souple, tachetée, tendre, tourbillonnante, tremblante, veloutée, velue, verdoyante, vernie, vernissée, verte. Les ~s bougent, bruissent, frémissent, frissonnent, jaunissent, jonchent le sol, oscillent, susurrent, tombent, tourbillonnent, tournoient, tremblent, volent. ♦*(papier)* blanche, courte, détachée, froissée, impeccable, lignée, longue, (im)maculée, mobile, propre, quadrillée, unie, vierge, volante. *Déchirer, froisser, (dé)plier une ~; écrire sur une ~.*

FIASCO complet, cuisant, énorme, (in)évitable, flagrant, gigantesque, grand, grave, humiliant, immense, lamentable, majeur, (im)mérité, minable, petit, (im)prévisible, retentissant, sérieux, spectaculaire, terrible, total, vaste. *Connaître, craindre, essuyer, être, faire, récolter, risquer, subir un ~; s'exposer à un ~; être responsable d'un ~; aller vers un ~; frôler le ~; s'exposer au ~.*

FICELLE courte, épaisse, (in)extensible, forte, grosse, lâche, longue, mince, nouée, raide, solide, souple, (dis)tendue. *Attacher, couper, enrouler, fixer, nouer, passer, tendre, utiliser une ~; accrocher, pendre à une ~; attacher avec une ~; entourer d'une ~; retenir, suspendre par une ~.*

FICHE standard, vierge. *Classer, compléter, consulter, copier, dresser, établir, faire, rédiger, remplir une ~.*

FICHIER abîmé, (in)compatible, (in)-complet, compressé, corrompu, définitif, énorme, temporaire. *Chercher, (télé)charger, (dé)compresser, (de)constituer, consulter, convertir, copier, couper, créer, éditer, effacer, éliminer, exécuter, exploiter, graver, lire, modifier, ouvrir, rechercher, récupérer, sauvegarder, tenir, traiter, (re)trouver, utiliser, vérifier, vider, visualiser un ~.*

FICTION *Créer, dépasser, entretenir la ~; vivre dans la ~; relever de la ~.*

FIDÉLITÉ absolue, accrue, aveugle, chancelante, constante, courageuse, douteuse, ébranlée, éprouvée, éternelle, exceptionnelle, exemplaire, extraordinaire, extrême, ferme, haute, incroyable, indéfectible, inébranlable, inflexible, irréductible, irréprochable, parfaite, prodigieuse, rare, remarquable, respectueuse, scrupuleuse, soutenue, surprenante, tenace, totale. *Afficher, manifester, montrer une ~ (+ adj.); être, faire montre/preuve d'une ~ (+ adj.); ébranler, éprouver la ~ de qqn; manifester, montrer, témoigner de la ~; garder, jurer, promettre, se devoir ~.*

FIERTÉ arrogante, (in)avouée, bafouée, blessée, courageuse, dédaigneuse, démesure, dissimulée, douce, dure, exagérée, excessive, extrême, grande, immense, imperturbable, indéfectible, indicible, insolente, juste, légitime, maladroite, méprisante, modeste, noble, opiniâtre, perdue, profonde, ridicule, rude, secrète, soutenue, tapageuse, têtue, tranquille. *Afficher, concevoir, éprouver, ressentir une ~ (+ adj.); être, faire preuve d'une ~ (+ adj.); abandonner, perdre, rabattre sa ~.*

FIÈVRE aiguë, ardente, bénigne, bonne, brûlante, carabinée, contagieuse, continue, délirante, dévorante, élevée, éphémère, faible, fatale, forte, insidieuse, intense, intermittente, irrégulière, légère, lente, maligne, mauvaise, modérée, momentanée, mortelle, opiniâtre, passagère, périodique, persistante, prolongée, rebelle, vilaine, violente, vive. *Apaiser, calmer, couper, diminuer, faire baisser/chuter/tomber, guérir, soigner, traîner, traiter une/la ~; guérir d'une/de la ~; être abattu/alangui/miné/rongé par la ~; avoir, sentir de la ~; bouillir, brûler, délirer, mourir, suer, trembler de ~.* Une/la ~ baisse, (dé)croît, diminue, disparaît, empire, grimpe, (re)monte, passe, persévère, persiste, réapparaît, redouble, revient, se calme, se déclare, se ranime, sévit, tombe.

FIGURE (visage, mine) affreuse, agréable, aimable, allongée, amaigrie, amincie, anguleuse, animée, antipathique, assombrie, attentive, austère, avenante, banale, barbue, basanée, bizarre, blafarde, blême, bouffie, bronzée, brune, calme, candide, carrée, chagrine, charmante, claire, colorée, comique, consternée, contractée, décomposée, défaite, délicate, difforme, distinguée, douce, douloureuse, drolatique, effarée, effrayante, effrayée, émaciée, énergique, épaisse, épanouie, espiègle, éteinte, étonnée, étrange, étroite, expressive, farouche, fatiguée, fermée, fine, flasque, flétrie, franche, froide, gaie, gracieuse, grasse, grassouillette, grave, grêlée, grimaçante, grosse, grotesque, hâlée, (mal)heureuse, hideuse, horrible, hypocrite, impassible, impénétrable, implacable, intéressante, jolie, joufflue, joviale, joyeuse, laide, large, lisse, livide, longue, luisante, lumineuse, maigre, maladive, mélancolique, mince, morne, osseuse, ouverte, pâle, pâlie, pâlotte, parcheminée, placide, plate, plissée, pointue, poupine, pourpre, propre, radieuse, rasée, ratatinée, ravagée, ravissante, rayonnante, rébarbative, (ir)régulière, réjouie, renfrognée, répulsive, réservée, riante, ridée, rieuse, ronde, rouge, rougeaude, rusée, sale, satinée, sèche, séduisante, sereine, sérieuse, sévère, singulière, sinistre, souriante, sphérique, sympathique, terne, terrible, touchante, tourmentée, triangulaire, triste, vieillie, vilaine, volontaire, violacée, vulgaire. *Avoir, prendre, présenter une ~ (+ adj.); avoir la ~ (+ adj.); (se) barbouiller, lever, se cacher, se couvrir, se laver, s'essuyer, tourner la ~.* Une/la ~ pâlit, rayonne, s'allonge, s'assombrit, s'éclaire, se crispe, se décompose, s'empourpre, se rembrunit, s'illumine. ♦ *(personnage, personnalité)* célèbre, centrale, connue, éminente, énigmatique, exceptionnelle, forte, grande, haute, historique, illustre, importante, imposante, influente, inoubliable, légendaire, majeure, marquante, mineure, montante, noble, notable, prépondérante, prestigieuse, puissante, sinistre, sublime, symbolique, touchante, vénérée.

FIL continu, court, doux, écru, égal, épais, ferme, fin, gros, invisible, léger, long, mince, peigné, pur, retors, solide, teint, ténu. *Débrouiller, dénouer, embrouiller, (dé)lier, (re)nouer, tendre, tirer un/des ~(s).*

FILE considérable, courte, imposante, impressionnante, ininterrompue, interminable, lente, longue, rapide. *Se ranger dans une ~; couper, prendre, rompre, suivre la ~; aller, entrer, marcher, se mettre, se suivre, sortir, traverser à la ~.*

FILET *(Pêche)* dérivant, droit, long, maillant, tournant, traînant. *Appareiller, jeter, lancer, lester, plier, raccommoder, remailler, remonter, réparer, retirer, tendre, traîner un ~; pêcher au ~.* ♦ *(Police) Tendre un ~; faire un coup de ~.* ♦ *(Sport) Aller, monter, venir au ~; catapulter, décocher, envoyer, faire pénétrer, glisser, mettre, placer, pousser la balle/le ballon/la rondelle dans le/les ~(s).*

FILLE *(opposé à «garçon»)* agréable, bien, capricieuse, charmante, chic, distinguée, douce, discrète, dynamique, espiègle, filiforme, formidable, fraîche, gaie, géniale, gentille, gracieuse, grasse, grassouillette, grosse, intelligente, jeune, jolie, laide, maigre, maigrichonne, normale, paresseuse, polie, potelée, rangée, ravissante, réservée, sage, sérieuse, simple, splendide, sportive, superbe, sympathique, timide, vive. ♦ *(opposé à «fils»)* adorée, affectueuse, aimable, attachante, attentionnée, bonne, chérie, dévouée, indigne, ingrate, mauvaise, obéissante, rebelle, respectueuse, soumise.

FILM amusant, attachant, audacieux, bavard, bouleversant, brillant, captivant, célèbre, charmant, courageux, débile, délirant, dérangeant, déroutant, distrayant, drôle, dur, émouvant, enlevant, ennuyeux, épique, étonnant, étrange, excellent, excitant, exécrable, faible, fin, formidable, génial, habile, hilarant, important, impressionnant, inconsistant, infect, insipide, insupportable, (in)intéressant, lamentable, long, loufoque, lourd, ludique, magistral, magnifique, majeur, manqué, mauvais, médiocre, mièvre, minable, mineur, moralisateur, noir, nul, palpitant, passionnant, percutant, potable, prenant, profond, provocant, puissant, raté, réaliste, remarquable, réussi, rocambolesque, romantique, sensationnel, sentimental, sérieux, sombre, superbe, sympathique, terrible, troublant, violent, vivant. *Critiquer, distribuer, encenser, fabriquer, faire, juger, lancer, monter, passer, produire, projeter, promouvoir, réaliser, scénariser, signer, sonoriser, sortir, tourner, visionner, (re)voir un ~; jouer, tourner dans un ~.*

FILS adorable, affectueux, aimable, attachant, attentionné, bon, dénaturé, dévoué, indigne, ingrat, insupportable, mauvais, possessif, prodigue, rebelle, (ir)respectueux, surprotégé.

FIN *(aboutissement, issue, conclusion)* abrupte, (in)attendue, banale, brutale, (in)certaine, correcte, curieuse, décevante, déplorable, difficile, durable, dure, facile, (mal)heureuse, inéluctable, inespérée, inévitable, inexorable, interminable, négative, officielle, officieuse, optimiste, passionnante, pénible, pessimiste, positive, possible, (im)prévisible, prochaine, programmée, radicale, rapide, satisfaisante, soudaine, spectaculaire, subite, tragique, triste, unique. *Avoir, faire, trouver une ~; accélérer, attendre, hâter, précipiter la ~; tirer, toucher à sa ~; approcher de sa ~.* ♦ *(agonie, mort)* affreuse, atroce, bonne, brusque, courte, digne, douce, douloureuse, dramatique, dure, horrible, imminente, lente, mauvaise, misérable, naturelle, paisible, prématurée, prochaine, proche, rapide, sereine, terrible, tragique, violente. *Avoir une ~ (+ adj.); pressentir, trouver, voir venir sa ~; approcher de sa ~.* ♦ *(but, intention)* avouée, bonne, désintéressée, erronée, évidente, louable, mauvaise, noble, particulière, personnelle, pratique, précise, recherchée, secrète, unique, utilitaire. *(s') Assigner, (se) fixer, poursuivre, réaliser, satisfaire, viser une ~; tendre à une ~; aller, arriver, en venir, parvenir à ses ~s; prendre, s'assigner, se donner, se proposer pour ~.*

FINALE acharnée, bonne, décevante, décisive, électrisante, époustouflante, idéale, importante, indécise, mauvaise, médiocre, passionnante, piètre, serrée, spectaculaire, tendue, terne. *Disputer, gagner, jouer, perdre, remporter une/la ~; accéder, assister, participer à une/la ~; être qualifié pour la ~; affronter, arriver, concourir, jouer, s'imposer en ~.*

FINANCE aisées, catastrophiques, chancelantes, désastreuses, délabrées, faibles, florissantes, fragiles, inépuisables, limitées, moyennes précaires, ruinées, saines, serrées, solides, (in)suffisantes. *Administrer, améliorer, assainir, gérer, dilapider, épuiser, équilibrer, maîtriser, redresser, resserrer, restaurer, rétablir, surveiller les/ses ~s; entrer, être dans la ~; s'occuper de ~.*

FINANCEMENT adéquat, complet, considérable, (in)direct, durable, efficace, généreux, global, immédiat, important, intégral, permanent, rapide, régulier, stable, substantiel, (in)suffisant. *Accorder, apporter, assurer, chercher, consentir, obtenir, octroyer, recevoir, trouver un ~; contribuer au ~ de qqch.; bénéficier de ~s.*

FINANCIER, IÈRE astucieux, averti, (in)compétent, habile, (mal)honnête, perspicace, (im)prudent, véreux.

FINESSE certaine, délectable, délicate, étonnante, exceptionnelle, excessive, exquise, extraordinaire, extrême, incomparable, incroyable, inégale, rare, remarquable, subtile. *Être, faire preuve d'une ~ (+ adj.); avoir, posséder, réclamer de la ~.*

FIRMAMENT azuré, bleu, brillant, clair, étoilé, limpide, lumineux, noir, profond, serein, sombre, splendide, vermeil. Le ~ resplendit, scintille.

FIRME concurrentielle, dynamique, florissante, géante, gigantesque, grande, importante, innovatrice, jeune, marginale, modeste, performante, spécialisée, tentaculaire. *Créer, diriger, gérer, (re)lancer, représenter une ~; travailler pour une ~.* Une ~ dépérit, disparaît, marche, périclite, prospère, repart, végète.

FISSURE béante, énorme, étroite, fine, immense, importante, large, microscopique, minuscule, profonde, superficielle. *Boucher, colmater, combler, constater, détecter, obturer, réparer, repérer une ~.* Une ~ (ré)apparaît.

FLACON carré, gros, pansu, plat, rond. *Boire, déboucher, déguster, remplir, respirer, vider un ~.*

FLAIR absolu, aigu, aiguisé, certain, étonnant, excellent, exceptionnel, fabuleux, incontestable, incroyable, indéniable, indiscutable, infaillible, inouï, merveilleux, puissant, redoutable, remarquable, solide, stupéfiant, terrible. *Avoir, posséder un ~ (+ adj.); être doué, faire preuve d'un ~ (+ adj.); avoir du ~; suivre son ~; se laisser guider par son ~; manquer de ~.*

FLAMME ardente, blanche, bleuâtre, bleue, bonne, chaude, claire, crépitante, dansante, douce, éblouissante, faible, fumeuse, haute, incertaine, intense, intermittente, jaune, joyeuse, légère, longue, maigre, mince, modérée, mourante, mouvante, ondoyante, orange, pâle, pointue, rouge, rousse, sifflante, sinueuse, tremblotante, vacillante, vive. *Jeter, lancer, projeter une/des ~s; activer, alimenter, allumer, attiser, (r)aviver, couvrir, entretenir, éteindre, étouffer, ranimer la/les ~(s); être dévoré par les ~s.* Les ~s baissent, bondissent, brillent, brûlent, crépitent, dansent, éclairent, jaillissent, montent, ondulent, pâlissent, palpitent, reprennent, s'éteignent, tremblent, tremblotent.

FLAQUE asséchée, boueuse, croupie, énorme, fangeuse, immense, large, minuscule, ronde, sombre, visqueuse. *Créer, faire, former, laisser une ~.* Une ~ coule, dégouline, gèle.

FLÉAU affreux, brutal, catastrophique, cruel, dangereux, destructeur, dévastateur, effroyable, épouvantable, étrange, (in)évitable, funeste, grand, horrible, imprévu, inattendu, inéluctable, inouï, majeur, meurtrier, sinistre, terrible, vrai. *Arrêter, causer, combattre, contenir, contrôler, endiguer, enrayer, maîtriser, provoquer un ~; être confronté, faire face, s'attaquer à un ~; lutter contre un ~; sortir d'un ~.* Un ~ menace, recule, s'aggrave, se propage, se répand, s'étend, sévit.

FLÈCHE *(~ d'arc)* acérée, aiguë, courte, émoussée, légère, longue, lourde, pointue, puissante. *Décocher, lancer, recevoir, tirer une ~; atteindre, (trans)percer d'une ~; cribler de ~s.* Une ~ part, siffle.

♦*(~ d'église)* aérienne, aiguë, ajourée, audacieuse, charmante, ciselée, dentelée, effilée, élégante, élevée, gracieuse, gracile, hardie, haute, légère, lourde, magnifique, majestueuse, pointue, sculptée, svelte, vrillée. Une ~ se dresse, s'élève.

FLEUR annuelle, artificielle, (é)close, cultivée, défraîchie, délicate, déployée, double, douce, éclatante, élégante, épanouie, éphémère, étiolée, étonnante, fanée, flétrie, fraîche, hâtive, inodore, jolie, large, luxuriante, magnifique, naturelle, nouvelle, odorante, (entre)-ouverte, parfumée, plissée, pourprée, sauvage, simple, suave, superbe, tardive, vigoureuse, vivace. *Couper, cueillir, effeuiller, humer, respirer, sentir une ~; arroser, croiser, cultiver, envoyer, lancer, offrir, piquer, planter des ~s; (se) couvrir, émailler, orner de ~s.* Une ~ déploie ses pétales, éclôt, embaume, passe, se fane, s'effeuille, se flétrit, s'épanouit, s'étiole, s'ouvre.

FLEUVE asséché, calme, capricieux, dangereux, débordé, élargi, encaissé, étendu, étroit, fougueux, furieux, géant, gigantesque, houleux, immense, impétueux, imprévisible, large, lent, limoneux, long, majestueux, marécageux, mythique, navigable, nonchalant, paisible, plantureux, poissonneux, profond, puissant, rapide, sinueux, souterrain, spectaculaire, splendide, tortueux, tranquille, turbulent, vagabond, vaste. *Côtoyer, (re)descendre, franchir, longer, (re)monter, passer, suivre, traverser un ~.* Un ~ arrose, baigne, baisse, charrie, coule, court, (dé)croît, déborde, débouche/se jette dans la mer, descend, gronde, (re)monte, murmure, roule, s'écoule, se retire, serpente, sort de son lit, tarit, zigzague.

FLEXIBILITÉ absolue, accrue, complète, considérable, énorme, étonnante, exceptionnelle, exemplaire, extrême, faible, grande, immense, importante, impressionnante, incomparable, incroyable, inégalée, infinie, limitée, maximale, minimale, nécessaire, phénoménale, prodigieuse, rare, relative, (in)suffisante, totale. *Avoir, offrir, posséder, présenter, procurer une ~ (+ adj.); être, faire preuve d'une ~ (+ adj.); conserver, perdre sa ~; manquer de ~.*

FLIRT bref, discret, enfiévré, épisodique, frustrant, intermittent, léger, long, passager, passionné, poussé, premier, rapide, tumultueux. *Amorcer, avoir, commencer, ébaucher, engager, entamer, entretenir, interrompre, partager, vivre un ~.*

FLOCON abondants, clairsemés, drus, fondus, géants, gros, larges, légers, lourds, minuscules, nombreux, obliques, rapides, (ir)réguliers, serrés. Les ~s descendent, errent, flottent, fondent, glissent, se précipitent, se pressent, tourbillonnent.

FLORAISON abondante, continue, continuelle, discrète, éclatante, envahissante, éphémère, exceptionnelle, explosive, faible, forte, généreuse, exubérante, hâtive, importante, jolie, longue, magnifique, merveilleuse, pauvre, permanente, précoce, prolongée, rapide, (ir)régulière, remarquable, riche, sauvage, spectaculaire, superbe, tardive. *Assurer, avoir, favoriser, donner, maintenir, obtenir, offrir, permettre, produire une ~ (+ adj.).* La ~ approche, s'achève.

FLORE abondante, dense, diverse, diversifiée, envahissante, épanouie, étonnante, exceptionnelle, extraordinaire, exubérante, fabuleuse, fantastique, fragile, généreuse, luxuriante, importante, incomparable, inestimable, intacte, intense, intéressante, magnifique, majestueuse, menacée, nombreuse, omniprésente, originale, précieuse, préservée, protégée, rare, remarquable, riche, sauvage, surprenante, typique, unique, variée, vierge. *Être doté/pourvu/riche, regorger d'une ~ (+ adj.); découvrir, étudier, observer, préserver, protéger la ~; s'intéresser à la ~ .*

FLOT agités, argentés, audacieux, azurés, bleus, clairs, dangereux, déchaînés, écumeux, gros, impérieux, impétueux, lugubres, menaçants, mugissants, noirs, orageux, pâles, profonds, redoutables, silencieux, tempétueux, tournoyants, tranquilles, tumultueux, violents. *Fendre les ~s; lutter contre les ~s; engloutir, se jeter dans les ~s; être emporté par les ~ s; danser, naviguer, sur les ~s; se laisser bercer/porter au gré des ~s.* Les ~ bercent, emportent, grondent, montent, murmurent.

FLOTTE considérable, diversifiée, géante, gigantesque, hétéroclite, homogène, immense, importante, imposante, jeune, (ultra)moderne, modeste, nombreuse, obsolète, puissante, récente, réduite, vaste, vétuste, vieille. *Avoir, entretenir, moderniser, posséder une ~; disposer d'une ~.*

FLUCTUATION accidentelle, brusque, brutale, considérable, conjoncturelle, cyclique, faible, (dé)favorable, fondamentale, forte, graduelle, grande, importante, imprévisible, imprévue, inévitable, infime, insignifiante, légère, lente, majeure, marquée, mineure, minime, minuscule, perpétuelle, probable, prononcée, rapide, sensible, soudaine, spectaculaire, subite, subtile. *Entraîner, opérer, produire, provoquer, subir une/des ~(s); être sujet à des ~s.*

FLÛTE aiguë, criarde, cristalline, douce, entraînante, envoûtante, grave, harmonieuse, lancinante, langoureuse, mauvaise, mélodieuse, nasillarde, neuve, plaintive, stridente, vieille. *Emboucher une ~; souffler dans une ~; étudier la ~; jouer de la ~.*

FOI absolue, ardente, aveugle, candide, chancelante, contagieuse, démesurée, ébranlée, douteuse, émerveillée, entière, exagérée, excessive, faible, fervente, formidable, forte, hésitante, immense, imperturbable, inconditionnelle, indécise, indéfectible, indéracinable, inébranlable, intacte, intense, (il)limitée, naïve, obstinée, (im)parfaite, persévérante, profonde, sincère, sublime, suspecte, tenace, tiède, totale, viscérale, vivace, vive. *Avoir, découvrir, fortifier, perdre, fortifier la ~; afficher, exprimer, pratiquer, renforcer, renier, trahir, vivre sa ~; être digne de ~; avoir ~ en qqn/qqch.*

FOIN coupé, fauché. *Engranger, étaler, retourner le ~; couper, faire, ramasser les ~s; tasser du ~.*

FOLIE *(maladie, fureur)* agressive, aveugle, bizarre, brusque, brutale, contagieuse, (in)contrôlée, dangereuse, démentielle, destructrice, douce, extrême, feinte, frénétique, furieuse, irrésistible, légère, maladive, meurtrière, permanente, périodique, sanguinaire, simulée, soudaine, subite, temporaire. *Basculer, entrer, sombrer dans une ~ (+ adj.); friser, simuler la ~; être atteint/frappé/pris de ~.* ♦ *(bêtise, erreur, dépense)* belle, complète, énorme, extrême, grave, immense, passagère, pure, ruineuse, suprême, totale, (in)utile. *Constituer, être une ~ (+ adj.); commettre, dire, être, faire, se payer, s'offrir une ~.*

FONCTION capitale, complémentaire, cruciale, éminente, essentielle, haute, honorifique, importante, modeste, obsolète, officielle, opérationnelle, pénible, prestigieuse, principale, prodigieuse, secondaire, subalterne, supérieure, unique. *Abandonner, abdiquer, accomplir, assumer, assurer, cesser, conférer, déléguer, exercer, faire, jouer, occuper, (re)prendre, quitter, remplir, résilier, supprimer, tenir une/sa/ses~(s); accéder, postuler, renoncer, vaquer à une ~; (se) démettre qqn, démissionner, être démis/relevé, s'acquitter d'une/de ses ~(s).*

FONCTIONNAIRE ambitieux, bas, borné, (in)compétent, corrompu, débordé, diligent, dynamique, (in)efficace, fainéant, fin, haut, (mal)honnête, humble, incorruptible, inférieur, influent, intègre, intermédiaire, irréprochable, médiocre, méritant, modeste, moyen, obscur, paresseux, réservé, scrupuleux, sourcilleux, subalterne, supérieur, tatillon, timide, timoré, travailleur, véreux, zélé. *Affecter, assermenter, congédier, déplacer, destituer, détacher, embaucher, limoger, muter, nommer, payer, révoquer un ~.*

FONCTIONNEMENT acceptable, adéquat, bon, chaotique, complexe, compliqué, correct, défaillant, défectueux, difficile, effectif, efficace, facile, fiable, harmonieux, intermittent, mauvais, médiocre, maximal, minimal, (a)normal, optimal, (dés)ordonné, performant, piètre, rapide, (ir)régulier, (in)satisfaisant, simple, stable, (in)suffisant. *Améliorer, assurer, empêcher, entraver, gêner, régler, surveiller, troubler, vérifier un/le ~ de qqch.*

FOND dur, insondable, mou, rocheux. *Perdre, sonder, toucher, trouver le ~; aller, précipiter, tomber au ~.*

FONDATION profondes, solides. *Bâtir, commencer, creuser, faire, jeter, poser les ~s (d'un édifice, etc.).*

FONDS (in)actifs, bloqués, colossaux, considérables, (in)disponibles, (in)employés, engagés, importants, libres, liquides, (im)productifs, secrets. *Affecter, (r)amasser, avancer, avoir, chercher, collecter, débloquer, débourser, dégager, déposer, détourner, distribuer, donner, encaisser, extorquer, fournir, gérer, instaurer, (ré)investir, lever, manier, mettre, percevoir, placer, posséder, récolter, recueillir, remettre, réunir, se procurer, trouver des ~; disposer, manquer de ~.*

FONTAINE désaltérante, humble, imposante, jaillissante, large, magnifique, monumentale, murmurante, tarie, vaste. *Aller, boire, puiser à la ~.*

FOOTBALL *Pratiquer le ~; jouer au ~; être un adepte/fan du ~.*

FORCE agressive, amoindrie, brusque, brutale, calme, colossale, considérable, constante, contenue, contraignante, courageuse, défaillante, déficiente, destructrice, douce, écrasante, efficace, (in)égale, énorme, épuisée, étonnante, exceptionnelle, excessive, exténuée, extraordinaire, extrême, fabuleuse, faible, formidable, gigantesque, grande, herculéenne, immense, impérieuse, impétueuse, importante, imposante, impressionnante, impulsive, incommensurable, incomparable, incroyable, indescriptible, indestructible, indicible, indomptable, inébranlable, inférieure, infinie, inimaginable, inouïe, insoupçonnée, invincible, irrépressible, irrésistible, merveilleuse, modérée, percutante, persuasive, prodigieuse, puissante, raisonnable, rare, redoutable, remarquable, singulière, supérieure, surhumaine, surprenante, terrible, tranquille, unique, vive. *Avoir, déployer, employer, montrer, posséder une ~ (+ adj.); être, être doté/doué/pourvu, faire preuve d'une ~ (+ adj.); affaiblir, augmenter, décupler, développer, diminuer, disperser, épargner, éparpiller, éprouver, essayer, ménager, perdre, recouvrer, recueillir, récupérer, redonner, refaire, réparer, reprendre, retrouver, sentir, sous-estimer, surestimer, user, utiliser une/des/la/sa/ses ~(s); faire appel, obéir, recourir, résister à la ~; exiger de la ~; manquer de ~.*

FORÊT abandonnée, aménagée, ancienne, bruissante, calme, claire, clairsemée, dense, épaisse, étendue, fournie, giboyeuse, gigantesque, humide, immense, impénétrable, impraticable, inaccessible, inextricable, inquiétante, jeune, longue, luxuriante, magnifique, maigre, majestueuse, mature, noire, odorante, primitive, prodigieuse, profonde, sauvage, serrée, silencieuse, sinistre, sombre, spacieuse, splendide, touffue, vaste, vénérable, verdoyante. *Abattre, aménager, couper, cultiver, défricher, détruire, éclaircir, entretenir, exploiter, (re)planter, raser une ~; entrer, pénétrer, s'égarer, s'enfoncer dans une ~; préserver la/les ~(s); se promener en ~.*

FORMALITÉ (dés)agréables, complexes, compliquées, exigées, (in)habituelles, interminables, inutiles, longues, nécessaires, nombreuses, prescrites, rapides, réduites, requises, simples, tatillonnes. *Accomplir, négliger, oublier, remplir, respecter une/des ~(s); être soumis, se plier, se soumettre à des ~s; compliquer, simplifier les ~s; s'occuper des ~s.*

FORMAT encombrant, habituel, inédit, miniature, modeste, pratique, réduit, standard.

FORMATION abstraite, accélérée, (in)adéquate, alternée, approfondie, ciblée, complète, concrète, continue, courte, élémentaire, excellente, exigeante, générale, individualisée, intensive, lacunaire, livresque, longue, méthodique, permanente, pointue, polyvalente, ponctuelle, poussée, pratique, préalable, professionnelle, rigoureuse, sérieuse, solide, sommaire, spéciale, spécialisée, (in)suffisante, sur le tas, théorique. *Avoir, posséder une ~ (+ adj.); assurer, compléter, dispenser, donner, faire, proposer, recevoir, subir, suivre une ~; disposer d'une ~; faire de la ~.*

FORME *(apparence, aspect, configuration)* adéquate, aérienne, aérodynamique, allongée, anguleuse, appropriée, arrondie, austère, banale, biscornue, bizarre, bombée, caractéristique, carrée, classique, compliquée, constante, courbe, courte, définie, définitive, dégagée, dégradée, délicate, déliée, (in)déterminée, différente, douce, élancée, (in)élégante, étudiée, évasée, extravagante, fixe, fuselée, (dis)gracieuse, grotesque, harmonieuse, indécise, indistincte, insolite, inusitée, légère, longue, majestueuse, massive, mince, moelleuse, monumentale, oblongue, originale, originelle, (im)parfaite, particulière, plane, (im)précise, première, primitive, pure, quelconque, raffinée, ramassée, rectangulaire, (ir)régulière, renflée, ridicule, rigide, ronde, rudimentaire, sculpturale, simple, singulière, sobre, spéciale, sphérique, symétrique, triangulaire, typique, unique, vague. *Avoir, posséder une ~ (+ adj.); être d'une ~ (+ adj.); acquérir, conserver, emprunter, épouser, garder, offrir, perdre, (re)prendre, présenter, revêtir une ~; changer de ~.* ♦*(condition physique)* éblouissante, excellente, fantastique, grande, impeccable, insolente, magnifique, modeste, olympique, parfaite, précaire. *Afficher, posséder une ~ (+ adj.); être, se trouver dans une ~ (+ adj.); acquérir, avoir, conserver, garder, négliger, perdre, retrouver, soigner, surveiller, tenir la/sa ~; être au meilleur/mieux/sommet de sa ~; se maintenir, se (re)mettre, se sentir en ~.*

FORMULAIRE complexe, court, interminable, long, simple. *Compléter, remplir, retourner, signer un ~.*

FORMULATION adéquate, appropriée, choisie, claire, courante, exagérée, exquise, habile, jolie, juste, maladroite, nuancée, polie.

FORMULE *(expression)* accrocheuse, adéquate, alambiquée, ambiguë, audacieuse, banale, boiteuse, choisie, compliquée, concise, (in)correcte, creuse, désuète, évasive, figée, frappante, galvaudée, inusitée, jolie, juste, lapidaire, magnifique, maladroite, mauvaise, mordante, obscure, obsolète, percutante, pertinente, polie, prodigieuse, rabâchée, ramassée, recherchée, saisissante, simple, stéréotypée, tranchante, trompeuse, vieille. *Employer, forger, trouver, utiliser une ~.* ♦*(méthode)* améliorée, avancée, commode, compliquée, convenable, conventionnelle, désuète, draconienne, (in)efficace, éprouvée, fiable, habile, infaillible, ingénieuse, inédite, innovante, mauvaise, nouvelle, originale, périmée, pertinente, précise, rapide, souple, sûre, unique, vieille. *Adopter, affiner, améliorer, appliquer, chercher, développer, élaborer, employer, établir, inventer, mettre en application, pratiquer, tester, trouver une ~.*

FORT abandonné, colossal, énorme, immense, impénétrable, important, imposant, imprenable, impressionnant, inaccessible, monumental, ruiné, superbe. *Assiéger, attaquer, bâtir, conquérir, construire, défendre, dresser, édifier, élever, fonder, garder, implanter, investir un ~; s'emparer d'un ~.* Un ~ domine, s'édifie, se dresse, s'élève, trône.

FORTERESSE abandonnée, colossale, énorme, immense, impénétrable, importante, imposante, imprenable, impressionnante, inaccessible, monumentale, ruinée, superbe. *Anéantir, assiéger, attaquer, bâtir, conquérir, construire, défendre, dresser, édifier, élever, fonder, garder, implanter, investir une ~; s'emparer d'une ~.* Une ~ domine, s'édifie, se dresse, s'élève, trône.

FORTUNE assurée, belle, chancelante, colossale, confortable, considérable, délabrée, dispersée, durable, élevée, énorme, épuisée, excessive, extraordinaire, extrême, fabuleuse, facile, fragile, frauduleuse, gigantesque, grande, grosse, (mal)honnête, honorable, humble, immense, importante, impressionnante, incalculable, inépuisable, inestimable, inouïe, insolente, instantanée, jolie, médiocre, modeste, modique, monstrueuse, permanente, petite, prodigieuse, rapide, rondelette, scandaleuse, solide, soudaine, subite, temporaire, vertigineuse. *Accroître, accumuler, acquérir, administrer, agrandir, amasser, anéantir, arrondir, assurer, augmenter, avoir, (re)bâtir, compromettre, conserver, consolider, (re)constituer, (re)construire, décupler, dépenser, dévorer, dilapider, dissiper, (ré)édifier, élever, engloutir, engouffrer, (re)faire, gagner, gaspiller, gérer, grossir, laisser, léguer, liquider, manger, perdre, placer, posséder, prodiguer, réaliser, rétablir, risquer, sous-estimer, valoir une/sa ~; disposer, hériter, jouir d'une/de sa ~; désirer, mépriser, viser la ~; courir après la ~.*

FOSSÉ *(canal, tranchée, trou)* bourbeux, escarpé, étroit, fangeux, infranchissable, large, léger, profond, sec. *Approfondir, combler, creuser, curer, enjamber, franchir, nettoyer, passer, remblayer, sauter, traverser un ~; se jeter dans un ~; sauter par-dessus un ~.* ♦*(écart, séparation)* béant, considérable, croissant, énorme, évident, fondamental, grandissant, grave, immense, important, infranchissable, inquiétant, léger, manifeste, préoccupant, profond, radical, réel, significatif, substantiel, terrible. *Approfondir, créer, creuser, introduire, réduire un ~.* Un/le ~ s'accroît, s'approfondit, se creuse, s'élargit, sépare, se réduit.

FOU, FOLLE dangereux, délirant, furieux, halluciné, hagard, inoffensif, méchant.

FOUDRE *Attirer la ~; être atteint/frappé/renversé/touché par la ~; (se) mettre à l'abri de la ~.* La ~ éclate, gronde, tombe.

FOUGUE agressive, aveugle, brutale, conquérante, contenue, dangereuse, déchaînée, éphémère, étonnante, exceptionnelle, excessive, extraordinaire, forcenée, frénétique, immodérée, impétueuse, infatigable, inhabituelle, insensée, intrépide, passionnée, sauvage, soudaine, subite, têtue, véhémente, violente. *Montrer une ~ (+ adj.); être, faire preuve d'une ~ (+ adj.); apaiser, dompter, maîtriser, modérer sa ~; céder, s'abandonner à sa ~; être emporté/entraîné par sa ~.*

FOUILLE *(Archéologie)* (in)fructueuses, longues, minutieuses, patientes, profondes, superficielles. *Diriger, entreprendre, faire, mener, poursuivre, pratiquer des ~s.* ♦*(Police)* approfondie, minutieuse, sommaire, systématique. *Subir une ~; procéder à une ~.*

FOUILLIS complet, dense, désordonné, disparate, extrême, inacceptable, incompréhensible, indescriptible, inextricable, inimaginable, invraisemblable, joli, terrible, total. *Créer, être, provoquer un ~ (+ adj.); être d'un ~ (+ adj.); remettre de l'ordre, se perdre, se retrouver dans un ~ (+ adj.).*

FOULE agitée, anxieuse, assidue, attroupée, bigarrée, brutale, bruyante, clairsemée, colorée, compacte, confuse, considérable, déchaînée, délirante, démente, dense, désœuvrée, disparate, dispersée, ébahie, éclaircie, effervescente, électrisée, enfiévrée, énorme, enthousiaste, épaisse, éparse, étonnée, excitée, fanatisée, fébrile, fiévreuse, fourmillante, frémissante, furieuse, grande, grandissante, grossissante, grouillante, hétéroclite, homogène, hostile, houleuse, hystérique, idolâtre, immense, imposante, impressionnante, incroyable, indécise, indifférente, indignée, infinie, innombrable, insensée, irréfléchie, joyeuse, large, mécontente, mélangée, menaçante, misérable, moutonnière, mouvante, multicolore, obéissante, organisée, passive, pressée, prodigieuse, réduite, serrée, subjuguée, survoltée, tumultueuse. *Amasser, attirer, attrouper, calmer, canaliser, contenir, dénombrer, disperser, dissiper, écarter, émouvoir, enthousiasmer, éviter, faire évacuer, faire frémir, fanatiser, fendre, flatter, fuir, guider, magnétiser, maintenir, (savoir) manier, manœuvrer, mobiliser, passionner, percer, rallier, rassembler, regarder/voir passer, retenir, survolter, traverser une/la/les ~(s); se joindre, se mêler à la ~; disparaître, être noyé, pénétrer, plonger, repérer qqn, se cacher, se faufiler, se fondre, se glisser, se perdre dans la ~; se faufiler parmi la ~; accourir, arriver, se rendre en ~.* Une/la ~ augmente, déferle, défile, grandit, gronde, grossit, grouille, manifeste, murmure, s'accroît, s'agglutine, s'amasse, se bouscule, s'éclaircit, s'écoule, se disperse, se forme, s'épaissit, se presse, se répand.

FOURRURE abondante, bouclée, brillante, chaude, claire, courte, dense, douce, duveteuse, épaisse, foisonnante, foncée, fournie, incroyable, légère, lisse, longue, luisante, lustrée, magnifique, mate, pâle, rare, rase, rayée, rêche, rude, rugueuse, somptueuse, souple, soyeuse, superbe, tachetée, terne, touffue, unie, vaporeuse, veloutée.

FOYER *(maison, famille)* accueillant, brisé, chaleureux, confortable, éclaté, (mal)heureux, recomposé, tranquille, (dés)uni. *Fonder un ~; garder le ~; rester, revenir au ~; quitter, regagner, retrouver son ~; être sans ~.* ♦*(âtre, feu)* allumé, ardent, brûlant, chauffé, éteint, flamboyant, incandescent, mourant. *Allumer, éteindre le ~; faire du feu dans le ~; être accroupi/assis, s'asseoir, se chauffer devant le ~.* Un ~ éclaire, meurt, s'éteint.

FRACAS abominable, assourdissant, clair, considérable, énorme, épouvantable, étourdissant, gigantesque, impressionnant, incroyable, indescriptible, infernal, inimaginable, obsédant, puissant, sonore, strident, terrible, tonitruant, tumultueux, violent.

FRACTION *(Mathématique)* *Exprimer, obtenir, réduire, simplifier, trouver une ~.* ♦*(part, partie, portion)* considérable, croissante, dérisoire, élevée, énorme, immense, importante, impressionnante, infime, insignifiante, large, minime, minuscule, négligeable, notable, réduite, significative, substantielle. *Constituer, représenter une ~ (+ adj.).*

FRACTURE (in)complète, complexe, compliquée, double, fermée, grave, mauvaise, mineure, multiple, ouverte, partielle, sérieuse, simple, totale. *Constater, déceler, diagnostiquer, entraîner, immobiliser, occasionner, présenter, provoquer, réduire, réparer, subir, traiter une ~; se remettre, souffrir d'une ~; être opéré pour une ~.* Une ~ se produit, survient.

FRAGRANCE attirante, capiteuse, chaleureuse, délicate, délicieuse, douce, enivrante, entêtante, exceptionnelle, exquise, fraîche, inouïe, légère, persistante, plaisante, prononcée, raffinée, robuste, sobre, sophistiquée, suave, subtile, unique, vive, voluptueuse. *Dégager, exhaler, libérer, posséder une ~ (+ adj.); adopter, choisir, essayer une ~.* Une ~ embaume, persiste, s'évapore, traîne.

FRAÎCHEUR absolue, agréable, apaisante, déconcertante, délicieuse, douce, exquise, extraordinaire, glacée, glaciale, humide, incroyable, incontestable, intacte, irrésistible, légère, matinale, nocturne, parfaite, parfumée, pénétrante, printanière, rare, remarquable, revitalisante, suave, subite, tonique, vivifiante. *Être d'une ~ (+ adj.); aspirer, goûter, respirer, sentir la ~; donner, profiter de la ~.* Une ~ monte, pénètre, saisit, tombe.

FRAIS (in)compressibles, (in)directs, divers, échus, effectués, élevés, encourus, engagés, énormes, faux, fixes, généraux, grands, gros, importants, infimes, insensés, menus, (im)modérés, prohibitifs, proportionnels, spéciaux, variables. *Absorber, assumer, augmenter, avancer, causer, contracter, couvrir, défrayer, diminuer, économiser, effectuer, encourir, engager, entraîner, épargner, éviter, facturer, faire, imposer, imputer, nécessiter, occasionner, partager, payer, prendre en charge, réduire, régler, rembourser, répartir, subir, supporter des/les ~; faire face à des ~; s'engager dans des ~; contribuer, fournir, participer, subvenir aux ~; reculer devant les ~; rentrer dans ses ~.*

FRANÇAIS admirable, approximatif, charmant, châtié, comique, (in)compréhensible, convenable, correct, courant, décousu, déplorable, élégant, élémentaire, épouvantable, excellent, fluide, fondamental, hésitant, idiomatique, impeccable, irréprochable, laborieux, limité, littéraire, lourd, mauvais, médiocre, (im)parfait, précis, remarquable, rudimentaire, simple, soigné, standard, subtil, usuel. *Parler un ~ (+ adj.); écrire, rédiger, s'exprimer dans un ~ (+ adj.); apprendre, balbutier, baragouiner, comprendre, connaître, écorcher, écrire, enseigner, entendre, lire, maîtriser, parler, pratiquer, savoir le ~; se remettre, s'initier au ~; dérouiller, entretenir, parfaire son ~; dire, écrire, être faible/fort, se débrouiller, s'entretenir, se perfectionner, s'exprimer en ~.*

FRANCHISE absolue, amusante, brutale, carrée, déconcertante, déplacée, désarmante, entière, ingénue, maladroite, naïve, naturelle, prétendue, provocante, remarquable, rude, totale. *Avoir une ~ (+ adj.); parler, s'exprimer avec une ~ (+ adj.); être, faire preuve d'une ~ (+ adj.); aimer, respirer la ~; montrer, témoigner de la ~; manquer de ~.*

FRAPPE (Sport) bonne, efficace, exceptionnelle, facile, forte, fulgurante, magistrale, molle, précise, puissante, rapide, solide. *Avoir une ~ (+ adj.); adresser, arrêter, bloquer, capter, contrer, déclencher, décocher, détourner, effectuer, placer, produire, rater, renvoyer, repousser, sortir, stopper, tenter une ~.* ♦(raid, bombardement) chirurgicale, ciblée, contrôlée, dure, (in)efficace, énorme, importante, ininterrompue, limitée, massive, meurtrière, ponctuelle, précise, préventive, punitive, rapide, réussie, sévère, spectaculaire, symbolique. *Déclencher, essuyer, lancer, mener, ordonner* *une ~; procéder à une ~; menacer d'une ~; intensifier, interrompre, poursuivre les ~s.*

FRAUDE adroite, colossale, délibérée, évidente, flagrante, généralisée, gigantesque, grande, grave, grossière, habile, importante, massive, minutieuse, petite, présumée, réelle, retentissante, scandaleuse, subtile, vaste. *Commettre, constater, couvrir, découvrir, dénoncer, détecter, faire, machiner, organiser, perpétrer, signaler, subir une ~; être complice/victime d'une ~; combattre, favoriser, poursuivre, pratiquer la ~; lutter contre la ~; être soupçonné de ~.* Une/la ~ règne, se développe.

FRAYEUR courte, extraordinaire, extrême, folle, grande, horrible, imbécile, immense, incontrôlable, indescriptible, indicible, inexplicable, inexprimable, injustifiée, insoutenable, instinctive, insupportable, insurmontable, intense, invincible, maladive, morbide, mortelle, panique, passagère, permanente, profonde, puérile, ridicule, soudaine, stupide, subite, vague. *Avoir, causer, engendrer, éprouver, exprimer, inspirer, manifester, montrer, ressentir une/de la ~; calmer, semer la ~; être en proie à la ~; surmonter, vaincre sa/ses ~(s); se remettre de sa/ses ~(s); balbutier, êtreblanc/mort/paralysé/pris/saisi/transi, frémir, hurler, pâmer, trembler de ~.*

FREIN bons, défaillants, défectueux, déficients, mauvais, neufs, puissants, (dé)réglés, (dé)serrés, usés. *Actionner, bloquer, caler, écraser, dégager, désengager, faire agir, lâcher, mettre, ôter, (des)serrer le/les ~(s); descendre sur les ~s.* Les ~s cèdent, grincent, hurlent, se (des)serrent.

FRÉMISSEMENT continu, convulsif, curieux, imperceptible, involontaire, léger, long, nerveux, rapide, secret, soudain. *Avoir, dissimuler, maîtriser, produire un ~; être parcouru/pris d'un ~; être secoué par un ~.*

FRÉNÉSIE aveugle, continuelle, créatrice, désespérée, destructrice, époustouflante, étrange, excessive, féroce, grandissante, hystérique, imprudente, inapaisable, incontrôlable, incontrôlée, incroyable, indescriptible, inexpliquée, inextinguible, inhabituelle, inouïe, intense, irrésistible, maniaque, naïve, rageuse, soudaine, subite, terrible, vive, vraie. *Être animé/atteint/envahi/ pris/sais d' une ~ (+ adj.).*

FRÉQUENCE accrue, constante, continuelle, élevée, excessive, faible, forte, inférieure, lente, moyenne, (a)normale, rapide, supérieure.

FRÈRE accaparant, adorable, affectueux, agréable, aîné, attachant, bagarreur, cadet, détestable, égoïste, envieux, généreux, gentil, jaloux, puîné; dissemblables, inséparables, rivaux.

FRISSON (dés)agréable, continu, convulsif, court, délicieux, douloureux, doux, fébrile, glacé, grand, imperceptible, involontaire, léger, long, nerveux, pénible, sporadique, violent, voluptueux. *Avoir, provoquer, sentir un ~; être parcouru/pris/saisi d'un ~; avoir, donner le ~; être agité/pris/saisi/secoué de ~s.*

FROID aigre, aigu, âpre, arctique, cinglant, coupant, croissant, cruel, cuisant, doux, dur, épouvantable, excessif, extraordinaire, glacial, grand, hâtif, hivernal, horrible, humide, intense, intolérable, meurtrier, modéré, mordant, mortel, noir, pénétrant, perçant, piquant, polaire, prolongé, redoutable, rigoureux, rude, sain, sec, sensible, sévère, sibérien, soudain, subit, (in)supportable, terrible, tonifiant, tonique, tranchant, vif, violent, vivifiant. *Affronter, appréhender, braver, combattre, craindre, endurer, redouter, ressentir, supporter le ~; être résistant/(in)sensible, résister, s'accoutumer, s'habituer au ~; lutter, se garantir contre le ~; pâtir, (se) protéger, se défendre, se plaindre, souffrir du ~; crever, être transi/tremblant, grelotter, mourir, trembler, trembloter de ~.* Un/le ~ augmente, cingle, (re)commence, diminue, règne, reprend, s'abat, s'accentue, saisit, se prolonge, sévit, s'intensifie.

FROIDEUR absolue, affectée, apparente, calculée, excessive, extrême, glaciale, grande, hautaine, imperturbable, implacable, inaccoutumée, incroyable, inouïe, insupportable, naturelle, parfaite, rare, rebutante, réelle, remarquable, sinistre, surprenante. *Être, faire preuve d'une ~ (+ adj.); simuler la ~; manifester, marquer, montrer, témoigner de la ~.*

FROMAGE affiné, appétissant, blanc, bleu, coulant, crémeux, délicat, délicieux, dur, écrémé, élégant, excellent, exquis, fade, fait, fermenté, fin, fondu, fort, frais, fumé, goûteux, gras, insipide, léger, lourd, maigre, mou, persillé, raffiné, râpé, savoureux, sec, simple, succulent. *Faire/laisser vieillir, palper, sentir un ~; servir les ~s; râper du ~.* Un ~ coule, fermente, vieillit.

FRONT anguleux, apparent, arrondi, bas, bombé, bossué, bulbeux, carré, chauve, courbe, découvert, dégagé, dégarni, démesuré, développé, droit, élevé, énorme, étroit, fier, fuyant, haut, hautain, immense, intelligent, large, lisse, luisant, massif, moite, noble, pâle, pensif, plat, plein, plissé, proéminent, protubérant, radieux, renflé, (dé)ridé, ruisselant, saillant, serein, sérieux, songeur, soucieux, superbe, veiné, volumineux. *Avoir un/le ~ (+ adj.); baisser, incliner, (re)lever, pencher, plisser, redresser, se cogner, s'éponger, s'essuyer le ~.* Un ~ ruisselle, se déride, se détend, se plisse.

FRONTIÈRE artificielle, claire, commune, contestée, courte, définitive, délimitée, dérisoire, disputée, étanche, fermée, gigantesque, hermétique, immense, immuable, impénétrable, infranchissable, interdite, longue, marquée, naturelle, ouverte, (im)perméable, poreuse, provisoire, reconnue, sûre, surveillée. *Atteindre, défendre, délimiter, déterminer, disputer, établir, fermer, fixer, franchir, garantir, longer, marquer, occuper, (r)ouvrir, passer, reculer, redessiner, surveiller, verrouiller, violer une/des/la/les ~(s).*

FRUIT acide, acidulé, aigre, aigrelet, allongé, amer, appétissant, aqueux, arrondi, attaqué, avancé, avarié, blessé, charnu, coloré, comestible, cultivé, décomposé, délectable, délicat, délicieux, douceâtre, doux, dur, énorme, excellent, exquis, ferme, flétri, fondant, gâté, hâtif, insipide, juteux, lisse, long, meurtri, mou, moyen, mûr, mûrissant, odorant, parfumé, pâteux, piqué, pourri, précoce, raffiné, rafraîchissant, ratatiné, ridé, rouge, rougissant, sain, sauvage, savoureux, sec, suave, succulent, sucré, sur, suret, taché, tardif, tendre, velouté, véreux, vermeil, vert, volumineux. *Apprécier, croquer, cueillir, décortiquer, déguster, dénoyauter, détacher, éplucher, équeuter, évider, goûter, grignoter, manger, ouvrir, peler, presser, savourer un ~; croquer, mordre dans un ~*. Un ~ choit, croît, grossit, mûrit, pend, pourrit, pousse, se blesse, se colore, se dessèche, se détache, se développe, se forme, se gâte, se ride, tombe.

FRUSTRATION certaine, chronique, considérable, continue, effrayante, élevée, énorme, évidente, exacerbée, excessive, explosive, faible, forcenée, forte, grande, grandissante, importante, incroyable, infinie, insoluble, insupportable, intense, intolérable, inutile, (in)justifiée, légère, majeure, mineure, néfaste, palpable, passagère, perceptible, permanente, réelle, rentrée, terrible, totale, vive. *Avoir, constituer, être une ~ (+ adj.); combler, créer, déclencher, dépasser, engendrer, entraîner, éprouver, exprimer, occasionner, provoquer, ressentir, sentir, subir, supporter, surmonter, susciter, vivre une ~; contenir, dissimuler sa ~; souffrir d'une ~*. Une/la ~ apparaît, augmente, monte, naît, se manifeste, perdure, s'installe, subsiste.

FUITE *(perte, trou)* énorme, importante, invisible, légère, massive, minime, minuscule, persistante, sérieuse, souterraine. *Avoir, boucher, chercher, colmater, constater, détecter, diagnostiquer, engendrer, limiter, localiser, obturer, provoquer, rechercher, réparer, stopper une ~*. Une ~ apparaît, se déclare, se produit, survient. ♦ *(abandon, défaite, exode)* accélérée, considérable, dangereuse, désespérée, désordonnée, effrénée, énorme, éperdue, forte, générale, hâtive, honteuse, immense, instantanée, massive, panique, précipitée, prudente, rapide, réussie, soudaine, timide, vaine, vertigineuse. *Décourager, empêcher, endiguer, engendrer, éviter, faciliter, favoriser, freiner, limiter, organiser, prévenir, provoquer, réduire, simuler, vivre une ~ de (les capitaux, les cerveaux, etc.); chercher la ~ dans (le sommeil, la drogue, etc.)*.

FUMÉE âcre, aveuglante, blanche, bleuâtre, dissipée, épaisse, errante, étouffante, fine, grisâtre, grise, irritante, légère, lourde, maigre, mince, nauséabonde, noirâtre, noire, odorante, ondoyante, opaque, rapide, rousse, suffocante, ténue, vaporeuse, visible. *Avaler, évacuer, rejeter, souffler la ~; être envahi par la ~; cracher, dégager, émettre, inhaler, lancer, produire, respirer de la ~*. Une ~ asphyxie, flotte, monte, ondule, pique les yeux, prend à la gorge, s'échappe, se dégage, se dissipe, s'élève, se répand, sort.

FUMEUR, EUSE acharné, endurci, enragé, grand, gros, impénitent, incorrigible, invétéré, occasionnel, régulier, repenti, sevré.

FUNÉRAILLES discrètes, émouvantes, grandes, grandioses, imposantes, impressionnantes, intimes, magnifiques, modestes, nationales, sobres, solennelles, tristes, superbes. *Célébrer, faire, organiser, suivre des ~; assister à des ~*.

FUREUR absurde, aveugle, bestiale, brusque, brutale, constante, cruelle, dangereuse, démentielle, désespérée, destructrice, dévorante, effrénée, enragée, épouvantable, étrange, fanatique, folle, frénétique, grande, impatiente, impitoyable, impuissante, inapaisable, incoercible, indicible, indignée, inexplicable, inquiète, jalouse, juste, lâche, meurtrière, obstinée, redoublée, renfermée, sanguinaire, sauvage, sombre, stupide, vaine, vengeresse, violente, volcanique. *Entrer, être dans une ~ (+ adj.); assouvir, attirer, augmenter, cacher, calmer, contenir, exciter, irriter, provoquer, ranimer, réfréner la/sa ~; céder, se livrer à la ~; ressentir de la ~; aimer, attaquer, jouer, se battre avec ~; déborder, délirer, être bouillant/malade/pâle/pris/rempli/transporté, flamber, hurler, rougir, rugir, transporter de ~; éclater, entrer, être, mettre en ~.* Une ~ éclate, se déchaîne, tonne.

FUSÉE expérimentale, géante, (télé)guidée, (in)habitée, (ultra)rapide, réutilisable. *Allumer, concevoir, construire, diriger, faire voler, guider, lâcher, lancer (en orbite), mettre à feu, piloter, récupérer, téléguider une ~.* Une ~ atterrit, décolle, descend, monte, prend son vol, vrille.

FUSIL léger, lourd. *Alimenter, (dés)armer, braquer, (dé)charger, diriger, dresser, épauler, faire partir, manier, manipuler, mettre en joue, (dé)monter, nettoyer, pointer, porter, tenir un ~; viser avec un ~; être muni, s'armer d'un ~; chasser, tirer au ~.*

FUSILLADE assourdissante, brève, courte, importante, intense, meurtrière, mortelle, nourrie, rangée, sanglante, tragique, violente, vive. *Déclencher, provoquer une ~; prendre part à une ~; être blessé/tué dans une ~; être victime d'une ~.* Une ~ crépite, éclate, faire rage, se calme, se produit, s'interrompt, survient.

FUSION amicale, avortée, bonne, efficace, forcée, formidable, géante, harmonieuse, indolore, ratée, réussie. *Effectuer, négocier, opérer, réaliser une ~; s'opposer à une ~.*

FUTUR éloigné, imminent, incertain, indéterminé, lointain. *Bâtir, concevoir, évoquer, penser, préparer le ~.*

G

GÂCHETTE facile, ferme, leste, rapide, sensible. *Avoir la ~ (+ adj.); presser la ~; enlever le doigt de la ~; appuyer, avoir le doigt, tirer sur la ~.*

GÂCHIS affreux, considérable, continuel, effroyable, énorme, évident, extrême, formidable, gigantesque, grand, immense, important, impressionnant, inacceptable, inadmissible, incroyable, indicible, inextricable, innommable, inouï, insensé, intolérable, inutile, joli, monumental, pitoyable, regrettable, scandaleux, terrible, total, tragique, vrai. *Constituer, être, représenter un ~ (+ adj.); être, patauger, s'embourber, s'enliser, sombrer dans un ~ (+ adj.); empêcher, entraîner, faire, provoquer un ~; mettre fin à un ~; combattre, encourager, réduire, stopper le ~.*

GADOUE *(s')Enfoncer, glisser, marcher, patauger, se rouler, se vautrer dans la ~.*

GAFFE catastrophique, énorme, épouvantable, incroyable, intentionnelle, irréparable, légère, magistrale, monumentale, suprême. *Commettre, éviter, faire, réparer une ~; collectionner, multiplier les ~s.*

GAG amusant, banal, désopilant, excellent, irrésistible, réussi, spontané, subtil, vieux. Un ~ fait rire, tombe à plat.

GAIETÉ affectée, aimable, ardente, artificielle, bouffonne, brusque, bruyante, charmante, communicative, contagieuse, débordante, délicieuse, démesurée, douce, espiègle, excessive, factice, fausse, fébrile, feinte, féroce, folâtre, folle, forcée, formidable, franche, grande, imperturbable, inattendue, inhabituelle, intempestive, irrésistible, légère, libre, naïve, naturelle, nerveuse, passagère, profonde, radieuse, rare, sereine, soudaine, spontanée, subite, suprême, tapageuse, triomphante, violente, vive, voilée, vraie, vulgaire. *Être, faire preuve d'une ~ (+ adj.); affecter, apporter, exciter, feindre, ranimer, répandre, provoquer, semer, simuler la ~; avoir, inspirer, montrer de la ~; garder, perdre, retrouver sa ~; déborder, manquer de ~.* La ~ réapparaît, redouble, règne, renaît, revient.

GAIN appréciable, considérable, difficile, élevé, énorme, espéré, évident, exceptionnel, excessif, facile, faible, gros, (mal)honnête, honorable, illusoire, immédiat, immense, important, imposant, imprévisible, inestimable, infini, intéressant, judicieux, (il)licite, (il)limité, lucratif, maximal, maximum, médiocre, minimal, minime, minimum, modeste, négatif, négligeable, notable, permanent, positif, précieux, provisoire, rapide, réel, remarquable, scandaleux, significatif, sordide, substantiel. *Apporter, assurer, constituer, donner, effectuer, empocher, encaisser, enregistrer, escompter, espérer, faire, gagner, garantir, obtenir, offrir, permettre, procurer, produire, rapporter, réaliser, recueillir, remporter, représenter, retirer, tirer un ~ (+ adj.).*

GALOP aisé, allongé, ample, confortable, constant, débridé, échevelé, effréné, fougueux, furieux, grand, inégal, infernal, enjoué, léger, lent, long, lourd, modéré, normal, petit, poussé, précipité, puissant, raccourci, rapide, (ir)régulier, rythmé, souple, sourd, soutenu, uni. *Avoir, effectuer, exécuter un ~ (+ adj.); courir, maintenir, prendre le ~; arriver, partir, passer, revenir, s'élancer, se mettre au ~.*

GAMME (<u>série, éventail</u>) ample, (in)complète, élaborée, entière, étoffée, étonnante, étroite, immense, impressionnante, infinie, inouïe, large, (il)limitée, prodigieuse, restreinte, somptueuse, subtile, variée, vaste. *Concevoir, élargir, enrichir, offre, proposer une ~.* ♦(<u>Musique</u>) ascendante, descendante, montante. *Chanter, descendre, exécuter, monter, recommencer une ~; égrener, enfiler, faire des ~s; apprendre, savoir la ~.*

GANG armé, criminel, dangereux, dévastateur, incontrôlé, organisé, puissant, redoutable, vaste. *Créer, décapiter, démanteler, diriger, former, infiltrer, intégrer, joindre, surveiller un ~; sévir contre un ~; travailler en ~s.*

GANT ajusté, assorti, court, dépareillé, étanche, étroit, extensible, fourré, léger, long, lourd. *Enfiler, enlever, mettre, ôter, passer, porter, quitter, retirer, revêtir des/ses ~s.*

GARANTIE (in)certaine, (in)conditionnelle, efficace, excellente, explicite, faible, (in)formelle, grande, illusoire, implicite, (il)limitée, restreinte, sérieuse, solide, (in)suffisante, sûre, totale. *Avoir, demander, détenir, donner, exiger, fournir, obtenir, offrir, prendre, présenter, recevoir, réclamer, stipuler une/des ~(s); prêter contre/sous ~; conserver, donner en ~.*

GARÇON adorable, aimable, ambitieux, amusant, athlétique, brave, brillant, bruyant, charmant, coléreux, complexé, costaud, courageux, cruel, cultivé, décidé, délicat, discret, distingué, doué, doux, drôle, dynamique, éduqué, efflanqué, équilibré, enjoué, espiègle, étrange, éveillé, excellent, exubérant, fluet, génial, gentil, gras, grassouillet, gringalet, grand, gros, grossier, (mal)heureux, imbécile, impulsif, indolent, intelligent, joli, jovial, joyeux, maigre, maigrichon, marginal, massif, mauvais, méchant, mince, motivé, musclé, musculeux, naïf, normal, pacifique, paresseux, passionné, pataud, placide, (im)poli, posé, prometteur, rebelle, remarquable, renfrogné, réservé, rêveur, robuste, séduisant, sérieux, silencieux, sociable, solitaire, splendide, sportif, susceptible, sympathique, talentueux, timide, tranquille, trapu, vilain.

GARDE accrue, active, attentive, constante, continue, continuelle, discrète, étroite, faible, fidèle, forte, légère, minutieuse, occasionnelle, particulière, passive, ponctuelle, rapprochée, (ir)régulière, relâchée, renforcée, rigoureuse, serrée, soigneuse, stricte, sûre, vigilante. *Être, être mis/placé, mettre, placer sous une ~ (+ adj.); assurer, faire, monter, relâcher, renforcer, tromper la ~; avoir la ~ de qqn/qqch.; se charger de la ~ de qqn/qqch.; être de ~.*

GARDE-ROBE abondante, appropriée, classique, (in)complète, coûteuse, dépareillée, diversifiée, fatiguée, fournie, géniale, immense, impeccable, importante, impressionnante, jolie, magnifique, modeste, neuve, pauvre, récente, riche, soignée, somptueuse, sophistiquée, superbe, variée, vaste, vieille, voyante. *Avoir, posséder une ~ (+ adj.); changer, choisir, compléter, parfaire, rajeunir, refaire, remonter, renouveler sa ~.*

GARDIEN, IENNE (<u>Sport</u>) athlétique, efficace, exceptionnel, expérimenté, habile, infaillible, intrépide, invincible, médiocre, passable, piètre, redoutable, remarquable, spectaculaire, talentueux, vif. ♦ (~ d'enfants) attentif, excellent, exceptionnel, fiable, infatigable, permissif, sérieux, sévère, strict, sûr.

GARE animée, bondée, déserte, gigantesque, grande, longue, minuscule, (ultra)moderne, modeste, monumentale, petite, propre, sale, vaste, vieille. *Desservir une ~; gagner la ~; aller, arriver, se rendre à la ~; entrer dans la ~; partir, quitter pour la ~.*

GASPILLAGE absurde, abusif, colossal, considérable, coûteux, effarant, effroyable, effréné, éhonté, énorme, honteux, immense, important, impressionnant, inadmissible, incroyable, inexcusable, insensé, intolérable, inutile, majeur, phénoménal, scandaleux, systématique. *Constituer, être, représenter un ~ (+ adj.); combattre, contrôler, diminuer, éliminer, encourager, entraîner, éviter, freiner, réduire, supprimer le ~; mettre fin, se livrer au ~; lutter contre le ~; faire du ~.*

GASTRONOMIE classique, créative, délicate, délicieuse, élaborée, élégante, excellente, exquise, fine, grande, haute, grande, inventive, légère, nouvelle, originale, raffinée, relevée, renommée, savoureuse, soignée, sophistiquée, succulente, traditionnelle. *Offrir, proposer, servir une ~ (+ adj.); apprendre, enseigner la ~; (s')initier à la ~.*

GÂTEAU appétissant, bombé, carré, croustillant, délicieux, excellent, fameux, feuilleté, fourré, frais, glacé, joli, léger, lourd, magnifique, minuscule, plat, raffiné, rectangulaire, rond, savoureux, sec, simple, somptueux, sucré, superbe, tendre, tressé. *Glacer, confectionner, (faire) cuire, décorer, déguster, démouler, diviser, faire, garnir, manger, préparer, réaliser, savourer un ~.*

GAUCHE *Prendre sur la ~; se diriger vers la ~; dévier, doubler, marcher, obliquer, prendre, rouler, tourner, virer à ~.*

GAZ (Chimie) dangereux, dense, incolore, inflammable, inodore, invisible, irritant, léger, lourd, mortel, mystérieux, nauséabond, nocif, nuisible, polluant, pur, rare, redoutable, sournois, toxique, volatil. *Dégager, disperser, émettre, libérer, produire, répandre, respirer un ~.* Un ~ s'échappe, se dégage, se répand. ♦ (Automobile) *Donner, (re)mettre, ouvrir les ~; marcher, rouler plein ~.*

GAZON abandonné, brûlé, clairsemé, court, doux, dru, dur, écrasé, entretenu, fauve, fin, fleuri, fourni, frais, humide, jauni, jaunissant, joli, magnifique, maigre, malade, merveilleux, moelleux, plantureux, pelé, ras, sauvage, sec, séché, souple, superbe, tendre, velouté, vert. *Arroser, couper, entretenir, faucher, tondre le ~; semer du ~.*

GELÉE blanche, faible, forte, hâtive, légère, matinale, nocturne, pénétrante, précoce, première, printanière, tardive.

GÉMISSEMENT (sur)aigu, audible, continu, court, douloureux, étouffé, faible, grave, lamentable, léger, long, plaintif, profond, rauque, sifflant, sinistre, sourd, tendre, terrible. *Avoir un ~ (+ adj.); arracher, émettre, (faire) entendre, étouffer, exhaler, jeter, laisser échapper, percevoir, pousser, réprimer, retenir un/des ~(s).* Un ~ jaillit, monte, retentit, s'élève, sort, surgit.

GÊNE croissante, évidente, excessive, insupportable, insurmontable, intolérable, légère, maladive, momentanée, profonde, visible. *Avoir, causer, éprouver, montrer, ressentir, sentir une/de la ~; cacher sa ~.*

GÉNÉRALITÉ creuses, faciles, fausses, floues, insipides, ordinaires, simples, stériles, subtiles, superficielles, vagues, vaines. *Débiter, dire, écrire, répondre des ~s; aboutir, se borner, se limiter, s'en tenir à des ~s; fuir, rester, se cantonner, s'égarer, se lancer, se réfugier, sombrer, (re)tomber dans des ~s; commencer, répondre, terminer par des ~s.*

GÉNÉRATION actuelle, dernière, déclinante, désenchantée, désespérée, dorée, exceptionnelle, finissante, gâtée, heureuse, intermédiaire, jeune, montante, nantie, nouvelle, perdue, présente, prometteuse, rebelle, révoltée, sacrifiée, vieillissante; futures, passées, successives. *Constituer, former, incarner une ~; appartenir à une ~; réconcilier les ~s.*

GÉNÉROSITÉ absolue, absurde, accrue, admirable, bienfaisante, confondante, constante, débordante, débridée, démesurée, énorme, exceptionnelle, excessive, extraordinaire, extravagante, extrême, folle, formidable, grande, gratuite, illimitée, immense, inattendue, incomparable, incroyable, indiscutable, inépuisable, inouïe, insoucieuse, instinctive, intéressée, naturelle, proverbiale, rare, réciproque, remarquable, surprenante, totale, vraie. *Manifester, montrer une ~ (+ adj.); être, faire preuve d'une ~ (+ adj.); faire appel à la ~; abuser de la ~ de qqn; manquer, rivaliser de ~.*

GÉNIE admirable, audacieux, aventureux, créateur, élevé, entreprenant, excellent, exceptionnel, extraordinaire, fécond, fulgurant, grand, immense, incompris, incontestable, inépuisable, infatigable, inspiré, inventif, laborieux, mauvais, méconnu, (in)novateur, précoce, prodigieux, profond, puissant, rapide, sublime, supérieur, universel, vaste, vigoureux, visionnaire. *Être un ~ (+ adj.); avoir du ~; forcer, suivre son ~; avoir confiance, croire en son ~; manquer de ~.*

GÉNOCIDE abominable, annoncé, atroce, brutal, complet, cruel, définitif, effroyable, épouvantable, gigantesque, horrible, impitoyable, méconnu, monstrueux, prévisible, programmé, sanglant, sauvage, silencieux, systématique. *Arrêter, commettre, connaître, déclencher, dénoncer, empêcher, exécuter, mener, nier, organiser, perpétrer, planifier, provoquer, subir un ~; procéder à un ~.*

GENOU ankylosé, douloureux, éclaté, écorché, ensanglanté, fléchi, fracassé, meurtri, replié; cagneux, écartés, faibles, osseux, pointus, polis, potelés, serrés, solides, tremblants, usés, vacillants, vilains. *Avoir le/les ~(x) (+adj.); fléchir, plier, ployer, s'écorcher, se déboîter, se luxer, se meurtrir, serrer le/les ~(x); avoir mal, être blessé, se blesser au/aux ~(x); tomber sur les ~x.*

GENS accueillants, actifs, admirables, affables, agréables, aimables, aisés, ambitieux, amicaux, austères, avares, bien, bizarres, braves, brusques, chaleureux, charmants, chiches, (in)compétents, conviviaux, courtois, cultivés, désœuvrés, dévoués, dynamiques, éminents, établis, faibles, fins, forts, gentils, grossiers, hardis, (mal)heureux, (mal)honnêtes, honorables, humbles, ignorants, importants, indifférents, influents, infréquentables, insignifiants, intègres, intelligents, médiocres, merveilleux, naturels, nerveux, normaux, (extra)ordinaires, passifs, passionnés, pauvres, (im)polis, privilégiés, raffinés, riches, ridicules, savants, sensés, (in)sensibles, sérieux, serviables, simples, superficiels, timides, tranquilles, travailleurs.

GENTILLESSE absolue, agaçante, agréable, amicale, calculée, déconcertante, désarmante, exceptionnelle, excessive, exemplaire, exquise, extraordinaire, extrême, grande, hypocrite, incomparable, incroyable, indicible, infinie, inlassable, inouïe, irréprochable, mielleuse, naturelle, notoire, rare, remarquable, sincère, spontanée, suprême, touchante. *Montrer une ~ (+ adj.); être, faire preuve d'une ~ (+ adj.); avoir, dire, faire des ~s; manifester, témoigner de la ~.*

GÉOGRAPHIE *Apprendre, enseigner, étudier la ~; connaître/savoir sa ~; être doué/excellent/fort/médiocre en ~.*

GESTE (mouvement) abondant, accueillant, admiratif, (mal)adroit, affecté, affectueux, affirmatif, agile, agréable, alangui, alerte, ambigu, ample, angoissé, (dés)approbateur, automatique, autoritaire, banal, bienveillant, brusque, brutal, caressant, charmant, circulaire, décidé, dédaigneux, délicat, démesuré, démonstratif, dérisoire, désespéré, désinvolte, désordonné, dominateur, doux, (in)élégant, éloquent, énergique, énervé, enveloppant, évasif, excessif, expansif, expressif, exquis, faible, familier, fébrile, fort, furieux, furtif, gauche, généreux, (dis)gracieux, grand, grandiose, grossier, hésitant, impatient, impératif, imperceptible, impérieux, inconscient, incrédule, indécent, indolent, inhabile, inquiet, insouciant, instinctif, interrogateur, ironique, irréfléchi, large, las, léger, lent, lourd, machinal, magnifique, malhabile, maniéré, mécanique, menaçant, mignon, monotone, moqueur, mou, naturel, négligent, nerveux, nonchalant, obscène, offensant, paresseux, parlant, particulier, pataud, (im)précis, prompt, provocant, provocateur, (im)pudique, rageur, raide, rapide, répétitif, résigné, résolu, (ir)respectueux, rude, saccadé, sec, sobre, souple, spontané, suppliant, sûr, taquin, tâtonnant, théâtral, tragique, tranchant, tranquille, triomphant, vague, vif, vigoureux, violent, (in)volontaire. *Avoir un/le~ (+ adj.); accomplir, amorcer, contenir, ébaucher, esquisser, exécuter, faire, freiner, maîtriser, répéter, réprimer, retenir un ~; encourager, repousser d'un ~; parler par ~s.* ♦ (acte, action) absurde, accidentel, (dés)agréable, aimable, ambigu, (in)amical, anodin, astucieux, audacieux, autoritaire, chaleureux, cohérent, concret, controversé, cruel, délibéré, délicat, déplacé, dérisoire, désabusé, désespéré, discret, efficace, (in)élégant, émouvant, énigmatique, étonnant, excessif, faible, formidable, fort, fortuit, fou, généreux, gentil, gratuit, hardi, héroïque, (mal)heureux, historique, humanitaire, humble, humiliant, imbécile, imprévu, inaperçu, inconsidéré, inopiné, intentionnel, (dés)intéressé, inusité, lâche, modeste, noble, (in)opportun, pathétique, pondéré, précipité, prémédité, préventif, (im)prudent, puéril, (ir)raisonné, rapide, (ir)réfléchi, (ir)respectueux, (ir)responsable, révoltant, (in)sensé, sérieux, significatif, spectaculaire, stupide, superbe, symbolique, sympathique, tendre, touchant, tragique, utile, vain, vide. *Avoir un ~ (+ adj.); accomplir, condamner, faire, motiver, poser, regretter, tenter un ~; multiplier les ~s.*

GESTION archaïque, autoritaire, bureaucratique, calamiteuse, catastrophique, chaotique, (in)cohérente, complexe, compliquée, controversée, corrompue, crédible, défectueuse, déficiente, déficitaire, déplorable, désastreuse, douteuse, dynamique, (in)efficace, (dés)équilibrée, étroite, excellente, faible, fantaisiste, forte, harmonieuse, (mal)honnête, impeccable, intègre, intelligente, irréprochable, lâche, large, mauvaise, médiocre, méthodique, minutieuse, parfaite, piètre, pragmatique, professionnelle, (im)prudente, (ir)rationnelle, relâchée, (ir)responsable, rigide, rigoureuse, rudimentaire, sage, (mal)saine, sérieuse, serrée, simple, solide, souple, superficielle, transparente. *Alléger, alourdir, assainir, assumer, assurer, conduire, confier, entraver, faciliter, exercer, prendre en charge une/la ~ de qqch.; participer, prendre part, procéder une/à la ~ de qqch.*

GESTIONNAIRE amorphe, autoritaire, audacieux, avisé, (in)compétent, dévoué, diligent, dynamique, (in)efficace, énergique, excellent, exigeant, indélicat, mauvais, médiocre, performant, piètre, (im)prudent, timoré, tyrannique.

GHETTO boueux, dégradé, immense, misérable, pitoyable, pouilleux, sinistre, sordide, surpeuplé. *Créer, construire, établir un ~; habiter dans un ~.*

GIBIER (*l'animal*) abondant, dense, exceptionnel, fabuleux, majestueux, menacé, menu, précieux, protégé, rare, sauvage, superbe, varié. *Abattre, apporter, arrêter, chasser, débusquer, dépister, descendre, effaroucher, flairer, massacrer, poursuivre, rabattre, (aller) ramasser, traquer le ~; rapporter, tuer du ~; abonder en ~.* Le ~ abonde. ♦(*la viande*) délicat, excellent, exquis, fade, fin, raffiné, savoureux, succulent. *Accommoder, apprêter, aimer, savourer le ~; acheter, manger, préparer du ~.*

GIFLE brève, énorme, forte, immense, légère, magistrale, mémorable, retentissante, sonore, violente. *Administrer, adresser, appliquer, asséner, donner, envoyer, filer, flanquer, infliger, lancer, mériter, mettre, prendre, recevoir une ~; distribuer des ~s.*

GISEMENT considérable, énorme, épuisé, exceptionnel, (in)exploitable, gigantesque, immense, important, inépuisable, inexploité, large, pauvre, riche, sous-exploité, souterrain. *Abandonner, découvrir, exploiter, rechercher, trouver un ~.*

GÎTE accueillant, agréable, chaleureux, confortable, convivial, douillet, luxueux, misérable, simple, sommaire, spacieux. *Chercher, louer, rechercher, réserver, trouver un ~.*

GLACE (*givre, neige, etc.*) artificielle, épaisse, étincelante, ferme, fondante, luisante, mince, naturelle, nette, solide, verdâtre. *Briser, casser la ~; être pris/retenu par les ~s; glisser, patiner sur la ~; marcher, tomber sur de la ~.* La ~ craque, fendille, prend, se forme, s'épaissit. ♦(*miroir*) brisée, claire, déformante, terne, ternie, trouble. *Se regarder, se voir, s'inspecter dans une ~; faire sa toilette, se coiffer devant la ~.*

GLISSE agréable, brusque, contrôlable, difficile, énergique, excellente, exceptionnelle, facile, harmonieuse, inégalée, libre, maximale, médiocre, moyenne, optimale, parfaite, rapide, régulière, réussie. *Favoriser, offrir, permettre une ~ (+ adj.); pratiquer la ~.*

GLOBE *Parcourir, sillonner le ~; faire le tour du ~.*

GLOIRE ambitieuse, brillante, confortable, courte, déclinante, douteuse, durable, éclatante, empruntée, enivrante, éphémère, éteinte, éternelle, extraordinaire, factice, fausse, flatteuse, fragile, gênante, immense, immortelle, impérissable, incomparable, inopinée, légère, (im)méritée, modeste, naissante, passée, pure, solide, soudaine, spontanée, subite, tardive, triomphante, universelle, vraie. *Connaître une ~ (+ adj.); acquérir, atteindre, célébrer, chanter, conquérir, courtiser, mépriser, poursuivre, rechercher, récolter, recueillir, refuser, souhaiter, vanter la ~; courir après la ~; travailler pour la ~; être affamé/avide/couvert de ~.* La ~ rejaillit, retombe.

GOLF (terrain) accidenté, prestigieux, uni, vallonné, vaste, verdoyant. (Sport) *Pratiquer le ~; s'adonner au ~.*

GOLFE admirable, clair, énorme, étroit, fermé, immense, large, miniature, profond, vaste.

GORGE altérée, contractée, déployée, irritée, nouée, prise, sèche, serrée. *Avoir la ~ (+ adj.); s'éclaircir, se racler la ~; prendre, saisir, sauter à la ~; chanter, crier, rire à pleine ~.*

GOUFFRE béant, circulaire, dangereux, important, impressionnant, inexplorable, insondable, opaque, profond. *Découvrir, explorer, sonder, traverser, trouver un ~; descendre, être bloqué/coincé, s'enfoncer, s'engloutir, tomber dans un ~.*

GOURMANDISE (in)assouvie, dévorante, discrète, excessive, extrême, grande, immodérée, impatiente, incontrôlable, indicible, inimaginable, inouïe, insatiable, légère, raffinée, (in)satisfaite, vorace. *Être, faire preuve d'une ~ (+ adj.); sombrer dans la ~; apaiser, assouvir, satisfaire sa ~; donner libre cours, céder, résister à sa ~; manger, savourer avec ~.*

GOÛT (saveur) abominable, acerbe, acide, âcre, affreux, (dés)agréable, aigre, amer, âpre, aromatique, atroce, citronné, (in)connu, corsé, délectable, délicat, délicieux, détestable, (in)déterminé, développé, douceâtre, douteux, doux, écœurant, envahissant, épicé, excellent, exécrable, exquis, fâcheux, fade, faible, fin, fort, fruité, incomparable, indéfinissable, infect, insipide, irréprochable, léger, marqué, mauvais, médiocre, mielleux, modéré, moelleux, (a)normal, opiniâtre, particulier, passager, (im)perceptible, persistant, piquant, (dé)plaisant, poivré, prononcé, puissant, raffiné, rance, râpeux, relevé, répugnant, salé, savoureux, sec, sirupeux, suave, succulent, sucré, sur, tenace, terreux, usé, vif, vineux. *Avoir, donner, garder, laisser un ~ (+ adj.); être d'un ~ (+ adj.); affiner, apprécier, émousser, flatter, perdre, rehausser, relever, retrouver, savourer un/le ~; avoir le ~ (+ adj.); donner du ~; être dépourvu de ~.* ♦ (attirance, préférence, style) affirmé, attardé, averti, avisé, bizarre, charmant, commun, constant, contestable, contradictoire, défectueux, délicat, déplorable, dépravé, détestable, discutable, dispendieux, dominant, douteux, durable, effréné, équivoque, excessif, exquis, extrême, fâcheux, faux, fin, grossier, infaillible, inné, insensé, intelligent, irréprochable, luxueux, macabre, marqué, mauvais, médiocre, (im)modéré, modeste, morbide, naturel, net, opposé, ostentatoire, parfait, personnel, perverti, prononcé, raffiné, ridicule, ruineux, sain, sévère, simple, sobre, subjectif, sûr, tranché, voyant, vulgaire. *Avoir un/le ~ (+ adj.); être, faire preuve d'un ~ (+ adj.); affiner, cultiver, développer, (dé)former le/son ~; acquérir, avoir du ~; changer, être dénué/dépourvu, manquer de ~.* Un ~ passe, s'affine, s'élargit.

GOUTTE brillante, claire, cristalline, épaisse, figée, fine, froide, limpide, rapide, scintillante, transparente. Des ~s jaillissent, perlent, ruissellent, tombent.

GOUVERNAIL *Abandonner, maintenir, saisir, tenir le ~; être au ~.*

GOUVERNEMENT absolu, actif, anarchique, autoritaire, (in)capable, conservateur, (in)contesté, corrompu, démocratique, despotique, dictatorial, (in)efficace, élargi, élu, établi, faible, fantoche, fort, fragile, intègre, intérimaire, (il)légitime, libéral, majoritaire, malade, mauvais, minoritaire, oppressif, ordonné, passif, pondéré, (im)populaire, progressiste, provisoire, (im)prudent, (im)puissant, représentatif, (ir)responsable, restreint, sage, solide, sortant, (in)stable, temporaire, tentaculaire, transitoire. *Assumer, bâtir, changer, combattre, composer, constituer, créer, critiquer, désigner, diriger, élire, établir, former, installer, instaurer, instituer, mettre en place, nommer, présider, quitter, remanier, renouveler, renverser, représenter, soutenir un/le ~; démissionner d'un/du ~; changer de ~.* Un/le ~ s'écroule, se décompose, s'effondre, se réforme, se renouvelle, se réunit, siège, s'installe.

GRÂCE (charme) admirable, affectée, agaçante, altière, appesantie, appliquée, charmante, courtoise, désinvolte, distinguée, douce, efféminée, élancée, enchanteresse, enfantine, enjouée, étudiée, exquise, exceptionnelle, fascinante, féline, féminine, fine, frêle, fugitive, hardie, imposante, infinie, inimitable, insolente, insouciante, juvénile, légère, maladroite, maniérée, mièvre, naïve, naturelle, nébuleuse, nonchalante, parfaite, pataude, remarquable, saine, sauvage, séductrice, séduisante, sensuelle, souple, souveraine, subtile, touchante, voluptueuse. *Être d'une ~ (+ adj.); avoir, déployer de la ~; perdre sa ~; manquer de ~.* Une ~ opère, se dégage.

GRADE élevé, haut, inférieur, modeste, subalterne, supérieur, suprême. *Accorder, atteindre, conférer, conquérir, décerner, détenir, obtenir un ~; avancer, monter, s'élever en ~.*

GRAFFITI artistiques, décoratifs, haineux, injurieux, obscènes, orduriers. *Dessiner, faire, graver, griffonner, inscrire, peindre un/des ~s; couvrir, être couvert de ~s.*

GRAMMAIRE complexe, compliquée, (in)correcte, déficiente, faible, fautive, impeccable, irréprochable, mauvaise, nulle, simple. *Apprendre, connaître, contourner, corriger, maltraiter, observer, respecter, réviser, savoir, soigner, travailler, vérifier la ~; faire de la ~.*

GRANDEUR appropriée, adéquate, constante, démesurée, différente, (in)égale, étonnante, exagérée, excessive, idéale, immense, inhabituelle, inférieure, infinie, infinitésimale, modeste, moyenne, nature, naturelle, (a)normale, phénoménale, prodigieuse, raisonnable, réduite, réelle, spectaculaire, stupéfiante, (in)suffisante, supérieure, variable. *Être d'une/de ~ (+ adj.); apprécier, déterminer, établir, évaluer, mesurer une ~.*

GRATITUDE affectueuse, attendrie, aveugle, émue, éperdue, éternelle, excessive, extrême, grande, humble, immense, impérissable, indéfectible, infinie, juste, justifiée, méritée, mitigée, parfaite, particulière, permanente, profonde, respectueuse, sincère, touchante, vive. *Éprouver, garder, ressentir, témoigner, vouer une ~ (+ adj.); faire preuve d'une ~ (+ adj.); exprimer, manifester, montrer, prouver, récolter, témoigner, vouer de la/sa ~; déborder, être ému/rempli/saisi, trembler de ~.*

GRATTE-CIEL austère, gigantesque, grandiose, imposant, impressionnant, majestueux, rutilant, vertigineux, vaste, vétuste.

GRAVITÉ ahurissante, certaine, considérable, démesurée, douloureuse, élevée, énorme, exceptionnelle, excessive, extrême, incontestable, indiscutable, inédite, infinie, inhabituelle, inouïe, implacable, majeure, mineure, monumentale, particulière, profonde, rare, relative, simulée, solennelle, soudaine, suffisante, variable. *Amplifier, comprendre, grossir, minimiser la ~ de qqch.; avoir conscience, se rendre compte de la ~ de qqch.*

GRENADE assourdissante, explosive, fumigène, incapacitante, incendiaire, lacrymogène, percutante, (sur)puissante, suffocante. *Amorcer, armer, balancer, brandir, (dé)goupiller, jeter, lancer, tirer une ~; attaquer, combattre à la ~.* Une ~ éclate, explose, pète.

GRÈVE (rivage) caillouteuse, déserte, étroite, fangeuse, immense, isolée, large, nue, rocailleuse, sablonneuse, vaste, vide. *Aborder, atteindre, côtoyer, longer, quitter, toucher la ~; s'approcher, s'éloigner de la ~; déferler, se briser, s'échouer, s'étaler sur la ~.* ♦ (arrêt de travail) appréhendée, brève, courte, disciplinée, dure, éclair, générale, interminable, (in)justifiée, (il)licite, (il)limitée, longue, massive, partielle, perlée, prolongée, réussie, sauvage, sectorielle, sélective, spectaculaire, spontanée, sporadique, suivie, surprise, symbolique, systématique, totale, tournante, victorieuse, violente. *Connaître une ~ (+ adj.); annuler, arrêter, briser, casser, contremander, décider, déclarer, déclencher, décommander, décréter, démarrer, désamorcer, enrayer, entamer, lancer, mener, ordonner, poursuivre, programmer, reporter, réprimer, soutenir, subir, suspendre, terminer, voter une ~; faire face, mettre fin, participer, prendre part, renoncer à une ~; être victime d'une ~; vouloir la ~; appeler, inciter à la ~; voter pour la ~; entrer, être, partir, se mettre en ~.* Une/la ~ commence, éclate, paralyse, perdure, prend fin, s'amplifie, se durcit, s'enlise, se poursuit, se prolonge, s'étend, se termine.

GRIEF absurde, anodin, grave, imaginaire, important, (in)juste, (in)justifié, léger, (il)légitime, lourd, (im)mérité, mesquin, réel, sérieux, solide, stupide, valable, vérifiable. *Entendre, exposer, formuler, nourrir, plaider, présenter, recevoir, régler un ~; faire part d'un ~.*

GRIMACE admirative, affreuse, amère, approbative, boudeuse, complice, convulsive, dédaigneuse, dégoûtée, douloureuse, ébahie, effrayée, féroce, furieuse, grosse, haineuse, horrible, inquiétante, laide, légère, moqueuse, nerveuse, odieuse, polie, simiesque, sotte, stupide, vilaine. *Avoir, esquisser, faire, laisser échapper, réprimer une ~.*

GRINCEMENT agaçant, énervant, insupportable, intermittent, intolérable, sinistre, strident, terrifiant. *Atténuer, émettre, entendre, étouffer, percevoir, produire un ~.*

GRIPPE atroce, banale, carabinée, chronique, faible, forte, maligne, mauvaise, négligée, sévère, tenace, vilaine. *Se remettre, souffrir d'une ~; attraper, avoir la ~; se faire vacciner contre la ~; être atteint/victime de la ~.*

GRIS acier, ardoise, argenté, blanchâtre, bleu, bleuté, brouillé, brun, cendre, cendré, clair, décoloré, délavé, foncé, indécis, jaunâtre, jaune, laiteux, léger, lumineux, métallisé, neutre, noir, ordinaire, pâle, perle, plomb, poussiéreux, sale, sombre, sourd, souris, taupe, terne, verdâtre, verdissant, vert.

GROGNEMENT affreux, agacé, animal, approbatif, assourdi, bourru, effrayant, effroyable, épouvantable, étouffé, féroce, impatient, inattendu, marrant, menaçant, rageur, rauque, terrible, sourd, vague, vorace. *Émettre, (faire) entendre, étouffer, lâcher, laisser échapper, pousser un ~.* Un ~ résonne, sort.

GRONDEMENT ahurissant, assourdissant, confus, continu, énorme, épouvantable, étouffé, indistinct, lointain, menaçant, perceptible, profond, puissant, sinistre, sourd, terrible, vague, violent. *Émettre, laisser échapper, pousser un ~.* Un ~ monte, retentit, s'amplifie, se fait sentir, s'élève, se répercute.

GROSSESSE accidentelle, à risque, avancée, courte, (in)désirée, difficile, éprouvante, hâtive, heureuse, imprévue, longue, malvenue, multiple, (a)normale, pénible, planifiée, précoce, prolongée, raccourcie, sereine, tardive. *Désirer, empêcher, interrompre, provoquer, vivre une ~.*

GROSSEUR appropriée, adéquate, constante, (dé)croissante, démesurée, différente, (in)égale, énorme, étonnante, exceptionnelle, excessive, faible, idéale, honnête, immense, inhabituelle, inférieure, infinie, infinitésimale, modeste, moyenne, (a)normale, phénoménale, prodigieuse, raisonnable, réduite, réelle, spectaculaire, stupéfiante, (in)suffisante, supérieure, variable. *Être d'une/de ~ (+ adj.).*

GROSSIÈRETÉ absolue, affligeante, criante, déconcertante, effroyable, épouvantable, étonnante, exagérée, impardonnable, incroyable, inqualifiable, insupportable, rare, suprême. *Être, faire preuve d'une ~ (+ adj.); débiter, dire, lancer, supporter des ~s.* Une ~ choque, scandalise.

GROTTE accessible, aménagée, énorme, fraîche, immense, immergée, insondable, obscure, profonde, sombre, souterraine, vaste. *Découvrir, explorer, sonder, visiter une ~; descendre, entrer, être* *bloqué/coincé, pénétrer, se réfugier, tomber dans une ~.*

GROUPE compact, considérable, disparate, divisé, faible, (in)formel, fort, grand, hétéroclite, hétérogène, homogène, important, imposant, intermédiaire, lâche, marginal, moyen, nombreux, performant, puissant, restreint, serré, solide, soudé, spontané, uni. *Animer, composer, constituer, créer, diriger, dissoudre, établir, former, mener, mettre sur pied un ~; appartenir, s'affilier, s'assimiler, se mêler, s'incorporer à un ~; être inscrit, s'intégrer, s'introduire dans un ~; éliminer qqn, être éliminé/exclus, exclure qqn, faire partie, se détacher d'un ~; aller, marcher, travailler en ~.* Un ~ se constitue, se désagrège, se disloque, se disperse, se forme, se scinde.

GUÉRISON (in)complète, difficile, étonnante, facile, hâtive, incertaine, inespérée, lente, longue, merveilleuse, miraculeuse, (im)parfaite, précoce, prodigieuse, prompte, radicale, rapide, tardive. *Espérer, obtenir, souhaiter une ~; s'acheminer vers la ~; être en voie de ~.* Une ~ s'accomplit, s'effectue, s'opère.

GUERRE abjecte, abominable, absurde, acharnée, âpre, atroce, aveugle, barbare, brève, brutale, catastrophique, civile, civilisée, conventionnelle, courageuse, courte, coûteuse, cruelle, dangereuse, désastreuse, destructrice, dévastatrice, difficile, discrète, dispendieuse, dure, éclair, efficace, effroyable, énorme, épouvantable, épuisante, (in)évitable, facile, féroce, flagrante, foudroyante, funeste, furieuse, générale, généralisée, horrible, humanitaire, idéologique, ignoble, imminente, impitoyable, implacable, incertaine, indécise, inéluctable, inhumaine, insensée, insoluble, intense, interminable, intestine, inutile, (in)juste, (in)justifiée, larvée, (il)limitée, locale, longue, mauvaise, meurtrière, mondiale, nécessaire, obstinée, offensive, ouverte, périlleuse, planétaire, (im)populaire, précise, prolongée, propre, rapide, rude, ruineuse, sale, sanglante, sauvage, secrète, sourde, sournoise, souterraine, sûre, terrible, totale, tragique, unilatérale, universelle, virulente. *Alimenter, (r)allumer, arrêter, causer, commencer, conduire, continuer, déchaîner, décider, déclarer, déclencher, empêcher, engager, entamer, entreprendre, éviter, faire cesser, financer, finir, fomenter, gagner, imposer, intensifier, interrompre, (faire) justifier, lancer, livrer, maîtriser, mener, organiser, perdre, poursuivre, préparer, prévenir, prolonger, provoquer, ranimer, soutenir, subir, susciter, terminer, traverser une ~; être confronté/opposé, mettre fin/un terme, participer, prendre part, se préparer à une ~; être engagé/entraîné, intervenir, se lancer, s'engager dans une ~; réchapper, sortir d'une ~; aimer, célébrer, dénoncer, détester, exécrer, prêcher, prôner, semer, supprimer, vouloir la ~; aller, être favorable/hostile, mourir, périr à la ~; se dresser contre la ~; partir pour la ~; menacer de ~; entrer, partir en ~.* Une/la ~ cesse, (re)commence, éclate, fait rage, finit, gronde, menace, prend de l'ampleur, progresse, ravage, recule, s'atténue, se déroule, se développe, s'enlise, s'ensuit, se prépare, se prolonge, se rallume, se termine, s'éternise, s'étiole, sévit, s'installe.

GUERRIER, IÈRE brave, célèbre, fier, grand, invincible, redoutable, terrible, vaillant, valeureux.

GUEULE agressive, démesurée, menaçante, monstrueuse, redoutable.

GUIDE (personne) attitré, compétent, confirmé, expérimenté, intrépide, parfait, qualifié, sûr. *Louer, prendre un ~; suivre le ~; faire office, servir de ~.* ♦ (livre) excellent, idéal, illustré, incontournable, indispensable, inestimable, intéressant, précieux, précis. *Acheter, consulter un ~.*

GUITARE désaccordée. *Accorder, gratter, racler une ~; gratter/pincer les cordes d'une ~; s'accompagner à/sur la ~; jouer, pincer de la ~.*

GUITARISTE célèbre, excellent, génial, médiocre, original, piètre, talentueux, virtuose.

GYMNASTIQUE acrobatique, assouplissante, bénéfique, douce, dynamique, énergétique, éprouvante, forcenée, intensive, lente, ludique, passive, relaxante, stricte, thérapeutique, tonique. *(s') Imposer, pratiquer une ~ (+ adj.); pratiquer la ~; faire de la ~.*

H

HABILETÉ acquise, étonnante, exceptionnelle, extrême, formidable, impressionnante, incroyable, indéniable, inégalable, innée, insuffisante, médiocre, merveilleuse, naturelle, (extra)ordinaire, piètre, prodigieuse, rare, redoutable, remarquable, sidérante, singulière, suprême, sûre, surprenante, tactique. *Acquérir, avoir, déployer, développer, inculquer, pratiquer une/des/de l'/ses ~(s); manquer d'~.*

HABILLEMENT adapté, (in)approprié, (in)adéquat, bizarre, convenable, curieux, (in)décent, décontracté, disparate, étrange, extravagant, grotesque, hétéroclite, loufoque, misérable, modeste, négligé, pauvre, ridicule, singulier, soigné, vieil. *Arborer, porter, revêtir un ~ (+ adj.); être muni/vêtu, se munir d'un ~ (+ adj.).*

HABIT chamarré, chic, convenable, correct, démodé, élégant, élimé, étriqué, impeccable, irréprochable, luxueux, magnifique, miteux, neuf, râpé, simple, somptueux, strict, superbe, usé. *Acheter, confectionner, (re)couper, endosser, enfiler, mettre, ôter, passer, porter, revêtir, tailler un ~; se revêtir d'un ~; changer d'~.*

HABITAT accueillant, (in)adapté, agréable, (in)approprié, bon, confiné, contrôlé, convenable, correct, dangereux, dégradé, délicat, dense, durable, étroit, (dé)favorable, fragile, (in)hospitalier, hostile, idéal, immense, mauvais, médiocre, menacé, naturel, perturbé, pollué, privilégié, propice, protégé, restreint, rude, (mal)sain, (in)salubre, sauvage, sensible, spacieux, (in)stable, (in)suffisant, sûr, vaste, vulnérable. *Évoluer, pousser, vivre dans un ~ (+ adj.); bénéficier d'un ~ (+ adj.); aménager, bâtir, (re)créer, défendre, dégrader, détruire, menacer, préserver, protéger, reconstituer, restaurer un ~.*

HABITUDE acquise, ancienne, ancrée, bénéfique, blâmable, bonne, constante, coûteuse, déplorable, détestable, dispendieuse, douce, dure, endurcie, enracinée, excellente, fâcheuse, faible, forte, funeste, impérieuse, immuable, inchangeable, incrustée, indéracinable, inguérissable, innocente, insurmontable, invétérée, irrésistible, irritante, lâche, longue, louable, machinale, marquée, mauvaise, néfaste, pernicieuse, profonde, routinière, (mal)saine, sale, salutaire, stable, tenace, triste, tyrannique, vieille, vilaine. *Abandonner, acquérir, avoir, bouleverser, bousculer, changer, combattre, conserver, contracter, (se) créer, cultiver, déranger, donner, enraciner, exploiter, former, garder, implanter, imposer, inculquer, (faire) perdre, perturber, (re)prendre, quitter, répandre, retrouver, rompre, transgresser, troubler, vaincre une/des/les/ses ~(s); déroger, être attaché/fidèle, renoncer à une ~; rompre avec une ~; persister, s'installer, (re)tomber dans une ~; se corriger, se défaire, se déprendre, sortir, triompher d'une ~.* Une ~ naît, se crée, se forme, se développe, se répand, s'implante, s'incruste, survit.

HAIE *(bordure)* basse, compacte, courte, décorative, dense, épaisse, étroite, fleurie, haute, infranchissable, large, longue, mince, mitoyenne, régulière, serrée, taillée, touffue, verte, vive. *Couper, élaguer, longer, planter, tailler, tondre une ~.* ♦*(Sport) Accrocher, franchir, sauter une ~.*

HAINE absolue, acharnée, amère, ardente, (in)assouvie, atroce, aveugle, bestiale, cachée, convulsive, cruelle, dangereuse, déclarée, dissimulée, durable, effroyable, endurcie, enracinée, enragée, éternelle, fanatique, farouche, féroce, forte, froide, furibonde, furieuse, grande, horrible, hystérique, impatiente, implacable, indéfectible, indéracinable, inexprimable, inextinguible, inflexible, inguérissable, intense, invétérée, invincible, irréconciliable, jalouse, (in)juste, (in)justifiée, latente, lourde, mordante, mortelle, mutuelle, obsessionnelle, opiniâtre, ouverte, passionnée, passionnelle, personnelle, poignante, profonde, raciale, raisonnée, réciproque, redoublée, réfléchie, sanglante, satisfaite, sauvage, secrète, solide, sourde, tenace, terrible, véritable, vieille, vigoureuse, virulente, viscérale, vivace, vive. *Avoir, éprouver, porter, ressentir, vouer une ~ (+ adj.); abolir, activer, alimenter, (r)allumer, apaiser, assouvir, (s') attirer, attiser, avoir, calmer, canaliser, combattre, concevoir, contenir, déchaîner, dissimuler, dissiper, encourir, engendrer, éprouver, éteindre, éveiller, exciter, fomenter, fortifier, inspirer, justifier, légitimer, manifester, nourrir, prêcher, ranimer, raviver, réduire, renforcer, rentrer, ressentir, souffler, soulever, susciter une/la/de la/sa ~; inciter à la ~; déborder, être animé/aveuglé/incapable, faire preuve, pleurer de ~.* Une ~ couve, éclate, se déclare, se répand.

HÂLE artificiel, cuivré, doré, durable, éclatant, foncé, harmonieux, homogène, intense, léger, naturel, parfait, progressif, radieux, satiné, soutenu, uniforme. *Acquérir, avoir, conserver, garder, obtenir, posséder un ~ (+ adj.).*

HALEINE âcre, bonne, chaude, douce, embaumée, empestée, épouvantable, fétide, forte, fraîche, horrible, impeccable, infecte, inodore, malodorante, mauvaise, nauséabonde, parfumée, pestilentielle, propre, puante, suave, vineuse. *Avoir une/l'~ (+ adj.).*

HALLUCINATION affreuse, brève, courte, effrayante, épouvantable, forte, horrible, longue, obsédante, légère, terrible, vive. *Avoir, entraîner, éprouver, produire, voir une/des ~(s); être la proie/la victime/le jouet d'une/d' ~(s).*

HALTÈRE court, léger, long, lourd, pesant. *Lever, ramasser, saisir, soulever, tenir un ~; s'entraîner, travailler avec des ~s.*

HAMEÇON court, double, droit, fin, gros, long, normal, simple, standard, triple. *Amorcer, avaler, garnir, extraire, mordre, retirer un ~; être accroché/pris à un ~; se servir d'un ~; être monté, mettre un appât sur un ~; mordre, (se) prendre à l'~.*

HANCHE abondantes, amples, développées, étroites, fortes, généreuses, larges, légères, longues, lourdes, minces, musclées, normales, ondulantes, parfaites, pleines, puissantes, pulpeuses, rebondies, rondelettes, rondes, saillantes, solides, souples, vigoureuses. *Avoir des/les ~s (+ adj.); se démettre, se luxer la ~; balancer, remuer, rouler les ~s; dandiner, tortiller des ~s.*

HANDICAP *(infirmité, invalidité)* acquis, auditif, avéré, caché, congénital, (mé)connu, définitif, douloureux, durable, évolutif, fonctionnel, fréquent, grave, important, irréversible, léger, lourd, mental, mineur, modéré, moteur, permanent, physique, professionnel, profond, prolongé, provisoire, psychique, reconnu, sensoriel, sévère, temporaire, total, (in)visible, visuel. *Accepter, affronter, améliorer, avoir, causer, combler, compenser, connaître, pallier, présenter, provoquer, supporter, surmonter, vaincre, vivre un ~; être confronté à un ~; apprendre, réussir, travailler, vivre avec un ~; être affecté/atteint/doté/victime, souffrir d'un ~; être touché par un ~.* Un ~ s'aggrave, survient. ♦ *(désavantage, entrave, inconvénient)* croissant, grave, important, léger, lourd, majeur, mineur, notable, profond, réel, sérieux. *Avoir, combler, compenser, connaître, constituer, devenir, entraîner, être, présenter, rencontrer, supporter, surmonter, vaincre un ~.*

HANTISE démesurée, durable, constante, effroyable, maladive, obsessionnelle, opiniâtre, permanente, perpétuelle, profonde, tenace, viscérale. *Avoir, constituer, développer, devenir, être, représenter une ~.*

HARCÈLEMENT accru, actif, constant, continuel, criminel, cruel, impitoyable, incessant, insidieux, intensif, moral, perpétuel, physique, psychologique, sexuel, systématique, téléphonique, verbal, visible. *Dénoncer, exercer, faire cesser, subir un ~; se plaindre, souffrir d'un ~; pratiquer le ~; être confronté au ~; faire, subir du ~; être victime de ~.* Un ~ apparaît, se poursuit.

HARDIESSE aventureuse, aveugle, chevaleresque, courageuse, désinvolte, étonnante, exceptionnelle, extraordinaire, extrême, fière, folle, généreuse, grande, imprudente, inconsidérée, incroyable, infinie, inimaginable, inouïe, particulière, passionnée, périlleuse, rare, renversante, superbe, surprenante, tranquille. *Dénoter, manifester, montrer une ~ (+ adj.); être, faire preuve d'une ~ (+ adj.); avoir, oser, se permettre des ~s; avoir, montrer de la ~; manquer, user de ~.*

HARMONIE absolue, admirable, complète, durable, fragile, géométrique, inaltérable, ineffable, merveilleuse, parfaite, précaire, profonde, relative, remarquable, rigoureuse, sereine, singulière, souhaitable, subtile, véritable. *Compromettre, conserver, créer, détruire, faire régner, goûter, réaliser, rétablir, retrouver, rompre, troubler une/l'~; être dépourvu, manquer d'~; être, mettre, vivre en ~.* L'~ est menacée, règne, s'établit, s'installe.

HASARD capricieux, curieux, étrange, exceptionnel, favorable, (mal)heureux, improbable, inattendu, malencontreux, miraculeux, mystérieux, orienté, providentiel, provoqué, pur, singulier. *Aider, tenter le ~; faire confiance, s'abandonner, s'aventurer, s'en remettre au ~; dépendre du ~.*

HÂTE certaine, croissante, dissimulée, excessive, extrême, fébrile, fiévreuse, grande, grandissante, imprudente, inconsidérée, joyeuse, maladroite, particulière, précipitée, précoce, silencieuse, soudaine, subite, surprenante, suspecte, téméraire, terrible. *Avoir, manifester, montrer, témoigner une ~ (+ adj.); faire preuve d'une ~ (+ adj.).*

HAUSSE alarmante, astronomique, (in)attendue, automatique, brusque, brutale, catastrophique, considérable, constante, continue, durable, énorme, exagérée, exceptionnelle, excessive, exorbitante, exponentielle, extraordinaire, factice, faible, faramineuse, forte, fulgurante, générale, généralisée, graduelle, immense, importante, impressionnante, indéfinie, infinie, inquiétante, intermittente, (in)justifiée, légère, lente, (il)limitée, majeure, mineure, modérée, modeste, nette, (in)opportune, palpable, passagère, (im)prévisible, (im)prévue, prodigieuse, progressive, (dé)raisonnable, rapide, (i)régulière, sauvage, scandaleuse, (in)sensible, significative, soudaine, spectaculaire, spontanée, subite, substantielle, systématique, uniforme, vertigineuse. *Accentuer, accuser, afficher, combattre, connaître, contenir, enrayer, enregistrer, entraîner, escompter, freiner, provoquer, réclamer, subir une ~.* Une ~ a lieu, intervient, se produit.

HAUTEUR admirable, colossale, considérable, convenable, démesurée, (in)déterminée, effrayante, élevée, énorme, exagérée, excessive, faible, fantastique, forte, immense, imposante, impressionnante, inattendue, inégale, infinie, inimaginable, inusitée, (il)limitée, majestueuse, maximale, maximum, minimale, minimum, modeste, monumentale, moyenne, (a)normale, optimale, (extra)ordinaire, prodigieuse, (in)suffisante, totale, variable, vertigineuse. *Atteindre une ~ (+ adj.); augmenter, dépasser, déterminer, diminuer, estimer, évaluer, mesurer, réduire la ~; perdre, prendre de la ~; augmenter, diminuer de ~.*

HÉLICOPTÈRE bruyant, léger, lourd, (ultra)moderne, puissant, (ultra)rapide, sophistiqué, sûr. *Piloter, stationner un ~; faire appel à un ~; monter dans un ~; être assisté/évacué/récupéré/transporté par un ~.* Un ~ atterrit, décolle, s'abîme en mer, s'écrase, survole, vole, tournoie dans le ciel.

HÉMORRAGIE faible, forte, importante, interne, légère, massive, spontanée. *Arrêter, avoir, causer, contenir, déclencher, enrayer une ~; faire face, succomber à une ~; mourir d'une ~.* Une ~ intervient, se produit, survient.

HERBE (sur)abondante, amère, aromatique, basse, broussailleuse, brûlée, couchée, coupée, courte, douce, drue, dure, épaisse, épineuse, fanée, fauchée, fine, flétrie, fleurie, fournie, fraîche, froissée, givrée, grasse, haute, humide, jaunâtre, jaunie, longue, maigre, malade, mauvaise, médicinale, menue, mince, molle, mouillée, neuve, nouvelle, nuisible, odorante, pauvre, pelée, rare, rase, riche, rôtie, rousse, roussie, rude, sauvage, savoureuse, sèche, (des)séchée, serrée, tendre, terne, tondue, touffue, trempée, variée, verte, vivace. *Chercher, cueillir, cultiver des ~s; arroser, brouter, couper, faucher, fouler, paître, tondre l'~; courir, marcher, s'allonger, s'asseoir, se coucher, se rouler, s'étendre, se vautrer dans l'~; gambader, dormir, s'installer sur l'~.* Une ~ croît, ondoie, ploie, (re)pousse, se dessèche, verdoie.

HÉRITAGE contesté, coquet, disputé, énorme, fabuleux, grevé, hypothétique, immense, important, inattendu, incroyable, inespéré, insignifiant, léger, lointain, lourd, maigre, mince, modeste, négatif, positif, problématique, rondelet, somptueux, substantiel, volatilisé. *Accepter, assumer, assurer, attendre, capter, contester, convoiter, dilapider, disputer, dissiper, engloutir, escompter, espérer, faire, grignoter, laisser, léguer, lorgner, manger,* *posséder, recevoir, réclamer, recueillir, récupérer, refuser, rejeter, répudier, revendiquer, toucher, transmettre un ~; prétendre, renoncer à un ~; entrer en possession, être dépossédé, prendre possession, priver qqn d'un ~; laisser, transmettre en ~; acquérir, obtenir par ~.*

HÉRITIER, IÈRE aisé, apparent, avide, désargenté, (in)direct, fortuné, légal, légitime, lointain, pauvre, présomptif, proche, riche, richissime, unique, universel. *Désigner, nommer son ~.*

HÉROÏSME absolu, admirable, anonyme, authentique, discret, éclatant, exemplaire, exceptionnel, extrême, grand, impuissant, indéniable, intrépide, légendaire, obscur, (extra)ordinaire, quotidien, rare, romantique, silencieux, sobre, soudain, spectaculaire, sublime, surhumain, téméraire, triomphal, vain, véritable. *Être, faire preuve d'un ~ (+ adj.); célébrer l'~; déployer, manifester, montrer de l'~.*

HÉROS, HÉROÏNE *(brave)* accompli, anonyme, brave, courageux, effacé, fameux, glorieux, grand, international, intrépide, invincible, involontaire, légendaire, méconnu, modeste, mondial, mythique, national, oublié, réel, téméraire, tranquille, valeureux. *Se prendre pour un ~; jouer au ~; mourir, (se) poser, se conduire, tomber en ~.* ♦*(Cinéma, Littérature, Théâtre)* attachant, central, complexe, (in)consistant, conventionnel, crédible, fade, faible, fort, humain, intéressant, mauvais, médiocre, modeste, omniprésent, passionnant, piètre, principal, protagoniste, puissant, romantique, secondaire, simple, touchant, traditionnel, tragique, triste, (a)typique. *Camper, composer, créer, imaginer, interpréter, inventer un ~.*

HÉSITATION apparente, bonne, brève, courte, feinte, funeste, imperceptible, imprévue, initiale, légère, longue, prudente, soudaine, subite. *Avoir, éprouver, manifester, marquer, montrer, ressentir une ~; faire preuve, profiter d'une ~; surmonter, vaincre ses ~(s).*

HEURE (in)accoutumée, (dés)agréable, avancée, (in)commode, convenable, convenue, critique, cruciale, décisive, délicieuse, (in)déterminée, difficile, dite, douce, écoulée, enchantée, entière, (in)exacte, exquise, facile, fébrile, fixe, fixée, grave, (in)habituelle, (mal)heureuse, incongrue, indécise, indiquée, indue, inoubliable, inusitée, juste, libre, longue, marquée, matinale, mauvaise, mémorable, merveilleuse, mortelle, pénible, perdue, précieuse, (im)précise, première, prescrite, privilégiée, propice, savoureuse, sombre, supplémentaire, tardive, triste, vide, voulue. *Connaître, passer, vivre une/des ~(s) (+ adj.); consacrer, donner, fixer, perdre, prendre, spécifier une ~; avancer, demander, dire, donner, indiquer, laisser passer, lire, oublier, regarder, retarder, savoir, voir l'~; compter, oublier, tromper les ~s; être en avance sur l'~; se tromper d'~.*

HEURT accidentel, brusque, brutal, dangereux, direct, dur, formidable, fortuit, frontal, gros, immédiat, léger, puissant, sanglant, sérieux, sonore, soudain, sourd, subit, terrible, (in)volontaire, violent. *Causer, éviter, provoquer, recevoir un ~.* Un ~ se fait, se produit, survient.

HIÉRARCHIE absolue, arbitraire, (in)contestée, déterminée, efficace, énorme, établie, étroite, faible, forte, fragile, grande, immense, légitime, (il)limitée, nécessaire, pesante, précaire, puissante, restreinte, rigide, rigoureuse, secrète, solide, souple, stricte, suprême. *Créer, établir, respecter une ~; classer, organiser, régler selon une ~; avancer, grimper, progresser, s'élever dans la ~; être à cheval sur la ~; être au sommet de la ~.* Une ~ s'impose, s'installe.

HISTOIRE *(récit, incident)* aberrante, abominable, abracadabrante, absurde, amusante, atroce, authentique, banale, bouffonne, bouleversante, brève, captivante, cocasse, comique, compliquée, confuse, corsée, courte, crédible, crue, cruelle, curieuse, déchirante, décousue, délicieuse, déplorable, désopilante, divertissante, douloureuse, drolatique, drôle, édifiante, effrayante, effroyable, émouvante, ennuyeuse, épicée, étonnante, étrange, fabuleuse, fantastique, farfelue, fausse, (in)fidèle, glorieuse, grivoise, hallucinante, (mal)heureuse, horrible, idiote, ignoble, incroyable, instructive, intéressante, intrigante, larmoyante, longue, louche, loufoque, lugubre, macabre, magnifique, malpropre, minable, misérable, monotone, moralisatrice, mouvementée, mystérieuse, palpitante, passionnante, pathétique, pénible, piquante, pitoyable, pittoresque, plaisante, poignante, poivrée, prenante, réelle, refoulée, réjouissante, rocambolesque, salace, salée, savoureuse, scabreuse, scandaleuse, sensationnelle, simple, singulière, sombre, sordide, sulfureuse, surprenante, suspecte, touchante, tourmentée, tragique, traumatisante, triste, troublante, trouble, tumultueuse, turbulente, véridique, verte, vivante, vraie, (in)vraisemblable. *Arranger, avoir, concocter, conter, corser, créer, croire, débiter, dire, dramatiser, échafauder, écouter, écrire, embellir, entendre, esquisser, fabriquer, forger, imaginer, inventer, narrer, rabâcher, raconter, rapporter, recueillir, se remémorer, savoir, (re)tracer une/des ~(s); aimer les ~s.* ♦ *(Science, événements)* ancienne, contemporaine, officielle, populaire, traditionnelle, universelle. *Aborder, apprendre, comprendre, (re)faire, enseigner, falsifier, interpréter, interroger, respecter, retoucher, réviser, vulgariser l'~; appartenir, passer à l'~; prendre place, entrer, jouer un rôle dans l'~; être féru d'~; être faible/fort en ~.*

HISTORIEN, IENNE admirable, bon, célèbre, concis, confirmé, contesté, éminent, érudit, (in)exact, excellent, fantaisiste, fidèle, grand, immense, objectif, (im)partial, patenté, piètre, profond, prolixe, reconnu, respecté, rigoureux, scrupuleux, sérieux, sévère, subjectif, véridique.

HISTORIQUE abrégé, bref, bon, clair, complet, court, détaillé, exhaustif, long, minutieux, objectif, précis, sommaire, succinct. *Donner, écrire, faire, rappeler, (re)tracer l'~ de qqch.*

HIVER affreux, âpre, avancé, (in)clément, court, détestable, doux, dur, froid, glacial, humide, impitoyable, insupportable, interminable, long, mémorable, neigeux, pénible, perpétuel, pluvieux, précoce, rigoureux, rude, (mal)sain, sec, sombre, tardif, terrible, tiède, tonique, violent. *Affronter, aimer, détester, redouter l'~; survivre à l'~; s'accommoder, sortir de l'~; aller vers l'~; être en ~.* L'~ approche, arrive, décline, (s') achève, s'en va, s'éternise, se traîne, s'installe, tire à sa fin.

HOCHEMENT admiratif, affirmatif, approbatif, complice, énergique, évasif, excédé, faible, fort, furtif, léger, négatif, nonchalant, pensif, poli, positif, satisfait, silencieux, vif. *Avoir, échanger, faire un ~; accepter, acquiescer, approuver, confirmer, montrer, remercier, saluer, se contenter d'un ~; répondre par un ~.*

HOCKEY défensif, offensif, spectaculaire. *Pratiquer le ~; jouer au ~; être un adepte/fan/fidèle/inconditionnel/mordu/pa ssionné de ~.*

HOCKEYEUR, EUSE accompli, aguerri, ardent, chevronné, combatif, complet, débutant, excellent, implacable, inégal, infatigable, intrépide, néophyte, novice, opiniâtre, passable, puissant, rapide, redoutable, vaillant, vétéran.

HOMMAGE appuyé, chaleureux, dépouillé, discret, doux, éclatant, émouvant, enthousiaste, équivoque, exagéré, exceptionnel, fastueux, flatteur, forcé, grand, humble, impressionnant, intense, juste, (in)justifié, maladroit, (im)mérité, obligé, piètre, rare, remarquable, respectueux, sincère, sobre, solennel, spontané, subtil, suprême, suspect, tardif, triste, ultime, vibrant, (in)volontaire. *Adresser, apporter, décerner, donner, offrir, présenter, recevoir, rendre un ~ (+ adj.); fuir, mépriser les ~s.*

HOMME (in)accessible, adroit, affable, affreux, âgé, aimable, ambitieux, austère, barbu, bien, bon, brave, brillant, brusque, casanier, chaleureux, charmant, chauve, colossal, communicatif, coquet, cordial, corpulent, costaud, courageux, craintif, cultivé, curieux, décharné, délicat, désespéré, désirable, despotique, difforme, discret, dodu, doux, efféminé, égoïste, élégant, émacié, éminent, énergique, enthousiaste, estimable, exalté, exquis, extraordinaire, faible, (in)fidèle, fier, filiforme, fin, flamboyant, flegmatique, fort, fougueux, fragile, fringant, frugal, frustre, galant, gracieux, grand, gros, grossier, grassouillet, habile, hautain, (mal)heureux, hideux, (mal)honnête, honorable, immense, imposant, infantile, intègre, intelligent, intrépide, irrésistible, irritable, jeune, jovial, lâche, laid, loquace, maigre, maniable, maniéré, massif, mature, méchant, mélancolique, merveilleux, modeste, moustachu, mûr, musclé, musculeux, mystérieux, négligé, niais, nonchalant, passionnant, pantouflard, passionné, poilu, poli, pondéré, posé, pratique, puissant, raffiné, rebutant, remarquable, réservé, résistant, résolu, respectable, respectueux, robuste, rond, rondelet, rude, savant, séduisant, sensé, sensible, sérieux, serviable, sot, spirituel, sportif, supérieur, timide, trapu, véhément, velu, vieil, vigoureux, violent, volontaire, vrai.

HOMOPHOBIE affichée, agressive, ambiante, diffuse, ordinaire, virulente. *Alimenter, combattre, dénoncer, nourrir, pratiquer, tolérer l'~; lutter contre l'~.*

HOMOSEXUALITÉ affichée, affirmée, assumée, cachée, clandestine, déclarée, implicite, inconsciente, latente, présumée, réelle, refoulée. *Accepter, condamner, opprimer, pratiquer, tolérer l'~; accepter, afficher, annoncer, assumer, avouer, cacher, clamer, déclarer, dévoiler,* *rejeter, renier, révéler, revendiquer, vivre son ~; faire mystère, parler (ouvertement) de son ~; être soupçonné d'~.*

HOMOSEXUEL, ELLE affiché, assumé, caché, convaincu, déclaré, efféminé, excentrique, notoire, passif, pratiquant.

HONNÊTETÉ absolue, bornée, brutale, constante, courageuse, coûteuse, défaillante, désarmante, douteuse, exagérée, exceptionnelle, excessive, exemplaire, farouche, foncière, grande, impitoyable, implacable, indubitable, inébranlable, insoupçonnable, intransigeante, irréprochable, louable, maladive, méritoire, naturelle, parfaite, payante, rare, relative, rigoureuse, scrupuleuse, totale, touchante. *Être, faire preuve d'une ~ (+ adj.); contester, mettre en doute, suspecter l'~ de qqn.*

HONNEUR bafoué, douteux, énorme, enviable, grand, immense, impeccable, incontestable, inespéré, insigne, (im)mérité, perdu, rare, sali, unique. *Accaparer, accorder, accumuler, aimer, compromettre, conserver, décerner, décliner, dédaigner, défendre, dispenser, engager, faire, garder, laver, mépriser, mériter, perdre, protéger, rechercher, refuser, réserver, revendiquer, sauvegarder, sauver, se disputer, venger, viser un/son/l'/les ~(s); aspirer aux ~s; courir après les ~s; se désintéresser des ~s; travailler pour l'~.*

HONORAIRES colossaux, confortables, convenables, décents, dus, élevés, énormes, équitables, excessifs, exorbitants, fabuleux, faibles, faramineux, fixes, forts, immenses, impressionnants, intéressants, (in)justes, (in)justifiés, légers, maigres, médiocres, (im)mérités, minables, misérables, modérés, modestes, modiques, monstrueux, (dé)raisonnables, ridicules, ruineux, somptueux, substantiels. *Accepter, demander, fixer, payer, recevoir, réclamer, toucher, verser des ~.*

HONTE extrême, fausse, imméritée, inavouée, ineffaçable, profonde, ridicule, secrète, vaniteuse, vive. *Avoir ~; causer, essuyer, éviter, semer la ~; éprouver, inspirer, ressentir de la ~; avouer, cacher, effacer, étaler, pleurer, ravaler sa ~; couvrir qqn, frémir, mourir, pâlir, pleurer, rougir, se cacher, trembler de ~.*

HÔPITAL bondé, débordé, engorgé, (ultra)moderne, réputé, rudimentaire, saturé, sous-équipé, surchargé, suréquipé, vétuste. *Être dirigé/évacué, orienter des malades vers un/l'~; admettre, envoyer, être, être admis/soigné/traité/ transporté à l'~; sortir de l'~.*

HOQUET brusque, brutal, bruyant, chronique, faible, fort, gros, guttural, horrible, important, incontrôlable, inhabituel, incessant, incoercible, isolé, léger, opiniâtre, persistant, prolongé, rebelle, récalcitrant, sonore, tenace, terrible, violent. *Avoir un ~ (+ adj.); arrêter, émettre, étouffer, faire, faire cesser/passer, lâcher, laisser échapper, pousser, réprimer, retenir un ~; être pris, guérir, se débarrasser, souffrir d'un ~; être secoué par un ~; attraper, avoir, donner le ~; être secoué de ~s.* Un/le ~ dure, persiste, récidive, s'arrête, se calme.

HORAIRE (in)adéquat, (in)approprié, astreignant, banal, cadencé, (sur)chargé, commode, contraignant, court, décalé, (in)décent, défini, élastique, fixe, (in)flexible, flou, immuable, incertain, infernal, intéressant, libre, (il)limité, long, minuté, mobile, (a)normal, personnalisé, pratique, (im)précis, prolongé, réduit, (ir)régulier, renforcé, répétitif, rigide, rigoureux, serré, souple, strict, (a)typique, (in)variable. *Avoir un ~ (+ adj.); aménager, définir, déterminer, dresser, établir, (se) fixer, observer, organiser, respecter, suivre, tenir un ~; être en avance/ retard sur un/l'/son ~; se conformer, se soumettre à un ~; abréger, allonger, aménager, décaler, réduire les ~s.*

HORIZON assombri, bas, bleu, bleuâtre, bleuté, brouillé, brumeux, chargé, clair, coloré, confus, couvert, dégagé, élargi, élevé, embrasé, embrouillé, embrumé, empourpré, ensoleillé, étendu, étroit, flamboyant, fumeux, gris, grisâtre, haut, immaculé, immense, incertain, infini, laiteux, libre, (il)limité, limpide, lointain, lumineux, menaçant, morne, nébuleux, net, obscur, ocre, opaque, orageux, pâle, pâli, palissant, plat, profond, pur, rouge, rougeoyant, rougissant, serein, sombre, ténébreux, transparent, vaporeux, vaste, voilé. *Admirer, inspecter, observer, parcourir, scruter, sonder l'~; apercevoir, apparaître, disparaître, onduler, poindre, se détacher, se profiler à l'~; se découper, se détacher, se projeter sur l'~.* L'~ blanchit, blêmit, pâlit, s'agrandit, s'éclaire, se dégage, s'embrase, s'empourpre, s'obscurcit.

HOROSCOPE bon, fâcheux, (dé)favorable, mauvais. *Dresser, faire, tirer l'~ de qqn; consulter, lire son ~.*

HORREUR absolue, affreuse, angoissante, cynique, effroyable, épouvantable, grandissante, indescriptible, indicible, inexprimable, infinie, inhumaine, inimaginable, innommable, inqualifiable, insondable, instinctive, insurmontable, intense, invincible, panique, profonde, pure, secrète, silencieuse, sincère, soudaine, terrible, totale, tranquille, véritable, vive. *Causer, déclencher, inspirer, susciter une ~ (+ adj.); être, être pris d'une ~ (+ adj.); colporter, commettre, débiter, dire, faire, raconter, répandre des ~s; répandre, semer, subir l'~; basculer dans l'~; crier, défaillir, être cloué/frappé/muet/saisi, hurler, pâlir, reculer, s'évanouir, tomber, trembler d'~.* L'~ règne, se déchaîne, s'installe.

HOSPITALISATION brève, complète, continue, courte, excessive, immédiate, imprévue, intensive, longue, nécessaire, normale, partielle, programmée, prolongée, rapide, urgente. *Demander, éviter, imposer, nécessiter, ordonner, préparer, prescrire, prolonger, retarder, subir une ~; sortir d'une ~.*

HOSPITALITÉ affable, amicale, authentique, chaleureuse, charmante, conviviale, cordiale, désarmante, empressée, enthousiaste, excellente, exceptionnelle, exquise, généreuse, légendaire, parfaite, spontanée, sympathique, touchante, traditionnelle. *Accepter, accorder, demander, donner, exercer, offrir, pratiquer, proposer, recevoir, refuser l'~; abuser de l'~.*

HOSTILITÉ ambiante, bruyante, croissante, cruelle, déclarée, évidente, extrême, ferme, féroce, franche, grandissante, inconsciente, injuste, irréconciliable, irréductible, irréfléchie, latente, maladive, manifeste, marquée, méfiante, (im)méritée, meurtrière, muette, permanente, persistante, refoulée, sauvage, sourde, sournoise, totale, véhémente, vive, violente, viscérale, voilée. *Manifester, marquer, montrer, nourrir, témoigner une ~ (+ adj.); arrêter, cesser, commencer, déclencher, engager, interrompre, ouvrir, poursuivre, reprendre, suspendre des/les ~s.*

HÔTE, HÔTESSE *(maître de maison, aubergiste)* accueillant, aimable, attentionné, avenant, bienveillant, chaleureux, charmant, convivial, cordial, dévoué, empressé, généreux, impeccable, irréprochable, parfait, prévenant, sympathique, zélé. *Remercier ses ~s; prendre congé de ses ~s.* ♦ *(invité, client)* assidu, attendu, distingué, encombrant, exigeant, familier, illustre, importun, indésirable, passager, tapageur. *Accueillir, attendre, loger, nourrir, recevoir, régaler, renvoyer, retenir, soigner, traiter un/ses ~(s).*

HÔTEL accueillant, banal, bon marché, borgne, calme, célèbre, charmant, chic, (in)confortable, convenable, correct, cossu, douteux, économique, élégant, étoilé, excellent, fastueux, grand, hideux, immonde, impeccable, imposant, impressionnant, infect, joli, louche, lugubre, luxueux, magnifique, majestueux, malfamé, merveilleux, minable, misérable, miteux, (ultra)moderne, modeste, paradisiaque, passable, petit, plein, prestigieux, pompeux, (mal)propre, propret, quelconque, recommandable, rénové, réputé, sale, simple, sinistre, somptueux, sordide, splendide, standard, superbe, tranquille, vaste. *Chercher, choisir, diriger, gérer, rechercher, recommander, réserver, retenir, tenir, trouver un ~; descendre, loger à/dans un ~; aller, coucher, vivre à l'~; quitter, regagner l'~.*

HUÉE agressives, enthousiastes, fournies, générales, haineuses, horribles, immenses, inquiétantes, insistantes, prolongées, tapageuses. *Crier, déclencher, entendre, essuyer, percevoir, pousser, provoquer, recevoir, s'attirer, siffler des ~s; accueillir qqn/qqch., être accueilli/interrompu/poursuivi, répondre par des ~s; attirer, déchaîner les ~s.* Des ~s éclatent, montent, retentissent, se font entendre, s'élèvent, sortent.

HUMEUR acariâtre, accommodante, (dés)agréable, aigre, austère, badine, batailleuse, bavarde, belliqueuse, bizarre, blagueuse, bourrue, brusque, calme, capricieuse, changeante, charmante, combative, communicative, conciliante, (in)constante, contrariante, criarde, débonnaire, dépressive, détestable, difficile, (in)docile, douce, (in)égale, endurante, enjouée, épouvantable, étrange, excellente, exécrable, extraordinaire, facile, fanatique, fantasque, farouche, ferme, féroce, fière, gaie, goguenarde, grinçante, grincheuse, hargneuse, hautaine, hystérique, imprévisible, inaltérable, incohérente, indépendante, indifférente, indomptable, inquiète, insouciante, insupportable, intolérable, irascible, irritable, jalouse, joviale, joyeuse, lente, macabre, massacrante, maussade, méchante, méditative, mélancolique, moqueuse, morose, narquoise, noire, nonchalante, pacifique, paisible, (im)patiente, pessimiste, piquante, prompte, pugnace, querelleuse, radieuse, régulière, rétive, sauvage, sinistre, sociable, solitaire, sombre, taciturne, taquine, tatillonne, terrible, triste, vagabonde, variable, violente, vive. *Être dans une ~ (+ adj.); être, faire preuve d'une ~ (+ adj.); avoir l'~ (+ adj.); discipliner, maîtriser, tempérer son ~; changer d'~.*

HUMIDITÉ (sur)abondante, accablante, adéquate, ambiante, appréciable, appropriée, basse, chaude, considérable, constante, contrôlée, élevée, excessive, extrême, faible, fétide, forte, froide, glacée, grande, importante, insupportable, légère, lourde, malsaine, maximale, minimale, modérée, nocturne, (a)normale, oppressante, pénétrante, perpétuelle, persistante, raisonnable, (ir)régulière, (in)satisfaisante, sèche, stagnante, (in)suffisante, surprenante, uniforme, variable. *Assurer, garder une ~ (+ adj.); être d'une ~ (+ adj.); absorber, entretenir, sentir, suer, supprimer l'~; pourrir, résister, se gondoler à l'~; lutter, protéger contre l'~; préserver, protéger de l'~; être rongé/rouillé par l'~; avoir besoin, être imprégné/saturé/suintant/trempé, ruisseler d'~.* Une/l'~ coule, glace, monte, pénètre, ruisselle, se produit, suinte, tombe.

HUMILIATION absolue, atroce, collective, consentie, constante, cruelle, cuisante, exagérée, extrême, fulgurante, grande, grave, impardonnable, inacceptable, insoutenable, insupportable, inutile, légère, permanente, personnelle, profonde, rude, suprême, terrible, totale, vive, volontaire. *Connaître, endurer, éprouver, essuyer, éviter, infliger, partager, recevoir, ressentir, subir, surmonter une ~; assister à une ~; vivre dans l'~; accabler d'~s; pleurer, rougir d'~.*

HUMILITÉ absolue, admirable, affectée, altière, bouleversante, certaine, confondante, déconcertante, déconcertée, désarmante, émouvante, éprouvante, exceptionnelle, exemplaire, extraordinaire, faible, feinte, forte, grande, incroyable, indispensable, inhabituelle, nécessaire, profonde, rare, remarquable, sincère, surprenante, touchante, tranquille, trompeuse, vraie. *Manifester, montrer une ~ (+ adj.); être, faire preuve d'une ~ (+ adj.).*

HUMOUR absurde, acide, aimable, ambigu, amer, anticonformiste, bête, brutal, burlesque, candide, cinglant, débridé, décalé, décapant, déplacé, dérisoire, désabusé, désespéré, destructeur, dévastateur, discret, divertissant, épais, épatant, époustouflant, explosif, exquis, extravagant, fantastique, féroce, fin, forcé, froid, furtif, glacé, glacial, grinçant, imperturbable, implacable, inquiétant, insolent, intraduisible, involontaire, ironique, irrésistible, jovial, juste, léger, lourd, lugubre, macabre, malicieux, méchant, mélancolique, mordant, noir, parodique, percutant, persifleur, pétillant, pince-sans-rire, plaisant, primaire, rapide, ravageur, révolté, rude, sarcastique, savoureux, sec, séduisant, solide, sombre, subtil, subversif, sulfureux, tempéré, tendre, tonique, tranchant, triste, trivial, vif, volatil. *Cultiver, exercer, pratiquer un ~ (+ adj.); aimer, manier, pratiquer l'~; avoir, faire de l'~; être bourré/débordant/plein/privé, faire preuve, manquer d'~.*

HURLEMENT affreux, aigu, assourdissant, déchirant, effroyable, épouvantable, furieux, guttural, horrible, lamentable, long, lugubre, perçant, plaintif, rauque, sauvage, sinistre, sourd, strident, terrible, terrifiant. *Émettre, jeter, lâcher, laisser échapper, pousser un ~.*

HYGIÈNE bonne, défectueuse, déplorable, indispensable, insuffisante, lamentable, mauvaise, préventive, rigoureuse, sévère, sommaire. *Négliger, observer, pratiquer l'~; avoir beaucoup/peu, manquer d'~.*

HYPOCRISIE absolue, caractérisée, certaine, crasse, démesurée, déplorable, doucereuse, écœurante, éhontée, évidente, extraordinaire, extrême, fantastique, feinte, flagrante, grande, inimaginable, inouïe, inqualifiable, insupportable, intolérable, manifeste, profonde, répugnante, révoltante, scandaleuse, sidérante, sournoise, totale. *Être d'une ~ (+ adj.); commettre une ~; démasquer, dénoncer l'~.*

HYPOTHÈQUE considérable, élevée, énorme, faible, immense, importante. *Amortir, consentir, constituer, éteindre, inscrire, lever, prendre, purger, radier, rembourser une ~; recourir à une ~; grever (un immeuble, etc.), se libérer d'une ~; être affecté/grevé/libre d'~(s); emprunter, prêter sur ~.*

HYPOTHÈSE absurde, alarmiste, angoissante, audacieuse, catastrophique, contestable, contradictoire, crédible, difficile, drastique, éclairante, envisageable, erronée, exacte, excessive, exclue, extrême, fantaisiste, farfelue, fausse, (dé)favorable, (in)fondée, fragile, générale, généreuse, géniale, gratuite, hardie, hasardeuse, hâtive, improuvable, incertaine, inexploitée, infirmée, ingénieuse, inquiétante, insoutenable, intéressante, judicieuse, large, (il)logique, lumineuse, mauvaise, menaçante, négligeable, optimiste, pessimiste, plausible, (im)possible, privilégiée, (im)probable, prometteuse, pure, raisonnable, rassurante, rationnelle, réaliste, répandue, révolutionnaire, séduisante, (in)sensée, simple, vague, valable, (in)vérifiable, vérifiée, vraie, (in)vraisemblable. *Abandonner, accepter, accréditer, admettre, adopter, avancer, aventurer, balayer, bâtir, condamner, confirmer, construire, contester, corroborer, croire, défendre, démentir, démontrer, détruire, discuter, ébranler, écarter, échafauder, éliminer, émettre, énoncer, entériner, envisager, étudier, évoquer, (ré)examiner, exclure, faire, falsifier, former, formuler, généraliser, imaginer, infirmer, inventer, justifier, laisser tomber, lever, mettre en avant, peser, poser, présenter, privilégier, prouver, rectifier, réfuter, rejeter, remanier, renforcer, renverser, retenir, revoir, risquer, ruiner, soulever, suggérer, tenter, tester, vérifier une ~; recourir à une ~.* Une ~ corrobore, se vérifie, s'estompe, tient.

HYSTÉRIE certaine, collective, croissante, destructrice, effroyable, épouvantable, générale, incontrôlable, incontrôlée, incroyable, injustifiée, inouïe, maladive, meurtrière, passagère, pétrifiante, profonde, sanguinaire, soudaine, subite, terrifiante, totale. *Causer, créer, déclencher, entretenir, provoquer, ressentir, susciter une ~; être en proie à une ~; friser l'~; sombrer dans l'~.* Une/l' ~ se déchaîne, domine, se développe, s'ensuit.

I

IDÉAL (in)accessible, (in)accompli, (in)atteignable, atteint, bafoué, chevaleresque, commun, défini, désintéressé, digne, élevé, éloigné, fort, grand, grandiose, haut, immédiat, infini, limité, lointain, louable, noble, optimiste, particulier, personnel, positif, (im)possible, (im)précis, puissant, pur, (ir)réalisable, (ir)réaliste, secret, vieil. *Abandonner, accomplir, atteindre, avoir, clamer, concevoir, concrétiser, défendre, poursuivre, proclamer, réaliser, respecter, se créer, se fabriquer, se forger, se tracer, trahir, vivre un/son ~; adhérer, aspirer, être (in)fidèle, s'accrocher, satisfaire, se dévouer, se donner, se rallier à un/son ~; être animé/rempli, rêver d'un ~.*

IDÉE aberrante, abominable, abstraite, absurde, (in)adéquate, affreuse, (dés)agréable, alléchante, amusante, approximative, astucieuse, atroce, audacieuse, banale, bizarre, brillante, brusque, cauchemardesque, charmante, choquante, claire, (in)cohérente, (in)complète, complexe, concrète, confuse, (in)consistante, consolante, contestable, controversée, creuse, curieuse, dangereuse, décousue, déplorable, déroutante, désastreuse, désespérante, diabolique, dissuasive, distincte, effroyable, embrouillée, encourageante, enthousiasmante, épatante, épouvantable, erronée, essentielle, étonnante, étrange, étroite, évidente, (in)exacte, exagérée, exaspérante, excellente, excentrique, excessive, exécrable, extravagante, extrême, faible, fameuse, fantastique, farfelue, fausse, (dé)favorable, féconde, fixe, flatteuse, floue, folle, fondamentale, formidable, frivole, fugace, fugitive, fulgurante, générale, généreuse, géniale, gracieuse, grotesque, hardie, hasardeuse, (mal)heureuse, (mal)honnête, horrible, hypothétique, imbécile, immuable, importune, inapplicable, inconcevable, inconvenante, incroyable, indécise, inébranlable, informe, ingénieuse, inouïe, insupportable, intelligente, intéressante, intrigante, jaillissante, joyeuse, judicieuse, (in)juste, large, loufoque, lucide, lugubre, lumineuse, machiavélique, magnifique, mauvaise, médiocre, mélancolique, merveilleuse, mesquine, mirobolante, monstrueuse, morbide, morose, naïve, nébuleuse, négative, nette, neuve, noire, nouvelle, novatrice, objective, obscure, obsédante, originale, paradoxale, paralysante, (im)parfaite, périmée, (im)pertinente, perverse, pittoresque, (dé)plaisante, populaire, positive, pragmatique, (im)précise, préconçue, probable, puérile, radicale, rafraîchissante, (dé)raisonnable, rassurante, rationnelle, (ir)réalisable, (ir)réaliste, rebattue, réconfortante, réjouissante, répandue, ressassée, riche, ridicule, sage, (mal)saine, saugrenue, secondaire, séduisante, (in)sensée, simple, singulière, sinistre, sombre, sommaire, sordide, souriante, stérile, stupide, sublime, (in)suffisante, superficielle, suspecte, terrible, terrifiante, tordue, touchante, triste, trompeuse, unique, utopique, vague, vieille, vraie, (in)vraisemblable. *Abandonner, accepter, admettre, adopter, amplifier, analyser, appliquer, approfondir, approuver, appuyer, articuler, avancer, avoir, bousculer, caresser, chasser, chercher, combattre, communiquer, comprendre, concevoir, concrétiser, confirmer, confronter, (re)considérer, contempler, coordonner, créer, creuser, défendre, dégager, développer, diffuser, dissiper, donner, écarter, échanger, éclaircir, émettre, emprunter, enrichir, entrechoquer, entretenir, épouser, essayer, étendre, éveiller, expliquer, exploiter, exposer, exprimer, (se)* *faire, faire prévaloir/triompher, (se) former, formuler, généraliser, heurter, illustrer, imposer, lâcher, laisser tomber, lancer, manifester, matérialiser, mélanger, (laisser) mûrir, nourrir, partager, poursuivre, pousser, préconiser, présenter, professer, projeter, promouvoir, prôner, propager, proposer, rafraîchir, rassembler, récuser, rejeter, renier, répéter, repousser, reprendre, résoudre, respecter, revaloriser, ruminer, saisir, s'approprier, semer, simplifier, soutenir, suggérer, suivre, susciter, tester, traduire, trahir, transmettre, trouver, unir, véhiculer, vulgariser une/des/les/son/ses ~(s); adhérer, applaudir, renoncer, s'attacher, se cramponner, se dévouer, se faire, se rallier, souscrire, s'ouvrir, tenir à une/des ~(s); lutter, réagir contre des ~s; persévérer, s'entêter, s'obstiner dans une/son ~; accoucher, se débarrasser, se méfier d'une ~; être hanté/obsédé par une ~; revenir sur une ~; dire, suivre son ~; changer d'~.* Une ~ corrobore, effleure, émerge, évolue, fait son chemin, frappe, germe, grandit/jaillit/se fixe/se forme/se grave/s'insinue dans l'esprit, naît, périt, progresse, se fait jour, se précise, (re)vient à l'esprit, s'évapore, stagne, (re)surgit, traverse l'esprit, triomphe.

IDOLE adulée, confirmée, déchue, fatiguée, énorme, grande, immense, inaccessible, internationale, jeune, locale, mondiale, naissante, planétaire, populaire. *Avoir, célébrer, devenir, être une ~; s'identifier à une ~.*

IDYLLE brève, grande, secrète, tendre. *Avoir, cacher, ébaucher, nouer, vivre une ~ .* Une ~ naît, se noue.

IGNORANCE absolue, aveugle, candide, certaine, complète, considérable, consommée, coupable, crasse, criminelle, déconcertante, effrontée, énorme, entière, épaisse, épouvantable, étonnante, (in)excusable, feinte, flagrante, fondamentale, franche, gigantesque, grande, grave, grosse, grossière, (mal)heureuse, honteuse, immense, impardonnable, incroyable, incurable, infinie, inouïe, inqualifiable, insurmontable, insupportable, lamentable, légère, lourde, manifeste, monstrueuse, monumentale, partielle, pitoyable, profonde, rare, relative, ridicule, scandaleuse, singulière, stupéfiante, totale, touchante, tranquille, vertigineuse, volontaire. *Afficher, confesser, manifester, montrer une ~ (+ adj.); être, faire preuve d'une ~ (+ adj.); feindre, palier, prétexter, simuler l'~; remédier à l'~; croupir, être, pourrir, rester, s'enfoncer, vivre dans l'~; lutter contre l'~.*

ÎLE abandonnée, aride, considérable, corallienne, côtière, déserte, désertique, désolée, élevée, escarpée, étroite, fertile, grande, (in)habitée, imposante, impressionnante, longue, marécageuse, microscopique, minuscule, montagneuse, nue, perdue, petite, peuplée, plate, privée, rocheuse, sauvage, solitaire, verdoyante, vierge, volcanique. *Aborder, explorer, habiter une ~; aborder, aller, habiter, venir dans une ~; séjourner sur une ~.*

ILLÉGALITÉ absolue, avérée, cachée, complète, flagrante, grave, grossière, manifeste, persistante, relative, tolérée, totale, violente. *Commettre, constater, dénoncer, faire, rectifier, redresser, réparer, signaler une ~; être entaché d'une ~; côtoyer, tolérer l'~; flirter avec l'~; entrer, être, se mettre dans l'~.* Une/l'~ perdure, règne.

ILLUSION agréable, apaisante, charmante, complète, consolante, coûteuse, cruelle, dangereuse, détruite, douce, durable, flatteuse, folle, fondamentale, funeste, généreuse, grande, grossière, momentanée, noble, parfaite, pure, rassurante, ravissante, respectable, retombée, séduisante, sublime, tenace, trompeuse, vaine, vaste. *Abandonner, alimenter, anéantir, avoir, caresser, causer, conserver, (se) créer, détruire, dissiper, entretenir, flatter, fortifier, garder, goûter, laisser, nourrir, perdre, poursuivre, produire, quitter, ruiner, se faire, se forger une/des/les/ses ~(s); entretenir qqn, être, se complaire, vivre dans une/l' ~; s'accrocher à ses ~s; (se) bercer qqn, se leurrer, se nourrir, vivre d'~s.* Une ~ dure, fuit, se dissipe, s'effondre, s'envole, s'estompe, s'évapore.

ILLUSTRATION abondante, agréable, banale, caricaturale, colorée, (in)exacte, excellente, faible, fantaisiste, fidèle, floue, grossière, idéale, inédite, intéressante, jolie, magnifique, mauvaise, médiocre, moyenne, originale, parfaite, (im)précise, rare, (hyper)réaliste, remarquable, ressemblante, riche, superbe, traditionnelle. *Concevoir, créer, dessiner, élaborer, faire, réaliser, reproduire une ~; garnir, orner d'~s.*

ÎLOT abandonné, corallien, côtier, désert, désertique, escarpé, (in)habité, microscopique, minuscule, montagneux, perdu, plat, privé, rocheux, sauvage, solitaire, verdoyant, volcanique.

IMAGE affreuse, agréable, altérée, apaisante, approximative, banale, brouillée, caricaturale, claire, complaisante, (in)complète, confuse, contrastée, convaincante, crue, déformée, dégradante, dégradée, déplorable, désastreuse, désuète, douce, effrayante, éloquente, embellie, époustouflante, épouvantable, épurée, erronée, évocatrice, (in)exacte, excellente, fantaisiste, fascinante, fausse, (dé)favorable, fictive, fidèle, flatteuse, floue, frappante, gênante, grossière, grotesque, harmonieuse, idéale, idyllique, inédite, ineffaçable, insolite, (in)juste, magnifiée, mauvaise, négative, nette, neuve, objective, optimiste, originale, (im)parfaite, parlante, (im)partiale, pathétique, percutante, périmée, (im)pertinente, pittoresque, positive, (im)précise, prestigieuse, puissante, pure, rassurante, (ir)réaliste, réelle, ressemblante, riche, ridicule, saisissante, séduisante, sobre, sommaire, souriante, sympathique, ternie, terrible, touchante, tronquée, vague, (dé)valorisée, véridique, vraie. *Améliorer, brosser, choisir, concevoir, corriger, cultiver, déformer, dessiner, détériorer, dévaluer, développer, effacer, élaborer, donner, engendrer, évoquer, (se) fabriquer, (se) façonner, imposer, modifier, offrir, peaufiner, présenter, projeter, proposer, rectifier, redorer, redresser, se faire, se forger, soigner, (re)valoriser, véhiculer une/son ~; se conformer, s'identifier à une ~.* Une ~ persiste, s'efface, se grave, s'estompe.

IMAGINATION abondante, active, ardente, brillante, claire, confuse, créatrice, débordante, débridée, déconcertante, défaillante, délirante, démesurée, désordonnée, détraquée, diabolique, (in)disciplinée, dynamique, éblouissante, effrénée, enfiévrée, épuisée, errante, exaltante, exaltée, excessive, extraordinaire, extravagante, exubérante, faible, fantastique, féconde, (in)fertile, fiévreuse, flâneuse, foisonnante, folle, forcenée, forte, fougueuse, fourmillante, fraîche, funeste, hardie, hallucinante, heureuse, impétueuse, inépuisable, ingénieuse, intarissable, inventive, irrationnelle, libre, (il)limitée, luxuriante, maladive, mobile, morbide, naïve, passionnée, pauvre, primesautière, puissante, pure, (dé)réglée, retenue, rêveuse, riche, romanesque, solide, sombre, souple, surchauffée, surexcitée, tarie, téméraire, tordue, tourmentée, vagabonde, vive, volcanique, voyageuse. *Avoir une/l'~ (+ adj.); être, être doué/pourvu d'une ~ (+ adj.); activer, aiguillonner, allumer, cultiver, défier, dépasser, discipliner, ébranler, échauffer, effaroucher, embraser, enfiévrer, exalter, (sur)exciter, exercer, frapper, inciter, laisser aller/flâner/vagabonder, nourrir, refréner, séduire, se torturer, stimuler, suivre, susciter, titiller, troubler, tuer l'/son ~; avoir recours, donner/laisser libre cours, s'abandonner à l'/son ~; être emporté, se laisser/bercer/emporter, s'évader par l'/son ~; avoir de l'~; déborder, être débordant/dénudé/(dé)pourvu/privé, faire un effort, manquer, rivaliser d'~; évoquer, (re)vivre, (re)voir en ~.* L'~ erre, galope, s'échauffe, s'enflamme, s'exalte, travaille.

IMBÉCILLITÉ absolue, comique, complète, congénitale, crasse, extrême, flagrante, incurable, inqualifiable, irrémédiable, profonde, rare, totale. *Être, faire preuve d'une ~ (+ adj.); débiter, dire, faire, proférer, répondre une/des ~(s).*

IMITATEUR, TRICE (mal)adroit, attentif, doué, exact, excellent, extraordinaire, fidèle, fin, (mal)habile, hors pair, laborieux, maladroit, mauvais, médiocre, merveilleux, pâle, piètre, talentueux.

IMITATION attentive, comique, difficile, drolatique, étroite, exacte, excellente, extraordinaire, facile, fausse, fidèle, frauduleuse, frelatée, froide, grossière, (mal)habile, impeccable, inachevée, ingénieuse, laborieuse, maladroite, médiocre, pâle, (im)parfaite, pauvre, piètre, plate, ratée, ressemblante, réussie, timide. *Faire des ~s; se lancer dans des ~s; faire l'~ de qqn; exceller dans l'~; avoir le don d'~.*

IMMEUBLE abandonné, banal, bondé, colossal, (in)confortable, coquet, cossu, croulant, décent, décrépit, dégradé, délabré, désaffecté, désert, discret, élégant, élevé, énorme, exigu, fier, géant, gigantesque, grand, grandiose, gros, haut, hideux, historique, immense, imposant, impressionnant, inhabitable, insalubre, joli, laid, lézardé, lugubre, luxueux, magnifique, majestueux, massif, miteux, (ultra)moderne, modeste, monumental, pitoyable, prestigieux, remarquable, rénové, restauré, riche, sévère, sinistre, somptueux, splendide, superbe, trapu, vaste, vétuste, vieil. *Acheter, acquérir, bâtir, céder, (re)construire, (faire) démolir, édifier, élever, entretenir, ériger, gérer, habiter, hypothéquer, louer, occuper, raser, rénover, restaurer, vendre un ~; habiter dans un ~; sortir d'un ~.* Un ~ se dresse, s'élève, tombe en ruine.

IMMIGRANT, ANTE clandestin, économique, idéal, intégré, (il)légal, récent, pauvre, (ir)régulier, riche, vieil. *Accueillir, attirer, expulser, refouler, repousser un/des/les ~(s).*

IMMIGRATION accrue, clandestine, (in)contrôlée, définitive, dorée, durable, faible, forte, importante, incessante, intégrée, irrégulière, (il)légale, légitime, (il)limitée, massive, nombreuse, (dés)ordonnée, permanente, provisoire, régulière, réussie, sauvage, sélective, stable, temporaire. *Contenir, contrôler, décourager, encourager, enrayer, favoriser, organiser, promouvoir, ralentir, relancer, repousser, restreindre, subir l'~.*

IMMIGRÉ, ÉE clandestin, intégré, légal, qualifié, récent, (ir)régulier. *Accueillir, chasser, expulser, recevoir des ~(s)*

IMMOBILIER *Faire fortune, investir, se lancer, travailler dans l'~; posséder de l'~.*

IMMOBILITÉ absolue, apparente, certaine, complète, excessive, fascinante, figée, frustrante, générale, imposée, inaltérable, incroyable, majestueuse, parfaite, peureuse, profonde, prolongée, provisoire, rare, relative, respectueuse, rigide, soudaine, stricte, subite, temporaire, totale. *Afficher, conserver, garder une ~ (+ adj.); être d'une ~ (+ adj.); être condamné à l'~.*

IMPACT alarmant, bénéfique, bénin, catastrophique, (in)certain, colossal, considérable, croissant, décisif, désastreux, dévastateur, déterminant, (in)direct, disproportionné, dramatique, durable, effroyable, élevé, énorme, éphémère, essentiel, évident, exagéré, excessif, faible, (dé)favorable, fort, grave, gravissime, immédiat, immense, important, indéniable, inquiétant, large, limité, lointain, majeur, marqué, massif, maximal, maximum, mineur, minimal, minime, minimum, modeste, nécessaire, néfaste, négatif, négligeable, neutre, notable, nul, optimal, ponctuel, positif, préjudiciable, préoccupant, (im)prévisible, profond, prolongé, réduit, réel, retentissant, sensible, sérieux, significatif, solide, spectaculaire, substantiel, subtil, surprenant, symbolique, terrible, (in)visible. *Amener, amortir, atténuer, causer, avoir, connaître, craindre, diminuer, entraîner, éviter, mesurer, minimiser, produire, provoquer, recevoir, redouter, réduire, ressentir, subir, supporter un ~; se remettre, souffrir d'un ~.*

IMPARTIALITÉ absolue, apparente, certaine, complète, (in)contestable, convenable, douteuse, froide, impitoyable, incroyable, indispensable, maximum, minimum, nécessaire, objective, parfaite, rare, remarquable, rigoureuse, satisfaisante, scrupuleuse, sereine, stricte, subjective, totale. *Assurer, exiger, garantir, manifester, montrer, obtenir, réclamer, revendiquer une ~ (+ adj.); être, faire montre/preuve d'une ~ (+ adj.); conserver, garder, maintenir, perdre son ~; manquer d'~.*

IMPASSE absolue, apparente, certaine, complète, dangereuse, énorme, évidente, grave, humiliante, immense, incontournable, inévitable, intolérable, majeure, mineure, profonde, réelle, rude, sérieuse, terrible, totale, tragique. *Constituer une ~ (+ adj.); aggraver, briser, combler, creuser, supprimer une/l' ~; arriver, entrer, être, être acculé/enfermé, mener, se mettre, s'enfermer, s'enfoncer, s'engager, s'engouffrer, se (re)trouver dans une/l' ~; (se) sortir, tirer qqn d'une/de l' ~.* Une/l' ~ perdure, persiste, subsiste.

IMPATIENCE anxieuse, ardente, bouillonnante, brouillonne, certaine, chronique, contagieuse, contenue, croissante, dévorante, dissimulée, douce, épouvantable, exagérée, exaspérée, extrême, fébrile, fiévreuse, folle, forte, frénétique, grande, grandissante, hâtive, incroyable, indue, inexprimable, insupportable, intolérable, irrépressible, (in)justifiée, légitime, maladive, nerveuse, passionnée, prématurée, profonde, rare, récompensée, réelle, réfrénée, violente, visible, vive. *Éprouver, manifester, montrer, témoigner une ~ (+ adj.); être, faire preuve d'une ~ (+ adj.); céder, résister à l'~; éprouver, manifester, montrer, témoigner de l'~; apaiser, calmer, contenir, dissimuler, maîtriser, modérer, refréner, réprimer son/l' ~ de qqn; bondir, bouillir, brûler, être bouillant/dévoré/pris/rongé, languir, piaffer, piétiner, remuer, se ronger, trépigner d'~.*

IMPERFECTION grave, grosse, légère, minime, petite. *Constater, corriger, déceler, présenter, relever, tolérer une ~.*

IMPERTINENCE certaine, déconcertante, grande, grotesque, impardonnable, inacceptable, inadmissible, incroyable, indéniable, inouïe, insolente, insupportable, ironique, narquoise, parfaite, rare, souriante, savoureuse, totale. *Manifester, montrer une ~ (+ adj.); être, faire preuve d'une ~ (+ adj.); commettre, débiter, dire, proférer, se permettre une/des ~s; friser l' ~.*

IMPLICATION (participation) accrue, active, considérable, (in)directe, effective, élevée, enthousiaste, entière, explicite, faible, (in)formelle, forte, implicite, importante, indispensable, intense, limitée, massive, maximale, minimale, officielle, officieuse, réelle, symbolique, tacite. *Apporter, offrir une ~ (+ adj.).* ♦ (conséquence) catastrophiques, concrètes, considérables, décisives, déplorables, désastreuses, (in)directes, dommageables, dramatiques, effroyables, extrêmes, fâcheuses, (dé)favorables, graves, immédiates, importantes, inattendues, incalculables, inévitables, inquiétantes, intéressantes, larges, lointaines, lourdes, majeures, mineures, négatives, positives, pratiques, préoccupantes, (im)prévisibles, profondes, secondaires, tragiques, vastes. *Avoir des ~s (+ adj.); comporter des ~s; déterminer, évaluer, mesurer, soupeser les ~s.*

IMPOLITESSE certaine, choquante, crasse, criante, extrême, flagrante, grave, grosse, grossière, impardonnable, inacceptable, inadmissible, incroyable, inimaginable, inouïe, insupportable, légère, manifeste, monstrueuse, notoire, provocatrice, rare, rustre. *Être, faire preuve d'une ~ (+ adj.); commettre, faire, réparer une ~; friser l'~.*

IMPORTANCE absolue, accrue, anodine, banale, capitale, considérable, critique, croissante, décisive, démesurée, dérisoire, déterminante, (in)égale, énorme, essentielle, exagérée, exceptionnelle, excessive, extraordinaire, extrême, faible, fondamentale, formidable, forte, grande, grandissante, immense, incalculable, incomparable, inouïe, inquiétante, insignifiante, insoupçonnée, intrinsèque, (in)justifiée, juste, majeure, maximale, mineure, minimale, minime, modeste, négligeable, nulle, optimale, particulière, planétaire, préoccupante, prépondérante, primordiale, prodigieuse, radicale, (dé)raisonnable, réelle, relative, ridicule, risible, secondaire, significative, stratégique, variable, vitale. *Être d'une ~ (+ adj.); accorder, attacher, avoir, (se) donner, garder, mettre, offrir, prendre, présenter, prêter, revêtir une/de l' ~; accroître, calculer, dénier, diminuer, exagérer, faire ressortir, gonfler, grossir, intensifier, mesurer, miner, nier, réaliser, reconnaître, souligner, sous-estimer, surestimer l'~ de qqn/qqch.; tenir compte de l'~ de qqch.*

IMPORTATION abondante, contrôlée, difficile, facile, faible, florissante, forte, frauduleuse, importante, interdite, massive, prohibée, rare, (ir)régulière, riche, variée. *Activer, augmenter, diminuer, encourager, favoriser, freiner, libéraliser, limiter, pénaliser, prohiber, restreindre l'/les~(s) de qqch.; mettre fin, se livrer à l'/aux de qqch.; s'occuper d'~.*

IMPOSSIBILITÉ absolue, évidente, manifeste, matérielle, morale, physique, relative, totale. *Accomplir des ~s; se heurter à des ~s; être, mettre qqn, sembler, se trouver, se voir dans l'~ de (+ inf.).*

IMPÔT abusif, arbitraire, bas, dégressif, (in)direct, discriminatoire, écrasant, (in)égalitaire, élevé, (in)équitable, excessif, exorbitant, haut, important, (in)juste, léger, lourd, modéré, onéreux, oppressif, progressif, proportionnel, ridicule, rondelet, unique. *Accroître, alourdir, augmenter, baisser, consentir, créer, diminuer, établir, éviter, exiger, geler, hausser, instituer, lever, majorer, moduler, multiplier, payer, percevoir, prélever, recouvrer, réduire, régler, relever, répartir, supprimer, supporter, voter un/des/l'/les ~(s); échapper, être assujetti/astreint/ sujet à un/l'~; accabler, affranchir, décharger, écraser, être écrasé/exonéré/libre/net/ passible, exempter, grever, pressurer d'~s.* Les ~s augmentent, diminuent.

IMPRESSION accablante, (dés)agréable, amère, apaisante, atroce, bizarre, cauchemardesque, confirmée, confuse, croissante, curieuse, décevante, délectable, délicieuse, désolante, dominante, douce, douloureuse, durable, écrasante, enivrante, énorme, erronée, étrange, excellente, exquise, fâcheuse, faible, fascinante, fausse, (dé)favorable, flatteuse, forte, frappante, fugace, fugitive, générale, grandiose, horrible, illusoire, immense, indéfinissable, indélébile, indescriptible, indestructible, indéterminée, ineffaçable, inoubliable, inouïe, isolée, légère, mauvaise, médiocre, mitigée, nette, partagée, pénible, piètre, première, profonde, salutaire, singulière, sinistre, soudaine, subite, subjective, subliminale, superficielle, tenace, terrible, triste, unique, vague, violente, vive. *Accroître, aggraver, atténuer, augmenter, avoir, causer, chasser, communiquer, confirmer, corriger, décrire, dégager, diminuer, dire, dissiper, donner, échanger, effacer, éprouver, éveiller, extérioriser, faire, garder, laisser, livrer, noter, oublier, procurer, produire, provoquer, raconter, renforcer, ressaisir, ressentir, secouer, sentir, se remémorer une/des/ses ~(s).* Une ~ dure, émane, se dégage, s'efface, s'estompe, se vérifie.

IMPRÉVOYANCE considérable, coupable, criminelle, dangereuse, extrême, grave, inconcevable, inouïe, rare. *Manifester une ~ (+ adj.); être, faire preuve d'une ~ (+ adj.); vivre dans l'~.*

IMPROVISATION (mal)adroite, brillante, courte, éloquente, étonnante, (mal)habile, longue, magnifique, merveilleuse, ratée, réussie, stupéfiante, superbe. *Effectuer, faire une ~; se livrer à une ~; se lancer dans une ~; être doué pour l'~.*

IMPRUDENCE certaine, criminelle, dangereuse, (in)consciente, délibérée, étonnante, excessive, extrême, fâcheuse, fatale, fautive, folle, funeste, grande, gratuite, grave, grosse, impardonnable, incompréhensible, inconsidérée, incroyable, inexcusable, légère, notoire, particulière, rare, regrettable, totale, (in)volontaire. *Manifester une ~ (+ adj.); être, témoigner d'une ~ (+ adj.); commettre, faire, regretter, réparer une ~.*

IMPUISSANCE bouleversante, définitive, énorme, évidente, flagrante, grande, immense, légère, manifeste, notoire, passagère, reconnue, réelle, terrible, totale, tragique. *Être condamné/confronté/réduit, condamner, réduire à l'~; afficher, avouer, cacher, confesser, étaler, reconnaître son ~.*

IMPULSION aveugle, brusque, brutale, considérable, courte, décisive, efficace, élevée, faible, forte, inattendue, inexplicable, intérieure, irréfléchie, irrésistible, négative, nouvelle, obscure, positive, profonde, puissante, rigoureuse, secrète, soudaine, subite, vague, vigoureuse, violente, vive. *Avoir, manifester, montrer une ~ (+ adj.); assouvir, communiquer, contrôler, diriger, dominer, donner, fournir, libérer, maîtriser, recevoir, soumettre, suivre, transmettre une/des/ses ~(s); céder, obéir, résister à une/des/ses ~(s).*

INACTION absolue, chronique, complète, constante, durable, excessive, extrême, forcée, longue, momentanée, néfaste, nocive, passagère, passive, pénible, persistante, profonde, prolongée, temporaire, totale. *Être dans une ~ (+ adj.); faire preuve d'une ~ (+ adj.); accepter, supporter l'~; condamner, être condamné/réduit, réduire à l'~; croupir, demeurer, dormir, languir, rester, sombrer, vivre dans l'~; sortir, tirer qqn de son ~.*

INAPTITUDE absolue, blâmable, complète, coupable, essentielle, lamentable, notoire, relative, totale. *Faire preuve d'une ~ (+ adj.).*

INATTENTION apparente, blâmable, complète, coupable, dangereuse, délibérée, fatale, flagrante, fugitive, funeste, grande, grave, profonde, prolongée, totale. *Afficher, commettre, manifester, montrer, tolérer une ~ (+ adj.); profiter d'une ~; faire preuve d'~.*

INCAPACITÉ absolue, apparente, certaine, chronique, complète, constante, courte, criante, étonnante, flagrante, générale, grave, légère, longue, majeure, manifeste, mineure, notoire, partielle, permanente, prolongée, relative, temporaire, totale. *Avoir une ~ (+ adj.); faire preuve d'une ~ (+ adj.); causer, entraîner, provoquer une ~; souffrir d'une ~.*

INCARTADE anodine, légère, mineure, sérieuse. *Commettre, faire, pardonner une ~.*

INCENDIE accidentel, bref, contenu, (in)contrôlé, criminel, destructeur, dévastateur, difficile, dramatique, énorme, éteint, fortuit, fulgurant, général, gigantesque, grand, grandiose, grave, gros, horrible, immense, important, incontrôlable, inexpliqué, léger, long, maîtrisé, majeur, meurtrier, mineur, moyen, naturel, ravageur, soudain, spectaculaire, spontané, suspect, terrible, vaste, violent, (in)volontaire. *Activer, allumer, causer, circonscrire, combattre, contenir, déclencher, enrayer, éteindre, étouffer, localiser, maîtriser, mater, occasionner, perpétrer, produire, provoquer, stabiliser un ~; lutter contre un ~; périr dans un ~; être consumé/détruit/endommagé par un ~.* Un ~ couve, démarre, dévaste, éclate, fait rage, flambe, flamboie, gagne, progresse, ravage, rougeoie, se déclare, se développe, se produit, se propage, s'éteint, s'étend, survient.

INCERTITUDE affreuse, angoissante, attristante, brève, chronique, confuse, continuelle, cruelle, dangereuse, diffuse, énorme, faible, folle, forte, grande, grave, horrible, immense, insoutenable, insupportable, intolérable, (in)justifiée, légère, longue, lourde, maladive, pénible, permanente, perpétuelle, poignante, profonde, secrète, soudaine, subite, tenace, terrible, totale, vague. *Accentuer, créer, détester, faire planer, laisser planer, lever, provoquer, renforcer, soulever, susciter une/l'/de l'~; être en proie, se heurter à une/l'~; demeurer, être, laisser qqn, nager dans l'~; être dévoré/malade d'~.* Une/l'~ demeure, persiste, plane, règne, s'estompe, subsiste.

INCIDENCE considérable, déplorable, désastreuse, (in)directe, immédiate, importante, irrémédiable, lointaine, mineure, minime, négative, positive, regrettable, secondaire. *Avoir une ~; calculer, réduire l'/les ~(s).*

INCIDENT absurde, anodin, atroce, banal, brusque, brutal, capital, catastrophique, cocasse, comique, crucial, décisif, déplorable, désagréable, désastreux, déterminant, douloureux, dramatique, drôle, effroyable, étonnant, étrange, exceptionnel, extraordinaire, fâcheux, (dé)favorable, fortuit, fréquent, funeste, futile, grave, (mal)heureux, historique, horrible, important, imprévisible, imprévu, inédit, infime, inopiné, insignifiant, insolite, irrémédiable, isolé, léger, majeur, malencontreux, marquant, mémorable, mineur, minime, minuscule, négligeable, notable, notoire, passager, pénible, providentiel, regrettable, remarquable, ridicule, routinier, sanglant, secondaire, sensationnel, sérieux, significatif, subit, tragique, triste, troublant, vif, violent. *Clore, contempler, conter, créer, décrire, déplorer, grandir, grossir, minimiser, narrer, prévenir, provoquer, raconter, redouter, regarder, relater, signaler, soulever un ~; être impliqué dans un ~.* Un ~ arrive, éclate, intervient, se passe, se produit, se renouvelle, surgit, survient.

INCOMPÉTENCE absolue, affligeante, certaine, consommée, crasse, flagrante, grossière, inacceptable, inouïe, insigne, manifeste, notable, notoire, préoccupante, rare, réelle, remarquable, révoltante, scandaleuse, sidérante, singulière, totale. *Être, faire preuve d'une ~ (+ adj.); avouer, dissimuler, démontrer, reconnaître son ~; être renvoyé pour ~.*

INCOMPRÉHENSION absolue, affligeante, complète, crasse, croissante, évidente, flagrante, fondamentale, grande, grossière, incroyable, inexcusable, légère, lourde, majeure, mineure, mutuelle, notoire, obtuse, parfaite, partielle, passagère, permanente, profonde, réciproque, relative, sincère, stupéfiante, stupide, surprenante, totale, vive. *Constater, corriger, créer, démontrer, entraîner, manifester, montrer, provoquer, révéler, rencontrer, susciter une ~ (+ adj.); se heurter à une ~ (+ adj.); être, faire preuve, témoigner d'une ~ (+ adj.); combattre l'~.* Une/l' ~ existe, naît, règne, se produit, s'installe, s'intensifie, subsiste, survient.

INCONDUITE désastreuse, grave, grosse, habituelle, notoire, persistante, répétée, scandaleuse. *Être, faire preuve d'une ~ (+ adj.); commettre, excuser, pardonner, reprocher, tolérer une ~; friser l'~.*

INCONVÉNIENT considérable, décisif, énorme, évident, faible, grand, grave, gros, immense, important, indéniable, inévitable, léger, maigre, majeur, mince, mineur, minime, négligeable, passager, pénible, réel, sérieux. *Avoir, comporter, constituer, devenir, être, posséder, présenter un ~ (+ adj.); causer, entraîner, éviter, faire ressortir, offrir, pallier, parer, provoquer, supprimer, subir, susciter un ~; parer, remédier, s'exposer à un ~.*

INDÉPENDANCE absolue, brève, complète, considérable, courte, effective, élargie, intégrale, large, limitée, modeste, parfaite, partielle, programmée, réciproque, réelle, relative, restreinte, substantielle, totale. *Accorder, acquérir, affirmer, assumer, assurer, atteindre, concéder, conquérir, conserver, déclarer, décréter, défendre, demander, désirer, garder, obtenir, perdre, préparer, proclamer, réaliser, réclamer, reconnaître, recouvrer, retrouver, revendiquer, souhaiter, vouloir l'/son ~; accéder, arriver, aspirer, atteindre, être favorable/hostile/opposé, renoncer, se préparer, souscrire à l'/son ~; lutter contre l'~; être, lutter, militer, se battre pour l'~; s'acheminer vers l'~; rêver d'~.*

INDICATION claire, complémentaire, (in)complète, décourageante, disponible, encourageante, erronée, essentielle, étonnante, (in)exacte, fausse, (dé)favorable, grossière, implicite, importante, indispensable, inquiétante, intéressante, mauvaise, négative, officielle, officieuse, positive, précieuse, (im)précise, sérieuse, sommaire, (in)suffisante, sûre, surprenante, (in)utile, vague. *Demander, donner, fournir, recevoir, respecter, solliciter, suivre une ~.*

INDICE alarmant, certain, éloquent, faible, fidèle, fort, fragile, grave, indubitable, infime, inquiétant, isolé, léger, lourd, maigre, mauvais, mince, négatif, pondéré, positif, préoccupant, probant, puissant, rassurant, révélateur, sérieux, significatif, solide, (in)suffisant, sûr, tangible, ténu, trompeur, visible; concordants, innombrables, nombreux. *Constituer, déceler, détenir, fournir, posséder, rassembler, recouper, recueillir, relier, repérer un/des ~(s); partir d'un ~; s'appuyer sur un/des ~(s); servir d'~.* Un ~ confirme, démontre, établit, prouve, révèle.

INDIFFÉRENCE absolue, aimable, apathique, apparente, bienveillante, calme, complète, (in)compréhensive, constante, coupable, crasse, cynique, dédaigneuse, douce, (in)égale, égoïste, entière, étudiée, extrême, fausse, feinte, fière, froide, générale, glaciale, grande, grossière, hautaine, impardonnable, impassible, implacable, incroyable, inouïe, insensée, insolente, insultante, longue, marquée, méprisante, molle, monstrueuse, morose, narquoise, négligente, neutre, paisible, parfaite, per sistante, placide, polie, profonde, provocante, relative, remarquable, sereine, silencieuse, singulière, soudaine, souveraine, stoïque, subite, sublime, superbe, suprême, surprenante, tiède, totale, tranquille, triste, universelle. *Éprouver, manifester, montrer, témoigner une ~ (+ adj.); être, faire preuve d'une ~ (+ adj.); affronter, combattre, feindre, jouer, secouer, simuler, vaincre l'~; se heurter à l'~; demeurer, être, s'enfermer, sombrer dans l' ~; éprouver, inspirer, marquer, montrer, témoigner de l'~.*

INDIGESTION abominable, banale, effroyable, épouvantable, forte, grosse, insupportable, légère, passagère, pénible, simple, soudaine, subite, terrible, violente. *Attraper, avoir, causer, contracter, donner, entraîner, faire, provoquer une ~; succomber à une ~; crever, mourir, souffrir d'une ~; être sujet aux ~s.*

INDIGNATION amère, considérable, contenue, croissante, durable, exagérée, factice, faible, feinte, forte, générale, grande, horrifiée, immense, incroyable, irraisonnée, juste, justifiable, justifiée, légère, légitime, (dé)mesurée, noble, passagère, passionnée, permanente, profonde, résignée, sélective, sincère, sourde, spontanée, suprême, tenace, unanime, violente, virulente, vive. *Avoir, éprouver, inspirer, manifester, montrer, soulever, susciter une ~ (+ adj.); laisser libre cours à une ~ (+ adj.); contenir, exprimer, faire éclater, manifester, montrer son ~; bondir, brûler, être muet/rempli/soulevé/transporté, pleurer, suffoquer, trembler d'~.*

INDISCRÉTION coupable, déplorable, flagrante, grossière, insigne, inutile, légère, perfide, sournoise, (in)volontaire, voulue. *Commettre, éviter, faire, livrer une ~.*

INDISPOSITION douloureuse, durable, forte, fréquente, grave, grosse, légère, passagère, pénible, persistante, prolongée, sérieuse, soudaine, subite, violente. *Avoir, éprouver, feindre une ~; être guéri/remis, souffrir d'une ~.*

INDIVIDU abject, affreux, bizarre, brave, curieux, cynique, dangereux, douteux, fade, grotesque, ignoble, indésirable, inquiétant, louche, méprisable, piètre, sinistre, suspect, triste.

INDULGENCE amusée, bienveillante, certaine, coupable, démesurée, étonnante, exagérée, excessive, extrême, générale, grande, inadmissible, inépuisable, infinie, intéressée, magnanime, particulière. *Manifester, montrer une ~ (+ adj.); être, faire montre/preuve, se montrer, témoigner d'une ~ (+ adj.); chercher, demander, implorer, mendier, mériter, réclamer l'~; avoir, manifester, marquer, montrer, témoigner de l'~.*

INDUSTRIE artisanale, clé, dangereuse, déclinante, dynamique, florissante, géante, gigantesque, grande, grosse, innovante, jeune, languissante, lucrative, majeure, malade, (ultra)moderne, modeste, moribonde, moyenne, naissante, nocive, novatrice, performante, petite, pointue, polluante, prestigieuse, propre, prospère, puissante, rentable, sinistrée, vétuste, vieille, vulnérable. *Créer, développer, diriger, encourager, exploiter, favoriser, fonder, implanter, (re)lancer, moderniser, réglementer, renflouer, restaurer, restructurer, révolutionner, stimuler une/l' ~.* Une ~ décline, dépérit, est en crise/difficulté/ruine, périclite, prend son essor, se porte bien/mal, stagne, végète.

INEFFICACITÉ absolue, affligeante, ahurissante, complète, chronique, considérable, criante, déconcertante, décourageante, déplorable, désastreuse, évidente, flagrante, incroyable, inquiétante, lamentable, notoire, partielle, préoccupante, relative, remarquable, surprenante, totale. *Être, faire preuve d'une ~ (+ adj.).*

INÉGALITÉ absolue, apparente, béante, choquante, considérable, criante, énorme, évidente, extrême, faible, féroce, flagrante, fondamentale, forte, frappante, grandissante, immense, importante, irréductible, légère, majeure, mineure, manifeste, marquée, négligeable, notable, profonde, prononcée, radicale, réelle, sensible, sérieuse, sévère, significative, substantielle, voyante. *Accentuer, accroître, aggraver, augmenter, aplanir, atténuer, combattre, combler, corriger, créer, creuser, diminuer, engendrer, provoquer, renforcer, résoudre, susciter, vaincre des/les ~s; remédier, s'attaquer à des/aux ~s; lutter contre les ~s.* Les ~s augmentent, s'aggravent, s'aplanissent, s'atténuent.

INERTIE absolue, bonasse, complète, considérable, coupable, désespérante, épouvantable, étonnante, longue, persistante, profonde, surprenante, totale. *Demeurer, être plongé, végéter, vivre dans une ~ (+ adj.); être, faire preuve d'une ~ (+ adj.); (s') arracher qqn à son ~; sortir de son ~.*

INEXACTITUDE accidentelle, choquante, courante, criante, déplorable, énorme, évidente, flagrante, fondamentale, grave, grossière, importante, inévitable, insignifiante, intentionnelle, légère, manifeste, négligeable, regrettable, sérieuse, significative, (in)volontaire. *Commettre, constater, découvrir, déplorer, laisser passer, proférer, rectifier, relever, signaler, trouver une ~; fourmiller d'~s.*

INFARCTUS aigu, banal, fatal, grave, gros, léger, sévère. *Avoir, développer, diagnostiquer, faire, présenter, soigner, subir, traiter un ~; survivre à un ~; être atteint/victime, mourir, se rétablir d'un ~; être foudroyé par un ~.* Un ~ se produit, survient.

INFECTION aiguë, banale, bénigne, chronique, contagieuse, générale, généralisée, grave, invalidante, latente, locale, persistante, précoce, purulente, répandue, sévère, tardive. *Acquérir, attraper, avoir, causer, combattre, communiquer, développer, diagnostiquer, contracter, dépister, guérir, présenter, prévenir, provoquer, soigner, soupçonner, suspecter, traiter, transmettre une ~; succomber à une ~; être atteint d'une ~.* Une ~ se contracte, se développe, se propage, s'étend, se transmet, survient.

INFIDÉLITÉ consommée, déplorable, flagrante, furtive, imaginaire, impardonnable, incontestable, incroyable, inexcusable, légère, notoire, réelle. *Être, faire preuve d'une ~ (+ adj.); commettre, pardonner une ~; être victime d'une ~.*

INFIRMIER, IÈRE aimable, attentionné, (in)compétent, dévoué, (in)efficace, empressé, excellent, prévenant.

INFIRMITÉ chronique, congénitale, cruelle, définitive, désagréable, douloureuse, gênante, grave, importante, incurable, légère, lourde, permanente, précoce, profonde, sérieuse, temporaire. *Avoir, présenter une ~; être affecté/atteint/infligé, guérir, souffrir d'une ~.*

INFLATION basse, chronique, conjoncturelle, contenue, (in)contrôlable, (in)contrôlée, courte, déchaînée, délirante, démentielle, démesurée, effrayante, effrénée, élevée, énorme, enrayée, envahissante, exponentielle, faible, formidable, forte, galopante, inexistante, insidieuse, latente, lente, longue, (im)maîtrisable, maîtrisée, modérée, négligeable, ouverte, rampante, rapide, refoulée, réprimée, spectaculaire. *Connaître, enregistrer une ~ (+ adj.); accélérer, accentuer, accroître, alimenter, arrêter, attiser, augmenter, briser, combattre, contenir, contrecarrer, contrer, contrôler, déclencher, endiguer, engendrer, enrayer, éviter, freiner, maîtriser, nourrir, rallumer, ranimer, réduire, refouler, réfréner, relancer, réprimer, résorber, subir, tenir, vaincre une/l'~; échapper, s'attaquer à une/l'~; être aux prises avec une/l'~; lutter, se défendre, se prémunir, se protéger contre une/l'~; souffrir de l'~.* Une/l'augmente, baisse, diminue, progresse, recule, redémarre, repart, s'accumule, s'emballe.

INFLUENCE abusive, appréciable, bénéfique, bénigne, bienfaisante, certaine, considérable, courte, croissante, dangereuse, décisive, démesurée, démoralisante, déprimante, désastreuse, déterminante, dévastatrice, (in)directe, discrète, disproportionnée, dominante, douce, durable, dure, écrasante, énorme, envahissante, éphémère, étroite, évidente, exagérée, exceptionnelle, excessive, exclusive, extraordinaire, fâcheuse, faible, (dé)favorable, féconde, fluctuante, forte, funeste, grande, grandissante, (mal)heureuse, immédiate, immense, importante, inaperçue, incontestable, indéniable, indue, inestimable, infime, insignifiante, large, (il)légitime, (il)limitée, longue, majeure, maléfique, malfaisante, marquée, mauvaise, mineure, minime, mystérieuse, néfaste, négative, négligeable, nette, nocive, notable, notoire, nuisible, nulle, passagère, pernicieuse, planétaire, positive, prépondérante, profonde, puissante, rapide, réciproque, (mal)saine, salutaire, souveraine, stimulante, tenace, tragique, utile, vague, vaste, véritable, visible, vivante, vive, vivifiante. *Accroître, amoindrir, amplifier, augmenter, avoir, combattre, contrebalancer, contrôler, démolir, détruire, diminuer, élargir, enrayer, établir, étendre, exercer, garder, limiter, mesurer, mobiliser, montrer, neutraliser, nier, observer, perdre, posséder, reconnaître, redouter, rejeter, renforcer, restreindre, sentir, subir, suivre une/l'~ de qqn/qqch.; céder, échapper, être exposé, résister, (se) soustraire qqn à une/aux ~(s); agir, être sous l'~ de (l'alcool, la colère, etc.); acquérir, avoir, gagner, perdre, posséder de l'~.* Une ~ agit, augmente, diminue, grandit, s'accroît, se fait sentir, se produit, se réduit, s'exerce, s'intensifie.

INFORMATION (sur)abondante, abstraite, (in)accessible, (in)adéquate, alarmiste, (in)appropriée, biaisée, brute, capitale, (in)cohérente, complémentaire, (in)complète, concrète, confidentielle, confirmée, corroborée, crédible, critique, déformée, détaillée, disponible, douteuse, erronée, étonnante, (in)exacte, exclusive, exhaustive, fantaisiste, fausse, fiable, floue, (in)fondée, fragmentaire, fumante, générale, (mal)heureuse, (mal)honnête, hypothétique, immédiate, importante, indispensable, insolite, (in)intéressante, libre, majeure, manipulée, mauvaise, mensongère, neutre, objective, omise, opportune, parcellaire, (im)partiale, partielle, périphérique, personnalisée, pertinente, pointue, ponctuelle, pratique, précieuse, (im)précise, probante, prodigieuse, rapide, réactualisée, récente, riche, rigoureuse, rudimentaire, sensationnelle, sérieuse, solide, spécialisée, subjective, (in)suffisante, sûre, suspecte, tendancieuse, trompeuse, tronquée, utile, (in)vérifiable, vraie. *Accumuler, apporter, collecter, communiquer, compléter, contredire, confirmer, délivrer, demander, démentir, dénicher, détenir, développer, diffuser, divulguer, étayer, fabriquer, faire circuler, fournir, lancer, obtenir, prendre, produire, propager, publier, puiser, recueillir, réfuter, réunir, soutirer, transmettre, vérifier une/des ~(s); écouter, prendre, présenter, regarder les ~s; acquérir, donner de l' ~; être saturé/avare/avide, manquer d'~s.*

INFORMATIQUE *Maîtriser, pratiquer l'~; être dans l'~; être un fan/féru/mordu d'~; être doué pour l'~.*

INFRACTION banale, énorme, fâcheuse, flagrante, grave, grosse, grossière, importante, insignifiante, intentionnelle, légère, lourde, majeure, mineure, (in)volontaire. *Causer, commettre, constater, constituer, contester, déceler, faire, juger, punir, relever, signaler, subir une ~; participer à une ~; être accusé/coupable/victime d'une ~; être en ~.*

INGÉNIOSITÉ accrue, admirable, considérable, créative, débordante, débridée, déconcertante, éblouissante, époustouflante, étonnante, exceptionnelle, exemplaire, extraordinaire, extrême, fertile, folle, grande, incomparable, incontestable, incroyable, indéniable, inouïe, inventive, novatrice, prodigieuse, pratique, rare, remarquable, renversante, stupéfiante, sublime. *Être, être doué, faire montre/preuve, se montrer, témoigner d'une ~ (+ adj.); cultiver, développer, stimuler, susciter l'~; avoir de l' ~; rivaliser d'~.*

INGRATITUDE absolue, apparente, complète, consternante, crasse, cruelle, déplorable, extraordinaire, extrême, franche, grande, impardonnable, inacceptable, inouïe, noire, notoire, odieuse, plate, réelle, renversante, révoltante, scandaleuse, sournoise, vile. *Manifester, montrer une ~ (+ adj.); être, faire montre/preuve d'une ~ (+ adj.); crier à l'~; montrer, témoigner de l'~.*

INITIATIVE ambitieuse, (in)attendue, audacieuse, concrète, considérable, constructive, catastrophique, (in)cohérente, courageuse, dangereuse, décisive, définitive, déplorable, désastreuse, douloureuse, drastique, éclairée, (in)efficace, énergique, (in)équitable, excellente, exceptionnelle, extrême, fâcheuse, (dé)favorable, (in)formelle, hardie, hasardeuse, (mal)heureuse, historique, importante, impressionnante, improvisée, imposée, inconsidérée, indispensable, inédite, innovatrice, intelligente, intempestive, intéressante, louable, majeure, maladroite, malencontreuse, modeste, musclée, négative, novatrice, officielle, officieuse, originale, ponctuelle, positive, (dé)raisonnable, rare, rarissime, redoutable, remarquable, retentissante, rigoureuse, salutaire, spectaculaire, (in)suffisante, téméraire, triste, ultime, urgente. *Faire preuve d'une ~ (+ adj.); amorcer, approuver, assumer, décourager, dénoncer, encourager, freiner, prendre, projeter, promouvoir, rejeter, saisir, saluer, soutenir, susciter une ~; applaudir, couper court, se rallier à une ~; garder, perdre, (re)prendre l'~; multiplier les ~s; avoir, montrer, prendre de l'~; être plein, faire preuve, manquer d'~.* Une ~ échoue, porte ses fruits, réussit.

INJECTION hypodermique, intradermique, intramusculaire, intraveineuse, sous-cutanée. *Demander, faire, pratiquer, prendre, réaliser, recevoir, subir une ~; avoir besoin d'une ~.*

INJURE arrogante, basse, blessante, cruelle, énorme, grosse, grossière, horrible, ignoble, impardonnable, infamante, inoubliable, intolérable, irréparable, légère, mordante, obscène, odieuse, ordurière, suprême, usuelle, vive. *Adresser, débiter, digérer, (se) dire, échanger, émettre, encaisser, endurer, faire, grommeler, hurler, jeter, lancer, marmonner, oublier, pardonner, proférer, recevoir, réparer, ressentir, souffrir, subir, supporter, venger une/des ~(s); répliquer à une ~; se venger d'une ~; en venir aux ~s; abîmer, abreuver, accabler, couvrir, écraser d'~s; se répandre en ~s.*

INJUSTICE abominable, absolue, affreuse, apparente, atroce, barbare, choquante, chronique, criante, criminelle, cruelle, effroyable, énorme, épouvantable, évidente, extrême, flagrante, fondamentale, grande, grave, grosse, grossière, horrible, impardonnable, inqualifiable, insoutenable, involontaire, irréparable, lâche, manifeste, monstrueuse, monumentale, navrante, notoire, profonde, rare, révoltante, scandaleuse, terrible, tragique. *Être, faire preuve d'une ~ (+ adj.); commettre, corriger, dénoncer, endurer, essuyer, faire, redresser, réparer, ressentir, souffrir, subir, venger une ~; protester, réagir, s'indigner contre une ~; être victime, se venger d'une ~; combattre, haïr, refuser, supporter, tolérer l'~; crier, s'opposer à l'~; lutter, protester, se révolter contre l'~.*

INNOCENCE absolue, attachante, béate, candide, certaine, charmante, claire, confondante, désarmante, étrange, évidente, extraordinaire, fausse, feinte, honnête, hypothétique, notoire, outragée, parfaite, perdue, profonde, pure, rafraîchissante, rare, remarquable, retrouvée, simulée, sincère, totale, touchante, troublante. *Avoir, garder, posséder une ~ (+ adj.); affirmer, clamer, crier, démontrer, établir, plaider, proclamer, prouver, reconnaître son/l'~ de qqn; croire à l'~ de qqn; être convaincu/persuadé/sûr de l'~ de qqn.*

INNOVATION absolue, attendue, capitale, concrète, considérable, constante, dangereuse, durable, efficace, fantastique, (dé)favorable, féconde, fondamentale, graduelle, hardie, importante, ingénieuse, intéressante, judicieuse, légère, lente, majeure, marquante, mauvaise, mineure, négligeable, notable, notoire, partielle, permanente, précieuse, profonde, progressive, radicale, rapide, ratée, récente, réussie, révolutionnaire, sensationnelle, significative, souhaitable, utile, vitale. *Constituer, être, représenter une ~ (+ adj.);*

adopter, apporter, faire, introduire, lancer, réaliser une ~; accepter, aimer, craindre, favoriser, freiner, gêner, promouvoir, stimuler l'~; se lancer dans les ~s.

INONDATION artificielle, brusque, brutale, catastrophique, désastreuse, dévastatrice, dramatique, énorme, épouvantable, exceptionnelle, faible, forte, gigantesque, grave, historique, immense, importante, majeure, meurtrière, mineure, occasionnelle, périodique, redoutable, soudaine, spectaculaire, subite, terrible, violente, volontaire. *Causer, provoquer, subir une ~; échapper à une ~.* Une ~ augmente, gagne, progresse, recule, se produit, s'étend.

INQUIÉTUDE absolue, affreuse, angoissante, confuse, considérable, croissante, cruelle, déplacée, dévorante, diffuse, épouvantable, extrême, feinte, fébrile, fiévreuse, folle, (in)fondée, forte, grande, grandissante, grave, grosse, incertaine, indéfinissable, inexprimable, inguérissable, intense, inutile, irrationnelle, irrépressible, (in)justifiée, lancinante, latente, légère, légitime, longue, majeure, maladive, mineure, mortelle, particulière, permanente, persistante, poignante, profonde, réelle, relative, ridicule, secrète, significative, sourde, subite, tenace, terrible, vague, violente, visible, vive. *Afficher, aggraver, alimenter, apaiser, augmenter, avoir, cacher, calmer, causer, chasser, confier, dissiper, donner, entretenir, éprouver, éveiller, exprimer, faire naître, manifester, nourrir, provoquer, raviver, ressentir, soulever, taire une/des/l'/les/de l'/son/ses ~(s); céder, être en proie, faire face à une/l'/aux ~(s); être, vivre dans l'~; être miné/tourmenté par l'~; être fou/malade/rempli/rongé, pâlir, trembler d'~.* Une/l'~ augmente, gagne, monte, (re)naît, persiste, pointe, règne, se répand, s'intensifie, surgit.

INSECTE agressif, dangereux, gros, inoffensif, malfaisant, minuscule, nuisible, piqueur, solitaire, utile, vrombissant. *Chasser, collectionner, détruire, écarter les ~s; lutter contre les ~s.* Un ~ se pose.

INSÉCURITÉ absolue, accrue, aiguë, alarmante, chronique, constante, croissante, dangereuse, diffuse, durable, endémique, grande, grandissante, grave, imaginaire, intolérable, majeure, menaçante, objective, palpable, permanente, persistante, préoccupante, profonde, progressive, réelle, subjective, totale, troublante. *Connaître, ressentir, vivre une ~ (+ adj.); être confronté/en proie à une ~ (+ adj.); alimenter, combattre, entretenir, faire reculer, nourrir, raviver l'~; s'attaquer à l'~; lutter contre l'~; vivre dans l'~.* L'~ augmente, diminue, gagne, persiste, règne, s'aggrave.

INSENSIBILITÉ absolue, apparente, déplorable, excessive, grande, inacceptable, incroyable, inimaginable, naturelle, parfaite, préoccupante, rare, totale, voulue. *Manifester, montrer une ~ (+ adj.); être, faire preuve d'une ~ (+ adj.); affecter, cultiver l'~.*

INSINUATION blessante, calomnieuse, désobligeante, (in)directe, discrète, fausse, gênante, honteuse, injurieuse, ironique, légère, malveillante, mensongère, offensante, perfide, révoltante, sarcastique, subtile, timide, transparente. *Formuler, lancer une ~; procéder par ~.*

INSISTANCE acharnée, déplacée, déraisonnable, entêtée, excessive, farouche, ferme, gênante, gênée, implacable, indiscrète, inouïe, légère, lourde, maladroite, obsédante, obsessive, opiniâtre, (im)patiente, pénible, provocante, répétée, suspecte, tatillonne, tenace, têtue, troublante. *Manifester, mettre une ~ (+ adj.).*

INSOLENCE absolue, brutale, extrême, fanfaronne, froide, gratuite, hallucinante, horrible, incroyable, inhabituelle, inouïe, insupportable, invraisemblable, légère, lourde, manifeste, orgueilleuse, provocante, rare, sournoise, suprême, totale, touchante. *Être, faire preuve d'une ~ (+ adj.); commettre, subir, tolérer une ~; cultiver l'~; manifester, marquer, montrer, témoigner de l' ~; redoubler d'~.*

INSOMNIE brève, chronique, fiévreuse, importante, insupportable, interminable, longue, majeure, nerveuse, occasionnelle, opiniâtre, passagère, périodique, prolongée, sévère, tenace. *Être sujet à des ~s (+ adj.); souffrir d'une ~ (+ adj.); avoir, causer, chasser, combattre, faire, guérir, occasionner, provoquer, surmonter une ~; lutter contre l'~; être atteint, se plaindre, souffrir d'~.* Une ~ apparaît, augmente, commence, diminue, disparaît, perdure, s'accentue, s'aggrave, se produit, s'installe, survient.

INSOUCIANCE absolue, certaine, complète, coupable, criminelle, déconcertante, délibérée, douce, exagérée, extrême, fanfaronne, flagrante, froide, glaciale, grande, grave, incroyable, inouïe, ironique, joyeuse, lâche, maladroite, philosophique, profonde, rare, téméraire, totale. *Manifester, montrer une ~ (+ adj.); être, faire montre/preuve d'une ~ (+ adj.); travailler, vivre dans l'~.*

INSPECTION approfondie, attentive, bâclée, (in)complète, continuelle, déficiente, détaillée, discrète, éclair, efficace, épisodique, étroite, exacte, exhaustive, fautive, fouillée, générale, globale, inopinée, lente, longue, méthodique, méticuleuse, minutieuse, périodique, poussée, précise, rapide, (ir)régulière, renforcée, rigoureuse, routinière, serrée, sévère, soignée, sommaire, surprise, systématique, totale, vigilante, visuelle. *Conduire, effectuer, entreprendre, faire, mener, passer, réaliser, subir une ~; procéder, se livrer, (se) soumettre à une ~.*

INSPIRATION brusque, élevée, énergique, fatale, géniale, heureuse, imprévue, inattendue, inépuisable, intarissable, irrésistible, malencontreuse, mauvaise, pressante, prodigue, puissante, riche, secrète, soudaine, soutenue, stimulée, subite. *Avoir une/l' ~ (+ adj.); être saisi d'une ~ (+ adj.); être emporté par une ~ (+ adj.); céder, obéir à une/son ~; appeler, attendre, chercher, donner, entraver l'~; avoir de l'~; être à court, manquer d'~.* Une/l' ~ émerge, faiblit, se renouvelle, se tarit, surgit.

INSTALLATION commode, complète, complexe, compliquée, défectueuse, convenable, définitive, difficile, facile, fastidieuse, ingénieuse, interminable, laborieuse, lente, longue, mauvaise, médiocre, performante, piètre, pratique, précaire, provisoire, puissante, rapide, rudimentaire, simple, sommaire, vétuste. *Effectuer, faire, monter une ~; procéder à une ~; s'occuper d'une ~.*

INSTANT (dés)agréable, bref, capital, chaud, court, crucial, décisif, délicieux, déterminant, difficile, douloureux, doux, dramatique, dur, éphémère, exaltant, exquis, facile, fatal, fatidique, féerique, fort, fugace, fugitif, grave, (mal)heureux, idéal, imminent, important, inoubliable, insignifiant, intense, long, lucide, magique, magnifique, mauvais, mémorable, mystérieux, (in)opportun, pathétique, pénible, précieux, précis, présent, privilégié, profond, propice, rapide, savoureux, significatif, solennel, splendide, sublime, suprême, terrible, terrifiant, tragique, unique. *Connaître, passer, vivre un ~ (+ adj.); prolonger, retarder un ~.*

INSTINCT agressif, animal, aveugle, bas, bestial, brutal, développé, épatant, époustouflant, exacerbé, extraordinaire, faible, fantastique, formidable, fort, grégaire, (mal)heureux, indestructible, indiscutable, infaillible, inné, inouï, magnifique, merveilleux, naturel, obscur, profond, prononcé, puissant, rare, redoutable, remarquable, sauvage, secret, solide, sûr, surprenant, vif, violent. *Avoir, posséder un ~ (+ adj.); avoir de l'~; assouvir, diriger, dominer, freiner, libérer, maîtriser, refouler, réprimer, stimuler, vaincre son/ses ~(s); céder, obéir, s'abandonner, se fier, se laisser aller, se livrer à son/ses~(s).*

INSTITUTION admirable, démodée, efficace, essentielle, gigantesque, grande, historique, honorable, menacée, (ultra)moderne, moribonde, moyenne, périmée, petite, planétaire, prestigieuse, puissante, respectable, respectée, savante, sérieuse, stable, utile, vénérable, véritable, vieillissante. *Abolir, créer, diriger, mettre en place, réformer, rénover, revigorer, supprimer une ~.*

INSTRUCTION (enseignement) avancée, (in)complète, (in)formelle, générale, gratuite, intensive, intermédiaire, méthodique, obligatoire, poussée, pratique, professionnelle, sommaire, spécialisée, technique, théorique, traditionnelle, vaste. *Dispenser, donner, fournir, organiser, recevoir, subir, suivre une ~.* ♦(culture) défectueuse, encyclopédique, étendue, excellente, faible, grande, haute, immense, petite, prodigieuse, profonde, remarquable, rudimentaire, solide, (in)suffisante, superficielle, vaste. *Avoir, montrer, posséder une ~ (+ adj.); être d'une ~ (+ adj.); avoir, posséder de l'~; être dépourvu d'~.* ♦(directives, explications, ordres) brèves, claires, (in)cohérentes, détaillées, fermes, (in)formelles, limitées, précises, pressantes, vagues. *Adresser, attendre, donner, envoyer, exécuter, recevoir, rédiger, suivre des/les ~s; contrevenir, se conformer, s'en tenir à des/aux ~s.*

INSTRUMENT (accessoire, matériel, outil) (in)adapté, (in)adéquat, (in)approprié, commode, compliqué, dangereux, défectueux, délicat, efficace, émoussé, étroit, fiable, fragile, gros, grossier, indispensable, irremplaçable, large, léger, long, lourd, maniable, mauvais, obsolète, performant, périmé, piètre, pointu, polyvalent, pratique, précis, primitif, puissant, rudimentaire, (ultra)sensible, simple, sophistiqué, spécial, tranchant, utile. *Aiguiser, employer, forger, inventer, manier, ranger, utiliser un ~; se servir, user d'un ~.* ♦(~ de musique) (in)accordable, (dés)accordé, ancien, criard, défectueux, difficile, discordant, facile, harmonieux, joyeux, juste, mauvais, méconnu, mélodieux, nasillard, parfait, perçant, populaire, puissant, retentissant, piètre, préféré, rare, (hyper)sensible, simple, sonore, traditionnel. *Accorder, apprendre, emboucher, enseigner, étudier, jouer, maîtriser, pratiquer, toucher un ~; jouer, toucher d'un ~; jouer sur un ~.*

INSUCCÈS absolu, certain, cinglant, complet, cuisant, définitif, fatal, humiliant, incontestable, indéniable, léger, relatif, terrible, total. *Connaître, essuyer, subir un ~; avouer, reconnaître son ~.*

INSUFFISANCE aiguë, chronique, criante, dramatique, évidente, flagrante, grande, grave, incroyable, irrémédiable, manifeste, notoire, préoccupante, profonde, sérieuse. *Avoir, présenter des ~s (+ adj.); combler, compenser, pallier une ~; remédier à une ~.*

INSULTE atroce, blessante, cruelle, gratuite, grave, grosse, grossière, impardonnable, intolérable, involontaire, obscène, ordurière, outrageuse, pire, raciale, suprême. *Adresser, débiter, dire, essuyer, faire, jeter, proférer, recevoir, souffrir, subir une/des ~(s); se venger d'une ~; endurer, mépriser, supporter les ~s; en venir aux ~s; blêmir, bondir sous l'~.*

INTÉGRATION aisée, balbutiante, boiteuse, brutale, complète, difficile, douce, durable, dure, efficace, étroite, extraordinaire, facile, faible, forcée, harmonieuse, (mal)heureuse, importante, lente, nécessaire, normale, parfaite, partielle, positive, profonde, progressive, prompte, rapide, ratée, réussie, sereine, solide, totale. *Assurer, entraver, favoriser, gêner, mener à bien, réaliser une/l'~.*

INTELLIGENCE active, admirable, agile, aguerrie, aiguë, alerte, bornée, brillante, certaine, claire, clairvoyante, confondante, correcte, créatrice, critique, cultivée, déficiente, développée, diabolique, disciplinée, distinguée, douce, droite, dure, éclairée, efficace, élevée, éminente, épaisse, équilibrée, étendue, étincelante, étonnante, étroite, éveillée, exceptionnelle, excessive, extrême, faible, fiévreuse, fine, forte, froide, fulgurante, grande, impétueuse, implacable, impressionnante, incomparable, incroyable, inférieure, inquiète, instinctive, intuitive, lente, limitée, lucide, lumineuse, malicieuse, médiocre, merveilleuse, méthodique, minimale, modeste, moyenne, naturelle, normale, objective, obtuse, (extra)ordinaire, ouverte, paresseuse, parfaite, passive, pauvre, pesante, phénoménale, polyvalente, pratique, précise, précoce, primesautière, prodigieuse, profonde, prompte, rapide, rare, rationnelle, rayonnante, redoutable, réfléchie, remarquable, restreinte, rigoureuse, rudimentaire, satisfaisante, sensible, simple, sommaire, souple, spontanée, stratégique, structurée, stupéfiante, subtile, (in)suffisante, superbe, superficielle, supérieure, surhumaine, surprenante, vaste, vigoureuse, vive. *Avoir une/l' ~ (+ adj.); être, faire preuve d'une ~ (+ adj.); aiguiser, cultiver, développer, éveiller, exercer, faire travailler, fortifier, frapper, nourrir, stimuler, susciter l'/son ~; avoir, manifester, montrer de l'~; être dénué/(dé)pourvu/doté/doué, manquer d'~.*

INTEMPÉRIE brève, brusque, brutale, courte, épouvantable, étonnante, exceptionnelle, extraordinaire, forte, furieuse, grave, légère, majeure, subite, terrible, violente. *Affronter, braver les ~s; être exposé, résister aux ~s; lutter contre les ~s; être à l'abri des ~s.* Une ~ sévit, survient.

INTENSITÉ accrue, adéquate, affaiblie, aiguë, appropriée, basse, constante, exceptionnelle, excessive, extraordinaire, extrême, faible, fixe, forte, graduelle, grande, haute, immense, importante, impressionnante, incroyable, inférieure, maximale, maximum, minimale, minimum, modérée, moyenne, notable, prodigieuse, progressive, rare, renforcée, (in)suffisante, supérieure, variable, vive. *Avoir, posséder une ~ (+ adj.); être d'une ~ (+ adj.); accroître, atteindre, augmenter, diminuer, maintenir une/l'~ de qqch.; gagner, perdre de l'/son ~; augmenter, baisser, diminuer, redoubler d'~; varier en ~.*

INTENTION affichée, affirmée, agressive, aimable, ambitieuse, arrêtée, avouée, bienfaisante, bienveillante, blessante, cachée, calculée, claire, consciente, coupable, criminelle, décidée, déclarée, délibérée, délicate, désobligeante, déterminée, diabolique, douteuse, droite, évidente, excellente, expresse, ferme, formelle, forte, frauduleuse, généreuse, gentille, (mal)honnête, honorable, hostile, initiale, insolente, ironique, louable, malicieuse, malveillante, manifeste, marquée, mauvaise, méchante, négative, noble, pacifique, particulière, personnelle, positive, précise, première, profonde, pure, secrète, significative, sincère, subjective, suspecte, systématique, transparente, troublée, ultime, unique, vague, vaine, véritable, volontaire. *Afficher, affirmer, annoncer, communiquer, déclarer, dévoiler, dissimuler, esquisser, expliquer, exprimer, faire connaître, laisser paraître, manifester, masquer, montrer, nourrir, percevoir, préciser, réaliser, révéler, signifier, supposer, taire, trahir une/des/ses ~(s); persévérer dans une ~; (mé)connaître, contrecarrer, pénétrer, percer, scruter, sonder les ~s de qqn; se méprendre sur l'/les ~(s) de qqn.*

INTERDICTION absolue, complète, effective, explicite, expresse, formelle, globale, implicite, partielle, permanente, radicale, stricte, temporaire, totale, volontaire. *Braver, enfreindre, faire respecter, imposer, lever, supprimer, transgresser une ~; être soumis, passer outre à une ~.*

INTÉRÊT (attention, curiosité, importance) absolu, accru, actif, brusque, capital, certain, commun, concret, considérable, constant, croissant, démesuré, (in)direct, douteux, durable, égoïste, émoussé, énorme, étroit, évident, exceptionnel, excessif, extraordinaire, extrême, faible, fluctuant, fondamental, fort, futile, général, grand, grandissant, grave, immédiat, immense, important, incontestable, indéniable, indicible, irrésistible, (in)justifié, languissant, latent, légitime, limité, lointain, louable, majeur, manifeste, marqué, médiocre, mesquin, mineur, minime, mitigé, modéré, mutuel, négligeable, nul, palpitant, particulier, partisan, passager, passif, passionné, pratique, pressant, primordial, prioritaire, profond, prononcé, puissant, ravivé, réel, relatif, renouvelé, sacré, secondaire, significatif, sordide, soudain, soutenu, subit, substantiel, suivi, suprême, tardif, théorique, urgent, vaste, véritable, vif, vital, vrai; antagonistes, concurrentiels, conflictuels, contraires, convergents, divergents, incompatibles, inconciliables, irréconciliables, opposés, réciproques. *Avoir, présenter, revêtir un ~ (+ adj.); être d'un ~ (+ adj.); accorder, afficher, aiguiser, amoindrir, attirer, augmenter, captiver, démontrer, diminuer, éprouver, (r)éveiller, exciter, exprimer, faire naître, feindre, forcer, garder, inspirer, limiter, manifester, marquer, montrer, nourrir, offrir, porter, provoquer, ranimer, raviver, réchauffer, redoubler, refroidir, retenir, simuler, soulever, soutenir, stimuler, susciter, témoigner un/l'/de l'~; compromettre, concilier, confier, (mé)connaître, défendre, définir, desservir, épouser, favoriser, harmoniser, heurter, léser, ménager, menacer, négliger, oublier, prendre en compte, privilégier, protéger, représenter, sacrifier, sauvegarder, servir, soutenir, trahir ses/les ~s de qqn; nuire, songer, veiller à ses/aux ~s de qqn; être dénué/plein, manquer d'~.* Un ~ augmente, baisse, (dé)croît, diminue, faiblit, naît, s'épuise, s'érode, s'estompe, surgit. ♦(*Économie, Finance*) accumulé, bas, confortable, élevé, énorme, faible, fixe, fort, gros, haut, intéressant, juteux, minime, net, nul, scandaleux, substantiel, sûr, usuraire, variable. *Accumuler, avoir, octroyer, payer, percevoir, porter, produire, rapporter, toucher, verser un/des ~(s); bénéficier d'un ~.* Les ~s courent, s'accroissent, s'accumulent.

INTÉRIEUR accueillant, austère, chaleureux, confortable, coquet, douillet, élégant, enfumé, ensoleillé, fastueux, joli, lumineux, luxueux, modeste, net, négligé, (dés)ordonné, paisible, propre, raffiné, riche, sale, sévère, soigné, somptueux, superbe, sympathique, tranquille. *Aménager, arranger, décorer, négliger, ordonner, rénover, tenir un/son ~.*

INTERNET convivial, efficace, facile, fragile, illimité, lent, ludique, performant, puissant, (ultra)rapide, sûr, utile. *Parcourir, utiliser (l')~; accéder, avoir accès, être connecté, s'abonner, se brancher, se connecter, se mettre à (l') ~; abuser, se servir d'(de l')~; faire des recherches, naviguer dans (l') ~; être un expert en ~; acheter, commander, correspondre, vendre par (l') ~; aller, chercher, dialoguer, faire des recherches, fureter, naviguer, opérer, se promener, s'exprimer, surfer, travailler sur (l') ~.*

INTERPRÉTATION (*traduction*) chuchotée, consécutive, simultanée. *Assurer l'~; faire de l'~.* ♦(*Théâtre, Cinéma, Musique*) admirable, approximative, brillante, chaleureuse, contestable, correcte, débraillée, décevante, douteuse, dynamique, éblouissante, émouvante, excellente, exceptionnelle, fiable, intelligente, intéressante, libre, juste, magistrale, magnifique, médiocre, nouvelle, originale, parfaite, personnelle, remarquable, simple, solide, (in)suffisante, vivante. *Donner, entendre, offrir, proposer une ~ (+ adj.); assister à une ~ (+ adj.).*

INTERPRÈTE (*traducteur*) bilingue, confirmé, consécutif, multilingue, polyglotte, professionnel, simultané. *Rechercher un ~; avoir recours, faire appel à un ~; faire l'~; servir d'~.* ♦(*Théâtre, Cinéma, Musique*) bon, célèbre, excellent, formidable, grand, mauvais, médiocre, passionné, piètre, remarquable, subtil, talentueux, virtuose.

INTERROGATION angoissante, approfondie, angoissée, ardente, anxieuse, complexe, délicate, difficile, (in)discrète, essentielle, existentielle, fondamentale, fouillée, générale, grave, immense, incessante, indispensable, inlassable, inquiète, insidieuse, insistante, intense, lancinante, large, longue, majeure, méthodique, minutieuse, (im)patiente, précise, rapide, rigoureuse, sérieuse, serrée, simple, systématique, ultime, vaste. *Formuler, lancer, poser, provoquer, soulever, susciter une ~.* Une ~ subsiste, surgit.

INTERROGATOIRE acharné, approfondi, bref, court, forcé, impitoyable, implacable, long, minutieux, musclé, poussé, rigoureux, serré, sévère, simple, vigoureux, volontaire. *Conduire, essuyer, mener, ordonner, (faire) subir un ~; être soumis, procéder, soumettre à un ~.* Un/l' ~ commence, démarre, se déroule, se termine.

INTERRUPTION accidentelle, brève, brusque, brutale, complète, courte, définitive, exceptionnelle, graduelle, intempestive, longue, momentanée, obligatoire, progressive, prolongée, provisoire, soudaine, spontanée, subite, temporaire, totale, vive, (in)volontaire. *Causer, provoquer, subir une ~.*

INTERVALLE bref, court, éloigné, étroit, immense, interminable, large, long, négligeable, rapproché, rare, (ir)régulier. *Augmenter, combler, diminuer, franchir, garder, laisser, maintenir, mettre, occuper, remplir un/les ~(s).*

INTERVENTION abusive, active, avortée, banale, bénigne, bienveillante, brusque, brutale, (in)correcte, cruelle, dangereuse, décisive, délicate, déplacée, (in)directe, (in)discrète, (in)efficace, énergique, erronée, explicite, (dé)favorable, habile, immédiate, implicite, importune, impromptue, intempestive, (dés)intéressée, judicieuse, (in)justifiée, légère, lourde, manquée, massive, minutieuse, miraculeuse, moindre, musclée, nécessaire, (in)opportune, organisée, pacifique, ponctuelle, prématurée, propice, providentielle, rapide, ratée, remarquable, remarquée, restreinte, réussie, sérieuse, soudaine, spontanée, subtile, tardive, tyrannique, utile, victorieuse, visible, vive. *Assurer, déclencher, engager, justifier, lancer, pratiquer, préméditer, provoquer, réaliser, réclamer, solliciter, subir une ~; être soumis, recourir à une ~.* Une ~ a lieu, se justifie, se produit, s'impose.

INTERVIEW agréable, brève, courte, directe, exclusive, franche, informative, intéressante, interminable, longue, passionnante, ratée, réussie. *Accorder, arranger, clore, conduire, décrocher, demander, donner, enregistrer, faire, mener, passer, prendre, publier, réaliser, refuser, solliciter une ~; procéder, se plier, se prêter, (se) soumettre qqn à une ~.*

INTIMITÉ absolue, confortable, douce, étroite, impénétrable, indissoluble, parfaite, profonde, stricte. *Défendre, envahir, protéger, violer l'~; défendre, préserver son ~; manquer d'~.*

INTOLÉRANCE absolue, acharnée, aveugle, cachée, certaine, extrême, fanatique, farouche, flagrante, grande, grandissante, imbécile, impartiale, inadmissible, inimaginable, inquiétante, insoutenable, insupportable, manifeste, ouverte, primaire, profonde, rare, regrettable, sauvage, stupide, totale. *Manifester, montrer une ~ (+ adj.); être, faire preuve/montre d'une ~ (+ adj.); alimenter, combattre, nourrir, prôner l'~.*

INTONATION aiguë, chantante, criarde, douce, juste, mélodieuse, monotone, nasillarde, soignée, tendre, traînante.

INTRANSIGEANCE absolue, abusive, agressive, apparente, aveugle, brutale, certaine, déconcertante, déplacée, ferme, féroce, fière, flagrante, forte, grande, grandissante, incompréhensible, inébranlable, inflexible, (in)justifiée, manifeste, officielle, provocante, radicale, rare, sévère, surprenante, totale. *Afficher, manifester, montrer une ~ (+ adj.); être, faire montre/preuve d'une ~ (+ adj.); manifester, montrer, témoigner de l'~; être muré dans son ~; faire montre/preuve d'~.*

INTRIGUE (complot, manigance, manœuvre) basse, compliquée, diabolique, emmêlée, (mal)habile, louche, machiavélique, maladroite, secrète, sournoise. *Clarifier, concerter, conduire, découvrir, déjouer, démêler, élaborer, fomenter, mener, monter, (dé)nouer, percer, tramer une/des ~(s).* ♦(Cinéma, Littérature, Théâtre) alambiquée, angoissante, banale, captivante, complexe, compliquée, confuse, (in)consistante, conventionnelle, corsée, crédible, décousue, dense, embrouillée, enchevêtrée, époustouflante, faible, (mal)habile, haletante, intense, limpide, maladroite, mince, mouvementée, mystérieuse, obscure, oppressante, palpitante, passionnante, poignante, prenante, principale, secondaire, simple, solide, soutenue, subtile, ténue, tortueuse, (in)vraisemblable. *Bâtir, conduire, construire, créer, développer, dévoiler, écrire, élaborer, façonner, imaginer, inventer, mener, (dé)nouer, préparer, raconter, tisser une ~.*

INTUITION aiguisée, audacieuse, certaine, claire, clairvoyante, confuse, fantastique, fine, fugace, fulgurante, géniale, grande, infaillible, invérifiable, judicieuse, pertinente, profonde, rapide, remarquable, saisissante, soudaine, subtile, subite, surprenante, terrible, vague. *Avoir, posséder une (+ adj.); être doué d'une ~ (+ adj.); avoir de l'~; suivre son ~; se fier à ses ~s.*

INUTILITÉ absolue, affligeante, certaine, complète, criante, déconcertante, époustouflante, flagrante, incroyable, navrante, révoltante, totale. *Être, paraître d'une (+ adj.).*

INVASION (in)attendue, avortée, brusque, brutale, clandestine, dévastatrice, imminente, impitoyable, inopinée, intense, irrésistible, (in)justifiée, lente, majeure, manquée, massive, mineure, (im)prévue, progressive, rapide, ratée, redoutable, rude, soudaine, sournoise, subite, terrible, victorieuse, violente. *Arrêter, contenir, craindre, déclencher, entreprendre, faire, lancer, mener, monter, préparer, projeter, repousser, subir, tenter une ~; mettre fin, résister, se livrer, s'opposer à une ~; se défendre contre une ~.*

INVENTAIRE bref, complet, court, définitif, détaillé, énorme, exact, exhaustif, fastidieux, immense, imposant, impressionnant, interminable, large, long, maigre, médiocre, méthodique, mince, minutieux, partiel, précis, provisoire, rapide, rigoureux, serré, strict, systématique. *Clore, dépouiller, dresser, établir, faire, maintenir, réaliser, vérifier un ~; procéder à un ~.*

INVENTEUR, TRICE brillant, célèbre, créatif, extraordinaire, fabuleux, fantastique, fécond, formidable, génial, grand, hardi, illustre, ingénieux, innovateur, méconnu, prodigieux, prolifique, révolutionnaire.

INVENTION accidentelle, admirable, capitale, curieuse, dangereuse, décisive, diabolique, (in)efficace, essentielle, extraordinaire, fabuleuse, fantastique, fondamentale, formidable, fortuite, géniale, (mal)heureuse, importante, imprévue, inattendue, inédite, ingénieuse, intéressante, longue, magnifique, majeure, merveilleuse, mineure, originale, pratique, précieuse, primordiale, progressive, rapide, récente, remarquable, révolutionnaire, sensationnelle, spectaculaire, spontanée, (in)utile, vieille. *Breveter, lancer, mettre au point, perfectionner, produire, réaliser une ~; travailler à une ~.*

INVESTIGATION approfondie, bâclée, complète, coûteuse, délicate, détaillée, difficile, discrète, étendue, exhaustive, fine, fouillée, générale, gigantesque, longue, méthodique, méticuleuse, minutieuse, passionnante, poussée, précise, prolongée, rapide, rigoureuse, sérieuse, solide, sommaire, spéciale, superficielle, systématique, vaste. *Effectuer, entamer, entreprendre, faire, lancer, mener, opérer, ordonner, ouvrir, poursuivre, réaliser une ~; participer, procéder, se livrer à une ~.*

INVESTISSEMENT colossal, considérable, coûteux, désastreux, (in)direct, énorme, excellent, exorbitant, faible, fort, (in)fructueux, gigantesque, hasardeux, important, initial, judicieux, léger, lourd, lucratif, majeur, massif, mauvais, mineur, modeste, performant, (im)productif, profitable, privé, (im)prudent, public, record, réel, rentable, risqué, satisfaisant, substantiel, (in)suffisant. *Amortir, effectuer, engager, réaliser, rentabiliser un/des ~(s); accroître, attirer, contrôler, décourager, dynamiser, encourager, faciliter, faire fuir, favoriser, freiner, intensifier, limiter, soutenir, stimuler l'/les~(s).* Les ~s affluent, augmentent, diminuent, progressent, reculent, se redressent, stagnent.

INVESTISSEUR averti, avisé, frileux, (mal)honnête, important, indécis, (im)patient, (im)prudent, scrupuleux, sérieux, téméraire. *Attirer, dissuader, rassurer, séduire, soutenir, stimuler les ~s.*

INVITATION aimable, amicale, chaleureuse, conviviale, cordiale, discrète, ferme, flatteuse, forcée, franche, gracieuse, impérative, indéclinable, insistante, irrésistible, menaçante, personnelle, polie, pressante, réitérée, sincère, subtile, sympathique, urgente. *Accepter, attendre, contremander, décliner, éluder, envoyer, faire, formuler, lancer, obtenir, recevoir, refuser, réitérer, renouveler, repousser, transmettre une ~; répondre à une ~.*

INVITÉ, ÉE assidu, attendu, de marque, distingué, encombrant, familier, gênant, illustre, importun, indésirable, ponctuel, prestigieux, retardataire. *Accueillir, attendre, décommander, recevoir, retenir un ~.*

IRONIE acerbe, agressive, aimable, (douce-)amère, amusée, atroce, bienveillante, bourrue, brillante, cachée, cinglante, comique, corrosive, critique, cruelle, débridée, décapante, délicate, déplacée, désespérée, douce, élégante, étrange, facile, feinte, féroce, fine, froide, gentille, glacée, glaciale, gratuite, grave, grinçante, haineuse, hargneuse, impitoyable, implacable, incisive, indulgente, insultante, irrespectueuse, irritée, joyeuse, justifiée, légère, lourde, malicieux, malveillante, méchante, méprisante, mordante, morose, narquoise, noire, (im)perceptible, pesante, polie, profonde, rude, sceptique, singulière, souriante, subtile, tendre, terrible, tragique, tranquille, venimeuse, voilée, (in)volontaire. *Exercer, exprimer, manifester, pratiquer une ~ (+ adj.);*

comprendre, cultiver, (savoir) doser, manier, provoquer, susciter l'~; verser dans l'~; avoir, faire de l'~.

IRRESPECT absolu, ahurissant, certain, complet, flagrant, fondamental, grave, grossier, inadmissible, inouï, insultant, insupportable, manifeste, navrant, notoire, profond, rare, total, virulent. *Démontrer, manifester, montrer, ressentir un ~ (+ adj.); faire montre/preuve, témoigner d'un ~ (+ adj.); avoir, manifester, montrer de l'~.*

IRRITATION (Médecine) aiguë, bénigne, brève, continuelle, désagréable, douloureuse, extrême, faible, forte, généralisée, grave, importante, insupportable, intense, intermittente, intolérable, légère, locale, passagère, persistante, sévère, soudaine, subite, temporaire, tenace, terrible. *Avoir, calmer, causer, éliminer, entraîner, éprouver, provoquer, ressentir, soulager une ~.* Une/la ~ (ré)apparaît, cesse, disparaît, s'aggrave, se manifeste, survient. ♦(*impatience, nervosité*) accrue, brève, contenue, extrême, forte, grande, grandissante, incessante, intense, légère, palpable, perceptible, profonde, sourde, vive. *Manifester, montrer une ~ (+ adj.); être en proie à une ~ (+ adj.); céder à l'~; être au comble de l'~; éprouver, provoquer, susciter de l'~; cacher, dissimuler, laisser paraître son ~; rougir d'~.* Une ~ cède, diminue, s'accroît, tombe.

ISSUE (porte, passage, sortie) cachée, dérobée, embarrassée, étroite, interdite, introuvable, large, libre, secrète. *Atteindre, chercher, découvrir, emprunter, gagner, se ménager une ~.* ♦(*but, fin, solution*) acceptable, décisive, déterminante, douteuse, fatale, (dé)favorable, finale, funeste, glorieuse, (mal)heureuse, honorable, immédiate, (im)probable, (in)certaine, inéluctable, inespérée, inévitable, logique, lointaine, négative, positive, (im)possible, (im)prévisible, prochaine, rapide, satisfaisante, soudaine, tragique, triste, victorieuse. *Chercher, entrevoir, espérer, offrir, se ménager, trouver une ~.*

ITINÉRAIRE accidenté, balisé, bref, complet, court, dangereux, difficile, facile, fantastique, fléché, intéressant, jalonné, long, marqué, sinueux, superbe, sûr, tortueux. *Adopter, choisir, déterminer, dresser, élaborer, emprunter, établir, étudier, faire, fixer, modifier, prendre, préparer, réaliser, suivre, tracer un ~; changer, se tromper d'~.*

IVRESSE aiguë, brutale, chronique, complète, continuelle, (in)contrôlée, courte, dangereuse, douce, folle, forte, fréquente, gaie, joyeuse, légère, lente, longue, pathologique, progressive, prolongée, rapide, tranquille, triste. *Connaître, expérimenter une ~; atteindre, procurer, provoquer l'~; noyer son chagrin, sombrer dans l'~; être abruti/engourdi/étourdi/hébété par l'~.*

IVROGNE abruti, chancelant, couperosé, errant, fini, impénitent, incorrigible, invétéré, notoire, repenti, rubicond, titubant, trébuchant, vieil, vulgaire. Un ~ marche en zigzag, titube, trébuche.

J

JALOUSIE amère, atroce, aveugle, cachée, découverte, dévastatrice, dévorante, dissimulée, effrénée, enragée, envieuse, étouffée, exagérée, excessive, extrême, faible, féroce, folle, forte, furieuse, haineuse, horrible, imbécile, impuissante, inapaisable, inavouée, incroyable, inguérissable, injuste, insatiable, insensée, intense, (in)justifiée, maladive, mesquine, monstrueuse, mortelle, noble, noire, obstinée, odieuse, pathologique, possessive, réciproque, redoutable, secrète, sombre, susceptible, terrible, totale, triste. *Avoir une ~ (+ adj.); être, se montrer, souffrir d'une ~ (+ adj.); augmenter, cacher, causer, dissimuler, éprouver, étouffer, exciter, exprimer, inspirer, provoquer, ressentir, susciter une/la/de la/sa ~; être torturé/tourmenté par la ~; crever, mourir, être fou/malade/rongé/torturé de ~.*

JAMBE agiles, ankylosées, arquées, athlétiques, bonnes, courbatues, courtes, croches, croisées, décharnées, démesurées, droites, élancées, enflées, engourdies, énormes, épaisses, épilées, faibles, filiformes, fines, flageolantes, fluettes, fortes, fuselées, galbées, gonflées, gourdes, grandes, grêles, grosses, interminables, légères, longues, lourdes, maigrelettes, maigres, mauvaises, menues, meurtries, minces, molles, musclées, nerveuses, osseuses, poilues, raides, solides, souples, superbes, sveltes, tendues, titubantes, tordues, tremblantes, vacillantes, velues, vigoureuses, vilaines. *Avoir des/les ~s (+ adj.); allonger, (dé)croiser, découvrir, écarter, étirer, fermer, fléchir, montrer, (re)plier, ployer, se dégourdir, se dérouiller, tendre les/ses ~s; être assuré/campé/d'aplomb/solide, fléchir, trembler, vaciller sur les/ses ~s.* Des ~s flageolent, fléchissent, tremblent.

JAPPEMENT affectueux, aigu, bref, clair, discret, énervé, enjoué, étouffé, étranglé, furieux, joyeux, lamentable, plaintif, rauque, timide. *Émettre, lancer, laisser échapper, pousser, produire un ~.*

JARDIN abandonné, admirable, agréable, arboré, aride, broussailleux, charmant, clos, cultivé, délicieux, dense, élégant, embaumé, emmuré, énorme, ensoleillé, entretenu, étroit, exigu, fécond, féerique, fertile, fleuri, harmonieux, immense, inculte, joli, large, luxuriant, magnifique, merveilleux, méticuleux, minuscule, modeste, odorant, (dés)ordonné, paisible, paysager, propre, raffiné, ravissant, rectiligne, sauvage, soigné, somptueux, spacieux, splendide, suspendu, touffu, vaste, verdoyant, vert. *Arroser, bêcher, clore, cultiver, débroussailler, entretenir, faire, nettoyer, parcourir, ratisser, sarcler, semer, soigner, traverser, visiter un ~; entrer dans un ~; aller, être, rester, se promener, travailler au/dans le ~.*

JARDINAGE *Pratiquer le ~; s'adonner, se livrer au~; faire du ~.*

JAUNE ambré, beurre, brillant, brun, brunâtre, canari, caramel, chaud, citron, clair, crème, cuivré, délavé, d'or, doré, éclatant, effacé, fade, faible, fauve, foncé, franc, gris, grisâtre, intense, jonquille, léger, marron, métallique, miel, moutarde, moyen, ocre, orange, orangé, paille, pâle, puissant, safran, saisissant, sale, serin, soufre, soutenu, tendre, terne, vanille, verdâtre, vert, vif.

JAZZ authentique, bon, commercial, dansant, élaboré, libre, populaire, symphonique, vocal. *Écouter, entendre, interpréter, pianoter du ~.*

JEAN ample, avachi, brodé, collant, court, déchiré, découpé, délavé, élimé, étroit, évasé, fatigué, frangé, griffé, impeccable, informe, long, moulant, neuf, rapiécé, rigide, serré, troué, usé. *Arborer, enfiler, enlever, mettre, passer, porter un ~; être vêtu d'un ~; être en ~.*

JET continu, énorme, faible, fort, immense, intermittent, long, maigre, mince, minuscule, vertical. *Émettre, lancer, projeter un ~.*

JEU (amusement) amusant, apprécié, attrayant, brutal, bruyant, complexe, compliqué, dangereux, difficile, divertissant, durable, dynamique, éducatif, ennuyeux, excellent, facile, intelligent, intéressant, ludique, original, paisible, palpitant, passionnant, prenant, puéril, récréatif, rude, sain, sérieux, silencieux, simple, subtil, superbe, sympathique, traditionnel, unique, varié, violent, vivant. *Découvrir, faire, imaginer, inventer, organiser un ~; jouer, participer, prendre part, s'adonner, se livrer, se mêler à un ~.* ♦ (casino, etc.) *Aimer le ~; gagner, perdre, s'adonner, se ruiner au ~.* ♦ (Sport, interprétation) agressif, brutal, (in)cohérent, décousu, défensif, direct, dur, efficace, fermé, habile, hermétique, impeccable, inégal, intelligent, lent, (dé)loyal, magnifique, mou, moyen, offensif, ouvert, physique, rapide, remarquable, robuste, rude, sec, sensationnel, serré, sobre, solide, spectaculaire, splendide, viril. *Exécuter, faire, fournir, offrir, pratiquer un ~ (+ adj.); amorcer, arrêter, clore, conduire, diriger, fermer, gagner, interrompre, reprendre, serrer, suspendre un/le ~.*

JEUNE agité, aimable, ambitieux, amorphe, ardent, audacieux, branché, brave, brillant, charmant, désœuvré, difficile, doué, dynamique, écervelé, élancé, étourdi, (in)expérimenté, farouche, fier, fou, fougueux, frais, fringant, (mal)heureux, impétueux, imprudent, insolent, insouciant, irréfléchi, marginal, mince, (dé)motivé, naïf, rebelle, (ir)responsable, révolté, robuste, sérieux, svelte, sympathique, talentueux, téméraire, timide, turbulent, violent.

JEÛNE absolu, austère, complet, court, drastique, excessif, extrême, forcé, intégral, intermittent, (il)limité, long, nocif, obligatoire, occasionnel, partiel, passager, pénible, prescrit, prolongé, relatif, rigoureux, rude, sévère, strict, total, volontaire. *Accomplir, commencer, entamer, entreprendre, faire, interrompre, mener, observer, poursuivre, pratiquer, prescrire, recommander, respecter, rompre, (s')imposer, subir, suivre, supporter un ~; participer à un ~; sortir d'un ~.*

JEUNESSE agitée, agréable, aisée, ambitieuse, amorphe, ardente, audacieuse, aventureuse, belle, besogneuse, bouillante, branchée, brillante, brusque, choyée, comblée, confiante, conformiste, confortable, désabusée, désespérée, dévergondée, difficile, dissipée, dorée, douce, douloureuse, dynamique, éclatante, éduquée, effervescente, effrénée, enthousiaste, équilibrée, éternelle, étourdie, exceptionnelle, excitante, extraordinaire, extrême, exubérante, facile, fiévreuse, folle, forte, fortunée, fougueuse, fragile, fraîche, frondeuse, (mal)heureuse, impatiente, impétueuse, imprudente, (in)docile, inquiète, insolente, insouciante, intrépide, joyeuse, légère, longue, merveilleuse, misérable, modèle, monotone, (dé)motivée, mouvementée, naïve, normale, oisive, orageuse, ordinaire, paisible, parfaite, pauvre, perpétuelle, perturbée, privilégiée, prolongée, protégée, radieuse, rebelle, resplendissante, responsable, révoltée, rude, sage, saine, sauvage, sérieuse, solitaire, sotte, sportive, studieuse, tapageuse, tendre, tourmentée, triste, tumultueuse, turbulente, (ultra)violente, volée. *Avoir, connaître, passer, vivre une ~ (+ adj.); aimer, fréquenter, corrompre, enthousiasmer, exalter, instruire, passionner la ~; gâcher, gaspiller, perdre, regretter, retrouver, sacrifier, se remémorer sa ~; profiter de sa ~; déborder, être débordant/plein/rayonnant/resplendissant, rayonner de ~.* La ~ se fane, s'enfuit, s'envole.

JOIE absolue, allègre, amère, anticipée, apparente, âpre, ardente, brève, brusque, bruyante, cachée, calme, communicative, (in)complète, courte, débordante, délicate, délicieuse, délirante, diabolique, (in)discrète, dissimulée, douce, durable, dynamique, éclatante, enfantine, enivrante, énorme, enthousiaste, éphémère, évidente, excessive, expansive, extraordinaire, extrême, exubérante, farouche, fausse, fébrile, féroce, fiévreuse, folle, forcée, fraîche, fugace, funeste, furieuse, furtive, grande, grisante, illimitée, immense, importune, imprévue, inaltérable, inattendue, incommensurable, incommunicable, incomparable, inconvenante, indécente, indéfinissable, indescriptible, indestructible, indicible, inespérée, inexplicable, inexprimable, infinie, innocente, inouïe, insensée, insolite, intempestive, intense, intérieure, intime, inusitée, légitime, limpide, longue, maligne, mauvaise, méchante, médiocre, mitigée, (im)modérée, muette, naïve, naturelle, paisible, paradisiaque, (im)parfaite, passagère, profonde, progressive, puérile, pure, radieuse, rayonnante, relative, sadique, sanglotée, satanique, sauvage, secrète, sereine, simple, sincère, solide, sombre, stupide, subite, superficielle, tempérée, tendre, terrible, tonitruante, totale, tranquille, triomphante, trompeuse, trouble, tumultueuse, turbulente, véritable, visible, vive, vivifiante, voluptueuse. *Avoir, causer, donner, éprouver, goûter, manifester, montrer, procurer, provoquer, ressentir, témoigner une ~ (+ adj.); exciter, exprimer, feindre, goûter, mimer, posséder, refléter, répandre, respirer la ~; s'abandonner, se livrer à la ~; être, nager dans la ~; avoir, causer, donner, éprouver, goûter, manifester, montrer, procurer, provoquer, recevoir, ressentir, témoigner de la ~; cacher, chanter, communiquer, contenir, cultiver, décrire, dire, dissimuler, épancher, exprimer, extérioriser, laisser éclater, manifester, marquer, partager, savourer, taire, vivre sa ~; bondir, combler, crier, danser, déborder, éclater, être comblé/ivre/plein/transporté, grogner, hurler, pleurer, rayonner, sangloter, sauter, se pâmer, s'étrangler, tressaillir de ~.* Une/la ~ demeure, dure, éclate, explose, naît, s'émousse, s'intensifie, surgit.

JOUE amaigries, aplaties, basanées, blanches, brûlantes, carrées, cireuses, (dé)colorées, couperosées, creusées, creuses, délicates, douces, émaciées, empâtées, empourprées, enflammées, enflées, flasques, flétries, fraîches, grosses, imberbes, laiteuses, lisses, maigres, marbrées, massives, molles, pâles, pâlies, parcheminées, pendantes, plates, pleines, plissées, potelées, poupines, proéminentes, puissantes, râpeuses, ravinées, rebondies, rentrées, ridées, rondes, roses, rougeaudes, rougeoyantes, rouges, rubicondes, satinées, tachées de son, tannées, tombantes, veloutées, violacées, violettes. *Avoir des/les ~s (+ adj.); se mordre la ~; rentrer les ~s; enfler, gonfler ses ~s.*

JOUET amusant, (inter)actif, (in)approprié, bruyant, compliqué, coûteux, dangereux, décoratif, divertissant, dur, éducatif, enrichissant, éphémère, évolutif, excellent, extraordinaire, fantastique, fragile, idéal, incassable, ingénieux, intelligent, ludique, merveilleux, mou, parfait, passif, populaire, réparable, silencieux, simple, solide, sonore, volumineux. *Acheter, choisir, manipuler, offrir, recevoir, réparer un ~; jouer, s'amuser avec un ~.*

JOUEUR, JOUEUSE (Sport, Musique) acharné, adroit, adverse, agressif, amateur, brutal, chevronné, clé, combatif, complet, confirmé, (in)constant, débutant, (in)discipliné, (in)disponible, doué, efficace, émérite, étoile, excellent, exceptionnel, expérimenté, faible, fameux, fiable, formidable, fort, frêle, grand, inégal, infatigable, mauvais, médiocre, minable, moyen, néophyte, novice, précoce, professionnel, prodigue, prometteur, (ir)régulier, remarquable, robuste, rude, talentueux, virtuose. *Disqualifier, exclure, expulser, marquer, pénaliser, recruter un ~.* ♦ (*jeux de hasard*) acharné, avide, (mal)chanceux, compulsif, emporté, enragé, faible, fort, grand, (mal)heureux, incorrigible, invétéré, malhonnête, occasionnel, passionné, pathologique, (im)prudent, redoutable, repenti, ruiné.

JOUR (lumière) blafard, blanchissant, blême, clair, déclinant, douteux, éblouissant, éclatant, faible, finissant, gris, grisâtre, incertain, insuffisant, laiteux, levant, livide, menaçant, mourant, naissant, obscur, pâle, pâlissant, pluvieux, radieux, roussâtre, serein, sinistre, sombre, tamisé, tombant, tombé, triste, verdâtre. Le ~ arrive, baisse, blanchit, commence, décline, est à son déclin, finit, grandit, luit, meurt, monte, naît, (ap)paraît, passe, pointe, rayonne, renaît, s'achève, s'écoule, se lève, se montre, s'éteint, s'obscurcit, tombe; les ~s (r)allongent, (dé)croissent, diminuent, (se) raccourcissent. ♦ (*époque, vie*) décisif, douloureux, (né)faste, fatidique, (dé)favorable, glorieux, (mal)heureux, héroïque, magnifique, marquant, mémorable, merveilleux, misérable, normal, ordinaire, plein, propice, sinistre, terrible, tragique, triste. *Connaître, passer des ~s (+ adj.).*

JOURNAL (Presse) aéré, aride, austère, complet, épais, général, grand, influent, informé, mince, percutant, petit, polémique, prestigieux, remarquable, répandu, respectable, riche, sensationnaliste, sérieux, volumineux. *Consulter, créer, déplier, déployer, dévorer, diriger, fonder, imprimer, lancer, ouvrir, parcourir, (re)plier, publier, rédiger, supprimer, suspendre un ~; (s') abonner qqn, collaborer, être abonné à un ~; insérer, lire, paraître, se plonger dans un ~.* ♦ (~ *intime*) *Écrire, publier, rédiger, tenir un ~.*

JOURNALISME *Pratiquer le ~; entrer dans le ~; faire du ~.*

JOURNALISTE accrédité, audacieux, brillant, chevronné, compétent, engagé, excellent, expérimenté, grand, (mal)honnête, mauvais, médiocre, objectif, obscur, (im)partial, piètre, respecté, subjectif, talentueux.

JOURNÉE (jour) agréable, bonne, chaude, claire, délicieuse, ensoleillée, étouffante, fraîche, froide, glaciale, grise, idéale, magnifique, mauvaise, menaçante, merveilleuse, pluvieuse, radieuse, rayonnante, splendide, superbe, tiède, torride, triste, venteuse. ♦(*événement*) (dés)agréable, ahurissante, brève, calme, capitale, catastrophique, célèbre, (sur)chargée, courte, cruciale, décevante, délicieuse, détendue, dévorante, douce, dramatique, dure, ennuyeuse, éprouvante, épuisante, éreintante, étourdissante, exquise, fameuse, (né)faste, fatigante, féconde, fertile, harassante, (mal)heureuse, historique, horrible, idéale, inoubliable, interminable, longue, marquante, mauvaise, merveilleuse, minutée, misérable, monotone, mouvementée, noire, (in)occupée, particulière, passable, perdue, pleine, remplie, rude, singulière, tranquille, vide. *Commencer, employer, finir, ordonner, passer, perdre la/sa ~*. La ~ commence, finit, s'achève, s'écoule, se passe, se termine, se traîne, tire à sa fin.

JOYAU charmant, coûteux, délicat, imposant, impressionnant, inestimable, magnifique, précieux, prestigieux, riche, scintillant, somptueux, superbe. *Porter un ~; être couvert/paré de ~x.*

JUDO agressif, amical, défensif, rude, spectaculaire, sportif. *Enseigner, pratiquer le ~; exceller en ~.*

JUGE austère, autoritaire, bienveillant, bon, clairvoyant, clément, compatissant, (in)compétent, consciencieux, corrompu, désintéressé, dur, éclairé, équitable, excellent, favorable, (mal)honnête, impassible, impitoyable, implacable, incorruptible, indépendant, indulgent, inexorable, infaillible, inflexible, intègre, intimidant, irrévocable, (in)juste, laxiste, mauvais, méchant, modéré, (im)partial, paternel, redoutable, rigoureux, scrupuleux, sévère, suspect, vendu. *Corrompre, récuser, refuser, suspendre un ~; comparaître, se présenter devant un ~; être convoqué par un ~.*

JUGEMENT (*opinion, idée, vue*) abrupt, approfondi, (dés)avantageux, bienveillant, blessant, bon, catégorique, (in)certain, dédaigneux, définitif, dépréciatif, dur, éclairé, équitable, erroné, étriqué, évasif, exagéré, excessif, expéditif, extrême, faux, (dé)favorable, ferme, flatteur, hâtif, hostile, implacable, irréfutable, (in)juste, lapidaire, laudatif, léger, malveillant, mauvais, mélioratif, méprisant, mitigé, motivé, négatif, nuancé, objectif, (im)partial, partisan, passionné, pertinent, positif, précipité, préconçu, probable, raisonné, sévère, subtil, téméraire, terrible, tranchant, vague. *Avoir un ~ (+ adj.); confirmer, élaborer, émettre, énoncer, exprimer, former, formuler, mûrir, porter un ~; acquiescer à un ~.* ♦(*discernement, raison, bon sens*) (in)certain, dépravé, déréglé, droit, énorme, équilibré, excellent, faiblard, faible, ferme, fulgurant, hésitant, irréfutable, juste, léger, lucide, malveillant, mature, mauvais, mûr, naturel, perçant, profond, rigoureux, (mal)sain, serein, solide, sûr, trompeur. *Avoir un/le ~ (+ adj.); être pourvu d'un ~ (+ adj.); altérer, fausser, fortifier, redresser, troubler le ~; avoir, montrer du ~; être dépourvu, manquer de ~.* ♦(*Droit, Juridique*) attaqué, biaisé, capital, contestable, contradictoire, controversé, crucial, décisif, déclaratoire, défectueux, définitif, équitable, erroné, exécutoire, exhaustif, expédient, expéditif, (dé)favorable, inique, irréfutable, irrévocable, (in)juste, mitigé, nul, (im)partial, provisoire, rigoureux, sévère, sommaire, unanime. *Adoucir, annuler, appliquer, attaquer, confirmer, contester, différer, enregistrer, entériner, exécuter, infirmer, justifier, lire, maintenir, motiver, notifier, obtenir, prononcer, rapporter, ratifier, rendre, réviser, signifier, (in)valider un ~; acquiescer, faire opposition, surseoir à un ~; appeler, faire appel d'un ~; revenir sur un ~.*

JUNGLE claire, dense, dévorante, énorme, envahissante, épaisse, fournie, giboyeuse, hostile, humide, immense, impénétrable, impraticable, impressionnante, inexplorée, inextricable, inhospitalière, intacte, interminable, luisante, malsaine, moite, mystérieuse, opaque, protégée, luxuriante, sauvage, sombre, suintante, superbe, touffue, vaste, verdoyante, vierge, vorace. *Entrer, être perdu, pénétrer, s'aventurer, vivre dans une ~.*

JUPE ajustée, ample, bouffante, cintrée, claire, classique, collante, courte, croisée, démodée, droite, effilée, élégante, étriquée, étroite, évasée, fendue, flottante, fripée, froissée, froncée, large, légère, longue, lourde, moulante, plissée, serrée, seyante, simple, sobre, sombre, stricte, superbe. *Enfiler, enlever, essayer, mettre, ôter, passer, porter, raccourcir, rallonger, réparer, retoucher, rétrécir, (re)vêtir une ~.*

JURON abominable, coloré, drolatique, énergique, étouffé, féroce, gros, grossier, inaudible, incompréhensible, irrévérencieux, muet, plaisant, populaire, retentissant, sonore, strident, terrible, tonitruant, vilain. *Chuchoter, décocher, dire, échapper, émettre, entendre, étouffer, grommeler, hurler, lâcher, laisser échapper/fuser/sortir, lancer, marmonner, murmurer, pousser, proférer, prononcer, réprimer un ~; se répandre en ~s.* Un ~ résonne, retentit, se fait entendre.

JURY impitoyable, impartial, indépendant, indulgent, sévère. *Composer, constituer, former, instituer, manipuler, présider un ~; participer à un ~; faire partie d'un ~.* Un ~ se réunit.

JUSTESSE absolue, admirable, aiguë, alarmante, approximative, confondante, constante, déficiente, douteuse, époustouflante, étonnante, exceptionnelle, exquise, extrême, frappante, impeccable, impitoyable, implacable, impressionnante, incomparable, incontestable, incroyable, inégalée, infaillible, infinie, inouïe, irréprochable, parfaite, pertinente, pointilleuse, prodigieuse, profonde, rare, relative, remarquable, rigoureuse, saisissante, stricte, totale, troublante. *Être, faire preuve d'une ~ (+ adj.); contester, démontrer, nier, prouver, reconnaître la ~ de qqch.; être convaincu de la ~ de qqch.; manquer de ~.*

JUSTICE accélérée, arbitraire, bâclée, barbare, boiteuse, clémente, constante, convenable, défaillante, déficiente, dérisoire, douce, dure, éclatante, (in)équitable, éternelle, étroite, exacte, exemplaire, expéditive, feinte, ferme, hâtive, humanitaire, immuable, impitoyable, implacable, incontestable, incorruptible, inébranlable, inexorable, inflexible, injuste, intégrale, laxiste, lente, médiatique, mitigée, opprimée, (im)parfaite, parallèle, (im)partiale, piètre, prompte, (im)puissante, punitive, redoutable, rigoureuse, saine, sauvage, sélective, sévère, sommaire, stricte, suprême, tatillonne, vindicative, vraie. *Administrer,* *affronter, apporter, bafouer, connaître, contourner, défendre, défier, détruire, dispenser, établir, exercer, faire, faire régner/respecter, freiner, fuir, imposer, invoquer, offenser, outrager, rechercher, réclamer, redouter, rendre, saisir, satisfaire, servir la ~; avoir recours, déférer, échapper, être déféré/livré, faire obstruction, (se) livrer qqn, recourir, rendre des comptes, répondre, s'adresser, se dérober, se présenter, se rendre, se soustraire à la ~; avoir des ennuis, coopérer, être aux prises avec la ~; être assigné/cité/déféré/traduit, passer, se présenter, traduire, traîner devant la ~; croire en la ~; être convoqué/débouté/innocenté par la ~; actionner, assigner, attaquer, citer, comparaître, paraître, passer, plaider, poursuivre, se battre, témoigner, traduire en ~; crier, demander, obtenir, réclamer, se faire ~*. La ~ est faite/rendue, intervient, passe, règne, réprime, s'enlise, sévit, suit son cours, triomphe.

K

KARATÉ athlétique, doux, dur, élégant, puissant, rapide, spectaculaire, sportif. *Apprendre, enseigner, pratiquer le ~; s'initier au ~.*

KAYAK effilé, étanche, frêle, insubmersible, léger, long, lourd, mince, plat, rapide, rigide, (in)stable. *Diriger, manœuvrer, piloter un ~.*

KLAXON efficace, faible, fort, hurlant, insistant, intempestif, prolongé, puissant, rageur, sonore, strident, tonitruant. *Actionner, entendre un ~; appuyer, frapper sur le ~.* Un ~ résonne, retentit, rugit, se fait entendre.

L

LABORATOIRE aseptisé, délabré, encombré, énorme, équipé, étroit, fourni, immense, minuscule, misérable, (ultra)moderne, pauvre, propre, riche, sale, sombre, sophistiqué, sordide, spacieux, vaste. *Entrer, faire des expériences, pénétrer, travailler dans un ~; faire du ~; travailler en ~.*

LAC argenté, arrondi, asséché, azuré, calme, charmant, circulaire, dormant, encaissé, énorme, étincelant, étroit, gigantesque, immense, important, isolé, limpide, long, magnifique, majestueux, marécageux, miroitant, noir, ondulé, paisible, poissonneux, profond, pur, resplendissant, rond, sauvage, sombre, sublime, superbe, tranquille, transparent, turquoise. *Franchir, longer, traverser un ~; pêcher, se baigner dans un ~; naviguer sur un ~.* Un/le ~ abonde en poissons, baisse, brille, déborde, frissonne, miroite, monte, moutonne, ondule, se ride.

LÂCHETÉ absolue, considérable, déplorable, effroyable, exaspérante, excessive, extrême, honteuse, horrible, impressionnante, incomparable, incroyable, indescriptible, indicible, indigne, inexcusable, inimaginable, inqualifiable, lamentable, maladive, molle, monstrueuse, scandaleuse. *Être, faire preuve, témoigner d'une ~ (+ adj.); commettre, vaincre une ~; combattre la ~; avouer, cacher, reconnaître, vaincre sa ~; fuir par ~.*

LACUNE béante, cachée, capitale, (in)compréhensible, considérable, criante, énorme, évidente, (in)explicable, faible, flagrante, forte, frappante, grande, grave, grosse, immense, importante, incroyable, inquiétante, intolérable, irrémédiable, irréparable, légère, manifeste, minuscule, passagère, préoccupante, profonde, réelle, regrettable, sérieuse, vaste. *Combler, compenser, comporter, corriger, créer, déceler, déplorer, exploiter, observer, offrir, pallier, présenter, remarquer, remplir, réparer, trouver une ~; remédier, se heurter, suppléer à une ~; souffrir d'une ~.*

LAIDEUR absolue, affligeante, affreuse, atroce, banale, confondante, désolante, effrayante, effroyable, énorme, époustouflante, épouvantable, excessive, extrême, grande, honteuse, horrible, incomparable, incroyable, indéniable, inouïe, invraisemblable, manifeste, monstrueuse, pathétique, provocante, rare, redoutable, remarquable, repoussante, répugnante, saisissante, surprenante, terrible, totale, vulgaire. *Être d'une ~ (+ adj.); cacher, déguiser, montrer sa ~; souffrir de sa ~.*

LAINE blanche, brute, cardée, courte, crêpée, crue, douce, élastique, fine, grosse, grossière, lisse, longue, naturelle, ondulée, peignée, rêche, rugueuse, souple, soyeuse, teinte, tondue, vierge.

LAIT aigre, battu, bouilli, caillé, clair, concentré, condensé, crémeux, cru, (demi-)écrémé, enrichi, entier, frais, homogénéisé, mousseux, pur, stérilisé, suri, tourné. *Ramasser, récolter, traiter, transporter le ~; boire, faire bouillir/tourner, prendre, verser du ~.* Un/le ~ bout, caille, monte, tourne.

LAME (*couteau, poignard*) acérée, affilée, affûtée, aiguë, coupante, courbée, courte, droite, ébréchée, effilée, émoussée, étincelante, étroite, faible, fine, forte, grande, grosse, large, longue, petite, pointue, rigide, souple, tranchante, trempée. *Affiler, affûter, aiguiser, émousser une ~.* ♦(*vague*) blanche, bondissante, courte, déferlante, écumante, effrayante, effroyable, énorme, faible, forte, furibonde, glauque, grande, grosse, haute, large, longue, lourde, menaçante, mince, puissante, rugissante, sourde. *Recevoir une ~; être renversé/soulevé par une ~; attaquer, fendre la ~.* Une/la ~ arrive, déferle, moutonne, retombe, roule, se brise, se creuse, se dresse, s'élève, s'engloutit, se retire, se soulève.

LAMENTATION aiguës, brèves, continuelles, déchirantes, désespérées, douces, douloureuses, ennuyeuses, faibles, fortes, horribles, interminables, inutiles, longues, monotones, perpétuelles, plaintives, ridicules, rituelles, stériles, vaines. *Faire entendre, pousser des ~s; se livrer à des ~s; se répandre en ~s.*

LAMPE brillante, claire, classique, clignotante, éclairante, faible, fluorescente, forte, halogène, ordinaire, puissante, spéciale. *Allumer, brancher, éteindre, installer une ~; (s')éclairer avec une ~; se munir d'une ~.* Une ~ brille, clignote, éclaire, luit, s'allume, s'éteint.

LANCER faible, foudroyant, fracassant, impeccable, piètre, (ultra)puissant, rapide, raté, réussi, solide. *Contrer, décocher, effectuer, faire dévier un ~.*

LANGAGE acerbe, agressif, allégorique, ambigu, argotique, audacieux, châtié, choisi, clair, clinquant, codé, (in)cohérent, complexe, compliqué, (in)compréhensible, confus, (in)correct, courageux, courant, courtois, cru, cynique, délicieux, passionné, déplacé, (in)direct, droit, dru, édulcoré, efficace, éloquent, énergique, enfantin, énigmatique, excessif, expressif, familier, figé, figuré, flatteur, fleuri, franc, général, grossier, grotesque, guindé, hermétique, hypocrite, imagé, inconvenant, (in)intelligible, joyeux, loquace, lucide, maniéré, mauvais, méchant, mensonger, méprisant, métaphorique, mystérieux, net, neuf, noble, obscur, offensant, ordinaire, outrancier, pédant, percutant, poétique, (im)poli, pompeux, populaire, précieux, (im)précis, (im)propre, (im)prudent, puéril, quotidien, raffiné, rapide, réaliste, relâché, relevé, riche, rude, secret, simple, soutenu, stéréotypé, subtil, tortueux, trivial, truculent, usuel, vieux, vulgaire. *Adopter, apprendre, comprendre, connaître, écrire, employer, étudier, lire, maîtriser, manier, parler, posséder, savoir, utiliser un ~; châtier, corriger, raffiner, surveiller son ~.*

LANGUE (Anatomie) blanchâtre, blanche, chargée, empâtée, engourdie, épaisse, large, longue, menue, mince, pâteuse, pendante, rouge, rugueuse, sèche, violacée, visqueuse. *Avoir une/la ~ (+ adj.); clapper, claquer, montrer, se brûler, sortir, tirer la ~; faire claquer sa ~.* ♦(Linguistique) agile, aigre, alerte, altérée, appauvrie, audacieuse, avachie, barbare, brutale, chantante, châtiée, claire, classique, colorée, complexe, compliquée, (in)correcte, coulante, crue, débraillée, défaillante, déficiente, descriptive, difficile, dominante, douce, drue, dure, éloquente, exacte, excellente, familière, fine, flatteuse, florissante, fluide, franche, gutturale, harmonieuse, homogène, illisible, incompréhensible, inintelligible, légère, limpide, (il)lisible, lourde, lumineuse, magnifique, métaphorique, molle, morte, musicale, négligée, neutre, neuve, originale, (im)parfaite, pauvre, pittoresque, précise, puissante, pure, riche, rigoureuse, rythmée, savante, savoureuse, scientifique, sifflante, sobre, soignée, sonore, souple, soutenue, spéciale, subtile, timide, transparente, universelle, usuelle, vivante, vulgaire. *Apprendre, assimiler, balbutier, baragouiner, comprendre, connaître, défendre, écorcher, écrire, enrichir, étudier, lire, maîtriser, manier, parler, polir, posséder, pratiquer, promouvoir, prononcer, savoir, utiliser une ~; se familiariser avec une ~; s'exprimer dans une ~; être doué pour les ~s.*

LARGEUR ample, considérable, croissante, démesurée, énorme, exacte, exagérée, exceptionnelle, excessive, extrême, fixe, honnête, immense, imposante, impressionnante, inouïe, (il)limitée, maximale, médiocre, minimale, modeste, moyenne, négligeable, (a)normale, (extra)ordinaire, (dis)proportionnée, raisonnable, réduite, respectable, restreinte, significative, standard, (in)suffisante, totale, variable. *Avoir, présenter une ~ (+ adj.); être d'une ~ (+ adj.); augmenter, diminuer, mesurer la ~; croître en ~.*

LARME abondantes, amères, bienfaisantes, brûlantes, chaudes, contagieuses, désespérées, douces, énormes, factices, fausses, feintes, furtives, généreuses, grosses, heureuses, hypocrites, intarissables, inutiles, jalouses, passionnées, précieuses, ruisselantes, scintillantes, sincères, tendres, tièdes, véritables. *Arracher, comprimer, contenir, contraindre, dévorer, dominer, écraser, essuyer, étouffer, laisser couler/échapper/tomber, ravaler, refouler, renfoncer, rentrer, répandre, réprimer, retenir, sécher, secréter, tirer, verser une/des/les/ses ~(s); avoir recours, (faire) rire, se laisser aller aux ~s; être gagné par les ~s; être à la limite/au bord des ~s; éclater, être, fondre, s'effondrer en ~s.* Des ~s coulent, inondent, jaillissent, roulent, ruissellent, (se) tarissent.

LASSITUDE accablante, affreuse, certaine, chronique, exaspérée, extrême, forte, générale, immense, indicible, infinie, insurmontable, légère, marquée, mélancolique, profonde, saine, sombre, soudaine, spontanée, subite. *Éprouver, ressentir une ~ (+ adj.); céder, succomber à la ~; tomber de ~.*

LEADER autoritaire, bienveillant, charismatique, (in)compétent, démocratique, énergique, fort, habile, incontesté, obscur, paternaliste, puissant, reconnu, remarquable, véritable. *Se choisir , se donner, suivre un ~.*

LEADERSHIP démocratique, dynamique, faible, fort, grand, piètre, remarquable, solide, véritable. *Accroître, affirmer, assumer, assurer, démontrer, exercer, reconquérir un/le/son ~; être dépourvu, manquer de ~; faire montre/preuve d'un ~ (+adj.).*

LEÇON (cours, classe) brève, efficace, excellente, instructive, pratique, rapide, théorique. *Donner, prendre, suivre des ~s; apprendre, étudier, faire, préparer, repasser, réviser, revoir, savoir sa/ses ~(s).* ♦ (enseignement, morale, conclusion) amère, cinglante, durable, efficace, enrichissante, exemplaire, forte, implacable, inoubliable, instructive, mémorable, méritée, rude, salutaire, sérieuse, sévère, terrible. *Asséner, dégager, donner, infliger, méditer, recevoir, retenir, tirer une ~; servir de ~.*

LECTEUR, TRICE assidu, (in)attentif, averti, avide, avisé, bon, boulimique, concentré, confirmé, cultivé, curieux, éclairé, endormi, enragé, enthousiaste, érudit, excellent, fanatique, fervent, fidèle, frénétique, gourmand, grand, honnête, ignorant, inconditionnel, inconsistant, infatigable, insatiable, intelligent, invétéré, lent, mauvais, médiocre, moyen, occasionnel, passionné, piètre, pressé, raffiné, raisonnable, rapide, redoutable, (ir)régulier, savant, sérieux, vorace. *Accrocher, fasciner, lasser, toucher le ~; s'adresser au ~; cultiver, intéresser ses ~s.*

LECTURE abondante, absorbante, agréable, amusante, approfondie, aride, assidue, attachante, attentive, attrayante, austère, captivante, courante, décevante, délassante, difficile, distrayante, divertissante, édifiante, efficace, ennuyeuse, enrichissante, ensorcelante, entraînante, exaltante, facile, fastidieuse, fatigante, favorite, fréquente, fructueuse, haletante, harassante, horripilante, immense, indispensable, insipide, insoutenable, instructive, intensive, intéressante, lente, magnifique, mauvaise, monotone, passionnante, piètre, préférée, rapide, reposante, sélective, sérieuse, soporifique, stimulante, substantielle, suivie, superficielle, systématique, tonifiante, tonique, utile, variée. *Continuer, faire, finir, poursuivre, reprendre, terminer une ~; plonger, s'absorber dans une ~; aimer, détester la ~; s'adonner, se consacrer à la ~; avoir, emporter, prendre de la ~; diversifier ses ~s; être rassasié, se gorger, se saturer de ~(s).*

LÉGENDE ancrée, captivante, contestée, dorée, enracinée, fabuleuse, fantaisiste, merveilleuse, noire, opiniâtre, persistante, tenace, universelle, urbaine, vieille, vivace, vivante. *Être une ~ (+ adj.); accréditer, alimenter, briser, connaître, (se) constituer, (se) construire, conter, (se) créer, détruire, entamer, entretenir, évoquer, fonder, (se) forger, former, (s')inventer, lancer, raconter, tuer une ~; appartenir à la ~; entrer dans la ~.* Une/la ~ circule, court, naît, persiste, prétend, raconte, rapporte, se bâtit, se constitue, se forme

LÉGÈRETÉ absolue, admirable, aérienne, appréciable, certaine, confondante, coupable, déconcertante, époustouflante, étonnante, évidente, exceptionnelle, excessive, extraordinaire, extrême, grande, immatérielle, impressionnante, inacceptable, inadmissible, incomparable, inconcevable, incroyable, inouïe, insolente, insoutenable, parfaite, rare, remarquable, surprenante. *Manifester, montrer une ~ (+ adj.); être, faire montre/preuve d'une ~ (+ adj.).*

LÉGISLATION (in)adaptée, (in)adéquate, (in)appropriée, bonne, compliquée, contraignante, douce, dure, (in)efficace, embryonnaire, équilibrée, équitable, ferme, généreuse, imbécile, impitoyable, inique, intransigeante, (in)juste, laxiste, légère, libérale, limitée, lourde, mauvaise, médiocre, obsolète, permissive, (im)populaire, précise, rare, répressive, restrictive, rétroactive, ridicule, rigoureuse, sage, sévère, simple, souple, stricte, (in)suffisante, (in)utile. *Abolir, adopter, adoucir, affaiblir, améliorer, amender, annuler, appliquer, assouplir, bonifier, changer, contourner, créer, durcir, élaborer, enfreindre, faire exécuter/respecter, imposer, mettre en place, modifier, remanier, renforcer, respecter, transgresser, violer une ~; recourir à une ~.*

LÉGUME biologique, chétif, cru, excellent, filandreux, frais, hâtif, nourrissant, précoce, résistant, sain, tardif, vigoureux. *Arracher, cueillir, cultiver, émincer, parer, produire, récolter, sarcler des ~s.*

LENTEUR absolue, (in)acceptable, affectée, affligeante, apathique, apparente, assommante, calculée, consternante, décourageante, déplorable, déraisonnable, désarmante, désespérante, effrayante, énervante, exaspérante, excessive, extrême, fainéante, hallucinante, importante, inadmissible, incroyable, inégalée, infinie, inimaginable, inouïe, inquiétante, insoutenable, insupportable, interminable, irritante, majestueuse, maniérée, marquée, méticuleuse, modérée, monstrueuse, navrante, nonchalante, paresseuse, pathétique, pénible, phénoménale, prudente, relative, remarquable, sage, solennelle, surprenante, terrible, trompeuse, volontaire, voulue. *Être d'une ~ (+ adj.).*

LÉSION anodine, bénigne, (in)curable, dangereuse, douloureuse, douteuse, grave, importante, insignifiante, large, légère, limitée, majeure, maligne, mauvaise, mineure, mortelle, négligée, profonde, saignante, sanglante, sensible, sérieuse, stable, superficielle, suspecte, tenace, vilaine. *Avoir, causer, déceler, découvrir, dépister, développer, diagnostiquer, enlever, entraîner, infliger, négliger, présenter, provoquer, soigner, traiter une ~; souffrir d'une ~.* Une ~ apparaît, dégénère, disparaît, saigne, se complique, se développe, se forme, survient.

LESSIVE blanche, éclatante, impeccable, propre. *Effectuer, faire, faire sécher une/la/sa ~.*

LÉTHARGIE anxieuse, bienheureuse, certaine, courte, douce, étrange, extrême, forte, inquiétante, interminable, légère, longue, paresseuse, persistante, profonde, progressive, soudaine, subite, totale. *Connaître, entamer, provoquer une ~ (+ adj.); se laisser aller à une ~ (+ adj.); entrer, être, plonger, sombrer, tomber, vivre dans une ~ (+ adj.); se réveiller, sortir d'une ~ (+ adj.); entrer, être, rester, (re)tomber, vivre en ~.*

LETTRE (caractère) alphabétique, capitale, cursive, finale, initiale, italique, majuscule, minuscule, moulée, muette, ronde, scripte. *Compléter, dactylographier, écrire, remplir en ~s (+ adj.); écrire, former, mouler, prononcer, taper, tracer une ~.* ♦ (*missive*) aimable, amicale, anonyme, banale, brève, chaleureuse, compromettante, concise, courte, cruelle, décousue, élégante, émouvante, fastidieuse, ferme, (in)formelle, gentille, insignifiante, insultante, interminable, laconique, longue, maladroite, menaçante, merveilleuse, officielle, passionnée, pathétique, polie, rapide, respectueuse, rude, sèche, sérieuse, tendre, touchante, urgente. *Adresser, affranchir, (dé)cacheter, clore, commencer, communiquer, composer, envoyer, expédier, faire parvenir/suivre, finir, formuler, griffonner, (re)lire, livrer, ouvrir, parcourir, poster, recevoir, recommander, rédiger, remettre, signer, taper, terminer, transmettre une ~.*

LÈVRE allongée, boudeuse, candide, dédaigneuse, gourmande, ironique, maussade, moqueuse; appétissantes, avides, arquées, bleuâtres, bleues, bleuies, brillantes, brûlantes, charnues, contractées, crevassées, décolorées, desséchées, douces, dures, écarlates, épaisses, exsangues, fardées, fendues, fiévreuses, fines, fraîches, frémissantes, gercées, gonflées, gourmandes, grosses, humides, lippues, livides, minces, pâles, peintes, peinturlurées, pendantes, plates, pourpres, pulpeuses, rentrées, rieuses, rouges, rugueuses, scellées, sèches, sensuelles, serrées, sinueuses, souples, tordues, tremblantes, vermeilles, violacées, violettes. *Avoir la ~ (+ adj.); avancer, clore, (s')humecter, (se) maquiller, (se) mouiller, ouvrir, (se) pincer, plisser, remuer, se lécher, se mordre, se peindre, se pourlécher, (des)serrer, tendre les/ses ~s.*

LEXIQUE (sur)abondant, adéquat, approprié, complet, concis, développé, enrichi, étendu, exact, exhaustif, important, limité, minimal, pauvre, précis, recherché, réduit, riche, simple, spécialisé, spécifique, (in)suffisant, technique, varié, volumineux. *Acquérir, avoir, employer, posséder, utiliser un ~ (+ adj.).*

LIAISON (*fréquentation*) affichée, amoureuse, brève, chaotique, clandestine, durable, éphémère, fugace, harmonieuse, intime, longue, notoire, passagère, passionnée, platonique, scandaleuse, secrète, sérieuse, tapageuse, tumultueuse. *Avoir, connaître, contracter, entamer, entretenir, former, (re)nouer, rompre une ~.* ♦(*communication, contact*) constante, étroite, permanente, rapide, sûre. *Assurer, (r)établir les ~s; entrer, être, rester, se tenir, travailler en ~.*

LIBERTÉ absolue, accrue, chère, complète, (in)conditionnelle, considérable, débridée, définitive, douce, durable, dure, énorme, entière, étendue, exagérée, exceptionnelle, excessive, extraordinaire, extrême, factice, farouche, grande, gratuite, illusoire, immense, importante, incroyable, inestimable, infinie, inouïe, intérieure, joyeuse, (il)limitée, magnifique, menacée, méritée, mitigée, opprimée, parfaite, partielle, pleine, plénière, précieuse, provisoire, recouvrée, réduite, réelle, relative, restreinte, retrouvée, saine, souveraine, stupéfiante, (in)suffisante, surveillée, timide, totale, unique, véritable, vraie. *Avoir, posséder une ~ (+ adj.); parler, s'exprimer avec une ~ (+ adj.); bénéficier, jouir d'une ~ (+ adj.); accorder, assurer, compromettre, conquérir, consentir, enchaîner, enlever, entraver, expérimenter, faire triompher, gagner, goûter, limiter, maîtriser, menacer, opprimer, ôter, perdre, posséder, préférer, (re)prendre, proclamer, promouvoir, ravir, recouvrer, rendre, restaurer, retrouver, supprimer, tolérer, tuer la ~; défendre, maintenir, respecter, sauvegarder, violer les ~s; combattre, lutter, souffrir pour la ~; avoir faim, être avide, rêver de ~.*

LIBRAIRIE (bien) approvisionnée, (bien) assortie, énorme, excellente, (bien) fournie, géante, générale, immense, intéressante, minuscule, (ultra)moderne, pauvre, poussiéreuse, riche, spacieuse, spécialisée, vaste, vieille. *Monter, ouvrir, tenir une ~; aller, bouquiner, fouiller, fureter, se rendre, travailler dans une ~.*

LIBRE-ÉCHANGE *Combattre, entraver, favoriser, promouvoir, prôner le ~; s'opposer au ~; pâtir, profiter du ~.*

LICENCE *Accorder, avoir, céder, concéder, délivrer, exploiter, octroyer, posséder, recevoir, retirer, révoquer une ~; être porteur/titulaire d'une ~.*

LICENCIEMENT abusif, collectif, économique, immédiat, individuel, (in)justifié, (il)légitime, massif, personnel, (ir)régulier, sec. *Annoncer, contester, effectuer, pratiquer, subir un ~; procéder à un ~; protester contre un ~; menacer d'un ~.*

LIEN agréable, ambigu, apparent, artificiel, caché, causal, certain, complexe, constant, continu, crucial, (in)direct, discutable, distant, durable, éloigné, éphémère, essentiel, étendu, étouffant, étroit, évident, exclusif, explicite, faible, fécond, ferme, fixe, fondamental, fort, fragile, frêle, historique, implicite, important, indestructible, indispensable, indissoluble, inéluctable, intime, irrévocable, logique, lointain, manifeste, modéré, mystérieux, nécessaire, net, parfait, particulier, partiel, passager, permanent, précieux, primordial, privilégié, profond, puissant, réel, remarquable, secret, simple, singulier, solide, subtil, superficiel, symbolique, tenace, ténu, total, unique. *Avoir, constituer, être, posséder un ~ (+ adj.); attacher, briser, consolider, contracter, couper, créer, dénouer, détacher, établir, étendre, faire, former, (re)nouer, préserver, relâcher, resserrer, rompre, (des)serrer, (dis)tendre, tisser un/des/le/les/ses ~(s).* Un ~ se dilate, se (re)noue, se relâche, se resserre, s'établit, se tisse, unit.

LIEU (in)abordable, (in)accessible, accueillant, (dés)agréable, amical, animé, attractif, attrayant, caché, calme, célèbre, champêtre, charmant, chic, commode, confiné, (in)confortable, (in)connu, considérable, convenable, (dé)couvert, dangereux, délabré, délicieux, désert, désolé, désuet, (in)déterminé, difficile, discret, distant, dominant, écarté, éclairé, égaré, élégant, élevé, enchanteur, étroit, excentrique, exceptionnel, exigu, exquis, extraordinaire, facile, malfamé, fascinant, frais, fréquenté, (in)habitable, (in)hospitalier, humide, huppé, idyllique, important, insolite, inusité, isolé, joli, lugubre, magique, magnifique, marécageux, mauvais, minable, miteux, morne, mystérieux, mythique, neutre, obscur, oublié, paisible, paradisiaque, particulier, passant, passionnant, perdu, plaisant, (im)praticable, (im)précis, prestigieux, prisé, privilégié, proche, profond, propice, propre, quelconque, ravissant, reculé, réel, reposant, réputé, retiré, sale, (in)salubre, (mal)sain, saugrenu, sauvage, sec, secret, silencieux, sinistre, solitaire, sombre, sordide, spécial, superbe, sûr, tranquille, triste, unique, vanté, vide, (in)vivable, voisin. *Abandonner, aménager, attribuer, chercher, choisir, créer, découvrir, évacuer, examiner, explorer, fermer, fréquenter, fuir, gagner, inspecter, libérer, parcourir, prendre d'assaut, proposer, quitter, ranger, rejoindre, saccager, trouver, vider, visiter un ~; accéder, arriver, parvenir, se rendre à un ~; arriver, cacher, confiner, enfermer, entrer, être, passer, séjourner, se rendre, se trouver dans un ~; partir, se retirer, se sauver d'un ~; quitter les ~x; arriver, être, se rendre sur les ~x.*

LIGNE (barre, trait, contour) brisée, circulaire, complète, conique, (dis)continue, courbe, délicate, diagonale, divergente, double, droite, fuyante, horizontale, incurvée, ininterrompue, large, longue, médiane, oblique, parallèle, perpendiculaire, pleine, pointillée, simple, sinueuse, tangente, verticale. *Décrire, dessiner, prolonger, rectifier, tirer, tracer une ~.* Une ~ court, dévie, s'incurve, s'infléchit. ♦ (silhouette, profil) aérodynamique, agréable, arrondie, compliquée, courbe, douce, élégante, épurée, fuselée, gracieuse, harmonieuse, imposante, racée, (ir)régulière, sobre. *Adopter, avoir une ~ (+ adj.); conserver, garder, perdre, retrouver la ~; soigner, surveiller sa ~; faire attention à sa ~.* ♦ (pêche) fine, grosse, lâche, légère, lourde, résistante, sensible, solide, tendue. *Amorcer, enrouler, jeter, mollir, (dé)monter, mouiller, tenir une ~; pêcher à la ~; donner de la ~.*

LIGUE *Constituer, diriger, former une ~; évoluer, jouer dans une ~; exclure, expulser, faire partie d'une ~.*

LIMITE changeante, claire, convenable, définie, dernière, déterminée, étroite, évidente, extrême, faible, idéale, inférieure, infranchissable, maximale, maximum, minimale, minimum, modeste, nette, précise, raisonnable, restreinte, rigide, rigoureuse, sérieuse, souple, stricte, supérieure, (in)tolérable. *Assigner, atteindre, attribuer, constituer, déborder, dépasser, déterminer, établir, excéder, (se) fixer, forcer, franchir, (s') imposer, indiquer, marquer, observer, (outre)passer, poser, préciser, reconnaître, reculer, respecter, toucher, tracer, transgresser une/des/la/les ~(s); se heurter, s'en tenir à une/des/aux ~(s); rester dans les ~s; sortir des ~s; connaître, dépasser, reconnaître, trouver ses ~s.*

LINGE déchiré, doux, fin, gros, humide, immaculé, propre, rugueux, sec, souillé. *Essuyer, frotter avec un ~; essorer, étendre, laver, repasser, rincer, (faire) sécher, tordre le/du ~.*

LIQUEUR alcoolique, alcoolisée, apéritive, colorée, crémeuse, délicieuse, digestive, douce, enivrante, excellente, exquise, fade, fermentée, fine, forte, frelatée, fruitée, incolore, inodore, limpide, mauvaise, onctueuse, parfumée, rafraîchissante, riche, spiritueuse, sucrée, traîtresse, transparente, veloutée. *Absorber, boire, consommer, déguster, ingurgiter, prendre, siroter une ~.*

LIQUIDE aqueux, bouillant, chaud, clair, coloré, dense, effervescent, épais, évaporé, excellent, filtré, fluide, froid, glacé, huileux, incolore, inflammable, inodore, laiteux, limpide, louche, mauvais, onctueux, opalescent, précieux, sirupeux, tiède, translucide, transparent, trouble, visqueux, volatil. *Absorber, concentrer, éclaircir, filtrer, infuser, injecter, puiser, sécréter, transvaser, vaporiser, verser un ~.* Un ~ bout, clapote, coule, gicle, jaillit, regorge, ruisselle, s'écoule, se dépose, se trouble, s'évapore.

LISTE (in)achevée, alphabétique, augmentée, brève, close, (in)complète, comprimée, courte, définitive, détaillée, élargie, énorme, étonnante, étroite, évolutive, exacte, exhaustive, fermée, finale, immense, imposante, impressionnante, infinie, interminable, large, limitative, longue, maigre, méthodique, mince, ouverte, partielle, précise, provisoire, récapitulative, restrictive, sélective, sommaire, vague, vertigineuse. *Allonger, arrêter, augmenter, clore, composer, comprimer, constituer, consulter, créer, dresser, établir, faire, fermer, fournir, parcourir, rédiger une ~; se reporter à une ~; cocher, radier, rayer d'une ~; être inscrit, figurer, inscrire, mettre sur une ~; être, venir en tête de ~.* Une ~ grossit, s'allonge, se constitue, se prolonge.

LIT (*meuble*) ample, bon, chaud, (in)confortable, court, défait, défoncé, dévasté, douillet, doux, dur, étroit, excellent, frais, froid, glacé, humide, large, long, mauvais, minuscule, moelleux, moite, mollet, mou, souple, spacieux, tiède, vaste. *Arranger, border, dresser, faire, préparer un ~; (se) coucher, dormir, entrer, se glisser, se prélasser dans un ~; dormir, être allongé, (se) reposer, s'allonger, se coucher, se jeter, se retourner, se rouler, s'étendre, se vautrer sur un ~; garder, prendre, quitter le ~; aller, déjeuner, être, être cloué, lire, rester, se mettre, se prélasser, traîner au ~; sauter, sortir du ~; partager son ~.* ♦(*~ de rivière*) ancien, asséché, calme, capricieux, droit, encaissé, étroit, humide, impétueux, large, navigable, nonchalant, nouveau, paisible, poissonneux, profond, rapide, (ir)régulier, rocailleux, sablonneux, sec, sinueux, torrentiel, torrentueux, tourmenté, tranquille, vagabond. *Rentrer, retourner dans son ~; déborder, sortir de son ~.*

LITIGE banal, court, interminable, léger, majeur, mineur. *Arbitrer, juger, régler, résoudre, soulever, traiter, trancher, vider un/des ~(s); être engagé dans un ~; être confronté à un ~; se pencher, statuer sur un ~; faire l'objet d'un ~; être sujet à ~; être en ~.* Un ~ s'envenime, s'éternise.

LITTÉRATURE accessible, alimentaire, ancienne, captivante, classique, contemporaine, démodée, descriptive, difficile, enfantine, engagée, exigeante, facile, grande, immense, intéressante, légère, majeure, marginale, mauvaise, médiocre, minable, mineure, moderne, narrative, piètre, populaire, profonde, romanesque, sentimentale, sérieuse, universelle, variée, vaste. *(se) Consacrer, se dédier, s'initier à la ~; faire carrière, se faire une place, se réfugier dans la ~; être passionné par/pour la ~; être épris/féru/nourri/passionné, s'intoxiquer, s'occuper de ~.*

LITTORAL aménagé, aride, bas, dangereux, déchiqueté, découpé, désertique, échancré, élevé, escarpé, haut, large, marécageux, massacré, plat, rectiligne, (ir)régulier, rocailleux, rocheux, sablonneux, sauvage. *Avoir, posséder un ~ (+ adj.); aménager, border, longer, préserver, suivre le ~.*

LIVRAISON accélérée, aléatoire, correcte, directe, efficace, fiable, immédiate, interrompue, ponctuelle, rapide, suivie, tardive. *Assurer, effectuer, faire, réceptionner, refuser une ~; prendre ~ de qqch.*

LIVRE (in)accessible, abîmé, adéquat, admirable, ambitieux, amoché, amusant, ancien, anecdotique, approprié, aride, atroce, attachant, austère, badin, bouleversant, capital, captivant, cartonné, célèbre, chaleureux, charmant, clair, classique, complet, concis, courageux, court, cousu, dangereux, décevant, déchiré, dense, dépenaillé, dérangeant, détérioré, détestable, écorné, embrouillé, énorme, difficile, distrayant, divertissant, drôle, éblouissant, ennuyeux, épais, époustouflant, épuisé, érudit, esquinté, étonnant, étroit, excellent, excitant, exigeant, facile, faible, falot, fascinant, fastidieux, foisonnant, formidable, fort, froid, génial, grand, grave, hallucinant, hilarant, illustré, immense, important, inclassable, incontournable, indigeste, indispensable, inégal, inexplicable, infect, inintelligible, inoubliable, insipide, instructif, intelligent, (in)intéressant, introuvable, jouissif, judicieux, léger, limpide, (il)lisible, long, lourd, luxueux, magnifique, majeur, manqué, mauvais, médiocre, merveilleux, mince, mineur, minutieux, modeste, moisi, monotone, monumental, mystérieux, neuf, objectif, obscène, original, osé, palpitant, (im)parfait, passable, passionnant, percutant, plat, poignant, populaire, précieux, précis, prenant, prodigieux, raffiné, rare, rarissime, raté, rébarbatif, recherché, relié, réussi, remarquable, rogné, sacré, savant, savoureux, (in)sensé, sérieux, simple, significatif, singulier, sinueux, stimulant, subtil, succinct, suggestif, surfait, taché, talentueux, touffu, troublant, truculent, usé, utile, vieux, vif, volumineux. *Acheter, achever, analyser, apprécier, augmenter, commander, commencer, composer, concevoir, consulter, critiquer, dénicher, dépouiller, détériorer, dévorer, diffuser, écrire, égarer,* *emprunter, entreprendre, fabriquer, faire, faire venir, (re)fermer, feuilleter, finir, imprimer, interdire, juger, lancer, lire, louer, offrir, ouvrir, parcourir, (se) procurer, publier, réaliser, rédiger, relier, résumer, sortir, survoler, terminer, traduire, transcrire un ~; être plongé, lire, se plonger dans un ~.* Un ~ paraît, sort.

LOCAL aéré, bondé, (sur)chauffé, clair, (in)commode, confiné, (in)confortable, délabré, désaffecté, (in)disponible, encombré, énorme, ensoleillé, étroit, exigu, frais, grand, immense, infect, large, long, minuscule, misérable, (ultra)moderne, nu, obscur, (in)occupé, petit, poussiéreux, propre, sale, (in)salubre, soigné, sombre, sordide, spacieux, vaste, vétuste, vide. *Aménager, chercher, entretenir, fermer, louer, nettoyer, ouvrir, préparer, ranger, trouver, verrouiller un ~.*

LOCATAIRE bruyant, encombrant, envahissant, insolvable, malveillant, mauvais, tranquille. *Déloger, expulser, prendre un ~; donner (son) congé à un ~.*

LOGEMENT accueillant, (in)adéquat, calme, clair, (in)commode, (in)confortable, (in)convenable, coquet, décent, dégradé, délabré, disponible, douillet, élégant, énorme, équipé, étroit, exigu, fonctionnel, froid, grand, (in)habitable, hideux, immense, impeccable, insonorisé, joli, laid, luxueux, magnifique, malsain, mauvais, médiocre, meublé, minable, minuscule, misérable, miteux, modeste, (in)occupé, pauvre, permanent, petit, piètre, plaisant, précaire, propre, provisoire, rangé, rénové, riche, rudimentaire, rustique, sale, (in)salubre, sombre, somptueux, sordide, spacieux, superbe, vacant, vaste. *Avoir, posséder un ~ (+ adj.); disposer d'un ~ (+ adj.); chercher, fournir, habiter, (sous-)louer, prendre, (se) procurer, quitter, tenir, trouver un ~; emménager, s'installer, vivre dans un ~; changer de ~.*

LOGICIEL (in)compatible, interactif, performant, piraté, puissant. *Bâtir, (dé)charger, concevoir, construire, copier, créer, développer, écrire, élaborer, établir, exécuter, faire, installer, (re)lancer, mettre au point, modifier, pirater, réaliser, rédiger, sauvegarder, télé(dé)charger, utiliser un ~.*

LOGIQUE admirable, apparente, absurde, bizarre, boiteuse, consommée, convenue, déconcertante, défaillante, déroutante, discutable, éblouissante, éclairée, froide, imparable, impitoyable, implacable, impressionnante, inattaquable, incontournable, infernale, inflexible, interne, invincible, irréfutable, irrésistible, irréversible, limpide, maladroite, manifeste, méticuleuse, mystérieuse, ordinaire, parfaite, profonde, puissante, rationnelle, redoutable, remarquable, rigide, rigoureuse, sévère, singulière, subtile, trompeuse. *Manifester, montrer une ~ (+ adj.); être, faire preuve d'une ~ (+ adj.); obéir à une ~ (+ adj.); s'inscrire dans une ~ (+ adj.); sortir d'une ~ (+ adj.); manquer de ~.*

LOI absurde, abusive, (in)adéquate, ambitieuse, (in)appropriée, arbitraire, astreignante, atroce, bizarre, brutale, caduque, capitale, claire, commode, compliquée, contraignante, controversée, cruelle, difficile, dure, (in)efficace, (in)équitable, essentielle, faible, (in)flexible, fondamentale, forte, générale, généreuse, gigantesque, immuable, impartiale, impérative, impitoyable, impraticable, inapplicable, incontournable, inexorable, judicieuse, (in)juste, lacunaire, laxiste, légère, mauvaise, modeste, naturelle, nécessaire, nouvelle, obsolète, (im)parfaite, particulière, permissive, pionnière, (im)populaire, précieuse, (im)puissante, respectée, restrictive, rétrograde, ridicule, rigoureuse, rude, sage, (in)satisfaisante, sévère, sinistre, souple, stricte, stupide, (in)suffisante, terrible, tranchante, triste, tyrannique, uniforme, (in)utile, valable, vieille. *Abolir, abroger, adopter, adoucir, affaiblir, améliorer, amender, annuler, appliquer, assouplir, bloquer, bonifier, braver, changer, combattre, connaître, contourner, décréter, déjouer, détourner, durcir, élaborer, éluder, enfreindre, (r)établir, (ré)examiner, faire, faire exécuter/observer/respecter, garantir, ignorer, imposer, instaurer, interpréter, invoquer, mépriser, mettre en œuvre/vigueur, modifier, observer, préparer, présenter, promulguer, proposer, ratifier, rédiger, refondre, réformer, rejeter, remanier, renforcer, respecter, restaurer, révoquer, sanctionner, simplifier, soutenir, suivre, supprimer, suspendre, transgresser, utiliser, valider, violer, voter une/des/la/les ~(s); avoir recours, contrevenir, déroger, être contraint/rebelle/réfractaire, (dés)obéir, se conformer, se soumettre, s'opposer à une/des/la/aux ~(s).* Une/la ~ autorise, décide, défend, dispose, dit, édicte, est en vigueur, établit, exige, interdit, oblige, ordonne, permet, régit, règle, s'applique.

LOINTAIN brumeux, confus, estompé, fondu, fumeux, fuyant, vaporeux.

LOISIR agréable, captivant, charmant, divertissant, coûteux, ennuyeux, passionnant, populaire, sain. *Avoir, prendre des ~s; avoir besoin d'un ~ (+ adj.); avoir le ~ de (+ inf.); organiser les ~s; employer, meubler, occuper, planifier, (bien) utiliser ses ~s; jouir, profiter de ses ~s.*

LONGUEUR abusive, (in)adéquate, affreuse, (in)appropriée, approximative, assommante, bonne, constante, (in)correcte, courte, déconcertante, démesurée, (in)déterminée, (in)égale, énorme, épouvantable, étendue, (in)exacte, exagérée, excessive, extraordinaire, extrême, faible, fastidieuse, (in)finie, fixe, forte, généreuse, (in)habituelle, honnête, immense, importante, inférieure, (il)limitée, mauvaise, maximale, maximum, médiocre, minimale, minimum, moindre, moyenne, (a)normale, précise, prodigieuse, (dé)raisonnable, réduite, respectable, (in)suffisante, supérieure, (in)supportable, totale, variable, vertigineuse. *Avoir une ~ (+ adj.); être d'une ~ (+ adj.); effectuer, faire, parcourir une ~; battre, gagner, mener d'une/par une ~; augmenter, connaître, évaluer, mesurer, réduire la ~; déployer dans sa ~.*

LOUANGE agréables, banales, délicates, disproportionnées, empoisonnées, enivrantes, équivoques, exagérées, excessives, fines, flatteuses, grisantes, hypocrites, indirectes, ironiques, (im)méritées, perfides, ridicules, sincères, vaines. *Accueillir, adresser, donner, mériter, prodiguer, recevoir des ~s; aimer, fuir, ménager, mépriser, s'attirer la/les ~(s); être (in)sensible à la/aux ~(s); accabler, combler, couvrir, être avare/ avide/friand/généreux/parcimonieux de ~s; se répandre en ~s.*

LOYAUTÉ absolue, admirable, aveugle, chancelante, douteuse, entière, éprouvée, exemplaire, fanatique, grande, inconditionnelle, indéfectible, inébranlable, infaillible, irréprochable, naturelle, parfaite, pleine, proverbiale, rare, réelle, relative, remarquable, scrupuleuse, tenace, totale. *Manifester, montrer une ~ (+ adj.); être, faire preuve d'une ~ (+ adj.); mettre en* *doute, suspecter la ~ de qqn; douter de la ~ de qqn; croire en la ~ de qqn.*

LOYER abusif, brut, cher, dérisoire, élevé, équivalent, exagéré, excessif, exorbitant, faible, gros, inférieur, insignifiant, médiocre, modéré, modeste, modique, moindre, net, (im)payé, (dé)plafonné, prohibitif, (dé)raisonnable, réduit, sous-évalué, supérieur, surévalué, symbolique. *Acquitter, assumer, demander, devoir, économiser, exiger, payer, percevoir, réclamer, recouvrer, régler, réviser, toucher, verser un ~; augmenter, baisser, descendre, diminuer, monter le ~.*

LUCIDITÉ admirable, aiguë, brusque, déconcertante, diabolique, douloureuse, éblouissante, effrayante, étonnante, exceptionnelle, extraordinaire, extrême, farouche, féroce, fulgurante, grande, impitoyable, implacable, impressionnante, incontestable, incroyable, insoupçonnée, intacte, merveilleuse, naïve, objective, rare, remarquable, surprenante, terrible, terrifiante. *Manifester, montrer une ~ (+ adj.); apercevoir, saisir, voir avec une ~ (+ adj.); être, faire montre/preuve, témoigner d'une ~ (+ adj.).*

LUEUR abondante, affaiblie, argentée, aveuglante, blafarde, blanchâtre, blanche, blême, bleuâtre, bleue, brève, brusque, claire, confuse, crue, dansante, diaphane, diffuse, éblouissante, effrayante, énorme, étincelante, faible, fausse, flamboyante, forte, fugace, fugitive, grande, grise, immense, imperceptible, incertaine, indécise, insolite, instantanée, intense, jaunâtre, jaune, livide, lointaine, minuscule, momentanée, mourante, nacrée, obscure, passagère, pâle, phosphorescente, précieuse, rose, rouge, rougeâtre, salutaire, sanglante, sinistre, sombre, soudaine, subite, (in)suffisante, tendre, timide, tremblante, vacillante, vague, verdâtre, verte, violente, violette, vive. *Jeter, percevoir, produire une/des ~(s).* Une ~ brille, éclaire, jaillit, se lève, se répercute, tremble, vacille.

LUMIÈRE abondante, anémique, ardente, argentée, artificielle, avare, aveuglante, blafarde, blanchâtre, blanche, blême, bleuâtre, bleue, blonde, brève, brillante, brusque, brutale, changeante, chatoyante, chaude, chiche, claire, clignotante, colorée, constante, crépusculaire, cristalline, crue, dense, diaphane, diffuse, (in)directe, discrète, dorée, douce, douteuse, dure, éblouissante, éclatante, écrasante, énorme, étincelante, exceptionnelle, exquise, fade, faible, faiblissante, féerique, fixe, flamboyante, forte, franche, frappante, frémissante, froide, gênante, glacée, glaciale, glauque, grisâtre, grise, implacable, importune, inégale, incertaine, incommodante, indécise, insolite, intense, intermittente, irréelle, jaunâtre, jaune, laiteuse, limpide, livide, lointaine, lunaire, maladive, matinale, mauvaise, médiocre, (im)mobile, morose, nacrée, naturelle, obsédante, onduleuse, pâle, pâlissante, papillotante, parcimonieuse, pénétrante, pétillante, pourpre, poussiéreuse, prodigieuse, puissante, pure, réfléchie, reposante, resplendissante, rose, rouge, rougeâtre, rousse, sautillante, scintillante, sinistre, sombre, splendide, suave, subite, (in)suffisante, surnaturelle, surréelle, tamisée, terne, tremblante, tremblotante, vacillante, vague, vaporeuse, veloutée, verdâtre, vermeille, verte, verticale, vieille, violente, vive, voilée. *Adoucir, allumer, amortir, apercevoir, baisser, diffuser, éteindre, fermer,* *filtrer, intercepter, laisser passer, ouvrir, recevoir, réfléchir, refléter, régler, renvoyer, répandre, tamiser, voir la ~; donner, émettre, faire, fournir, jeter, produire, répandre de la ~.* Une/la ~ aveugle, baigne, baisse, clignote, (dé)croît, dore, éblouit, éclaire, faiblit, filtre, gicle, grandit, inonde, (re)jaillit, meurt, nimbe, pâlit, palpite, papillote, paraît, s'affaiblit, s'allume, s'apaise, scintille, s'épand, se répand, s'éteint, s'évanouit, tremble, tremblote, vacille.

LUNE argentée, avare, blanche, brillante, claire, éclatante, haute, laiteuse, luisante, lumineuse, nouvelle, pâle, pleine, resplendissante, rose, rouge, rougeâtre, sanglante, sereine, splendide, superbe, voilée. *Contempler, observer, regarder la ~.* La ~ brille, (dé)croît, disparaît, éclaire, est dans son croissant/déclin, luit, monte, (ap)paraît, resplendit, se cache, se dégage, se lève, se montre, se reflète, se voile, scintille.

LUNETTES bonnes, carrées, cerclées d'écaille/de métal, claires, discrètes, énormes, épaisses, extravagantes, fines, fortes, fumées, géantes, gigantesques, grosses, immenses, larges, minuscules, opaques, petites, profilées, rectangulaires, rondes, sévères, simples, sombres, surdimensionnées, teintées, triangulaires. *(r)Ajuster, casser, chausser, enlever, mettre, ôter, porter, rabaisser, rattraper, rectifier, relever, retirer des/ses~.*

LUTTE acharnée, animée, âpre, ardente, atroce, brève, chaude, courageuse, courte, courtoise, déchirante, décisive, désespérée, désordonnée, difficile, dure, effrénée, effroyable, (in)égale, énorme, épique, épouvantable, épuisante, (dés)équilibrée, éternelle, féroce, finale, frontale, furieuse, harassante, héroïque, immense, impitoyable, implacable, incertaine, incessante, insensée, intestine, invraisemblable, (il)légitime, longue, (dé)loyale, mauvaise, meurtrière, mouvementée, obstinée, opiniâtre, ouverte, pathétique, perpétuelle, persévérante, prolongée, réussie, rude, sanglante, sauvage, serrée, sévère, sourde, tenace, terrible, vaine, vigoureuse, violente, vive. *Abandonner, accepter, aimer, continuer, engager, entamer, entreprendre, exacerber, mener, organiser, ouvrir, poursuivre, recommencer, refuser, reprendre, soutenir une/la ~; inciter, renoncer à la ~; entrer, être en ~.* Une/la ~ éclate, fait rage, s'enclenche, s'engage, s'intensifie.

LUXE (in)abordable, absolu, (in)accessible, admirable, caché, coûteux, discret, dispendieux, éblouissant, éclaboussant, éclatant, écrasant, effréné, étalé, étourdissant, étrange, excessif, extraordinaire, extravagant, fantastique, faste, fiévreux, grand, gros, impossible, indécent, indépassable, indicible, inégalé, inimaginable, inouï, insolent, insultant, inusité, inutile, (im)modéré, opulent, ostentatoire, prétentieux, primaire, princier, prodigieux, provocant, provocateur, raffiné, rare, relatif, royal, ruineux, scandaleux, seigneurial, somptueux, sophistiqué, superflu, suprême, surprenant, tapageur, vulgaire. *Afficher, déployer, étaler un ~ (+ adj.); être d'un ~ (+ adj.); aimer, respirer le ~; baigner, nager, vivre dans le ~; faire étalage, s'entourer de ~.* Un ~ règne, s'étale.

M

MACHINATION affreuse, cachée, complexe, compliquée, criminelle, diabolique, effarante, gigantesque, habile, horrible, implacable, infâme, infernale, machiavélique, magnifique, noire, odieuse, perfide, pernicieuse, perverse, rusée, sinistre, sombre, sourde, ténébreuse, tortueuse, vaste. *Découvrir, déjouer, dénoncer, détruire, dévoiler, fomenter, (dé)monter, organiser, ourdir, préparer, tramer une ~; participer, prendre part à une ~; être entraîné/impliqué/pris dans une ~; être l'auteur/la victime d'une ~*. Une ~ avorte, échoue, réussit.

MACHINE (in)adéquate, (in)appropriée, bruyante, complexe, compliquée, défaillante, défectueuse, déficiente, déréglée, désuète, détraquée, détruite, disloquée, économique, (in)efficace, élégante, énorme, enrayée, faible, fatiguée, forte, fragile, immense, imposante, impressionnante, infernale, ingénieuse, légère, lente, lourde, merveilleuse, minuscule, (ultra)moderne, neuve, obsolète, perfectionnée, performante, polyvalente, prodigieuse, puissante, (ultra)rapide, robuste, rudimentaire, silencieuse, simple, sobre, sophistiquée, usée, vétuste, vieille. *Actionner, ajuster, alimenter, arrêter, conduire, créer, dépanner, employer, entretenir, essayer, examiner, faire aller/fonctionner/marcher/travailler, huiler, inventer, lancer, lubrifier, manier, mettre au point, (dé)monter, perfectionner, régler, réparer, réviser, utiliser une ~; disposer, s'occuper d'une ~*. Une/la ~ est en arrêt/en panne/hors d'usage, fonctionne, s'affole, se met en marche, s'enraye, tombe en panne, travaille.

MACHINERIE automatisée, bonne, bruyante, colossale, complexe, compliquée, conventionnelle, coûteuse, désuète, (in)efficace, énorme, grosse, imposante, impressionnante, ingénieuse, lourde, moderne, obsolète, perfectionnée, performante, révolutionnaire, ronronnante, robuste, rudimentaire, silencieuse, simple, sophistiquée, spécialisée, ultramoderne. *Briser, conduire, entretenir, faire fonctionner, installer, moderniser, renouveler, utiliser une/la ~; disposer d'une ~*.

MÂCHOIRE allongée, carnassière, carrée, crispée, édentée, empâtée, endolorie, étroite, forte, inférieure, large, longue, pendante, proéminente, puissante, relâchée, saillante, supérieure, tendue, tombante, volontaire. *Avoir la ~ (+ adj.); relâcher, se démettre la ~; contracter, serrer les/ses ~s*.

MAGASIN achalandé, alléchant, approvisionné, chic, conventionnel, élégant, encombré, franchisé, (dé)garni, géant, général, généraliste, grand, luxueux, mauvais, rénové, rentable, réputé, sophistiqué, spécialisé, traditionnel, vaste. *(ré)Approvisionner, construire, créer, diriger, établir, exploiter, fermer, gérer, inaugurer, installer, lancer, moderniser, monter, (r)ouvrir, rénover, tenir un ~; courir, faire les ~s; avoir, conserver, être, mettre en ~*. Un ~ entre en service, ferme ses portes, ouvre, prospère.

MAGAZINE attrayant, bimestriel, bon, complet, divertissant, dynamique, excellent, glacé, grand public, hebdomadaire, illustré, intéressant, ludique, luxueux, mensuel, populaire, pratique, prestigieux, quotidien, sérieux, spécialisé, thématique, trimestriel, vivant. *Créer, feuilleter, lancer, lire, réaliser, regarder un ~; s'abonner, se désabonner à un ~*.

MAGIE blanche, démoniaque, envoûtante, étonnante, féerique, humoristique, noire, scientifique, secrète, simple, subtile. *Développer, employer, faire, pratiquer, utiliser une/de la ~; avoir recours, recourir, s'adonner à la ~.*

MAGICIEN, IENNE bienfaisant, doué, (mal)habile, maléfique, méchant, (im)puissant, rusé, talentueux.

MAGNÉTISME absolu, attractif, exceptionnel, faible, fort, grand, incomparable, incontestable, incroyable, indéfinissable, indéniable, irrésistible, naturel, puissant, rare, surprenant, troublant. *Avoir un ~ (+ adj.); disposer, être, être doté/doué, faire preuve, jouir d'un ~ (+ adj.); manquer de ~.*

MAGNIFICENCE absolue, admirable, affectée, démesurée, éblouissante, éclatante, étonnante, étourdissante, exceptionnelle, extraordinaire, extrême, fabuleuse, formidable, grande, incomparable, incroyable, inégalée, infinie, inouïe, merveilleuse, prodigieuse, rare, royale, ruineuse, superbe. *Déployer, étaler une ~ (+ adj.); être, être pourvu d'une (+ adj.); rivaliser de ~.*

MAIGREUR absolue, affreuse, alarmante, anormale, cadavérique, consternante, effrayante, effroyable, élégante, épouvantable, excessive, extrême, famélique, horrible, impressionnante, incroyable, inimaginable, inouïe, inquiétante, invraisemblable, maladive, pathologique, pitoyable, rachitique, relative, remarquable, repoussante, squelettique, stupéfiante, surprenante. *Être d'une ~ (+ adj.).*

MAILLOT ajouré, ajusté, ample, chaud, confortable, défraîchi, démodé, désuet, élégant, élimé, étroit, extensible, flottant, inusable, large, léger, minimaliste, moulant, révolutionnaire, ridicule, serré, seyant, sobre, souillé, souple, superbe, taché, transparent. *Enfiler, enlever, essayer, mettre, porter, revêtir un ~.*

MAIN active, (mal)adroite, agile, allongée, amie, anonyme, assurée, avide, basanée, bouffie, brûlante, brune, brutale, calleuse, carrée, compatissante, courte, crevassée, criminelle, crochue, décharnée, défaillante, déformée, délicate, desséchée, diaphane, difforme, douce, droite, dure, écorchée, émaciée, endurcie, ennemie, énorme, épaisse, faible, ferme, fine, flétrie, fluette, forte, fraîche, frêle, froide, fuselée, gauche, gélatineuse, gercée, glacée, gluante, gonflée, gourde, grande, grasse, grassouillette, grêle, grosse, grossière, (mal)habile, (mal)heureuse, humide, immense, incertaine, jolie, laide, large, légère, lente, leste, libre, longue, lourde, maigre, meurtrie, mince, minuscule, moite, molle, monstrueuse, musclée, nerveuse, négligente, nette, osseuse, pâle, parcheminée, petite, pleine, poilue, poisseuse, potelée, propre, providentielle, (im)puissante, pulpeuse, rapace, rassurante, ravinée, ravissante, rêche, replète, ridée, rondelette, rouge, rougeaude, rugueuse, sale, sèche, secourable, soignée, souillée, sublime, superbe, suppliante, tannée, tendue, terreuse, tiède, timide, tordue, tremblante, tremblotante, veinée, velue, vigoureuse, violacée, violette. *Offrir, tendre, trouver une ~ (+ adj.); avoir la ~ (+ adj.); allonger, (se) donner, fermer, lever, ouvrir, (se) serrer, (é)tendre la ~; (dé)croiser, écarter, (dis)joindre, laisser retomber, s'écorcher, se frotter, se laver, se protéger, se salir, se soigner, s'essuyer, se tordre les ~s; atteindre, caresser, prendre, saisir, toucher avec la*

~; désigner, effleurer, flatter, montrer, palper, saluer, toucher de la ~; applaudir, battre, frapper des ~s.

MAIN-D'ŒUVRE abondante, (in)compétente, compétitive, concurrentielle, considérable, coûteuse, déficitaire, diversifiée, docile, dynamique, éduquée, excédentaire, exceptionnelle, (in)expérimentée, experte, fiable, (hyper)flexible, formée, forte, (mal)habile, importante, indispensable, inemployée, intermittente, jeune, mobile, motivée, nécessaire, nombreuse, occasionnelle, productive, professionnelle, qualifiée, rare, rentable, robuste, saisonnière, sous-payée, spécialisée, (in)stable, (in)suffisante, temporaire, travailleuse, variée, vieillissante. *(s') Assurer, avoir, fournir, nécessiter, posséder, (se) procurer une ~ (+ adj.); avoir recours, faire appel à une ~ (+ adj.); avoir besoin, disposer d'une ~ (+ adj.); embaucher, importer, recruter de la ~; disposer, être à court, manquer de ~.*

MAINTENANCE accrue, adaptée, approfondie, attentive, bonne, (in)complète, constante, continue, (in)correcte, corrective, coûteuse, défaillante, défectueuse, déficiente, délicate, efficace, élaborée, exhaustive, fiable, fréquente, impeccable, indispensable, irréprochable, mauvaise, médiocre, minimale, minutieuse, optimale, performante, périodique, permanente, piètre, précise, préventive, rapide, (ir)régulière, rigoureuse, (in)satisfaisante, sévère, soignée, sommaire, spécialisée, (in)suffisante, totale, urgente. *Assurer, effectuer, exiger, faire, nécessiter une ~ (+ adj.); procéder, recourir, soumettre à une ~ (+ adj.); bénéficier d' une ~ (+adj.).*

MAINTIEN arrogant, assuré, composé, concerté, craintif, décent, désinvolte, distingué, effronté, élégant, étudié, froid, (dis)gracieux, grave, hautain, humble, hypocrite, imposant, modeste, noble, orgueilleux, piètre, placide, raide, réservé, rigide, royal, sobre, superbe. *Afficher, avoir, adopter, posséder, prendre, se donner un ~ (+ adj.); étudier, imiter le ~ de qqn.*

MAISON abandonnée, accueillante, agréable, aisée, ancestrale, ancienne, austère, avenante, basse, bourgeoise, branlante, calme, chaleureuse, champêtre, commode, (in)confortable, coquette, cossue, croulante, décrépite, délabrée, déserte, élégante, élevée, étriquée, étroite, exiguë, gaie, gentille, (dis)gracieuse, grandiose, grosse, (in)habitable, (in)habitée, hantée, haute, (in)hospitalière, humble, idéale, individuelle, immense, imposante, impressionnante, isolée, jolie, jumelée, laide, lézardée, longue, lugubre, luxueuse, magnifique, mauvaise, médiocre, minuscule, misérable, modeste, neuve, nue, (extra)ordinaire, paisible, parfaite, pauvre, pittoresque, plaisante, prétentieuse, profonde, propre, proprette, ravissante, récente, reculée, rénovée, rêvée, riante, riche, rudimentaire, rustique, (mal)saine, sale, (in)salubre, silencieuse, sinistre, solide, solitaire, sombre, somptueuse, sordide, spacieuse, splendide, superbe, tranquille, trapue, triste, vaste, ventrue, vétuste, vieille. *Acheter, agrandir, aménager, (faire) bâtir, cambrioler, (faire) construire, couvrir, décorer, déménager, démolir, détruire, dévaliser, édifier, élever, fermer, habiter, isoler, louer, modifier, occuper, piller, posséder, quitter, réhabiliter, rénover, restaurer, saccager, squatter, transformer, trouver, vendre, visiter une ~; demeurer, emménager, entrer, loger, pénétrer, se dresse, se plaire, s'installer, vivre dans une ~; changer de ~.* Une ~ se dresse, s'élève.

MAÎTRE, MAÎTRESSE absolu, bon, célèbre, débonnaire, despotique, (in)équitable, excellent, furibond, gentil, (in)humain, impitoyable, incontesté, ingrat, intraitable, irrité, (in)juste, méchant, odieux, puissant, rigoureux, rude, (in)sensible. *Se choisir, se donner, vouloir un ~; agir, commander, décider, parler, régner, s'installer en ~.*

MAÎTRISE (sang-froid, contrôle, habileté) absolue, acceptable, (in)adéquate, admirable, approfondie, avancée, bonne, certaine, complète, confirmée, consommée, convenable, courante, défaillante, déficiente, éblouissante, élevée, énorme, éprouvée, équilibrée, étonnante, étroite, excellente, exceptionnelle, faible, fiable, forte, générale, globale, grande, immense, impeccable, impressionnante, incomparable, incontestable, inouïe, insurpassable, irréprochable, mauvaise, maximale, maximum, médiocre, minimale, minimum, (im)parfaite, partielle, passable, piètre, pratique, préalable, rare, reconnue, réelle, relative, remarquable, rigoureuse, rudimentaire, (in)satisfaisante, sévère, souveraine, stupéfiante, (in)suffisante, sûre, théorique, totale. *Avoir, manifester, montrer, posséder une ~ (+ adj.); faire preuve d'une ~ (+ adj.); acquérir, conserver, détenir, garder, obtenir, perdre, reprendre, retrouver une/la/sa ~; faire montre/preuve de ~.* ♦ (Université) *Avoir, décerner, détenir, faire, obtenir, passer, posséder, préparer, recevoir, réussir une/sa ~; être titulaire d'une ~.*

MAJORATION accélérée, alarmante, (in)attendue, automatique, brusque, brutale, considérable, continue, continuelle, dramatique, durable, élevée, exagérée, exceptionnelle, exorbitante, faible, forte, générale, graduelle, globale, immédiate, importante, marquée, massive, légère, modeste, négligeable, nette, notable, passagère, préoccupante, progressive, soudaine, soutenue, subite, substantielle, timide, uniforme, vertigineuse. *Accorder, connaître, constater, demander, donner, enregistrer, entraîner, espérer, noter, observer, obtenir, octroyer, offrir, permettre, recevoir, réclamer, refuser, revendiquer, subir, toucher, vouloir une ~.*

MAJORITÉ absolue, bonne, claire, confortable, considérable, courte, disparate, écrasante, effective, énorme, étroite, faible, forte, franche, grande, immense, importante, imposante, impressionnante, large, légère, maigre, massive, mince, nécessaire, nette, petite, précaire, qualifiée, réduite, relative, renforcée, solide, suffisante, vaste. *Avoir, décrocher, dégager, détenir, (r)emporter, obtenir, rallier, recueillir, réunir une/la ~; disposer, être assuré d'une/de la ~.*

MAL affreux, atroce, bénin, bizarre, chronique, cruel, (in)curable, curieux, douloureux, effroyable, ennuyeux, énorme, étrange, faible, fort, funeste, général, grave, horrible, imaginaire, immense, implacable, inconnu, indomptable, inévitable, infini, insupportable, intolérable, irrémédiable, (in)guérissable, léger, localisé, long, mauvais, nécessaire, obscur, opiniâtre, redoutable, réel, rude, silencieux, soudain, subit, tenace, terrible, urgent, violent. *Amoindrir, attraper, causer, diagnostiquer, endurer, enrayer, éprouver, exacerber, maîtriser, négliger, ressentir, soulager, subir un ~; être atteint/frappé d'un ~.* Un ~ augmente, diminue, empire, s'aggrave, se calme, s'étend.

MALADE abattu, agité, alité, amaigri, ambulant, angoissé, bénin, blême, capricieux, chronique, condamné, contagieux, courageux, (in)curable, décharné, délirant, désespéré, difficile, docile, douloureux, épuisé, exigeant, exténué, faible, fiévreux, gémissant, grand, grave, gravissime, grelottant, handicapé, imaginaire, impotent, infectieux, languissant, léger, livide, lourd, lucide, maigre, (in)opérable, pâle, (im)patient, perdu, souffrant, (in)transportable, tremblant, triste. *Assister, ausculter, condamner, examiner, hospitaliser, isoler, médicamenter, ménager, nourrir, opérer, panser, ranimer, rétablir, sauver, sécuriser, soigner, soulager, suivre, surveiller, traiter, transfuser, transporter, veiller, visiter, voir un ~.* Un ~ décline, délire, dépérit, divague, garde le lit, geint, gémit, guérit, périclite, reprend, se maintient, se remet, suffoque, végète.

MALADIE affreuse, aiguë, allergique, atroce, bénigne, chronique, classique, compliquée, congénitale, (in)connue, contagieuse, (in)curable, dangereuse, dégénérative, désagréable, désespérée, difficile, disséminée, dommageable, douloureuse, durable, endémique, épidémique, étendue, étrange, évitable, fatale, feinte, foudroyante, fréquente, fulgurante, générale, grave, grosse, héréditaire, implacable, incapacitante, infectieuse, inguérissable, inopérable, insidieuse, invalidante, invétérée, irrémédiable, latente, légère, lente, locale, longue, lourde, malencontreuse, maligne, mauvaise, microbienne, mortelle, mystérieuse, parasitaire, pénible, périodique, rare, rebelle, récidivante, redoutable, redoutée, réfractaire, saisonnière, sérieuse, simple, simulée, soudaine, sournoise, sporadique, stationnaire, symptomatique, terminale, terrible, transmise, transmissible, vilaine, virale, virulente. *Accroître, attraper, avoir, combattre, commencer, communiquer, contracter, couver, dépister, détecter, développer, diagnostiquer, donner, élucider, engendrer, enrayer, éradiquer, faire, feindre, guérir, identifier, (s')inoculer, juguler, localiser, maîtriser, occasionner, pallier, prendre, prévenir, pronostiquer, propager, provoquer, reconnaître, simuler, soigner, soupçonner, surmonter, traîner, traiter, transmettre, vaincre une/la ~; être exposé/prédisposé, succomber à une/la ~; combattre, lutter, se battre, se débattre contre une/la ~; être attaqué/atteint/frappé/menacé/opéré, guérir, mourir, relever, revenir, se remettre, se ressentir, se tirer, sortir, souffrir, triompher d'une/de la ~; être affaibli/ condamné/ emporté/enlevé/épuisé/foudroyé/miné/ secoué/usé par une/la ~.* Une/la ~ augmente, couve, dure, éclate, empire, évolue, frappe, guérit, persiste, progresse, recommence, régresse, s'attrape, se déclare, se développe, se manifeste, se propage, sévit, s'installe, suit son cours, survient, traîne.

MALADRESSE adorable, affligeante, apparente, arrogante, certaine, charmante, confondante, consternante, déconcertante, désespérante, émouvante, énorme, épouvantable, étonnante, évidente, exquise, extraordinaire, extrême, flagrante, foncière, hallucinante, immense, impardonnable, importante, impressionnante, inconcevable, incroyable, inimaginable, inouïe, insigne, irritante, maladive, naïve, pathétique, poignante, rare, (ir)réparable, sympathique, tendre, terrible, touchante, volontaire. *Montrer une ~ (+ adj.); être, faire preuve d'une ~ (+ adj.); commettre, faire, justifier, réparer une ~; être victime d'une ~; accumuler, collectionner,* *multiplier les ~s; avouer, regretter, reconnaître sa ~.*

MALAISE (Médecine) bref, diffus, fugitif, grave, indéfinissable, léger, passager, perpétuel, profond, subit, violent. *Avoir, éprouver, faire, provoquer, ressentir, simuler un ~; succomber à un ~; décéder, souffrir d'un ~; être pris de ~s.* Un ~ passe, revient. ♦ (trouble) confus, croissant, désagréable, diffus, durable, fort, général, grandissant, indéfinissable, inexplicable, inexprimable, insupportable, intolérable, large, légitime, lourd, obscur, palpable, perceptible, profond, sourd, vague. *Causer, créer, dissiper, éprouver, inspirer, manifester, nier, provoquer, ressentir, susciter un ~.* Un/le ~ grandit, persiste, s'accentue, s'accroît, s'amplifie, se dissipe, se perçoit, s'étend, s'installe.

MALCHANCE chronique, constante, exceptionnelle, grave, habituelle, incroyable, inimaginable, inouïe, obstinée, passagère, persistante, réelle, redoutable, tenace, terrible. *Avoir, causer, être, invoquer, occasionner une ~; être, être victime, souffrir d'une ~ (+ adj.); être harcelé/poursuivi par la ~; jouer de ~; se battre contre la ~.*

MALENTENDU affreux, banal, colossal, dangereux, durable, énorme, entretenu, fâcheux, fondamental, gigantesque, grave, immense, incroyable, irréparable, mineur, muet, navrant, passager, pénible, persistant, profond, regrettable, tragique. *Balayer, causer, démêler, dissiper, écarter, éclaircir, empêcher, engendrer, entretenir, éviter, exclure, faire cesser, prévenir, provoquer, susciter un ~; donner lieu à un ~.* Un ~ dure, se dissipe, se poursuit, se produit, se prolonge, s'installe, subsiste.

MALFAITEUR dangereux, endurci, grand, invétéré, petit, professionnel, repenti. *Appréhender, arrêter, désarmer, écrouer, poursuivre, surprendre, terrasser un ~.*

MALHEUR absolu, accablant, affreux, complet, continuel, cruel, durable, effroyable, épouvantable, extrême, fatal, grand, horrible, immense, immérité, imprévu, inconsolable, indistinct, inéluctable, inévitable, inouï, insigne, insupportable, irrémédiable, irréparable, petit, réel, terrible. *Accepter, annoncer, causer, conjurer, craindre, déplorer, détourner, écarter, éloigner, enregistrer, éprouver, éviter, faire, ignorer, occasionner, présager, pressentir, prévenir, prévoir, redouter, réparer, soupçonner, supporter, susciter un/des/les ~(s); se relever d'un ~; attirer, connaître, éluder, fuir le ~; être destiné/voué, faire face, résister au ~; raconter ses ~s; se complaire, s'enfoncer dans ses ~s; gémir, pleurer sur son ~.* Un ~ a lieu, frappe, se produit, surgit.

MALHONNÊTETÉ affligeante, délibérée, choquante, confondante, criante, déconcertante, éhontée, extraordinaire, flagrante, inexcusable, infinie, patente, proverbiale. *Être d'une ~ (+ adj.); commettre, faire des ~s; accuser qqn de ~; être incapable de ~.*

MALICE absolue, bienveillante, cachée, calculée, consommée, cruelle, démoniaque, désabusée, diabolique, feinte, impitoyable, infinie, innocente, inouïe, insoupçonnable, naïve, prodigieuse, profonde, redoutable, satanique, savoureuse, secrète, singulière. *Être, faire preuve d'une ~ (+ adj.).*

MALNUTRITION aiguë, avancée, catastrophique, chronique, endémique, grave, importante, infantile, modérée, sévère. *Éliminer, éradiquer, prévenir, réduire la ~; lutter contre la ~; mourir, souffrir de ~.*

MALPROPRETÉ choquante, dégoûtante, effarante, extrême, horrible, incroyable, indécente, inimaginable, insupportable, repoussante, répugnante, révoltante, sordide. *Être d'une ~ (+adj.); patauger, vivre dans la ~.*

MANCHE ample, ballon, bouffante, collante, courte, étroite, évasée, kimono, large, longue, plate. *Déboutonner, relever, retrousser ses ~s.*

MANCHETTE alarmiste, attrayante, éloquente, énorme, évocatrice, explicite, lapidaire, provocatrice, racoleuse, sobre, suggestive. *Faire, tenir la ~; lire les ~s; ; mettre en ~.*

MANDAT accompli, ambigu, ambitieux, ardu, clair, court, dangereux, défini, délicat, difficile, écrasant, élargi, facile, flou, global, (il)limité, long, lourd, mauvais, modeste, net, officiel, officieux, paisible, périlleux, ponctuel, (im)précis, prolongé, raté, restreint, réussi, sensible, simple, (in)suffisant. *Accepter, accomplir, confier, conserver, donner, écourter, (faire) exécuter, exercer, inaugurer, lancer, perdre, prolonger, réaliser, recevoir, remplir, renouveler, révoquer, trahir un ~.* Un ~ court, expire, vient à échéance.

MANIE affreuse, agaçante, bizarre, bonne, curieuse, dangereuse, déplaisante, déplorable, désagréable, détestable, dispendieuse, douce, enracinée, étrange, fâcheuse, favorite, folle, funeste, habituelle, (mal)heureuse, honteuse, inavouable, incorrigible, incurable, infernale, innocente, invétérée, irritante, mauvaise, néfaste, nouvelle, odieuse, passagère, pathologique, persistante, regrettable, ridicule, singulière, sotte, tenace, vieille, vilaine. *Avoir, combattre, contracter une ~; se débarrasser d'une ~; être plein de ~s.* Une ~ cesse, disparaît, s'attrape, se perd, se prend.

MANIEMENT (mal)adroit, (dés)agréable, (mal)aisé, bon, (mal)commode, complexe, (in)confortable, convivial, dangereux, délicat, difficile, doux, efficace, facile, habile, parfait, pénible, problématique, rapide, rêche, simple, souple. *Être, se trouver d'un ~ (+ adj.); apprendre, connaître, enseigner, expliquer le ~ de qqch.*

MANIÈRE (façon) abrupte, absolue, abstraite, (in)adéquate, (mal)adroite, affable, (dés)agréable, agressive, aimable, ambiguë, (in)amicale, approfondie, (in)appropriée, arbitraire, (in)attentive, authentique, badine, banale, barbare, basse, belle, bonne, brusque, brutale, catégorique, (in)certaine, chaude, choquante, claire, clandestine, (in)complète, compliquée, concrète, confuse, constructive, (in)contestable, convenable, (in)correcte, curieuse, décevante, décisive, décontractée, (in)définie, (in)délicate, déplorable, dérisoire, détaillée, (in)digne, (in)directe, (in)discrète, (in)distincte, douce, droite, dure, durable, éclatante, efficace, élégante, éloquente, embarrassée, empressée, énergique, essentielle, étrange, étrangère, évidente, excessive, exhaustive, explicite, extravagante, faible, fastidieuse, (dé)favorable, ferme, figurée, fine, fixe, flatteuse, forcée, forcenée, forte, fortuite, franche, frappante, fréquente, froide, fugace, gauche, générale, (dis)gracieuse, graduelle, grossière, (in)habituelle, hachée, (in)harmonieuse, hautaine, haute, hésitante, (mal)heureuse, (mal)honnête, horrible, hypothétique, idéale, ignoble, impérieuse, implicite, incalculable, inconsidérée, indélébile, inébranlable, inédite, infatigable, ingénieuse, inoubliable, inqualifiable, insistante, insultante, (in)intelligible, intense, intensive, intéressante, (dés)intéressée, intraitable, irrécusable, irréfutable, irrémédiable, judicieuse, (in)juste, laconique, laide, latente, lente, limpide, machinale, marquée, merveilleuse, mesurée, méthodique, méticuleuse, (im)modérée naturelle, négative, nette, obligatoire, obscure, obstinée, offensante, officielle, officieuse, (in)opportune, (extra)ordinaire, originale, outrageuse, (im)parfaite, particulière, perspicace, (im)pertinente, pitoyable, placide, (dé)plaisante, plate, positive, précipitée, (im)précise, pressante, (im)prévue, propre, provocante, (im)prudente, quelconque, radicale, rapide, (ir)réfléchie, régulière, relative, (ir)résolue, retenue, royale, (mal)saine, (in)satisfaisante, schématique, sèche, secrète, (in)sensée, sévère, simple, simplifiée, singulière, sobre, spéculative, stable, sublime, subtile, surprenante, systématique, tangible, terrible, théâtrale, touchante, univoque, urgente, (in)usitée, vague, (in)variable, variée, vigoureuse, violente, vive, vorace, voulue, (in)vraisemblable. *Agir, affirmer, apprécier, augmenter, baisser, calculer, changer, chuter, citer, (se) conduire, découvrir, définir, demander, démontrer, dire, échouer, écrire, envisager, éprouver, esquisser, établir, examiner, expliquer, exposer, (s') exprimer, formuler, (s')habiller, (s')imposer, insister, (s')installer, manger, (se) manifester, négocier, obtenir, parler, pénétrer, (se) présenter, (se) prononcer, raconter, raisonner, réagir, rechercher, regarder, répartir, répéter, répondre, représenter, rire, se dérouler, sentir, s'excuser, s'opposer, traiter, transformer, trouver, varier, (se) vêtir, vivre de/d'une ~ (+ adj.).* ♦(<u>*comportements*</u>) abruptes, adroites, affables, affectées, affectueuses, affreuses, agaçantes, (dés)agréables, (in)amicales, arrogantes, avenantes, belles, bienveillantes, bonnes, brillantes, brusques, brutales, brutes, bruyantes, câlines, calmes, cassantes, cavalières, cérémonieuses, chaleureuses, charmantes, choquantes, communes, complaisantes, convenables, cordiales, (in)correctes, (dis)courtoises, débraillées, dédaigneuses, dégoûtantes, démodées, déplacées, désinvoltes, despotiques, discrètes, distinguées, doucereuses, douces, effacées, (in)élégantes, empressées, empruntées, engageantes, enveloppantes, exagérées, excellentes, exquises, familières, fières, figées, franches, froides, frustes, gauches, (dis)gracieuses, gênantes, gentilles, grossières, grotesques, guindées, hautaines, (mal)honnêtes, horribles, humbles, impertinentes, impétueuses, imposantes, inadmissibles, incongrues, ingénues, insinuantes, insolentes, insultantes, inusitées, jolies, (dé)loyales, mauvaises, méprisantes, modestes, naïves, nobles, obligeantes, obséquieuses, onctueuses, ordinaires, parfaites, pataudes, pénibles, pincées, (dé)plaisantes, (im)polies, pressantes, prétentieuses, prévenantes, protocolaires, prudentes, raffinées, raides, rebutantes, recherchées, réservées, respectueuses, ridicules, rigoureuses, rudes, séduisantes, sérieuses, simples, snobs, sociables, standard, suaves, tempérées, timides, tranchantes, tranquilles, vives, vulgaires. *Acquérir, affecter, avoir des ~s; copier, imiter, prendre les ~s de qqn; arrondir, assouplir, raffiner ses ~s; manquer de ~s.*

MANIFESTANT actif, agressif, amateur, (dés)armé, bon, casqué, déguisé, encagoulé, enragé, gentil, innocent, inoffensif, isolé, jeune, masqué, mauvais, méchant, menaçant, pacifique, passif, professionnel, vieux, violent. *Arrêter, bloquer, brutaliser, calmer, contenir, disperser, dissuader, encercler, faire refluer, haranguer, interpeller, matraquer, menotter, repousser un/des/les ~(s).*

MANIFESTATION (apparition, expression) bizarre, chaleureuse, déplacée, douloureuse, éloquente, émouvante, enflammée, enthousiaste, exubérante, grande, hostile, joyeuse, modérée, mystérieuse, outrancière, persistante, petite, provocante, sévère, sincère, timide, violente, zélée. *Accueillir qqn avec des ~s (+ adj.); s'abandonner, se laisser aller, se livrer à des ~s (+ adj.).* ♦ (rassemblement, révolte) annoncée, autorisée, bigarrée, brutale, bruyante, calme, controversée, conviviale, coordonnée, discrète, énorme, faible, festive, forte, géante, gigantesque, grande, hostile, houleuse, immense, importante, imposante, impressionnante, improvisée, interdite, joyeuse, massive, monstre, mouvementée, musclée, pacifique, populaire, revendicatrice, sauvage, solennelle, spontanée, tragique, tumultueuse, violente. *Autoriser, briser, conduire, convoquer, coordonner, couvrir, disperser, empêcher, encadrer, faire, interdire, ordonner, organiser, permettre, préparer, provoquer, quitter, réprimer, suivre une ~; participer, prendre part, se joindre à une ~; s'impliquer dans une ~.* Une ~ éclate, dégénère, démarre, se déroule, se disloque, se disperse, s'improvise.

MANIGANCE criminelle, grande, ignoble, infâme, lourde, louche, machiavélique, petite, sale, sinistre, sombre, sordide, sourde, ténébreuse, tortueuse. *Découvrir, déjouer, dénoncer, dévoiler, flairer, organiser, soupçonner une ~; faire, préparer des ~s; se livrer à des ~s; être impliqué dans une ~; être victime de ~s.* Un ~ échoue, réussit.

MANNEQUIN adulé, célèbre, débutant, élancé, élégant, émacié, filiforme, luxueux, professionnel, rachitique, renommé, réputé, squelettique, sophistiqué, superbe.

MANŒUVRE (opération) (mal)adroite, audacieuse, brusque, compliquée, contrôlée, dangereuse, décisive, délicate, désastreuse, désespérée, difficile, douce, dure, facile, fausse, fine, grosse, (mal)habile, hardie, judicieuse, lente, majeure, manquée, méthodique, mineure, (im)prudente, ratée, réussie, risquée, rude, spectaculaire, tactique, téméraire, timide. *Commander, diriger, effectuer, exécuter, gêner, manquer, monter, organiser, préparer, réussir, surveiller, tenter une ~; participer, prendre part, procéder à une ~.* Une ~ échoue, fonctionne. ♦ (tricherie, machination) astucieuse, basse, délibérée, déloyale, diabolique, douteuse, fausse, frauduleuse, grosse, grossière, (in)habile, illicite, infernale, ingénieuse, louche, machiavélique, obscure, perfide, pernicieuse, secrète, sinistre, sombre, sournoise, souterraine, subtile, suspecte, ténébreuse, tortueuse, vicieuse. *Contrer, déjouer, dénoncer, mener, parer une ~; assister, se livrer, se prêter, s'opposer à une ~; être victime d'une ~.*

MANOIR abandonné, charmant, confortable, cossu, désaffecté, élégant, énorme, fastueux, humble, immense, imposant, impressionnant, joli, luxueux, magnifique, pittoresque, riche, somptueux, spacieux, splendide, superbe, tombé en ruine, vieux. *Habiter un ~.*

MANQUE absolu, aigu, apparent, béant, chronique, complet, conscient, considérable, criant, cruel, déplorable, désastreux, désolant, douloureux, dramatique, énorme, évident, faible, flagrant, fort, frappant, fréquent, grand, grave, honteux, immense, impérieux, important, incoercible, incompréhensible, incroyable, inquiétant, insupportable, intense, léger, manifeste, momentané, notable, notoire, partiel, passager, patent, pénible, préoccupant, prolongé, récurrent, regrettable, relatif, remarqué, sérieux, soudain, stupéfiant, subit, total, tragique, troublant. *Causer, combler, compenser, constater, créer, dénoncer, déplorer, engendrer, entraîner, éprouver, montrer, pallier, provoquer, ressentir, suppléer un ~; être confronté, remédier à un ~; pâtir, souffrir d'un ~; être en ~.*

MANSARDE basse, chaude, étroite, fraîche, haute, insalubre, longue, minable, misérable, pauvre, sombre, triste.

MANTEAU ajusté, ample, bariolé, chaud, chic, cintré, classique, confortable, convenable, court, croisé, défraîchi, délabré, démodé, dépenaillé, douillet, drapé, droit, élégant, élimé, étroit, fatigué, fermé, flottant, fripé, froid, froissé, gros, indémodable, informe, inusable, joli, large, léger, limé, long, loqueteux, lourd, luisant, misérable, neuf, ouvert, pauvre, pelé, piteux, propre, râpé, riche, ridicule, sale, sali, serré, sobre, somptueux, superbe, usé, vaste, vieux, vilain. *(dé)Boutonner, endosser, enfiler, enlever, mettre, ôter, ouvrir, porter, prendre, revêtir, suspendre un/son ~; être drapé/emmitouflé, s'emmitoufler, s'envelopper dans un/son ~; être vêtu, se débarrasser d'un/de son ~.*

MANUEL broché, (in)complet, concis, énorme, épais, exhaustif, grand, gros, illustré, léger, lourd, mince, petit, pratique, précieux, sérieux, simple. *Consulter, feuilleter, lire un ~.*

MAQUILLAGE accentué, agressif, blafard, dégoulinant, délicat, discret, doux, éclatant, élégant, étincelant, étudié, excessif, expressif, fin, fluide, hideux, impeccable, léger, lourd, lumineux, naturel, outrancier, parfait, prononcé, raffiné, raté, réussi, simple, sobre, soigné, sophistiqué, soutenu, stylisé, subtil, violent. *Adopter, afficher, effectuer, exécuter, corriger, enlever, faire, porter, rafraîchir, réaliser, rectifier, refaire, retoucher, réussir un/son ~.* Un ~ ombre les joues/paupières.

MARAIS boueux, brumeux, infect, profond, noir, sombre, vaste, verdâtre. *Assécher, curer, tarir, vider un ~; patauger dans un ~.*

MARBRE artificiel, blanc, bleu, factice, faux, imité, lustré, moucheté, multicolore, noir, orangé, patiné, poli, polychrome, précieux, résistant, rose, rouge, tacheté, veineux, vert, violacé, violet. *Polir, sculpter le ~; ciseler, poncer du ~.*

MARCHAND, ANDE ambitieux, (in)compétent, consciencieux, dynamique, (mal)honnête, renommé, riche, ruiné, véreux.

MARCHANDISE abordable, avariée, belle, bonne, contrôlée, coûteuse, de bonne/excellente/mauvaise/piètre qualité, défectueuse, défraîchie, démodée, disponible, douteuse, écoulée, encombrante, falsifiée, frelatée, garantie, invendue, mauvaise, périssable, retournée, (in)vendable; dépareillées, diverses, hétéroclites. *Acheminer, acheter, (dés)arrimer, brocanter, (dé)charger, commander, confisquer, critiquer, déballer, débarquer, débiter, débloquer, dédouaner, démarquer, déployer, déprécier, détailler, distribuer, échanger, écouler, (r)emballer, embarquer, emmagasiner, entreposer, envoyer, étaler, évaluer, expédier, (ré)exporter, exposer, facturer, inventorier, lancer, liquider, (dé)livrer, mettre en montre, recevoir, refuser, remettre, sacrifier, saisir, solder, transiter, transporter, véhiculer, vendre une/des ~(s).*

MARCHE (trajet) agréable, ardue, courte, épuisante, facile, fatigante, longue, pénible, petite. *Faire, organiser une ~; aimer, pratiquer la ~; s'adonner à la ~; faire de la ~; continuer, poursuivre sa ~.* ♦(allure, démarche) accélérée, aisée, assurée, balancée, compassée, élastique, embarrassée, équilibrée, forcée, furieuse, gracieuse, gymnastique, hardie, hésitante, incertaine, inégale, légère, lente, lourde, modérée, pesante, précipitée, prudente, rapide, (ir)régulière, rythmée, rythmique, solennelle, souple, soutenue, sûre, vive, zigzagante. *Accélérer, précipiter, presser, ralentir la/sa ~.* ♦(escalier, etc.) abrupte, branlante, étroite, glissante, large, traîtresse, usée. *Dégringoler, descendre, escalader, gravir, manquer, monter, rater une/des ~(s).*

MARCHÉ (lieu) animé, bondé, bruyant, coloré, couvert, fréquenté, gigantesque, immense, pittoresque, vaste. *Faire le/son ~; acheter, aller, vendre au ~.* Un ~ a lieu, se tient. ♦(transaction, contrat) alléchant, ambitieux, (dés)avantageux, colossal, considérable, définitif, fabuleux, (mal)honnête, important, intéressant, juteux, lucratif, risqué. *Annuler, anticiper, conclure, enlever, faire, passer, perdre, proposer, résilier, rompre, sceller un ~.* ♦(Commerce, Économie, Bourse) (in)actif, agité, calme, faible, fermé, florissant, fragile, gigantesque, ouvert, (in)stable. *Développer, dominer, monopoliser un/le ~; lancer, offrir, spéculer sur un/le ~.*

MARCHEUR, EUSE averti, bon, chevronné, confirmé, débutant, entraîné, excellent, (in)expérimenté, extraordinaire, grand, inépuisable, infatigable, intrépide, lent, mauvais, moyen, néophyte, novice, occasionnel, régulier, solitaire.

MARE boueuse, croupie, croupissante, dormante, fangeuse, infecte, verdâtre.

MARÉCAGE couvert de roseaux, herbeux, infect, insalubre, lugubre, profond, nauséabond, puant, sombre, stagnant. *Assainir un ~; s'enfoncer dans un ~.*

MARÉE basse, calme, contraire, déferlante, descendante, faible, forte, grondante, haute, houleuse, montante, puissante. *Attendre la ~.* La ~ croît, descend, monte, refoule, renverse, s'affaiblit, se retire.

MARGE (bordure, lisière) étroite, large, (in)suffisante. *Laisser une ~; corriger dans la ~; écrire/faire des annotations, noter en ~.* ♦(délai, disponibilité) bonne, certaine, confortable, courte, dérisoire, élevée, étroite, faible, forte, grande, immense, infinie, large, microscopique, négligeable, réduite, relative, restreinte, (in)suffisante, totale, vraie. *Avoir, conférer, dégager, laisser, prévoir, se ménager une ~; disposer d'une ~; accorder, avoir, donner, laisser de la ~.*

MARI affectueux, aimable, amoureux, approprié, attentionné, bafoué, bon, brutal, cocu, complaisant, convenable, débonnaire, délicat, despotique, docile, empressé, encombrant, excellent, exemplaire, (in)fidèle, (mal)heureux, idéal, indigne, insupportable, jaloux, modèle, parfait, passionné, querelleur, rustre, soumis, soupçonneux, triste, trompé, tyrannique, volage. *Chercher, choisir, prendre, trouver un ~; adorer, berner, estimer, quitter, tromper son ~; être fidèle, plaire à son ~.*

MARIAGE (institution, union) arrangé, avantageux, bancal, blanc, bon, boiteux, brillant, brisé, catastrophique, chancelant, contraint, décidé, désastreux, forcé, harmonieux, hâtif, (mal)heureux, impossible, inespéré, mixte, obligé, précoce, raisonnable, rapide, raté, réussi, riche, solide, tardif. *Annuler, arranger, bénir, briser, casser, conclure, consolider, contracter, défaire, dissoudre, empêcher, rompre un ~; s'opposer à un ~; offrir, promettre, proposer le ~ à qqn; renoncer, rêver, se décider, se résoudre, songer au ~; annoncer son ~; accorder, demander, donner, prendre, promettre, faire la demande en ~.* ♦(cérémonie) clandestin, fastueux, grand, intime, modeste, pompeux, secret, simple, somptueux, superbe. *Célébrer, différer, faire, reculer, retarder un ~; aller, assister, inviter qqn, procéder à un ~.*

MARIJUANA *Décriminaliser, légaliser la ~; cultiver, essayer, fumer, vendre de la ~.*

MARQUE (signe, trace) discrète, grande, indélébile, indestructible, ineffaçable, invisible, large, longue, nette, petite, visible. *Avoir, effacer, enlever, faire, laisser, mettre, ôter, porter une ~.* ♦(Commerce) bonne, courante, déposée, distinctive, exclusive, fausse, grande, prestigieuse, protégée, réputée. *Créer, déposer, vendre une ~; être fidèle à une ~; apposer sa ~ (sur un produit, etc.).* ♦(Sport) *Aggraver, creuser, égaliser, ouvrir la ~.*

MASSACRE abominable, atroce, aveugle, collectif, effroyable, épouvantable, gigantesque, grand, horrible, impitoyable, infâme, lamentable, massif, monstrueux, sanglant, terrible, véritable. *Commettre, enregistrer, exécuter, faire, organiser, perpétrer, planifier, provoquer, subir un ~; échapper, se livrer à un ~.*

MASSAGE agréable, apaisant, circulaire, doux, efficace, énergétique, intense, intensif, léger, local, relaxant, revigorant, stimulant, superficiel, tendre, tonifiant, total, vigoureux, vivifiant. *Assurer, exécuter, faire, permettre, pratiquer, réaliser, recevoir, s'offrir, subir un ~; procéder à un ~.*

MASSE (volume, forme) amorphe, chaotique, compacte, confuse, considérable, croulante, dense, dure, énorme, épaisse, grande, grosse, hétérogène, immense, immobile, imposante, indistincte, inerte, informe, lourde, majestueuse, molle, mouvante, opaque, pesante, solide, sombre, terne, uniforme, visqueuse. ♦(foule) compacte. *Agiter, conditionner, enflammer, entraîner, manier, radicaliser les ~s; plaire à la ~.*

MÂT endommagé, fracassé, rompu. *Caler, dresser, gréer, guinder, hisser, rompre* *un ~; abattre, couper les ~s d'une navire; perdre ses ~s (dans la tempête).*

MATCH acharné, agité, amical, animé, âpre, bon, brutal, calme, convaincant, crucial, débridé, décevant, décisif, décousu, désorganisé, difficile, disputé, dur, (in)égal, époustouflant, (dés)équilibré, (in)équitable, exceptionnel, explosif, fermé, gagné, grand, hasardeux, héroïque, houleux, impeccable, imperdable, implacable, important, indécis, intéressant, interminable, interrompu, laborieux, lent, long, (dé)loyal, magnifique, mauvais, médiocre, monotone, mouvementé, musclé, nul, offensif, ouvert, parfait, passionnant, pauvre, perdu, prolongé, rapide, raté, réussi, riche, rude, serré, spectaculaire, superbe, tendu, truqué, violent, viril. *Ajourner, arbitrer, commencer, commenter, conduire, décommander, disputer, entreprendre, faire, gagner, interrompre, jouer, livrer, maîtriser, mener, organiser, perdre, perturber, remporter, reporter, suivre, suspendre, voir un ~; assister à un ~; s'entraîner pour un ~.*

MATELAS (in)confortable, doux, dur, épais, mince, moelleux, mou. *Battre, retourner, rouler, taper un ~.*

MATÉRIAU (Construction) bon, dur, éprouvé, fragile, imputrescible, indestructible, inemployable, moderne, noble, polyvalent, rare, (ultra)résistant, révolutionnaire, solide, souple, tendre. *Accumuler, empiler, fournir, rassembler, recycler, réunir, utiliser des ~x.* ♦(documents) *Classer, rassembler, recueillir, répertorier, réunir des ~x.*

MATÉRIEL (in)adéquat, (in)approprié, défectueux, démodé, dépassé, désuet, durable, éprouvé, inappréciable, léger, lourd, moderne, obsolète, perfectionné, performant, périmé, polyvalent, réformé, sophistiqué, spécialisé, usagé, vétuste. *Acheter, distribuer, emporter, entasser, expédier, réceptionner le/du ~; manquer, se doter de ~.*

MATERNITÉ assumée, désirée, précoce, refusée, souhaitée, tardive, volontaire; nombreuses, rapprochées, répétées, successives. *Aspirer à la ~; s'épanouir dans la ~.*

MATHÉMATICIEN, IENNE brillant, célèbre, éminent, érudit, grand, remarquable, renommé, savant.

MATHÉMATIQUES abstraites, appliquées, élémentaires, générales, hautes, modernes, pures, spéciales, supérieures, traditionnelles. *Enseigner, étudier les ~; être rebelle aux ~; être bon/doué/fort/mauvais, exceller en ~.*

MATIÈRE (substance) absorbante, brillante, brute, collante, combustible, conductrice, douce, dure, épaisse, flexible, friable, gluante, gommeuse, grasse, grossière, homogène, (in)inflammable, isolante, malléable, molle, opaque, (im)périssable, poisseuse, précieuse, rare, résistante, riche, sèche, souple, spongieuse, translucide, visqueuse, volatile. *Épuiser, fabriquer, façonner, préparer, traiter, transformer, travailler une ~.* ♦(Scolaire) abondante, ample, approfondie, aride, banale, clé, centrale, complexe, confuse, délicate, épineuse, essentielle, foisonnante, fondamentale, inépuisable, intéressante, obligatoire, obscure, rébarbative, rebutante, variée, vaste. *Approfondir, creuser, enseigner, maîtriser, parcourir, passer, réviser, toucher, traiter une ~.*

MATIN blême, bleu, brumeux, clair, ensoleillé, frais, froid, glacé, glacial, gris, grisâtre, sombre, splendide, tiède. Le ~ arrive, se lève.

MATINÉE brumeuse, calme, ensoleillée, fraîche, froide, obscure, radieuse, sereine, splendide.

MATURITÉ commune, complète, étonnante, extraordinaire, grande, incroyable, précoce, (in)suffisante, surprenante, stupéfiante, tardive. *Posséder une ~ (+ adj.); arriver, parvenir à ~; faire preuve d'une ~ (+ adj.); manquer de ~.*

MÉCANIQUE huilée, brillante, compliquée, ingénieuse, rutilante, sophistiquée. *Actionner, déclencher, (re)lancer une ~.* La ~ s'affole, s'emballe, tombe en panne.

MÉCANISME adapté, astucieux, bon, complexe, compliqué, délicat, ingénieux, perfectionné, robuste, rodé, simple, solide. *Améliorer, briser, créer, enclencher, enrayer, établir, gripper, mettre en branle/place, (dé)monter, (dé)régler, simplifier un ~; être muni/pourvu d'un ~.* Un ~ se dérange, se détraque, se met en place, s'enraye.

MÉCHANCETÉ agressive, brutale, cachée, diabolique, énorme, envieuse, fine, foncière, froide, gratuite, incompréhensible, indicible, infernale, minuscule, notoire, plate, profonde, raffinée, railleuse, réfléchie, satanique, sournoise, tatillonne, vicieuse. *Commettre, décocher, dire, faire une/des ~(s); taxer qqn de ~.*

MÈCHE bouclée, dénouée, désordonnée, droite, épaisse, fine, grosse, indisciplinée, longue, lourde, ondulée, petite, raide, rebelle, souple, tombante. *Rejeter une ~.* Une ~ ondule, pend, se dresse, se hérisse, tombe.

MÉCONNAISSANCE complète, consternante, étonnante, impardonnable, incroyable, incurable, inexcusable, stupéfiante, totale. *Afficher une ~ (+ adj.); être, faire preuve d'une ~ (+ adj.); avouer, confesser sa ~.*

MÉCONTENTEMENT extrême, fort, général, grand, fondamental, légitime, motivé, perceptible, permanent, perpétuel, profond, sourd, vif. *Accentuer, aggraver, cacher, causer, déceler, clamer, crier, cristalliser, dissiper, éprouver, exprimer, laisser voir, manifester, marquer, montrer, provoquer, susciter, témoigner un/le/du/son ~.* Un ~ couve, grandit, monte, persiste.

MÉDAILLE *Accorder, arborer, conférer, décerner, décrocher, gagner, mériter, obtenir, porter, rafler, recevoir, refuser, remettre, remporter une ~; décorer, honorer, récompenser d'une ~.*

MÉDECIN bon, brillant, célèbre, chevronné, complaisant, compétent, éminent, excellent, expérimenté, grand, mauvais, remarquable, renommé, réputé, spécialisé. *Consulter, voir un ~; avoir recours à un ~; se faire examiner par un ~; aller chercher, appeler, attendre, faire venir le ~; aller chez le ~.*

MÉDECINE alternative, clinique, complémentaire, courante, curative, de pointe, douce, (in)efficace, expérimentale, générale, lourde, naturelle, officielle, opératoire, parallèle, performante, préventive, traditionnelle. *Connaître, étudier, exercer, (dés)humaniser, pratiquer la ~.*

MÉDIA célèbre, crédible, fiable, influent, prestigieux, puissant, racoleur, renommé, réputé, sensationnaliste. *Affronter, contrôler, manier, manipuler, monopoliser, museler les ~s; mentir, recourir, se fier aux ~s; apprendre , être couvert par les ~s.*

MÉDICAMENT actif, adapté, anodin, approprié, calmant, commercialisé, doux, (in)efficace, énergique, éprouvé, fiable, fictif, fortifiant, indispensable, infaillible, mauvais, miraculeux, néfaste, puissant, salutaire, spécifique, sûr, toléré, universel, violent. *Absorber, administrer, donner, employer, fabriquer, injecter, inventer, mettre au point, ordonner, prendre, prescrire, produire, tolérer un ~.*

MÉDIOCRITÉ consternante, grande, inouïe, insupportable, navrante, singulière, tatillonne. *Être d'une ~ (+ adj.); refuser, tolérer la ~; s'enliser, s'installer, vivre dans la ~.*

MÉDISANCE abominable, gratuite, grossière. *Débiter, dire, répéter, susurrer des ~s; donner prise à la ~; se défendre contre la ~; être victime de la ~.*

MÉDITATION agréable, amère, continuelle, courte, délicieuse, (in)fertile, fructueuse, importante, intense, intérieure, longue, profonde, prolongée, silencieuse, triste, vagabonde. *Être plongé dans une ~ (+ adj.); interrompre, pratiquer la ~; être porté, s'abandonner, se consacrer, se livrer, s'employer, s'exercer, se vouer à la ~; être plongé, s'abîmer, s'absorber, se perdre, se plonger dans la/des ~(s); tirer qqn de ses ~s.*

MÉFAIT anodin, condamnable, grave, impardonnable, intentionnel, odieux, sérieux. *Accomplir, commettre, réparer un ~.*

MÉFIANCE endormie, forte, grande, indéracinable, injuste, insurmontable, (in)justifiée, légitime, maladive, maladroite, pathologique, perceptible, profonde, réciproque, trouble. *Accentuer, apaiser, dissiper, éveiller, extirper la ~; être d'une ~ (+adj.); avoir, éprouver, garder de la ~; être sans ~.* La ~ règne, s'atténue, s'instaure.

MÉLANCOLIE accablante, amère, âpre, attendrissante, douce, indéfinissable, indicible, inexprimable, inguérissable, noire, poignante, profonde, résignée, rêveuse, romantique, sombre, vague, voluptueuse. *Chasser, dissiper, renforcer la ~; être enclin/en proie, se laisser aller à la ~; être plongé, sombrer, tomber dans la ~; éprouver de la ~.*

MÉLANGE (*mixture*) complexe, compliqué, consistant, épaissi, équilibré, explosif, fin, homogène, juste, naturel, pauvre, riche, savoureux, tempéré. *Composer, constituer, dissoudre, doser, effectuer, faire, opérer un ~.* ♦ (*combinaison*) absolu, agréable, audacieux, complet, complexe, compliqué, confus, curieux, déconcertant, détonnant, disparate, douteux, équilibré, étonnant, étrange, fascinant, harmonieux, hétéroclite, hétérogène, heureux, inattendu, incohérent, indéfinissable, indigeste, inquiétant, intime, intolérable, judicieux, juste, minutieux, modéré, parfait, remarquable, réussi, riche, savant, singulier, subtil, surprenant, total, trompeur.

MÊLÉE affreuse, confuse, farouche, furieuse, générale, gigantesque, horrible, implacable, sanglante, sauvage, terrible. *Se tenir à l'écart de la ~; être, rester, se placer, se situer au-dessus de la ~;*

se jeter, se lancer, s'enfoncer, s'engager dans la ~; se retirer de la ~; rester en dehors de la ~.

MÉLODIE délicieuse, énergique, entêtante, entraînante, envoûtante, gaie, languissante, mélancolique, monotone, plaintive, plate, rythmée, suave, traînante. *Chanter, composer, créer, émettre, fredonner une ~.*

MEMBRE (Anatomie) allongé, amaigri, ankylosé, atrophié, coupé, court, décharné, démesuré, démis, difforme, disloqué, douloureux, engourdi, fin, fluet, fort, fracturé, frêle, grêle, inerte, long, musculeux, rabougri, raide, souple, svelte. *Déboîter, démettre, disloquer, (se)luxer, perdre un ~; être privé d'un ~; avoir un ~ (+ adj.); allonger, assouplir, dénouer, exercer, fléchir, mouvoir, (re)plier, (dé)tendre les/ses ~s.* ♦ (groupe, adhérent) actif, assidu, associé, désigné, dévoué, effectif, élu, fondateur, honoraire, important, influent, officiel, payant, permanent, perpétuel, respecté, sortant, suppléant, titulaire. *Choisir, élire, exclure, nommer, rayer un ~.*

MÉMOIRE bonne, capricieuse, chancelante, colossale, courte, critique, défaillante, déplorable, éléphantesque, étonnante, exacte, excellente, exceptionnelle, extraordinaire, faible, fantaisiste, (in)fidèle, forte, fraîche, fugace, grande, immédiate, imperturbable, impressionnante, incertaine, incroyable, indéfectible, indocile, inépuisable, infaillible, ingrate, longue, mauvaise, merveilleuse, parfaite, phénoménale, précise, prodigieuse, prompte, rebelle, redoutable, rouillée, sélective, stupéfiante, sûre, surhumaine, tenace, vacillante, véridique, vive. *Avoir, posséder une/la ~ (+ adj.); être doté/doué d'une ~ (+ adj.); consulter, cultiver, développer, encombrer, enrichir, entraîner, entretenir, exercer, former, fortifier, interroger, meubler, orner, perdre, ranimer, scruter, se dérouiller, se rafraîchir, surcharger la/sa ~; avoir, caser, chercher, conserver, enregistrer, faire entrer, fixer, fouiller, garder, (se) graver, imprimer, perdre, recueillir, retrouver, vivre dans la/sa ~; échapper, rappeler, remonter, revenir à la ~; posséder, s'effacer, sortir de la ~; être dépourvu, réciter de ~; avoir, garder en ~.* Une ~ flanche, hésite, se perd, se trouble, vacille. ♦ (Informatique) faible, gigantesque, immense, puissante, (in)suffisante. *Être doté d'une ~ (+ adj.); extraire, sortir de la ~; introduire, mettre en ~.*

MENACE claire, considérable, constante, crédible, dérisoire, diffuse, dissuasive, énorme, évidente, explicite, forte, froide, furieuse, grande, grandissante, grave, horrible, immédiate, imminente, importante, imprévisible, incessante, invisible, lointaine, lourde, majeure, obscure, obsédante, (im)palpable, pathétique, permanente, perpétuelle, persistante, physique, potentielle, (im)précise, pressante, réelle, sérieuse, sourde, sous-jacente, suspendue, tangible, terrible, terrifiante, ultime, vague, vaine, véritable, virtuelle, voilée, vraisemblable. *Adresser, agiter, brandir, braver, constituer, contenir, contrer, craindre, demeurer, détruire, deviner, diriger, dissiper, écarter, édulcorer, éliminer, empêcher, être, exagérer, exprimer, faire, faire peser, flairer, formuler, identifier, laisser planer, lancer, marmonner, mettre en œuvre, pointer, prendre en compte, proférer, prononcer, réaliser, réitérer, renfermer, représenter, résoudre, rester, supprimer une/des ~(s); céder, être* *confronté, faire face, réagir, surseoir à une ~; être inconscient d'une ~; être (placé) devant/sous une ~; employer, sentir la ~; avoir recours, être sourd aux ~s; contraindre, obtenir qqch. par la ~; accepter, agir, tenir sous la ~.* Une/la ~ perdure, persiste, plane, réapparaît, s'affirme, s'écarte, se concrétise, se dissipe, s'éloigne, se précise, se profile à l'horizon, s'estompe, s'évapore, subsiste.

MÉNAGE (*entretien d'une maison*) impeccable, irréprochable, rangé. *Faire du/le/son ~; vaquer aux soins du ~; s'occuper de son ~.* ♦(*couple, communauté familiale*) aisé, assorti, bon, brisé, charmant, dispersé, dissocié, divisé, excellent, exemplaire, heureux, jeune, modèle, modeste, parfait, pauvre, réconcilié, (dés)uni, vieux. *Brouiller, désunir, réconcilier, réunir un ~; être (mal)heureux, se mettre en ~.*

MENDIANT, IANTE chétif, décrépit, déguenillé, dépenaillé, drapé de lambeaux, en haillons, famélique, minable, miséreux, pouilleux. Un ~ erre, maraude.

MENDICITÉ agressive, organisée, passive, publique. *Bannir, criminaliser, éliminer, encourager, exploiter, interdire, pratiquer, refuser, réprimer la ~; être condamné/confronté/destiné/promis/réduit/voué, mettre un frein, réduire qqn, s'adonner, se livrer à la ~; échouer, être entraîné dans la ~; vivre de la ~; se tourner vers la ~.* La ~ augmente, existe, sévit.

MENSONGE affreux, banal, bénin, calomnieux, criminel, cynique, délibéré, dérisoire, détestable, diplomatique, éclatant, effronté, effroyable, éhonté, élégant, énorme, extravagant, flagrant, gigantesque, grand, grave, gros, grossier, hardi, humiliant, hypocrite, infâme, injustifiable, innocent, intéressé, inventif, involontaire, joyeux, maladroit, malveillant, odieux, parfait, petit, pieux, plausible, (in)utile, vilain. *Aligner, commettre, conter, débiter, découvrir, dénoncer, dire, échafauder, fabriquer, forger, imaginer, improviser, inventer, préparer, proférer, prononcer, raconter, supporter, tisser un/des ~(s); recourir à un/aux ~(s); combattre, démasquer, haïr le ~; être contraint/entraîné au ~; s'installer, vivre dans le ~; avoir horreur du ~; s'embarrasser, s'empêtrer, s'enferrer dans ses ~s; être accusé/convaincu, soupçonner/taxer qqn de ~.*

MENTALITÉ belle, conviviale, déplorable, détestable, impeccable, inqualifiable, irréprochable, jolie, mauvaise, odieuse, sale, sordide. *Avoir, adopter, afficher, posséder une ~ (+ adj.).*

MENTEUR, EUSE affreux, effronté, éhonté, fieffé, grand, hardi, incorrigible, intrépide, invétéré, pathologique.

MENTON anguleux, avancé, bas, carré, double, effacé, épais, étroit, fendu, fin, fourchu, fuyant, glabre, gras, hautain, imberbe, large, long, marqué, obstiné, poilu, pointu, proéminent, protubérant, rasé, recourbé, renflé, rentré, rond, saillant, sculpté, triple, volontaire. *Avoir un/le ~ (+ adj.); avancer, baisser, dresser, gratter, hocher, (re)lever, prendre, redresser le ~; acquiescer, désigner du ~.*

MENU abondant, alléchant, copieux, corsé, créatif, (dés)équilibré, exquis, inventif, plantureux, raffiné, recommandé, simple, soigné, somptueux, varié. *Commander, composer, établir, préparer, soigner un ~; demander, consulter, étudier, parcourir, scruter le ~; manger au ~.*

MÉPRIS absolu, brutal, colossal, complet, excessif, fondamental, froid, hautain, hostile, immense, immérité, implacable, inavoué, inconscient, infamant, inguérissable, injuste, inouï, inquiétant, insolent, insondable, insultant, insupportable, intense, léger, marqué, moqueur, outrageant, profond, prononcé, puéril, sarcastique, solide, souverain, superbe, systématique, tacite, tranchant, vigoureux, voilé, volontaire. *Avoir un ~ (+ adj.); attirer, cultiver, encourir, essuyer, inspirer, mériter, provoquer, subir un/le ~; affecter, afficher, avoir, concevoir, engendrer, éprouver, feindre, inspirer, manifester, montrer, ressentir, témoigner du ~; afficher, exprimer, marquer son ~; accabler, couvrir, éclabousser, écraser, envelopper de son ~; accabler, être digne/objet de ~.*

MÉPRISE extraordinaire, fréquente, grave, grossière, impardonnable, lourde, malheureuse, ridicule, sotte, terrible, tragique. *Commettre une ~; être victime d'une ~.*

MER agitée, basse, bleue, calme, capricieuse, cendrée, chaude, claire, clémente, courroucée, creuse, cristalline, déchaînée, démontée, diaphane, dure, écumante, énorme, étincelante, fangeuse, figée, forte, frémissante, furieuse, glauque, haute, hostile, houleuse, huileuse, immense, immobile, incertaine, infinie, laiteuse, limpide, lisse, lourde, lugubre, mauvaise, menaçante, miroitante, moutonneuse, mouvante, navigable, noire, opalescente, opaline, orageuse, paresseuse, poissonneuse, profonde, puissante, rude, rugissante, scintillante, sereine, sombre, tempétueuse, tourmentée, traîtresse, tranquille, translucide, transparente, tremblante, turbulente, turquoise, unie, vaste, verdâtre, verte, vide, violette. *Admirer, humer, (re)prendre, traverser la ~; (se) jeter, mettre, partir, tomber à la ~; être balancé/ballotté par la ~; être, naviguer, pêcher, périr, voyager en ~.* La ~ bat, calmit, clapote, déferle, (re)descend, écume, est basse/grosse/haute/pleine, grogne, gronde, grossit, miroite, monte, moutonne, mugit, refoule, ronfle, s'agite, s'apaise, scintille, se calme, se démonte, se retire, se soulève, tombe, tonne.

MERCI admiratif, affectueux, chaleureux, ému, grand, infini, particulier, reconnaissant, sincère, spécial. *Adresser, dire, exprimer un ~ (+ adj.).*

MÈRE abusive, affectueuse, aigrie, aimante, attentive, autoritaire, bonne, castratrice, (in)compétente, consolatrice, criarde, dénaturée, destructrice, dévouée, dominatrice, douce, envahissante, étouffante, excellente, gratifiante, idéale, indigne, irréprochable, mauvaise, négligente, parfaite, possessive, présente, proche, sécurisante, stricte, tendre.

MÉRITE accompli, distingué, éclatant, égal, éminent, énorme, exceptionnel, extraordinaire, grand, immense, incomparable, incontestable, indéniable, individuel, inouï, juste, méconnu, mince, oublié, particulier, personnel, rare, récompensé, relatif, singulier, supérieur, vrai. *Attribuer, avoir, trouver un/des ~(s); apprécier, célébrer, contester, diminuer, distinguer, exagérer, exalter, faire valoir, honorer, louer, méconnaître, rabaisser, récompenser, reconnaître, rehausser, relever, revendiquer, s'accorder, s'attribuer, se donner, vanter le/son/les ~(s) de qqn/qqch.; avoir, trouver du ~.*

MERVEILLE admirable, authentique, fugitive, incomparable, incontestable, insurpassable, petite, prodigieuse, pure. *Être une ~; accomplir, faire des ~s.*

MÉSAVENTURE banale, cocasse, comique, dramatique, inoubliable, regrettable, terrible, terrifiante, tragique, triste. *Connaître, déplorer, éprouver une ~; se laisser entraîner dans une ~; conter, raconter sa/ses ~(s); rire de sa ~.*

MÉSENTENTE durable, fondamentale, grave, irréductible, légère, profonde, superficielle. *Causer, déclencher, provoquer une ~.* Une ~ existe, persiste, règne, se produit.

MESQUINERIE incroyable, inqualifiable, rare, sordide. *Être d'une ~ (+ adj.); être dépourvu de ~.*

MESSAGE accablant, ambigu, confus, convaincant, déroutant, dissuasif, éloquent, énergique, faible, ferme, fort, implicite, laconique, large, mobilisateur, musclé, négatif, opaque, pointu, positif, rassurant, réitéré, sérieux, transparent, urgent, vraisemblable; contradictoires, divergents. *Acheminer, adresser, capter, communiquer, confier, consulter, décoder, délivrer, déposer, enregistrer, envoyer, expédier, faire passer/suivre, intercepter, interpréter, lire, recevoir, relayer, relever, répercuter, (re)transmettre, valider, véhiculer un ~; être chargé, s'acquitter d'un ~.*

MESURE (<u>*évaluation, dimension*</u>) *Effectuer, faire, prendre des/les ~s de qqn/qqch.; procéder à des ~s.* ♦ (<u>*disposition, moyen*</u>) aberrante, adaptée, (in)adéquate, agressive, alléchante, ambitieuse, (in)applicable, (in)appropriée, arbitraire, atroce, audacieuse, autoritaire, catastrophique, choc, claire, concrète, contraignante, convaincante, convenable, cruciale, décisive, défectueuse, définitive, despotique, difficile, discriminatoire, douloureuse, draconienne, drastique, dure, effective, (in)efficace, énergique, envisageable, (in)équitable, exceptionnelle, exorbitante, extraordinaire, extrême, favorable, formelle, forte, grave, (mal)heureuse, humanitaire, idéaliste, immédiate, importante, imposée, improvisée, indispensable, inédite, insignifiante, intelligente, intérimaire, (in)juste, (in)justifiable, (in)justifiée, (il)légale, (il)légitime, limitée, massive, mauvaise, mesurée, méticuleuse, modérée, modeste, néfaste, négative, (in)opérante, (in)opportune, palliative, ponctuelle, (im)populaire, positive, pratique, préalable, précise, préventive, prompte, (dis)proportionnée, provisoire, prudente, radicale, (dé)raisonnable, rapide, redoutable, répressive, restrictive, rigoureuse, sage, salutaire, sévère, significative, souhaitable, spectaculaire, substantielle, (in)suffisante, suprême, symbolique, tardive, temporaire, timide, transitoire, tyrannique, urgente, (in)utile. *(faire) Adopter, annoncer, annuler, appliquer, approuver, arrêter, combattre, concevoir, contourner, demander, effectuer, engager, envisager, établir, étendre, faire reporter, hâter, imposer, instaurer, justifier, lancer, légitimer, lever, mettre en œuvre/route, motiver, pousser, préconiser, prendre, projeter, proposer, provoquer, réclamer, renforcer, repousser, soutenir, subir, suivre une/des~(s); applaudir, s'opposer à une ~; bénéficier, souffrir d'une ~.* Une ~ intervient, s'applique, se concrétise. ♦ (<u>*Musique*</u>) *Battre, frapper, marquer, presser, ralentir, scander, suivre la ~.*

MÉTAL (in)altérable, amalgamé, argenté, brillant, commun, doux, dur, flamboyant, flexible, fort, frais, grossier, inattaquable, incandescent, léger, lisse, luisant, malléable, mat, noble, (in)oxydable, poli, précieux, rare, résistant, rouillé, rugueux, tendre, terne. *Allier, amalgamer, ciseler, décaper, dilater, extraire, fondre, ouvrer, poncer, scier, sculpter, souder, travailler un/le/du ~.*

MÉTAMORPHOSE (in)complète, continuelle, difficile, instantanée, lente, mystérieuse, singulière, spectaculaire. *Accomplir, observer, opérer, subir une ~.* Une ~ s'accomplit, s'opère.

MÉTAPHORE alambiquée, banale, (in)cohérente, colorée, convenue, douteuse, éculée, élaborée, expressive, hardie, heureuse, juste, lumineuse, naturelle, neuve, pertinente, progressive, usée, vieillie, vraie. *Employer, faire, forger une ~; recourir à une ~; être chargé de ~s; être fertile en ~s; parler, s'exprimer par ~s.*

MÉTÉO(ROLOGIE) abominable, affreuse, agitée, (dés)agréable, chaotique, calamiteuse, calme, capricieuse, catastrophique, changeante, clémente, défaillante, déplorable, déprimante, désastreuse, désolante, détestable, difficile, douce, épouvantable, excellente, exceptionnelle, exécrable, extraordinaire, (dé)favorable, fraîche, idéale, idyllique, imprévisible, incertaine, indécise, inquiétante, irréprochable, maussade, mauvaise, médiocre, menaçante, mitigée, optimale, orageuse, parfaite, passable, perturbée, pessimiste, pluvieuse, positive, pourrie, propice, radieuse, resplendissante, (in)satisfaisante, souriante, (in)stable, superbe, surprenante, tempérée, tourmentée, triste, turbulente, variable, venteuse. *Annoncer, prévoir une ~ (+ adj.); consulter, écouter la ~.* La ~ menace, s'améliore, se dégrade, se réchauffe.

MÉTHODE adéquate, agressive, appropriée, ardue, audacieuse, barbare, bonne, brutale, certaine, commode, connue, contestée, courante, délicate, dépassée, discutable, économique, éculée, (in)efficace, empirique, éprouvée, excellente, expéditive, féconde, fiable, générale, globale, impraticable, indéfendable, inédite, inemployée, infaillible, ingénieuse, innovante, inopérante, mauvaise, musclée, neuve, novatrice, originale, orthodoxe, parfaite, particulière, périmée, précise, privilégiée, radicale, rapide, rationnelle, retardataire, rigoureuse, rodée, routinière, scientifique, simple, sophistiquée, souple, sournoise, unique, vieille. *Adopter, affiner, améliorer, appliquer, arrêter, baser, découvrir, définir, développer, élaborer, employer, éprouver, généraliser, imaginer, inaugurer, instaurer, introduire, inventer, maîtriser, mettre au point, mettre en place, observer, perfectionner, pratiquer, préconiser, prôner, propager, proposer, rechercher, réformer, rejeter, révolutionner, simplifier, suivre, trouver, vulgariser une ~; se servir, s'inspirer, user d'une ~; avoir de la ~; manquer de ~.*

MÉTIER accaparant, agréable, astreignant, confortable, dangereux, difficile, dur, ennuyeux, envié, exigeant, fastidieux, fatigant, honnête, honorable, ingrat, intéressant, lucratif, malsain, noble, odieux, oublié, passionnant, pénible, périlleux, précaire, prenant, prestigieux, qualifié, risqué, rude, tuant, utile. *Abandonner, (ré)apprendre, chercher, choisir, embrasser, exercer, faire, posséder, pratiquer, prendre, trouver un ~; renoncer, se préparer, s'exercer, s'initier à un ~;*

débuter, entrer dans un ~; quitter le ~; être du ~; aimer, connaître, savoir son ~; vivre de son ~.

MÉTRO bondé, désert, luxueux, moderne, plein, propre, révolutionnaire, sale, spacieux, vétuste, vide. *Attendre, prendre, rater le ~; descendre, sortir du ~; monter, s'engouffrer, se précipiter dans le ~.* Un ~ arrive, part, passe, ralentit, roule, s'accélère, s'arrête.

METS appétissant, apprécié, avarié, choisi, corsé, délectable, délicat, délicieux, épicé, excellent, exquis, fade, fin, fortifiant, friand, frugal, grossier, indigeste, léger, lourd, nourrissant, raffiné, rassasiant, relevé, sain, salé, savoureux, simple, succulent, sucré. *Accommoder, apprêter, confectionner, cuire, relever, (faire) saisir, saler, (faire) sauter, savourer un ~; se rassasier d'un ~; manger des ~ (+ adj.).*

MEUBLE ancien, antique, bancal, boiteux, branlant, chancelant, (in)confortable, cossu, dépareillé, écorné, élégant, encombrant, fonctionnel, indispensable, instable, inutile, laid, large, léger, lourd, (re)luisant, magnifique, massif, ouvré, patiné, précieux, rustique, sale, solide, sombre, trapu, travaillé, usuel, verni, vétuste, vieux, volumineux; assortis, disparates. *Acheter, acquérir, agencer, bouger, cirer, cogner, confectionner, déménager, déplacer, entretenir, épousseter, essuyer, fabriquer, façonner, frotter, monter, nettoyer, poncer, rafistoler, ranger, reculer, rénover, réparer, restaurer, sculpter, se procurer, soulever, vernir un ~; trébucher contre un ~.*

MEURTRE accidentel, aveugle, commandé, affreux, atroce, crapuleux, déguisé, délibéré, gratuit, horrible, insensible, intentionnel, involontaire, odieux, parfait, passionnel, planifié, prémédité, sanglant, sauvage, sordide, suspect. *Accomplir, commanditer, commettre, élucider, maquiller, ordonner, perpétrer, revendiquer un ~; être accusé/coupable/innocenté, se justifier d'un ~; être impliqué dans un ~; être accusé/inculpé, soupçonner qqn de ~; être condamné/jugé pour ~.* Un ~ a lieu.

MEURTRIER doux, froid, isolé, présumé, professionnel, sadique, tranquille.

MIAULEMENT (dés)agréable, agressif, (sur)aigu, angoissé, atroce, clair, court, désespéré, doux, faible, fort, furieux, grave, impératif, imperceptible, insupportable, léger, long, lugubre, perçant, pitoyable, plaintif, prolongé, rageur, rauque, sonore, sourd, strident, terrible. *Émettre, entendre, laisser échapper, pousser un ~.* Un ~ retentit, se fait entendre, s'élève.

MICRO *Se saisir d'un ~; déposer, prendre, tendre le ~; régler les ~s; parler au/dans le/devant le ~; s'approcher, s'emparer du ~.*

MICROCLIMAT agréable, attractif, constant, doux, exceptionnel, frais, idéal, optimal, particulier, privilégié, renommé, unique. *Bénéficier, jouir d'un ~ (+ adj.); exploiter, vanter son ~; s'enorgueillir de son ~.* Un ~ persiste, prévaut, règne, se développe.

MIGRAINE affreuse, atroce, forte, horrible, légère, violente. *Prétexter une ~; avoir la ~; être sujet à la ~; être pris, se plaindre de ~.*

MIGRATION colossale, grande, importante, lente, massive. *Provoquer une ~.*

MILIEU adéquat, aisé, artificiel, changeant, effervescent, élégant, étouffant, fermé, hétérogène, homogène, ouvert, parfait, (mal)sain, sclérosé, spécial. *Fréquenter un ~; s'immerger dans un ~; être éjecté d'un ~; s'adapter à son ~; être, se sentir dans son ~; changer de ~.*

MILITAIRE aguerri, audacieux, brave, chevronné, courageux, déserteur, (in)discipliné, insubordonné, rebelle, (in)soumis, téméraire, valeureux, vrai. *Commander, discipliner, encadrer, enrôler, entraîner, former, instruire, mobiliser, recruter, retirer un/des ~(s).* Des ~ battent en retraite, se replient.

MINCEUR anormale, athlétique, consternante, effrayante, élégante, époustouflante, étonnante, exagérée, exceptionnelle, excessive, exemplaire, extraordinaire, extrême, hallucinante, idéale, incroyable, maladive, pitoyable, rare, remarquable, squelettique, surprenante. *Afficher une ~ (+adj.); être d'une ~ (+ adj.).*

MINE (physionomie, allure, teint) affairée, agréable, alanguie, allongée, assurée, attentive, attristée, avenante, bonne, boudeuse, bouleversée, chagrine, chiffonnée, déconfite, défaite, dépitée, déplorable, désolée, distinguée, doucereuse, ébahie, effrayante, enjouée, épanouie, éplorée, épouvantable, éveillée, famélique, farouche, fatiguée, fière, florissante, froncée, grave, hardie, hargneuse, hypocrite, indignée, ingrate, insolente, interdite, joviale, joyeuse, longue, lugubre, maussade, mauvaise, modeste, narquoise, optimiste, piteuse, prospère, radieuse, ravie, rébarbative, rebutante, réjouie, rembrunie, renfrognée, replète, résolue, resplendissante, revêche, riante, rusée, (in)satisfaite, sévère, sinistre, sombre, soucieuse, souriante, sournoise, superbe, tendue, tranquille, transie, triomphante, triste. *Avoir une/la ~ (+ adj.); se composer une ~.* ♦ (gisement) désaffectée, importante, inépuisable, inexploitable, insondable, riche. *Aménager, découvrir, désaffecter, développer, épuiser, (ré)équiper, exploiter, fermer, ouvrir une ~; être employé/occupé, travailler à une ~; descendre, travailler dans une ~.* ♦ (Militaire) artisanale, faible, puissante, sophistiquée. *(dés)Amorcer, (dés)armer, heurter, mouiller, neutraliser, piéger, poser, relever une ~; disperser, draguer, mouiller, semer des ~s; être victime d'une ~; sauter sur une ~.* Une ~ éclate.

MINERAI brut, exploitable, pauvre, riche. *Analyser, broyer, extraire, fondre, laver, traiter un ~.*

MINISTÈRE actuel, ancien, énorme, grand, nouveau, petit, précédent, vaste. *Choisir, composer, constituer, créer, diriger, dissoudre, faire tomber, former, gérer, occuper, quitter, remanier, renverser, renvoyer, soutenir un ~; être appelé à un ~; entrer dans un ~; démissionner, faire partie d'un ~.*

MINISTRE (in)compétent, déchu, (in)efficace, grand, (in)habile, important, influent, intègre, (im)populaire, puissant. *Balayer, destituer, nommer, révoquer un ~; (re)devenir, être ~.*

MINORITÉ active, agissante, bruyante, désintéressée, éclairée, forte, fragile, importante, imposante, infime, influente, marginalisée, menacée, opprimée, paupérisée, persécutée, petite, privilégiée, puissante, remuante, tapageuse, visible.

MINUTE (<u>*division de l'heure*</u>) précise, présente. *Arriver, finir dans une ~; compter les ~s; accorder, attendre, donner, mettre, passer, prendre, réfléchir, s'assoupir, se recueillir tant de ~s; disposer, être en avance/retard de tant de ~s.* ♦(<u>*moment*</u>) affreuse, déchirante, décisive, délicieuse, exaltante, exquise, fatale, fatidique, favorable, horrible, impérissable, importante, inoubliable, irréparable, pathétique, précieuse, privilégiée, propice, savoureuse, solennelle, tragique, ultime.

MINUTIE excessive, grande, hallucinante, implacable, maniaque, mathématique, poussée, prodigieuse, stupéfiante. *Être d'une ~ (+ adj.); exagérer la ~; analyser, conter, corriger, décrire, examiner, faire un travail, rechercher avec ~.*

MIRACLE étonnant, faux, incroyable, inexplicable, prodigieux, vrai. *Accomplir, attendre, espérer, faire, implorer, obtenir, opérer, réussir un/des ~(s); assister à un ~; être témoin d'un ~; croire aux ~s.* Un ~ intervient, s'accomplit, se produit.

MIROIR circulaire, concave, convexe, déformant, embué, flatteur, grossissant, piqué, terne, trouble. *Se regarder, se voir dans un ~; se peigner devant son ~.*

MISE convenable, cossue, débraillée, déguenillée, distinguée, (in)élégante, impeccable, insolite, irréprochable, négligée, pimpante, propre, recherchée, respectable, ridicule, soignée, somptueuse, surannée. *Avoir une ~ (+ adj.); soigner sa ~; juger qqn à/d'après/sur sa ~.*

MISE À JOUR constante, courante, fréquente, globale, importante, majeure, (ir)régulière, sommaire, superficielle, urgente. *Demander, effectuer, faire, lancer, obtenir, réaliser une ~; procéder à une ~.*

MISE EN ŒUVRE brutale, concertée, facile, progressive, rapide, urgente. *Accélérer, assurer la ~.*

MISE EN SCÈNE agile, appliquée, austère, claire, dépouillée, ferme, fonctionnelle, habile, hésitante, imposante, ingénieuse, inventive, maîtrisée, maladroite, médiocre, molle, originale, précise, réussie, rigoureuse, serrée, sévère, sobre, soignée, solide, somptueuse, sophistiquée. *Assurer, régler, signer, soigner une ~.*

MISÈRE absolue, affreuse, atroce, cachée, crasse, criante, croupissante, dorée, effroyable, endémique, épouvantable, évidente, extrême, franche, générale, grande, hideuse, honteuse, humiliante, ignoble, imméritée, immuable, infranchissable, insondable, intolérable, longue, noire, profonde, réelle, relative, rigoureuse, secrète, sordide, (in)supportable, terrible, tragique, universelle, vraie. *Connaître, empirer, envisager, éradiquer, exploiter, faire régresser, fuir, maîtriser, pallier, subir, supprimer, vaincre la ~; diminuer, secouer les ~s; acculer, échapper, réduire à la ~; se débattre contre la ~; croupir, dépérir, (s')enfoncer, être, être né/plongé, jeter, mettre, patauger, plonger, pourrir, ramper, sombrer, (re)tomber, vivre dans la ~; mettre à l'abri, préserver, sauver, sortir, tirer de la ~; crever, mourir, périr, pleurer de ~.* La ~ règne, s'installe.

MISSILE artisanal, (dé)réglé. *Déployer, dérouter, développer, installer, lâcher, lancer, larguer, mettre en place, tester, tirer* *un/des ~(s); tirer au ~; s'équiper en ~s.* Un ~ s'abat.

MISSION accomplie, (dés)agréable, ambitieuse, ardue, capitale, clandestine, complexe, courte, cruciale, dangereuse, délicate, difficile, discrète, écrasante, encombrante, facile, floue, haute, impérieuse, indéfinie, informelle, ingrate, limitée, lourde, modeste, mystérieuse, officielle, officieuse, opérationnelle, ordinaire, pénible, périlleuse, pointue, ponctuelle, (im)précise, primordiale, prioritaire, prolongée, ratée, restreinte, réussie, secrète, sublime, terminée. *Accepter, accomplir, accorder, achever, (s') assigner, assumer, assurer, attribuer, autoriser, conduire, confier, décrocher, démanteler, dissoudre, donner, échouer, écourter, effectuer, élargir, entraver, entreprendre, étendre, exécuter, exercer, exposer, faire, lancer, mener, mettre sur pied, réaliser, recevoir, refuser, remplir, réussir, se donner, se fixer, supprimer, terminer une ~; avoir la charge, charger, hériter, s'acquitter, se décharger d'une ~; faillir, manquer, mettre un terme, participer, s'attaquer à une ~; être engagé, réussir dans une ~; être, être envoyé, partir en ~.*

MOBILE acceptable, apparent, crédible, dérisoire, désintéressé, déterminant, inavouable, (in)justifié, mercantile, obscur, puissant, sérieux, simpliste, solide. *Avoir, fournir, offrir, se forger un ~; découvrir, rechercher les ~s de (un crime, etc.).*

MOBILIER coquet, cossu, délabré, disparate, élégant, luxueux, maigre, miteux, parfait, pauvre, précieux, raffiné, rare, riche, rustique, sévère, simple, sommaire, sophistiqué, sordide. *Rajeunir, renouveler le ~.*

MODE actuelle, brève, capricieuse, charmante, classique, contestable, coûteuse, décontractée, désuète, élégante, éphémère, excentrique, extravagante, grande, haute, imaginative, imbécile, inventive, nouvelle, passagère, passée, primitive, récente, répandue, ridicule, sage, simple, sophistiquée, stupide, surannée, tenace, vieille. *Amener, amorcer, anticiper, bâtir, combattre, détrôner, devancer, devenir, exporter, (dé)faire, faire revivre, inaugurer, innover, instaurer, introduire, inventer, lancer, mener, perpétuer, présenter, propager, promouvoir, renouveler, répandre, ressusciter, suivre, vulgariser une/la ~; réagir contre une ~; céder, être, mettre, obéir, revenir, sacrifier, se conformer, se mettre, se soumettre, s'habiller à la ~; se lancer, travailler dans la ~; se soucier de la ~; être passé, passer de ~.* Une ~ a du succès, fait fureur, passe, (re)prend, revient, se répand, tombe, vieillit.

MODÈLE (objet) ancien, breveté, courant, déposé, exportable, réduit, standard. *Concevoir, lancer, mettre au point, présenter, produire, tester un ~.* ♦(exemple) absolu, parfait, indépassable, théorique. *Constituer, copier, incarner, proposer, se donner, suivre un/des ~(s); s'écarter d'un ~; servir de ~.*

MODÉRATION certaine, exemplaire, parfaite, relative, sage. *Pratiquer, prôner, recommander la ~; inviter, rappeler à la ~; montrer de la ~; faire preuve, user de ~.*

MODESTIE affectée, charmante, contrefaite, étudiée, excessive, extrême, fausse, feinte, hypocrite, naturelle, outrée, sincère, surprenante, touchante. *Blesser, choquer la ~; être incité, rappeler à la ~.*

MODIFICATION brusque, brutale, durable, essentielle, fondamentale, graduelle, importante, indispensable, infime, insuffisante, irréversible, légère, lente, minime, (im)perceptible, permanente, profonde, progressive, rapide, réelle, significative, souhaitable, spectaculaire, substantielle, subtile, visible. *Apporter, demander, effectuer, entraîner, faire, induire, introduire, mettre en œuvre, proposer, provoquer, subir une/des ~(s); être susceptible de ~.* Une ~ se produit, s'impose, s'opère, survient.

MŒURS (morale) atroces, austères, bonnes, corrompues, crapuleuses, cyniques, dépravées, déréglées, désordonnées, dissolues, équivoques, faciles, grossières, inavouables, intègres, irréprochables, légères, libres, mauvaises, particulières, pures, puritaines, relâchées, rigides, rudes, sauvages, sévères, spéciales, voluptueuses. *Avoir des ~ (+ adj.); adoucir, assainir, changer, corrompre, libérer, outrager, réformer les ~; attenter aux ~.* ♦ (coutumes, manières) aristocratiques, barbares, belliqueuses, bohèmes, civilisées, douces, élégantes, étranges, extravagantes, immuables, pacifiques, raffinées, rudes, simples, tranquilles. *Avoir des ~ (+ adj.); adopter, emprunter, prendre, suivre les ~ de (qqn, son milieu, etc.); entrer, passer, s'introduire dans les ~.*

MOIS chaud, court, creux, (in)clément, difficile, exceptionnel, faste, frais, froid, humide, long, mémorable, occupé, prometteur, tiède, torride. *Clore, entamer un ~.* Le ~ s'annonce (+ adj.).

MOISSON abondante, ample, bonne, exceptionnelle, fructueuse, maigre, mauvaise, opulente, pauvre, perdue, riche, tardive. *Engranger, ensiler, faire, récolter, rentrer la ~.* La ~ approche, est en avance/retard, s'achève.

MOLLET charnu, ferme, gras, grêle, gros, maigre, musclé, nerveux, rebondi, rond, tendu, velu.

MOMENT adéquat, (dés)agréable, aimable, (in)approprié, bref, capital, charnière, chaud, choisi, clé, convenable, court, critique, crucial, cruel, culminant, décisif, délicat, délicieux, déterminant, difficile, douloureux, dramatique, dur, émouvant, éphémère, éprouvant, essentiel, éternel, exaltant, exceptionnel, exquis, extraordinaire, fatal, fatidique, favorable, fondamental, formidable, fort, fugace, fugitif, funeste, gênant, grand, grandiose, heureux, hilarant, historique, idéal, important, inconfortable, incontournable, inoubliable, insignifiant, intense, limité, long, lucide, magique, magnifique, majeur, malencontreux, marquant, mauvais, mémorable, normal, (in)opportun, palpitant, passionnant, pathétique, pénible, petit, plaisant, poignant, précieux, précis, privilégié, propice, radieux, rafraîchissant, rare, réel, saisissant, savoureux, sensible, significatif, sinistre, solennel, sombre, splendide, stimulant, stratégique, sublime, suprême, suspendu, symbolique, sympathique, terrible, tragique, triste, unique, vide, voulu. *Passer, vivre un/des ~(s) (+ adj.); accorder, attendre, dégager, épier, guetter, retarder, saisir, trouver, (re)vivre un ~; profiter du ~; choisir son ~.*

MONDE barbare, changeant, civilisé, complexe, conflictuel, (in)connu, cruel, déboussolé, (sur)développé, difficile, dur, enchanté, énigmatique, éprouvant, étrange, étroit, factice, fascinant, féerique, figé, fini, foisonnant, fou, heureux, homogénéisé, idéal, imaginaire, immense, inaccessible, industrialisé, inexploré, insolite, malade, méconnu, menaçant, mystérieux, (im)parfait, prodigieux, rapide, (ir)réel, solidaire, (in)stable, unifié, unique, vaste, violent, visible. *Vivre dans un ~ (+ adj.); bouleverser, changer, comprendre, concevoir, connaître, conquérir, courir, déchiffrer, découvrir, décrypter, délivrer, dominer, expliquer, explorer, gérer, gouverner, mener, observer, parcourir, penser, rebâtir, reconstruire, refaire, réformer, régenter, régir, sauver, transfigurer, transformer, traverser le ~; s'ouvrir au ~; être coupé, se couper, se murer, s'exiler du ~; être ouvert, s'ouvrir sur le ~.* ♦ (les gens) *Aimer, amuser, bousculer, écarter, épater, fréquenter le ~; se ficher, se moquer, s'exclure du ~; connaître son ~; grouiller, manquer de ~.*

MONDIALISATION accélérée, alternative, autoritaire, aveugle, capitaliste, civilisée, croissante, débridée, démocratique, différente, douce, durable, effrénée, égalitaire, (dés)équilibrée, (in)équitable, galopante, heureuse, humaine, humanisée, inéluctable, intelligente, (in)juste, (néo)libérale, maîtrisée, marchande, modérée, négative, (dés)ordonnée, organisée, partielle, pernicieuse, positive, poussée, progressiste, prospère, radicale, rapide, rationnelle, responsable, réussie, sauvage, sociale, solidaire, tempérée, transparente, triomphante. *Combattre, condamner, contrôler, critiquer, défendre, dénoncer, entraver, gérer, harnacher, humaniser, maîtriser, prôner, refuser, réguler, rejeter, restreindre, stimuler la ~; céder, être confronté/favorable/hostile, faire face, résister, s'adapter, s'opposer à la ~; être, ferrailler, manifester, protester, se battre, se dresser, s'élever contre la ~; bénéficier, être écarté/préoccupé, pâtir, profiter de la ~.*

MONNAIE ancienne, faible, fausse, forte, (in)stable, solide, sûre. *Dévaluer, soutenir une ~; créer, frapper de la ~.* Une ~ s'écroule, se déprécie, renchérit, se dévalorise.

MONOLOGUE ininterrompu, interminable, languissant, long, passionné. *Écouter, interrompre, poursuivre, tenir un ~; mettre fin, se livrer à un ~; se lancer dans un ~.*

MONOPOLE absolu, exclusif, (il)légal, (il)licite, relatif. *Accorder, briser, concéder, détenir, exercer, obtenir, octroyer, posséder, renforcer, solliciter un ~; mettre fin à un ~; disposer d'un ~; avoir, conquérir le ~ de qqch.*

MONOTONIE consternante, endormante, ennuyeuse, fastidieuse, fatigante, insipide, insupportable, lassante, pesante. *Être d'une ~ (+ adj.); couper, interrompre, rompre la ~; échapper à la ~.*

MONSTRE abominable, affreux, colossal, déchaîné, destructeur, difforme, effrayant, effroyable, énorme, épouvantable, étrange, exécrable, gluant, hideux, horrible, infernal, inhumain, laid, mauvais, méchant, menaçant, sympathique, terrible, terrifiant, vilain. Un ~ apparaît, erre, surgit.

MONT abrupt, (in)accessible, aigu, boisé, (in)connu, élevé, éminent, enneigé, époustouflant, escarpé, géant, important, imposant, imprenable, infranchissable, miniature, neigeux, pointu, rasé, rocheux, sauvage, stérile. *Descendre,* *escalader, gravir, grimper un ~.* Un ~ domine, pointe, se dresse, s'élève, se profile, surgit.

MONTAGNE abrupte, (in)accessible, aplatie, aride, arrondie, basse, boisée, caverneuse, cendrée, cultivée, déchiquetée, dégagée, dénudée, dominante, ébréchée, échancrée, élevée, érodée, escarpée, granitique, haute, immense, imposante, indomptable, infranchissable, jeune, lointaine, majestueuse, minuscule, moyenne, neigeuse, pelée, pierreuse, pointue, raide, ravinée, ronde, rude, sculptée, stérile, usée, verdoyante, vieille. *Contourner, déboiser, descendre, escalader, gravir, grimper, reboiser une ~; descendre d'une ~; habiter, pratiquer la ~; vivre à la ~; faire de la ~.* Une ~ domine, se dresse, s'élève.

MONTANT astronomique, brut, colossal, considérable, dérisoire, élevé, énorme, faible, gros, important, imposant, insignifiant, minime, net, obscène, petit, respectable, total. *Chiffrer, estimer un ~.*

MONTÉE (côte, pente) brusque, caillouteuse, douce, dure, étroite, forte, petite, prononcée, raide, rude, tranquille. *Peiner dans une ~.* ♦(escalade) courte, difficile, facile, fatigante, lente, longue, pénible, raide, rapide, rude. ♦(*mouvement ascendant*) évidente, formidable, forte, foudroyante, impressionnante, inéluctable, irrésistible, irréversible, lente, longue, vertigineuse. *Constater, endiguer, enrayer, pronostiquer une/la ~ de qqch.; assister, faire face à la ~ de qqch.* Une ~ s'amorce.

MONTGOLFIÈRE géante, (ultra)légère. *Faire monter, (dé)gonfler, lancer, (dé)lester, piloter une ~; aller, se balader, voler, voyager en ~.* Une ~ atterrit, décolle, dérive, descend, monte, part, s'abaisse, se balance, s'élève, s'envole.

MONTRE fidèle, grosse, juste, petite, (extra)plate, précieuse, (ir)réparable. *Arranger, avancer, détraquer, (re)monter, porter, régler, retarder une ~; consulter, regarder sa ~.* Une ~ avance, bat, marche, retarde, s'arrête, se dérange.

MONUMENT admirable, antique, célèbre, classé, classique, colossal, digne, énorme, gigantesque, grandiose, harmonieux, historique, imposant, impressionnant, majestueux, massif, modeste, prestigieux, simple, sobre, trapu, vénérable. *Dresser, inaugurer, mutiler, porter, reconstituer, restaurer, visiter un ~.* Un ~ croule, se dresse, s'élève.

MOQUERIE acerbe, affectueuse, amère, amicale, caustique, cruelle, douce, fine, franche, froide, innocente, insultante, légère, lourde, méchante, spirituelle, tendre. *Subir, susciter des ~s; manier, provoquer, susciter la ~; être exposé/indifférent/insensible/sourd à la ~; être un objet/une occasion/un sujet de ~s.* Les ~s fusent.

MOQUETTE bouclée, courte, épaisse, moelleuse, rase. *(faire) Poser une/de la ~.*

MORAL à zéro, bas, boiteux, bon, convalescent, d'acier, déprimé, élevé, excellent, fantastique, intact, mauvais, satisfaisant, solide. *Avoir le ~ (+ adj.); affaiblir, briser, casser, conserver, consolider, déprimer, écraser, épuiser, garder, maintenir, perdre, rehausser, relever, remonter, renforcer, retrouver, saper, sonder,* *soutenir le ~.* Le ~ est atteint/touché, flanche, remonte.

MORALITÉ douteuse, exemplaire, haute, hésitante, inattaquable, irréprochable, obscure, parfaite, raffinée, relâchée, rigide. *Être d'une ~ (+ adj.); être sûr de la ~ de qqn.*

MORCEAU bon, copieux, entier, généreux, grand, gros, large, menu, petit. *Assembler, réunir les ~x; concasser, couper, déchirer, mettre, réduire, s'en aller, tomber en ~x.* ♦(Musique) excellent, faible. *Attaquer, écorcher, écrire, estropier, exécuter, jouer, massacrer, pratiquer, répéter, saboter, toucher, travailler un ~.*

MORSURE atroce, bénigne, brève, dangereuse, douloureuse, empoisonnée, fatale, franche, grave, grosse, infectée, intense, mortelle, nette, petite, précise, profonde, propre, puissante, sanglante, sauvage, sérieuse, sévère, venimeuse, vive. *Infliger, subir une ~; guérir, souffrir d'une ~.*

MORT accidentelle, affreuse, ambiguë, atroce, belle, bouleversante, brusque, brutale, consentie, cruelle, digne, discrète, douce, douloureuse, dramatique, énigmatique, épouvantable, étrange, fortuite, foudroyante, glorieuse, gratuite, héroïque, horrible, ignoble, ignominieuse, immédiate, imminente, imprévue, inéluctable, inévitable, inexpliquée, infâme, instantanée, insupportable, lamentable, lente, meurtrière, mouvementée, mystérieuse, naturelle, obscure, pénible, précoce, prématurée, proche, rapide, redoutée, sanglante, solitaire, sotte, soudaine, stupide, subite, sublime, suspecte, terrible, tragique, triste, (in)utile, violente, volontaire. *Souffrir une ~ (+ adj.); mourir, périr d'une ~ (+ adj.); accepter, affronter, attendre, braver, chercher, causer, constater, côtoyer, craindre, dédramatiser, défier, demander, désirer, (se) donner, entraîner, friser, frôler, fuir, mériter, narguer, précipiter, provoquer, risquer, souhaiter, vouloir la ~; arracher qqn, aspirer, échapper, résister, se préparer, s'exposer, songer, soustraire qqn à la ~; combattre, lutter contre la ~.*

MOT abrégé, abstrait, abusif, (in)adéquat, affirmatif, ambigu, ancien, (in)approprié, archaïque, argotique, banal, bon, célèbre, chantant, chargé, choisi, clair, concret, connu, consacré, convenable, convenu, creux, cru, dépréciatif, dérivé, désuet, difficile, doux, éculé, emprunté, étrange, étranger, exact, exotique, (in)expressif, familier, fatidique, fort, galvaudé, gracieux, grandiloquent, grossier, harmonieux, (mal)heureux, historique, illisible, imprononçable, inarticulé, incolore, incompréhensible, indéfinissable, indistinct, inédit, injurieux, insignifiant, inusité, juste, merveilleux, nouveau, obscène, obscur, obsolète, opaque, ordurier, péjoratif, piquant, pittoresque, plaisant, populaire, précis, prestigieux, profond, (im)propre, rare, rébarbatif, recherché, redondant, répété, ressassé, risible, rude, savant, savoureux, sévère, significatif, simple, sinistre, spirituel, superflu, suranné, tabou, terne, trivial, unique, usé, (in)usité, usuel, vague, vieilli, vieux, vif, vivant, voulu, vulgaire. *Abréger, adresser, ajouter, aligner, articuler, assembler, balbutier, baragouiner, bégayer, biffer, confondre, créer, débiter, définir, détacher, dire, écrire, effacer, émettre, (ré)employer, enchaîner, épeler, escamoter,* *estropier, façonner, (dé)former, galvauder, glisser, griffonner, hasarder, hurler, insérer, lire, murmurer, omettre, proférer, prononcer, proscrire, raturer, rayer, repousser, retirer, risquer, souffler, supprimer, traduire un/des ~(s); appuyer, peser, trébucher sur un ~; lier, manier les ~s; jongler avec les ~s; chercher, manger, marteler, peser, prononcer, scander, traîner, trouver ses ~s.*

MOTEUR bon, bruyant, chaud, défectueux, déglingué, doux, écologique, économique, efficace, encrassé, endurant, faible, fort, fou, froid, gourmand, grippé, gros, increvable, irréparable, léger, musclé, nerveux, obsolète, perfectionné, performant, petit, polluant, propre, (sur)puissant, récalcitrant, (dé)réglé, (ir)régulier, ronflant, rugissant, silencieux, sobre, tiède, vert. *Actionner, ajuster, améliorer, bricoler, décrasser, démarrer, démonter, dépanner, détraquer, entretenir, essayer, faire fonctionner/marcher, partir/tourner/vrombir, gonfler, (re)lancer, (re)monter, pousser, régler, refroidir, réparer, réviser, roder, trafiquer, tripoter, vérifier un ~.* Un ~ cafouille, cale, chauffe, cliquette, cogne, démarre, est en panne, expire, fait des ratés, fonctionne, halète, part, pétarade, râle, ronfle, ronronne, se bloque, se grippe, s'emballe, se ranime, s'effondre, s'éteint, tombe en panne, tousse, travaille, vibre, vrombit.

MOTIF apparent, (in)avouable, (in)avoué, bon, clair, concret, (in)contestable, crédible, cupide, délicat, déterminant, (in)déterminé, (in)digne, (in)direct, (in)discutable, douteux, égoïste, éloigné, essentiel, évident, exact, faible, fantaisiste, faux, fondamental, fort, futile, grave, honorable, immédiat, impérieux, incongru, (dés)intéressé, (in)juste, (il)légitime, louable, machiavélique, mesquin, mystérieux, noble, obscur, officiel, plausible, (im)précis, pressant, profond, puissant, pur, (dé)raisonnable, réel, ridicule, secret, sérieux, solide, stupide, (in)suffisant, utilitaire, valable, véritable, vrai, vraisemblable. *Admettre, alléguer, avancer, avouer, cacher, donner, fournir, invoquer, rejeter un ~.*

MOTO(CYCLETTE) agile, délabrée, énorme, étincelante, exceptionnelle, fiable, légère, lourde, maniable, neuve, pétaradante, puissante, rapide, rutilante, solide, sportive, vive, vrombissante. *Conduire, enfourcher, piloter une ~; descendre d'une ~; être, monter sur une ~; faire de la ~; aller, circuler, être à ~.* Une ~ démarre, file, pétarade, s'arrête, vrombit.

MOTONEIGE performante, (sur)puissante, robuste, ronflante, rugissante, silencieuse. *Conduire, piloter, utiliser une ~; faire, pratiquer de la ~; voyager en ~.* Une ~ cafouille, cale, chauffe, démarre, ronfle, vrombit.

MOUE agacée, amère, boudeuse, crispée, déçue, dédaigneuse, dégoûtée, désabusée, désapprobatrice, désolée, dubitative, embarrassée, équivoque, espiègle, évasive, exquise, gloutonne, incrédule, indignée, légère, mécontente, mélancolique, méprisante, réprobatrice, séductrice, tombante, triste, vilaine, voluptueuse. *Avoir une ~ (+ adj.); arborer, ébaucher, esquisser, faire, retenir une ~.*

MOUSSE abondante, aqueuse, crémeuse, dense, épaisse, ferme, fine, fondante, généreuse, grossière, légère, lisse, malléable, moelleuse, onctueuse, persistante, pétillante, souple. *Obtenir, préparer, réaliser une ~.*

MOUSTACHE abondante, broussailleuse, chinoise, courte, drue, effilée, énorme, épaisse, fine, fleurie, forte, fournie, frisée, grande, grisonnante, grosse, hérissée, impeccable, imposante, impressionnante, jaunie, longue, naissante, pendante, petite, proéminente, raide, rasée, ridicule, rognée, rugueuse, sombre, souple, soyeuse, taillée, tombante, touffue. *Avoir, porter, se laisser pousser une/la ~; cirer, couper, lisser, mâchonner, relever, retrousser, rouler, tailler, tirailler, tordre, tortiller, tripoter sa/ses ~(s); tirer sur sa ~.*

MOUVEMENT (*geste, élan, réaction*) accidentel, (mal)adroit, agacé, agile, agressif, alangui, alerte, ample, anodin, automatique, bizarre, brusque, brutal, cadencé, circulaire, (in)contrôlé, convulsif, désinvolte, doux, élégant, endormi, énergique, exaspéré, expressif, exquis, faible, fort, furtif, généreux, (dis)gracieux, (mal)habile, hardi, harmonieux, impératif, impétueux, impulsif, inopiné, instinctif, inusité, irraisonné, irrésistible, léger, lent, lourd, machinal, majestueux, mécanique, naturel, nerveux, noble, paresseux, passager, passionné, précipité, (im)précis, profond, prompt, puissant, rapide, (ir)régulier, soudain, souple, spontané, timide, vif, violent, (in)volontaire. *Accomplir, donner, ébaucher, effectuer, esquisser, exécuter, faire, freiner, maîtriser, réaliser, réprimer, suivre un ~; céder, obéir, résister à un ~.* ♦ (*rythme*) accéléré, dansant, doux, (in)égal, heurté, intensif, lent, monotone, rapide, (ir)régulier, rythmé, saccadé, sautillant, vif, violent. *Accélérer, élargir, presser, ralentir, rythmer, scander, tempérer le ~.*

MOYEN (mal)adroit, artisanal, assuré, astucieux, bon, (in)certain, colossal, commode, considérable, convenable, coûteux, criminel, curieux, dangereux, décent, défensif, démesuré, dérisoire, désespéré, détourné, difficile, (in)direct, disponible, douteux, (in)efficace, énergique, énorme, éprouvé, étrange, excellent, exceptionnel, expéditif, extrême, facile, faible, fiable, formidable, fort, frauduleux, garanti, gigantesque, grand, gros, (mal)habile, (mal)honnête, honteux, idéal, immense, incontournable, indispensable, inédit, infaillible, ingénieux, inqualifiable, (in)juste, (il)légitime, lent, (il)licite, (il)limité, (dé)loyal, machiavélique, mauvais, modeste, nécessaire, offensif, (extra)ordinaire, original, pacifique, paisible, pauvre, perfide, performant, permanent, pertinent, petit, piètre, poli, (im)praticable, pratique, privilégié, prompt, (dis)proportionné, provisoire, prudent, puissant, radical, raffiné, raisonnable, rapide, (ir)rationnel, recherché, réel, restreint, révoltant, ridicule, rude, savant, secret, simple, sincère, singulier, solide, sophistiqué, souple, subtil, (in)suffisant, sûr, ultime, unique, (in)utile, violent. *Avoir, constituer, posséder un/des ~(s) (+ adj.); disposer, se servir, user d'un ~ (+ adj.); (re)chercher, concevoir, élaborer, employer, exploiter, imaginer, inventer, mettre en jeu/œuvre, perfectionner, préconiser, prendre, réprouver, saisir, se forger, suggérer, trouver, utiliser un/des ~(s); avoir recours, recourir à un/des ~(s); (se) donner, fournir, mettre les ~s; être (dé)pourvu, manquer de ~s.*

MOYENNE ajustée, bonne, corrigée, faible, forte, honnête, inférieure, mensuelle, pondérée, supérieure. *Adopter, atteindre, calculer, déterminer, établir une ~; avoir, faire la ~; être dans la ~.*

MUGISSEMENT assourdissant, confus, continu, effrayant, effroyable, énorme, épouvantable, faible, fort, grandissant, grave, guttural, incompréhensible, joyeux, long, lointain, lugubre, plaintif, profond, prolongé, puissant, rauque, retentissant, sinistre, sourd, terrible, tremblotant. *Émettre, (faire) entendre, pousser un/des ~(s).* Un ~ décroît, faiblit, monte, se fait entendre, s'élève, sort.

MULTIPLICATION *Calculer, compléter, effectuer, exécuter, faire, réaliser une ~.*

MULTITUDE considérable, énorme, étonnante, extraordinaire, immense, importante, imposante, impressionnante, incalculable, incommensurable, indéfinie, infinie, innombrable, prodigieuse.

MUR aveugle, bas, commun, crénelé, crevassé, crevé, croulant, décrépit, défraîchi, dégoulinant, dégradé, délabré, démoli, droit, écroulé, élevé, épais, fissuré, fort, galeux, gigantesque, haut, imposant, impressionnant, infranchissable, large, lépreux, lézardé, long, mince, miteux, nu, peint, penché, poreux, rêche, rugueux, solide, sombre, triste. *Abattre, badigeonner, bâtir, consolider, construire, (re)crépir, décaper, dégrader, démolir, édifier, élever, enfoncer, enjamber, ériger, escalader, (dé)faire, fortifier, franchir, (dé)monter, percer, placarder, (re)plâtrer, poncer, rafraîchir, raser, ravaler, relever, renforcer, renverser, réparer, sauter, tapisser un ~; s'accoter, s'adosser à un ~; s'accoter, s'adosser, s'appuyer contre un ~; sauter sur un ~.* Un/le ~ penche, se crevasse, s'écroule, se dresse, se fend, s'effondre, s'effrite, se fissure, se lézarde, suinte, tombe en ruines.

MURAILLE basse, crénelée, droite, énorme, épaisse, forte, gigantesque, haute, immense, inclinée, infranchissable, large, lézardée, longue, mince, solide, vieille. *Abattre, bâtir, consolider, construire, démolir, édifier, élever, escalader, franchir, percer, raser, rassurer, saper une ~.* Une/la ~ s'écroule, se dresse, s'effondre, s'effrite.

MURMURE admiratif, aigu, (dés)approbateur, bruyant, charmant, confus, discret, (in)distinct, doux, étouffé, faible, flatteur, fort, frais, frêle, hostile, immense, imperceptible, incessant, indistinct, insaisissable, insolent, joyeux, léger, lointain, long, lourd, menaçant, monotone, mystérieux, perpétuel, plaintif, profond, prolongé, ravi, respectueux, secret, sourd, tendre, triste, vague, violent. *Arracher, écouter, émettre, entendre, étouffer, faire, percevoir, pousser, provoquer, soulever, susciter un/des ~(s); prêter l'oreille à un ~.* Un ~ court, éclate, grandit, monte, persiste, s'amplifie, se fait entendre, s'élève, se prolonge, se répand, s'éteint.

MUSCLE développés, douloureux, durs, endoloris, énormes, faibles, fermes, flasques, forts, fuselés, herculéens, hypertrophiés, massifs, mous, puissants, raffermis, rouillés, saillants, solides, (dé)tendus, toniques, vigoureux. *Avoir, posséder des ~(s) (+ adj.); contracter, (s')étirer, forcer, (se) froisser, gonfler, réchauffer, relaxer, se claquer, se déchirer, tendre un ~; avoir, se (re)faire des ~s; bander, cultiver, (se) développer, endurcir, essayer, exercer, faire jouer/rouler/saillir/travailler, raidir, relâcher, (dé)tendre les/ses ~s.* Des/les ~s s'ankylosent, se développent, se gonflent, se raidissent, se tendent, s'étiolent.

MUSCULATION appropriée, complète, contrôlée, déficiente, dense, efficace, équilibrée, excessive, harmonieuse, impressionnante, instantanée, intense, intensive, légère, performante, progressive, rapide, spécifique, (in)suffisante. *Acquérir, assurer, développer, entretenir, obtenir, pratiquer, (se) refaire, retrouver une ~ (+ adj.).*

MUSCULATURE apparente, athlétique, avantageuse, bonne, démesurée, dure, faible, ferme, fine, formidable, forte, fragile, harmonieuse, herculéenne, impeccable, importante, imposante, impressionnante, incroyable, légère, magnifique, modérée, proportionnée, puissante, remarquable, saillante, sèche, solide, souple, vigoureuse. *Avoir, posséder une ~ (+ adj.); être, être doté d'une ~ (+ adj.).*

MUSEAU allongé, aplati, carré, comprimé, conique, court, doux, droit, écrasé, effilé, élancé, épaté, étroit, fin, fort, frais, gros, humide, large, lisse, long, massif, mince, moyen, obtus, petit, plat, pointu, proéminent, puissant, retroussé, robuste, rond, rugueux, saillant, sec, sensible, tiède, triangulaire, tronqué, vigoureux, volumineux. *Avoir, posséder un ~ (+ adj.); allonger, dresser, froncer, lever, plisser, se lécher, tendre le ~.*

MUSÉE admirable, célèbre, didactique, énorme, étonnant, excellent, gigantesque, grandiose, immense, important, imposant, impressionnant, insolite, interactif, intéressant, magnifique, merveilleux, moderne, passionnant, pauvre, poussiéreux, prestigieux, prodigieux, remarquable, riche, somptueux, spacieux, superbe, surprenant, vaste, vétuste. *Abriter, cataloguer, construire, créer, enrichir, fermer, gérer, inaugurer, installer, ouvrir, visiter, voir un ~; entrer dans un ~; faire la tournée des ~s.*

MUSICIEN, IENNE (mal)adroit, amateur, bon, brillant, célèbre, chevronné, complet, confirmé, débutant, (sur)doué, énorme, excellent, exceptionnel, génial, grand, habile, immense, inspiré, manqué, mauvais, méconnu, médiocre, minable, novice, original, passable, piètre, polyvalent, populaire, précoce, prodige, professionnel, prolifique, prometteur, raffiné, raté, remarquable, subtil, talentueux, virtuose.

MUSIQUE (in)accessible, acide, (dés)agréable, agressive, aigre, allègre, assourdissante, barbare, bizarre, bonne, brillante, bruyante, cacophonique, calmante, calme, chantante, classique, commerciale, complexe, compliquée, contemporaine, criarde, cristalline, dansante, délicate, démente, détendue, descriptive, détestable, difficile, discordante, divine, douce, dynamique, éblouissante, éclatante, enchanteresse, endiablée, énergique, énervante, enivrante, enlevée, ennuyeuse, ensorcelante, entêtante, entraînante, enveloppante, envoûtante, étrange, excellente, excitante, exécrable, expressive, exquise, facile, fade, faible, fascinante, fausse, festive, fluette, fluide, forte, furieuse, gaie, geignarde, grande, grandiose, grave, grêle, grinçante, grosse, grossière, gueularde, haletante, harmonieuse, inclassable, inexécutable, infernale, injouable, insignifiante, insipide, insolite, instrumentale, intéressante, joyeuse, juste, lancinante, langoureuse, larmoyante, légère, lente, lourde, ludique, magnifique, majestueuse, mauvaise, médiocre, mélancolique, mélodieuse, mélodique, merveilleuse, monotone, naïve, obsédante, obstinée, omniprésente, originale, passionnée, petite, piètre, plaintive, plate, (im)populaire, puissante, pure, raffinée, rapide, relaxante, répétitive, reposante, romantique, rythmée, sautillante, sauvage, savante, séduisante, sérieuse, sophistiquée, sourde, splendide, stridente, suave, sublime, suggestive, superbe, tapageuse, tiède, tonitruante, traditionnelle, trépidante, triste, tumultueuse, universelle, variée, vibrante, vigoureuse, violente, voluptueuse. *Exécuter, jouer, pratiquer une ~ (+ adj.); adorer, aimer, apprécier, apprendre, comprendre, connaître, cultiver, écouter, enseigner, étudier, goûter, pratiquer la ~; être (in)sensible, s'adonner, se consacrer, se (re)mettre, s'initier à la ~; se lancer dans la ~; composer, copier, déchiffrer, diffuser, écouter, écrire, enregistrer, entendre, exécuter, faire, interpréter, jouer, lire de la ~; être amateur/enragé/épris/fanatique/passionné, raffoler, s'enivrer de ~; être (in)compétent/doué en ~*. Une/la ~ commence, démarre, envoûte, monte, plane, retentit, s'arrête, s'élève, s'installe, tourne.

MYSTÈRE affreux, curieux, découvert, douloureux, doux, entretenu, épais, étonnant, étrange, grand, horrible, impénétrable, important, inaccessible, incompréhensible, inconcevable, incroyable, indicible, inexplicable, insondable, irréductible, lourd, merveilleux, obscur, opaque, passionnant, (im)pénétrable, prodigieux, profond, redoutable, (ir)résolu, sacré, secret, sombre, surprenant, ténébreux, terrible, troublant. *Approfondir, cacher, débrouiller, déchiffrer, découvrir, décrypter, démêler, deviner, dévoiler, dissiper, éclaircir, élucider, entamer, épaissir, étudier, expliquer, explorer, laisser planer, pénétrer, percer, préserver, pressentir, receler, résoudre, révéler, scruter un ~; aimer, cultiver le ~; vivre dans le ~; (s') entourer, (s')envelopper, être plein/rempli de ~*. Un/le ~ demeure, persiste, plane, reste entier, s'alourdit, se dérobe, se dévoile, s'éclaircit, s'épaissit.

MYTHE ancré, ancien, antique, archaïque, bon, complexe, contemporain, controversé, dangereux, démenti, dépassé, ébranlé, éculé, effondré, énorme, éternel, fondateur, fort, grand, immense, important, mauvais, moderne, persistant, puissant, tenace, traditionnel, universel, (in)utile, vieux, vivace, vivant. *Abandonner, casser, constituer, construire, créer, déboulonner, dégonfler, demeurer, dénoncer, détruire, devenir, diffuser, dissiper, écorner, édifier, élaborer, engendrer, entretenir, établir, être, fabriquer, (dé)faire, forger, interpréter, inventer, maintenir, (dé)monter, nourrir, perpétuer, réfuter, ressusciter, ruiner, tuer, véhiculer un ~; adhérer, s'accrocher, s'identifier, souscrire à un ~; en finir avec un ~; se muer, transformer en ~*. Un/le ~ (ré)apparaît, dure, éclate, (re)naît, perdure, se constitue, se construit, s'écroule, s'effondre, s'éteint, s'évanouit, s'impose, subsiste, survit, tombe, vole en éclat.

N

NAGE calme, dorsale, dynamique, élégante, facile, forcée, forcenée, longue, puissante, rapide, régulière, sécuritaire, sportive, synchronisée, ventrale, vigoureuse. *Pratiquer une/la ~; gagne, parcourir, traverser, se jeter à la ~.*

NAGEUR, EUSE accompli, adroit, agile, aguerri, amateur, assidu, avancé, aventurier, bon, chevronné, confirmé, courageux, débutant, efficace, émérite, épuisé, excellent, exceptionnel, expérimenté, faible, fantastique, fatigué, formidable, fort, gracieux, grand, infatigable, intrépide, invétéré, lent, magnifique, mauvais, médiocre, moyen, occasionnel, olympique, ordinaire, paresseux, performant, piètre, professionnel, (im)prudent, puissant, (ultra)rapide, redoutable, remarquable, solitaire, superbe, vigoureux. Un ~ évolue, nage, remonte à la surface, s'entraîne.

NAISSANCE accidentelle, active, artificielle, (in)attendue, bienvenue, désirée, difficile, éprouvante, extraordinaire, facile, hâtive, (mal)heureuse, imprévue, impromptue, joyeuse, laborieuse, malvenue, naturelle, (a)normale, pénible, planifiée, précoce, prématurée, provoquée, spontanée, tardive. *Connaître, vivre une ~ (+ adj.); annoncer, célébrer, fêter une ~; assister à une ~; faire part d'une ~.*

NAÏVETÉ absolue, admirable, adorable, aimable, amusante, apparente, astucieuse, attendrissante, charmante, comique, confondante, (in)consciente, consternante, crasse, déconcertante, délicate, démesurée, désarmante, désespérante, désolante, embarrassante, émouvante, étonnante, excessive, fausse, feinte, fine, grande, impardonnable, incomparable, incroyable, indéracinable, inimitable, inouïe, insoupçonnable, loufoque, maladroite, malicieuse, naturelle, navrante, puérile, rafraîchissante, rare, réelle, révoltante, risible, sidérante, simulée, sincère, sotte, stupéfiante, surprenante, sympathique, touchante, (in)volontaire. *Manifester, montrer une (+ adj.); être, faire montre/preuve, témoigner d'une ~ (+ adj.); exploiter la ~ de qqn; abuser, rire de la ~ de qqn.*

NAPPE bariolée, brodée, carrée, déchirée, douteuse, élégante, élimée, fine, fripée, froissée, impeccable, jolie, longue, (im)maculée, magnifique, ouvrée, pauvre, pendante, petite, propre, raffinée, raide, rêche, rectangulaire, riche, ronde, sale, salie, somptueuse, souillée, superbe, tachée, trouée, usée. *Broder, enlever, étendre, maculer, mettre, ôter, plier une/la ~; couvrir d'une ~.*

NARINE béantes, bouchées, délicates, dilatées, échancrées, énormes, épaisses, évasées, fines, fortes, frémissantes, frétillantes, grandes, grosses, immenses, jolies, larges, luisantes, minces, minuscules, mobiles, ouvertes, palpitantes, pelues, petites, pincées, proéminentes, puissantes, retroussées. *Avoir des/les ~s (+ adj.); agacer, chatouiller, dilater, emplir, enfler, froncer, ouvrir, (se) pincer, se boucher, se curer les/ses ~s; humer avec les ~s; battre, flairer, frémir, palpiter, souffler des ~s.* Des ~s bougent, frémissent, palpitent, se dilatent, se pincent, se resserrent.

NARRATEUR, TRICE bon, brillant, énergique, doué, ennuyeux, efficace, exact, excellent, expérimenté, faible, fidèle, génial, grand, habile, immense, mauvais, médiocre, merveilleux, objectif, obscur, omniprésent, original, (im)partial, piètre, pitoyable, précis, remarquable, subjectif, talentueux, virtuose.

NARRATION abrégée, banale, brève, claire, (in)cohérente, colorée, (in)complète, compliquée, descriptive, efficace, éloquente, ennuyeuse, enthousiaste, (in)exacte, exhaustive, faible, (in)fidèle, forte, insipide, intéressante, juste, longue, lourde, légère, lente, minutieuse, naïve, objective, passionnante, pauvre, pittoresque, (im)précise, ramassée, rapide, réaliste, remarquable, riche, saisissante, sèche, simple, succincte, vivante. *Conduire, faire, présenter, rédiger une ~.*

NASEAU allongés, brûlants, creux, délicats, dilatés, écumants, évasés, fins, frais, frémissants, fumants, grands, gros, humides, larges, longs, mobiles, ouverts, palpitants, puissants. *Avoir des/les ~x (+ adj.).* Des ~x frémissent, fument, reniflent, se dilatent, se pincent.

NATALITÉ (sur)abondante, basse, (dé)croissante, déclinante, déficiente, dynamique, élevée, excessive, explosive, faible, féconde, forte, galopante, importante, impressionnante, limitée, maîtrisée, modérée, problématique, puissante, ralentie, réduite, responsable, soutenue, (in)stable, (in)suffisante, vigoureuse. *Connaître une ~ (+ adj.); abaisser, accroître, augmenter, décourager, diminuer, encourager, favoriser, maîtriser, réduire, réglementer, relever, restreindre, stimuler la ~. La ~ augmente, baisse, chute, décline, est en baisse/chute libre/hausse.*

NATATION dynamique, élégante, laborieuse, puissante, sécuritaire, sportive, vigoureuse. *Apprendre, enseigner, pratiquer la ~; s'initier à la ~; faire de la ~.*

NATION accueillante, agricole, ambitieuse, amie, arrogante, avancée, barbare, belliqueuse, bienveillante, brillante, brutale, civilisée, commerçante, complexe, conquérante, cultivée, démocratique, (in)dépendante, dévastée, (sous-)développée, divisée, dominante, dominatrice, douce, éclairée, éclatée, émergente, ennemie, énorme, étrangère, évoluée, exsangue, exportatrice, faible, (dé)favorisée, fière, florissante, forte, fragile, grande, guerrière, hétérogène, homogène, (in)hospitalière, immense, importatrice, (sous-)industrialisée, industrielle, ingénieuse, ingouvernable, instruite, libre, lointaine, malveillante, minuscule, nantie, opulente, opprimée, pacifique, pauvre, petite, populeuse, privilégiée, proche, productrice, prospère, (super)puissante, respectable, riche, simple, sinistrée, soudée, souveraine, unie, (ré)unifiée, vaincue, victorieuse, voisine. *Administrer, agresser, attaquer, bâtir, conquérir, créer, diriger, envahir, former, gérer, gouverner, libérer, occuper, opprimer, pacifier, piller, ruiner, saccager, soumettre une ~.*

NATIONALISME acharné, actif, agressif, arrogant, aveugle, délirant, dépassé, dynamique, étroit, exacerbé, exaspéré, exclusif, extrême, extrémiste, fanatique, fermé, féroce, fervent, forcené, frénétique, intolérant, intransigeant, modéré, obsolète, ombrageux, outrancier, ouvert, passif, passionné, policé, radical, réactionnaire, responsable, rétrograde, revendicateur, (mal)sain, sincère, spontané, triomphant, violent, vindicatif, virulent, viscéral. *Alimenter, aviver,* *combattre, encourager, éradiquer, promouvoir, prôner, rejeter le ~.*

NATIONALITÉ acquise, d'origine, double, étrangère, légale, triple. *Acquérir, conserver, obtenir, perdre une ~; prouver, se voir retirer sa ~; renoncer à sa ~; déchoir qqn, être déchu de sa ~; changer de ~.*

NATURE (*monde, univers, campagne, paysage*) aride, austère, bienfaisante, capricieuse, cultivée, défigurée, démesurée, diversifiée, domestiquée, douce, écrasante, étrange, exceptionnelle, exubérante, fascinante, féconde, féerique, flamboyante, foisonnante, florissante, fragile, généreuse, grandiose, (in)hospitalière, hostile, idyllique, illimitée, impitoyable, implacable, impressionnante, inculte, indomptée, inexplorée, insolite, intacte, inviolée, luxuriante, majestueuse, menacée, morte, mystérieuse, pauvre, périssable, préservée, prodigieuse, protégée, puissante, pure, ravissante, redoutable, riante, riche, rude, sauvage, simple, sinistrée, sombre, somptueuse, spectaculaire, splendide, sublime, variée, vaste, verdoyante, vierge. *Avoir, posséder une ~ (+ adj.); bénéficier, jouir d'une ~ (+ adj.); admirer, aimer, apprécier, contempler, corriger, découvrir, décrire, détruire, domestiquer, dominer, dompter, embellir, enjoliver, forcer, imiter, mettre en valeur, observer, préserver, respecter, transformer la ~; communier, communiquer, entrer en communion avec la ~; vivre dans la ~; jouir de la ~; être passionné par la ~; être épris de ~.* La ~ renaît, ressuscite, se déchaîne, se ranime, se réveille. ♦ (*caractère, tempérament*) affectueuse, agressive, aimable, aimante, angélique, angoissée, anxieuse, ardente, arrogante, bienveillante, bizarre, calme, chaleureuse, changeante, colérique, complexe, confiante, délicate, détendue, (in)déterminée, discrète, douce, énergique, enjouée, étrange, exceptionnelle, excessive, faible, farouche, fermée, fidèle, forte, fougueuse, fragile, franche, gaie, généreuse, grossière, (mal)heureuse, inflammable, inquiète, insouciante, intense, joviale, maladive, mélancolique, morbide, ouverte, pacifique, particulière, passionnée, passive, patiente, primesautière, prudente, rationnelle, rebelle, réelle, relative, renfermée, réservée, rêveuse, sage, (mal)saine, secrète, (ultra)sensible, sévère, simple, sincère, singulière, souple, sournoise, spontanée, téméraire, timorée, tolérante, tourmentée, vague, véhémente, vigoureuse, violente. *Avoir, posséder une ~ (+ adj.); être, faire preuve d'une ~ (+ adj.).*

NATUREL affectueux, agressif, aimable, arrogant, audacieux, bienveillant, calme, communicatif, confiant, conciliant, confondant, (in)constant, courageux, curieux, déconcertant, décontracté, (in)dépendant, désarmant, dévoué, discret, distant, (in)docile, doux, dur, égocentrique, égoïste, emporté, énergique, égal, enjoué, enthousiaste, envieux, époustouflant, faible, farouche, fier, flegmatique, (in)flexible, fort, franc, généreux, gentil, (mal)heureux, humble, impulsif, indolent, indomptable, intraitable, introverti, jaloux, jovial, joyeux, laconique, loquace, magnanime, maladroit, mauvais, médiocre, méfiant, nerveux, nonchalant, obstiné, optimiste, paresseux (im)patient, persévérant, pessimiste, peureux, placide, posé, prompt, rebelle, réfléchi, régulier, réservé, rétif, (in)sensible, serviable, sincère, sociable, souriant, stressé, taciturne, tendre, timide, tranquille, triste, trompeur, vif, violent. *Avoir un ~ (+ adj.); être, être doté/pourvu, faire preuve d'un ~ (+ adj.); forcer, perdre son ~; étonner, séduire par son ~.*

NAUFRAGE cruel, dangereux, désastreux, effroyable, épouvantable, étrange, grand, fatal, funeste, inéluctable, inexpliqué, (im)prévisible, suspect. *Causer, essuyer, occasionner, provoquer un ~; échapper à un ~; disparaître, mourir, périr dans un ~; être sauvé, sauver qqn d'un ~; faire ~.* Un ~ a lieu, se produit, survient.

NAVETTE fréquente, incessante, (ir)régulière, spéciale, sporadique. *Assurer, effectuer, faire, prendre, réserver une ~.*

NAVIGATION agréable, aisée, dangereuse, délicate, difficile, facile, hasardeuse, pénible, périlleuse, plaisante, solitaire. *Pratiquer la ~.*

NAVIRE démâté, échoué, englouti, enlisé, énorme, éventré, fatigué, gigantesque, immense, immobilisé, luxueux, naufragé, princier, (ultra)rapide, sinistré, (in)submersible, vieux. *Abandonner, aborder, affréter, amarrer, aménager, (dés)armer, arraisonner, (dé)charger, commander, conduire, construire, démarrer, dérouter, (dés)équiper, faire appareiller, (dé)haler, manœuvrer, mener, mouiller, nettoyer, piloter, prendre, quitter, rafistoler, remettre à flot, remorquer, réparer, repeindre, saisir, visiter un ~; descendre, sortir d'un ~; (s') embarquer, monter, voyager sur un ~.* Un ~ accoste, appareille, casse/rompt ses amarres, coule, démarre, échoue, entre au/dans le port, est à flot/à l'ancre/à quai/au mouillage, fait naufrage, gagne le large, gîte, glisse, lève l'ancre, longe/rase la côte, mouille, navigue, s'amarre, se brise, s'enfonce, s'engloutit, s'enlise, sombre, tangue, tourne, vogue.

NÉCESSAIRE absolu, élémentaire, indispensable, strict. *Avoir, emporter, faire, fournir, prendre, se partager, se refuser le ~; penser au ~; manquer, priver qqn du ~.*

NÉCESSITÉ absolue, accrue, capitale, contraignante, criante, cruciale, cruelle, dure, élémentaire, énorme, essentielle, extrême, factice, fausse, flagrante, grande, grandissante, grave, grosse, immédiate, immense, impérative, impérieuse, impitoyable, implacable, importante, incontournable, indispensable, inéluctable, inévitable, inexorable, inflexible, intérieure, interne, invincible, irrésistible, irrévocable, justifiée, logique, majeure, morale, objective, pénible, pratique, pressante, primaire, primordiale, prioritaire, profonde, réelle, relative, secondaire, soudaine, stricte, subite, théorique, triste, urgente, vitale, vive. *Avoir une ~ (+ adj.); être devant une ~ (+ adj.); assurer, combler, créer, éprouver, ressentir, satisfaire une ~; faire face, parer, répondre, subvenir à une ~; démontrer, évoquer, souligner la ~.* Une ~ se fait sentir, se présente, surgit.

NÉGLIGENCE bénigne, blâmable, chronique, certaine, continuelle, coupable, crasse, criante, criminelle, dangereuse, étonnante, (in)excusable, extrême, fautive, flagrante, fréquente, funeste, grave, grosse, grossière, inadmissible, inconcevable, incroyable, manifeste, occasionnelle, (im)pardonnable, particulière, passagère, permanente, perpétuelle, persistante, professionnelle, répétée, scandaleuse, sérieuse, soudaine, totale, (in)volontaire.

Être, faire preuve, se montrer d'une ~ (+ adj.); commettre, constater, pardonner, punir, réparer, reprocher, tolérer une ~; remédier à une ~.

NÉGOCIATEUR, TRICE adroit, astucieux, bon, brillant, chevronné, confirmé, convaincant, difficile, doué, dur, (in)efficace, excellent, expérimenté, faible, fin, fort, habile, infatigable, influent, intelligent, intransigeant, mauvais, médiocre, (im)partial, persuasif, piètre, puissant, réaliste, réputé, retors, rusé, sérieux, solide, souple, subtil, talentueux. *Choisir, rencontrer un ~.*

NÉGOCIATION adroite, amicale, animée, approfondie, ardue, aride, avortée, capitale, civilisée, complexe, compliquée, courte, décisive, définitive, délicate, démocratique, détaillée, difficile, discrète, dure, (dés)équilibrée, essentielle, exploratoire, facile, feutrée, finale, (in)fructueuse, grande, habile, houleuse, importante, indécise, indispensable, intense, intensive, laborieuse, large, lente, longue, manquée, mesquine, nécessaire, objective, officielle, officieuse, orageuse, ouverte, permanente, préalable, préparatoire, productive, prudente, rapide, ratée, réussie, rude, secrète, sereine, sérieuse, serrée, stratégique, stérile, substantielle, tendue, tortueuse, transparente, vaste, vive. *Amorcer, avoir, bloquer, clore, commencer, conduire, continuer, engager, entamer, entreprendre, entretenir, éterniser, faire aboutir/échouer, ménager, mener, ouvrir, paralyser, poursuivre, présider, relancer, reprendre, rompre, suspendre une/des ~(s); assister, participer, prendre part à une/des ~s; intervenir, s'engager, s'ingérer dans une/des ~(s); se retirer d'une/des ~(s); favoriser, promouvoir la ~; multiplier les ~s; entrer en ~s.* Une/la ~ aboutit, cesse, dure, échoue, est au point mort/en cours/en phase finale, patine, piétine, reprend, reste en plan, réussit, s'engage, s'enlise, se poursuit, tourne à vide, traîne.

NEIGE (sur)abondante, abrasive, adéquate, artificielle, aveuglante, battante, boueuse, collante, compacte, consistante, continue, cristalline, croûtée, damée, dense, détrempée, douce, drue, durcie, dure, éblouissante, épaisse, éternelle, étincelante, excellente, exceptionnelle, faible, ferme, fine, floconneuse, folle, fondante, fondue, forte, granuleuse, hâtive, idéale, immaculée, impeccable, incessante, intacte, intense, légère, lente, lourde, lumineuse, mince, moelleuse, molle, mouillante, naturelle, neuve, nouvelle, ouatée, parcimonieuse, parfaite, permanente, perpétuelle, persistante, poisseuse, poreuse, poudreuse, précoce, profonde, pure, rapide, rare, récente, résiduelle, resplendissante, rugueuse, sale, scintillante, sèche, serrée, (in)skiable, soudaine, souillée, splendide, (in)stable, subite, (in)suffisante, tardive, tassée, tenace, tendre, travaillée, variable, verglacée, vieille, vierge, volage. *Balayer, contempler, enlever, ôter, pelleter, regarder tomber, secouer la ~; marcher, patauger, s'empêtrer, s'enfoncer, se perdre, se rouler, trébucher dans la ~; être bloqué/pris/retenu par la ~; être enseveli sous la ~; aller, marcher sur la ~; être blanc/plein/poudré de ~.* La ~ brille, cesse, (re)couvre, durcit, engloutit, floconne, fond, luit, s'amasse en congères, s'accumule, s'amoncelle, s'entasse, scintille, tombe (à gros flocons, avec abondance, dense, drue, fine, etc.), tourbillonne, vole.

NÉOLOGISME accepté, adéquat, affreux, ancien, approprié, approximatif, atroce, bancal, barbare, boiteux, consacré, (in)correct, critiqué, défectueux, discutable, douteux, (in)élégant, éloquent, étrange, extravagant, hardi, hasardeux, (mal)heureux, horrible, inconnu, indispensable, intéressant, intraduisible, léger, malsonnant, nécessaire, officiel, péjoratif, pertinent, plaisant, pompeux, prétentieux, récent, reconnu, ridicule, savant, savoureux, simple, tenace, transparent, (in)utile. *Adopter, commettre, créer, employer, fabriquer, faire, forger, former, introduire, inventer, oser, proposer, risquer, utiliser un ~; recourir à un ~.* Un ~ naît, s'impose.

NERF abîmés, à fleur de peau/à plat/à vif, agacés, crispés, détraqués, en boule/pelote, fragiles, irritables, malades, sensibles, solides, (dé)tendus. *Avoir les ~s (+ adj.); apaiser, calmer, contrôler, (se) détendre, se détraquer, ébranler, fatiguer, irriter, maîtriser les/ses ~s; être, porter, vivre sur les ~s; être à bout de ~s.* Les ~s craquent, lâchent, montent.

NERVOSITÉ dissimulée, excessive, extrême, folle, fulgurante, grande, inhabituelle, insupportable, intense, maladive, palpable, perceptible. *Être, faire preuve d'une ~ (+ adj.); calmer, contenir, dissimuler, dominer, provoquer sa/la ~ de qqn; éprouver, ressentir de la ~; faire preuve de ~.*

NETTETÉ absolue, acceptable, accrue, complète, considérable, correcte, (in)discutable, douteuse, éblouissante, élevée, époustouflante, étonnante, exceptionnelle, extraordinaire, extrême, grande, hallucinante, impeccable, implacable, impressionnante, incomparable, incontestable, incroyable, inégalée, irréprochable, maniaque, maximale, optimale, parfaite, rare, remarquable, saisissante, singulière, supérieure, (in)suffisante. *Assurer, obtenir, offrir, permettre, posséder, présenter, procurer une ~ (+adj.); être d'une ~ (+ adj.); parler, préciser, répondre, voir avec ~; manquer de ~.*

NETTOYAGE bon, bref, complet, constant, continu, continuel, courant, court, efficace, exceptionnel, général, graduel, grand, intense, intensif, léger, lent, long, maniaque, mauvais, médiocre, minutieux, périodique, petit, préventif, progressif, prolongé, rapide, soigné, soigneux, sommaire. *Effectuer, faire, réaliser un ~; procéder à un ~.*

NEUTRALITÉ absolue, affichée, apparente, commode, complète, discrète, douteuse, exemplaire, froide, illusoire, indispensable, inquiétante, maximale, minimale, nécessaire, négative, positive, prudente, rassurante, rigoureuse, scrupuleuse, sereine, stricte, totale. *Être, faire preuve d'une ~ (+ adj.); abandonner, adopter, afficher, conserver, défendre, garantir, garder, maintenir, observer, perdre, respecter la ~; demeurer, rester dans la ~; sortir de la ~.*

NEZ affilé, affreux, allongé, aplati, aquilin, arrondi, bossu, bourgeonnant, boutonneux, brillant, camus, charnu, courbé, court, crochu, délicat, droit, écrasé, effilé, élégant, énorme, épais, étrange, étroit, évasé, fin, fleuri, fort, grand, grenu, gros, impertinent, joli, large, long, luisant, mignon, mince, mobile, monumental, moqueur, mutin, osseux, pincé, plat, pointu, proéminent, protubérant, puissant, ravissant, recourbé, régulier, relevé, retroussé, rond, rouge, rougeoyant, rubicond, sensible, sensuel, tombant, tortueux, veiné, violacé, volumineux. *Avoir un/le ~ (+ adj.); baisser, froncer, lever, plisser, se boucher, se curer, se frotter, se gratter, se moucher, s'essuyer, se tapoter le ~; chanter, parler du ~; respirer, souffler par le ~.*

NID cotonneux, creux, moussu. *Bâtir, cacher, construire, découvrir, dénicher, édifier, façonner, faire, placer, poser, tisser un ~; tomber du ~.*

NIVEAU (in)acceptable, accru, avancé, bas, bon, (in)comparable, confirmé, considérable, constant, convenable, (in)correct, correspondant, critique, crucial, débutant, (in)décent, définitif, désespérant, (in)déterminé, difficile, effarant, (in)égal, élevé, équivalent, étonnant, exceptionnel, excessif, exorbitant, facile, faible, final, fixe, fluctuant, fort, général, global, (in)habituel, haut, historique, inédit, inférieur, infime, initial, insolent, inquiétant, insignifiant, intéressant, (il)limité, marginal, maximal, maximum, médiocre, minimal, minimum, modéré, modeste, moindre, moyen, négligeable, (a)normal, officiel, officieux, poussé, pratique, précis, préoccupant, prohibitif, (dé)raisonnable, rassurant, record, réduit, réel, (ir)régulier, respectable, (in)satisfaisant, significatif, soutenu, (in)stable, substantiel, (in)suffisant, supérieur, supplémentaire, suprême, théorique, (in)tolérable, ultime, uniforme, unique, (in)variable. *Avoir, connaître, enregistrer, posséder un (+ adj.); abaisser, accroître, acquérir, améliorer, atteindre, augmenter, dépasser, diminuer, obtenir, réduire, relever, retrouver un ~; accéder, (r)amener, (s')élever, (se) hisser, (se) maintenir, parvenir, se situer, tomber à un ~; (re)descendre, (re)monter de ~.*

NŒUD coulant, dénoué, double, droit, emmêlé, entremêlé, étroit, ferme, fixe, fort, gros, lâche, multiple, ordinaire, petit, plat, serré, simple. *Attacher, couper, détacher, exécuter, (dé)faire, former, (dé)nouer, (des)serrer, rompre un ~.*

NOIR bleuté, brillant, d'ébène, foncé, franc, intense, laqué, luisant, mat, métallique, poussiéreux, profond, soutenu, terne, verdâtre, violacé.

NOM abstrait, (in)adéquat, affreux, banal, barbare, bizarre, caractéristique, compliqué, concret, (in)connu, courant, curieux, (in)défini, (in)distinct, distinctif, distingué, doux, dur, éculé, évocateur, (in)exact, expressif, familier, faux, flatteur, général, gracieux, grand, (mal)heureux, historique, imagé, impossible, imprononçable, inédit, insignifiant, intéressant, inventif, joli, juste, mélioratif, mélodieux, nouveau, obscur, obsolète, original, particulier, péjoratif, pittoresque, pompeux, populaire, précieux, (im)précis, prestigieux, propre, rare, ravissant, rébarbatif, ridicule, ronflant, rude, savant, significatif, simple, sinistre, spécial, splendide, superflu, terrible, triste, trivial, unique, usé, (in)usité, usuel, vague, véritable, vieux, vrai, vulgaire. *Avoir un ~ (+ adj.); déformer, dire, donner, écorcher, écrire, épeler, estropier, graver, ignorer, indiquer, inscrire, modifier, oublier, porter, prendre, prononcer, proposer, recevoir, signer, trouver, usurper un/son ~; désigner qqn par son ~; connaître qqn de ~.*

NOMBRE (sur)abondant, accru, alarmant, appréciable, approximatif, arrondi, astronomique, bas, considérable, croissant, déconcertant, (in)défini, dérisoire, (in)déterminé, écrasant, effrayant, effroyable, (in)égal, élevé, énorme, étonnant, étourdissant, exact, exceptionnel, excessif, faible, faramineux, final, (in)fini, fixe, fluctuant, formidable, gigantesque, global, grand, grandissant, (in)habituel, hallucinant, horrible, idéal, immense, imperceptible, important, imposant, impressionnant, inattendu, incalculable, incroyable, inépuisable, inférieur, infime, initial, innombrable, inquiétant, insensé, (il)limité, modeste, négligeable, (im)pair, petit, (im)précis, préoccupant, prodigieux, rare, (ir)rationnel, record, redoutable, réduit, réel, remarquable, respectable, restreint, saisissant, significatif, (in)stable, stagnant, (in)suffisant, supérieur, surréaliste, vertigineux. *Abaisser, accroître, atteindre, augmenter, citer, compléter, compter, déterminer, diminuer, doser, évaluer, fixer, gonfler, grossir, limiter, mesurer, restreindre, retrancher, revoir un/des/les ~(s); plier, succomber sous le ~; augmenter, être inférieur/supérieur, surpasser en ~.* Un ~ augmente, chute, croît, diminue, évolue, grimpe, grossit, régresse.

NOMINATION (in)attendue, claire, (in)contestable, contestée, critiquable, critiquée, cruciale, définitive, délicate, difficile, équitable, éventuelle, excellente, facile, forcée, impartiale, insolite, (in)justifiée, libre, massive, (im)méritée, importante, officielle, officieuse, provisoire, sérieuse, significative, sûre, transparente. *Accepter, annoncer, apprendre, (dés)approuver, attendre, bloquer, confirmer, contester, décrocher, déplorer, effectuer, faire, imposer, obtenir, recevoir une ~; procéder à une ~.* Une ~ intervient, tarde, traîne en longueur.

NON absolu, catégorique, cinglant, clair, courageux, définitif, faible, farouche, ferme, formidable, franc, gentil, impératif, impérieux, massif, mélancolique, mûr, net, poli, puissant, radical, réfléchi, résolu, retentissant, sec, unanime, vigoureux. *Dire, opposer, répondre un ~ (+ adj.); répondre par un ~; voter ~.*

NONCHALANCE absolue, achevée, admirable, bizarre, certaine, déconcertante, déroutante, désespérante, énervante, étudiée, évidente, exagérée, excessive, feinte, féline, heureuse, incroyable, inquiétante, insolente, méditerranéenne, naturelle, séduisante, sereine, sidérante, sympathique, totale, tropicale. *Affecter une ~ (+ adj.); se laisser aller à une ~ (+ adj.); être, faire montre/preuve, témoigner d'une ~ (+ adj.); afficher de la ~; secouer sa ~; sortir de sa ~.* Une ~ règne.

NORME (in)applicable, avancée, (in)certaine, contestable, (in)contestée, contraignante, (in)discutable, draconienne, élémentaire, essentielle, (pré)établie, exigeante, explicite, faible, floue, fondamentale, forte, implicite, infaillible, mesurable, minimale, obligatoire, officielle, officieuse, (im)précise, quantifiable, raisonnable, rigide, rigoureuse, sévère, solide, souple, stricte, suprême, sûre, vague. *Abolir, adopter, appliquer, ériger, établir, fixer, forger, imposer, instaurer, modifier, observer, poser, respecter, violer une/des ~(s); s'écarter, s'éloigner d'une/de la/des ~(s); correspondre, échapper, revenir, s'adapter, se conformer, se plier à la/aux ~(s); être, rentrer dans la ~.*

NOSTALGIE absurde, atroce, (in)compréhensible, contenue, désespérée, diffuse, douce, douloureuse, envahissante, faible, forte, immense, implacable, inconsciente, incurable, inexprimable, inguérissable, intense, irraisonnée, lancinante, larmoyante, légère, maladive, malsaine, permanente, poignante, profonde, rêveuse, romantique, secrète, soudaine, stérile, stupide, tendre, terrible, vague, vivace. *Avoir, conserver, éprouver, garder une ~ (+ adj.); être saisi d'une ~ (+ adj.); cultiver la ~; échapper, être en proie à la ~; sombrer dans la ~; être rongé par la ~; éprouver, garder, ressentir de la ~.*

NOTATION ambiguë, approximative, arbitraire, claire, complexe, concise, (in)équitable, globale, (in)juste, médiocre, moyenne, objective, pratique, (im)précise, rigoureuse, scrupuleuse, sévère, simple, stricte, uniforme. *Attribuer, recevoir une ~; être soumis à une ~; faire l'objet d'une ~.*

NOTE (<u>*évaluation chiffrée*</u>) acceptable, bonne, catastrophique, déplorable, désastreuse, élevée, exceptionnelle, faible, généreuse, honorable, indulgente, mauvaise, médiocre, moyenne, parfaite, passable. *Donner, mettre, obtenir une ~.* ♦ (<u>*~ d'hôtel, etc.*</u>) copieuse, douce, élevée, salée. *Acquitter, payer, régler une ~; corser, demander, faire, préparer, présenter, rédiger, saler la ~.* Une/la ~ s'alourdit. ♦ (<u>*Musique*</u>) accentuée, accidentelle, aigrelette, aiguë, appuyée, basse, bizarre, claire, cristalline, détachée, dominante, égarée, fausse, frêle, grave, haute, juste, légère, liée, limpide, martelée, perlée, piquée, plaintive, soutenue, tenue, tonique, traînée. *Allonger, altérer, attaquer, couler, croquer, émettre, escamoter, fausser, filer, jouer, piquer, prolonger, sauter, tenir une ~; appuyer, s'attarder sur une ~; détacher, lier les ~s.* Des ~s s'égrènent, se succèdent, tombent une à une.

NOTION abstraite, absurde, (in)adéquate, ancienne, (in)appropriée, approximative, arbitraire, astucieuse, banale, bizarre, claire, (in)cohérente, commode, complexe, compliquée, concrète, confuse, (in)connue, (in)contestable, contestée, creuse, dangereuse, déformée, démodée, dépassée, désincarnée, désuète, (in)distincte, élargie, élastique, élevée, embrouillée, équitable, erronée, essentielle, étonnante, étrange, étroite, évidente, (in)exacte, exagérée, excellente, excessive, extrême, fameuse, farfelue, fausse, floue, fondamentale, funeste, générale, (mal)heureuse, impensable, inassimilable, inattendue, inconsistante, indéfinissable, indispensable, ingénieuse, innovante, intelligente, (in)intelligible, intéressante, (in)juste, large, mauvaise, médiocre, merveilleuse, moderne, nébuleuse, négative, nette, neuve, nouvelle, objective, obscure, obsolète, (im)parfaite, périmée, (im)pertinente, piètre, positive, (im)précise, primordiale, profonde, puérile, pure, (dé)raisonnable, (ir)réaliste, reçue, restrictive, rigide, (mal)saine, saugrenue, simple, singulière, subjective, superficielle, triviale, usuelle, vague, vieille. *Avoir une ~ (+ adj.); acquérir, admettre, approfondir, approuver, clarifier, définir, démystifier, dépasser, défendre, développer, éclaircir, élaborer, élargir, expliquer, (se) former, formuler, inculquer, intégrer, obscurcir, soutenir une ~; adhérer, se rattacher à une ~.*

NOTORIÉTÉ absolue, accrue, affirmée, basse, bonne, brillante, certaine, confidentielle, considérable, croissante, douteuse, durable, élevée, énorme, enviable, établie, étendue, excellente, exceptionnelle, excessive, extraordinaire, fabuleuse, fâcheuse, faible, flatteuse, forte, grande, grandissante, haute, immédiate, immense, impeccable, importante, indiscutable, instantanée, intéressante, internationale, irréprochable, juste, (in)justifiée, limitée, locale, mauvaise, maximale, médiocre, (im)méritée, mondiale, nationale, négligeable, passagère, phénoménale, planétaire, prodigieuse, publique, rapide, reconnue, relative, sérieuse, solide, soudaine, subite, (in)suffisante, tardive, triste, universelle, usurpée, véritable. *Acquérir, avoir, posséder, se faire une ~ (+ adj.); bénéficier, jouir d'une ~ (+ adj.); acquérir, avoir, conquérir, donner, gagner, perdre (de) la ~; accéder, arriver, aspirer, atteindre, parvenir, viser à la ~; être au sommet de la ~.*

NOURRITURE abondante, acceptable, (dés)agréable, allégée, appétissante, authentique, avariée, choisie, complète, congelée, consistante, convenable, copieuse, correcte, délicate, délicieuse, (in)digeste, effroyable, épicée, épouvantable, excellente, exécrable, exquise, fade, fine, fortifiante, frugale, fruste, généreuse, graisseuse, grasse, grossière, ignoble, infecte, insipide, légère, liquide, lourde, maigre, mauvaise, médiocre, modérée, monotone, naturelle, nourrissante, nutritive, pauvre, pesante, raffinée, rare, réconfortante, relevée, répugnante, riche, (mal)saine, savoureuse, simple, solide, substantielle, succulente, (in)suffisante, variée. *Apprêter, préparer la ~; pourvoir, subvenir à la ~ de qqn; être porté, se priver sur la ~; absorber, prendre, (se) procurer de la ~; (se) bourrer qqn, (se) priver qqn, se gorger, s'empiffrer de ~.*

NOUVEAU-NÉ, NOUVEAU-NÉE chétif, fragile, grassouillet, prématuré, robuste.

NOUVELLE abasourdissante, absurde, accablante, affligeante, affolante, affreuse, (dés)agréable, ahurissante, alarmante, apaisante, (in)attendue, attristante, banale, bienheureuse, bonne, bouleversante, (in)certaine, choquante, consolante, consternante, déconcertante, décourageante, déprimante, désastreuse, désespérante, désolante, détaillée, douteuse, effarante, encourageante, époustouflante, épouvantable, erronée, étrange, (in)exacte, excellente, extraordinaire, fâcheuse, fausse, (dé)favorable, foudroyante, fracassante, fraîche, funeste, grande, grave, grosse, (mal)heureuse, horrible, importante, incroyable, inouïe, inquiétante, inventée, joyeuse, lamentable, magnifique, malencontreuse, mauvaise, mensongère, mirobolante, navrante, officielle, officieuse, optimiste, pénible, percutante, pessimiste, pétrifiante, (dé)plaisante, poignante, (im)précise, prématurée, pressante, rassurante, réconfortante, réjouissante, renversante, secrète, sensationnelle, sidérante, sinistre, sombre, stupéfiante, sûre, surprenante, suspecte, terrible, terrifiante, tragique, triste, vraie, (in)vraisemblable. *Accueillir, annoncer, apporter, apprendre, attendre, claironner, colporter, commenter, communiquer, confirmer, connaître, conter, croire, débiter, demander, démentir, diffuser, dire, divulguer, ébruiter, envoyer, faire circuler/connaître, grossir, laisser courir, lancer, prendre, propager, publier, recevoir, réclamer, répandre, répéter, savoir, semer, (re)transmettre, vérifier une/des ~(s); se réjouir d'une ~; être sidéré/traumatisé par une ~; être à l'affût de ~s.* Une/la ~ éclate, est divulguée/ébruitée, s'ébruite, se confirme, tombe, transpire.

NOYADE accidentelle, brutale, certaine, fatale, imminente, manquée, naturelle, rapide, ratée, surprenante, tragique. *Causer, éviter, provoquer une ~; assister, échapper à une ~; périr, sauver qqn, sortir indemne d'une ~.* Une ~ se produit, survient.

NUAGE bas, blanc, blanchâtre, bleu, bleuâtre, clair, cotonneux, déchiré, dense, doré, échevelé, éclatant, effiloché, élevé, empourpré, énorme, épais, errant, étincelant, fibreux, fin, floconneux, funeste, géant, gigantesque, gris, grisâtre, gros, haut, humide, immense, immobile, importun, inoffensif, irisé, joufflu, laineux, laiteux, léger, lent, lourd, menaçant, moutonné, nacré, noir, noirâtre, opaque, orageux, pâle, passager, plat, pluvieux, pommelé, rapide, rond, rose, rouge, rougeâtre, rougissant, roux, sombre, suspendu, traînant, transparent, vagabond, vaporeux, vaste, violacé; nombreux, rares. *Chasser, dissiper, écarter, percer, regarder passer les ~s; être chargé/couvert/enveloppé/ombragé/voilé de ~s.* Des/les ~s bourgeonnent, courent, crèvent, disparaissent, glissent, moutonnent, passent, s'écartent, s'amassent, s'amoncellent, se déchiquettent, se défont, se déploient, se développent, se dispersent, se dissipent, se dissolvent, s'effilochent, s'effrangent, se forment, se fractionnent, se gonflent, s'enfuient, s'étirent, vont.

NUANCE (*couleur*) adoucie, chatoyante, chaude, claire, criarde, dégradée, délicate, dense, discrète, dominante, douce, douteuse, éclatante, effacée, extrême, fade, faible, fine, foncée, fondue, forte, franche, imperceptible, indécise, indéterminable, infime, intermédiaire, jolie, légère, lumineuse, neutre, pâle, (im)précise, profonde, prononcée, sombre, soutenue, substantielle, subtile, superbe, tendre, triste, vive. *Donner, prendre une ~ (+ adj.).* ♦(*différence, variation*) apparente, capitale, énorme, essentielle, exacte, extrême, faible, forte, grande, grosse, immense, importante, inappréciable, infime, intéressante, légère, majeure, manifeste, marquée, mineure, minime, négligeable, nette, notable, (im)palpable, (im)perceptible, précise, principale, profonde, prononcée, réelle, (in)sensible, sérieuse, significative, subtile, ténue, tranchée. *Apporter, constater, établir, exprimer, faire, faire ressortir, percevoir, relever, saisir, voir une/des/la/les ~(s).*

NUCLÉAIRE *Abandonner, arrêter, exploiter, défendre, lâcher, relancer le ~; recourir, renoncer au ~; renouer avec le ~; être contre/pour le ~; se débarrasser, s'éloigner, se passer, sortir du ~.*

NUDITÉ absolue, affriolante, charmante, chaste, choquante, complète, crue, (in)décente, extrême, hideuse, honteuse, innocente, intégrale, obscène, provocante, (im)pudique, (im)pure, radieuse, saine, scandaleuse, tendre, totale. *Être d'une ~ (+ adj.); être dans une ~ (+ adj.); cacher, couvrir, découvrir, étaler, montrer, voiler sa ~; se montrer, s'étaler dans toute sa ~.*

NUIT affreuse, agitée, (dés)agréable, avancée, blanche, calme, chaude, claire, courte, délicieuse, diaphane, épaisse, étoilée, étouffante, fraîche, froide, glacée, glaciale, humide, insomniaque, longue, lugubre, magnifique, mélancolique, moite, obscure, opaque, oppressante, orageuse, paisible, pénible, pluvieuse, précoce, profonde, pure, sereine, silencieuse, sombre, splendide, superbe, terrible, tombante, tombée, transparente, tranquille, troublée, vaporeuse, venteuse. *Passer, vivre une ~ (+ adj.); dissiper, scruter la ~; être pris/surpris, se laisser surprendre par la ~; dormir, faire sa ~; vivre de ~.* La ~ arrive, avance, descend, monte, règne, s'achève, s'annonce, s'approche, s'épaissit, surprend, tombe, vient.

NULLITÉ complète, consternante, crasse, incroyable, inouïe, lamentable, parfaite, prétentieuse, profonde, rare, totale, vraie. *Être d'une ~ (+ adj.); constater la ~ de qqn.*

NUMÉRO (*~ de téléphone*) erroné, personnel, unique. *Appeler, (re)chercher, composer, entrer, faire, former, trouver un ~; téléphoner à un ~.* ♦(*Presse*) ancien, épuisé, exceptionnel, historique, hors série, isolé, particulier, paru, rare, récent, spécial, thématique. *Acheter, commander, demander, lire, recevoir, se procurer un ~.* ♦(*spectacle*) admirable, amusant, bon, brillant, burlesque, charmant, choquant, comique, désopilant, drôle, époustouflant, excellent, extraordinaire, fantastique, gracieux, hilarant, hallucinant, humoristique, incroyable, inédit, inoubliable, joyeux, manqué, médiocre, merveilleux, original, pittoresque, rare, réussi, spécial, spectaculaire, sympathique, tragique. *Accomplir, créer, exécuter, faire, monter, présenter, réaliser, signer un ~; assister à un ~.*

NUQUE affaissée, blanche, courbée, courte, dégagée, délicate, dénudée, effilée, élancée, énorme, épaisse, fine, flexible, forte, fragile, frêle, gracieuse, grasse, hâlée, jolie, laiteuse, longue, lourde, luisante, maigre, mince, ployée, potelée, puissante, raide, raidie, rasée, rentrée, rigide, robuste, ronde, souple, tassée, tendue. *Avoir une/la ~ (+ adj.); être doté d'une ~ (+ adj.); allonger, courber, incliner, plier, relever, renverser, se tordre, tendre la ~.*

O

OASIS abandonnée, agréable, apaisante, aride, artificielle, calme, charmante, dense, déserte, désertique, desséchée, enchantée, énorme, fertile, fraîche, (in)habitée, humide, immense, inaccessible, jolie, luxuriante, magique, majestueuse, menacée, minuscule, mythique, naturelle, ombragée, paisible, perdue, préservée, prospère, protégée, rafraîchissante, reposante, riche, sauvage, secrète, silencieuse, solitaire, somptueuse, superbe, vaste, verdoyante, verte. *Apercevoir, découvrir, rejoindre une ~; aller, entrer, faire halte, séjourner, vivre dans une ~.* Une ~ surgit.

OBÉISSANCE absolue, active, automatique, aveugle, confiante, consentie, constante, correcte, enthousiaste, entière, étroite, exacte, exemplaire, extrême, feinte, ferme, fidèle, forcée, humble, hypocrite, immédiate, impeccable, imperturbable, inconditionnelle, joyeuse, libre, (il)limitée, loyale, (im)parfaite, passive, prompte, raisonnable, rapide, relative, respectueuse, rigoureuse, scrupuleuse, servile, sincère, soumise, stricte, superficielle, totale, uniforme, (in)volontaire. *Exiger, imposer, manifester, montrer, obtenir, vouer une ~ (+ adj.); être, se montrer d'une ~ (+ adj.); exiger, imposer l'~; contraindre, exhorter à l'~.*

OBÉSITÉ considérable, excessive, extrême, forte, franche, grave, importante, irréductible, légère, majeure, maladive, marquée, massive, modérée, monstrueuse, morbide, naissante, normale, pathologique, précoce, prolongée, rare, réelle, sérieuse, sévère, véritable. *Avoir, développer, présenter, provoquer une ~; combattre, contrer, favoriser, prévenir, soigner, traiter, vaincre l' ~; être sujet à l'~; lutter contre l'~; assumer son ~; être atteint, souffrir d'~.* Une ~ apparaît, naît, se développe, survient.

OBJECTIF abstrait, absurde, (in)accessible, accompli, affiché, ambitieux, apparent, approximatif, (in)atteignable, atteint, (in)avouable, (in)avoué, caché, capital, chiffré, clair, concret, controversé, criminel, crucial, déclaré, défini, délibéré, dépassé, déterminé, difficile, élevé, éloigné, erroné, escompté, essentiel, explicite, facile, facultatif, final, fixé, flou, fondamental, généreux, global, grand, grandiose, honnête, honorable, identifié, immédiat, immense, implicite, inopiné, intermédiaire, libre, limité, lointain, louable, majeur, manifeste, modeste, noble, obscur, obsessionnel, occasionnel, piètre, ponctuel, (im)possible, pratique, (im)précis, premier, prétentieux, primordial, principal, prioritaire, proclamé, qualitatif, quantifié, quantitatif, (dé)raisonnable, rapproché, (ir)réalisable, (ir)réaliste, recherché, réel, rigide, secondaire, (in)sensé, souhaitable, (in)tenable, ultime, utilitaire, viable, visé, vital, (in)vraisemblable. *Accomplir, afficher, arrêter, (s') assigner, atteindre, avoir, cerner, concevoir, définir, dépasser, dissimuler, élaborer, énoncer, (se) fixer, maintenir, manquer, mener à bien, prendre en charge, réaliser, remplir, satisfaire, se donner, se proposer, tenir, viser un/des/les/ses ~(s); parvenir, renoncer à un/son/ses ~(s); courir après un ~; dévier d'un/de son/de ses ~(s); mettre le cap, se concentrer sur un/son/ses ~(s).*

OBJECTION apparente, bizarre, brève, certaine, claire, considérable, décisive, déraisonnable, (in)directe, dérisoire, discrète, évidente, faible, fondamentale, (in)fondée, formelle, forte, frappante, globale, grave, immense, imprévue, irréfutable, juste, (in)justifiée, légère, majeure, maladroite, manifeste, mineure, molle, négligeable, passionnée, permanente, pertinente, précise, puérile, puissante, ridicule, sérieuse, solide, valable, vigoureuse, violente, virulente, vive. *Admettre, adresser, avancer, détruire, devancer, dresser, écarter, élever, émettre, énoncer, exprimer, faire, faire valoir, former, formuler, opposer, poser, présenter, prévoir, proposer, rejeter, rencontrer, répéter, repousser, résoudre, risquer, soulever une/des ~(s); parer, passer outre, répliquer, répondre, se heurter, trouver réponse à une/aux ~(s).* Une ~ s'élève, se présente, subsiste, surgit, tient, tombe.

OBJECTIVITÉ absolue, apparente, claire, douteuse, exemplaire, exigeante, factice, fascinante, froide, glaciale, idéale, illusoire, impitoyable, impressionnante, irréprochable, maximale, minimale, neutre, optimale, parfaite, rare, réelle, relative, remarquable, rigoureuse, scrupuleuse, stricte, totale. *Assurer, avoir, exiger, garantir, montrer une ~ (+ adj.); être d'une ~ (+ adj.); garder, perdre son ~; faire preuve, manquer d'~.*

OBJET affreux, amusant, (in)animé, antique, banal, bizarre, (in)commode, curieux, décoratif, défectueux, délicat, désuet, doux, durable, encombrant, énorme, étrange, familier, fêlé, fragile, (dis)gracieux, hideux, joli, intéressant, léger, lourd, maniable, minuscule, mystérieux, (extra)ordinaire, pesant, pratique, précieux, (mal)propre, rare, répugnant, robuste, unique, usuel, (in)utile, (in)visible, vivant; disparates, divers, hétéroclites. *Employer, lancer, manier, manipuler, palper, posséder, saisir, toucher un ~; se débarrasser, se servir d'un ~.*

OBLIGATION absolue, contraignante, dure, écrasante, ennuyeuse, fastidieuse, grave, impérieuse, incontournable, insupportable, pénible, pressante, réelle, rigoureuse, stricte. *Accepter, accomplir, acquitter, assumer, avoir, contracter, esquiver, étendre, éviter, exécuter, honorer, imposer, observer, rejeter, remplir, respecter, satisfaire, s'imposer, suivre, supprimer, tenir une/des/ses ~(s); échapper, être astreint/tenu, faire face/honneur, manquer, satisfaire, se dérober, se plier, se soumettre à une/des/ses ~(s); (se) débarrasser, (se) décharger, (se) dégager, (se) désengager, être déchargé/dégagé/dispensé/exempté/relevé, s'acquitter, se libérer d'une/de ses ~(s); être, se trouver, se voir dans l'~ de (+ inf.).* Une ~ incombe, s'impose.

OBSCÉNITÉ criante, effroyable, énorme, flagrante, franche, grotesque, inouïe, inqualifiable, insoutenable, intense, lamentable, rare, révoltante, voilée. *Être, faire preuve, se montrer d'une ~ (+ adj.); débiter, dire, écrire, lancer des ~s.*

OBSCURITÉ absolue, angoissante, blafarde, complète, constante, dense, dissipée, envahissante, épaisse, faible, forte, grande, grandissante, intense, lugubre, opaque, partielle, permanente, profonde, relative, sinistre, (in)suffisante, totale. *Dissiper, fouiller, percer, scruter l'~; se faire, s'habituer à l'~; chercher, distinguer, se fondre, voir dans l'~; profiter de l'~.* L'~ redouble, règne, se fait, s'épaissit.

OBSÈQUES civiles, convenables, décentes, dignes, discrètes, émouvantes, grandioses, imposantes, impressionnantes, intimes, magnifiques, princières, religieuses, nationales, solennelles, triomphales, tristes. *Célébrer, organiser des ~; assister, se rendre à des ~.*

OBSERVATEUR, TRICE assidu, attentif, averti, avisé, clairvoyant, critique, curieux, (in)discret, (sur)doué, éclairé, exact, excellent, fin, habile, impitoyable, incisif, infatigable, judicieux, lucide, méfiant, méticuleux, minutieux, objectif, (im)partial, passionné, patient, perspicace, pointilleux, privilégié, prodigieux, profond, redoutable, scrupuleux, sévère, silencieux, subtil, vigilant.

OBSERVATION (*obéissance, exécution*) absolue, aveugle, correcte, effective, enthousiaste, entière, immédiate, parfaite, prompte, rigoureuse, scrupuleuse, stricte. ♦ (*examen, surveillance*) adéquate, approfondie, attentive, complète, concise, détaillée, (in)directe, exacte, fine, intuitive, judicieuse, méthodique, minutieuse, patiente, profonde, rigoureuse, sérieuse, systématique, vive. *Effectuer, faire, réaliser une ~; procéder à une ~.* ♦ (*remarque, reproche*) (dés)agréable, amicale, amusante, critique, désobligeante, (dé)favorable, (in)fondée, générale, grave, importante, intéressante, judicieuse, (in)juste, légère, malicieuse, méprisante, négative, particulière, perspicace, pertinente, positive, profonde, sensée, (in)utile, vexante. *Accepter, émettre, encaisser, faire, formuler, présenter, se permettre, soumettre une/des ~(s).*

OBSESSION absurde, affreuse, angoissante, bizarre, constante, dangereuse, délirante, envahissante, exagérée, excessive, folle, forte, incontrôlable, incurable, insupportable, invincible, lancinante, maladive, malsaine, morbide, obsédante, passagère, pathologique, pénible, permanente, persistante, phobique, profonde, soudaine, subite, tenace, vague, vieille. *Avoir, chasser, constituer, développer, devenir, en faire, éprouver, être, satisfaire, susciter une ~; être en proie à une ~; se débarrasser, se défaire, se libérer, souffrir d'une ~.* Une/l' ~ apparaît, cesse, naît.

OBSTACLE considérable, dangereux, dérisoire, durable, énorme, éphémère, (in)évitable, extraordinaire, formidable, (in)franchissable, gigantesque, grave, gros, immense, important, imprévu, incontournable, incroyable, insignifiant, invincible, irréductible, léger, majeur, mineur, persistant, puissant, redoutable, résistant, sérieux, soudain, subit, (in)surmontable. *Constituer, devenir, être, former, représenter un ~ (+ adj.); accumuler, affronter, balayer, briser, contourner, déjouer, dépasser, dresser, écarter, élever, éviter, faire disparaître, franchir, heurter, ôter, passer, placer, rencontrer, renverser, sauter, supprimer, surmonter, susciter, traverser, trouver, vaincre un/des/l'/les ~(s); faire face, se buter, se heurter à un ~; buter, échouer, se précipiter contre un ~; avoir raison, triompher, venir à bout d'un/des ~(s); reculer, renâcler devant un ~.* Un ~ s'aplanit, se dresse, surgit.

OBSTINATION acharnée, aveugle, bornée, constante, déraisonnable, déroutante, désespérée, exagérée, exaspérante, excessive, fanatique, farouche, fermée, féroce, forcenée, hargneuse, héroïque, hostile, imbécile, imperturbable, inattendue, incroyable, inébranlable, inouïe, insensée, intraitable, malsaine, mûrie, obsessionnelle, patiente, rageuse, raisonnée, rare, remarquable, sincère, sourde, stupide, suppliante, tenace, têtue, violente, vive. *Afficher, manifester, montrer une ~ (+ adj.); persévérer, persister, s'enfermer, s'entêter dans une ~ (+ adj.); être, faire preuve d'une ~ (+ adj.).*

OCCASION agréable, alléchante, (in)attendue, avantageuse, belle, bienvenue, bonne, dangereuse, décisive, difficile, éclatante, énorme, (in)espérée, excellente, exceptionnelle, fabuleuse, facile, (dé)favorable, formidable, fortuite, gâchée, gaspillée, grande, (mal)heureuse, honorable, immense, importante, incroyable, inouïe, intéressante, isolée, magnifique, maigre, majeure, manquée, mince, miraculeuse, naturelle, négligée, notable, (extra)ordinaire, parfaite, perdue, piètre, précieuse, pressante, privilégiée, prochaine, propice, providentielle, rare, rarissime, ratée, réelle, remarquable, rêvée, séduisante, sensationnelle, sérieuse, solennelle, spéciale, splendide, superbe, sûre, tentante, terrible, triste, ultime, unique, urgente. *Attendre, chercher, donner, épier, exploiter, fournir, gâcher, gaspiller, guetter, laisser échapper/filer/passer/s'envoler, manquer, négliger, perdre, provoquer, rater, rencontrer, saisir, saluer, trouver une ~; courir après une ~; disposer, profiter d'une ~; bondir, sauter, se précipiter sur une ~.* Une/l'~ mûrit, naît, s'envole, se présente, se produit, se renouvelle, s'offre, tarde, vient.

OCCUPATION absorbante, accaparante, astreignante, compliquée, constante, contraignante, dangereuse, délicieuse, dévorante, ennuyeuse, favorite, frivole, futile, grande, honorable, importante, intéressante, lucrative, monotone, noble, préférée, principale, rentable, salissante, (mal)saine, sédentaire, sérieuse, terne; diverses, menues, multiples, nombreuses, variées. *Chercher, procurer, quitter, trouver une/des ~(s); renoncer, retourner, s'adonner, se livrer, vaquer à une/ses ~(s); être débordé d'~s.*

OCÉAN agité, apaisé, bleu, calme, grondant, immense, immobile, infini, large, tumultueux, vaste. *Naviguer sur l'~; franchir, parcourir les ~s.* L'~ rugit.

ODEUR abominable, accueillante, acide, âcre, affreuse, (dés)agréable, aigre, alléchante, amère, appétissante, âpre, aromatique, attirante, atroce, bizarre, bonne, capiteuse, caractéristique, chaude, (in)connue, dégoûtante, délicate, délicieuse, détestable, (in)discrète, distincte, douce, douceâtre, écœurante, enivrante, ensorcelante, entêtante, envahissante, envoûtante, épicée, épouvantable, exécrable, exquise, fade, faible, fétide, fine, forte, fraîche, fruitée, fugace, gênante, grisante, (in)habituelle, horrible, incommodante, indéfinissable, indélébile, infecte, infime, innommable, insaisissable, insidieuse, insolite, irritante, légère, lourde, marquée, mauvaise, merveilleuse, musquée, nauséabonde, nauséeuse, neutre, (a)normale, obsédante, pâle, parfumée, particulière, pénétrante, (im)perceptible, persistante, pestilentielle, piquante, poisseuse, (dé)plaisante, prononcée, puissante, putride, rance, réconfortante, reconnaissable, repoussante, répugnante, riche, sauvage, savoureuse, singulière, sournoise, suave, subtile, suffocante, (in)supportable, tenace, terreuse, terrible, troublante, vague, vilaine, vineuse, violente, virulente, voluptueuse. *Avoir* *une ~ (+ adj.); aspirer, chasser, dégager, émettre, exhaler, flairer, garder, humer, masquer, percevoir, rendre, renifler, répandre, respirer, savourer, sentir une ~; être embaumé/imprégné d'une ~.* Une/l' ~ apparaît, augmente, circule, diminue, disparaît, émane, embaume, envahit, flotte, imprègne, incommode, jaillit, monte, s'amplifie, s'atténue, s'échappe, se dégage, se dissipe, se glisse, se perçoit, se répand, s'évapore, s'insinue, s'intensifie, traîne.

ODORAT aiguisé, délicat, développé, émoussé, exquis, fin, infaillible, raffiné, (ultra)sensible, subtil. *Avoir l' ~ (+ adj.); blesser, caresser, chatouiller, offenser, saisir l'~; manquer d'~.*

ŒIL, YEUX (regard) acéré, agacé, aguerri, aiguisé, alerte, amical, amusé, anxieux, (dés)approbateur, ardent, arrogant, assuré, attendri, attentif, audacieux, austère, averti, avide, bienveillant, bon, calme, candide, clairvoyant, complaisant, confus, coquin, critique, cruel, curieux, dédaigneux, distrait, doux, dur, ébloui, éloquent, émerveillé, enflammé, envieux, éperdu, éploré, épouvanté, espiègle, éteint, étonné, éveillé, exercé, expérimenté, farouche, (dé)favorable, féroce, fiévreux, fin, fixe, flamboyant, flatteur, fripon, froid, fier, fureteur, furibond, furieux, grave, hagard, impitoyable, incandescent, indifférent, indigné, indulgent, ingénu, inquiet, inquisiteur, intelligent, ironique, jaloux, langoureux, languissant, larmoyant, lubrique, lucide, malicieux, malin, malveillant, mauvais, méchant, méfiant, menaçant, moqueur, narquois, pathétique, pénétrant, perçant, perplexe, profond, provoquant, prudent, puissant, pur, rayonnant, réprobateur, rude, rusé, (in)satisfait, sceptique, scrutateur, serein, sévère, soigneux, sombre, soumis, soupçonneux, souriant, stupide, suppliant, sûr, surpris, taquin, tendre, terrible, tranquille, triste, trouble, vague, vif, vigilant, vivant. *Considérer, juger, percevoir, regarder, voir d'un ~ (+ adj.); attirer, captiver, fasciner, fermer, frapper, ouvrir, réjouir, retenir l'~; suivre de l'~.* L'~ brille, étincelle, scintille. ♦(*yeux, organe de la vue*) allongés, astigmates, baissés, (a)battus, béants, beaux, bons, bouchés, bouffis, boursouflés, bridés, brillants, brouillés, cernés, charbonneux, clairs, (mi-)clos, creusés, creux, daltoniens, dilatés, ébahis, écarquillés, effarés, égarés, élargis, embrumés, embués, encaissés, endormis, enflés, enfoncés, énormes, éteints, étincelants, étroits, éveillés, exorbités, (in)expressifs, faibles, fatigués, fixes, globuleux, gonflés, grands, gros, hypermétropes, immenses, injectés, intelligents, laiteux, larges, larmoyants, limpides, louches, lourds, luisants, lumineux, meurtris, mobiles, mornes, morts, mouillés, myopes, naïfs, narquois, nerveux, noyés, oblongs, passifs, pensifs, pétillants, petits, pochés, presbytes, proéminents, protubérants, ravissants, rentrés, resplendissants, ronds, rougis, saillants, scintillants, secs, splendides, superbes, ternes, transparents, tristes, tuméfiés, veinés, veloutés, vides, vifs, vitreux, voilés; (leurs couleurs) bleus, bruns, châtains, clairs, d'azur, de jais, foncés, glauques, gris, jaunes, marrons, noirs, noisette, pâles, pers, rouges, roux, verdâtres, verts. *Avoir des/les ~ (+ adj.); arrêter, (a)baisser, braquer, ciller, cligner, détacher, détourner, diriger, écarquiller, élever, entrouvrir, (s')essuyer, (re)fermer, fixer, (se) frotter, (re)lever, (se) maquiller, (r)ouvrir, plisser,* *porter, promener, remuer, rouler, sécher, tourner les/ses ~; chercher, clignoter, dévorer, guetter, manger, parcourir, parler, suivre des ~.*

ŒUF brouillé, cru, dur, farci, frais, frit, mollet, poché, rond. *Battre des ~s.*

ŒUVRE abondante, (in)accessible, acclamée, (in)accomplie, (in)achevée, actuelle, admirable, ambitieuse, ample, capitale, (in)complète, complexe, compliquée, considérable, (in)contestée, difficile, durable, efficace, énorme, éphémère, facile, faible, fascinante, féconde, florissante, foisonnante, forte, gigantesque, grande, grandiose, grave, hardie, hétéroclite, hétérogène, homogène, immense, immortelle, impérissable, imposante, impressionnante, inclassable, incomparable, incontestable, inégale, inépuisable, inimitable, inouïe, intense, légère, magistrale, maîtrisée, majeure, maladroite, manquée, marquante, (im)mature, médiocre, mineure, multiple, naïve, nécessaire, novatrice, obscure, (extra)ordinaire, originale, (im)parfaite, passionnante, passionnée, phénoménale, prodigieuse, rafraîchissante, remarquable, scandaleuse, significative, singulière, sobre, solide, somptueuse, sublime, substantielle, subtile, titanesque, touffue, unique, utile, valable, vigoureuse. *Accomplir, apprécier, bâtir, composer, concevoir, créer, discuter, disséquer, échafauder, écrire, élaborer, encourager, enfanter, entamer, entreprendre, exécuter, juger, méditer, monter, parachever, peindre, plagier, poursuivre, produire, réaliser, signer, terminer, tronquer une ~; collaborer, emprunter, prendre part, se consacrer à une ~; se plonger dans une ~.*

OFFENSE criminelle, blâmable, (in)directe, énorme, faible, forte, gratuite, grave, grosse, grossière, imaginaire, immense, imméritée, impardonnable, inacceptable, insignifiante, intolérable, irrémissible, légère, lourde, majeure, mineure, minime, personnelle, physique, (im)punie, réelle, verbale, (in)volontaire. *Constituer, être une (+ adj.); commettre, essuyer, excuser, faire, laver, oublier, pardonner, réparer, ressentir, subir, venger une ~; se venger d'une ~.*

OFFENSIVE acharnée, avortée, brève, brusque, brutale, concertée, constante, courte, décisive, désespérée, durable, éclair, écrasante, (in)efficace, énergique, finale, foudroyante, frontale, (in)fructueuse, fulgurante, furieuse, générale, généralisée, graduée, grande, hardie, imminente, impétueuse, importante, imprévue, inattendue, inopinée, intense, irrésistible, longue, manquée, massive, musclée, opportune, puissante, ratée, redoutable, risquée, rude, sévère, soudaine, sournoise, soutenue, stratégique, subite, totale, triomphante, vaine, vaste, victorieuse, vigoureuse, violente. *(dés)Amorcer, annihiler, arrêter, briser, conduire, contrer, déchaîner, déclencher, déployer, diriger, engager, enrayer, esquisser, essuyer, exécuter, faire, freiner, lancer, mener, monter, porter, poursuivre, (re)prendre, préparer, repousser, soutenir, subir, tenter une ~; réagir, résister, riposter, se livrer, se préparer à une ~; passer à l' ~.* Une ~ échoue, réussit.

OFFRE (in)acceptable, affriolante, aimable, alléchante, amicale, attractive, attrayante, avantageuse, (in)conditionnelle, considérable, dérisoire, engageante, exceptionnelle, ferme, généreuse, importante, impressionnante, intéressante, (dés)intéressée, limitée, magnifique, maladroite, mirifique, mirobolante, modeste, négligeable, raisonnable, satisfaisante, séduisante, sérieuse, sincère, spontanée, (in)suffisante, tentante. *Accepter, accueillir, agréer, décliner, dédaigner, demander, écarter, éluder, étudier, examiner, (re)faire, manquer, présenter, recevoir, refuser, rejeter, renouveler, repousser, retirer, soupeser une ~; profiter d'une ~; sauter sur une ~.*

OISEAU bruyant, criard, fidèle, gros, jaseur, léger, long, lourd, magnifique, matinal, mélodieux, minuscule, passager, petit, rapace, sautillant, sauvage. *Chasser, nourrir, observer, pourchasser, scruter les/des ~x.* Un ~ avance/marche en se dandinant, bâtit son nid, bat l'air de ses ailes, becquette, déploie/ouvre/plie/secoue ses ailes, hérisse/lisse/perd ses plumes, niche, picore, plane, plonge, prend son essor, rase le sol, s'abat, saute, sautille, se déplace au sol, s'élance, s'élève dans les airs, s'enfuit, s'envole, se pose, siffle, virevolte, vole, volette, voltige; des ~x babillent, caquettent, chantent, gazouillent, jasent, piaillent, piaulent, ramagent, ululent.

OISIVETÉ absolue, agréable, béate, complète, dangereuse, déplorable, douce, forcée, incorrigible, incurable, invincible, pénible, vague. *Croupir, languir, passer sa vie/son temps, s'abrutir, s'amollir, se complaire, se corrompre, se ronger, tomber, vivre dans l'~.*

OMBRAGE épais, impénétrable, propice, rafraîchissant. *Donner de l'~.*

OMBRE agréable, appréciable, claire, diaphane, diffuse, docile, douce, épaisse, fine, floue, froide, furtive, généreuse, légère, mouvante, noire, opaque, profonde, propice, protectrice, providentielle, rafraîchissante, rare, remarquable, tiède. *Dispenser, offrir, jeter, projeter une ~; aimer, (re)chercher, poursuivre l'~; s'asseoir à l'~; apercevoir, distinguer, être, luire, rentrer, se trouver, voir dans l'~; émerger, sortir de l'~; donner, faire, jeter, produire de l'~.* L'~ entoure, enveloppe, plane, s'allonge, s'étend, s'étire.

OMISSION blâmable, coupable, criante, grave, impardonnable, importante, inconcevable, inexcusable, lourde, terrible, troublante, (in)volontaire. *Commettre, relever, réparer une ~.*

ONDÉE bienfaisante, brève, brusque, délicieuse, douce, fine, forte, passagère, rafraîchissante. *Laisser passer, recevoir une ~; être surpris par une ~.* Les ~s se déclenchent.

ONGLE bombés, brillants, cannelés, carrés, courts, laqués, lisses, longs, négligés, nets, noirs, plats, pointus, polis, recourbés, roses, sales, soignés, terreux, usés, vernis. *Avoir les ~s (+ adj.); laisser pousser, limer, manger, nettoyer, polir, ronger, se brosser, se couper, se curer, se décrasser, se (faire) faire, se mordre, se peindre, se polir, se tailler, soigner, vernir les/ses ~s.*

OPÉRATION (*plan, projet*) ambitieuse, audacieuse, aventureuse, avortée, bâclée, ciblée, contrôlable, contrôlée, courte, coûteuse, dangereuse, décisive, défensive, délicate, désastreuse, difficile, efficace, énorme, gigantesque, hâtive, imminente, impeccable, importante, improvisée, légitime, limitée, lourde, majeure, manquée, massive, mineure, minutieuse, offensive, (in)opportune, organisée, planifiée, ponctuelle, prolongée, rapide, ratée, rentable, restreinte, réussie, risquée, spéciale, stratégique, tactique, vaine, vaste. *Accomplir, arrêter, commencer, contrarier, déclencher, diriger, discuter, entamer, exécuter, faire, faire échouer, lancer, mettre sur pied, monter, organiser, planifier, piloter, réaliser, reporter, réussir, tenter, terminer une ~; participer à une ~; être engagé dans une ~; avoir, prendre l'initiative des ~s.* Une ~ se déroule, s'effectue. ♦ (Médecine) compliquée, délicate, difficile, douloureuse, grave, indolore, inévitable, légère, longue, lourde, pénible, prolongée, radicale, réussie, urgente. *Faire, pratiquer, réaliser, réussir, subir, tenter une ~; se remettre, se ressentir d'une ~.* ♦ (Mathématique) complexe, difficile, facile, fausse, juste, simple. *Effectuer, exécuter, faire une ~.* ♦ (Commerce) astucieuse, avantageuse, désastreuse, énorme, habile, imprudente, (il)licite, lucrative, malhonnête, massive, mauvaise, (ir)régulière, rentable. *Achever, combiner, conclure, effectuer, exécuter, liquider, réussir, traiter une ~.*

OPINIÂTRETÉ déraisonnable, désespérante, exaspérante, excessive, fanatique, farouche, grande, imperturbable, puérile, remarquable, stupide, violente. *S'enfermer dans son ~; insister, résister, travailler avec ~.*

OPINION arrêtée, autoritaire, blessante, bonne, carrée, conformiste, contestable, courante, déclarée, (in)défendable, définitive, discutable, divergente, dominante, douteuse, erronée, évasive, exagérée, excessive, extrême, fanatique, fausse, (dé)favorable, ferme, flottante, fluctuante, hâtive, haute, hésitante, incertaine, incontournable, inédite, intime, irraisonnée, irréfutable, isolée, juste, mauvaise, minoritaire, mitigée, négative, négligeable, nuancée, originale, orthodoxe, paradoxale, partagée, (im)partiale, personnelle, pertinente, piètre, pitoyable, positive, préconçue, provocatrice, (dé)raisonnable, raisonnée, rationnelle, réfléchie, répandue, réticente, saine, saugrenue, sévère, simpliste, sincère, singulière, sommaire, (in)soutenable, spontanée, subtile, suspecte, traditionnelle, tranchante, tranchée, triste, violente, vraisemblable; compatibles, contradictoires, contraires, différentes, discordantes, instables, opposées, partagées, semblables. *Accepter, admettre, adopter, affirmer, attaquer, avancer, avoir, cacher, changer, combattre, confirmer, conserver, défendre, développer, dire, discuter, donner, émettre, énoncer, enraciner, épouser, exposer, exprimer, faire connaître/prévaloir/valoir, fonder, formuler, garder, hasarder, imposer, inculquer, infirmer, justifier, lancer, maintenir, manifester, modifier, montrer, motiver, partager, proclamer, professer, propager, rappeler, rectifier, renier, répandre, repousser, répudier, réserver, révéler, risquer, se faire, se forger, se former, solliciter, soutenir, suggérer, suivre, suspendre une/des/son/ses ~(s); acquiescer, adhérer, renoncer, s'attacher, se convertir, se rallier, se ranger, souscrire à une/des ~(s); sympathiser avec une ~; être enfoncé, s'ancrer, s'entêter, s'obstiner dans une/ses ~(s).*

OPPORTUNITÉ belle, excellente, exceptionnelle, extraordinaire, formidable, gigantesque, historique, minuscule, précieuse, rare, rêvée, unique. *Attendre, chercher, gaspiller, guetter, manquer, perdre, saisir une ~; discuter, disposer, profiter d'une ~.* Une ~ se présente, se produit, s'offre.

OPPOSITION acharnée, active, constructive, déclarée, énergique, farouche, ferme, fondamentale, forcenée, forte, frappante, frontale, intense, irréductible, manifeste, molle, obstinée, opiniâtre, ouverte, résolue, rigoureuse, sérieuse, sourde, souterraine, systématique, tacite, tenace, tranchée, vaine, vaste, vigilante, violente, virulente. *Constituer, exprimer, faire, manifester, marquer, montrer, rencontrer, témoigner une/de l'/son ~; se heurter à une ~; entrer, être en ~.*

OPTIMISME aveugle, béat, conditionnel, contagieux, débridé, déconcertant, exagéré, excessif, feint, foncier, forcé, forcené, immense, imperturbable, indéfectible, indomptable, inébranlable, infatigable, inguérissable, insensé, invétéré, invincible, (in)justifié, (il)légitime, (dé)mesuré, (im)modéré, naïf, nuancé, persévérant, prématuré, proclamé, prudent, raisonnable, raisonné, réaliste, relatif, réservé, résolu, robuste, solide, stupide, tempéré, triomphant. *Afficher, manifester, montrer un ~ (+ adj.); être, faire preuve d'un ~ (+ adj.); exploiter, inspirer, partager, réduire, tempérer l'~; être porté, inciter, porter à l'~.* L'~ est de rigueur, prévaut, règne, renaît.

OPTION alléchante, avantageuse, claire, compliquée, décisive, discutable, fondamentale, hasardeuse, (im)parfaite, précise, provisoire, réalisable, réaliste, saine, séduisante, viable. *Choisir, donner, éliminer, examiner, prendre, rejeter, retenir, soumettre une ~; définir, fixer les ~s.*

OPULENCE débridée, certaine, excessive, exorbitante, extrême, insolente, permanente, prodigieuse, scandaleuse, soudaine, subite. *Être, nager, vivre dans l'~.*

OR (métal) affiné, brut, fin, massif, pur, véritable, vieil, vierge, vrai; (ses couleurs) blanc, gris, jaune, mat, patiné, rose, rouge, rougeoyant, sombre, terne. *Aviver, battre, polir l'~; affiner, chercher, ciseler, exporter, extraire, trouver de l'~.* ♦ (Sport) *Arracher, décrocher, gagner, obtenir, prendre, rafler, rater, remporter l'~.*

ORAGE affreux, apaisé, bref, calmé, carabiné, dévastateur, effrayant, énorme, épouvantable, faible, formidable, fort, gros, imminent, isolé, lointain, menaçant, puissant, soudain, spectaculaire, subit, terrible, violent. *Annoncer, braver, craindre, essuyer, subir, voir monter/se former un ~.* Un ~ approche, couve, éclate, gronde, menace, passe, recommence, rôde, s'abat, s'annonce, s'apaise, se déchaîne, se déclare, se dissipe, s'élève, s'éloigne, se prépare, survient.

ORANGE agressif, ardent, brillant, chaleureux, chaud, clair, criard, délavé, doux, éclatant, enflammé, fade, foncé, intense, métallisé, pâle, prononcé, rosé, safrané, soutenu, vif.

ORATEUR, TRICE admirable, agréable, bon, brillant, captivant, charismatique, concis, convaincant, distingué, doué, efficace, éloquent, enflammé, ennuyeux, entraîné, excellent, faible, fastidieux, fougueux, froid, glacial, grand, grandiloquent, habile, illustre, impétueux, infatigable, inlassable, inspiré, lamentable, lourd, maladroit, monotone, passionné, pathétique, pauvre, persuasif, piètre, pompeux, puissant, remarquable, talentueux, tonnant, véhément, verbeux. *Applaudir, apprécier, chahuter, interrompre, siffler un ~; répondre à un ~.*

ORCHESTRE bruyant, excellent, grand, nombreux, petit, prestigieux, tonitruant. *Conduire, diriger, engager un ~; jouer dans un ~.* Un/l'~ accorde ses instruments, évolue, s'accorde, se produit, s'exécute, sonne.

ORDINATEUR convivial, désuet, équipé, géant, lent, multimédia, obsolète, performant, (ultra)puissant, rapide, sophistiqué, vétuste. *Allumer, éteindre, pirater, programmer, utiliser un ~; dialoguer, interagir avec un ~; s'introduire dans un ~; disposer, se servir d'un ~; s'installer devant un ~; écrire, pianoter, tapoter, travailler sur un ~; se mettre à l' ~; être, être rivé à/devant son ~.* Un ~ gèle, (se) plante, tombe en panne.

ORDONNANCE courte, illisible, longue, renouvelable. *Composer, délivrer, donner, écrire, exécuter, faire, formuler, griffonner, préparer, prescrire, rédiger, suivre une ~.*

ORDRE (*succession régulière*) admirable, aléatoire, alphabétique, approximatif, arbitraire, ascendant, certain, chronologique, (dé)croissant, défini, définitif, descendant, (in)déterminé, dispersé, habituel, hiérarchique, immuable, interrompu, logique, naturel, numérique, quelconque, rigoureux, subtil, utile. *Classer, mettre dans un/l' ~ (+ adj.); classer, ranger par ~ (+ adj.); disposer en ~ (+ adj.); arrêter, changer, déterminer, établir, inverser, invertir, modifier, renverser un/l' ~ de qqch.* ♦(*légalité*) défaillant, établi, strict. *Assurer, (r)établir, faire régner, maintenir, perturber, ramener, restaurer, troubler l'~.* L'~ est restauré, se rétablit. ♦(*méthode, bonne organisation*) absolu, harmonieux, impeccable, merveilleux, maniaque, parfait, relatif. *Aimer l'~; avoir, mettre de l'~; manquer d'~; (re)mettre, tenir en ~.* ♦(*commandement, directive*) absolu, approximatif, bref, (in)cohérent, cruel, (in)direct, doux, dur, équitable, explicite, exprès, formel, impératif, impitoyable, important, inconditionnel, inexécutable, intempestif, irrévocable, menaçant, péremptoire, précis, pressant, prompt, raisonnable, rapide, rigoureux, rude, sec, secret, sévère, solennel, timide. *Aboyer, annuler, contourner, contremander, crier, décréter, délivrer, dicter, diffuser, donner, ébaucher, édicter, enfreindre, exécuter, jeter, lancer, notifier, recevoir, rédiger, réitérer, rejeter, renouveler, renverser, reporter, retirer, révoquer, suivre, transgresser, transmettre, violer un/des ~(s); acquiescer, contrevenir, donner suite, (dés)obéir, obtempérer, se conformer, se plier, se soumettre à un/aux ~(s).*

ORDRE DU JOUR (sur)chargé, immuable, léger, lourd, minuté, minutieux, précis, rigide, rigoureux, serré, strict, varié. *Adopter, bouleverser, demander, épuiser, établir, observer, perturber, proposer, rédiger, rejeter, voter un/l'~; être, figurer, inscrire, mettre, passer, porter, s'en tenir à l'~; rayer de l'~.*

ORDURE biodégradables, domestiques, fétides, humides, immondes, ménagères, nauséabondes, organiques, puantes, recyclables, radioactives, sèches, souillées. *Balayer, (dé)charger, déposer, enlever, incinérer, ramasser, traiter, vider des/les ~s; jeter, mettre aux ~s; s'occuper des ~s; assurer la collecte/l'enlèvement/le ramassage des ~s.*

OREILLE (<u>écoute</u>) accueillante, amusée, attentive, avide, bienveillante, bonne, bouchée, chaste, complaisante, compréhensive, curieuse, délicate, (in)discrète, distraite, dure, (in)exercée, fausse, favorable, fine, indulgente, infaillible, juste, longue, musicale, parfaite, sensible, sourde, tendue. *Avoir, posséder, prêter, tendre une ~ (+ adj.); écouter d'une ~ (+ adj.); dresser, fermer, ouvrir, prêter, tendre l'~; assourdir, blesser, charmer, déchirer, écorcher, étourdir, ravir, satisfaire, se boucher les ~s; avoir de l'~; manquer d'~.* ♦(<u>Anatomie</u>) (dé)collées, écartées, énormes, épaisses, grandes, hautes, immenses, larges, minuscules, ourlées, percées, petites, poilues, pointues, transparentes, velues. *Avoir l'/les ~(s) (+ adj.); chuchoter, glisser, murmurer, se pencher, souffler à l'~; retentir, sonner, tinter aux ~s.* ♦(<u>~ d'un animal</u>) aplaties, couchées, courtes, droites, fines, larges, longues, mobiles, pendantes, petites, pointues, rabattues, soyeuses. *Coucher, dresser, pointer, remuer les ~s.*

ORGANISATION (<u>planification</u>) (in)adaptée, brouillonne, bureaucratique, calamiteuse, (in)cohérente, (in)complète, complexe, compliquée, concertée, constante, coordonnée, défectueuse, déficiente, déplorable, désastreuse, désordonnée, difficile, (in)efficace, énorme, éprouvée, équilibrée, exceptionnelle, facile, faible, forte, générale, graduelle, impeccable, implacable, impressionnante, intelligente, légère, lente, logique, lourde, marginale, mauvaise, méthodique, méticuleuse, minutieuse, (im)parfaite, pertinente, planifiée, pointilleuse, préalable, précise, progressive, raffinée, rapide, rationnelle, régulière, remarquable, rigide, rigoureuse, rodée, rudimentaire, scientifique, sérieuse, simple, soignée, solide, sommaire, sophistiquée, souple, stricte, systématique. *Achever, améliorer, confier, entreprendre, mettre au point l'~ de qqch.; participer, prendre part, procéder à l' ~ de qqch.; manquer d'~.* ♦(<u>organisme, entreprise</u>) florissante, gigantesque, grande, grosse, immense, importante, influente, (ultra)moderne, performante, prospère, puissante, tentaculaire. *Fonder, gérer, lancer, liquider, monter, ouvrir, présider une ~; adhérer, se joindre à une ~; faire partie d'une ~.*

ORGANISME (<u>corps</u>) complexe, faible, fort, fragile, grand, gros, minuscule, robuste, sain, simple, usé, vivant. ♦(<u>association, bureau, organisation</u>) bureaucratique, central, compétent, dynamique, énergique, florissant, grand, gros, immense, important, indépendant, influent, international, local, mondial, national, officiel, performant, petit, privé, prospère, public, puissant, spécialisé, tentaculaire. *Administrer, créer, diriger, fonder, gérer, mettre sur pied, présider, représenter un ~; adhérer, avoir recours, faire appel, se joindre à un ~; faire partie d'un ~.*

ORGUEIL absolu, arrogant, aveugle, bafoué, blessé, congénital, débordant, dédaigneux, déguisé, démesuré, déplacé, déséquilibré, désinvolte, dissimulé, exagéré, excessif, extraordinaire, extrême, faible, féroce, foncier, forcené, formidable, fort, gigantesque, grand, gros, humilié, hystérique, imbécile, immense, immodéré, imprudent, incommensurable, incroyable, indescriptible, indomptable, inflexible, inimaginable, inouï, insensé, insolent, insoutenable, insupportable, jaloux, juste, justifié, légitime, maladif, mauvais, méprisant, monstrueux, monumental, noble, obstiné, outré, (im)puissant, refoulé, réprimé, respectable, ridicule, (mal)sain, secret, singulier, sot, stupide, subtil, suprême, susceptible, téméraire, terrifiant, tranquille, tyrannique, vif, viscéral. *Avoir, manifester, montrer, posséder un ~ (+ adj.); être, être doué, faire preuve, souffrir d'un ~ (+ adj.); abaisser, (r)abattre, blesser, briser, chatouiller, diminuer, dompter, exalter, faire taire, flatter, humilier, nourrir, offenser, refouler, réprimer, vaincre l'/son ~; avoir, montrer, ressentir de l'~; être atteint/blessé, souffrir dans son ~; être bouffi/enflé/gonflé/rempli d'~.*

ORIGINAL *Consulter, respecter, trahir l'~; être conforme, se conformer à l'~; lire (un auteur, etc.) dans l'~; s'écarter, s'éloigner de l'~.*

ORIGINALITÉ absolue, affolante, apparente, audacieuse, bouleversante, certaine, charmante, confondante, criante, débordante, déconcertante, éclatante, étonnante, exceptionnelle, excessive, exemplaire, exquise, extraordinaire, fascinante, folle, frappante, géniale, impressionnante, incomparable, incontestable, inouïe, limitée, marquée, naturelle, notoire, phénoménale, profonde, rafraîchissante, rare, recherchée, réelle, remarquable, renversante, saisissante, séduisante, sidérante, singulière, stupéfiante, superficielle, totale, véritable. *Constituer, présenter une ~; (re)chercher, fuir, refuser, susciter l'~; montrer de l'~; être incapable, faire preuve, manquer d'~.*

ORIGINE ancienne, (in)certaine, claire, commune, (in)connue, (in)contestable, (in)contestée, controversée, crédible, (in)déterminée, (in)discutable, douteuse, évidente, (in)exacte, floue, ignorée, illustre, immémoriale, lointaine, mauvaise, modeste, mystérieuse, noble, obscure, opaque, populaire, (im)précise, probable, proche, simple, singulière, sûre, trouble, unique, variée, vraisemblable. *Avoir, posséder une ~ (+ adj.); être d' ~ (+ adj.); chercher, connaître, déceler, déterminer, élucider, établir, étudier, ignorer, invoquer, rechercher, trouver l'~ de qqn/qqch.; remonter à l'~ de qqch.*

ORTHOGRAPHE (in)acceptable, (in)adéquate, affreuse, (in)appropriée, approximative, calamiteuse, capricieuse, catastrophique, chancelante, (in)cohérente, complexe, compliquée, consternante, convenable, (in)correcte, décente, défaillante, défectueuse, déficiente, déplorable, désastreuse, douteuse, épouvantable, erronée, (in)exacte, excellente, fantaisiste, farfelue, fautive, floue, hasardeuse, hésitante, impeccable, incertaine, irréprochable, lamentable, maîtrisée, mauvaise, médiocre, négligée, (im)parfaite, pauvre, (ir)régulière, simple, simplifiée, soignée, sûre. *Acquérir, avoir, employer, posséder, utiliser une ~ (+ adj.); écrire avec une ~ (+ adj.); améliorer, apprendre, chercher, connaître, corriger, ignorer, maîtriser, observer, rectifier, respecter, savoir, soigner, surveiller, vérifier une/l'/son ~; douter d'une/de l' ~; être brouillé avec l'~; être bon/excellent/faible/fort/mauvais/nul, progresser, se perfectionner en ~.*

OS brisé, broyé, cassé, déboîté, décharné, démis, disloqué, dur, énorme, fêlé, fendu, fracassé, fracturé, gros, long, luxé, moelleux, nu, petit, plat, pointu, rompu, solide, tendre. *(se) Briser, (se) casser, (se) démettre, (se) déplacer, (se) disloquer, (se) fracturer, plâtrer, remboîter,* *remettre, (se) rompre, se luxer un ~.* Un ~ craque, se déboîte, se démet, se fracture.

OSSATURE bonne, délicate, épaisse, exceptionnelle, fine, forte, fragile, grêle, grosse, grossière, importante, imposante, légère, lourde, massive, menue, mince, moyenne, nette, petite, puissante, robuste, saillante, saine, solide, souple. *Avoir, posséder une ~ (+ adj.); disposer, être doté/pourvu d'une ~ (+ adj.)* .

OTAGE consentant, docile, infortuné, innocent, malheureux, précieux, (in)volontaire. *Donner, échanger, libérer, massacrer, prendre, relâcher, rendre, saisir un/des ~(s); être retenu, prendre comme ~; servir d'~; garder, être emmené/gardé, prendre, retenir, s'offrir en ~.*

OUBLI blâmable, bref, complet, condamnable, considérable, criant, criminel, définitif, délibéré, éternel, (in)excusable, fâcheux, fatal, flagrant, important, incroyable, injurieux, intentionnel, irrévocable, (in)juste, (in)justifié, léger, long, manifeste, (im)mérité, momentané, (im)pardonnable, passager, profond, provisoire, regrettable, (ir)réparable, sérieux, stupéfiant, terrible, total, troublant, (in)volontaire. *Commettre, compenser, faire, pallier, (se faire) pardonner, racheter, réparer un ~; chercher, trouver l'~; sombrer, (re)tomber dans l'~; émerger, sauver, surgir, tirer de l'~.*

OUI beau, bref, catégorique, clair, (in)conditionnel, convaincu, emphatique, enthousiaste, définitif, faible, ferme, final, fort, franc, laconique, maigre, massif, mou, net, poli, rassurant, relatif, retentissant, sec, timide, vague.

OUÏE affinée, aiguisée, attentive, bonne, défectueuse, déficiente, délicate, (sur)développée, dure, efficace, endommagée, excellente, exceptionnelle, fine, incroyable, intacte, juste, normale, parfaite, réduite, remarquable, saine, sélective, (ultra)sensible, subtile. *Avoir, posséder une ~ (+ adj.); avoir l' ~ (+ adj.)* .

OURAGAN affaibli, affreux, déchaîné, désastreux, dévastateur, effroyable, énorme, épouvantable, faible, formidable, fort, furieux, grand, horrible, immense, imminent, imprévisible, majeur, menaçant, mineur, puissant, redoutable, soudain, spectaculaire, subit, terrible, violent. *Affronter, annoncer, craindre, essuyer, subir un ~; échapper, résister, survivre à un ~; disparaître, être coincé/emporté/pris, périr dans un ~.* Un/l' ~ approche, augmente, balaie, couve, déferle, éclate, faiblit, fait rage, frappe, menace, redouble, s'affaiblit, s'amplifie, se déchaîne, s'élève, s'éloigne, se prépare, s'essouffle, sévit, souffle.

OUTIL (in)adapté, (in)adéquat, bon, capricieux, (in)commode, compliqué, court, dangereux, défectueux, délicat, dérisoire, efficace, émoussé, essentiel, extraordinaire, fabuleux, fiable, formidable, fragile, indispensable, inemployé, intelligent, inutilisable, irremplaçable, léger, lourd, maniable, mauvais, obsolète, (ultra)perfectionné, performant, polyvalent, pratique, précieux, précis, puissant, révolutionnaire, rudimentaire, sensible, simple, solide, sommaire, tranchant, (in)utile, vétuste, vieil. *Affûter, aiguiser, fabriquer, façonner, manier, maîtriser, posséder, ranger, tenir, utiliser un ~; se servir d'un ~.*

OUTILLAGE adéquat, approprié, complet, coûteux, désuet, impressionnant, obsolète, rudimentaire, sophistiqué, spécial, vétuste. *Moderniser, renouveler un ~.*

OUVRAGE (besogne, tâche, travail) accompli, achevé, ardu, bousillé, complexe, compliqué, délicat, difficile, ébauché, excellent, facile, fastidieux, fatigant, fin, géant, gros, magnifique, manqué, médiocre, (im)parfait, patient, pénible, précieux, précis, rude, salissant, simple, superbe, urgent, varié. *Accomplir, achever, effectuer, entreprendre, exécuter, faire, finir, parfaire, réaliser, terminer un ~; travailler à un ~; mettre la main, se (re)mettre, se tuer à l'~; avoir beaucoup, manquer d'~.* ♦ (écrit, œuvre) admirable, agréable, alambiqué, ardu, aride, attachant, austère, bel, bon, bref, brillant, capital, captivant, célèbre, clair, commode, concis, confus, court, dense, difficile, distrayant, divertissant, éblouissant, éclairant, épais, érudit, étonnant, excellent, excentrique, exécrable, exhaustif, facile, faible, fantastique, fascinant, fastidieux, fondamental, formidable, fort, grand, grave, gros, hilarant, important, imposant, inclassable, inégal, insipide, inspiré, instructif, intelligent, intéressant, judicieux, léger, (il)lisible, long, luxueux, magnifique, majeur, maladroit, manqué, mauvais, médiocre, mineur, modeste, monotone, monumental, neuf, objectif, original, palpitant, passionnant, percutant, pertinent, poignant, pratique, précis, prenant, prodigieux, profond, rafraîchissant, rare, rébarbatif, recherché, remarquable, reposant, réussi, rigoureux, savant, savoureux, sec, séduisant, sérieux, singulier, stimulant, sublime, superficiel, touchant, touffu, utile, vieil, volumineux. *Analyser, apprécier, composer, consulter, critiquer, dévorer, écrire, entreprendre, (re)fermer, lire, ouvrir, parcourir, publier, rédiger, terminer un ~; se reporter à un ~; jeter un coup d'œil sur un ~.*

OUVRIER, IÈRE acharné, (mal)adroit, assidu, (in)attentif, bon, (in)capable, (in)compétent, consciencieux, courageux, débutant, dévoué, doué, efficace, épuisé, excellent, (in)expérimenté, gauche, grand, (mal)habile, honnête, industrieux, infatigable, inlassable, intermittent, jeune, laborieux, lent, mauvais, médiocre, méticuleux, minutieux, motivé, novice, ordonné, patient, performant, persévérant, piètre, ponctuel, rapide, qualifié, saisonnier, sérieux, soigneux, surmené, talentueux, vieil. *Congédier, embaucher, employer, licencier, mettre à pied, payer, recruter, remercier, renvoyer un ~.*

OVATION assourdissante, bruyante, chaleureuse, délirante, discrète, énorme, enthousiaste, faible, forte, frénétique, furieuse, générale, grande, immense, longue, polie, prolongée, soudaine, spontanée, tumultueuse, vive. *Déclencher, faire, provoquer, recevoir, soulever une ~; être accueilli/salué par une ~; être l'objet d'une ~; déchaîner les ~s.* Une ~ dure, enfle, monte, s'élève, s'éteint.

P

PACIFISME actif, agressif, angélique, ardent, aveugle, béat, dangereux, douteux, éclairé, engagé, exacerbé, extrême, fort, inconditionnel, intégral, lucide, militant, modéré, naïf, outrancier, passif, radical, rigoureux, simpliste, total, traditionnel, utopique, virulent, viscéral. *Adopter, afficher, déployer, manifester, pratiquer, prôner un ~ (+ adj.); être, faire preuve d'un ~ (+ adj.).*

PACIFISTE acharné, actif, ardent, convaincu, doux, engagé, extrémiste, féroce, irréductible, modéré, naïf, passif, pur et dur, radical, sincère, virulent.

PACTE alléchant, bon, caduc, (in)conditionnel, définitif, durable, écrit, éternel, (in)formel, fragile, global, grand, historique, honteux, inviolable, laborieux, limpide, mauvais, obsolète, occulte, officiel, officieux, précaire, provisoire, scandaleux, secret, solide, substantiel, tacite, tortueux, vague, valable. *Accepter, annuler, briser, conclure, dénoncer, détruire, faire, former, imposer, négocier, passer, proposer, ratifier, refuser, rejeter, respecter, rompre, sceller, signer, violer un ~; accéder, adhérer, manquer à un ~.* Un/le ~ intervient, prend fin, tient.

PAGE (feuille) blanche, déchirée, détachée, écornée, gribouillée, griffonnée, (im)maculée, noircie, quadrillée, raturée, vierge. *Arracher, déchirer, détacher, écorner, feuilleter, marquer, noircir, perdre, raturer, remplir, retrouver, tourner une/des/la/les ~(s); gribouiller, griffonner sur une/les ~(s).* ♦(passage) admirable, brûlante, captivante, célèbre, choisie, claire, curieuse, éloquente, ennuyeuse, étonnante, excellente, exquise, faible, fameuse, forte, immortelle, importante, intense, intéressante, lumineuse, magnifique, médiocre, palpitante, passionnée, pittoresque, profonde, remarquable, savoureuse, simple, sublime, triste, verbeuse.

PAIE décente, (in)équitable, faible, grosse, infime, (in)juste, modique, pauvre. *Distribuer, geler, hausser, plafonner, recevoir, réduire, relever, toucher, verser une/la/sa ~.*

PAIEMENT abusif, (in)adéquat, anticipé, (in)approprié, arriéré, automatique, (in)complet, comptant, différé, (in)direct, dû, échelonné, effectif, électronique, élevé, excessif, (in)exigible, final, forfaitaire, global, graduel, gros, hâtif, immédiat, indu, initial, intégral, (in)justifié, maximal, maximum, minimal, minimum, partiel, petit, pratique, préalable, progressif, rapide, (ir)régulier, simple, tardif, total, traditionnel, unique, virtuel. *Accepter, ajourner, annuler, anticiper, arrêter, avancer, bloquer, différer, échelonner, effectuer, émettre, exiger, faire, interrompre, obtenir, opérer, recevoir, réclamer, remettre, retarder, suspendre un/des/les/ses ~(s); être en avance/retard dans ses ~s.*

PAIN artisanal, blanc, brûlé, bon, brun, chaud, complet, croustillant, croûté, cuit, décoré, délicieux, dur, épais, farineux, fendu, frais, grillé, léger, long, lourd, mince, moisi, noir, nourrissant, petit, plat, rassis, rond, rustique, savoureux, sec, spécial, succulent, tendre, torsadé, tranché, tressé. *Beurrer, couper, cuire, émietter, faire, grignoter, mâcher, manger, pétrir, rompre, taillader, trancher le/du ~.*

PAIX (in)acceptable, (dés)avantageuse, bâclée, bienfaisante, boiteuse, (in)certaine, (in)complète, compromise, constante, courte, définitive, douce, douteuse, durable, effective, éphémère, (in)équitable, éternelle, extraordinaire, factice, faible, fausse, (dé)favorable, féconde, feinte, ferme, florissante, forcée, forte, fragile, glorieuse, grande, honorable, honteuse, imposée, indécise, inébranlable, joyeuse, (in)juste, lente, longue, menacée, minimale, momentanée, nécessaire, négociée, passagère, permanente, perpétuelle, planétaire, précaire, profitable, prompte, prospère, provisoire, rapide, réelle, rompue, salutaire, sereine, sincère, solide, (in)stable, temporaire, tranquille, trompeuse, universelle, véritable, vraie. *Accepter, accorder, affermir, apporter, assurer, (re)bâtir, chercher, cimenter, compromettre, conclure, conserver, consolider, construire, décider, défendre, demander, désirer, détruire, enterrer, entretenir, espérer, (r)établir, faciliter, faire, faire avancer/régner, forcer, fortifier, fragiliser, garantir, goûter, implorer, imposer, maintenir, menacer, négocier, observer, obtenir, offrir, perturber, prêcher, préserver, procurer, promouvoir, proposer, ramener, ratifier, réclamer, refuser, renforcer, restaurer, rompre, sauvegarder, sauver, sceller, servir, signer, solliciter, souhaiter, supprimer, torpiller, troubler, (re)trouver, vouloir la ~; aboutir, applaudir, aspirer, faire obstacle, parvenir, renoncer à la ~; bénéficier, jouir de la ~; lutter, œuvrer, opter, plaider, se battre pour la ~; s'acheminer vers la ~; être, rester, vivre en ~.* La ~ règne, se réduit, se conclut, s'installe.

PALAIS (<u>*édifice*</u>) abandonné, ancien, classé, décrépit, détruit, enchanté, énorme, fastueux, fortifié, grandiose, historique, immense, imposant, impressionnant, inaccessible, lugubre, luxueux, magique, magnifique, majestueux, merveilleux, modernisé, pittoresque, privé, ravissant, restauré, riche, ruiné, sombre, somptueux, superbe, vieux. *Habiter, visiter un ~; entrer, pénétrer dans un ~.* Un ~ se dresse. ♦(<u>*Anatomie*</u>) délicat, desséché, exercé, fin, friand, infaillible, subtil. *Avoir le ~ (+ adj.); chatouiller, flatter, gâter le ~.*

PÂLEUR anémique, blafarde, blême, cadavérique, cireuse, diaphane, effrayante, effroyable, étrange, extraordinaire, extrême, impressionnante, incroyable, intense, livide, maladive, marmoréenne, mate, mortelle, singulière, spectrale, verdâtre. *Prendre, présenter une ~ (+ adj.); être d'une ~ (+ adj.).*

PALIER colossal, étroit, grand, immense, large, minuscule, monumental, petit, spacieux, vaste, vétuste. *Arriver, donner, rester, s'arrêter, sortir sur un/le ~.*

PANCARTE discrète, énorme, géante, grande, immense, jolie, minuscule, modeste, petite. *Accrocher, afficher, apposer, arborer, brandir, bricoler, clouer, coller, exhiber, fabriquer, faire, fixer, installer, mettre, planter, porter, poser, réaliser, tenir une ~; être affublé/muni d'une ~.* Une ~ affirme, annonce, dit, indique, proclame, prévient, signale.

PANIQUE affreuse, angoissée, brève, collective, désespérée, désordonnée, destructrice, diffuse, effroyable, épouvantable, extrême, folle, grande, grave, horrible, immense, indescriptible, indicible, insidieuse, insurmontable, intense, intérieure, (in)justifiée, légère, maladive, mortelle, mystérieuse, passagère, permanente, pétrifiante, profonde, soudaine, sourde, subite, terrible, vague, vive, vraie. *Connaître, éprouver, ressentir, vivre une ~ (+ adj.); être en proie à une ~ (+ adj.); souffrir d'une ~ (+ adj.); causer,* *créer, déclencher, inspirer, jeter, mater, produire, provoquer, répandre, semer, susciter, vaincre une/la ~; céder, être enclin/sujet à la ~; être gagné/pris par la/de ~.* Une/la ~ culmine, monte, règne, se manifeste, se produit, s'installe.

PANNE brève, courte, fréquente, énorme, gigantesque, grave, immense, intermittente, longue, malencontreuse, prolongée, sèche, sérieuse, totale. *Connaître une ~ (+ adj.); souffrir d'une ~ (+ adj.); avoir, chercher, constater, provoquer, régler, réparer, trouver une ~; être victime d'une ~; être, rester, tomber en ~.* Une ~ a lieu, se produit, survient.

PANNEAU ample, énorme, étroit, géant, gigantesque, grand, immense, large, long, minuscule, modeste, petit, rectangulaire. *Accrocher, afficher, apposer, arborer, brandir, clouer, coller, exhiber, fabriquer, faire, fixer, installer, mettre, placarder, planter, porter, poser, réaliser, tenir un ~.* Un ~ affirme, annonce, dit, indique, prévient, signale.

PANORAMA accidenté, admirable, agréable, ample, apaisant, âpre, brumeux, bucolique, champêtre, changeant, charmant, désert, désertique, désolé, enchanteur, énorme, époustouflant, étendu, étonnant, étrange, exceptionnel, extraordinaire, fabuleux, fantastique, féerique, formidable, géant, gracieux, grandiose, harmonieux, idyllique, immense, imposant, impressionnant, incomparable, inégalable, infini, inoubliable, inouï, intéressant, joli, lunaire, luxuriant, magnifique, majestueux, mélancolique, merveilleux, minéral, paradisiaque, pittoresque, plaisant, privilégié, ravissant, remarquable, reposant, riant, romantique, saisissant, sauvage, séduisant, serein, somptueux, spacieux, spectaculaire, splendide, sublime, superbe, surprenant, tourmenté, unique, varié, vaste, verdoyant, vertigineux. *Offrir, présenter un ~ (+ adj.); jouir d'un ~ (+ adj.); admirer, apprécier, contempler, découvrir, décrire, observer, regarder un/le ~.* Un/le ~ défile, se dégage, se déroule, s'étend, s'offre, s'ouvre.

PANSEMENT énorme, épais, étroit, grand, gros, immense, improvisé, lâche, large, léger, long, mince, propre, serré, sommaire, souillé, stérile, temporaire. *Appliquer, changer, confectionner, effectuer, (dé)faire, mettre, ôter, renouveler, retirer, (des)serrer, stériliser un ~; être couvert de ~s.*

PANTALON ajusté, ample, avachi, bariolé, bizarre, bouffant, chaud, chic, cintré, clair, classique, collant, (in)confortable, convenable, correct, court, criard, décontracté, défraîchi, délabré, démodé, désuet, droit, effiloché, effrangé, élégant, élimé, étroit, évasé, fatigué, flottant, fripé, froissé, impeccable, indémodable, informe, infroissable, inusable, juste, lâche, large, léger, lourd, luisant, mode, moulant, plissé, pressé, propre, râpé, résistant, ridicule, sale, sali, serré, seyant, simple, sobre, sombre, souple, strict, taché, uni, usé, vaste. *Boutonner, descendre, enfiler, enlever, fermer, (re)mettre, ôter, passer, porter, quitter, remonter, retirer un/son ~; flotter, nager dans son ~; être en ~.*

PAPERASSE inutiles, superflues, vieilles. *Classer, écrire, feuilleter, ranger, rédiger, remuer, signer des ~s; alourdir, diminuer, multiplier la ~.*

PAPIER (matière) absorbant, brillant, couché, épais, filigrané, fin, fort, gaufré, glacé, gommé, grand, granuleux, griffonné, gros, grossier, jauni, ligné, lissé, margé, mat, mauvais, millimétré, mince, moiré, noirci, opaque, précieux, quadrillé, rayé, recyclé, réglé, résistant, satiné, solide, souple, translucide, transparent, usagé, velouté, vierge. *Employer, noircir, rayer du ~; coucher, dessiner, écrire, jeter sur du ~; écrire, mettre sur ~.* ♦(document, note) confidentiel, important, précieux, secret, vieux. *Brûler, cacher, (re)classer, compulser, consulter, jeter, ranger, réunir, signer un/des ~(s); mettre de l'ordre, rechercher dans des/ses ~s.* ♦(Presse) *Envoyer, faire, lire, pondre, rédiger un ~.* ♦(~s d'identité) en règle, faux, valables, valides. *Demander à qqn, faire viser, présenter ses ~s.*

PAPILLON bariolé, bigarré, coloré, commun, diapré, diurne, énorme, éphémère, exotique, farouche, folâtre, fragile, géant, grand, gros, immense, imposant, joli, léger, lourd, magnifique, majestueux, menacé, menu, migrateur, minuscule, multicolore, nocturne, petit, pourpré, protégé, rare, ravissant, remarquable, robuste, superbe, terne, vif. *Attraper, capturer, prendre un ~; chasser, pourchasser des ~s; courir après les ~s.* Un ~ bat des ailes, butine, palpite, prend son envol, s'envole, se pose, vole, volette, voltige.

PAQUEBOT délabré, échoué, élégant, englouti, énorme, géant, gigantesque, grand, gros, imposant, large, long, lourd, luxueux, magnifique, (ultra)moderne, naufragé, neuf, petit, rapide, rouillé, rutilant, transatlantique, vaste, ventru, vieux. *Conduire, diriger, gouverner, manœuvrer, piloter, prendre, quitter un ~; embarquer, être à bord d'un ~; descendre, sortir d'un ~; (s')embarquer, monter, se promener, voyager sur un ~.* Un ~ appareille, coule, échoue, est à quai/au large, fait escale/naufrage, lève l'ancre, mouille, navigue, prend la mer, s'amarre, s'échoue, s'engloutit, sombre, vogue.

PAQUET affranchi, cacheté, embarrassant, encombrant, énorme, enveloppé, étroit, ficelé, fin, gros, immense, large, léger, long, lourd, mince, ouvert, petit, plat, scellé, volumineux. *Affranchir, apporter, cacheter, emporter, envelopper, envoyer, expédier, (dé)faire, faire parvenir, fermer, ficeler, lier, ouvrir, porter, poster, recevoir, recommander, remettre, retourner, transporter un ~.*

PARADOXE absurde, admirable, apparent, cruel, curieux, dangereux, énorme, étonnant, étrange, extraordinaire, faible, faux, fondamental, fort, frappant, grand, hardi, incroyable, ingénieux, insoutenable, ironique, joli, léger, majeur, mince, mineur, monumental, profond, saisissant, savoureux, singulier, stupéfiant, sublime, superbe, surprenant, véritable, vrai. *Avancer, constater, constituer, créer, dénoncer, éclairer, réaliser, réfuter, représenter, résoudre, soutenir, vivre un ~; aimer, atteindre, cultiver, manier le ~; nager en plein ~.*

PARAGRAPHE anodin, bref, clair, compliqué, concis, confus, court, équivoque, incisif, interminable, laconique, limpide, long, lourd, obscur, précis, simple, succinct. *Biffer, écrire, lire, rédiger, supprimer un ~.*

PARALLÈLE (comparaison, rapprochement) absurde, abusif, approfondi, approximatif, audacieux, bon, bref, délicat, direct, éclairant, éloquent, exact, excellent, explicite, farfelu, (dé)favorable, fin, flatteur, frappant, grand, gros, grotesque, hâtif, (mal)heureux, important, instructif, intéressant, joli, juste, odieux, original, réducteur, rigoureux, saisissant, simpliste, subtil. *Développer, dresser, esquisser, établir, faire, former, instituer, relever, tracer un ~; soutenir le ~; entrer, mettre en ~.* ♦ (*Mathématique*) *Mener, tirer une ~.*

PARALYSIE bilatérale, (in)complète, définitive, évolutive, générale, intermittente, irréversible, lente, limitée, locale, majeure, momentanée, partielle, passagère, permanente, persistante, progressive, temporaire, totale. *Causer, connaître, engendrer, entraîner, provoquer une ~ (+ adj.); être atteint/frappé, souffrir d'une ~ (+ adj.).* Une ~ se produit, survient.

PARAPLUIE cassé, défectueux, déployé, fragile, immense, large, (ultra)léger, long, lourd, mauvais, minuscule, ouvert, replié, résistant, retourné, robuste, télescopique, troué, vieux. *Avoir, déployer, étendre, fermer, ouvrir, (re)plier, porter, prendre, remiser, rouler, tenir un/son ~; se protéger, sortir avec un ~; être affublé/armé/équipé/muni, s'embarrasser, se munir, se nantir, s'encombrer, s'équiper, se servir d'un ~; s'abriter, se mettre sous un ~.*

PARC (*jardin*) abandonné, admirable, agréable, arboré, boisé, calme, charmant, clos, délicieux, élégant, énorme, entretenu, étroit, exigu, fastueux, féerique, fleuri, gigantesque, grand, grandiose, immense, impeccable, large, long, luxuriant, magnifique, minuscule, modeste, muré, naturel, odorant, ombragé, (dés)ordonné, paisible, paysager, petit, plaisant, ravissant, silencieux, soigné, solitaire, sombre, somptueux, spacieux, splendide, tranquille, vaste, verdoyant, vert, vétuste. *Visiter un ~; aller, entrer, errer, jouer, se promener dans un ~; donner, ouvrir sur un ~.* ♦ (*~ de stationnement*) gardé, payant. *Garer/laisser/mettre sa voiture dans un ~.*

PARCOURS accidenté, agréable, arboré, audacieux, balisé, capricieux, entretenu, éreintant, extraordinaire, facile, fléché, (in)habituel, immuable, incroyable, insolite, intéressant, jalonné, laborieux, lent, linéaire, long, mouvementé, ombragé, original, plat, rapide, rectiligne, remarquable, simple, sinueux, spectaculaire, sportif, tortueux, tumultueux, varié. *Accomplir, couvrir, effectuer, emprunter, établir, réaliser, tracer un ~.*

PARDON absolu, complet, (in)conditionnel, définitif, facile, feint, généreux, humiliant, mutuel, partiel, rapide, sincère, superficiel, tardif, total. *Accorder, demander, donner, implorer, mendier, obtenir, octroyer, offrir un/le/son ~.*

PARENT (*famille, proche*) éloigné, immédiat, lointain, maternel, paternel, proche. *Rencontrer un ~; être/se prétendre ~ de qqn.* ♦ (*père et mère*) adoptifs, affectueux, aimants, aisés, (in)aptes, attentionnés, autoritaires, biologiques, bons, chaleureux, comblés, (in)compétents, (in)compréhensifs, dénaturés, (in)dignes, distants, divorcés, doux, durs, égoïstes, excellents, exceptionnels, exigeants, faibles, formidables, forts, fortunés, froids, généreux, (mal)heureux, indifférents, indulgents, intelligents, laxistes, mauvais, méchants, médiocres, merveilleux, modestes, mous, naturels, négligents, normaux, (extra)ordinaires, parfaits, pauvres, permissifs, piètres, prévoyants, protecteurs, (ir)responsables, riches, sévères, souples, (in)stables, stricts, (in)tolérants, (dés)unis, vigilants, violents. *Avoir des ~s (+ adj.); adorer, déprécier, détester, exalter ses ~s; (dés)obéir à ses ~s.*

PARENTÉ (descendance, origine, famille) certaine, compliquée, (in)directe, éloignée, étroite, immédiate, lointaine, proche, vague. ♦(rapport) apparente, artificielle, cachée, (in)directe, étonnante, étrange, étroite, évidente, frappante, incontestable, indéniable, profonde, réelle, troublante. *Avoir, constater, établir, montrer, offrir, présenter une ~ (+ adj.).*

PARENTHÈSE brève, courte, explicative, fermante, fermée, longue, indispensable, ouverte, ouvrante, petite, (in)utile. *Faire, fermer, insérer, introduire, ouvrir une ~; mettre entre ~s.*

PARESSE agréable, aimable, chronique, congénitale, coupable, crasse, déplorable, douce, effroyable, engourdie, énorme, excessive, extrême, forte, grande, heureuse, honteuse, horrible, immense, incorrigible, incroyable, incurable, indicible, inégalée, inexcusable, inguérissable, inimaginable, insurmontable, intolérable, invétérée, invincible, légère, méritée, molle, monumentale, naturelle, négligente, notoire, passagère, persistante, profonde, proverbiale, rare, rêveuse, soudaine, terrible, voluptueuse. *Être, faire preuve d'une ~ (+ adj.); combattre, dompter, favoriser, inciter, pourchasser, secouer, stimuler, suer, vaincre la/sa ~; être enclin, inciter, s'abandonner, se laisser aller à la ~; croupir, vivre dans la ~.* Une/la ~ règne, s'installe.

PARFUM acide, âcre, (dés)agréable, agressif, aigre, amer, âpre, aromatique, bizarre, bon, capiteux, captivant, cher, classique, coûteux, délectable, délicat, délicieux, discret, douceâtre, doux, chaud, enivrant, entêtant, envahissant, envoûtant, éthéré, étourdissant, étrange, éventé, excitant, exécrable, exquis, fade, faible, fétide, fin, fort, frais, fugace, grisant, horrible, incomparable, inconnu, indéfinissable, insidieux, insupportable, intense, irrésistible, irritant, léger, lourd, mauvais, médiocre, musqué, nauséabond, obsédant, odorant, pénétrant, (im)perceptible, persistant, piquant, prononcé, puissant, raffiné, repoussant, répugnant, riche, sauvage, séduisant, soutenu, suave, subtil, suffocant, tenace, tendre, tiède, troublant, unique, vague, violent, vivifiant, voluptueux, vulgaire. *Avoir un ~ (+ adj.); aspirer, dégager, émettre, exhaler, humer, percevoir, pulvériser, répandre, respirer, savourer, sentir, vaporiser un ~; être embaumé/imprégné d'un ~; appliquer, mettre du ~; s'inonder de ~.* Un ~ émane, embaume, entête, envahit, flotte, imprègne, incommode, monte, se dissipe, s'échappe, se perd, se répand, s'évapore, traîne, vole.

PARI (in)accessible, ambitieux, audacieux, clair, colossal, concret, courageux, dangereux, délicat, difficile, essentiel, facile, formidable, fou, gagné, généreux, gigantesque, grand, gros, hasardeux, inédit, joyeux, louable, majeur, manqué, mauvais, modeste, monumental, noble, osé, perdu, (im)possible, (im)prudent, (dé)raisonnable, raté, (ir)réaliste, réussi, risqué, rude, (in)sensé, sérieux, stimulant, téméraire, (in)tenable, tenu, (in)utile, vain. *Accepter, concrétiser, constituer, engager, faire, gagner, lancer, offrir, oser, perdre, prendre, proposer, réaliser, relever, remporter, réussir, tenir, tenter un/son ~*. Un ~ échoue, réussit.

PARLEMENT *Ajourner, consulter, convoquer, dissoudre, proroger, renouveler, rétablir, réunir en session le ~; siéger au ~*. Le ~ est en vacances, inaugure sa session, s'ajourne, se dissout, se réunit, siège.

PARLER choquant, direct, doux, étranger, fleuri, franc, gracieux, juste, lent, nasillard, particulier, précis, propre, riche, rude, soigné, tranchant, truculent, vrai, vulgaire. *Avoir un/le/son ~ (+ adj.).*

PAROI (mur, muraille, cloison) ajourée, aveugle, basse, énorme, épaisse, étroite, fissurée, fragile, haute, immense, large, lisse, longue, mince, mobile, nue, pleine, résistante, rugueuse, solide. *Abattre, (a)baisser, bâtir, construire, démolir, élever, escalader, installer, monter, raser, renforcer une ~*. ♦ (~ rocheuse) abrupte, (in)accessible, accidentée, artificielle, difficile, élevée, énorme, escarpée, étroite, facile, fissurée, friable, glissante, immense, imposante, impressionnante, infranchissable, large, lisse, longue, majestueuse, pierreuse, raide, rugueuse, spectaculaire, surplombante, (quasi) verticale, vertigineuse. *Descendre, escalader, franchir, gravir une ~; s'accrocher, s'attaquer à une ~; descendre, grimper, monter, progresser, se hisser, s'élever le long d'une ~; évoluer, progresser sur une ~.*

PAROLE (mot, façon de parler) absurde, acerbe, acérée, (in)adéquate, (mal)adroite, affable, agaçante, (dés)agréable, agressive, aigre, aimable, ambiguë, amère, (in)amicale, (in)appropriée, arrogante, banale, basse, belle, bienveillante, blessante, bonne, brève, brusque, brutale, captivante, caressante, célèbre, choquante, claire, (in)compréhensible, compromettante, conciliante, confuse, (in)cohérente, creuse, crue, cruelle, cynique, décevante, désarmante, difficile, (in)discrète, (in)distincte, douce, dure, (in)efficace, élogieuse, embarrassée, emportée, enflammée, engageante, énigmatique, enjôleuse, entraînante, équivoque, étonnante, fâcheuse, facile, fameuse, fatidique, fielleuse, fière, flatteuse, foisonnante, froide, gracieuse, grandiloquente, grasse, grave, grosse, grossière, hachée, historique, impérative, incongrue, inconsidérée, inconvenante, injurieuse, insignifiante, insinuante, intelligente, (in)intelligible, intarissable, intempestive, irréparable, joyeuse, judicieuse, (in)juste, lente, luxuriante, magique, malveillante, mémorable, menaçante, méprisante, mielleuse, mordante, mystérieuse, naïve, narquoise, nasillarde, nette, (dés)obligeante, obscène, obscure, offensante, oiseuse, ordurière, outrageante, pâteuse, persuasive, (im)pertinente, piquante, précieuse, précipitée, proférée, profonde, prononcée, provocante, (dé)raisonnable, rapide, rapportée, rassurante, recherchée, redoutable, regrettable, (ir)réfléchie, remarquable, rude, saccadée, salutaire, sarcastique, (in)sensée, sinistre, simple, sincère, solennelle, sonore, spirituelle, sublime, superflue, tendre, touchante, traînante, tranchante, translucide, transparente, troublante, (in)utile, vacillante, vaine, véridique, vide, violente, vive, vulgaire. *Avoir une/la ~ (+ adj.); articuler, balbutier,* *bredouiller, citer, crier, échanger, émettre, exprimer, faire entendre, grommeler, hurler, laisser échapper, mâchonner, marmonner, murmurer, percevoir, proférer, prononcer, rapporter, regretter une/des ~(s); adresser, céder, couper, demander, donner, enlever, obtenir, ôter, passer, prendre la ~; calculer, ménager, mesurer, peser, surveiller ses ~s; être modéré dans ses ~s; être avare/prodigue, se griser, s'enivrer de ~s.* ♦ (promesse) alléchante, authentique, belle, consolante, convaincante, décourageante, donnée, encourageante, favorable, ferme, fidèle, (in)formelle, franche, hypocrite, inconsistante, infaillible, irrévocable, légère, mensongère, négative, positive, (im)prudente, séduisante, sérieuse, téméraire, tenue, timide, trompeuse. *Dégager, donner, (dés)engager, réitérer, rendre, reprendre, retirer, tenir sa ~; être fidèle, manquer à sa ~; revenir sur sa ~; être, manquer de ~; croire sur ~.*

PAROXYSME aggravé, aigu, effrayant, exceptionnel, final, grave, inégalé, inouï, rare, surprenant, terrible, violent. *Atteindre, constituer, être, représenter un ~; aboutir, atteindre, conduire, être, porter à un/son ~.*

PARQUET astiqué, brillant, carrelé, ciré, clair, craquant, encrassé, étincelant, flottant, froid, glacé, huilé, impeccable, (re)luisant, lustré, marqueté, massif, mat, miroitant, neuf, noueux, poussiéreux, propre, raboteux, rayé, résistant, sale, sali, satiné, silencieux, sonore, souillé, terne, terni, vieux, vitrifié. *Astiquer, cirer, entretenir, frotter, laver, nettoyer, poncer, ternir, vernir, vitrifier un ~.* Un ~ craque, ploie.

PART accrue, appréciable, augmentée, confortable, considérable, (dé)croissante, démesurée, dérisoire, diminuée, écrasante, (in)égale, énorme, (in)équitable, équivalente, essentielle, faible, forte, généreuse, gigantesque, grande, grandissante, grosse, immense, importante, inférieure, infime, insignifiante, (in)juste, large, légère, (il)limitée, lourde, maximale, minimale, minime, modeste, négligeable, notable, petite, prépondérante, principale, (dis)proportionnée, (dis)proportionnelle, réduite, secondaire, significative, substantielle, supérieure, variable. *Abandonner, allouer, assigner, augmenter, avoir, conquérir, demander, diminuer, distribuer, exiger, obtenir, payer, recevoir, réduire, (se) réserver, vouloir une/des/sa ~(s); diviser en ~s.*

PARTAGE (in)acceptable, (in)adéquat, (in)approprié, arbitraire, bon, clair, complet, (in)correct, définitif, difficile, douloureux, (in)égal, (dés)équilibré, (in)équitable, facile, final, (in)formel, général, généreux, global, harmonieux, (mal)heureux, honnête, inique, initial, intelligent, (in)juste, mauvais, net, parcimonieux, partiel, proportionnel, provisoire, raisonnable, rationnel, rigoureux, total, (in)volontaire. *Accepter, approuver, assurer, effectuer, opérer, rejeter un ~; participer, procéder à un ~; être lésé dans un ~; avoir, donner, recevoir en ~.*

PARTENAIRE actif, (in)adéquat, bon, chevronné, clé, (in)compétent, confirmé, crédible, crucial, difficile, dynamique, (in)efficace, encombrant, énergique, enthousiaste, essentiel, excellent, (in)expérimenté, facile, faible, fiable, (in)fidèle, fort, idéal, important, incontournable, indéfectible, indispensable, intelligent, irremplaçable, (dé)loyal, majeur, mauvais, médiocre, minable, mineur, négligeable, passif, piètre, précieux, prestigieux, privilégié, redoutable, respecté, respectueux, sérieux, significatif, (in)stable, stratégique, sûr, utile. *(re)Chercher, choisir, dénicher, trouver un ~; négocier avec un ~.*

PARTENARIAT actif, bon, contraignant, créatif, crucial, difficile, durable, dynamique, (in)efficace, élargi, énergique, (dés)équilibré, étroit, excellent, faible, facile, fiable, fort, fragile, (in)fructueux, (mal)heureux, intelligent, lâche, large, mauvais, passif, permanent, précaire, précieux, productif, puissant, sain, solide, souple, (in)stable, stratégique, viable. *Bâtir, (re)chercher, conclure, consolider, créer, développer, élaborer, établir, former, maintenir, mettre en place/sur pied, négocier, nouer, renforcer un ~; agir, se mettre, travailler en ~.* Un ~ prend fin, se noue, s'établit.

PARTI adverse, conservateur, corrompu, (in)cohérent, crédible, critique, disparate, dissident, dynamique, extrémiste, faible, fort, grand, hétérogène, homogène, influent, minuscule, modéré, moribond, naissant, nouveau, petit, puissant, rebelle, réformiste, révolutionnaire, rival, structuré, (dés)uni, unique, vaincu, vainqueur, victorieux, vieux, vigoureux. *Abandonner, affaiblir, conduire, constituer, décapiter, défendre, diriger, dissoudre, fonder, forger, former, fortifier, interdire, lancer, mener, présider, quitter, rejoindre, ressusciter, (re)structurer, unifier, (dés)unir un ~; adhérer, appartenir, cotiser, être inscrit, s'affilier, se joindre, se rallier, s'inscrire à un ~; admettre, (s')engager qqn, (s')enrôler qqn, entrer, être, être admis, militer dans un ~; décrocher, être exclus d'un ~; travailler, voter pour/contre un ~; changer de ~.* Un ~ disparaît, naît, se désagrège, se forme, se renouvelle, se scinde, se sclérose.

PARTIALITÉ affligeante, appréhendée, aveugle, certaine, confondante, consternante, coupable, criante, éhontée, évidente, extraordinaire, flagrante, frappante, grande, grotesque, inadmissible, inique, réelle, révoltante, scandaleuse, systématique, terrible. *Manifester, montrer une ~ (+ adj.); être, faire preuve d'une ~ (+ adj.); manifester, montrer de la ~; accuser qqn, être accusé/suspect de ~.*

PARTICIPANT, ANTE acharné, actif, ardent, assidu, chevronné, compétent, dévoué, efficace, enthousiaste, essentiel, excellent, fidèle, grand, important, inconditionnel, mauvais, modeste, occasionnel, passif, précieux, (ir)régulier, sérieux.

PARTICIPATION accrue, active, bénévole, bienveillante, bonne, brève, compétente, considérable, constante, continue, courte, décevante, dérisoire, déterminante, dévouée, difficile, (in)directe, effective, (in)efficace, élevée, enthousiaste, entière, étendue, étroite, excellente, exceptionnelle, facile, faible, forcée, forte, (in)fructueuse, gracieuse, incertaine, inestimable, intense, (dés)intéressée, (il)limitée, longue, maigre, massive, maximale, mauvaise, minimale, médiocre, modeste, obligatoire, occasionnelle, optimale, partielle, passive, permanente, persistante, piètre, ponctuelle, (im)possible, précieuse, prolongée, réelle, (ir)régulière, rémunérée, responsable, (in)satisfaisante, sérieuse, significative, substantielle, (in)suffisante, symbolique, systématique, totale, (in)volontaire. *Apporter, offrir, proposer sa ~.*

PARTICULARITÉ amusante, bizarre, caractéristique, commune, curieuse, essentielle, étrange, exceptionnelle, extraordinaire, extrême, fondamentale, grande, importante, incroyable, intéressante, majeure, marquante, mineure, notable, originale, petite, principale, propre, rare, remarquable, spécifique, universelle, utile. *Avoir, offrir, posséder, présenter une ~.*

PARTIE (<u>*part, portion, élément*</u>) bonne, centrale, considérable, constituante, constitutive, croissante, délimitée, éminente, énorme, essentielle, étendue, faible, forte, grande, grosse, immense, imposante, impressionnante, infime, intégrante, (li)limitée, maigre, majeure, menue, mince, mineure, négligeable, petite, restreinte, significative, substantielle. *Céder, obtenir, perdre, posséder, prendre une ~; agencer, coordonner, équilibrer, harmoniser, rassembler les ~s; diviser, répartir en ~s.* ♦ (<u>*Sport, cartes*</u>) acharnée, agitée, amicale, animée, âpre, bonne, brillante, brutale, calme, convaincante, cruciale, débridée, décevante, décisive, décousue, défensive, délicate, difficile, disputée, dure, (in)égale, époustouflante, (dés)équilibrée, (in)équitable, exceptionnelle, explosive, fermée, gagnée, grande, hasardeuse, héroïque, houleuse, impeccable, imperdable, implacable, importante, indécise, intéressante, interminable, interrompue, laborieuse, lente, longue, (dé)loyale, magnifique, mauvaise, médiocre, monotone, mouvementée, musclée, nulle, offensive, ouverte, parfaite, passionnante, pauvre, perdue, petite, physique, piètre, plate, prolongée, ratée, remarquable, réussie, riche, rude, serrée, spectaculaire, superbe, tendue, violente, virile. *Ajourner, arbitrer, commencer, commenter, conduire, décommander, disputer, entreprendre, faire, gagner, interrompre, jouer, livrer, maîtriser, mener, organiser, perdre, perturber, remporter, reporter, suivre, suspendre, voir une ~; assister à une ~; s'entraîner pour une ~.*

PARTI PRIS évident, flagrant, irrévocable, systématique, tenace. *Accentuer, renforcer un ~; éviter le ~; être, être dénué de ~; avoir, montrer du ~; juger sans ~.*

PARTISAN, ANE acharné, actif, ardent, avoué, aveugle, chaleureux, chaud, convaincu, déclaré, dévoué, enthousiaste, extrémiste, fanatique, farouche, fervent, forcené, honteux, implacable, important, inconditionnel, indéfectible, intolérant, lâche, modéré, passionné, radical, résolu, sincère, solide, total, zélé. *Enrôler, gagner, racoler, recruter des ~s.*

PARURE ancienne, brillante, délicate, discrète, éblouissante, élégante, étincelante, exubérante, extravagante, originale, précieuse, raffinée, scintillante, simple, sobre, somptueuse, spectaculaire. *Arborer, offrir, porter, recevoir, revêtir une ~.*

PARVENU, UE grossier, insolent, polisson, riche.

PAS (<u>*allure, démarche, marche*</u>) accéléré, agile, agité, aisé, alerte, allègre, alourdi, appesanti, assuré, balancé, bon, bondissant, cadencé, chaloupé, chancelant, claudicant, court, décidé, défaillant, déterminé, discret, (in)égal, élastique, énergique, ferme, feutré, flottant, furtif, gauche, glissé, grand, gymnastique, hâtif, hésitant, incertain, intrépide, joyeux, léger, lent, leste, long, lourd, magistral, majestueux, maladroit, maniéré, mesuré, nonchalant, oscillant, paresseux, pesant, précipité, précis, pressé, raide, rapide, (ir)régulier, (ir)résolu, rythmé, saccadé, sautillant, silencieux, sonore, souple, sourd, sûr, timide, titubant, traînant, tranquille, triomphant, uniforme, vif, vite. *Aller, avancer, marcher, trottiner d'un ~ (+ adj.); aller, arriver, avancer, descendre, entrer, marcher, monter, s'éloigner, sortir à ~ (+ adj.); ébaucher, effectuer, entendre, exécuter, faire un ~; avancer, reculer, se déplacer d'un ~; accélérer, allonger, cadencer, conserver, forcer, garder, hâter, maintenir, marquer, modérer, précipiter, presser, raccourcir, ralentir, traîner le/son/ses ~.* Un ~ résonne, se fait entendre, s'éteint. ♦ (progrès, cheminement, étape, difficulté) bon, considérable, craintif, dangereux, décisif, déterminant, difficile, énorme, essentiel, fatal, formidable, (in)fructueux, grand, immense, important, limité, mauvais, modeste, négatif, petit, positif, premier, prudent, sérieux, supplémentaire, timide. *Accomplir, effectuer, exécuter, faire, franchir un ~ (+ adj.).*

PASSAGE (lieu) abrupt, (in)connu, dangereux, désert, difficile, encombré, escarpé, étranglé, étroit, exigu, facile, fréquenté, glissant, interdit, large, libre, resserré, secret, sinueux, sombre, tortueux, voûté, sûr. *Barrer, boucher, connaître, dégager, donner, élargir, embouteiller, établir, fermer, fournir, garder, intercepter, interdire, libérer, ménager, obstruer, offrir, pratiquer, surveiller, trouver un ~.* ♦ (venue, va-et-vient) bref, continu, continuel, fréquent, incessant, ininterrompu, interminable, lent, rapide, raté, réussi. *Accélérer, assurer, attendre, autoriser, barrer, boucher, céder, dégager, empêcher, favoriser, (se) frayer, gêner, interdire, laisser, marquer, observer, (s') ouvrir, provoquer, refuser, se faire un/le ~ à/de qqn/qqch.* ♦ (transition) aisé, automatique, brusque, brutal, chaotique, complexe, compliqué, continu, délicat, difficile, (in)direct, facile, furtif, graduel, harmonieux, (mal)heureux, immédiat, inévitable, inexorable, instantané, laborieux, lent, obligé, (dés)ordonné, pénible, (im)perceptible, progressif, rapide, raté, régulier, réussi, (ir)réversible, (in)sensible, simple, soudain, spectaculaire, subit, subtil, temporaire, tranquille. *Assurer, faire, opérer un/le ~.* ♦ (~ d'un livre, un paragraphe, une ligne) admirable, banal, beau, bon, brillant, calamiteux, capital, captivant, caractéristique, célèbre, choisi, clair, complexe, compliqué, court, curieux, difficile, drôle, édifiant, émouvant, ennuyeux, essentiel, étonnant, excellent, facile, fameux, illisible, important, indéchiffrable, inédit, (in)intelligible, intéressant, large, long, lumineux, maladroit, obscur, précis, raté, remarquable, réussi, savoureux, significatif, simple, travaillé, tronqué. *Analyser, apprécier, biffer, citer, commenter, comprendre, (re)copier, déchiffrer, développer, éclaircir, effacer, illustrer, interpréter, jouer, (re)lire, réciter, relever, reproduire, retrancher, (faire) sauter, souligner, supprimer, (re)transcrire, travailler, tronquer un ~; renvoyer, se reporter à un ~.*

PASSANT, ANTE affairé, attardé, distrait, égaré, isolé, perdu, pressé, solitaire; clairsemés, rares. *Aborder, accrocher, apostropher, arrêter, croiser, épier, guetter, happer, heurter, interpeller, interroger, interviewer, racoler, renseigner un ~; se heurter à un ~.* Des ~s circulent, s'arrêtent, se coudoient, se hâtent, se retournent, se saluent.

PASSE brillante, décisive, faible, fine, foudroyante, habile, puissante, (im)précise, rapide, réussie, somptueuse. *Exécuter, faire, rater, réussir une ~.*

PASSÉ abominable, brillant, brûlant, catastrophique, chargé, charmant, clair, (in)connu, controversé, cruel, dérangeant, détruit, difficile, disparu, douloureux, douteux, éloigné, encombrant, embarrassant, évanoui, fabuleux, facile, fascinant, fastueux, florissant, glorieux, grand, grandiose, héroïque, (mal)heureux, honorable, illustre, immédiat, immémorial, impénétrable, inoubliable, irréprochable, léger, lointain, long, louche, lourd, magnifique, monotone, mort, mouvementé, mystérieux, mythique, nébuleux, obscur, opulent, oublié, paisible, perdu, pesant, prestigieux, proche, prodigieux, rassurant, récent, reculé, refoulé, renié, ressuscité, révolu, riche, (mal)sain, secret, sérieux, sombre, terrible, tragique, tranquille, trouble, tumultueux, vrai. *Avoir un ~ (+ adj.); abolir, accepter, actualiser, affronter, assumer, chasser, commémorer, comprendre, confesser, connaître, contempler, éclairer, effacer, embellir, enterrer, évoquer, faire renaître, glorifier, ignorer, interpréter, interroger, juger, justifier, liquider, oublier, protéger, quitter, (se) rappeler, reconstituer, récrire, rectifier, regretter, (se) remémorer, renier, respecter, ressasser, ressusciter, retrouver, revisiter, revivre, revoir, ruminer, scruter, se fabriquer, se représenter un/le/son ~; accéder, appartenir, être accroché/attaché, s'accrocher, se reporter, songer, tourner le dos au/à son ~; renouer, rompre, se réconcilier, vivre avec le ~; être figé, fouiller, pénétrer, remonter, se complaire, s'enfoncer, se réfugier, se reporter, s'évanouir, se transporter, vivre dans le/son ~; garder le silence, revenir, se pencher, se recroqueviller, tirer un trait sur le/son ~; être fier/guéri/libéré/prisonnier de son ~.* Le ~ refait surface, ressuscite, resurgit.

PASSEPORT contrefait, diplomatique, douteux, en règle, étranger, faux, individuel, ordinaire, périmé, personnel, prorogé, (ir)régulier, renouvelable, renouvelé, spécial, temporaire, valable, valide. *Accorder, avoir, confectionner, confisquer, contrôler, délivrer, demander, détenir, égarer, établir, examiner, exhiber, exiger, (se) faire faire, falsifier, montrer, obtenir, perdre, posséder, présenter, (se) procurer, réclamer, remettre, renouveler, retirer, solliciter, (faire) viser un/son ~; disposer, être en possession/muni/nanti/porteur/pourvu, se munir d'un ~; être démuni/dépourvu de ~.*

PASSE-TEMPS (dés)agréable, amusant, collectif, créatif, difficile, distrayant, enrichissant, exigeant, facile, favori, idéal, intelligent, intéressant, laborieux, ludique, occasionnel, passionnant, permanent, plaisant, prenant, préféré, relaxant, (mal)sain, solitaire, sporadique, utile. *Apprendre, (se) découvrir, pratiquer, (se) trouver un ~; s'adonner, se consacrer, se livrer, s'initier à un ~.*

PASSION affolante, ambitieuse, (in)apaisée, ardente, assoupie, assouvie, attendrie, aveugle, brève, brûlante, brutale, calme, contagieuse, courte, cruelle, déchaînée, délicieuse, destructrice, dévastatrice, dévorante, diffuse, dominante, domptée, douloureuse, effrénée, égoïste, endormie, enragée, enrichissante, enthousiaste, envahissante, éperdue, éphémère, éteinte, étrange, euphorique, exaspérée, excessive, excitée, exclusive, extrême, faible, fatale, fébrile, féroce, folle, forte, fougueuse, frémissante, frénétique, fugitive, funeste, furieuse, générale, généreuse, grande, haineuse, (mal)heureuse, imaginaire, immuable, impérieuse, impétueuse, impitoyable, inapaisable, incessante, incurable, indestructible, indomptable, inexplicable, inextinguible, infinie, inouïe, inquiète, insatiable, insensée, insurmontable, intempestive, intense, intransigeante, invincible, irraisonnée, irrationnelle, irrésistible, jalouse, maladive, mauvaise, (im)modérée, morte, muette, mûre, mystique, naissante, noble, obscure, orageuse, partagée, passagère, platonique, puissante, ravageuse, refoulée, refrénée, refroidie, ridicule, romanesque, (mal)saine, (in)satisfaite, secrète, sentimentale, silencieuse, sincère, solide, stérile, subite, suprême, tardive, tenace, terrible, tranquille, trouble, tumultueuse, turbulente, tyrannique, unique, usée, véhémente, vigoureuse, violente, vitale, vive, volcanique, vraie. *Agiter, (r)allumer, amortir, assouvir, attiser, avoir, avouer, cacher, calmer, canaliser, contenir, déchaîner, déclarer, développer, dominer, dompter, émousser, émouvoir, enflammer, éprouver, étaler, éteindre, étouffer, éveiller, exacerber, exciter, exprimer, faire taire, feindre, fortifier, inspirer, irriter, libérer, maîtriser, modérer, montrer, nourrir, renforcer, refréner, refroidir, réprimer, ressentir, retenir, satisfaire, sublimer, suivre, susciter, témoigner, vaincre, vivre une/des/la/les/sa/ses ~(s); céder, commander, être en proie, obéir, résister, s'adonner, se laisser aller à une/la/aux ~(s); lutter contre une/les/ses ~(s); guérir, se défaire, triompher d'une/de ses ~(s); être aveuglé/emporté/miné/secoué par une/la/ses ~(s); être captif/l'esclave/maître/prisonnier de ses ~s; discuter, parler avec/sans ~.* Une ~ couve, croît, dévore, naît, ressuscite, s'assoupit, s'assouvit, s'attise, se calme, se déclenche, se réveille, s'éteint, s'évapore, sommeille.

PASSIVITÉ aberrante, absolue, ambiante, complète, coupable, déconcertante, déplorable, désespérante, effrayante, énorme, exagérée, excessive, extrême, forte, grande, immense, incorrigible, incroyable, incurable, inexcusable, inexplicable, irrémédiable, irresponsable, lamentable, notoire, passagère, profonde, systématique, totale, végétative. *Afficher, manifester, montrer une ~ (+ adj.); être, faire montre/preuve d'une ~ (+ adj.); combattre, encourager, secouer, vaincre la ~; condamner, contraindre, être condamné/contraint/réduit, faire face, inciter, pousser, réagir, réduire, se laisser aller à la ~; sombrer, (re)tomber, vivre dans la ~.*

PÂTE (~ à tarte, etc.) claire, compacte, coulante, dure, épaisse, feuilletée, fine, friable, homogène, légère, liquide, lisse, lourde, onctueuse, visqueuse. *Obtenir une ~ (+ adj.); faire lever, laisser reposer, malaxer, pétrir, tourner, travailler la ~.* ♦(fromage) bleue, cassante, collante, coulante, crémeuse, ferme, fermentée, filée, fine, fondante, fraîche, homogène, moelleuse, moisie, molle, onctueuse, persillée, pressée, souple, tendre, veloutée. *Avoir une ~ (+ adj.).*

PATHOLOGIE aiguë, banale, bénigne, chronique, complexe, compliquée, contagieuse, (in)curable, dangereuse, douloureuse, durable, endémique, épidémique, fatale, générale, grande, grave, héréditaire, infectieuse, (in)guérissable, latente, légère, lente, longue, lourde, mortelle, mystérieuse, passagère, permanente, rare, récidivante, sérieuse, sévère, simple, soudaine, silencieuse, terrible, transmissible, virale, virulente. *Avoir, présenter une ~ (+ adj.); être atteint, souffrir d'une ~ (+ adj.); attraper, contracter, déceler, dépister, détecter, développer, diagnostiquer, guérir, prévenir, provoquer, soigner, soupçonner, traiter, vaincre une ~.*

PATIENCE admirable, angélique, attentive, bienveillante, constante, douce, durable, émoussée, énorme, éprouvée, exceptionnelle, exemplaire, extraordinaire, extrême, forcée, grande, héroïque, immense, inaltérable, incroyable, indulgente, inégalable, inépuisable, infatigable, infinie, inlassable, inouïe, intéressée, invincible, lente, (il)limitée, longue, méritoire, obstinée, opiniâtre, remarquable, résignée, soumise, soutenue, tenace, unique. *Avoir, manifester, montrer une (+ adj.); émousser, éprouver, épuiser, exercer, fatiguer, irriter, lasser, mettre à rude épreuve la ~ de qqn; avoir, déployer, exiger, manifester, montrer, témoigner de la ~; être à bout, manquer, redoubler, s'armer, se munir, user de ~.*

PATIENT, IENTE agité, agressif, amaigri, ambulant, ambulatoire, angoissé, anxieux, capricieux, contagieux, épuisé, exigeant, fiévreux, gémissant, grave, hospitalisé, incurable, infectieux, intransportable, (in)opérable, léger, lourd, pâle. *Ausculter, examiner, hospitaliser, opérer, panser, soigner, suivre, surveiller, traiter, visiter, voir un ~.*

PATINEUR, EUSE agile, gracieux, infatigable, médiocre, piètre, spectaculaire, virtuose.

PÂTISSERIE appétissante, fameuse, chaude, croustillante, délectable, délicate, délicieuse, énorme, excellente, exquise, fade, feuilletée, fine, fraîche, légère, lourde, mince, nourrissante, odorante, raffinée, savoureuse, succulente, tentante. *Acheter, confectionner, faire, manger, réaliser, savourer une ~; se régaler d'une ~; aimer les ~s; confectionner, faire, vendre de la ~; se bourrer de ~s.*

PATRIE adoptive, chère, idéale, menacée, nouvelle, seconde, véritable, vraie. *Avoir, bâtir, créer, fonder, vouloir une ~; aimer, chérir, défendre, délivrer, fuir, libérer, quitter, renier, sauver, servir, trahir la/sa ~; mourir, se dévouer, verser son sang pour la ~; être sans ~.*

PATRIMOINE abondant, appréciable, considérable, diversifié, énorme, exceptionnel, extraordinaire, fabuleux, faible, fantastique, formidable, fragile, grandiose, immense, important, imposant, impressionnant, incomparable, inestimable, intact, intéressant, joli, magnifique, maigre, menacé, mince, modeste, naturel, opulent, pauvre, précieux, préservé, protégé, remarquable, respectable, riche, unique, varié, vaste. *Avoir, posséder un ~ (+ adj.); jouir d'un ~ (+ adj.); accroître, accumuler, acquérir, administrer, augmenter, conserver, défendre, dilapider, diminuer, dissiper, engloutir, enrichir, entamer, faire fructifier, garder, gaspiller, gérer, grossir, maintenir, mettre en valeur, préserver, promouvoir, protéger, restaurer, se constituer, valoriser un/le/son ~.*

PATRIOTE ardent, authentique, convaincu, courageux, désintéressé, dévoué, éclairé, éminent, engagé, fanatique, farouche, faux, fervent, idéaliste, intègre, mauvais, modéré, notoire, progressiste, sincère.

PATRIOTISME ardent, aveugle, belliqueux, éclairé, éprouvé, étouffant, étroit, exacerbé, exagéré, exalté, exceptionnel, excessif, exemplaire, factice, faible, fanatique, farouche, fervent, flamboyant, fort, frénétique, intelligent, ostentatoire, outré, raisonné, (mal)sain, sourcilleux, stéréotypé, tiède. *Afficher, manifester, montrer un ~ (+ adj.); être animé, faire preuve, témoigner d'un ~ (+ adj.); engendrer, exalter,* *heurter, promouvoir, ranimer, raviver, renforcer, stimuler le ~; être vibrant, manquer de ~.*

PATRON, ONNE autoritaire, bienveillant, bon, charismatique, compétent, compréhensif, conciliant, (in)contesté, controversé, débonnaire, despotique, efficace, énergique, estimé, exceptionnel, exigeant, formidable, gentil, grand, (mal)honnête, (in)humain, incontestable, indiscutable, (in)juste, mauvais, merveilleux, moderne, ouvert, paternaliste, prospère, puissant, redoutable, redouté, rétrograde, tyrannique. *Avoir, être un ~ (+ adj.).*

PATTE allongées, courbes, courtes, dégriffées, délicates, fines, fortes, grandes, grêles, grosses, larges, lisses, longues, menues, minces, musclées, onglées, palmées, petites, puissantes, robustes, rugueuses, trapues, vigoureuses. *Avoir des/les ~(s) (+ adj.); donner, tendre la ~.*

PAUME calleuse, courte, dure, fermée, humide, longue, moite, ouverte, renversée, tendue.

PAUPIÈRE abaissées, affaissées, (demi-) baissées, battantes, battues, bouffies, boursouflées, bridées, cernées, (demi-) closes, collées, écartées, épaisses, fatiguées, fermées, flasques, flétries, gonflées, lasses, levées, longues, lourdes, minces, mobiles, obliques, palpitantes, pesantes, plissées, rougies, tombantes, transparentes. *Avoir des/les ~(s) (+ adj.); (a)baisser, cligner, écarter, fermer, laisser retomber, lever, ouvrir, plisser, relever, remuer, sécher, serrer, soulever la/les/ses ~(s); battre, ciller des ~s.* Des ~s battent, clignent, palpitent, papillotent, titillent.

PAUSE brève, courte, interminable, légère, longue, méritée, petite, prolongée, rafraîchissante, régénératrice, sacrée, salutaire, significative. *(s') Accorder, connaître, demander, faire, goûter, marquer, observer, (s')octroyer, (s')offrir, prendre une ~; ajouter, continuer, dire, reprendre après une ~; profiter d'une ~.*

PAUVRE famélique, honteux, miséreux, pitoyable. *Aider, secourir les ~s; donner aux ~s.*

PAUVRETÉ abjecte, absolue, accrue, apparente, chronique, constante, criante, croissante, cruelle, diffuse, dure, endémique, extrême, fière, galopante, généralisée, grande, grandissante, grave, heureuse, hideuse, honteuse, horrible, humble, inacceptable, insouciante, massive, méprisée, misérable, noble, noire, omniprésente, persistante, pitoyable, profonde, rampante, rare, réelle, relative, sordide, silencieuse, terrible, totale, tragique, visible. *Aggraver, atténuer, augmenter, combattre, connaître, éliminer, engendrer, éradiquer, faire reculer, perpétuer, réduire, supprimer, vaincre la ~; échapper, s'attaquer à la ~; lutter contre la ~; croupir, demeurer, être, grandir, s'enfoncer, s'installer, sombrer, vivre dans la ~; sortir de la ~; afficher, cacher, étaler sa ~.* La ~ apparaît, augmente, diminue, disparaît, empire, progresse, prospère, recule, règne, régresse, se maintient, s'installe.

PAVÉ disjoint, distordu, (in)égal, glissant, gras, humide, luisant, raboteux, (ir)régulier, rocailleux, sonore, uni, usé. *Enfoncer, enlever, poser des ~s.*

PAYS accidenté, accueillant, agricole, ami, arriéré, avancé, barbare, belliqueux, bénéficiaire, charmant, civilisé, commercial, cosmopolite, complexe, déficitaire, démocratique, (sous-)développé, dévasté, divisé, dominant, dominateur, donateur, éloigné, endetté, ennemi, énorme, étendu, étrange, étranger, évolué, exportateur, faible, (dé)favorisé, florissant, fort, gigantesque, (in)gouvernable, grand, homogène, (in)hospitalier, immense, importateur, indépendant, (sous-)industrialisé, industriel, jeune, libre, lointain, magnifique, merveilleux, microscopique, minuscule, misérable, modeste, montagneux, multiethnique, mystérieux, nanti, neuf, neutre, opulent, pacifique, paisible, passionnant, pauvre, petit, (sur)peuplé, plat, policé, populeux, proche, producteur, prospère, puissant, ravagé, retardataire, riche, ruiné, sauvage, sinistré, souverain, (in)stable, totalitaire, tropical, unifié, vallonné, vaste, vieux, voisin, (in)vivable. *Administrer, aimer, bâtir, conduire, conquérir, (re)construire, découvrir, défendre, démanteler, dépouiller, déstabiliser, détester, détruire, diriger, diviser, dominer, envahir, gérer, gouverner, libérer, morceler, occuper, organiser, parcourir, (dé)peupler, piller, prendre, quitter, ravager, redresser, relever, ruiner, saccager, sillonner, soumettre, traverser, unifier, visiter, voir un ~; s'acclimater à un ~; entrer, pénétrer, rester, se fixer, se rendre, s'installer dans un ~; sortir d'un ~; rentrer, retourner, revenir au ~; changer de ~.*

PAYSAGE (*site, vue*) abrupt, accidenté, accueillant, admirable, apaisant, âpre, aride, attrayant, austère, authentique, bétonné, boisé, bruineux, brumeux, bucolique, calme, chaotique, champêtre, changeant, charmant, chatoyant, contrasté, dégradé, dépouillé, désert, désertique, désolant, dévasté, divin, doux, dramatique, dur, émouvant, enchanteur, époustouflant, étendu, étonnant, étrange, exaltant, exceptionnel, extraordinaire, fantastique, féerique, formidable, gracieux, grandiose, harmonieux, idyllique, immense, immuable, imposant, impressionnant, incomparable, infini, inoubliable, irréel, joli, lugubre, lumineux, lunaire, magnifique, majestueux, maussade, mélancolique, merveilleux, monotone, montagneux, morne, mystérieux, navrant, onduleux, paisible, pittoresque, plaisant, plat, remarquable, reposant, romantique, saccagé, saisissant, sauvage, sec, serein, sévère, sinistre, sombre, somptueux, spacieux, spectaculaire, splendide, sublime, surprenant, surréaliste, terne, touffu, tourmenté, tragique, triste, vallonné, vaporeux, varié, vaste, verdoyant, vertigineux, vierge, violent. *Admirer, apprécier, conserver, contempler, découvrir, décrire, entretenir, gâter, masquer, mutiler, piller, préserver, regarder, savourer un ~; être en accord, s'harmoniser avec le ~.* Un/le ~ défile, se déroule, s'étend, s'offre au regard. ♦(*peinture*) *Dessiner, esquisser, peindre un ~.*

PEAU abîmée, ambrée, anémique, basanée, belle, blanche, blonde, boutonneuse, brillante, bronzée, brune, brunie, calleuse, cireuse, claire, crevassée, cuivrée, délicate, diaphane, dorée, douce, dure, éblouissante, éclatante, écorchée, épaisse, exquise, ferme, fine, flasque, flétrie, foncée, fragile, fraîche, gercée, granuleuse, grasse, grenue, grosse, grumeleuse, hâlée, huileuse, jaune, jaunâtre, lactée, laiteuse, lisse, livide, luisante, lumineuse, lustrée, magnifique, marbrée, mate, mince, mixte, moirée, moite, molle, nacrée, nette, noire, nuancée, nue, opaline, pâle, parcheminée, (im)parfaite, pendante, plissée, propre, pulpeuse, racornie, râpée, rêche, ridée, robuste, rose, rouge, rougeâtre, rude, rugueuse, satinée, sèche, sensible, sombre, souple, soyeuse, tachée, tannée, tendre, tendue, terne, tiède, translucide, transparente, unie, veinée, veloutée, velue, vergetée, vermeille, vilaine. *Blesser, écorcher, effleurer, égratigner, érafler, fendre, gonfler, griffer, lacérer la ~.* La ~ se crevasse, se fendille, se gerce.

PÊCHE abondante, abusive, commerciale, durable, étonnante, excellente, exceptionnelle, excessive, fabuleuse, fantastique, (in)fructueuse, industrielle, intensive, limitée, maigre, mauvaise, mémorable, merveilleuse, miraculeuse, récréative, responsable, sélective, sportive, systématique. *Effectuer, faire, opérer, réaliser une ~ (+ adj.); pratiquer la ~; aller, partir, s'adonner, se livrer à la ~; rentrer bredouille, vivre de la ~; être féru/passionné de ~ .*

PÊCHEUR, EUSE (mal)adroit, amateur, astucieux, bredouille, (mal)chanceux, chevronné, commercial, enragé, excellent, expérimenté, fervent, habile, hardi, infatigable, jeune, mauvais, passionné, patient, professionnel, sportif, vieux.

PEINE (*chagrin, douleur*) affreuse, aiguë, amère, atroce, cruelle, cuisante, douce, douloureuse, équitable, extrême, folle, grande, grosse, horrible, immense, incommensurable, inconcevable, inconsolable, incroyable, indescriptible, indicible, infinie, insupportable, insurmontable, irréparable, lancinante, légère, longue, lourde, (im)méritée, passagère, persistante, poignante, profonde, silencieuse, sincère, tenace, terrible, triste, violente, vive, (in)volontaire. *Connaître, vivre une ~ (+ adj.); être dans une ~ (+ adj.); cacher, causer, confier, consoler, conter, endurer, épancher, éprouver, noyer, partager, ressentir, soulager, supporter, traîner une/des/la/sa/ses ~(s); avoir, causer, éprouver, faire, occasionner, ressentir de la ~; être accablé/chargé/rempli de ~.* ♦(*effort, difficulté*) extrême, grande, immense, intense, récompensée, suprême. *Être dur, mourir, s'endurcir, se tuer à la ~; causer, coûter, demander, (s') épargner de la ~; épargner, ménager sa ~.* ♦(*punition*) abusive, aggravée, arbitraire, capitale, clémente, cruelle, dérisoire, douce, dure, excessive, exemplaire, fixe, forte, incompressible, infamante, inhumaine, (in)juste, (in)justifiée, légère, lourde, maximale, (im)méritée, minimale, mitigée, (dis)proportionnée, réduite, rigoureuse, sévère, terrible. *Adoucir, aggraver, alléger, alourdir, annuler, appliquer, atténuer, déterminer, effectuer, encourir, établir, exécuter, fixer, infliger, lever, mériter, mitiger, modérer, prescrire, prononcer, purger, remettre, subir une ~; être passible d'une ~.*

PEINTRE abstrait, académique, accompli, (mal)adroit, amateur, brillant, célèbre, créatif, délicat, doué, élégant, éminent, estimable, excellent, expérimenté, fameux, figuratif, grand, (mal)habile, imaginatif, immense, incomparable, inimitable, inspiré, inventif, maniéré, majeur, mauvais, médiocre, merveilleux, méticuleux, mineur, minutieux, obscur, original, piètre, pitoyable, pompier, précis, prolifique, puissant, raté, remarquable, renommé, réputé, sublime, talentueux.

PEINTURE (*matière*) brillante, claire, consistante, couvrante, diluée, épaisse, fluide, foncée, laquée, lavable, luisante, mate, métallisée, satinée, veloutée. *Appliquer, diluer une ~.* ♦(*surface peinte*) craquelée, durcie, écaillée, fraîche, ratée, résistante, réussie, séchée. *(re)Faire, rafraîchir la ~ de qqch.; procéder à la ~ de qqch.* Une/la ~ cloque, gondole, s'écaille, se fendille, s'effrite, tient. ♦(art, tableau) aboutie, abstraite, académique, agréable, authentique, charmante, décorative, difficile, expressive, exquise, exubérante, facile, fidèle, figurative, inventive, maladroite, mauvaise, morte, naïve, officielle, parlante, pauvre, pompeuse, réaliste, romantique, riche, sérieuse, sobre, solide, tourmentée, vaste, vigoureuse. *Commander, encadrer, faire, nettoyer, restaurer une ~; aimer, apprécier, pratiquer la ~; s'adonner, se livrer, s'initier à la ~; exceller, réussir dans la ~; faire de la ~; vivre de sa ~.*

PELAGE bouclé, brillant, clairsemé, court, dense, doux, dur, entretenu, épais, étincelant, fin, fourni, frisé, hérissé, hirsute, laineux, lisse, luisant, lustré, propre, raide, ras, rêche, rude, sale, serré, sombre, souple, soyeux, tacheté, terne, touffu. *Posséder un ~ (+ adj.); être doté d'un ~ (+ adj.).*

PÈLERINAGE célèbre, collectif, court, couru, fameux, fervent, fréquenté, important, imposant, lointain, long, majeur, mineur, solitaire, traditionnel. *Accomplir, effectuer, entreprendre, faire, organiser un ~; aller, être en ~.*

PELOUSE abandonnée, bosselée, brûlée, clairsemée, courte, douce, dure, entretenue, épaisse, fauchée, fine, fleurie, fraîche, humide, immense, impeccable, jaunâtre, jaune, jaunie, jolie, longue, magnifique, maigre, malade, minuscule, ombragée, onduleuse, pelée, plantureuse, râpée, sèche, séchée, superbe, tendre, tondue, unie, uniforme, vallonnée, vaste, veloutée, verte. *Aménager, arroser, entretenir, tondre une ~.*

PÉNALITÉ abusive, excessive, faible, forte, grosse, (in)juste, (in)justifiée, légère, lourde, majeure, (im)méritée, mineure, (dis)proportionnée. *Accorder, administrer, décerner, donner, encaisser, encourir, imposer, infliger, prendre, purger, recevoir, servir, subir une ~; écoper, être passible d'une ~.*

PENCHANT affreux, bas, bon, clair, dangereux, dur, durable, éphémère, exagéré, fâcheux, faible, (dé)favorable, ferme, fort, funeste, grand, incorrigible, inné, inquiétant, invincible, irrésistible, irréversible, large, léger, lourd, malencontreux, malheureux, marqué, mauvais, morbide, mutuel, naturel, net, passager, profond, prononcé, puissant, réel, secret, soudain, spontané, subit, vif. *Afficher, avoir, combattre, dominer, éprouver, manifester, prendre, réprimer, suivre, surmonter, vaincre un/ses ~(s); lutter contre un ~; résister, se laisser aller, se livrer à ses ~s.*

PENSÉE accablante, active, affectueuse, affligeante, affreuse, agile, (dés)agréable, amère, amicale, apaisante, ardente, articulée, atroce, avilissante, banale, basse, bizarre, brillante, chagrine, charmante, claire, clairvoyante, (in)cohérente, compliquée, confuse, consolante, courte, défaillante, dégoûtante, délicate, dense, déprimante, désabusée, désespérante, dominante, douce, douloureuse, dure, dynamique, éclairante, effrayante, émue, enivrante, errante, étroite, exaspérante, extravagante, fade, faible, féconde, ferme, fine, fixe, flâneuse, floue, fluctuante, folle, forte, frivole, funeste, fuyante, généreuse, géniale, gentille, grande, grave, grisante, hardie, honorable, horrible, idiote, immuable, importune, inavouable, inavouée, incertaine, incessante, incommunicable, inconvenante, indécise, indifférente, indigne, inexprimable, informe, innocente, inquiétante, intense, intéressante, irritante, joyeuse, judicieuse, juste, lancinante, lucide, lugubre, marginale, maussade, mauvaise, médiocre, mesquine, méthodique, monstrueuse, morbide, nette, noble, noire, nostalgique, novatrice, nuancée, obscure, obsédante, (dés)ordonnée, originale, pénible, percutante, pernicieuse, perspicace, petite, plaisante, plate, précise, profonde, prompte, puérile, puissante, pure, réfléchie, rigoureuse, salutaire, secrète, sinistre, sinueuse, sombre, soudaine, souple, (in)stable, stérile, suave, subite, subtile, superficielle, (in)supportable, systématique, téméraire, tendre, terrible, timide, tonifiante, touchante, triste, unidimensionnelle, vacillante, vagabonde, vague, vile, vive, voluptueuse, voyageuse. *Avoir une/la ~ (+ adj.); appliquer, avoir, cacher, chasser, communiquer, comprendre, concrétiser, confier, déclarer, découvrir, déformer, dénaturer, développer, deviner, diffuser, dire, diriger, dissimuler, distraire, écarter, échanger, éclaircir, édulcorer, émettre, entretenir, étouffer, expliquer, exposer, exprimer, faire connaître, formuler, imposer, introduire, laisser errer, manifester, méditer, mûrir, nuancer, obscurcir, orienter, partager, pourchasser, préciser, rassembler, rejeter, rendre, résumer, révéler, saisir, soutenir, traduire, trahir une/des/sa/ses ~(s); être absorbé/perdu/ plongé, s'absorber, s'enfoncer, se perdre, se plonger, se réfugier, s'isoler dans une/ses ~(s); être assailli de ~s.* Une/la ~ chemine, éclôt, erre, germe, jaillit, mûrit, s'évapore, vient à l'esprit, survient; les/des ~s couvent, foisonnent, fourmillent, remuent, s'agitent, se bousculent, se dispersent, se pressent, tournoient, trottent, vagabondent, virevoltent.

PENSEUR, EUSE admirable, adroit, astucieux, averti, avisé, brillant, compliqué, désabusé, désespéré, distingué, éminent, engagé, faible, fin, fort, génial, grand, habile, illustre, immense, influent, lumineux, mauvais, médiocre, modeste, optimiste, pessimiste, piètre, populaire, profond, puissant, renommé, rigoureux, sérieux, solitaire, utopique, visionnaire.

PENSION (allocation) bonne, confortable, généreuse, grosse, maigre, misérable, modeste, modique, petite, raisonnable, ridicule, solide, substantielle. *Accepter, accorder, allouer, avoir, demander, donner, gagner, obtenir, recevoir, toucher, verser une ~; bénéficier, être bénéficiaire/titulaire d'une ~.* ♦ (hébergement) accueillante, agréable, bonne, complète, confortable, rudimentaire, sympathique. *(se) Loger, s'installer, vivre dans une ~; être en ~ chez qqn.*

PENTE abrupte, ardue, aride, ascendante, avalancheuse, boisée, bonne, boueuse, caillouteuse, chaotique, constante, cultivée, déclive, dénudée, descendante, difficile, douce, dure, escarpée, facile, faible, forte, gazonnée, glissante, insensible, modérée, nue, petite, pierreuse, prononcée, raide, rapide, rase, ravinée, régulière, rocailleuse, rude, sauvage, sévère, unie, uniforme, verdoyante, verticale, vertigineuse. *Attaquer, descendre, dévaler, emprunter, entamer, escalader, franchir, gravir, grimper, (re)monter, suivre une ~; dégringoler d'une ~; rouler, s'engager sur une ~.*

PÉNURIE absolue, aiguë, artificielle, brusque, brutale, chronique, criante, croissante, cruelle, dramatique, endémique, énorme, évidente, extrême, flagrante, générale, grande, grave, grosse, immense, importante, inquiétante, légère, préoccupante, récurrente, relative, sérieuse, soudaine, subite, totale. *Affronter, causer, combler, créer, déclencher, gérer, pallier, provoquer une ~; être confronté, faire face, parer, remédier à une ~; souffrir d'une ~.* Une/la ~ perdure, s'aggrave, s'atténue, se fait sentir, se résorbe, s'éternise, s'installe.

PERCÉE (brèche, trou, passage) étroite, grande, immense, large, minuscule, profonde, vaste. *Faire, ménager, ouvrir une ~.* ♦ (avance) considérable, décisive, déterminante, énorme, formidable, forte, fulgurante, graduelle, grande, grosse, historique, immense, importante, impressionnante, lente, majeure, modeste, notable, ponctuelle, rapide, ratée, réelle, remarquable, réussie, sérieuse, significative, solide, soudaine, spectaculaire, subite, surprenante, timide, véritable. *Accomplir, annoncer, constituer, effectuer, enregistrer, faire, opérer, représenter, réaliser, réussir, tenter une ~.*

PÈRE absent, abusif, admiré, adoptif, adorable, adulé, affectueux, aimant, attendrissant, attentif, autoritaire, bienveillant, biologique, bon, comblé, (in)compétent, (in)compréhensif, dénaturé, difficile, (in)digne, distant, doux, dur, effacé, excellent, exceptionnel, exemplaire, exigeant, facile, faible, (in)flexible, formidable, fort, froid, généreux, indifférent, indulgent, ingrat, intelligent, laxiste, magnanime, manquant, mauvais, merveilleux, modèle, négligent, normal, (extra)ordinaire, parfait, permissif, pervers, piètre, prévoyant, protecteur, redouté, (ir)responsable, sévère, strict, tendre, tolérant, tyrannique, vénérable, violent.

PERFECTION absolue, (in)achevée, déconcertante, désespérante, désirable, discrète, éclatante, élevée, étonnante, exceptionnelle, grande, honnête, idéale, illusoire, impossible, impressionnante, inaccessible, inégalée, inhumaine, inimitable, insurpassable, inutile, irréalisable, magnifique, merveilleuse, radieuse, rare, rarissime, réelle, relative, singulière, stupéfiante, sublime, suprême, ultime. *Être d'une ~ (+ adj.); atteindre, réaliser, rechercher la ~; arriver, aspirer, mener, parvenir, porter, pousser, s'élever, tendre, toucher à la ~; approcher, être encore loin, se rapprocher de la ~; être épris de ~.*

PERFECTIONNEMENT considérable, continu, évolutif, grand, important, indispensable, intéressant, nouveau, phénoménal, progressif, rapide, remarquable.

PERFORMANCE (in)acceptable, accrue, (in)adéquate, affligeante, (in)appropriée, belle, bonne, constante, désolante, durable, éblouissante, élevée, enviable, époustouflante, excellente, exceptionnelle, extraordinaire, faible, forte, générale, globale, grande, idéale, importante, inégalable, inégalée, inférieure, intéressante, magnifique, maximale, médiocre, minimale, minime, modeste, moyenne, négative, (a)normale, nulle, optimale, parfaite, phénoménale, piètre, positive, record, réelle, (ir)régulière, remarquable, (in)satisfaisante, superbe, supérieure. *Avoir une ~ (+ adj.); accomplir, obtenir,* *réaliser une ~; accroître, améliorer, augmenter, diminuer la/sa/ses ~(s).*

PÉRIL affreux, certain, croissant, dangereux, effroyable, éminent, évident, (in)évitable, extrême, grand, grave, imaginaire, immédiat, immense, imminent, inattendu, insidieux, invisible, latent, lointain, majeur, mineur, menaçant, mortel, notable, permanent, perpétuel, redoutable, soudain, sournois, subit, terrible. *Constituer, représenter un ~ (+ adj.); affronter, atténuer, braver, conjurer, courir, craindre, écarter, éloigner, enrayer, éviter, fuir, présenter, repousser, sentir un/le ~; échapper, être exposé, se dérober, se soustraire, s'exposer à un/au ~; (se) sauver, (se) tirer d'un/du ~; être, mettre en ~; être hors de ~.*

PÉRIODE (in)active, actuelle, agitée, ancienne, antérieure, belle, brève, (in)certaine, (sur)chargée, charnière, conflictuelle, confuse, contemporaine, courte, creuse, critique, cruciale, décisive, délicate, dépassée, désastreuse, (in)déterminée, difficile, disparue, douloureuse, dramatique, éloignée, enivrante, épouvantable, exceptionnelle, explosive, fabuleuse, faste, fatidique, féconde, fertile, (in)finie, florissante, formidable, glorieuse, grande, harmonieuse, hâtive, héroïque, (mal)heureuse, horrible, initiale, intense, intéressante, joyeuse, (il)limitée, lointaine, longue, mauvaise, médiocre, mémorable, merveilleuse, mouvementée, mythique, noire, nouvelle, obscure, opulente, passionnante, périmée, pitoyable, postérieure, (im)précise, préoccupante, prestigieuse, privilégiée, prolongée, prometteuse, prospère, récente, remarquable, révolue, sinistre, sombre, (in)stable, tardive, tourmentée, transitoire, triste, troublée, tumultueuse. *Connaître, traverser, vivre une ~ (+ adj.); appartenir, se rattacher à une ~; entrer, être dans une ~; approcher, dater d'une ~.* Une ~ commence, débute, s'achève, se termine, s'ouvre.

PÉRIPHRASE abusive, adéquate, alambiquée, appropriée, approximative, commode, complexe, courante, descriptive, discrète, (in)élégante, élogieuse, énigmatique, équivalente, fastidieuse, floue, habile, imprécise, longue, lourde, naturelle, nébuleuse, obscure, péjorative, précieuse, prétentieuse, pudique, simple, transparente. *Construire, employer, faire, trouver, utiliser une ~; recourir à une ~; se servir, user d'une ~; remplacer, répondre, traduire par une ~; parler, s'exprimer par ~s.*

PÉRIPLE ardu, aventureux, beau, bref, classique, court, coûteux, décevant, éclair, ennuyeux, éprouvant, épuisant, extraordinaire, fatigant, grand, harassant, improvisé, initiatique, inoubliable, intéressant, interminable, invraisemblable, joli, lent, long, luxueux, magnifique, mémorable, merveilleux, mouvementé, pénible, petit, prestigieux, rapide, somptueux, sublime. *Accomplir, achever, effectuer, entamer, entreprendre, poursuivre, terminer un ~.*

PERMIS périmé, valide. *Accorder, avoir, délivrer, obtenir, passer, posséder, prendre, préparer, retirer, se procurer un ~; bénéficier, disposer, être muni/porteur/pourvu/titulaire d'un ~.*

PERMISSION exceptionnelle, explicite, expresse, implicite, tacite. *Accorder, demander, donner, extorquer, obtenir, refuser, retirer, solliciter, supprimer une ~; bénéficier, disposer, profiter d'une ~.*

PERMISSIVITÉ accrue, certaine, coupable, criminelle, effrayante, exagérée, excessive, extrême, grande, incroyable, laxiste, scandaleuse, totale. *Être, faire preuve d'une ~ (+ adj.).*

PERQUISITION approfondie, bâclée, brutale, complète, discrète, (in)fructueuse, importante, (il)légale, longue, méthodique, minutieuse, musclée, poussée, rapide, (ir)régulière, rigoureuse, sérieuse, serrée, sommaire, superficielle, vaste. *Conduire, effectuer, faire, mener, opérer, ordonner, organiser, subir une ~; participer, procéder, se livrer à une ~.* Une ~ a lieu, est en cours, intervient, se déroule.

PERSÉCUTION absurde, acharnée, affreuse, agressive, basse, brève, brutale, ciblée, collective, constante, cruelle, (in)directe, dure, effrénée, énergique, épouvantable, étendue, excessive, féroce, furieuse, générale, généralisée, grande, impitoyable, implacable, individuelle, inhumaine, injuste, injustifiée, insidieuse, intense, lâche, longue, massive, méthodique, meurtrière, officielle, organisée, permanente, persistante, rude, sanglante, soudaine, sourde, systématique, tenace, terrible, vindicative, violente, virulente. *Déclencher, enclencher, endurer, exercer, infliger, lancer, mener, organiser, souffrir, subir, vivre une ~ (+ adj.); être soumis, faire face, mettre fin, recourir à une ~ (+ adj.); souffrir d'une ~ (+ adj.); connaître, dénoncer, encourager, fuir la ~; résister à la ~; protester contre la ~; souffrir de la ~.* La ~ augmente, continue, débute, diminue, éclate, empire, règne, se poursuit, sévit, s'intensifie.

PERSÉVÉRANCE accrue, acharnée, admirable, certaine, confiante, considérable, constante, contagieuse, désarmante, énorme, étonnante, exceptionnelle, exemplaire, extraordinaire, farouche, ferme, fidèle, formidable, froide, grande, immense, incroyable, indiscutable, indomptable, inébranlable, inégalable, infatigable, inflexible, inlassable, inouïe, invincible, irréprochable, longue, louable, notoire, opiniâtre, orgueilleuse, remarquable, soutenue, tenace, totale. *Être, être armé/doté, faire montre/preuve d'une ~ (+ adj.); avoir, manifester, montrer de la ~.*

PERSONNAGE (<u>individu</u>) abject, affable, aimable, ambigu, antipathique, attachant, banal, bienfaisant, bizarre, charismatique, cocasse, complexe, compliqué, contradictoire, controversé, curieux, dangereux, dégoûtant, douteux, drolatique, éblouissant, effacé, embarrassant, émouvant, énigmatique, étonnant, étrange, exceptionnel, excessif, fascinant, fastidieux, grave, grossier, grotesque, ignoble, immense, importun, imposant, infect, inquiétant, insolite, insupportable, intéressant, louche, malfaisant, massif, mauvais, médiocre, méprisant, mystérieux, passionnant, pervers, piètre, pittoresque, répugnant, ridicule, saugrenu, séduisant, sensible, singulier, sinistre, sombre, sot, sympathique, terne, théâtral, tortueux, triste, (a)typique, truculent, vil, vilain. ♦(<u>*célébrité*</u>) célèbre, (in)connu, considérable, éminent, énorme, folklorique, grand, historique, illustre, immense, important, imposant, influent, insignifiant, local, mondial, notable, officiel, officieux, ordinaire, petit, populaire, universel, puissant. *Devenir, être, se croire un ~; se prendre pour un ~.* ♦(<u>Littérature, Cinéma, Théâtre</u>) accessoire, banal, captivant, caricatural, central, complexe, (in)consistant, contradictoire, convaincant, dense, effacé, épisodique, fade, faible, fascinant, important, insignifiant, intéressant, majeur, mineur, passionnant, principal, riche, schématique, secondaire, typé, (a)typique, vivant, vrai. *Camper, composer, créer, écrire, étoffer, imaginer, incarner, interpréter, jouer, mettre en scène un ~; s'identifier à un ~; entrer, se mettre, se reconnaître dans un ~.* Un ~ apparaît, disparaît, évolue, se transforme, surgit.

PERSONNALITÉ affirmée, ambiguë, banale, changeante, charismatique, complexe, contestée, débordante, déroutante, difficile, discrète, encombrante, énigmatique, envoûtante, étonnante, exceptionnelle, extraordinaire, facile, faible, fascinante, flottante, forte, fragile, impérieuse, indéniable, indomptable, informe, intéressante, lisse, malléable, modelable, multiforme, opaque, originale, paradoxale, pittoresque, pondérée, primesautière, remarquable, sereine, solide, surprenante, torturée, touchante, transparente. *Avoir, offrir, posséder une ~ (+ adj.); analyser, cerner, scruter la ~ de qqn; avoir de la ~; affiner, affirmer, développer sa ~; manquer de ~.* ♦(personne) éminente, illustre, importante, incontournable, influente, marquante, montante, notoire, puissante, représentative, respectée.

PERSONNE accueillante, admirable, affable, âgée, aimable, allègre, antipathique, arrogante, avare, austère, avenante, banale, belle, bienfaisante, bienveillante, bizarre, blasée, bonne, bornée, brave, brusque, brutale, bruyante, butée, captivante, carrée, catégorique, cérémonieuse, changeante, charitable, charmante, combative, connue, convenable, cordiale, (in)correcte, craintive, cruelle, cupide, décidée, délicieuse, démonstrative, déterminée, discrète, distante, distinguée, douce, droite, dynamique, effacée, élégante, énergique, ennuyeuse, énorme, entreprenante, épaisse, excellente, exigeante, faible, fantasque, fiable, fluette, forte, franche, frivole, furieuse, gaie, gênée, généreuse, grande, grasse, grave, grosse, guindée, habile, hargneuse, hautaine, hésitante, heureuse, honnête, honorable, humble, idéaliste, impatiente, impeccable, impérieuse, importune, impressionnable, impressionnante, inconséquente, inculte, ingénieuse, insignifiante, intéressante, jeune, jolie, joviale, laide, légère, liante, louche, lourde, lucide, maniable, massive, méchante, mélancolique, mielleuse, minable, modeste, morose, mûre, oisive, ouverte, paisible, passionnée, petite, plaisante, posée, prétentieuse, radieuse, raffinée, raisonnable, remarquable, résolue, respectable, rêveuse, robuste, sèche, secourable, (in)sensible, sensuelle, silencieuse, simple, singulière, sociable, soignée, solitaire, souriante, sournoise, (in)stable, stupide, subtile, superficielle, sympathique, timide, tranchante, tranquille, trapue, triste, vigoureuse, violente, vieille, vive. *Aborder, accoster, approcher, fuir, rencontrer une ~.*

PERSONNEL avenant, auxiliaire, bénévole, cadre, compétent, complet, considérable, débordé, dévoué, dirigeant, embryonnaire, énorme, fixe, formé, immense, important, intérimaire, intermédiaire, intermittent, maigre, maximal, maximum, mince, minimal, minimum, nombreux, optimal, permanent, pléthorique, qualifié, réduit, restreint, satisfaisant, spécialisé, squelettique, (in)stable, subalterne, (in)suffisant, supérieur, supplémentaire, surmené, temporaire. *Augmenter, dégraisser, diminuer, étoffer, former, payer, rajeunir, recycler, réduire, rémunérer, renouveler, rétribuer le/son ~; faire partie du ~; embaucher, employer, engager, licencier, nommer, recruter du ~; être à court, manquer de ~; être fourni/pourvu, fournir, pourvoir en ~.*

PERSPECTIVE (*panorama, vision, vue*) admirable, agréable, belle, bouchée, étendue, étroite, fermée, grande, interminable, large, linéaire, longue, ouverte, rectiligne, vaste. *Avoir, découvrir, offrir une ~ (+ adj.); jouir d'une (+ adj.).* ♦ (*éclairage, éventualité, point de vue*) abstraite, alléchante, ambitieuse, angoissante, (dés)avantageuse, belle, bonne, bouchée, brillante, (in)certaine, claire, compromise, concrète, décourageante, désespérante, durable, éblouissante, encourageante, enthousiaste, épanouissante, étroite, excellente, faible, fascinante, (dé)favorable, formidable, forte, fragile, globale, grande, (mal)heureuse, horrible, immédiate, inquiétante, intéressante, large, lointaine, lugubre, mauvaise, médiocre, modeste, morose, motivante, optimiste, ouverte, pessimiste, plausible, positive, préoccupante, (im)prévisible, radieuse, rassurante, réaliste, redoutée, réelle, réjouissante, rude, satisfaisante, séduisante, sérieuse, sévère, sombre, terrifiante, vague, valorisante, vaste, vertigineuse, vraisemblable. *Constituer, entrevoir, envisager, offrir, ouvrir, renverser, supprimer une ~ (+ adj.); se situer, s'inscrire dans une ~ (+ adj.); se trouver devant une ~ (+ adj.); déboucher sur une/des ~(s) (+ adj.); affronter, bloquer, changer, compromettre, éclairer, élargir, fausser, modifier, prendre en compte les ~s; être privé/dépourvu de ~s.* Une ~ s'élargit, s'éloigne, se rapproche, se referme, se présente, s'esquisse, s'estompe, s'offre, s'ouvre.

PERSPICACITÉ admirable, aiguë, constante, consternante, diabolique, enviable, étonnante, exceptionnelle, extraordinaire, fine, folle, grande, impressionnante, incisive, infinie, légendaire, lumineuse, merveilleuse, minutieuse, naturelle, particulière, phénoménale, prodigieuse, profonde, rare, redoutable, remarquable, singulière, surprenante. *Avoir, posséder une ~ (+ adj.); demeurer, être, être doté/doué, faire montre/preuve d'une ~ (+ adj.); manquer de ~.*

PERSUASION admirable, amicale, calme, certaine, coercitive, convaincante, délicate, difficile, discrète, douce, efficace, époustouflante, étonnante, facile, ferme, formidable, forte, grande, habile, progressive, (ir)rationnelle, redoutable, rusée, séductrice, sincère, subtile, surprenante, vive. *Déployer, exercer une ~ (+ adj.); être, être animé, faire preuve d'une ~ (+ adj.); employer la ~; agir, convaincre par la ~; user de ~.*

PERTE affreuse, appréciable, brusque, brutale, brute, catastrophique, chronique, colossale, conséquente, considérable, cruelle, dangereuse, démesurée, déplorable, désastreuse, douloureuse, durable, dure, élevée, énorme, (in)évitable, exceptionnelle, excessive, faible, flagrante, formidable, forte, funeste, graduelle, grande, grave, grosse, honteuse, humiliante, immense, importante, impressionnante, incalculable, incommensurable, inconsolable, incroyable, indéniable, inestimable, injustifiable, insignifiante, irrémédiable, irrévocable, légère, lourde, massive, minime, modeste, nette, notable, (im)perceptible, permanente, problématique, progressive, radicale, (ir)réparable, sèche, (in)sensible, sévère, sérieuse, soudaine, subite, substantielle, temporaire, terrible, totale, vertigineuse. *Accroître, accumuler, accuser, afficher, annuler, assumer, atténuer, causer, chiffrer, combler, compenser, constater, contrebalancer, couvrir, déplorer, diminuer, endosser, enregistrer, entraîner, éponger, éprouver, essuyer, infliger, limiter, occasionner, provoquer, récupérer, réduire, réparer, ressentir, restreindre, souffrir, (faire) subir, supporter une/des/les/ses ~ (s); remédier, suppléer à une ~*. Une/la ~ s'alourdit, s'amplifie, se creuse, se produit, subsiste.

PERTINENCE absolue, accrue, aiguë, confirmée, contestée, (in)discutable, douteuse, élevée, étonnante, évidente, exceptionnelle, extraordinaire, extrême, incontestable, indéniable, inouïe, limitée, marginale, maximale, médiocre, minimale, optimale, particulière, passable, rare, redoutable, réelle, relative, remarquable, (in)suffisante, totale. *Être d'une ~ (+ adj.); contester, démontrer, discuter, établir, examiner, mettre en doute, prouver la ~ de qqch.; s'interroger sur la ~ de qqch.*

PERTURBATION brusque, destructrice, grande, importante, profonde, violente. *Atténuer, causer, entraîner, produire, provoquer une ~; apporter, jeter, mettre, répandre, semer (de) la ~.*

PESSIMISME absolu, accablant, affiché, affligeant, aigu, ambiant, amer, béat, certain, chronique, contagieux, croissant, déprimant, déroutant, désabusé, effréné, effrayant, énorme, exacerbé, exagéré, excessif, extrême, faible, foncier, fondamental, fort, généralisé, grand, immense, inouï, inquiétant, intense, ironique, (in)justifié, larmoyant, léger, légitime, lourd, lucide, maladif, mesuré, modéré, naturel, noir, notoire, nuancé, outrancier, outré, passager, perceptible, profond, prononcé, prudent, radical, (ir)raisonné, rampant, rare, redoutable, réfléchi, remarquable, résigné, sombre, systématique, tempéré, total, violent, viscéral. *Afficher, manifester, montrer un ~ (+ adj.); être, être empreint/imprégné/ teinté, faire preuve, relever, témoigner d'un ~ (+ adj.); partager le ~ de qqn; céder, se laisser aller, succomber au ~*. Le ~ prévaut, règne, sévit.

PÉTALE abîmé, clos, (des)séché, épanoui, fané, flétri, grand, incurvé, inférieur, petit, recourbé, supérieur, velouté; libres, soudés. *Arracher, cueillir, enlever, humer, sentir des/les ~s; clore, déployer, fermer, (entr)ouvrir, perdre ses ~s.*

PETIT-DÉJEUNER bon, complet, consistant, copieux, excellent, exquis, frugal, gros, hâtif, joli, léger, matinal, rapide, royal, savoureux, sommaire, somptueux, substantiel, succulent, tardif, varié. *Attaquer, avaler, entamer, finir, prendre, préparer, savourer, servir, terminer un/le/son ~.*

PÉTITION anonyme, brève, courte, électronique, importante, longue, mondiale, nationale, planétaire, populaire. *Adresser, appuyer, déposer, diffuser, faire, faire circuler/passer/suivre, émettre, lancer, organiser, présenter, rédiger, (faire) signer une ~*. Une ~ circule.

PÉTROLE abondant, bon marché, biodégradable, bradé, brut, cher, collant, coûteux, écologique, économique, épais, fluide, gluant, mauvais, onéreux, polluant, propre, pur, raffiné, rare, sûr, toxique, vert, visqueux. *Chercher, consommer, exploiter, exporter, extraire, importer, pomper, produire, récupérer, raffiner, traiter, transporter, trouver du ~; regorger de ~; abonder, être riche en ~.*

PEUPLE (pays, population) ami, arriéré, attachant, avancé, barbare, belliqueux, chaleureux, charmant, civilisé, clairsemé, cosmopolite, cultivé, dense, (in)dépendant, (sous-)développé, dispersé, dominant, dominateur, dominé, ennemi, évolué, (dé)favorisé, faible, fanatique, fier, florissant, fort, (in)gouvernable, grand, guerrier, hétéroclite, hétérogène, (mal)heureux, homogène, (in)hospitalier, hostile, immense, jeune, laborieux, libre, misérable, modéré, nanti, nomade, nombreux, oisif, opprimé, orgueilleux, pacifique, paisible, paresseux, pauvre, petit, primitif, prospère, puissant, redouté, révolté, riche, sauvage, sédentaire, simple, sobre, (in)soumis, souverain, superstitieux, turbulent, uni, unifié, vaincu, vainqueur, vieillissant, vieux, xénophobe. *Affamer, anéantir, émanciper, exterminer, libérer, opprimer, pressurer un ~.* ♦ (foule) *Ameuter, conduire, consulter, endormir, exciter, exploiter, fanatiser, flatter, guider, instruire, révolter, séduire, soulever, tromper le ~.*

PEUR absurde, accrue, affreuse, ancestrale, angoissante, atroce, aveugle, banale, bleue, brève, communicative, confuse, contagieuse, courte, démente, déraisonnable, diffuse, effroyable, entretenue, épouvantable, étrange, excessive, existentielle, extrême, faible, feinte, folle, forte, grande, grandissante, horrible, imaginaire, imbécile, imprécise, inavouée, incontrôlée, indescriptible, indicible, inexplicable, inexprimable, insidieuse, insoutenable, insupportable, insurmontable, intense, intérieure, intolérable, invincible, irraisonnée, irrationnelle, (in)justifiée, légère, (il)légitime, maladive, morbide, mystérieuse, nerveuse, obscure, obsédante, oppressante, (extra)ordinaire, palpable, panique, paralysante, passagère, permanente, perpétuelle, petite, physique, profonde, puérile, rétrospective, secrète, soudaine, sourde, sournoise, stupide, subite, tacite, terrible, vague, violente, viscérale, vraie. *Avoir une ~ (+ adj.); alimenter, avouer, cacher, calmer, causer, désamorcer, dissimuler, dissiper, dominer, éprouver, faire régner, ignorer, inspirer, maîtriser, manifester, provoquer, raisonner, renforcer, répandre, réprimer, ressentir, semer, sentir, suer, surmonter, susciter, vaincre une/la/de la/sa ~; céder, être en proie à la ~; vivre dans la ~; être gagné/paralysé/rongé/travaillé par la ~; balbutier, crier, défaillir, être blanc/blême/malade/mort/muet/pétrifié/transi/vert, figer, frémir, frissonner, grelotter, hurler, mourir, pâlir, palpiter, reculer, s'évanouir, sursauter, transpirer, trembler, trembloter, tressaillir de ~.* Une/la ~ augmente, cesse, diminue, disparaît, éclate, monte, naît, paralyse, persiste, règne, saisit, s'amplifie, s'atténue, se propage, se répand, se résorbe, sévit, s'installe, s'intensifie, taraude.

PHARE allumé, antibrouillard, auxiliaire, clignotant, continu, éteint, faible, grillé, halogène, puissant, spécial, standard. *Avoir un/les ~(s) (+ adj.); rouler avec un/les ~(s) (+ adj.); être équipé/muni d'un ~ (+ adj.); allumer, baisser, éteindre, régler* *les/ses ~s; mettre ses ~s en code/veilleuse; être, passer, rester, rouler, se mettre en ~s.*

PHASE active, aiguë, antérieure, ascendante, brève, capitale, courte, critique, cruciale, décisive, délicate, déterminante, descendante, difficile, essentielle, évolutive, facile, finale, grande, importante, incontournable, indispensable, initiale, intensive, intense, intermédiaire, interminable, lente, longue, majeure, manquée, marquante, mineure, nécessaire, passive, précédente, préliminaire, préparatoire, principale, ratée, réussie, secondaire, suivante, suprême, temporaire, terminale, transitoire, ultérieure, (in)utile. *Aborder, amorcer, conclure, entamer, entreprendre, finir, franchir, organiser, sauter, supprimer, terminer, traverser une ~ (+ adj.); se trouver à une ~ (+ adj.); entrer, s'engager dans une ~ (+ adj.); passer par une ~ (+ adj.).* Une ~ s'achève, s'ouvre.

PHÉNOMÈNE aberrant, accidentel, aléatoire, ancien, anodin, banal, bénéfique, bouleversant, brusque, brutal, caché, capital, captivant, célèbre, chronique, circonspect, colossal, complexe, compliqué, conjoncturel, considérable, constant, courant, crucial, curieux, cyclique, déplorable, désastreux, dévastateur, dominant, durable, effroyable, énorme, étonnant, étrange, évident, (in)évitable, exceptionnel, (in)explicable, fabuleux, faible, fantastique, fascinant, (dé)favorable, flagrant, fort, fortuit, fragile, fréquent, funeste, général, généralisé, gigantesque, grand, grandiose, grave, (in)habituel, (mal)heureux, historique, horrible, immense, impensable, important, impressionnant, incompréhensible, inconcevable, incontournable, incroyable, indiscutable, inédit, inéluctable, inexpliqué, inopiné, inouï, inquiétant, insidieux, insignifiant, insolite, intéressant, isolé, lent, localisé, majeur, marginal, marquant, massif, mémorable, merveilleux, mineur, moyen, mystérieux, naissant, naturel, négatif, (a)normal, notable, nouveau, occulte, (extra)ordinaire, original, paradoxal, particulier, passager, passionnant, permanent, périodique, persistant, perturbateur, ponctuel, positif, préoccupant, (im)prévisible, quantifiable, rapide, rare, rarissime, récent, (ir)régulier, remarquable, répandu, (ir)réversible, saisonnier, sensationnel, sérieux, significatif, simple, singulier, sous-estimé, spontané, sporadique, stable, surestimé, surprenant, temporaire, terrible, timide, tragique, transitoire, troublant, (a)typique, unique, universel, violent. *Constituer un ~ (+ adj.); accélérer, amplifier, analyser, anticiper, appréhender, arrêter, atténuer, causer, combattre, comprendre, constater, craindre, créer, déclencher, décrire, élucider, engendrer, étudier, examiner, expliquer, faire cesser, grossir, illustrer, influencer, interpréter, inverser, isoler, maîtriser, mesurer, minimiser, noter, observer, obtenir, prédire, prévoir, provoquer, redouter, rencontrer, souligner, sous-estimer, surestimer un ~; assister, être confronté à un ~; composer avec un ~; lutter contre un ~.* Un/le ~ a lieu, (ré)apparaît, arrive, cesse, continue, décline, disparaît, évolue, perdure, persiste, prend de l'ampleur, s'accélère, s'accentue, s'accomplit, s'accroît, s'aggrave, s'amplifie, s'atténue, s'ébauche, se déroule, se développe, se fait sentir, se généralise, se passe, se produit, se propage, se renouvelle, se répand, se répète, se stabilise, s'étend, s'inverse, s'observe, s'opère, survient.

PHILOSOPHE abstrait, amateur, aride, audacieux, austère, averti, avisé, brillant, célèbre, confirmé, conservateur, curieux, désabusé, désespéré, distingué, dogmatique, éclairé, éminent, engagé, faible, fin, fort, génial, grand, habile, hermétique, illustre, immense, isolé, lumineux, mauvais, médiocre, modeste, nébuleux, obscur, optimiste, original, pessimiste, piètre, profond, (im)prudent, puissant, renommé, révolutionnaire, rigoureux, savant, sérieux, solide, solitaire, subtil, superficiel, utopique, visionnaire.

PHILOSOPHIE abstraite, admirable, audacieuse, bonne, claire, (in)cohérente, complexe, compliquée, concrète, dangereuse, désabusée, désespérée, dynamique, engagée, expérimentale, fataliste, froide, généreuse, géniale, grande, hermétique, idéale, inédite, informe, lumineuse, mauvaise, médiocre, naturelle, négative, obscure, optimiste, originale, pessimiste, piètre, populaire, positive, pratique, profonde, puissante, rigoureuse, (mal)saine, sérieuse, solide, souple, souriante, superficielle, ténébreuse, théorique, utopique, visionnaire. *Adopter, concevoir, élaborer, pratiquer, professer une ~; adhérer à une ~; apprendre, enseigner, travailler la ~; faire, lire de la ~; être féru de ~.*

PHOBIE aiguë, angoissante, atroce, courante, étrange, grave, incompréhensible, incontrôlable, insurmontable, intense, invincible, irrationnelle, irrépressible, légère, maladive, modérée, obsédante, oppressante, persistante, préoccupante, rare. *Avoir une ~ (+ adj.); être sujet à une ~ (+ adj.); souffrir d'une ~ (+ adj.); avoir, conserver la ~ de qqch.*

PHOTO(GRAPHIE) abîmée, bougée, cadrée, célèbre, centrée, cornée, défraîchie, floue, inédite, manquée, jaunie, moche, nette, pâlie, panoramique, passée, ratée, récente, réussie, saisissante, sous-exposée, surexposée, superbe, truquée, vieille, voilée. *Agrandir, cadrer, centrer, faire, manquer, prendre, rater, réaliser, retoucher, réussir une ~; aimer, pratiquer la ~; s'adonner, s'initier à la ~; faire de la ~; (se faire) prendre en ~.*

PHRASE accrocheuse, acerbe, (in)achevée, (in)adéquate, admirable, (mal)adroite, alerte, ambiguë, ample, ampoulée, amusante, anodine, assassine, banale, bancale, bête, bizarre, blessante, boiteuse, brève, brillante, brusque, brutale, chargée, ciselée, cinglante, claire, clinquante, (in)cohérente, (in)complète, complexe, compliquée, (in)compréhensible, confuse, concise, (in)correcte, courte, creuse, décousue, définitive, douce, dure, éblouissante, (in)élégante, embarrassée, embrouillée, enchevêtrée, énigmatique, entortillée, entourloupée, enveloppée, équilibrée, équivoque, erronée, expressive, fausse, fautive, filandreuse, grande, gauche, grandiloquente, guindée, harmonieuse, (mal)heureuse, imagée, incongrue, inconvenante, inepte, informe, injurieuse, insignifiante, insipide, (in)intelligible, interminable, jolie, juste, laconique, lapidaire, légère, longue, lourde, magnifique, mielleuse, monotone, négative, négligée, nerveuse, obscure, ordinaire, organisée, (im)pertinente, polie, populaire, positive, précieuse, profonde, rassurante, recherchée, (ir)régulière, réticente, rituelle, ronflante, rythmée, sèche, serrée, sibylline, simple, sinueuse, solide, souple, spirituelle, succincte, terrible, travaillée, usitée, usuelle, vide, vigoureuse, vraie. *Analyser, articuler, balbutier, bredouiller, citer, construire, débiter, déchiffrer, dire, échanger, écrire, élaguer, émettre, employer,* *énoncer, entendre, façonner, (re)faire, former, hasarder, hurler, interpréter, interrompre, lancer, lire, polir, proférer, prononcer, répéter, sauter, tourner, travailler une/des ~(s).*

PHYSIONOMIE (dés)agréable, aimable, amusante, animée, assurée, attachante, attentive, attristée, banale, boudeuse, bouleversée, calme, chagrine, charmante, déconfite, défaite, délicate, dépitée, désolée, distinguée, douce, drôle, dure, effacée, élégante, émaciée, énergique, enjouée, épaisse, épanouie, étrange, expressive, famélique, fatiguée, fermée, fière, franche, froide, funèbre, funeste, goguenarde, (mal)heureuse, hideuse, impassible, ingrate, inquiétante, insignifiante, intéressante, joviale, joyeuse, lugubre, maussade, mauvaise, narquoise, naïve, neutre, optimiste, originale, ouverte, particulière, pessimiste, piteuse, (dé)plaisante, plate, radieuse, ravie, rayonnante, réjouie, repoussante, répulsive, resplendissante, rêveuse, riante, rude, sereine, sévère, singulière, sinistre, sombre, sotte, souriante, sournoise, suspecte, sympathique, terne, touchante, tranquille, transie, triste, vieillie, vive, vulgaire. *Avoir, adopter, faire, posséder, prendre une/la ~ (+ adj.); altérer, changer, conserver, modifier sa ~.* Une/la ~ change, évolue, se modifie, se transforme.

PHYSIQUE (dés)agréable, ambigu, athlétique, attirant, attrayant, avantageux, avenant, banal, bizarre, chétif, commun, difficile, effrayant, énergique, épouvantable, (dés)équilibré, étrange, exceptionnel, exquis, faible, fin, flatteur, fort, fragile, (dis)gracieux, harmonieux, herculéen, hideux, impeccable, imposant, impressionnant, incroyable, ingrat, insolite, intéressant, irréprochable, massif, médiocre, moyen, musclé, (a)normal, (extra)ordinaire, parfait, particulier, plaisant, (dis)proportionné, puissant, ravageur, rébarbatif, remarquable, repoussant, ridicule, robuste, romantique, soigné, solide, somptueux, sportif, stupéfiant, superbe, sympathique, trapu, (a)typique, vigoureux, viril. *Avoir, posséder un ~ (+ adj.); être, être doté d'un ~ (+ adj.).*

PIAILLEMENT aigre, (sur)aigu, assourdissant, atroce, continu, déchirant, désespéré, doux, effroyable, enchanteur, énervé, enthousiaste, étouffé, faible, fébrile, fort, furieux, guttural, incessant, insupportable, joyeux, léger, perçant, plaintif, rauque, strident. *Émettre, (faire) entendre, laisser échapper, pousser un/des ~s.* Un ~ jaillit, monte, retentit, se fait entendre, s'élève.

PIANISTE amateur, applaudi, bon, brillant, célèbre, chevronné, classique, confirmé, connu, débutant, (sur)doué, énergique, excellent, exceptionnel, expressif, extraordinaire, fabuleux, génial, grand, habile, hystérique, impatient, impitoyable, impressionnant, inégalable, intelligent, jeune, magnifique, mauvais, médiocre, merveilleux, modeste, original, performant, piètre, populaire, précoce, prestigieux, prodige, prodigieux, professionnel, profond, remarquable, renommé, réputé, sensible, sérieux, solide, superficiel, talentueux, vieux, virtuose.

PIANO (dés)accordé, bon, délabré, discordant, droit, excellent, fatigué, faux, geignard, juste, long, mauvais, précis, sensible, vieux. *(faire) Accorder, monter un ~; jouer, taper sur un ~; apprendre, commencer, étudier, tenir, toucher, travailler le*

~; (s') accompagner qqn, être, faire des exercices, interpréter un morceau, s'asseoir, se mettre, taper un air au ~; être doué pour le ~; faire, (savoir) jouer du ~.

PIC abrupt, (in)accessible, acéré, aigu, altier, aplani, aplati, aride, arrondi, boisé, dentelé, désert, élégant, élevé, engageant, enneigé, énorme, érodé, escarpé, fier, granitique, haut, immense, imposant, isolé, lointain, majestueux, neigeux, pointu, rocheux, solitaire, vertigineux, vierge. *Atteindre, conquérir, escalader, gravir un ~.* Un ~ domine, émerge, se dessine, se dresse, s'élève, se pointe.

PIÈCE (chambre, salle) accueillante, austère, bondée, calme, chaude, (sur)chauffée, chaleureuse, claire, confinée, (in)confortable, contiguë, coquette, cossue, délabrée, déserte, douillette, élégante, encombrée, énorme, ensoleillée, équipée, étroite, exiguë, fraîche, froide, gaie, grande, (in)habitable, (in)habitée, harmonieuse, haute, hideuse, humide, immense, insonorisée, intime, jolie, laide, large, longue, lugubre, lumineuse, luxueuse, magnifique, malodorante, mansardée, meublée, minable, minuscule, misérable, miteuse, modeste, nue, obscure, (in)occupée, (dés)ordonnée, pauvre, petite, profonde, proportionnée, propre, proprette, ravissante, riche, rustique, sale, (in)salubre, silencieuse, sinistre, sombre, somptueuse, sordide, spacieuse, superbe, sympathique, vaste, ventilée, vide, voûtée. *Aménager, décorer, habiter, meubler, nettoyer, (re)peindre, quitter, refaire, rénover, tapisser, vider, visiter une ~; entrer, pénétrer dans une ~; sortir d'une ~.* ♦ (Théâtre, Littérature, Musique) (in)accessible, (in)achevée, admirable, agréable, ambitieuse, applaudie, capitale, classique, comique, complexe, difficile, efficace, ennuyeuse, extraordinaire, facile, faible, forte, gaie, grande, inclassable, inégale, insignifiante, insipide, (in)jouable, magistrale, magnifique, majeure, manquée, mauvaise, médiocre, mineure, naïve, obscure, originale, (im)parfaite, plaisante, populaire, profonde, rafraîchissante, ratée, remarquable, réussie, riche, sobre, solide, somptueuse, triste. *Adapter, composer, créer, distribuer, écrire, (re)faire, faire jouer/représenter, huer, jouer, mettre en scène, monter, passer, présenter, produire, répéter, siffler une ~.* Une ~ déplace les foules, fait un tabac, quitte l'affiche.

PIED agile, bot, cambré, chancelant, comprimé, contourné, court, déformé, délicat, ferme, fin, fuselé, gigantesque, gourd, grand, gras, grassouillet, joli, large, long, maigre, marin, mignon, minuscule, monstrueux, nu, petit, plat, potelé, souple, tors, vacillant. *Avoir un/des/le/les ~s (+ adj.); boiter d'un ~; avancer, reculer, se fouler, se tordre le ~; essuyez, se chauffer, secouer, se frictionner, se masser, traîner les/ses ~s; puer, sentir, souffrir, transpirer des ~s.*

PIÈGE (collet) *Amorcer, appâter, armer, cacher, camoufler, dissimuler, dresser, enlever, installer, placer, poser, préparer, tendre un ~; attraper, prendre au ~.* ♦ (embûche) alléchant, cruel, diabolique, grossier, habile, horrible, infernal, innocent, redoutable, séduisant, subtil, tentateur. *Comporter, concevoir, découvrir, déjouer, désamorcer, dresser, éventer, éviter, flairer, soupçonner, tendre un ~; semer des ~s; échapper, se laisser prendre à un ~; attirer, être entraîné, se trouver, tomber dans un/le ~; se tirer d'un ~.* Le ~ fonctionne, se referme, se resserre.

PIERRE (cailloux, roche, rocher) abrupte, anguleuse, aride, arrondie, artificielle, brillante, brute, cassante, compacte, concassée, corrodée, coupante, dégrossie, dénudée, désagrégée, dure, éclatée, effritée, émiettée, énorme, érodée, factice, ferme, fine, fossile, frêle, friable, gigantesque, grande, grosse, grossière, haute, immense, légère, lisse, lourde, massive, meuble, moussue, nue, plate, petite, pointue, polie, poreuse, raboteuse, ronde, rongée, rude, rugueuse, sculptée, sèche, sédimentaire, spongieuse, taillée, tendre, tranchante, usée. *Casser, dégrossir, équarrir, extraire, placer, poser, scier, sculpter, tailler une/des~(s); concasser, extraire de la ~.* ♦(~ précieuse) authentique, belle, brillante, brute, énorme, étincelante, fausse, fine, grosse, inestimable, limpide, magnifique, polie, sertie, superbe, synthétique, taillée, terne, véritable. *Enchâsser, monter, (des)sertir, tailler une ~.*

PILIER carré, central, court, cylindrique, droit, élancé, élégant, élevé, énorme, fort, géant, grand, gros, haut, immense, long, lourd, massif, petit, renflé, rond, sculpté, tors, torsadé, trapu, tronqué. *Être appuyé contre un ~; reposer sur un/des ~(s).* Un ~ soutient, supporte.

PILLAGE anarchique, aveugle, barbare, colossal, complet, continu, continuel, crapuleux, cruel, effréné, éhonté, énorme, épouvantable, fabuleux, forcené, fructueux, général, généralisé, grave, honteux, illicite, impitoyable, inadmissible, incessant, inconsidéré, incontrôlable, insensé, intensif, joyeux, massif, méthodique, méticuleux, navrant, orchestré, (dés)organisé, partiel, permanent, prémédité, prolongé, régulier, sauvage, scandaleux, sélectif, systématique. *Commettre, effectuer, faire, infliger, organiser, permettre, perpétrer, réaliser, subir, vivre un ~; assister, mettre fin, participer, procéder, se livrer à un ~; être victime, faire l'objet d'un ~.* Un/le ~ a lieu, règne, se fait, s'effectue, se produit, sévit.

PILOTE chevronné, compétent, confirmé, courageux, débutant, émérite, excellent, (in)expérimenté, habile, hardi, lent, mauvais, médiocre, novice, piètre, (im)prudent, rapide, téméraire, valeureux.

PILULE amère, expérimentale, faible, forte, générique, néfaste, puissante, révolutionnaire, spécifique. *Avaler, doser, prendre, (se faire) prescrire une/des ~(s).*

PINCEAU carré, court, doux, dur, épais, étroit, fin, grand, gros, large, long, mince, neuf, petit, plat, propre, réutilisable, rond, souillé, souple, spécial, vieux. *Employer, essorer, laver, nettoyer, tenir, utiliser un ~; se servir d'un ~; maîtriser, (savoir) manier le ~; peindre au ~.*

PIONNIER, IÈRE actif, célèbre, créatif, émérite, éminent, extraordinaire, fécond, génial, grand, hardi, humble, illustre, influent, innovateur, international, local, méconnu, modeste, national, prestigieux, reconnu, révolutionnaire, téméraire, véritable, visionnaire. *Faire figure/œuvre de ~.*

PIQUE-NIQUE agréable, arrosé, bon, bref, chaud, consistant, copieux, élégant, excellent, fastueux, froid, frugal, gastronomique, géant, gourmand, grand, gros, improvisé, joyeux, magnifique, merveilleux, plantureux, raffiné, rapide, raté, réussi, savoureux, simple, sommaire, somptueux. *Arranger, (aller) faire, improviser, offrir, organiser, prendre, préparer un ~; participer, se rendre à un ~.*

PIQÛRE (~ *d'insecte, etc.*) bénigne, cruelle, dangereuse, inoffensive, mortelle, venimeuse. *Soulager, soigner une ~.* ♦ (*Médecine*) contaminée, désagréable, douloureuse, (in)efficace, indolore, maladroite. *Donner, exécuter, (se faire) faire, injecter, recevoir une ~.*

PIRATAGE *Combattre, contrecarrer, exercer, pratiquer, réprimer, traquer le ~; se livrer au ~; lutter contre le ~; faire du ~.*

PISCINE chauffée, couverte, délabrée, désaffectée, enterrée, entretenue, équipée, extérieure, géante, gonflable, grande, intérieure, minuscule, olympique, petite, privée, profonde, publique, spacieuse, surveillée, vaste. *Acquérir, construire, entretenir, fréquenter, hiverner, installer, posséder une ~; barboter, jouer, nager, plonger, s'amuser, sauter, s'ébattre dans une ~.*

PISTE (*sentier, Sport*) abrupte, accidentée, affreuse, agréable, aménagée, ardue, audacieuse, balisée, battue, bétonnée, boueuse, cahotante, cahoteuse, caillouteuse, carrossable, cimentée, circulaire, crevassée, damée, dangereuse, défoncée, descendante, déserte, difficile, douce, droite, dure, (in)égale, embroussaillée, empierrée, encaissée, enneigée, entretenue, épouvantable, éprouvante, escarpée, étroite, facile, fléchée, fréquentée, glissante, herbeuse, horizontale, immense, impressionnante, improvisée, inutilisable, jalonnée, large, longue, magnifique, malaisée, marquée, mauvaise, mince, montante, ombragée, pénible, pentue, périlleuse, pierreuse, pittoresque, plate, poussiéreuse, (im)praticable, raboteuse, raide, rapide, ravinée, rectiligne, rocailleuse, rude, sablonneuse, sauvage, signalée, sinueuse, surpeuplée, tortueuse, tracée, trempée, verticale, vertigineuse. *Aménager, baliser, construire, damer, découvrir, descendre, dévaler, emprunter, entretenir, gravir, (re)monter, ouvrir, percer, perdre, ratisser, rechercher, suivre, tracer, (re)trouver une ~; s'engager dans une ~; skier, surfer sur les ~s.* Une ~ bifurque, court, descend, grimpe, monte, ondule, oscille, s'arrête, s'efface, se perd, serpente, s'incurve, vagabonde, zigzague. ♦ (*empreinte, marque, indice*) bonne, brouillée, chaude, embrouillée, erronée, faible, fantaisiste, fausse, floue, fraîche, fumante, intéressante, mauvaise, mince, nette, privilégiée, prometteuse, sérieuse, suspecte; abondantes, nombreuses, rares. *Brouiller, détecter, négliger, perdre, poursuivre, prendre, privilégier, rechercher, relever, repérer, suivre, tenir, trouver une ~; être, se lancer, se mettre sur une ~.*

PISTOLET court, énorme, grand, gros, immense, léger, long, lourd, miniature, minuscule, petit, puissant. *(dés)Approvisionner, (dés)armer, (dé)charger, saisir, sortir un ~; être armé, s'armer d'un ~; tirer au ~.*

PITIÉ affectueuse, ardente, arrogante, attendrie, authentique, bienveillante, certaine, charitable, compatissante, condescendante, dédaigneuse, délicate, démesurée, déplacée, douce, énorme, excessive, extrême, facile, factice, fausse, feinte, généreuse, grande, hautaine, immense, impuissante, incommensurable, incroyable, infinie, inquiète, insultante, légère, maladroite, méprisante, miséricordieuse, naïve, narquoise, navrée, offensante, paisible, profonde, réelle, respectueuse, secrète, sensible, sincère, sinistre, soudaine, suprême, tempérée, tenace, triste, véritable. *Afficher, avoir, causer, éprouver, exciter, inspirer, manifester, montrer, nourrir, ressentir une ~ (+ adj.); exciter, inspirer, provoquer, quêter, solliciter, susciter la ~; être digne/plein/pris, sangloter de ~; prendre en ~; être sans ~.*

PLACE (esplanade) agréable, arborée, belle, carrée, circulaire, démesurée, déserte, éclairée, énorme, étroite, géante, grande, jolie, immense, large, longue, majestueuse, minuscule, pavée, petite, populeuse, silencieuse, solitaire, spacieuse, superbe, vaste, vide. *Arpenter, contourner, traverser la ~; se promener sur la ~.* ♦(espace libre) grande, libre, (in)occupée, petite, rare, restreinte, spacieuse. *Chercher, laisser, ménager, trouver une ~; faire, gagner, prendre, tenir de la ~.* ♦(siège, billet, etc.) assise, bonne, debout, disponible, enviée, libre, mauvaise, médiocre, occupée, réservée, retenue, vide. *Avoir une ~ (+ adj.); céder, louer, réserver, retenir sa ~.* ♦(rang, importance) absolue, accrue, anecdotique, appréciable, bonne, capitale, centrale, croissante, cruciale, décisive, dernière, déterminante, dominante, élevée, éminente, énorme, enviable, essentielle, exagérée, exceptionnelle, excessive, exclusive, exorbitante, familière, fondamentale, grande, grandissante, habituelle, honorable, illustre, importante, inférieure, infime, insignifiante, juste, large, méritée, minime, modeste, négligeable, notable, (extra)ordinaire, particulière, première, prépondérante, primordiale, privilégiée, prodigieuse, (dé)raisonnable, relative, singulière, significative, subalterne, suffisante, supérieure, ultime, unique. *Avoir, conserver, occuper, revêtir, tenir une ~ (+ adj.); conquérir, disputer, gagner, obtenir, remporter une ~.*

PLACEMENT avantageux, bon, considérable, désastreux, discret, excellent, fâcheux, faible, favorable, fiable, (in)fructueux, gros, (mal)heureux, initial, (in)intéressant, judicieux, lucratif, majeur, mauvais, maximal, médiocre, mineur, minimal, optimal, performant, permanent, privé, (im)productif, profitable, (im)prudent, public, record, rémunérateur, rentable, risqué, solide, substantiel, sûr, temporaire, tranquille. *Détenir, effectuer, faire, réaliser un ~; procéder à un ~.*

PLAFOND bas, crevé, décoré, droit, effondré, (sur)élevé, haut, incliné, lourd, mansardé, ouvrant, pentu, percé, plat, pointu, surbaissé, uni, vitré, voûté. *(re)Faire, peindre, plâtrer un ~.*

PLAGE (in)accessible, aménagée, animée, argentée, attrayante, belle, blanche, blonde, bondée, boueuse, bourbeuse, branchée, brûlante, caillouteuse, calme, célèbre, délicieuse, déserte, dorée, éblouissante, encombrée, énorme, ensoleillée, étroite, exceptionnelle, fermée, fréquentée, géante, gigantesque, grande, grandiose, grouillante, houleuse, immaculée, immense, impeccable, infinie, interminable, isolée, large, lisse, longue, luxueuse, magnifique, marécageuse, menacée, mince, minuscule, naturelle, ouverte, paisible, paradisiaque, parfaite, petite, plate, polluée, populaire, populeuse, préservée, propre, protégée, retirée, rocailleuse, rocheuse, sablonneuse, sale, saturée, sauvage, secrète, somptueuse, souillée, spectaculaire, sublime, superbe, sûre, superbe, surpeuplée, surveillée, tranquille, vaste, vide, vierge. *Aborder, arpenter, longer, parcourir, traverser une ~; accéder à une ~; aller, (se faire) bronzer, descendre, être allongé, jouer, s'allonger, s'ébattre, se prélasser, se reposer sur une ~; aller à la ~.*

PLAIDOYER ardent, convaincant, éloquent, émouvant, habile, impressionnant, logique, long, maladroit, (im)partial, passionné, persuasif, probant, simpliste, vibrant, vigoureux. *Faire, formuler, préparer, prononcer un ~.*

PLAIE affreuse, banale, béante, belle, bénigne, boursouflée, cicatrisée, creuse, cuisante, dégoûtante, douloureuse, effroyable, enflammée, envenimée, fétide, fraîche, galeuse, grande, grave, grosse, hideuse, horrible, importante, incurable, indolore, infectée, inguérissable, insignifiante, large, légère, longue, mauvaise, mortelle, négligée, petite, profonde, purulente, repoussante, saignante, sanglante, sensible, souillée, superficielle, suppurante, suspecte, suturée, torpide, tuméfiée, ulcéreuse, vilaine, vive. *Assainir, bander, cautériser, cicatriser, coudre, débrider, envenimer, examiner, guérir, humecter, inciser, (dés)infecter, laver, négliger, nettoyer, panser, soigner, stériliser, suturer, tamponner, traiter une ~.* Une ~ brûle, démange, guérit, saigne, s'avive, se cicatrise, se gangrène, s'envenime, se produit, s'infecte, s'ulcère, suppure.

PLAINE ample, âpre, aride, boisée, bosselée, caillouteuse, cultivée, découverte, dénudée, déserte, désertique, désolée, (in)égale, élevée, ennuyeuse, ensoleillée, infertile, fleurie, gigantesque, herbeuse, horizontale, immense, infinie, interminable, marécageuse, monotone, morne, nue, ondulée, onduleuse, ouverte, pauvre, pelée, pierreuse, plane, plantureuse, poussiéreuse, riche, rugueuse, sablonneuse, spacieuse, stérile, unie, uniforme, vallonnée, variée, vaste, venteuse, verdoyante, verte. *Parcourir, traverser une ~.* Une/la ~ se déroule, s'étend.

PLAINTE (cri, gémissement) aiguë, amère, angoissée, atroce, brève, courte, déchirante, désespérée, douce, dure, énorme, épouvantable, étouffée, faible, forte, grave, gutturale, horrible, inarticulée, infinie, inhumaine, interminable, involontaire, légère, lointaine, longue, lourde, lugubre, mélancolique, monotone, perçante, petite, profonde, prolongée, rauque, sauvage, sinistre, sourde, stridente, terrible, terrifiante, vague, voilée. *Articuler, émettre, (faire) entendre, étouffer, exhaler, laisser échapper, marmonner, pousser, proférer, souffler une/des ~(s).* Une ~ retentit, s'échappe, s'élève. ♦(blâme, reproche, accusation) absurde, amère, anonyme, bénigne, continuelle, (in)directe, discrète, désobligeante, douce, dure, fantaisiste, fondée, grave, grotesque, infamante, insensée, (in)juste, (in)justifiée, lassante, légère, (il)légitime, lourde, malvenue, (dé)raisonnable, sévère, vague, véhémente. *Adresser, déposer, écouter, émettre, engager, enregistrer, étouffer, examiner, faire, formuler, poursuivre, recevoir, régler, rejeter, repousser, résoudre, retirer, transmettre une ~; donner suite, renoncer à une ~; enquêter sur une ~.*

PLAISANTERIE acerbe, acérée, aimable, amère, amicale, anodine, atroce, banale, basse, blessante, bonne, caustique, charmante, compliquée, corsée, courante, crue, cruelle, délectable, délicate, déplacée, détestable, douce, douteuse, drôle, éculée, enjouée, énorme, excellente, facile, fade, fine, féroce, froide, funèbre, gauche, gauloise, grivoise, grosse, grossière, hardie, (mal)heureuse, humiliante, ignoble, impertinente, inconvenante, ingénieuse, innocente, inoffensive, insultante, laborieuse, légère, lourde, macabre, mauvaise, méchante, médiocre, obscène, odieuse, oiseuse, osée, outrageante, piquante, poivrée, poussée, réchauffée, ressassée, risquée, salace, sarcastique, spirituelle, stupide, subtile, triviale, truculente, usagée, usée, vaste, vulgaire. *Avoir la ~ (+ adj.); asséner, débiter, dire, faire, hasarder, imaginer, jouer, lâcher, lancer, raconter, rapporter, répandre, savourer, se permettre, soutenir une/des ~(s); riposter à une ~; rire d'une ~; répondre par des ~s; comprendre, entendre, (savoir) manier, prendre (bien) la ~; être l'objet/victime de ~s; prendre, tourner en ~.* Une ~ a du succès, fait rire; des ~s fusent, pleuvent.

PLAISIR absolu, aigu, amer, anticipé, authentique, bienfaisant, bizarre, constant, coûteux, décevant, défendu, délectable, dément, différé, diffus, dispendieux, dissimulé, divin, douloureux, douteux, doux, durable, émoussé, enchanteur, étrange, extraordinaire, extravagant, extrême, facile, faible, forcené, fort, fugace, fugitif, grand, honteux, horrible, illicite, imaginaire, immédiat, immense, impétueux, imprévu, inconcevable, indicible, ineffable, inestimable, inexprimable, infini, innocent, insignifiant, intense, intérieur, intime, irrésistible, languissant, léger, légitime, (il)licite, (il)légitime, malfaisant, malicieux, malin, manifeste, médiocre, mélancolique, mélangé, merveilleux, minuscule, momentané, morbide, naïf, nécessaire, nouveau, paisible, parfait, particulier, passager, permis, pervers, petit, profond, pur, raffiné, rapide, rare, réel, relatif, sadique, sage, savoureux, secret, simple, singulier, subtil, suprême, suspect, tendre, triste, trompeur, ultime, vain, vif, violent, visible, vivifiant, volatile, voluptueux. *Apprécier, assouvir, avoir, bouder, causer, donner, éprouver, (se) faire, goûter, prendre, procurer, promettre, recevoir, ressentir, savourer, sentir, trouver un/du/son ~; céder, renoncer, résister, se livrer à un ~; jouir, (se) priver qqn d'un ~; atténuer, augmenter, diminuer, exciter, faire durer, gâcher, gâter, rechercher, sentir le ~; s'abandonner au ~; nager, se jeter, se lancer, se plonger, s'étourdir dans le/les ~(s); crier, défaillir, être ivre/rouge, fondre, frémir, frétiller, frissonner, gémir, grimacer, haleter, pâlir, pâmer, pleurer, rayonner, rougir de ~.* Un/le ~ augmente, croit, diminue, disparaît, grandit, monte, naît, s'accentue, s'émousse, s'éteint, s'estompe, s'intensifie.

PLAN (<u>croquis, dessin, ébauche</u>) admirable, bon, clair, (in)complet, complexe, compliqué, (in)correct, détaillé, erroné, fiable, fidèle, grossier, (il)lisible, minutieux, net, (im)précis, rapide, rigoureux, schématique, simple, simplifié, vague. *Calquer, concevoir, consulter, dessiner, dresser, esquisser, lever, lire, modifier, réaliser, reconstituer, réduire, relever, tirer, tracer un/le ~ de qqch.* ♦(<u>objectif, projet, idée</u>) abstrait, (in)adéquat, admirable, ambitieux, (in)applicable, (in)approprié, astucieux, audacieux, avorté, bâclé, boiteux, bon, chiffré, clair, (in)cohérent, complexe, compliqué, concerté, concret, coûteux, crédible, dangereux, définitif, démentiel, désastreux, drastique, (in)efficace, élaboré, embryonnaire, énorme, éphémère, équilibré, étudié, exécutable, extravagant, fourbe, fumeux, génial, gigantesque, grand, grandiose, habile, hardi, immense, imparable, inacceptable, ingénieux, judicieux, (il)logique, long, machiavélique, magnifique, monstrueux, mûri, obscur, paralysé, (im)parfait, pensé, (im)praticable, (im)précis, prématuré, prévu, provisoire, (dé)raisonnable, (ir)réalisable, réfléchi, rigoureux, risqué, sage, simple, soigneux, solide, sombre, souple, stratégique, succinct, titanesque, transparent, unique, vaste, viable. *Accepter, achever, adopter, affiner, appliquer, approuver, arrêter, avaliser, bâtir, composer, concerter, concevoir, concocter, condamner, décider, définir, déjouer, démanteler, déranger, déterminer, développer, dévoiler, dresser, ébaucher, échafauder, édifier, élaborer, esquisser, établir, exécuter, exploiter, exposer, faire avorter/échouer, forger, former, imaginer, improviser, lancer, machiner, méditer, mettre à exécution/au point/au rancart/en place, modifier, mûrir, perfectionner, piloter, poursuivre, préméditer, préparer, présenter, proposer, réaliser, rédiger, refuser, rejeter, ruiner, ruminer, saboter, soumettre, suivre, superviser, tracer, tramer, trouver un ~; renoncer, s'en tenir à un ~; décider, se doter d'un ~.* Un ~ échoue, réussit, s'affine, s'amorce, s'écroule.

PLANCHE courte, droite, épaisse, équarrie, étroite, gauchie, grosse, large, longue, mince, neuve, polie, rabotée, rugueuse, solide, unie, vermoulue. *Aplanir, clouer, équarrir, percer, planer, poncer, raboter, rapetisser, scier, vernir, visser une ~.*

PLANCHER astiqué, brillant, chaud, ciré, clair, craquant, effondré, (in)égal, flottant, froid, glacé, huilé, impeccable, massif, (re)luisant, lustré, marqueté, massif, mat, neuf, parqueté, poli, poussiéreux, propre, raboteux, rayé, résistant, sale, sali, satiné, silencieux, sonore, souillé, terne, terni, vieux, vitrifié. *Astiquer, cirer, entretenir, frotter, laver, nettoyer, poncer, poser, vernir, vitrifier un ~.* Un ~ craque, ploie.

PLANÈTE (*Astronomie*) énorme, géante, immense, lointaine, mystérieuse. *Apercevoir une ~.* ♦ (La Terre) *changer, découvrir, détruire, dominer, faire sauter, parcourir, préserver, révolutionner, sauver, sillonner la ~.*

PLANIFICATION approfondie, bonne, calamiteuse, chaotique, (ultra)centralisée, (in)cohérente, (in)complète, complexe, compliquée, crédible, défectueuse, déplorable, désastreuse, douteuse, dynamique, (in)efficace, (dés)équilibrée, étroite, excellente, faible, forte, globale, hasardeuse, impeccable, intelligente, irréprochable, légère, logique, lourde, mauvaise, médiocre, méthodique, minutieuse, partielle, pragmatique, professionnelle, (im)prudente, rationnelle, (ir)responsable, rigide, rigoureuse, rudimentaire, sage, scientifique, sensée, sérieuse, serrée, simple, solide, souple, superficielle, téméraire, transparente. *Assumer, assurer, conduire, entraver, faciliter, prendre en charge une/la ~ de qqch.; participer, prendre part, procéder à une/la ~ de qqch.; manquer de ~.*

PLANTE aborigène, acclimatable, amphibie, aquatique, arborescente, aromatique, basse, broussailleuse, brûlante, bulbeuse, champêtre, charnue, chétive, comestible, courte, cultivée, dangereuse, décorative, délicate, dénudée, déployée, droite, élancée, élégante, élevée, énorme, épanouie, épineuse, exigeante, exotique, fanée, (in)fertile, feuillue, fleurie, florissante, frêle, géante, gigantesque, grande, grasse, grimpante, grosse, haute, immense, indigène, jaunie, jeune, large, légère, légumineuse, ligneuse, longue, lourde, luxuriante, majestueuse, malade, médicinale, minuscule, morte, naine, noueuse, odorante, odoriférante, ornementale, petite, poussiéreuse, précoce, (im)productive, rabougrie, rachitique, racornie, rampante, rare, ratatinée, ravissante, résistante, robuste, sauvage, sèche, solide, spongieuse, touffue, trapue, tropicale, tubéreuse, velue, vénéneuse, verte, vieille, vigoureuse, vivace. *Acclimater, arracher, arroser, (en)chausser, couper, cueillir, cultiver, déraciner, dessécher, faire pousser, mettre en pot/terre, offrir, planter, produire, reconnaître, repiquer, tailler une/des ~(s).* Une ~ bourgeonne, croît, dépérit, flétrit, fleurit, grandit, lève, pousse, prend racine, s'acclimate, sèche, se développe, se fane, s'enracine, s'épanouit, s'étiole, végète.

PLAT (*récipient*) cassé, creux, ébréché, énorme, fêlé, immense, large, long, minuscule, ovale, plein, profond, rond, sale, vide. *Essuyer, laver, lécher, nettoyer, racler, récurer un ~.* ♦ (*mets*) alléchant, allégé, appétissant, bizarre, bon, chaud, compliqué, consistant, copieux, corsé, délectable, délicat, délicieux, diététique, économique, élaboré, épicé, équilibré, estimé, excellent, exotique, exquis, fade, fin, froid, frugal, garni, gastronomique, gras, gros, indigeste, insipide, inventif, léger, local, lourd, maigre, manqué, médiocre, minceur, nourrissant, odorant, original, parfumé, pauvre, pimenté, poivré, préféré, présentable, puissant, raffiné, raté, réchauffé, régional, relevé, renommé, réussi, riche, rustique, sain, salé, savant, savoureux, simple, soigné, sophistiqué, succulent, sucré, tentant, traditionnel. *Accommoder, apprécier, apprêter, arranger, assaisonner, confectionner, cuisiner, détester, dresser, garnir, goûter, humer, manquer, (se) mitonner, pimenter, préparer, présenter, rater, réchauffer, relever, resservir, réussir, saler, savourer un ~; faire honneur, goûter à un ~; reprendre d'un ~.*

PLATEAU ample, âpre, aride, boisé, bosselé, caillouteux, cultivé, découvert, dénudé, désert, désertique, désolé, élevé, ensoleillé, étroit, fertile, fleuri, haut, herbeux, immense, inculte, large, long, lugubre, maigre, monotone, morne, nu, ondulé, ouvert, pelé, pierreux, rocheux, vaste, venté, verdoyant. *Parcourir, traverser un ~.* Un/le ~ se déroule, s'étend.

PLEUR abondants, amers, artificiels, assouvis, authentiques, bienfaisants, brûlants, calmés, chauds, constants, désespérés, éperdus, feints, furtifs, gros, hypocrites, incessants, intarissables, inutiles, silencieux, sincères, soudains, tristes, véritables, violents. *Apaiser, arracher, calmer, contenir, essuyer, étouffer, faire/laisser couler, refouler, rentrer, répandre, réprimer, retenir, sécher, verser des/ses ~s; être suffoqué par les ~s; éclater, être, fondre en ~s.* Les ~s cessent, coulent, redoublent, se tarissent.

PLONGÉE brusque, prodigieuse, profonde, raide, vertigineuse. *Effectuer une ~; émerger d'une ~.*

PLONGEON gracieux, impressionnant, imprudent, maladroit, périlleux, prodigieux, raté, réussi, risqué, spectaculaire, vertigineux. *Effectuer, exécuter, faire, piquer, réaliser un ~.*

PLUIE abondante, acharnée, battante, bienfaisante, bienvenue, brève, brumeuse, brusque, brutale, chaude, cinglante, continue, continuelle, contrariante, courte, délicieuse, dense, déprimante, désolante, diluvienne, douce, drue, dure, ennuyeuse, ensoleillée, éparse, épouvantable, faible, favorable, féconde, fine, forte, froide, fumante, furieuse, glacée, glaciale, grosse, impétueuse, impitoyable, importante, importune, incessante, infatigable, interminable, intermittente, lancinante, large, légère, longue, lourde, maigre, malencontreuse, menue, mince, minuscule, moite, obstinée, opiniâtre, opportune, orageuse, passagère, pénétrante, persistante, pesante, petite, (im)prévue, propice, rafraîchissante, rageuse, raide, (ir)régulière, ruisselante, salvatrice, sempiternelle, serrée, sinistre, soudaine, soutenue, subite, tenace, tiède, torrentielle, traîtresse, verglaçante, verticale, violente. *Affronter, braver, détester, laisser passer, prendre, recevoir, regarder tomber, voir venir la ~; être surpris, se faire mouiller par la ~; cheminer, marcher, rester, se promener, sortir sous la ~; être dégoûtant/ruisselant/trempé, ruisseler de ~.* Une/la ~ cesse, chante, cingle, clapote, (re)commence (à tomber), crépite, crève, croît, diminue, dévale, éclate, fouette, menace, mouille, pénètre, persiste, redouble, ruisselle, s'abat, se déchaîne, se déclare, s'interrompt, s'obstine, tambourine, tombe (à flots, à seaux, à torrents, à verse, en rafales, etc.), transperce, trempe.

PLUMAGE abîmé, abondant, bigarré, brillant, chatoyant, clair, coloré, dense, discret, distinctif, doux, dur, duveteux, ébouriffé, éclatant, élégant, flottant, foncé, fourni, impeccable, imperméable, irisé, joli, lisse, luisant, luxuriant, minable, mordoré, mou, multicolore, neutre, noir, resserré, rugueux, serré, sobre, soigné, sombre, souple, soyeux, superbe, tacheté, tapageur, terne, terreux, uniforme, vaporeux, variable, varié, vif, volumineux. *Acquérir, arborer, voir, porter, posséder, présenter un ~ (+ adj.); être (dé)pourvu/vêtu d'un ~ (+ adj.).*

PLUME (*~ d'un oiseau*) belles, brillantes, chatoyantes, flamboyantes, grandes, hérissées, lisses, petites, tachetées. *Arracher, se lisser les ~s; hérisser, lisser, lustrer, perdre ses ~s.*

PNEU antidérapant, bon, clouté, cranté, crevé, durable, efficace, endurant, étroit, excellent, fiable, (dé)gonflé, gros, increvable, inutilisable, large, léger, lisse, neuf, performant, polyvalent, radial, rechapé, robuste, usé. *Avoir, posséder un ~ (+ adj.); crever, (re)gonfler, (faire) monter, (faire) rechaper, (faire) réparer un ~.* Un ~ adhère (bien, mal) à la route, crève, crisse, éclate.

PODIUM final, international, mondial, national, officiel, régional. *Accrocher, approcher, atteindre, compléter, manquer, monopoliser, rater, retrouver, viser le ~; passer à côté du ~; arriver, parvenir au ~; renouer avec le ~; descendre, être absent, se rapprocher, sortir du ~; être, finir, grimper, (re)monter, se hisser, terminer sur le ~; avancer vers le ~; buter, échouer, rester, se retrouver, terminer au pied du ~.*

POÈME (in)accessible, (in)achevé, admirable, alambiqué, ambigu, ample, artificiel, banal, boiteux, bref, bucolique, caustique, charmant, (in)cohérent, (in)complet, complexe, compliqué, (in)compréhensible, concis, confus, court, dense, descriptif, difficile, élégant, émouvant, épique, expressif, exquis, facile, fin, gauche, gracieux, grandiloquent, grandiose, guindé, harmonieux, hermétique, idyllique, imagé, impeccable, important, inédit, insipide, interminable, joli, laborieux, léger, libre, limpide, long, lourd, lyrique, magnifique, majestueux, malhabile, maniéré, mauvais, méchant, médiocre, merveilleux, mièvre, minimaliste, naïf, obscur, original, (im)parfait, passable, passionné, pauvre, pétillant, piètre, prétentieux, profond, (ir)régulier, remarquable, riche, rimé, satirique, simple, succinct, sublime, superbe, touchant, transparent, travaillé, vaste, voluptueux. *Achever, analyser, apprécier, citer, composer, concevoir, construire, créer, dire, écrire, faire, finir, goûter, lire, produire, publier, réciter, rédiger, savourer, (re)travailler un ~.*

POÉSIE absolue, abstraite, abrupte, (in)accessible, admirable, artificielle, authentique, banale, brève, bucolique, caustique, charmante, claire, comique, complexe, compliquée, (in)compréhensible, concrète, confuse, conventionnelle, courte, débridée, dense, difficile, élégante, élevée, émouvante, épique, érudite, expérimentale, exquise, exubérante, facile, familière, fantastique, féerique, fine, fraîche, gracieuse, grande, grandiloquente, grave, harmonieuse, haute, hermétique, ingénieuse, insipide, intime, juste, laborieuse, légère, libre, limpide, mauvaise, médiocre, mièvre, musicale, naïve, obscure, pauvre, piètre, plaintive, prétentieuse, profonde, puissante, pure, rare, rebutante, riche, rimée, romantique, rude, savante, sensuelle, sérieuse, simple, sobre, somptueuse, sonore, sublime, superbe, totale, traditionnelle, transparente, vigoureuse, vivante, vraie. *Pratiquer une ~ (+ adj.); être d'une ~ (+ adj.); composer, dire, écrire, faire, interpréter, lire, publier, réciter, rédiger une/de la ~; aimer, cultiver, dire, goûter la ~; être (in)sensible, s'intéresser à la ~; raffoler de ~; exceller en ~.*

POÈTE abondant, abstrait, académique, accompli, ardent, bon, brillant, caustique, célèbre, célébré, charmant, chevronné, (in)connu, cultivé, délicat, démodé, difficile, divin, doux, élégant, éminent, engagé, estimé, excellent, facile, faible, génial, grand, grandiloquent, habile, hermétique, illustre, imaginatif, immense, impétueux, important, incompris, inégal, inimitable, insipide, inspiré, intéressant, maniéré, majeur, manqué, marginal, marquant, maudit, mauvais, méchant, médiocre, merveilleux, mièvre, mineur, naïf, obscur, original, pédant, piètre, pitoyable, (im)productif, raffiné, raté, reconnu, renommé, réputé, romantique, sincère, solitaire, talentueux, tourmenté, visionnaire, vrai. *Citer, étudier, fréquenter, lire un ~.*

POIDS (*pesanteur, masse, fardeau*) accablant, (in)acceptable, (in)adéquat, admis, approprié, approximatif, autorisé, brut, certain, (in)commode, considérable, convenable, (in)correct, dérisoire, écrasant, effectif, (in)égal, élevé, énorme, équivalent, étonnant, (in)exact, excessif, exorbitant, extraordinaire, faible, fluctuant, formidable, idéal, immense, important, identique, inférieur, infime, inouï, insignifiant, léger, lourd, mauvais, maximum, minime, minimum, modeste, moindre, moyen, négligeable, net, (a)normal, prodigieux, (dis)proportionné, (dé)raisonnable, réduit, respectable, (mal)sain, (in)stable, (in)suffisant, supérieur, total, utile. *Afficher, avoir, posséder, présenter un ~ (+ adj.); atteindre, conserver, garder, maintenir, obtenir, revenir, viser un ~ (+ adj.); parvenir, se maintenir à un ~ (+ adj.); être, être allégé d'un ~ (+ adj.); accroître, augmenter, calculer, dépasser, déterminer, diminuer, lever, porter, réduire, relever, soulever, soutenir, supporter, vérifier un/le ~ de qqn/qqch.; s'affaisser, grincer, ployer sous le ~ de qqch.; gagner, perdre, (re)prendre du ~; surveiller son ~; augmenter, diminuer de ~.* Un/le ~ augmente, baisse, chute, descend, fluctue, grimpe, monte, tombe, varie. ♦(*importance, influence*) accablant, (in)acceptable, accru, capital, certain, conséquent, considérable, convenable, correct, croissant, décisif, dérisoire, déterminant, différent, (in)direct, durable, écrasant, effectif, (in)égal, élevé, énorme, équivalent, étonnant, exceptionnel, excessif, exorbitant, extraordinaire, faible, fluctuant, formidable, fort, horrible, identique, illusoire, immense, important, incontestable, inexorable, inférieur, infime, infini, inouï, inquiétant, insignifiant, (il)limité, lourd, majeur, mineur, modeste, moindre, nécessaire, négligeable, (a)normal, notable, nouveau, nul, oppressant, particulier, pesant, préoccupant, prépondérant, (dis)proportionné, quelconque, (dé)raisonnable, réduit, réel, respectable, significatif, singulier, (in)suffisant, supérieur, (in)supportable, terrible, variable. *Afficher, avoir, posséder, représenter un ~ (+ adj.); être, peser d'un ~ (+ adj.); enlever, ôter un ~; être allégé/libéré, (se) libérer qqn d'un ~; sentir, soutenir, subir, supporter le ~ de (la misère du monde, etc.); crouler, être accablé, fléchir, gémir, grincer, périr, plier, ployer, s'affaisser, succomber sous le ~ de (l'ennui, etc.); donner du ~ à (un argument, etc.).*

POIGNE bonne, énergique, ferme, forte, incroyable, puissante, solide, suffisante, terrible, tranquille, vigoureuse. *Avoir, conserver, maintenir une ~ (+ adj.); maintenir d'une ~ (+ adj.); avoir, montrer de la ~; manquer de ~.*

POIGNÉE DE MAIN appuyée, assurée, banale, brève, brutale, chaleureuse, chaude, cordiale, énergique, faible, forte, ferme, franche, fugace, furtive, molle, nette, protocolaire, puissante, rapide, sincère, solide, vigoureuse, virile, vive. *Donner, échanger, esquisser une ~; distribuer des ~s; quitter qqn sur une ~.*

POIGNET bon, délicat, épais, ferme, fin, frêle, gras, grêle, gros, grossier, maigre, mince, nerveux, noueux, osseux, potelé, raide, robuste, rond, souple, squelettique, svelte, vigoureux. *Presser, se fouler le ~; pétrir, saisir, serrer, tenir les ~s de qqn.*

POIL abondant, brillant, cassant, cassé, clair, couché, court, crêpé, crépu, dense, doux, dressé, droit, dru, dur, écarté, entretenu, épais, fin, follet, foncé, fourni, frisé, gras, grossier, hérissé, humide, hirsute, laineux, lisse, long, luisant, lustré, magnifique, menu, mou, mouillé, ondulé, ouaté, piquant, plat, raide, rare, ras, rasé, rêche, rigide, rude, sale, sec, serré, souple, soyeux, superbe, terne, touffu, velouté, volumineux. *Avoir, posséder un ~ (+ adj.); porter, raser, tondre des ~s; caresser, brosser, lisser, lustrer, peigner le ~ de (un chat, etc.); perdre ses ~s; être couvert/dépourvu de ~s.* Un ~ se dresse, se hérisse, se rebrousse.

POING amaigri, crasseux, crispé, dodu, enflé, fermé, gros, menaçant, meurtri, puissant, serré, velu, vigoureux. *Brandir, crisper, fermer, lever, montrer, serrer, tendre le/les ~(s); cogner, frapper, heurter, menacer qqn, taper du ~.*

POINT (endroit, lieu) fixe, isolé, lumineux, névralgique, stratégique, variable. *Désigner, indiquer, marquer, montrer, repérer, viser un ~.* ♦ (aspect, question, problème) absurde, acquis, approfondi, ardu, bon, brûlant, capital, central, chaud, complexe, compliqué, concret, conflictuel, (in)contestable, (in)contesté, controversé, crucial, curieux, décisif, délicat, difficile, (in)discutable, dur, éclairant, embarrassant, ennuyeux, épineux, essentiel, facile, faible, flou, fondamental, fort, grave, important, insignifiant, intéressant, judicieux, litigieux, majeur, mineur, négatif, négligeable, névralgique, notable, notoire, obscur, particulier, pertinent, positif, (im)précis, primordial, principal, secondaire, sensible, singulier, stratégique, troublant, trouble, unique, vital, vulnérable. *Aborder, admettre, approfondir, concéder, contester, débattre, défendre, définir, déterminer, développer, éclaircir, éclairer, élaborer, élucider, étayer, expliquer, exprimer, faire ressortir/valoir, formuler, mentionner, mettre en lumière, partager, préciser, prendre en compte, refuser, rejeter, réviser, soulever, souligner, soumettre, soutenir, traiter un ~; s'attaquer à un ~; céder, consulter, discuter, insister, revenir, transiger sur un ~.* ♦ (Sport, cartes) bon, contesté, décisif, égalisateur, facile, gagnant, important, incontestable, litigieux, magnifique, précieux, refusé, stratégique, superbe, victorieux. *Accorder, compter, concéder, contester, encaisser, enregistrer, faire, gagner, inscrire, manquer, marquer, perdre, prendre, rater, récolter, refuser, remporter, (faire) rentrer, réussir un ~; accumuler des ~s.*

POINT DE VUE (vue, panorama) agréable, dégagé, dominant, éblouissant, époustouflant, étendu, exceptionnel, extraordinaire, fantastique, grandiose, immense, imprenable, impressionnant, incroyable, inoubliable, inouï, magnifique, majestueux, merveilleux, ouvert, panoramique, plongeant, ravissant, remarquable, saisissant, séduisant, somptueux, spectaculaire, splendide, sublime, superbe, surprenant, unique, vaste, vertigineux. *Avoir, offrir, posséder un ~ (+ adj.); bénéficier, jouir d'un ~ (+ adj.); admirer, apprécier, contempler, découvrir, regarder un ~.* ♦ (opinion) absolu, abstrait, bon, contestable, courant, (in)défendable, différent, discutable, divergent, dominant, erroné, extrême, faible, (dé)favorable, ferme, fort, idéaliste, identique, intéressant, (in)juste, large, majoritaire, marginal, minoritaire, négatif, nuancé, objectif, original, partagé, (im)partial, (im)personnel, privilégié, répandu, vrai. *Admettre, adopter, avoir, avancer, comprendre, défendre, durcir, émettre, entériner, exposer, exprimer, faire connaître/valoir, formuler, partager, présenter, rappeler, rectifier, rejeter, soutenir un ~; confronter, rapprocher des ~s; se placer, se rallier à un ~; céder sur un ~; changer de ~.*

POINTE (~ d'un couteau, etc.) acérée, aiguë, arrondie, carrée, douce, dure, effilée, émoussée, étroite, fine, large, légère, lourde, piquante. *Acérer, émousser une ~.* ♦ (moquerie, raillerie) acérée, amicale, blessante, caustique, cinglante, cruelle, féroce, imperceptible, petite, sadique, sarcastique, spirituelle, subtile. *Asséner, décocher, lancer, se permettre, se renvoyer des ~s.*

POISON amer, brûlant, dangereux, (in)efficace, faible, fatal, fort, foudroyant, funeste, léger, lent, meurtrier, mortel, puissant, rapide, redoutable, subtil, sûr, violent, virulent. *Absorber, administrer, apprêter, avaler, boire, ingurgiter, inoculer, neutraliser, prendre, préparer, respirer, vomir un ~; résister à un ~; assassiner/tuer qqn par le ~.*

POISSON (animal) agressif, allongé, argenté, avide, calme, carnassier, cartilagineux, combatif, court, craintif, curieux, dangereux, doré, écailleux, effilé, énorme, épineux, étroit, exotique, fin, frémissant, frétillant, géant, gigantesque, glissant, gourmand, grégaire, gros, immense, inoffensif, large, lent, lisse, long, magnifique, massif, méfiant, mince, miniature, minuscule, moucheté, multicolore, nacré, paisible, peureux, plat, puissant, rapide, rétif, superbe, tranquille, trapu, turbulent, vorace. *Accrocher, attraper, capturer, décrocher, dégorger, échapper, ferrer, pêcher, piquer, prendre, rejeter, travailler un ~.* Un ~ bondit, frétille, gobe l'appât/hameçon, happe un insecte, mord, nage, plonge, s'agite, se débat, se ferre; le ~ abonde, se fait rare. ♦ (Cuisine) bouilli, cru, délicat, délicieux, exquis, fade, farci, frais, frit, fumé, grillé, mariné, meunière, pané, poché, salé, savoureux, sec, séché, succulent, surgelé, tendre. *Apprêter, décapiter, déguster, écailler, étêter, éviscérer, faire bouillir/cuire/frire, farcir, manger, ouvrir, parer, préparer, savourer, servir, vider un ~.*

POITRINE (sur)abondante, altière, ballante, bombée, bondissante, (dé)couverte, délicate, développée, dissimulée, dressée, effacée, élargie, énorme, épanouie, étroite, exubérante, faible, ferme, formée, forte, généreuse, grosse, haletante, haute, large, légère, lourde, maigre, mince, minuscule, molle, musculeuse, naissante, nue, opulente, petite, plantureuse, plate, pleine, poilue, proéminente, provocante, rebondie, ronde, saillante, souple, tombante, tremblante, velue, volumineuse. *Avoir une/la ~ (+ adj.); bomber, rentrer, se couvrir la ~; avoir de la ~; bercer/étreindre/presser/serrer/tenir qqn contre sa ~.* Une ~ halète, palpite, s'abaisse, se bombe, se gonfle, s'élève, se soulève.

POLÉMIQUE acerbe, acrimonieuse, aiguë, amère, ardente, brève, brutale, close, confuse, courte, courtoise, croustillante, décisive, enragée, exagérée, excessive, fausse, féroce, furieuse, grande, grave, houleuse, importante, intense, interminable, légère, longue, lourde, mémorable, naissante, orageuse, ouverte, partisane, passionnée, rageuse, rude, sérieuse, sévère, soudaine, stérile, terrible, vague, vaine, vaste, vieille, vigoureuse, violente, virulente, vive. *Apaiser, attiser, aviver, clore, créer, déchaîner, déclencher, engager, engendrer, enterrer, entretenir, (re)lancer, nourrir, ouvrir, poursuivre, provoquer, ranimer, régler, résoudre, soulever, soutenir, susciter une ~; mettre fin, s'exposer à une ~; entrer dans une ~; être/faire l'objet d'une ~; exceller dans la ~.* Une/la ~ commence, débute, enfle, est relancée, fait rage, grandit, monte, naît, prend de l'ampleur, rebondit, retombe, s'amplifie, se développe, s'ensuit, se poursuit, se prolonge, s'éteint, s'ouvre, surgit.

POLICE (sûreté) (in)efficace, entraînée, équipée, honnête, omniprésente, puissante, redoutable. *Affronter, alerter, aller chercher, appeler, avertir, craindre, déborder, dérouter, faire intervenir, prévenir, renseigner, requérir la ~; avoir affaire, (se) dénoncer qqn, échapper, se dérober, se livrer, se plaindre, se rendre à la ~; avoir des ennuis, collaborer avec la ~; être, rentrer, travailler dans la ~; être de la ~; être interrogé/poursuivi/pris en filature/recherché/surveillé/traqué, se faire arrêter/piéger par la ~.* La ~ appréhende, arrête, enquête, est en alerte, intervient, perquisitionne. ♦ (assurance) appropriée, collective, déchue, expirée, individuelle, ouverte, polyvalente, privée, (in)suffisante, universelle. *Acheter, consentir, contracter, prendre, signer, souscrire, vendre une ~.*

POLICIER, IÈRE brutal, corrompu, efficace, (in)expérimenté, honnête, intègre, véreux.

POLITESSE affectée, appuyée, cérémonieuse, compassée, distante, embarrassée, enjouée, exagérée, excessive, exemplaire, exquise, extérieure, extrême, forcée, formelle, froide, glacée, glaciale, impeccable, indéniable, (dés)intéressée, irréprochable, maladroite, maniérée, méprisante, méticuleuse, modérée, obséquieuse, ostentatoire, parfaite, raffinée, rare, recherchée, remarquable, respectueuse, révérencieuse, stricte, surannée, vraie. *Être d'une ~ (+ adj.); devoir, dire, faire, rendre une ~; échanger des ~s; mépriser, négliger, observer, pratiquer la ~; manquer, s'initier à la ~; manquer, rivaliser de ~; se confondre en ~s.*

POLITICIEN, IENNE accompli, adroit, aguerri, amateur, ambitieux, averti, avisé, brillant, célèbre, chevronné, (in)compétent, conservateur, consommé, convaincu, corrompu, éclairé, (in)efficace, éminent, enragé, exalté, excellent, (in)expérimenté, extrémiste, fin, grand, (mal)habile, (mal)honnête, indélicat, indépendant, intègre, intelligent, (dés)intéressé, jeune, libéral, machiavélique, mauvais, médiocre, modéré, novice, opportuniste, outrancier, petit, piètre, (im)populaire, pragmatique, (im)prudent, radical, réaliste, redoutable, remuant, retors, révolutionnaire, roué, rusé, sage, sérieux, souple, (in)stable, taré, timide, traditionnel, véreux, versatile, vertueux, vieux, visionnaire. *Être, s'avérer un (+ adj.).*

POLITIQUE (façon de gouverner) aberrante, absurde, active, (in)adéquate, (mal)adroite, agressive, ambitieuse, (in)appropriée, astucieuse, austère, autoritaire, avisée, belliqueuse, bonne, brutale, (in)cohérente, concertée, conciliante, consensuelle, (in)conséquente, conservatrice, contestée, controversée, courageuse, coûteuse, cruelle, dangereuse, déficiente, délibérée, désastreuse, détestable, (in)digne, dirigiste, discriminatoire, dispendieuse, drastique, éblouissante, (in)efficace, énergique, (dés)équilibrée, erronée, étroite, expansionniste, extrémiste, faible, fanatique, fine, forte, (in)habile, hésitante, imaginative, impérieuse, impitoyable, inacceptable, indécise, ingénieuse, inopérante, intransigeante, irrationnelle, (in)juste, (in)justifiable, lâche, large, laxiste, lente, libérale, machiavélique, mauvaise, mesquine, mesurée, militante, minimaliste, modérée, musclée, néfaste, nocive, novatrice, nuancée, odieuse, opportuniste, oppressive, (im)partiale, partisane, passive, payante, piètre, pragmatique, pratique, prévoyante, profonde, (im)prudente, (im)puissante, radicale, raffinée, (ir)réaliste, (ir)responsable, restrictive, réussie, rigide, rigoureuse, sage, (mal)saine, sévère, souple, soutenue, subtile, suivie, timide, viable. *Adopter, appliquer, appuyer, assouplir, avaliser, bâtir, cautionner, combattre, concevoir, consolider, contrer, décider, décrier, défendre, définir, dicter, diriger, élaborer, exécuter, inaugurer, infléchir, instaurer, intensifier, justifier, (re)lancer, mener, mettre au point/en œuvre, poursuivre, préconiser, présenter, promouvoir, prôner, réaliser, reconduire, réprouver, réussir, revoir, saboter, soutenir, suivre une ~; prendre part, procéder, s'adonner, s'attaquer, s'opposer à une~; rompre avec une ~; étudier, pratiquer, quitter la ~; se destiner, se frotter, s'intéresser, songer à la ~; être impliqué, se jeter, se lancer, se mettre, s'engager dans la ~; faire, se désintéresser, se détourner, se retirer de la ~; croire en la ~; être attiré/dégoûté par la ~; se mêler, s'occuper de ~; en-*

trer, être expérimenté/néophyte/novice, se lancer, s'engager, s'illustrer en ~; causer, discuter, parler (de) ~. Une ~ échoue, réussit, se dessine, triomphe. ♦(politicien) accompli, adroit, aguerri, ambitieux, averti, avisé, bon, brillant, célèbre, chevronné, (in)compétent, conservateur, consommé, corrompu, éclairé, éminent, excellent, expérimenté, extrémiste, fin, grand, habile, (mal)honnête, indépendant, intelligent, libéral, mauvais, médiocre, piètre, profond, prudent, puissant, redoutable, retors, révolutionnaire, ridicule, rusé, sage, sérieux, timide, véreux, versatile, visionnaire. *Être, s'avérer un ~ (+ adj.).*

POLLUTION accidentelle, accrue, catastrophique, chronique, considérable, constante, croissante, dangereuse, désastreuse, diffuse, dramatique, durable, élevée, énorme, étendue, exceptionnelle, faible, forte, galopante, généralisée, gigantesque, grave, grossière, immense, importante, inquiétante, insidieuse, insupportable, irréversible, limitée, locale, maîtrisée, majeure, mineure, monstrueuse, moyenne, néfaste, noire, nuisible, nulle, persistante, préoccupante, profonde, réduite, sournoise, spectaculaire, (in)visible, (in)volontaire. *Causer, constater, créer, générer, engendrer, entraîner, occasionner, prévenir, produire, provoquer, signaler, subir une ~; combattre, contrôler, diminuer, éliminer, éviter, favoriser, fuir, prévenir, réduire, réprimer, supprimer, vaincre la ~; contribuer à la ~; lutter contre la ~.* Une/la ~ apparaît, augmente, diminue, disparaît, s'accroît, s'aggrave, s'atténue, s'ensuit, se produit, s'étend, s'intensifie, survient.

POMMETTE amaigries, aplaties, blanches, brûlantes, colorées, couperosées, creuses, écarlates, empourprées, enflammées, faméliques, flétries, fraîches, grandes, grosses, hautes, lisses, marquées, osseuses, plates, pleines, plissées, proéminentes, petites, puissantes, rebondies, rentrées, rondes, rosées, roses, rouges, rubicondes, saillantes, satinées, tannées, tombantes, vermeilles, violacées, violettes. *Avoir des/les ~s (+ adj.).*

POMPIER bon, brave, courageux, efficace, excellent. *Appeler, prévenir les ~s; faire appel aux ~s.*

PONCTUALITÉ absolue, accrue, admirable, approximative, défaillante, désarmante, douteuse, étonnante, exacte, exemplaire, extrême, immuable, impeccable, implacable, inflexible, irréprochable, légendaire, parfaite, pointilleuse, régulière, remarquable, rigoureuse, scrupuleuse, stricte, vague. *Être d'une, faire preuve, se montrer d'une ~ (+ adj.); manquer de ~.*

PONCTUATION (in)adéquate, (in)appropriée, approximative, bonne, capricieuse, (in)cohérente, complexe, convenable, (in)correcte, courante, défaillante, défectueuse, déficiente, erronée, exacte, excellente, fantaisiste, fautive, incertaine, maîtrisée, mauvaise, négligée, (im)parfaite, régulière, simple, singulière. *Avoir, employer, utiliser une ~ (+ adj.); améliorer, apprendre, connaître, corriger, ignorer, maîtriser, mettre, observer, oublier, rectifier, respecter, soigner, surveiller, vérifier la ~.*

PONT bas, basculant, bossu, chancelant, couvert, dangereux, (sur)élevé, étroit, fixe, flottant, géant, gigantesque, grand, haut, immense, imposant, impressionnant, improvisé, interminable, large, levant, long, magnifique, majestueux, métallique, minuscule, mobile, moderne, modeste, ouvrant, petit, piétonnier, provisoire, puissant, routier, solide, superbe, surbaissé, suspendu, tournant, tremblant, vétuste, vieux, voûté. *Bâtir, construire, édifier, emprunter, ériger, établir, franchir, improviser, lever, passer, traverser un ~; passer, s'engager sur un ~.* Un ~ enjambe/franchit (une rivière, une route, etc.), relie/réunit/unit (deux rives, deux villes, etc.).

POPULARITÉ accrue, ambiguë, apparente, bonne, certaine, compromise, considérable, croissante, déclinante, déplorable, douteuse, ébranlée, élevée, énorme, éphémère, exceptionnelle, extraordinaire, faible, fantastique, flatteuse, folle, forcée, formidable, forte, franche, fulgurante, grande, grandissante, immédiate, immense, importante, impressionnante, incessante, incontestable, incontestée, incroyable, inégalée, inouïe, intacte, internationale, limitée, manifeste, mauvaise, (im)méritée, mondiale, montante, naissante, persistante, piètre, planétaire, réelle, remarquable, solide, soudaine, stable, trompeuse. *Acquérir, atteindre, avoir, connaître, posséder, rencontrer une ~ (+ adj.); bénéficier, jouir d'une ~ (+ adj.); être sensible à la ~; compromettre, consolider, établir, perdre, soigner sa ~; perdre de sa ~.* Une/la ~ augmente, baisse, diminue, naît, s'accentue, s'accroît, s'atténue, s'effondre, s'étend.

POPULATION accueillante, active, bonne, clairsemée, cosmopolite, déclinante, définitive, dense, dispersée, durable, éparse, (dé)équilibrée, faible, flottante, forte, fragile, groupée, hétéroclite, hétérogène, homogène, mélangée, (im)mobile, montante, nomade, nombreuse, passive, provisoire, rare, sédentaire, (in)stable, vaste, vieillissante. *Administrer, ravitailler, recenser une ~; alarmer, informer, mobiliser, sensibiliser la ~.* Une ~ augmente, baisse, décline, diminue, s'accroît.

PORCELAINE brillante, délicate, diaphane, émaillée, épaisse, excellente, fêlée, fragile, jolie, légère, lourde, magnifique, sonore, superbe, supérieure, translucide, transparente, vernie, vitreuse.

PORT abandonné, abrité, achalandé, actif, animé, artificiel, dangereux, désaffecté, désert, étroit, excellent, exigu, exposé, fermé, florissant, fréquenté, grand, gros, important, imposant, impressionnant, majeur, marécageux, mineur, minuscule, naturel, ouvert, petit, prospère, spacieux, tranquille, vaseux, vaste. *Aménager, bloquer, creuser, ouvrir, quitter, regagner, toucher, visiter un ~; aborder, accéder, arriver, conduire, (r)entrer, faire escale, guider, mouiller, s'amarrer, s'arrêter, toucher à un ~; arriver, débarquer, entrer, faire escale, mouiller, pénétrer, stationner dans un ~; partir, sortir, venir d'un ~; se diriger vers un ~.*

PORTABLE (<u>*ordinateur ~*</u>) encombrant, (ultra)léger, (ultra)mince, performant, (ultra)plat, puissant. *Allumer, éteindre, posséder, utiliser un/son ~; disposer, être doté/muni d'un/de son ~; travailler sur un/son ~.* ♦(<u>*téléphone ~*</u>) allumé, éteint. *Allumer, éteindre, posséder, utiliser un/son ~; disposer, être doté/muni d'un/de son ~; appeler qqn, être appelé/joint, joindre qqn sur un/son ~.*

PORTE basse, battante, blindée, bloquée, cadenassée, capitonnée, close, cochère, communicante, condamnée, entrebâillée, épaisse, étroite, fermée, grande, grillagée, grillée, grosse, haute, large, lourde, massive, matelassée, métallique, mince, monumentale, (entr)ouverte, pesante, petite, surbaissée, surélevée, vernie, verrouillée, vitrée. *Aménager, barricader, blinder, bloquer, cadenasser, calfeutrer, claquer, condamner, défoncer, emprunter, enfiler, enfoncer, entrebâiller, entrouvrir, fermer, forcer, franchir, hausser, heurter, installer, (dé)murer, ouvrir, passer, percer, poser, (re)pousser, secouer, tirer, (dé)verrouiller une/la ~; entrer, passer, sortir par une/la ~; carillonner, cogner, frapper, reconduire qqn, sonner, tambouriner, taper à la ~.* Une/la ~ bâille, bat, claque, couine, donne (sur une pièce), frotte, grince, roule/tourne sur ses gonds, se (re)ferme, s'entrebâille, s'entrouvre, s'ouvre.

PORTÉE (distance) ample, appréciable, bonne, colossale, commode, considérable, constante, courte, croissante, (in)définie, (in)directe, effective, efficace, égale, énorme, étroite, exceptionnelle, faible, forte, généreuse, gigantesque, grande, immense, inférieure, intermédiaire, large, (il)limitée, longue, maximale, minimale, minime, moindre, moyenne, optimale, petite, (im)précise, puissante, réduite, réelle, remarquable, respectable, respectueuse, (in)suffisante, supérieure, utile. *Avoir, garantir, offrir, posséder une ~ (+ adj.)* ♦ (effet) ample, appréciable, (in)attendue, bonne, colossale, considérable, constante, (in)contestable, courte, croissante, (in)définie, (in)déterminée, (in)directe, énorme, étroite, (in)exacte, exceptionnelle, extraordinaire, faible, (dé)favorable, forte, générale, globale, grande, haute, historique, immédiate, immense, incalculable, inférieure, insoupçonnée, large, (il)limitée, marginale, maximale, minimale, minime, négligeable, optimale, particulière, (im)précise, profonde, puissante, réduite, réelle, remarquable, restreinte, significative, supérieure, symbolique, universelle, vaste, véritable, vraie. *Avoir, posséder une ~ (+ adj.); apprécier, atténuer, augmenter, diminuer, exagérer, limiter, mesurer, minimiser, relativiser, sous-estimer, surestimer la ~ de qqch.*

PORTEFEUILLE aplati, bourré, dodu, (dé)garni, gonflé, gros, plat, plein, vide. *Avoir un/le ~ (+ adj.); dérober, subtiliser, voler un ~; vider son ~.*

PORTION (partie, part) appréciable, bonne, congrue, considérable, (dé)croissante, démesurée, dérisoire, (in)égale, énorme, essentielle, faible, forte, grande, grosse, immense, importante, infime, insignifiante, large, (il)limitée, maigre, majeure, mince, mineure, minime, modeste, négligeable, notable, petite, réduite, restreinte, significative, substantielle. *Constituer, représenter une ~ (+ adj.); augmenter, diminuer, réduire une ~.* (Cuisine) abondante, bonne, copieuse, double, énorme, généreuse, grosse, immense, infime, large, limitée, maigre, mince, minime, modeste, savoureuse, succulente. *Commander, servir une ~.*

PORTRAIT (peinture, visage) abouti, achevé, admirable, approximatif, authentique, banal, caricatural, chargé, charmant, détérioré, ébauché, énorme, expressif, exquis, fidèle, flatteur, frappant, géant, idéalisé, immense, joli, magnifique, manqué, mauvais, médiocre, miniature, minuscule, officiel, parlant, pointilliste, précieux, rare, raté, réaliste, ressemblant, restauré, superbe. *Commander, crayonner,* *dessiner, esquisser, exécuter, (faire) faire, fignoler, (faire) peindre, rater, réaliser, restaurer, réussir un ~; pratiquer le ~; s'adonner, s'initier au ~; exceller dans le ~; faire du ~.* ♦ (description) accablant, admirable, admiratif, agaçant, (dés)agréable, approfondi, approximatif, (dés)avantageux, bouleversant, bref, caricatural, chargé, charmant, clair, complaisant, (in)complet, complexe, convenu, crédible, cru, détaillé, difficile, dur, éblouissant, élogieux, émouvant, équitable, (in)exact, exagéré, excessif, exhaustif, expressif, exquis, (dé)favorable, féroce, (in)fidèle, flatteur, fouillé, frappant, idéal, idéalisé, implacable, intime, ironique, joyeux, (in)juste, long, magnifique, mauvais, minutieux, mordant, noir, nuancé, objectif, obscur, (im)parfait, pathétique, piètre, pittoresque, (im)précis, rapide, réaliste, réducteur, repoussant, ressemblant, riche, saisissant, séduisant, sensible, sévère, significatif, singulier, sobre, subjectif, succinct, sulfureux, tendre, triste, valable, vaste, véridique, vigoureux, violent, (in)vraisemblable. *Brosser, camper, donner, dresser, ébaucher, esquisser, faire, fignoler, peindre, présenter, rédiger, tracer un/le ~ de qqn/qqch.*

POSE abandonnée, affectée, alanguie, arrogante, artificielle, avachie, désinvolte, (in)élégante, étudiée, fière, (dis)gracieuse, grave, hautaine, langoureuse, lascive, majestueuse, méprisante, modeste, noble, nonchalante, provocante, raide, rigide, satisfaite, suggestive, superbe, théâtrale, triste, troublante, vulgaire. *Adopter, avoir, emprunter, prendre, tenir une ~ (+ adj.); être figé dans une ~ (+ adj.); garder, prendre, quitter, tenir la ~.*

POSITION (posture) acceptable, accroupie, (in)adéquate, allongée, (in)appropriée, assise, bizarre, brève, comique, (in)commode, (in)confortable, couchée, debout, dorsale, engourdissante, ergonomique, fatigante, fixe, horizontale, inclinée, lascive, mauvaise, (im)mobile, naturelle, paresseuse, pénible, prolongée, ridicule, (in)stable, ventrale, verticale. *Adopter, conserver, garder, maintenir, prendre, tenir une/la ~ (+ adj.); demeurer, être, rester, se maintenir, se mettre, se trouver dans une ~ (+ adj.); changer de ~.* ♦ (rang, situation) (dés)avantageuse, basse, belle, bonne, considérable, critique, délicate, difficile, dominante, enviable, facile, fausse, gênante, haute, importante, incertaine, inférieure, infime, influente, mauvaise, médiocre, menaçante, officielle, paradoxale, périlleuse, précaire, prestigieuse, privilégiée, solide, (in)stable, subalterne, superbe, supérieure. *Acquérir, ambitionner, occuper, se faire une ~; accéder à une ~.* ♦ (conception, opinion) aberrante, absurde, (in)acceptable, ambiguë, assouplie, avancée, catégorique, cauchemardesque, claire, commune, conciliante, courageuse, définitive, déterminée, dure, équilibrée, (in)équitable, extrême, extrémiste, (dé)favorable, ferme, (in)flexible, fondamentale, fragile, hardie, inadmissible, incongrue, inébranlable, intransigeante, (in)juste, lucide, marginale, médiane, minoritaire, modérée, négative, nette, nuancée, objective, orthodoxe, positive, pratique, (im)prudente, (ir)réaliste, (ir)réfléchie, (ir)responsable, timorée, tranchée, vigoureuse. *Avoir une ~ (+ adj.); adopter, affirmer, arrêter, assumer, (re)clarifier, défendre, définir, développer, élaborer, exposer, prendre, reconsidérer, réprouver, soutenir une ~; se heurter à une ~; opter pour une ~; assouplir, durcir, raidir sa ~; camper, rester, se replier sur ses ~s.* ♦ (em-

<u>placement, Militaire</u>) avancée, (dés)avantageuse, bonne, clé, défensive, dominante, excellente, faible, formidable, forte, fortifiée, fragile, idéale, imprenable, intenable, mauvaise, offensive, retranchée, stratégique, vulnérable. *Avoir une ~ (+ adj.); abandonner, aménager, attaquer, bombarder, combattre, (re)conquérir, défendre, détruire, enlever, fortifier, installer, nettoyer, occuper, organiser, (re)prendre, protéger, retrancher, tenir une ~; s'établir dans une ~; s'emparer d'une ~.*

POSSESSION (<u>fait de posséder</u>) collective, (in)contestée, exclusive, incontestable, individuelle, (in)interrompue, (il)légitime, naturelle, partagée, partielle, permanente, précaire, prolongée, réelle, simple, temporaire, totale, véritable. *Conserver, s'assurer la ~ de qqch.; avoir qqch. en sa ~; (r)entrer, être, rester en ~ de qqch.* ♦(<u>maîtrise</u>) absolue, bonne, étonnante, excellente, exceptionnelle, extraordinaire, grande, parfaite, pleine, rare, réelle, tenace. *Faire preuve d'une ~ (+ adj.); être en ~ (+ adj.) de (son intelligence, ses moyens, etc.).*

POSSIBILITÉ abstraite, alléchante, (in)certaine, claire, concrète, considérable, douteuse, éloignée, énorme, envisageable, étonnante, étroite, éventuelle, excellente, exceptionnelle, extraordinaire, faible, (dé)favorable, formidable, forte, fréquente, gâchée, grande, (mal)heureuse, historique, illusoire, immédiate, immense, imminente, impressionnante, inespérée, infinie, intéressante, large, (il)limitée, magnifique, manquée, maximale, menaçante, minimale, minime, notable, nouvelle, optimale, perdue, persistante, petite, phénoménale, pratique, précieuse, (im)probable, prochaine, prodigieuse, rare, rarissime, redoutable, redoutée, réelle, réjouissante, restreinte, saisie, séduisante, (in)suffisante, tentante, ultime, unique, vaste, (in)vraisemblable. *Avoir, constituer une ~ (+ adj.); bénéficier, jouir d'une ~ (+ adj.); accorder, améliorer, apprécier, assurer, chercher, conserver, créer, démontrer, dénier, développer, donner, éliminer, employer, entrevoir, envisager, établir, étudier, éviter, exclure, examiner, exploiter, fournir, laisser, (se) ménager, mettre à profit, négliger, nier, offrir, ouvrir, perdre, présenter, prévenir, prévoir, prouver, redouter, refuser, rejeter, renforcer, saisir, trouver, utiliser, voir une/des/la/les ~(s).* Une/la ~ disparaît, se dessine, se présente, se produit, se profile, se réalise, s'offre.

POSTE (<u>service postal</u>) *Aller, confier/déposer/jeter/mettre une lettre à la ~; envoyer, expédier par la ~.* ♦(<u>emploi, fonction</u>) attrayant, avantageux, clé, convoité, délicat, difficile, dirigeant, durable, effacé, élevé, éminent, enviable, envié, éphémère, épuisant, essentiel, évolutif, facile, fixe, formateur, gratifiant, haut, honorable, honorifique, humiliant, important, influent, intéressant, intérimaire, intermittent, lucratif, majeur, mauvais, médiocre, minable, mineur, modeste, motivant, (in)occupé, pénible, permanent, précaire, prestigieux, qualifié, régulier, rémunérateur, routinier, sous-payé, (in)stable, stimulant, stratégique, stressant, subalterne, supérieur, surpayé, temporaire, vacant. *Abandonner, accepter, ambitionner, attribuer, briguer, (re)chercher, conserver, convoiter, créer, décrocher, définir, demander, détenir, éliminer, enlever, exercer, laisser, libérer, obtenir, occuper, offrir, pourvoir, prendre en charge, pourvoir, proposer, quitter, réclamer, refuser, remplir, solliciter, supprimer, tenir,* *trouver, viser un ~; accéder, affecter qqn, arriver, assigner qqn, être assigné/nommé, (faire) nommer qqn, parvenir à un ~; concourir, postuler, recommander qqn pour un ~; changer (qqn) de ~.*

POSTURE acceptable, accroupie, (in)adéquate, allongée, (in)appropriée, assise, bizarre, brève, comique, (in)commode, (in)confortable, couchée, debout, droite, engourdissante, ergonomique, fatigante, fixe, horizontale, inclinée, lascive, mauvaise, (im)mobile, naturelle, paresseuse, pénible, prolongée, ridicule, (in)stable, ventrale, verticale. *Adopter, conserver, garder, maintenir, prendre, tenir une/la ~ (+ adj.); demeurer, être, rester, se maintenir, se mettre, se trouver dans une ~ (+ adj.); changer de ~.*

POTAGE bon, brûlant, chaud, clair, consistant, délectable, délicieux, épais, excellent, exquis, fade, fumant, gras, insipide, maigre, onctueux, pimenté, relevé, savoureux, simple, succulent, velouté. *Confectionner, (faire) cuire, dresser, éclaircir, faire, manger, (faire) mitonner, préparer, réchauffer, savourer, servir un ~.* Un ~ cuit, mitonne.

POTAGER biologique, broussailleux, décoratif, désordonné, ensoleillé, fleuri, généreux, minuscule, modeste, ombragé, soigné, vaste. *Arroser, avoir, cultiver, démarrer, entretenir, planter, posséder, réaliser, soigner un/le ~.*

POTENTIALITÉ considérable, élevée, énorme, évidente, exceptionnelle, extraordinaire, formidable, forte, grande, immense, importante, infinie, insoupçonnée, (il)limitée, négligeable, redoutable, restreinte, vaste. *Avoir, ouvrir, posséder, représenter une/des ~(s) (+ adj.); disposer d'une/de ~(s) (+ adj.).*

POTENTIEL bon, considérable, élevé, énorme, évident, (in)exploité, excellent, exceptionnel, formidable, fort, haut, important, incalculable, incroyable, inexploitable, insoupçonné, intact, inutilisé, négligeable, phénoménal, réel, vaste. *Avoir, posséder un ~ (+ adj.); disposer, être porteur d'un ~ (+ adj.); accroître, affaiblir, amoindrir, développer, entamer, enrichir, exploiter, réaliser, renforcer, valoriser son/le ~ de qqn/qqch.*

POTERIE brute, craquelée, délicate, émaillée, épaisse, excellente, fêlée, fine, fragile, glacée, grosse, légère, lourde, magnifique, mate, nue, superbe, translucide, vernie, vernissée, vitrifiée. *(re)Cuire, décorer, émailler, façonner, modeler, mouler, polir, tourner, vernir une ~; pratiquer la ~; s'adonner, s'initier à la ~; faire de la ~; être expert en ~.*

POULS accéléré, agité, court, doux, (in)égal, faible, fébrile, fiévreux, fort, furtif, imperceptible, instable, intermittent, lent, (a)normal, ondulant, plein, rapide, (dé)réglé, (ir)régulier, robuste, sautillant, uniforme, vibrant, vif. *Avoir un ~ (+ adj.); chercher, consulter, percevoir, prendre, sentir (battre), surveiller, (se) tâter, toucher, vérifier le ~.* Un ~ faiblit, s'accélère, s'affaiblit, se ralentit.

POURBOIRE bon, colossal, copieux, dérisoire, énorme, exorbitant, faramineux, fixe, généreux, imposant, minable, piètre, princier, raisonnable, ridicule, royal, substantiel. *Allonger, demander, donner, (re)filer, glisser, laisser, obtenir, offrir, promettre, recevoir, réclamer, refuser, solliciter, toucher un ~.*

POURCENTAGE accru, approximatif, bas, colossal, considérable, croissant, démesuré, dérisoire, élevé, énorme, exact, exagéré, excessif, faible, fort, grandissant, gros, (in)habituel, haut, idéal, immense, important, imposant, impressionnant, indéfini, infime, inquiétant, insignifiant, (il)limité, maximal, mince, minimal, minime, minuscule, modeste, moyen, (a)normal, notable, (dé)raisonnable, réduit, sérieux, significatif, (in)suffisant, substantiel, usuel. *Avoir, toucher un ~; être payé, travailler au ~.*

POURPARLER ardus, avortés, brefs, courts, délicats, difficiles, durs, fastidieux, (in)fructueux, houleux, interminables, laborieux, lents, longs, (in)officiels, officieux, pénibles, ratés, réussis, rudes, serrés, tendus. *Abandonner, amorcer, bloquer, clore, conduire, engager, entamer, entreprendre, faire aboutir/échouer, interrompre, (re)lancer, ouvrir, poursuivre, reprendre, rompre, suspendre des/les ~s; entrer, être en ~s.* Des/les ~s aboutissent, achoppent, butent, échouent, piétinent, réussissent, s'amorcent, s'enlisent, se poursuivent, s'éternisent, sont dans l'impasse.

POURSUITE acharnée, débridée, effrénée, endiablée, éperdue, folle, (in)fructueuse, infernale, laborieuse, mouvementée, rapide, rigide, vaine. *Courir, échapper, envoyer qqn, être, s'acharner, se dérober, se jeter, se lancer, s'élancer, se mettre, se soustraire à la ~ de qqn/qqch.*

POUSSÉE bonne, brusque, brutale, considérable, énergique, excessive, faible, formidable, forte, furieuse, grande, grosse, intense, irrésistible, légère, lente, lourde, modérée, puissante, rapide, violente, vive. *Donner, exercer, recevoir une ~.*

POUSSIÈRE âcre, aveuglante, blonde, dense, diffuse, énorme, épaisse, fine, grise, grosse, immense, impalpable, légère, lourde, noire, suspendue, ténue. *Balayer, enlever, essuyer, faire partir, ôter, souffler, soulever la ~; avaler, faire, soulever de la ~; être blanc/couvert/gris/noir de ~; mettre, réduire, s'en aller, tomber en ~.* Une ~ s'abat, s'amasse, se lève, tombe, tourbillonne.

POUVOIR absolu, abusif, accru, affaibli, arbitraire, autoritaire, (dé)centralisé, certain, chancelant, colossal, considérable, contagieux, corrompu, démagogique, démocratique, despotique, diabolique, dictatorial, discrétionnaire, dominateur, effectif, efficace, énorme, éphémère, étendu, exceptionnel, excessif, exorbitant, extraordinaire, faible, formidable, fort, fragile, grand, grandissant, immense, impératif, impuissant, incroyable, inouï, irrésistible, (il)légitime, (il)limité, magique, magnétique, mystérieux, précaire, prodigieux, redoutable, réel, secret, singulier, souverain, stupéfiant, supérieur, suprême, symbolique, tentaculaire, tranquille, tyrannique, véritable. *Abandonner, acquérir, ambitionner, avoir, confier, convoiter, déléguer, désirer, détenir, disputer, étendre, exercer, limiter, partager, (re)prendre, restreindre, retirer, saisir, souhaiter, transmettre un/le ~; accéder, arriver, aspirer, être, (se) maintenir qqn, parvenir, renoncer, résister, s'accrocher, se hisser, se soumettre, venir au ~; déposséder qqn, écarter qqn, être chassé/dépossédé, s'emparer du ~.*

PRAIRIE abandonnée, douce, épaisse, étroite, fauchée, fleurie, grasse, herbeuse, immense, large, longue, marécageuse, moelleuse, ondoyante, opulente, sauvage, vaste, verdoyante, verte. *Faucher, franchir, semer, traverser une ~.*

PRÉ étroit, fleuri, fleurissant, immense, long, plat, tondu, vert. *Faucher un ~; gambader dans les ~s.*

PRÉCAUTION bonne, efficace, élémentaire, excellente, excessive, extravagante, extrême, indispensable, infinie, maniaque, minutieuse, nécessaire, particulière, sage, stricte, (in)suffisante, superflue, supplémentaire, ultime, (in)utile, vaine. *Appliquer, mettre en œuvre, observer, prendre une/des ~(s); faire preuve d'une ~ (+ adj.); négliger, observer les ~s; redoubler, user de ~s.*

PRÉCÉDENT dangereux, fâcheux, (mal)heureux, inquiétant, regrettable, significatif. *Admettre, chercher, citer, constituer, créer, établir, faire, invoquer, rejeter, trouver un ~; s'appuyer, se fonder sur un ~; servir de ~.*

PRÉCIPICE infranchissable, profond, vertigineux. *Rouler, se jeter, tomber dans un/le ~; se retenir au bord d'un ~; côtoyer, franchir les ~s.*

PRÉCIPITATION (empressement) affolante, confuse, dangereuse, désordonnée, époustouflante, étonnante, excessive, extrême, fébrile, fiévreuse, forcenée, frénétique, inattendue, incroyable, inouïe, insensée, invraisemblable, joyeuse, regrettable, soudaine, suspecte, totale. *Éviter la ~; agir dans la ~.* ♦(*Météorologie*) abondantes, brèves, brusques, courtes, espacées, exceptionnelles, fréquentes, importantes, liquides, orageuses, persistantes, (ir)régulières, résiduelles, solides, sporadiques, violentes. Des/les ~s éclatent, redoublent d'intensité, s'abattent.

PRÉCISION absolue, admirable, brutale, clinique, diabolique, effarante, extraordinaire, géométrique, grande, hallucinante, haute, horlogère, implacable, irréprochable, maniaque, mathématique, millimétrique, minutieuse, méticuleuse, nette, outrée, parfaite, phénoménale, poussée, rare, relative, remarquable, rigoureuse, scientifique, stupéfiante, surprenante. *Augmenter, déterminer, mesurer la ~; faire preuve d'une ~ (+ adj.); manquer de ~.*

PRÉDISPOSITION bonne, considérable, étonnante, exceptionnelle, extraordinaire, faible, forte, grande, impressionnante, légère, marquée, notable, particulière, phénoménale, prodigieuse, prononcée, réelle, singulière. *Avoir, manifester, posséder, présenter une/des ~(s).*

PRÉFÉRENCE aveugle, certaine, durable, faible, forte, (in)juste, grande, (in)justifiée, légère, marquée, momentanée, nette, passionnée, soudaine, systématique, visible. *Accorder, afficher, avoir, avouer, déclarer, dire, donner, emporter, faire taire, justifier, montrer, obtenir une/la/sa/ses ~(s).*

PRÉJUDICE considérable, énorme, grave, historique, immense, incalculable, irrémédiable, irréparable, léger, lourd, notable, (in)volontaire. *Causer, entraîner, éprouver, occasionner, porter, redresser, réparer, subir un ~; souffrir d'un ~.*

PRÉJUGÉ archaïque, courant, durable, effroyable, énorme, enraciné, erroné, établi, étroit, (dé)favorable, fort, grand, grave, gros, grossier, immense, implanté, indéracinable, injuste, injustifiable, insensé, négatif, positif, répandu, ridicule, stupide, tenace, vieux, vivace. *Avoir, manifester, montrer un (+ adj.);*

abolir, afficher, attaquer, braver, combattre, dépasser, détruire, dissiper, ébranler, entretenir, exacerber, franchir, heurter, implanter, nourrir, perpétuer, piétiner, repousser, subir, surmonter, vaincre un/des/les/ses ~(s); s'attaquer à un/des/aux/ses ~(s); bénéficier, jouir, se débarrasser, se défaire, se libérer, souffrir d'un ~; être dénué/dépourvu/imprégné/libre/victime de ~s. Un ~ demeure, persiste, s'atténue, s'installe, subsiste.

PRÉNOM ancien, banal, bizarre, charmant, commun, composé, courant, court, étrange, étranger, évocateur, exotique, fréquent, (in)habituel, inusité, inventé, joli, mixte, multilingue, nouveau, ordinaire, original, populaire, rare, répandu, simple, traditionnel, unisexe, usuel, vieillot. *Attribuer, choisir, donner, porter, recevoir, rechercher, retenir, se faire, trouver un ~; hériter d'un ~.*

PRÉOCCUPATION accrue, angoissante, compréhensible, constante, continuelle, dérisoire, exagérée, exceptionnelle, extrême, (in)fondée, forte, futile, grande, grave, hypertrophiée, insurmontable, inutile, légère, légitime, majeure, marquée, mineure, obsessionnelle, obsessive, omniprésente, personnelle, petite, principale, profonde, réelle, secondaire, sérieuse, sincère, unique. *Avoir, connaître, éprouver une ~ (+ adj.); causer, (se) créer, occasionner des ~s.*

PRÉPARATIF achevés, amorcés, avancés, brefs, clos, complexes, derniers, difficiles, faciles, fastidieux, fiévreux, grands, hâtifs, importants, imposants, impressionnants, improvisés, intenses, laborieux, légers, lents, longs, lourds, minutieux, poussés, rapides, simples, tardifs, terminés, ultimes. *Exiger, nécessiter, réclamer des ~s (+ adj.); accélérer, activer, achever, amorcer, assurer, boucler, clore, engager, entreprendre, freiner, hâter, pousser, retarder, terminer les ~s.* Les ~s démarrent, s'accélèrent, sont en cours, vont bon train.

PRÉPARATION accélérée, active, (in)adéquate, approfondie, ardue, attentive, bonne, brève, (in)complète, concrète, continue, courte, défaillante, déficiente, délicate, difficile, efficace, éloignée, excellente, exigeante, faible, générale, graduelle, hâtive, immédiate, impeccable, importante, indispensable, intense, intensive, laborieuse, lacunaire, lente, longue, méthodique, méticuleuse, minutieuse, passive, polyvalente, poussée, pratique, préalable, professionnelle, rigoureuse, sérieuse, solide, spécialisée, (in)suffisante, théorique. *Exiger, nécessiter, réclamer une ~ (+ adj.); amorcer, assurer, avoir, dispenser, donner, effectuer, lancer, organiser, recevoir, subir, suivre une ~; manquer de ~.*

PRÉSENCE abondante, accidentelle, accueillante, active, (in)adéquate, agressive, (in)amicale, amie, (in)appropriée, assidue, (in)attendue, bienfaisante, bouleversante, brève, charmante, confirmée, considérable, constante, continue, continuelle, déficiente, déplacée, (in)désirable, diffuse, (in)discrète, dominante, douce, douteuse, durable, dure, dynamique, éblouissante, écrasante, effective, émoustillante, encombrante, énorme, envahissante, éphémère, (in)espérée, étouffante, exceptionnelle, exigeante, (in)explicable, facultative, faible, fastidieuse, formidable, forte, fortuite, fréquente, furtive, gênante, grandiose, grandissante, (in)habituelle, hostile, idéale, immense, impérative, importune, imposante, impressionnante, incroyable, indéfectible, indispensable, inédite, ininterrompue, insolite, instantanée, insupportable, intense, intermittente, intimidante, invisible, isolée, (in)justifiée, majestueuse, malfaisante, marquée, massive, maximale, menaçante, minimale, modeste, momentanée, muette, mystérieuse, nécessaire, neutre, notable, obligatoire, obsédante, offensante, omniprésente, (in)opportune, optimale, passagère, passive, (im)perceptible, permanente, perpétuelle, persistante, pesante, physique, possible, potentielle, précaire, présumée, primordiale, (im)probable, prolongée, providentielle, rare, rassurante, record, réelle, (ir)régulière, remarquable, remarquée, répétée, scandaleuse, sécurisante, significative, silencieuse, solennelle, solide, substantielle, subtile, symbolique, tangible, temporaire, timide, (in)usuelle, (in)utile, (in)visible, vraisemblable. *Avoir, constituer, posséder une ~ (+ adj.); accentuer, accepter, annoncer, apprendre, attester, cacher, constater, déceler, découvrir, démontrer, désirer, deviner, épargner, éviter, évoquer, exiger, expliquer, favoriser, fuir, garantir, identifier, ignorer, imposer, justifier, manifester, maintenir, montrer, noter, observer, oublier, pressentir, provoquer, rechercher, réclamer, reconnaître, remarquer, requérir, révéler, sentir, signaler, soupçonner, subir, supporter, tolérer, trahir, vérifier une/sa/la ~ de qqn/qqch.; s'apercevoir, s'assurer, se rendre compte d'une/de la ~ de qqn/qqch.; harceler, poursuivre de sa ~; avoir beaucoup, manquer de ~.* Une ~ agace, bouleverse, déroute, éblouit, encourage, énerve, importune, impressionne, inquiète, intimide, oppresse, rassure, réconforte, stimule, surprend, trouble.

PRÉSENT (temps actuel) acceptable, agréable, amer, atroce, banal, complexe, cruel, difficile, encourageant, fade, fascinant, glorieux, grand, (mal)heureux, idéal, imprévisible, joyeux, médiocre, meilleur, merveilleux, modeste, morne, passionnant, pénible, piètre, précieux, radieux, sombre, sûr, terne, tragique, triste. *(se) Construire, (se) bâtir, se forger un ~ (+ adj.); vivre dans un ~ (+ adj.); accepter, comprendre, déchiffrer, éclairer, expliquer, interroger, maîtriser, perpétuer, refuser le ~; tourner le dos au ~; vivre dans le ~; jouir, profiter du ~; méditer, réfléchir sur le ~.* ♦ (cadeau, don, bienfait) considérable, énorme, généreux, gros, immense, important, inestimable, joli, magnifique, menu, merveilleux, précieux, riche, royal, somptueux, substantiel, superbe. *Accepter, apporter, envoyer, faire, léguer, offrir, recevoir, refuser un ~; distribuer des ~s.*

PRÉSENTATION (exposé) (mal)adroite, alambiquée, belle, bonne, brève, brillante, claire, (in)cohérente, complète, (in)compréhensible, confuse, convaincante, correcte, courte, défectueuse, détaillée, ennuyeuse, excellente, exhaustive, fastidieuse, (mal)habile, improvisée, (in)intelligible, interminable, limpide, longue, monotone, objective, (dés)ordonnée, remarquable, savante, schématique, subjective, substantielle, succincte, systématique, technique, vague. *Donner, écouter, entendre, faire, organiser, préparer, suivre une ~; assister à une ~.* ♦ (manière de présenter) adéquate, aérée, agréable, attrayante, austère, claire, dense, dépouillée, élégante, impeccable, (il)lisible, luxueuse, mauvaise, mensongère, originale, sobre, soignée, séduisante, superbe. *Corriger, modifier, rédiger, remanier, retoucher, soigner une/la ~.*

PRESSE complaisante, contrôlée, élogieuse, indépendante, inventive, irrévérencieuse, libre, muselée, paresseuse, professionnelle, sensationnaliste, sérieuse, spécialisée. *Affronter, bâillonner, censurer, contrôler, encadrer, enchaîner, étouffer, manier, manipuler, manœuvrer, museler, supprimer la ~; sévir contre la ~; être à la une de la ~.*

PRESSENTIMENT affreux, aigu, amer, bizarre, confus, curieux, désagréable, douloureux, énorme, étrange, faux, fondé, fugace, funeste, furtif, grand, (mal)heureux, horrible, immense, inconscient, inexplicable, intense, juste, justifié, léger, lourd, mauvais, mystérieux, négatif, noir, obscur, permanent, secret, sinistre, sombre, soudain, sourd, sûr, tendre, terrible, triste, vague, vif. *Avoir, confirmer, éprouver, nourrir, ressentir un ~; être averti/guidé/mû/poussé/saisi par un ~.* Un/le ~ grandit, persiste, s'accroît, se confirme, se dissipe, se manifeste, se réalise, surgit.

PRESSION (action) accrue, bonne, brève, brusque, brutale, considérable, constante, croissante, énergique, énorme, excessive, faible, forte, immense, importante, intense, irrésistible, légère, lourde, maximale, minimale, modérée, optimale, parfaite, (im)perceptible, permanente, prolongée, puissante, rapide, répétée, soutenue, (in)suffisante, vive. *Appliquer, créer, effectuer, exercer, sentir une ~; être soumis, résister à une ~; accroître, augmenter, diminuer, réduire, régler la ~.* Une ~ augmente, baisse, diminue, monte, s'effectue, s'exerce. ♦(contrainte) accrue, amicale, bénéfique, bonne, brusque, brutale, considérable, constante, croissante, démesurée, discrète, dure, écrasante, (in)efficace, énergique, énorme, exagérée, excessive, explosive, faible, formidable, forte, grandissante, hostile, immense, impitoyable, importante, incessante, indue, insidieuse, insistante, insoutenable, insupportable, intense, intolérable, irrésistible, (in)justifiée, légère, lourde, maximale, modérée, (in)opportune, ouverte, (im)perceptible, permanente, pesante, redoublée, significative, sourde, soutenue, subtile, (in)suffisante, tenace, terrible, (in)utile, vaine, vaste, vigoureuse, vive. *Créer, exercer, subir, surmonter, susciter une/des ~(s); être exposé/soumis, faire face à une/des ~(s); abaisser, accentuer, alléger, atténuer, augmenter, baisser, desserrer, diminuer, endiguer, faire monter, inverser, maintenir, modérer, multiplier, réduire, relâcher, renforcer, soulager la/les ~(s); céder, résister, se soustraire, succomber à la/aux ~(s); être (in)sensible/sourd, succomber aux ~s; user de ~; être, travailler sous ~.* Une/la ~ augmente, baisse, diminue, monte, s'accentue, s'amplifie, s'atténue, s'exacerbe, s'intensifie.

PRESTIGE accru, appréciable, bas, certain, (in)compréhensible, compromis, considérable, croissant, déclinant, démesuré, douteux, éblouissant, élevé, énorme, enviable, exagéré, exceptionnel, excessif, faible, flatteur, fluctuant, fou, grand, grandissant, immense, important, imposant, incontestable, indéniable, indiscuté, inégalé, inestimable, (in)justifié, (im)mérité, naissant, notable, prodigieux, réel, terni, unique, usurpé. *Avoir, conférer, posséder un ~*

(+ adj.); bénéficier, jouir d'un ~ (+ adj.); abaisser, affaiblir, accroître, augmenter, compromettre, (re)conquérir, conserver, diminuer, émousser, étendre, exercer, faire rayonner, garder, (faire) perdre, préserver, rehausser, relever, renforcer, restaurer, risquer, ruiner, sauvegarder, ternir un/son/le ~ de qqn; acquérir, avoir, donner, gagner, perdre du ~; manquer de ~. Un ~ augmente, diminue, grandit, reste intact.

PRÊT astronomique, colossal, considérable, dérisoire, douteux, élevé, énorme, faible, fort, garanti, généreux, gros, immense, important, infime, insignifiant, modeste, (in)opportun, petit, respectable, ridicule, usuraire. *Accorder, acquitter, allouer, approuver, attribuer, avancer, conclure, consentir, contracter, débourser, demander, encaisser, faire, garantir, négocier, obtenir, octroyer, payer, recevoir, refuser, régler, rembourser, solliciter un ~; bénéficier d'un ~.*

PRÉTENTION arrogante, certaine, comique, démesurée, déplacée, désolante, énorme, excessive, exorbitante, extrême, flagrante, folle, gigantesque, grande, illimitée, incroyable, inouïe, insensée, insolente, insoutenable, insupportable, intolérable, pathétique, puérile, ridicule, risible, sotte, totale, vaniteuse. *Manifester, montrer une ~; être, faire montre/preuve d'une ~ (+ adj.).*

PRÉTEXTE absurde, (in)acceptable, (mal)adroit, apparent, bidon, commode, contestable, convaincant, douteux, excellent, facile, faible, fallacieux, fantaisiste, faux, fort, frivole, futile, (mal)honnête, honorable, idéal, ingénieux, justifié, léger, légitime, maigre, mauvais, mensonger, mince, officiel, officieux, oiseux, parfait, pauvre, piètre, pitoyable, plausible, quelconque, recevable, sérieux, spécieux, subtil, vague, valable, vraisemblable. *Alléguer, avancer, avoir, chercher, créer, donner, évoquer, (se) forger, fournir, inventer, invoquer, prendre, saisir, trouver un ~; se couvrir, se saisir d'un~; se retrancher derrière un ~.* Un ~ tient.

PREUVE absolue, abstraite, accablante, apparente, authentique, aveuglante, certaine, complète, concluante, concrète, (in)consistante, (in)contestable, convaincante, criante, décisive, définitive, difficile, (in)directe, (in)discutable, douteuse, éclatante, écrasante, effective, éloquente, énorme, évidente, (in)exacte, excellente, facile, faible, fausse, (in)formelle, forte, fragile, frappante, grande, immense, importante, inattaquable, incontestable, indéniable, indubitable, insigne, irrécusable, irréfutable, irrésistible, légère, lourde, matérielle, manifeste, mauvaise, médiocre, mince, nette, notoire, palpable, parlante, piètre, (im)précise, réelle, (in)satisfaisante, scientifique, sérieuse, solide, substantielle, subtile, (in)suffisante, supplémentaire, suprême, sûre, tangible, ultime, valable, visible, vivante; abondantes, innombrables, nombreuses, rares. *Accumuler, acquérir, amasser, amonceler, apporter, asséner, avancer, avoir, (re)chercher, constituer, dénier, dissimuler, donner, étayer, fabriquer, forger, formuler, fournir, infirmer, rassembler, recueillir, réfuter, réunir, supprimer, truquer une/des ~(s); disposer, manquer de ~s.*

PRÉVENANCE charmante, douce, empressée, étonnante, exemplaire, exquise, grande, incroyable, inimaginable, naturelle, profond, remarquable, sincère, touchante. *Manifester une ~ (+ adj.); être,* *faire preuve d'une ~ (+ adj.); avoir, manifester, montrer de la ~; combler/entourer qqn, être plein de ~s; manquer de ~.*

PRÉVENTION active, (in)efficace, illusoire, passive, (in)suffisante. *Faire de la ~.*

PRÉVISION accablante, apocalyptique, bonne, catastrophique, déprimante, difficile, disponible, empirique, erronée, (in)exacte, facile, fausse, fiable, flatteuse, inquiétante, mauvaise, objective, optimiste, pertinente, pessimiste, plausible, (im)possible, (im)précise, préoccupante, sérieuse, sombre, subjective, vague. *Approuver, confirmer, corriger, effectuer, élaborer, faire, formuler, infirmer, produire, soumettre, tenter une/des ~(s); se livrer à une/des ~(s); dépasser, faire mentir, rectifier, réviser les ~s; être en avance/retard sur les ~s; s'égarer, se planter, se tromper dans ses ~s.*

PRÉVOYANCE accrue, active, constante, délicate, excessive, exemplaire, extrême, grande, immense, infinie, inquiète, judicieuse, maniaque, sage, scrupuleuse, soutenue, subtile, (in)suffisante, touchante. *Montrer une ~ (+ adj.); faire montre/preuve d'une ~ (+ adj.); montrer de la ~; manquer de ~.*

PRIÈRE ardente, brève, confiante, courte, désespérée, désintéressée, douce, efficace, émouvante, fervente, grande, humble, incessante, longue, petite, sincère, touchante, vraie. *Dire, faire, lire, marmonner, réciter des/ses ~s; être, se mettre en ~s.*

PRINCIPE absolu, abstrait, absurde, acquis, admis, banal, bon, central, certain, clair, complexe, constant, (in)contesté, courant, éculé, élémentaire, empirique, éprouvé, essentiel, éternel, évident, excellent, faible, faux, fécond, ferme, flou, fondamental, fort, galvaudé, général, grand, important, imprescriptible, incontestable, incontournable, indiscutable, indispensable, inébranlable, infaillible, inflexible, intangible, légitime, limpide, louable, lumineux, mauvais, nécessaire, noble, original, particulier, premier, reconnu, respectable, rigide, rigoureux, sacré, sage, simple, solide, stable, strict, subversif, supérieur, suprême, sûr, unique, universel, vieux. *Abandonner, admettre, adopter, affirmer, appliquer, avoir, bafouer, bousculer, contester, défendre, émettre, énoncer, entériner, établir, formuler, heurter, inculquer, invoquer, mettre en œuvre, poser, proclamer, professer, promulguer, prôner, réaliser, refuser, rejeter, remettre en cause, respecter, saisir, soutenir, transgresser un/des ~(s); adhérer, contrevenir, déroger, faire une entorse, manquer, obéir à un/des/ses ~(s); s'élever contre un ~; découler, partir d'un ~; combattre pour des ~s; s'appuyer, se fonder sur un ~; manquer de ~s.*

PRINTEMPS agréable, aimable, avancé, beau, bref, capricieux, chaud, clément, court, délicieux, doux, ensoleillé, éphémère, éternel, exubérant, finissant, fleuri, frais, froid, glacial, hâtif, humide, joyeux, long, merveilleux, naissant, neigeux, perpétuel, pluvieux, pourri, précoce, rigoureux, sec, splendide, tardif, timide. *Annoncer, attendre, ramener le ~; entrer dans le ~; sortir du ~.* Le ~ (ré)apparaît, approche, arrive, avance, commence, éclate, est à nos portes, fait place à l'été, (re)naît, s'achève, se montre, touche à sa fin, (re)vient.

PRIORITÉ (*en général*) absolue, accrue, adéquate, claire, croissante, élevée, essentielle, évidente, faible, fondamentale, forte, grande, haute, immédiate, importante, incontournable, inférieure, majeure, mineure, nette, particulière, première, pressante, raisonnable, relative, supérieure, totale, urgente. *Accorder, constituer, demander, demeurer, donner, être, recevoir, réclamer, rester une ~; déterminer, fixer la/les ~(s); venir en ~.* ♦ (Automobile) *Accorder, avoir, céder, laisser, refuser la ~.*

PRISE (butin) abondante, belle, grosse, importante, maigre. *Effectuer, faire, réussir une ~.* ♦ (*~ d'otages*) audacieuse, dramatique, manquée, meurtrière, musclée, sanglante, spectaculaire. *Commettre, diriger, effectuer, faire, organiser, opérer une ~; assister, participer, prendre part à une ~; être impliqué dans une ~; être témoin/victime d'une ~.*

PRISON affreuse, célèbre, étroite, exiguë, fermée, gigantesque, infecte, insalubre, lugubre, misérable, modèle, (ultra)moderne, répugnante, sévère, sinistre, sordide, spacieuse, surchargée, surpeuplée, terrifiante, vaste, vétuste. *Visiter une ~; s'échapper, s'enfuir, s'évader, sortir d'une ~; éviter, infliger, mériter, quitter, réintégrer, risquer, subir la ~; condamner qqn, échapper à la ~; faire de la ~; être libéré/relâché de ~; aller, croupir, détenir qqn, être, être détenu/enfermé/incarcéré/jeté/mis, finir, garder qqn, jeter qqn, languir, maintenir qqn, (faire) mettre qqn, pourrir, rester, se morfondre, se trouver en/dans une ~.*

PRISONNIER, IÈRE exemplaire, évadé, fugitif, modèle, récalcitrant. *Amnistier, capturer, délivrer, écrouer, élargir, escorter, faire, garder, gracier, incarcérer, libérer, ligoter, mettre en liberté, (re)prendre, rattraper, relâcher, rendre, surveiller, transférer, visiter un ~.* Un ~ s'échappe, se fait reprendre, s'évade.

PRIVILÈGE abusif, appréciable, considérable, énorme, enviable, exceptionnel, exclusif, exorbitant, grand, immense, important, incomparable, incontestable, insigne, (im)mérité, merveilleux, modeste, perpétuel, précieux, rare, rarissime, spécial, suprême, triste, unique. *Abolir, accorder, concéder, décrocher, défendre, détenir, donner, enlever, maintenir, obtenir, perpétuer, réclamer, refuser, restreindre, retirer, sanctionner, solliciter, supprimer un/des/les ~(s); renoncer à un ~; abuser, bénéficier, jouir, profiter, user d'un ~.*

PRIX (coût, valeur) (in)abordable, abusif, (in)acceptable, (in)accessible, (in)adéquat, affiché, (in)approprié, arbitraire, astronomique, attractif, autorisé, (dés)avantageux, bas, bon, cassé, compétitif, comptant, concurrentiel, conseillé, considérable, constant, convenable, convenu, (in)correct, courant, coûtant, coûteux, définitif, dégriffé, demandé, démentiel, démesuré, dérisoire, dissuasif, doux, effarant, effrayant, élevé, énorme, (in)équitable, erroné, étonnant, étudié, exagéré, exceptionnel, excessif, exorbitant, extravagant, fabuleux, faible, fantastique, faramineux, (dé)favorable, ferme, fixe, flexible, fluctuant, fort, fou, global, gonflé, gros, hallucinant, haut, (mal)honnête, honorable, imbattable, imposé, indicatif, initial, intéressant, invraisemblable, (in)juste, (in)justifié, léger, libre, lourd, marqué, (im)modéré, modeste, modique, monstrueux, moyen, net, normal, ordinaire, originel, petit, plafond, plancher, préférentiel, prodigieux, prohibitif, (dé)raisonnable, recommandé, record, réduit, réel, régressif, rémunérateur, ridicule, rigide, sacrifié, sage, salé, scandaleux, soldé, (in)stable, stagnant, standard, surfait, taxé, tentant, total, unique, unitaire, usuraire, (in)variable, vertigineux. *Avoir, coûter, demander, obtenir, payer, pratiquer un/des ~ (+ adj.); être d'un ~ (+ adj.); acquitter, afficher, augmenter, baisser, (dé)bloquer, calculer, casser, comparer, comprimer, contrôler, déterminer, diminuer, donner, établir, faire, faire baisser chuter/flamber/hausser/monter/tomber, fixer, gonfler, geler, maintenir, maîtriser, majorer, marchander, monter, rabattre, réduire, régler, stabiliser un/des/les/ses ~; convenir, s'enquérir, s'informer d'un ~; s'entendre sur un/le/les ~; augmenter, baisser de ~.* Les ~ augmentent, baissent, (re)bondissent, dégringolent, dérapent, descendent, diminuent, fléchissent, flottent, grimpent, (re)montent, progressent, s'écroulent, s'effondrent, se maintiennent, s'emballent, s'enflamment, se raffermissent, se redressent, tiennent, tombent. ♦ (<u>diplôme, médaille</u>) convoité, grand, honorifique, important, magnifique, prestigieux. *Accorder, adjuger, attribuer, créer, décerner, décrocher, délivrer, dispenser, emporter, gagner, mériter, obtenir, rafler, ravir, recevoir, réclamer, récolter, remettre, remporter un ~; accumuler, distribuer des ~; participer à un ~; concourir pour un ~.*

PROBABILITÉ élevée, énorme, envisageable, excellente, exceptionnelle, faible, forte, grande, immense, importante, mince, négligeable, notable, nulle, raisonnable, sérieuse. *Avoir, offrir, présenter une ~ (+ adj.); accroître, améliorer, augmenter, diminuer, favoriser la/les ~(s).*

PROBLÈME (<u>en général</u>) accru, agaçant, aigu, ambigu, angoissant, apparent, ardu, bénin, brûlant, central, chronique, clair, complexe, compliqué, conflictuel, connexe, considérable, constant, controversé, croissant, crucial, décisif, délicat, désagréable, difficile, dominant, douloureux, dramatique, dur, durable, effroyable, embarrassant, embêtant, embrouillé, encombrant, énorme, épineux, essentiel, éternel, exaspérant, explosif, facile, faux, fondamental, frustrant, futile, grand, grandissant, grave, gravissime, gros, immense, important, impossible, imprévu, inattendu, incessant, indécis, inédit, inextricable, infime, inquiétant, insolite, insurmontable, intéressant, irritant, lancinant, latent, léger, lourd, majeur, mineur, momentané, multiple, négligeable, nouveau, particulier, passager, passionnant, permanent, persistant, perturbant, petit, ponctuel, précis, préoccupant, pressant, (im)prévisible, profond, récurrent, redoutable, réel, (ir)résolu, résoluble, secondaire, sensible, sérieux, (in)soluble, singulier, spécifique, subtil, technique, temporaire, terrible, troublant, urgent, vaste, vieux, vital, vrai. *Aborder, affronter, aggraver, agiter, amplifier, approfondir, avancer, clarifier, compliquer, creuser, débattre, dénouer, dissimuler, dramatiser, éclairer, élucider, éluder, éradiquer, escamoter, esquiver, étudier, évacuer, éviter, évoquer, examiner, explorer, exposer, fouiller, maîtriser, minimiser, mûrir, occulter, poser, prendre en charge/compte, régler, relativiser, rencontrer, résoudre, ruminer, simplifier, soulever, soumettre, surmonter, traiter, trancher un ~; achopper, être confronté, faire face, mettre fin, remédier, s'atteler, s'attaquer, se heurter à un ~; être enfermé dans un ~; discuter, se charger, se débarrasser, se désintéresser d'un ~; être placé devant un ~; buter, plancher, se concentrer, se pencher sur un ~.* Un/le ~ apparaît, dégénère, perdure, persiste, reste entier, s'aggrave, s'amplifie, s'atténue, se complique, se dessine, s'envenime, se présente, s'intensifie, sommeille, se pose, se présente, surgit. ♦ (Mathématique) complexe, compliqué, difficile, élémentaire, facile, simple. *Construire, énoncer, poser, résoudre un ~.*

PROCÉDÉ (in)adéquat, (mal)adroit, amélioré, (in)approprié, artisanal, audacieux, banal, bon, brutal, commode, complexe, compliqué, (in)connu, courant, coûteux, délicat, démodé, économique, éculé, (in)efficace, empirique, (in)éprouvé, évolué, excellent, fiable, (mal)habile, (in)habituel, inapplicable, inappliqué, incorrect, inédit, ingénieux, inemployable, inexpérimenté, infaillible, ingénieux, laborieux, (il)légal, lent, mauvais, moderne, nouveau, novateur, onéreux, original, (im)parfait, périmé, primitif, radical, rapide, révolutionnaire, rigide, rigoureux, routinier, simple, sophistiqué, souple, subtil, sûr, traditionnel, vieux. *Adopter, améliorer, appliquer, développer, élaborer, employer, essayer, expérimenter, généraliser, imaginer, inventer, mettre à l'essai/au point/en œuvre, perfectionner, pratiquer, simplifier, suivre, utiliser, vulgariser un ~; avoir recours, recourir à un ~; se servir d'un ~.*

PROCÈS bref, célèbre, complexe, compliqué, court, coûteux, délicat, disputé, douteux, embarrassant, embrouillé, ennuyeux, épineux, (in)équitable, éternel, exceptionnel, expédié, expéditif, fastidieux, fleuve, hâtif, (mal)honnête, imperdable, indécis, ingagnable, insolite, interminable, (in)juste, (in)justifié, long, (dé)loyal, mauvais, médiatisé, onéreux, (im)partial, problématique, rapide, (ir)régulier, retentissant, rigoureux, ruineux, scandaleux, sensationnel, singulier, sommaire, spectaculaire, truqué, (in)utile. *Avoir un ~ (+ adj.); abandonner, affronter, ajourner, casser, conduire, couvrir, engager, entreprendre, éterniser, faire, gagner, intenter, interrompre, introduire, juger, mener, (r)ouvrir, perdre, plaider, poursuivre, présider, prolonger, réclamer, régler, remettre, remporter, reporter, réviser, subir, suivre, terminer, trancher un ~; assister, mettre fin, participer, prendre part à un ~; être engagé/impliqué, intervenir, témoigner dans un ~; être, passer en ~.* Un/le ~ démarre, est en cours, languit, s'engage, s'enlise, se poursuit, se termine à l'amiable, s'éternise, s'ouvre, traîne.

PROCESSION brève, bruyante, colorée, considérable, courte, grande, immense, imposante, ininterrompue, interminable, joyeuse, lente, longue, magnifique, maigre, majestueuse, mince, officielle, rapide, silencieuse, solennelle, somptueuse, spectaculaire, triomphale. *Conduire, mener, organiser, suivre une ~; participer, prendre part, se joindre, se mêler à une ~; aller, marcher en ~.*

PROCESSUS accéléré, (in)adéquat, (in)approprié, ardu, archaïque, bref, complexe, compliqué, continuel, court, dangereux, délicat, difficile, durable, dynamique, énorme, évolutif, facile, faible, fastidieux, fort, fragile, graduel, harmonieux, immense, immuable, important, incessant, inéluctable, initial, interminable, (in)interrompu, irréductible, irréversible, laborieux, léger, lent, logique, long, lourd, méticuleux, mystérieux, nécessaire, (a)normal, pénible, permanent, progressif, rapide, (ir)régulier, rigide, rigoureux, simple, souple, strict, timide, ultime, vague, vaste. *Abréger, accé-*

lérer, achever, adopter, amorcer, arrêter, bloquer, compliquer, compromettre, conduire, contrôler, créer, déclencher, développer, empêcher, enclencher, engager, enrayer, entamer, entreprendre, établir, faire échouer/dérailler, favoriser, freiner, hâter, instaurer, lancer, (re)mettre en branle/en marche/en route/sur rail, ralentir, retarder, saboter, simplifier, suivre un ~; participer, prendre part, s'associer, se joindre à un ~; entrer, être engagé/ impliqué, s'engager, s'impliquer, s'inscrire, s'installer dans un ~; se retirer d'un ~; passer par un ~. Un/le ~ aboutit, (re)commence, débute, déraille, échoue, est en branle/ cours/marche/panne, mûrit, piétine, s'accélère, s'amorce, se clôt, se déroule, se développe, s'engage, s'enlise, se termine, s'inverse, s'opère.

PRODIGE (phénomène, miracle, signe) admirable, curieux, éclatant, étonnant, énorme, étrange, extraordinaire, faux, grand, grandiose, immense, incroyable, inexplicable, inouï, inquiétant, mystérieux, petit, rare, rarissime, renversant, sublime, vaste, véritable, vrai. *Accomplir, faire, opérer, réaliser un/des ~(s); tenir du ~.* Un/le ~ a lieu, apparaît, se manifeste, se produit. ♦(artiste, génie, virtuose) exceptionnel, extraordinaire, faux, grand, incontestable, jeune, méconnu, petit, précoce, reconnu, véritable, vrai. Un/le ~ apparaît, naît.

PRODUCTION (sur)abondante, accélérée, accrue, (in)adéquate, belle, bonne, constante, continue, croissante, effrénée, élevée, énorme, excédentaire, exceptionnelle, excessive, faible, hâtive, immense, importante, inférieure, intensive, massive, maximale, médiocre, minimale, (a)normale, pauvre, piètre, prospère, ralentie, réduite, (ir)régulière, restreinte, soutenue, stagnante, stationnaire, (in)suffisante, supérieure. *Assurer, avoir, donner, enregistrer, fournir une ~ (+ adj.); accélérer, accroître, améliorer, augmenter, développer, diminuer, diversifier, écouler, encourager, freiner, limiter, maintenir, optimiser, ralentir, rationaliser, redresser, réduire, relever, restreindre, stimuler une/la ~.* Une/la ~ augmente, baisse, chute, diminue, plafonne, s'accroît, se diversifie, se stabilise, s'intensifie, stagne.

PRODUCTIVITÉ accélérée, accrue, (in)adéquate, améliorée, bonne, constante, convenable, continue, croissante, décuplée, (in)égale, élevée, énorme, étonnante, excellente, exceptionnelle, faible, forte, globale, immense, importante, inférieure, intense, (il)limitée, mauvaise, maximale, médiocre, minimale, modérée, modeste, moindre, moyenne, optimale, passable, phénoménale, piètre, record, réduite, (ir)régulière, remarquable, (in)satisfaisante, soutenue, (in)suffisante, supérieure, (in)variable. *Avoir, assurer, connaître, donner, enregistrer, fournir, obtenir une ~ (+ adj.); accroître, améliorer, augmenter, baisser, diminuer, intensifier, limiter, restreindre, stimuler la ~.* La ~ augmente, baisse, chute, décline, diminue, progresse, s'accroît, s'effondre, s'intensifie, stagne.

PRODUIT (in)abordable, altéré, avarié, brut, compétitif, concurrentiel, défectueux, dérivé, écologique, (in)efficace, excellent, (in)expérimenté, final, (semi-)fini, frelaté, honnête, hybride, innovant, intéressant, (semi-)manufacturé, mauvais, médiocre, nouveau, novateur, (im)périssable, personnalisé, piètre, pilote, polluant, propre, puissant, recherché, (mal)sain, (in)satisfaisant, simple, sophistiqué, standard, suspect, toxique, (in)utile, (in)vendable, vieux. *Acheter, améliorer, boycotter, commercialiser, concevoir, conditionner, créer, développer, diffuser, distribuer, élaborer, employer, exporter, fabriquer, façonner, importer, imposer, inventer, lancer, manufacturer, mettre au point, promouvoir, proposer, tester, traiter, transformer, utiliser, vanter, vendre un ~; se servir d'un ~.*

PROFESSEUR, EURE attentionné, autoritaire, bon, brillant, célèbre, chahuté, chevronné, (in)compétent, compréhensif, déplorable, dévoué, disponible, dynamique, efficace, émérite, éminent, ennuyeux, érudit, excellent, exceptionnel, exigeant, (in)expérimenté, extraordinaire, formidable, indulgent, (in)juste, laxiste, mauvais, médiocre, méthodique, obscur, ouvert, (im)patient, piètre, (im)populaire, remarquable, renommé, sévère, solide. *Chahuter, suppléer, suspendre un ~.*

PROFESSION accaparante, agréable, appréciée, astreignante, confortable, dangereuse, délaissée, difficile, diversifiée, éminente, encombrée, épineuse, exigeante, facile, fastidieuse, fatigante, fermée, gratifiante, honnête, honorable, ignoble, importante, inférieure, ingrate, intéressante, intermédiaire, lucrative, médiocre, méprisée, modeste, noble, oubliée, ouverte, passionnante, pénible, périlleuse, précaire, prenante, prestigieuse, recherchée, respectable, risquée, sédentaire, subalterne, supérieure, utile. *Abandonner, aborder, apprendre, (re)chercher, choisir, embrasser, exercer, occuper, obtenir, pratiquer, prendre, quitter, révolutionner, suivre, trouver une ~; (s')initier qqn, (se) préparer qqn, s'adonner à une ~; entrer, se spécialiser dans une ~; se tourner, s'orienter vers une ~.*

PROFESSIONNALISME accru, admirable, certain, chevronné, confirmé, élevé, époustouflant, éprouvé, exceptionnel, exemplaire, extrême, grand, hors du commun, impeccable, impressionnant, incontestable, incroyable, indéniable, irréprochable, piètre, rare, reconnu, remarquable, surprenant, total. *Afficher, manifester, montrer un ~ (+ adj.); être, faire montre/preuve d'un ~ (+ adj.); manquer de ~.*

PROFESSIONNEL, ELLE astucieux, chevronné, (in)compétent, confirmé, éminent, excellent, grand, (mal)honnête, mauvais, médiocre, piètre, reconnu, réputé, sérieux, véreux, vrai. *(re)Chercher, consulter, employer, trouver un ~; faire appel, recourir, s'adresser à un ~.*

PROFIL accusé, adouci, agréable, aérien, aigu, angulaire, anguleux, aquilin, arrondi, austère, busqué, calme, (in)certain, chevalin, décharné, découpé, délicat, doux, droit, dur, effilé, élancé, élégant, épais, ferme, fier, filiforme, fin, flou, fuyant, gracieux, gras, grave, imposant, impressionnant, indécis, insolite, intelligent, joli, léger, long, longiligne, lourd, magnifique, maigre, massif, mince, net, plat, (im)précis, prononcé, puissant, pur, ravissant, rectiligne, (ir)régulier, séduisant, sinueux, superbe, trapu, vague. *Avoir un/le ~ (+ adj.).*

PROFIT appréciable, (in)attendu, bon, brut, certain, confortable, considérable, concret, coquet, dérisoire, (in)direct, douteux, énorme, (in)escompté, (in)espéré, éventuel, exagéré, excessif, exorbitant, fabuleux, faible, fort, gigantesque, grand, gros, (mal)honnête, illusoire, immédiat, important, incontestable, inestimable, joli, juteux, léger, (il)légitime, (il)licite, lointain, maigre, marginal, mauvais, maximal, maximum, médiocre, menu, mince, minimal, minime, minimum, modéré, modique, négligeable, net, (a)normal, notable, occasionnel, pauvre, piètre, précieux, quelconque, (dé)raisonnable, rapide, réel, riche, rondelet, scandaleux, soudain, subit, substantiel, usuraire, virtuel. *Apporter, dégager, effectuer, engranger, enregistrer, espérer, faire, générer, laisser, obtenir, procurer, produire, réaliser, recueillir, retirer, tirer, toucher un/des ~(s).*

PROFONDEUR absolue, approximative, considérable, constante, démesurée, (in)déterminée, élevée, énorme, étonnante, exacte, exceptionnelle, excessive, exemplaire, extraordinaire, extrême, faible, formidable, forte, grande, honnête, immense, impénétrable, importante, inattendue, incommensurable, incomparable, inconnue, incroyable, indéniable, inégalée, inestimable, infinie, inouïe, insondable, insoupçonnée, intense, (il)limitée, mauvaise, maximale, médiocre, minimale, (a)normale, particulière, rare, relative, remarquable, singulière, sombre, (in)suffisante, transparente, variable, vertigineuse. *Atteindre, avoir, posséder, présenter une ~ (+ adj.); arriver, être, parvenir à une ~ (+ adj.); évaluer, mesurer, sonder la ~ de qqch.; jaillir, (re)monter, sortir, surgir, venir des ~s; manquer de ~.*

PROGRAMME (*<u>en général</u>*) alléchant, ambitieux, ample, (in)approprié, astucieux, audacieux, avancé, avorté, bâclé, boiteux, captivant, (sur)chargé, (in)cohérent, colossal, (in)complet, complexe, compliqué, concret, copieux, coûteux, défaillant, défectueux, défini, définitif, dense, d'envergure, détaillé, durable, dynamique, (in)efficace, élargi, embryonnaire, énorme, éphémère, exaltant, excitant, (in)exécutable, farfelu, flexible, flou, formidable, fourni, génial, gigantesque, grand, grandiose, gros, hardi, idiot, immense, implacable, inédit, informe, ingénieux, initial, intéressant, léger, lent, (il)logique, lourd, magnifique, maigre, majeur, mauvais, médiocre, mince, mineur, modeste, nébuleux, nécessaire, novateur, original, (im)parfait, pauvre, piètre, (im)possible, (im)praticable, (im)précis, prioritaire, prometteur, provisoire, (dé)raisonnable, rapide, raté, rempli, (ir)réalisable, (ir)réaliste, réussi, révolutionnaire, riche, rigide, risqué, rudimentaire, (in)satisfaisant, secret, rude, secondaire, séduisant, (in)sensé, sérieux, simple, soigné, solide, sommaire, somptueux, sophistiqué, souple, spectaculaire, (in)suffisant, superbe, téméraire, timide, titanesque, transparent, unique, (in)utile, varié, vaste, viable, visionnaire. *Avoir, constituer, posséder, représenter un ~ (+ adj.); abandonner, accomplir, achever, adopter, amputer, appliquer, (dé)approuver, arrêter, avaliser, bâtir, composer, concevoir, concocter, confectionner, construire, créer, définir, démanteler, développer, diriger, dresser, ébaucher, échafauder, écourter, effectuer, élaborer, éliminer, engager, entamer, entreprendre, esquisser, établir, étudier, exécuter, exposer, faire aboutir/avancer/avorter/échouer/marcher/réussir, financer, (se) fixer, former, gérer, imaginer, imposer, instaurer, (re)lancer, mener, monter, organiser, perfectionner, perturber, piloter, planifier, poursuivre, présenter, promouvoir, proposer, réaliser, rédiger, réformer, rejeter, remplir, reprendre, soumettre, suspendre, suivre, (se) tracer un ~; adhérer, participer, prendre part, renoncer, souscrire à un ~; s'engager, s'impliquer dans* *un ~; être en avance/retard sur un ~.* Un/le ~ aboutit, avance, avorte, capote, échoue, périclite, piétine, prend forme, progresse, rate, réussit, s'écroule, se dessine, s'enlise, se réalise, triomphe. ♦ (Informatique) (in)compatible, copié, gratuit, interactif, performant, piraté, puissant. *(dé)Charger, construire, copier, concevoir, créer, définir, développer, écrire, élaborer, établir, exécuter, faire, (re)lancer, mettre en place, modifier, monter, pirater, quitter, réaliser, rédiger, sauvegarder, télé(dé)charger, terminer, utiliser un ~; faire la sauvegarde d'un ~.*

PROGRÈS alarmant, apparent, appréciable, (in)attendu, audacieux, brusque, brutal, certain, considérable, constant, continu, continuel, décevant, décisif, désastreux, désirable, difficile, durable, éclatant, effectif, énorme, éphémère, (in)espéré, étonnant, évident, exceptionnel, extraordinaire, fabuleux, facile, fantastique, flagrant, formidable, foudroyant, fracassant, frappant, fulgurant, grand, gros, hâtif, illusoire, immense, important, impressionnant, incontestable, incroyable, indéfini, indéniable, indiscutable, innovateur, inouï, inquiétant, insignifiant, (in)interrompu, irréversible, laborieux, léger, lent, lourd, marquant, marqué, merveilleux, minuscule, miraculeux, modeste, net, notable, nul, (im)perceptible, petit, phénoménal, piètre, prétendu, prodigieux, profond, qualitatif, quantitatif, rapide, réel, (ir)régulier, remarquable, renversant, (in)satisfaisant, (in)sensible, sérieux, significatif, souhaitable, spectaculaire, substantiel, (in)suffisant, surprenant, tangible, tardif, terrifiant, timide, (in)visible, vrai. *Assurer, connaître, constituer, enregistrer, marquer, représenter un/des ~ (+ adj.); accomplir, constater, déclencher, effectuer, entraîner, faire, observer, provoquer, réaliser, remarquer, susciter un/des ~; arrêter, encourager, freiner, paralyser, promouvoir, refuser le ~; croire, s'opposer au ~; aller à l'encontre du ~; lutter pour le ~; être en voie/susceptible de ~.*

PROGRESSION alarmante, appréciable, ascendante, brève, brusque, brutale, chaotique, considérable, constante, continue, courte, (dé)croissante, débridée, démesurée, descendante, difficile, durable, dynamique, effrayante, énorme, exceptionnelle, extraordinaire, facile, faible, fastidieuse, formidable, forte, foudroyante, fragile, fulgurante, galopante, géométrique, graduelle, grande, hâtive, immense, implacable, importante, impressionnante, inéluctable, inquiétante, intermédiaire, (in)interrompue, invincible, irrésistible, irréversible, laborieuse, légère, lente, (il)limitée, linéaire, (il)logique, longue, lourde, magnifique, marquée, modérée, modeste, négative, nette, notable, nulle, paisible, pénible, (im)perceptible, phénoménale, positive, précoce, préoccupante, (im)prévisible, ralentie, (ultra)rapide, (ir)régulière, remarquable, rigoureuse, (mal)saine, (in)sensible, significative, soutenue, spectaculaire, tardive, timide, uniforme, vertigineuse, vigoureuse. *Accuser, afficher, assurer, connaître, enregistrer une ~ (+ adj.); accélérer, amorcer, casser, continuer, contrer, entamer, entraîner, entraver, favoriser, freiner, maintenir, provoquer, ralentir, stimuler, suivre une/sa/la ~ de qqch.; être en ~.* Une/la ~ perdure, ralentit, se poursuit, s'essouffle, s'installe.

PROIE (nourriture) belle, bonne, fraîche, grosse, inerte, morte, petite, sanguinolente, vivante. *Attaquer, attendre, avaler, capturer, chasser, déchirer, dépecer, dévorer,* *emporter, engloutir, enlacer, enserrer, épier, gober, guetter, lâcher, manger, manquer, observer, poursuivre, saisir, suivre, surveiller, traquer une/sa ~; bondir, fondre, s'abattre, s'acharner, sauter, se lancer, se jeter, se précipiter, tomber sur une/sa ~.* ♦(victime) convoitée, désirée, facile, grosse, idéale, impuissante, innocente, intéressante, rêvée, riche, tentante. *Constituer, être, offrir, présenter une ~ (+ adj.).*

PROJECTEUR (appareil) bon, classique, (ultra)compact, complexe, encombrant, fiable, grand, gros, halogène, intelligent, léger, lourd, minuscule, numérique, ordinaire, performant, portable, rapide, simple, (ultra)sophistiqué, (super)puissant, vidéo. *Acheter, avoir, installer, posséder, régler, utiliser un ~; disposer, être doté/équipé/muni d'un ~.* ♦(~ médiatiques) *Allumer, braquer, diriger les ~s sur qqn/qqch.; être, œuvrer, rester, se tenir, vivre à l'écart/ombre des ~s; être, se retrouver sous les feux des ~s.*

PROJECTILE autopropulsé, balistique, conventionnel, dangereux, efficace, énorme, explosif, faible, fou, immense, incendiaire, intelligent, léger, lourd, meurtrier, minuscule, nucléaire, percutant, perdu, puissant, rapide, redoutable, sophistiqué, supersonique, traçant. *Arrêter, cracher, décharger, décocher, éjecter, envoyer, esquiver, éviter, jeter, lâcher, lancer, parer, projeter, propulser, recevoir, tirer, utiliser un ~; être atteint/blessé/frappé/touché d'un/par un ~; être criblé de ~s.* Un/le ~ atteint, circule, éclate, est lancé/propulsé, frappe, pénètre, tombe.

PROJET abouti, (in)acceptable, (in)achevé, ambitieux, ample, articulé, astucieux, audacieux, avancé, aventureux, avorté, bâclé, balbutiant, bancal, boiteux, calculé, catastrophique, cher, (in)cohérent, colossal, complexe, compliqué, concerté, coûteux, crédible, dangereux, décisif, défaillant, défectueux, définitif, démentiel, démesuré, désastreux, détaillé, durable, dynamique, (in)efficace, élaboré, embryonnaire, énorme, enthousiaste, éphémère, étrange, exaltant, excitant, (in)exécutable, extravagant, farfelu, flou, formidable, fou, fragile, fumeux, funeste, génial, gigantesque, grand, grandiose, gros, hardi, idiot, immense, indispensable, inédit, informe, ingénieux, initial, intéressant, léger, (il)légitime, lent, (il)logique, loufoque, lourd, machiavélique, magnifique, majeur, mauvais, médiocre, médité, mineur, mobilisateur, mirobolant, modeste, monstrueux, mûr, mûri, nébuleux, nécessaire, novateur, obscur, obsédant, onéreux, (in)opportun, original, originel, (im)parfait, piètre, (im)possible, (im)praticable, (im)précis, précurseur, prématuré, prioritaire, provisoire, (im)prudent, (dé)raisonnable, rapide, raté, (ir)réalisable, (ir)réaliste, (ir)réfléchi, rentable, réussi, révolutionnaire, ridicule, risqué, ruineux, sage, (in)satisfaisant, saugrenu, secondaire, secret, séduisant, (in)sensé, sérieux, simple, sinistre, soigné, solide, sommaire, somptueux, sophistiqué, spécifique, spectaculaire, (in)suffisant, suicidaire, superbe, symbolique, téméraire, tentant, tentaculaire, timide, titanesque, transparent, unique, (in)utile, utopiste, vaste, vain, viable, visionnaire. *Avoir, constituer, posséder, représenter un ~ (+ adj.); abandonner, accomplir, achever, appliquer, (dés)approuver, arrêter, avaliser, bâtir, briser, caresser, chiffrer, concerter, concevoir, conclure, concocter, condamner, construire, contester, couver, décourager, défendre, dénaturer, dénoncer, développer, dévoiler,* *différer, diriger, ébaucher, écarter, échafauder, effectuer, élaborer, encourager, enfanter, engager, enterrer, entraver, entreprendre, entretenir, envisager, esquisser, étudier, évoquer, exécuter, exposer, faire, faire avancer/avorter/échouer/marcher/réussir, favoriser, financer, former, freiner, gérer, imaginer, imposer, justifier, (re)lancer, méditer, mener, mettre à exécution/à l'écart/au point/au rancart/en branle/en œuvre/en place/en pratique/en route/en veilleuse/entre parenthèses, mijoter, mitonner, modifier, monter, (laisser) mûrir, nourrir, organiser, penser, perfectionner, piloter, planifier, poursuivre, préparer, présenter, promouvoir, proposer, réaliser, récuser, rédiger, rejeter, remiser, remplir, reporter, repousser, reprendre, retenir, réussir, ruiner, ruminer, saboter, seconder, soumettre, soutenir, suggérer, suspendre, tenter, terminer, torpiller un ~; collaborer, donner suite/son accord/son aval, faire échec, mettre la dernière main, participer, présider, renoncer, résister, s'associer, s'attacher, s'attaquer, se prêter, s'opposer, souscrire, travailler à un ~; être impliqué, s'impliquer dans un ~; partir en guerre, se prononcer contre un ~; persévérer, persister, s'obstiner dans un ~; discuter, se doter d'un ~; plancher, travailler sur un ~.* Un/le ~ aboutit, avance, avorte, échoue, mûrit, périclite, piétine, prend forme, progresse, rate, reste en plan/suspens, réussit, s'écroule, se dessine, s'enlise, se réalise, triomphe, vire au fiasco.

PROLONGATION brève, considérable, constante, courte, durable, exceptionnelle, excessive, infinie, (in)justifiée, légère, longue, modeste, nette, progressive, (ir)régulière, spectaculaire, substantielle. *Connaître, enregistrer une ~ (+ adj.); accorder, arracher, demander, donner, entraîner, nécessiter, obtenir, octroyer, offrir, recevoir, réclamer, refuser, subir, vouloir une ~; procéder à une ~; bénéficier d'une ~.*

PROMENADE accélérée, agréable, aimable, aisée, courte, délassante, délicieuse, difficile, douce, dure, éloignée, épuisante, éreintante, exténuante, facile, forcée, forcenée, fortifiante, hygiénique, infatigable, instructive, jolie, lente, longue, ludique, magnifique, matinale, nocturne, paisible, pénible, pressée, revigorante, rude, saine, salutaire, solitaire, souple, sportive, tranquille, vagabonde. *Effectuer, faire, organiser, prolonger, proposer, réaliser, s'imposer, s'offrir une ~; inciter à la ~; continuer, interrompre, poursuivre sa ~; rentrer, revenir de ~; aller, être, partir en ~.*

PROMENEUR, EUSE aguerri, contemplatif, épuisé, fatigué, fringant, intrépide, observateur, occasionnel, oisif, paisible, pensif, pressé, régulier, solitaire; occasionnels, rares.

PROMESSE abstraite, affriolante, alléchante, ambiguë, attrayante, authentique, belle, concrète, confidentielle, considérable, convaincante, dérisoire, encourageante, exagérée, excessive, fallacieuse, fausse, ferme, fictive, fondamentale, (in)formelle, formidable, fragile, hypocrite, illusoire, impossible, inconsidérée, infaillible, insidieuse, intéressante, irresponsable, irrévocable, magnifique, mensongère, mirifique, mirobolante, mutuelle, perfide, positive, (im)prudente, (dé)raisonnable, (ir)réalisable, (ir)réaliste, (ir)réfléchie, ronflante, sacrée, séduisante, sérieuse, sincère, solennelle, spontanée, téméraire, tentante, timide, trompeuse, unilatérale, vague, vaine. *Accomplir, acquitter, annuler, arracher, briser, concrétiser, désavouer, donner, enfreindre, extorquer, faire,*

faire miroiter, garder, honorer, matérialiser, mettre en œuvre, observer, oublier, prendre, prodiguer, proposer, (se) rappeler, ratifier, réaliser, réitérer, remplir, renier, renouveler, reprendre, respecter, retirer, rompre, soutirer, suivre, tenir, trahir, violer, vouloir une/des/sa/ses ~(s); être (in)fidèle, faillir, manquer, satisfaire à une/sa ~; (se) dégager qqn, (se) délier qqn, relever qqn, se souvenir d'une/de sa ~; être lié par une ~; abuser, appâter, attirer, être attiré, tromper par des ~s; revenir sur une/sa ~.

PROMOTION (avancement) accélérée, (in)attendue, courte, durable, éclair, éphémère, étonnante, exceptionnelle, exemplaire, fulgurante, honorable, lente, linéaire, météorite, précoce, prestigieuse, programmée, progressive, prometteuse, rapide, rectiligne, régulière, remarquable, rêvée. *Connaître une ~ (+ adj.); accorder, avoir, célébrer, chercher, fêter, obtenir, offrir, recevoir, refuser, vouloir une ~; bénéficier d'une ~ .* ♦(~ des ventes) accrocheuse, active, (mal)adroite, agressive, bonne, calamiteuse, ciblée, courte, coûteuse, dynamique, éclair, (in)efficace, énergique, énorme, excellente, exceptionnelle, habile, immense, intelligente, intensive, longue, (dé)loyale, musclée, originale, racoleuse, terne, vaste, vigoureuse. *Assurer, connaître une ~ (+ adj.); amorcer, déclencher, élaborer, faire, intensifier, lancer, orchestrer, organiser, programmer une/la ~ de qqch.; acheter, être en ~.*

PRONONCIATION (in)adéquate, (dés)agréable, belle, bizarre, bonne, charmante, claire, compliquée, convenable, (in)correcte, défaillante, défectueuse, désuète, difficile, distincte, distinguée, douce, dure, élégante, embarrassée, enfantine, étrange, étrangère, exagérée, exceptionnelle, facile, familière, guindée, hasardeuse, impossible, inimitable, insupportable, jolie, lente, mauvaise, molle, naturelle, nette, (a)normale, (im)parfaite, particulière, pénible, périlleuse, pointue, populaire, précise, rapide, relâchée, rude, sifflante, singulière, soignée, standard, usuelle, vieillie. *Avoir, posséder une ~ (+ adj.); soigner, surveiller sa ~.*

PRONOSTIC aisé, alarmiste, bon, consolant, définitif, exact, faux, incertain, infaillible, inquiétant, juste, mensonger, optimiste, préoccupant, raisonnable, sérieux, sévère, sombre, sûr, triomphaliste. *Conforter, émettre, établir, faire, former, formuler, justifier, porter, risquer un/des ~(s); se tromper dans ses ~s.*

PROPAGANDE acharnée, accrocheuse, active, (in)adéquate, (mal)adroite, agressive, (in)appropriée, banale, bête, ciblée, clinquante, colossale, courte, débile, déguisée, (in)directe, discrète, (in)efficace, effrénée, énorme, exagérée, excellente, excessive, faible, (dé)favorable, forte, fulgurante, gigantesque, grande, grosse, (mal)habile, haineuse, huilée, imbécile, immense, inacceptable, infecte, insidieuse, insistante, intelligente, intense, intensive, légère, (il)licite, longue, lourde, (dé)loyale, malveillante, manipulatrice, massive, mauvaise, médiocre, mensongère, néfaste, objective, omniprésente, ouverte, persuasive, petite, piètre, provocante, puissante, racoleuse, ratée, réussie, (mal)saine, sauvage, séduisante, sérieuse, simpliste, sobre, sournoise, spectaculaire, subjective, subliminale, subtile, tapageuse, tonitruante, vaste. *Combattre, contrer, diffuser, effectuer, élaborer, faire, intensifier, mener, orchestrer, organiser une ~; réagir, s'opposer à une ~; lutter contre une ~.*

PROPORTION accrue, (in)adéquate, admirable, agréable, alarmante, basse, bonne, catastrophique, colossale, commode, considérable, (in)correcte, (dé)croissante, dangereuse, (in)définie, démesurée, dérisoire, dramatique, écrasante, effrayante, (in)égale, élevée, énorme, épique, (dés)équilibrée, (in)équitable, (in)exacte, exagérée, excellente, exceptionnelle, excessive, extravagante, faible, forte, généreuse, gigantesque, grande, grandissante, grosse, harmonieuse, haute, (in)humaine, idéale, immense, importante, imposante, impressionnante, incroyable, inférieure, infime, inquiétante, insoupçonnée, inverse, (in)juste, (il)limitée, maigre, maximale, microscopique, mince, minimale, minime, modeste, moindre, monstrueuse, monumentale, moyenne, naturelle, nécessaire, (a)normale, notable, optimale, (extra)ordinaire, (im)parfaite, petite, phénoménale, (dé)raisonnable, réduite, réelle, restreinte, (in)satisfaisante, sérieuse, (in)stable, standard, stable, stupéfiante, (in)suffisante, supérieure, (in)variable, vaste, véritable, (in)vraisemblable. *Atteindre, avoir, conférer, constituer, posséder, prendre, représenter, revêtir une/des ~(s) (+ adj.); ramener, réduire à une/des ~(s) (+ adj.); augmenter, baisser, diminuer dans une/des ~(s) (+ adj.).*

PROPOS (in)acceptable, acide, (in)adéquat, (mal)adroit, agaçant, (dés)agréable, agressif, aigre, alarmiste, amer, anodin, apaisant, (in)approprié, austère, badin, banal, bienveillant, blessant, brûlant, brusque, brutal, cajoleur, calomnieux, caustique, chaleureux, choisi, choquant, (in)cohérent, (in)compréhensible, convaincant, (in)correct, cruel, cynique, (in)décent, déplacé, déplorable, doux, dur, éhonté, empoisonné, explosif, extravagant, fâcheux, fanfaron, (dé)favorable, ferme, flatteur, fracassant, frivole, futile, gai, galant, grivois, grossier, haineux, hardi, hésitant, hostile, ignoble, illustre, importun, impudent, incendiaire, inconvenant, injurieux, inqualifiable, inquiétant, insignifiant, insolite, insultant, intéressant, ironique, irritant, joyeux, léger, lourd, malveillant, maussade, mauvais, méchant, médiocre, médisant, menaçant, mensonger, méprisant, moqueur, mordant, narquois, (dés)obligeant, obscène, offensant, oiseux, optimiste, ordurier, outrageant, outrancier, perfide, (im)pertinent, pessimiste, pittoresque, (dé)plaisant, (im)précis, préoccupant, (im)prudent, puéril, railleur, (dé)raisonnable, rassurant, rebattu, (ir)réfléchi, (ir)respectueux, salé, satirique, saugrenu, scandaleux, sceptique, sec, sécurisant, (in)sensé, sournois, spirituel, stupéfiant, stupide, substantiel, superflu, surprenant, tendancieux, terrifiant, triste, (in)utile, vain, vague, venimeux, vertueux, vexant, vide, vif, virulent. *Colporter, déformer, dénaturer, développer, échanger, édulcorer, infirmer, nuancer, recueillir, relever, répéter, retirer, saisir, tenir un/des/son/ses ~; réagir, rester sourd à un/des ~.*

PROPOSITION abstraite, absurde, (in)acceptable, (in)adéquate, alléchante, alternative, (in)attendue, attrayante, avantageuse, concrète, dangereuse, déconcertante, dérisoire, douce, dure, (in)efficace, équilibrée, (in)équitable, étrange, exceptionnelle, exaspérante, exorbitante, explicite, expresse, extravagante, faramineuse, ferme, flatteuse, folle, généreuse, (mal)honnête, honorable, humble, implicite, incroyable, inébranlable, inédite, inespérée, inouïe, insolente, insultante, (in)intéressante, (dés)intéressée, majeure, mauvaise, médiocre, mineure, modeste, mystérieuse, originale, pauvre, (im)pertinente, piètre, (dé)raisonnable, (ir)réaliste, révoltante, riche, ridicule, (in)satisfaisante, saugrenue, séduisante, sérieuse, sincère, spécifique, (in)suffisante, suspecte, vague. *Accepter, accueillir, avancer, décliner, dédaigner, écarter, écouter, éluder, étudier, évoquer, examiner, faire, former, formuler, recevoir, refuser, rejeter, renouveler, repousser, retenir une ~; sauter sur une ~.*

PROPRETÉ absolue, acceptable, accrue, admirable, affectée, agréable, aseptisée, douteuse, éclatante, étonnante, excessive, exemplaire, extrême, grande, immaculée, impeccable, incomparable, inégalée, irréprochable, maniaque, méticuleuse, minutieuse, normale, obsessionnelle, parfaite, raffinée, rare, recherchée, relative, remarquable, ridicule, rigoureuse, (in)satisfaisante, simple, (in)suffisante, surprenante, trompeuse. *Briller, être, faire preuve, reluire d'une ~ (+ adj.); aimer la ~; être exigeant sur la ~; être éclatant/reluisant, faire montre, luire de ~.*

PROPRIÉTÉ abandonnée, arborée, calme, cossue, élégante, étendue, gigantesque, humble, huppée, immense, imposante, jolie, large, luxueuse, magnifique, minuscule, moderne, modeste, neuve, prestigieuse, princière, ravissante, somptueuse, spacieuse, splendide, superbe, vaste, vétuste, vieille. *Acheter, acquérir, agrandir, avoir, céder, confisquer, exploiter, installer, louer, posséder, vendre, visiter une ~.*

PROSPÉRITÉ abondante, accrue, brillante, chanceuse, colossale, considérable, courte, déchue, démesurée, durable, éblouissante, éclatante, énorme, éphémère, exceptionnelle, extraordinaire, extrême, fabuleuse, facile, fausse, formidable, fragile, généreuse, grande, illusoire, immense, incroyable, inépuisable, inouïe, insolente, instantanée, joyeuse, large, précaire, prodigieuse, prompte, rapide, solide, soudaine, soutenue, subite, surprenante, tranquille, trompeuse, vaste. *Connaître une ~ (+ adj.); baigner dans une ~ (+ adj.); accéder à une ~ (+ adj.); bénéficier, jouir d'une ~ (+ adj.); accroître, assurer, obtenir, partager, promettre, ruiner la ~; aspirer, contribuer, nuire, travailler à la ~; entrer, nager, vivre dans la ~; jouir de la ~.*

PROSTITUTION clandestine, enfantine, forcée, juvénile, légale, massive, occasionnelle, professionnelle. *Bannir, contrôler, décriminaliser, interdire, organiser, pratiquer, réprimer, tolérer la ~; échapper, encourager qqn, être contraint/forcé/réduit, inciter qqn, s'adonner, se livrer à la ~; lutter contre la ~; sombrer, tomber dans la ~; (faire) faire, vivre de la ~.* La ~ augmente, diminue, régresse, s'aggrave, se développe, se généralise, s'étend, s'intensifie.

PROTECTION efficace, haute, illusoire, précaire, rapprochée, restreinte, (in)suffisante, sûre. *S'assurer, se ménager une ~; bénéficier d'une ~; assurer, implorer, solliciter la ~ (de qqn, de la police); accorder, offrir sa ~.*

PROTESTATION agressive, ardente, brève, bruyante, civilisée, confuse, courte, discrète, efficace, énergique, étouffée, excessive, explicite, faible, farouche, (in)formelle, forte, froide, illusoire, impertinente, implicite, indignée, indistincte, intempestive, isolée, (in)justifiée, légitime, mesurée, modérée, molle, muette, officielle, pressante, sincère, solennelle, sourde, stérile, systématique, tacite, tardive, timide, tonitruante, vague, vaine, véhémente, vigoureuse, violente, virulente, vive, voilée. *Adresser, amener, balbutier, calmer, causer, déclencher, élever, émettre, exprimer, faire, laisser échapper, lancer, mâcher, murmurer, produire, provoquer, renouveler, soulever, soutenir une/des ~(s); participer, s'associer à une ~; faire taire les ~s; être sourd aux ~s.* Des/les ~s durent, retombent à plat, s'accentuent, s'accumulent, s'élèvent, se taisent, tombent dans le vide.

PROUESSE ahurissante, audacieuse, authentique, banale, belle, éclatante, époustouflante, étonnante, exceptionnelle, extraordinaire, fameuse, fantastique, grande, héroïque, impressionnante, incroyable, inégalée, inouïe, magnifique, mémorable, rare, remarquable, risquée, spectaculaire, unique, véritable, vertigineuse, vraie. *Constituer une ~ (+ adj.); accomplir, réaliser, réussir une ~; relever de la ~.*

PROVISION ample, abondante, bonne, considérable, énorme, épuisée, excessive, faible, grande, grosse, importante, inépuisable, large, légère, maigre, mince, pauvre, petite, précieuse, riche, (in)suffisante, vaste. *Accumuler, acheter, amasser, apporter, augmenter, avoir, constituer, emporter, entamer, épuiser, faire, renouveler une/des/ses ~(s); disposer, se munir de ~s.*

PROVOCATION brutale, calculée, délibérée, déplorable, douce, dure, éhontée, énorme, flagrante, gratuite, grave, haineuse, inacceptable, inouïe, inqualifiable, insidieuse, intolérable, inutile, irresponsable, permanente, piètre, ratée, réussie, ridicule, sanglante, scandaleuse, soudaine, subite, terrible, totale, vindicative, violente, virulente. *Constituer une ~ (+ adj.); dénoncer, faire, lancer, monter, organiser, préparer, tenter une ~; réagir, répliquer, répondre, résister à une ~; apparaître, être considéré/interprété/perçu/pris/ressenti/vécu comme une ~; être victime d'une ~; chercher la ~; céder à la ~; faire de la ~.*

PRUDENCE (in)accoutumée, accrue, active, adéquate, appropriée, avivée, certaine, compréhensible, considérable, consommée, craintive, diplomatique, éclairée, élémentaire, évidente, exagérée, excessive, exemplaire, extrême, fausse, gauche, grande, (in)habituelle, infinie, (in)justifiée, légendaire, légitime, maladive, maximale, méfiante, (dé)mesurée, méticuleuse, minimale, normale, particulière, profonde, raisonnable, rare, relative, rusée, sage, scrupuleuse, sincère, (in)suffisante, surprenante. *Afficher, avoir, montrer, posséder une ~ (+ adj.); être, faire montre/preuve d'une ~ (+ adj.); inspirer, jouer, mépriser, plaider, réclamer, recommander la ~; inciter, inviter, rappeler à la ~; avoir, exiger, montrer de la ~; manquer, redoubler, s'armer de ~.* La ~ domine, est à l'ordre du jour/de mise, reste en vigueur, s'impose.

PRUNELLE agrandie, ardente, brillante, claire, dilatée, éblouie, effarée, enflammée, énorme, éteinte, étincelante, étroite, exorbitée, fixe, floue, fuyante, hagarde, humide, immense, large, limpide, morne, mouillée, opaque, pâle, pétillante, profonde, sèche, sombre, terne, vague, vitreuse, vive. *Avoir la ~ (+ adj.).* Une ~ brille, étincelle, s'élargit, s'étrécit.

PSYCHOLOGIE (Médecine) *Exercer, pratiquer la ~.* ♦(intuition) complexe, courte, défaillante, développée, élémentaire, fascinante, fine, grande, naturelle, rudimentaire, simple, singulière, sommaire, subtile. *Avoir, posséder une ~ (+ adj.); faire montre/preuve d'une ~ (+ adj.); avoir de la ~; être dénué/dépourvu/doué, manquer, user de ~.*

PSYCHOSE injustifiée, subite. *Alimenter, causer, créer, déclencher, désamorcer, entretenir, provoquer une/la ~; céder à la ~; vivre dans la ~.* Une/la ~ enfle, grandit, règne, s'aggrave, se développe, se généralise, se répand.

PUANTEUR abominable, acide, âcre, aigre, atroce, envahissante, épouvantable, exécrable, fade, faible, fétide, forte, gênante, horrible, incommodante, indélébile, infecte, innommable, insistante, insoutenable, insupportable, légère, lourde, nauséabonde, nauséeuse, parfumée, pénétrante, persistante, pestilentielle, poisseuse, putride, repoussante, répugnante, suffocante, tenace, violente. *Dégager, émettre, exhaler, répandre, ressentir, sentir une ~ (+ adj.).* Une/la ~ envahit, (s')imprègne, pénètre, persiste, prend à la gorge, règne, se dégage, se dissipe, se répand, s'insinue, soulève le cœur, suffoque, subsiste.

PUBLIC (population) *Alerter, informer, mobiliser, sensibiliser le ~; travailler dans le ~; paraître, parler en ~.* ♦(audience, assistance) actif, admiratif, amusé, apathique, assidu, assoupi, attentif, attendri, averti, bienveillant, bigarré, bon, bruyant, capricieux, chaleureux, charmé, chaud, (sur)chauffé, choisi, cible, clairsemé, complaisant, composite, conquis, considérable, critique, cultivé, curieux, déchaîné, déconcerté, délirant, difficile, éclairé, émerveillé, ému, enchanté, énorme, enthousiaste, épars, épaté, exigeant, fasciné, fervent, fidèle, froid, glacé, grand, hétéroclite, hétérogène, homogène, houleux, immense, important, ingrat, insouciant, intéressé, jeune, large, limité, maigre, mauvais, médusé, mince, naïf, nombreux, passionné, poli, pressé, raffiné, rare, ravi, réceptif, record, redoutable, restreint, sélect, snob, subjugué, survolté, tiède, trié, varié, vaste. *Accrocher, affronter, atteindre, attirer, charmer, conquérir, décevoir, dégeler, dérouter, distraire, enthousiasmer, faire chanter/rire, fidéliser, flatter, gagner, lasser, méduser, mystifier, saluer, séduire, toucher un/le/son ~; s'adresser à un/au ~; jouer, se produire devant un/le ~.* Un/le ~ applaudit, apprécie, chahute, chauffe, conspue, crie, explose, hurle, ovationne, pleure, rit, se lève, se marre, s'émeut, siffle, tambourine, trépigne.

PUBLICITÉ (sur)abondante, abrutissante, (in)acceptable, accrocheuse, (mal)adroite, agressive, amusante, (in)appropriée, audacieuse, banale, belle, bête, bonne, brillante, charmante, choc, ciblée, clandestine, clinquante, colossale, comparative, convaincante, conventionnelle, courte, débile, dégradante, déguisée, (in)directe, discrète, drôle, dynamique, (in)efficace, ennuyeuse, énorme, envahissante, excellente, excessive, faible, (dé)favorable, forte, géniale, grande, gratuite, grosse, imbécile, immense, inepte, infecte, informative, intelligente, (in)intéressante, intrusive, lamentable, légère, (il)licite, longue, lourde, (dé)loyale, massive, mauvaise, médiocre, mensongère, néfaste, négative, neutre, objective, omniprésente, onéreuse, originale, outrancière, (im)partiale, percutante, persuasive, (im)pertinente, phénoménale, piètre, piquante, positive, (im)précise, provocante, puissante, racoleuse, raisonnable, ratée, rémunérée, réussie, (mal)saine, sauvage, séduisante, sérieuse, sexiste, sobre, spectaculaire, subjective, subliminale, subtile, sympathique, tapageuse, tonitruante, trompeuse, vague, vaste, véridique, vivante, vulgaire. *Acheter, afficher, créer, dénoncer, diffuser, élaborer, entendre, faire, faire paraître, insérer, lire, mettre, passer, poser, produire, publier, réaliser, rédiger, regarder, retirer, (s')offrir, tourner, visualiser, voir une ~; avoir recours, réagir à une ~; apparaître dans une ~; faire l'objet d'une ~; faire la ~ de (une marque, un produit, etc.); résister à la ~; se laisser influencer par la ~; acheter, afficher, faire, insérer, mettre, placer, regarder, vendre de la ~; être inondé/saturé, inonder de ~.*

PUISSANCE absolue, abusive, accrue, (in)adéquate, agressive, ambitieuse, (in)appropriée, arbitraire, autorisée, basse, brusque, brutale, certaine, chancelante, coercitive, colossale, considérable, (in)contestable, (in)contestée, (in)contrôlable, déclinante, dépendante, despotique, dominante, douce, dure, écrasante, effective, (in)efficace, effroyable, égale, élevée, énorme, éphémère, entière, équivalente, établie, étendue, étonnante, exceptionnelle, excessive, exorbitante, extraordinaire, extrême, fabuleuse, faible, formidable, forte, fragile, frêle, gigantesque, grande, grandissante, grosse, haute, herculéenne, horrible, illusoire, imaginaire, immense, immuable, impérieuse, impétueuse, importante, imposante, impressionnante, incomparable, inconcevable, incroyable, indestructible, indicible, indomptable, infaillible, inférieure, infinie, inimaginable, inouïe, insoupçonnée, intégrale, invincible, irrésistible, (il)légale, (il)légitime, libre, (il)limitée, magique, majeure, maximale, mineure, minimale, montante, moyenne, mystérieuse, naissante, nécessaire, nulle, obscure, occulte, optimale, paisible, particulière, phénoménale, précaire, prodigieuse, rare, redoutable, réduite, réelle, relative, restreinte, rude, secrète, significative, singulière, solide, souveraine, spectaculaire, (in)stable, stupéfiante, suffisante, supérieure, tempérée, tentaculaire, terrible, totale, tranquille, trompeuse, tyrannique, vaste, véritable. *Acquérir, avoir, conférer, constituer, déployer, développer, donner, employer, exercer, imposer, obtenir, offrir, perdre, posséder, représenter, utiliser une ~ (+ adj.); disposer, être, faire preuve, jouir d'une ~ (+ adj.); accroître, augmenter, consolider, contrôler, diminuer, éprouver, essayer, étaler, étendre, exploiter, limiter, maîtriser, ménager, mesurer, restreindre, retrouver une/sa ~; manquer de ~.* Une/la ~ augmente, baisse, diminue, s'accroît, s'affaiblit, s'affermit, s'effrite, se renforce.

PUITS béant, circulaire, comblé, creux, dangereux, désaffecté, énorme, épuisé, étroit, fermé, gigantesque, immense, insondable, large, minuscule, obscur, ouvert, productif, profond, sec, tari, ténébreux, vertigineux. *Boucher, combler, condamner, creuser, curer, forer, percer, remblayer, tarir un ~.*

PULSION (in)assouvie, démente, étrange, irrésistible, refoulée, sadique.

Contrôler, maîtriser, refréner ses ~s; céder, obéir à ses ~s.

PUNITION abusive, adaptée, (in)adéquate, affreuse, (in)appropriée, arbitraire, bénigne, corporelle, cruelle, dégradante, dérisoire, douce, dure, effroyable, énergique, équitable, excessive, exemplaire, extrême, grosse, (in)humaine, humiliante, impitoyable, infamante, (in)juste, (in)justifiée, légère, lourde, maximale, (im)méritée, (dé)mesurée, minimale, physique, (dis)proportionnée, raisonnable, rigoureuse, rude, salutaire, (in)satisfaisante, sévère, (in)suffisante, suprême, symbolique, terrible, (in)utile. *Administrer, adoucir, aggraver, appliquer, assouplir, avoir, donner, durcir, encaisser, encourir, entraîner, (s')éviter, exécuter, imposer, infliger, lever, mériter, prescrire, prononcer, purger, recevoir, réclamer, servir, souffrir, (faire) subir, supporter une ~; échapper, être condamné à une ~; écoper, être passible d'une ~.*

PUPILLE acérée, ardente, brillante, claire, dilatée, éblouie, élargie, énorme, éteinte, étincelante, étroite, exorbitée, fixe, floue, foncée, humide, immense, large, minuscule, morne, mouillée, opaque, pâle, pétillante, profonde, pure, radieuse, sèche, serrée, sombre, terne, translucide, transparente, vague, vitreuse, vive. *Avoir la ~ (+ adj.).* Une/la ~ brille, étincelle, s'agrandit, se dilate, se ferme, s'élargit, se referme, se rétrécit, s'étrécit, s'ouvre.

PURETÉ absolue, admirable, certaine, cristalline, douteuse, élevée, étonnante, exceptionnelle, exemplaire, extraordinaire, extrême, fascinante, grande, idéale, immaculée, impeccable, impressionnante, incomparable, incroyable, inégalable, inégalée, inouïe, intacte, intense, irréprochable, maximale, merveilleuse, minimale, optimale, parfaite, prodigieuse, rare, relative, remarquable, suffisante, totale, unique, virginale. *Avoir, posséder une ~ (+ adj.); être d'une ~ (+ adj.).*

PYJAMA ajusté, ample, bariolé, chaud, (in)confortable, court, défraîchi, douillet, doux, élégant, élimé, épais, étriqué, étroit, flottant, froissé, impeccable, joli, large, léger, long, mince, molletonné, neuf, rayé, ridicule, satiné, superbe, uni, usé. *Enfiler, enlever, mettre, passer, ôter, porter, quitter un/son ~; être vêtu, se vêtir d'un ~.*

Q

QUAI *Longer, quitter, suivre un ~; aborder un ~; débarquer, être, venir à ~.*

QUALIFICATIF (in)adéquat, (dés)agréable, aimable, (in)approprié, choisi, désobligeant, élogieux, étrange, excellent, excessif, flatteur, injurieux, juste, léger, lourd, mélioratif, méprisant, négatif, objectif, péjoratif, pertinent, positif, (im)précis, regrettable, sévère, subjectif. *Associer, attribuer, chercher, employer, revendiquer, trouver un ~; abreuver/accabler qqn, user de ~s (+ adj.).*

QUALIFICATION *(aptitude)* aiguë, exceptionnelle, haute, pointue, rare, recherchée, reconnue, requise, (in)suffisante, voulue. *Acquérir, améliorer, développer, exiger, obtenir, posséder une/des ~(s).* ♦ (*Sport*) assurée, douteuse, problématique. *Acquérir, assurer, obtenir sa ~.*

QUALITÉ (in)acceptable, acquise, améliorée, appréciable, (in)certaine, choisie, constante, convenable, correcte, courante, défectueuse, demandée, déplorable, désirable, désirée, (in)discutable, dominante, douteuse, (in)égale, (in)égalée, éminente, éprouvée, essentielle, étonnante, excellente, exceptionnelle, exquise, extraordinaire, extrême, foncière, fondamentale, garantie, grande, grandissante, haute, impeccable, incontestable, indéfinissable, indéniable, indispensable, inégalable, inférieure, inimitable, innée, intacte, irréfutable, irréprochable, maîtresse, majeure, mauvaise, médiocre, moindre, moyenne, naturelle, nécessaire, ordinaire, (im)parfaite, particulière, personnelle, piètre, précieuse, première, primordiale, pure, quelconque, rare, réelle, (ir)régulière, remarquable, requise, secondaire, singulière, spécifique, (in)suffisante, sublime, supérieure, surprenante, variable. *Être d'une (+ adj.); acquérir, avoir, développer, faire valoir, manifester, mettre en valeur, offrir, posséder, présenter, réunir une/des ~(s); améliorer, apprécier, augmenter, discerner, préserver la ~ de qqch.; être doué de ~s.*

QUANTITÉ abusive, (in)appréciable, approximative, astronomique, considérable, constante, copieuse, (in)déterminée, (in)égale, énorme, étonnante, excessive, extraordinaire, faible, faramineuse, forte, grande, (in)habituelle, immense, importante, impressionnante, incalculable, incommensurable, incomparable, indécelable, indéfinie, industrielle, inférieure, infime, infinie, infinitésimale, innombrable, insignifiante, invraisemblable, maximale, mesurable, minimale, minuscule, modérée, modique, négligeable, (a)normale, notable, nulle, petite, prodigieuse, raisonnable, réductible, respectable, ridicule, stupéfiante, (in)suffisante, supérieure, terrible, totale, (in)variable, vertigineuse. *Augmenter, compléter, contenir, diminuer, maintenir, renfermer, restreindre une ~; compenser la qualité par la ~; augmenter, croître, diminuer en ~.*

QUARTIER aisé, animé, arboré, avenant, beau, bondé, bourgeois, branché, calme, chaud, chic, compact, congestionné, cossu, coté, crasseux, dangereux, défavorisé, délabré, désert, désertique, déshérité, difficile, élégant, éloigné, excentré, extérieur, malfamé, (dé)favorisé, florissant, fréquenté, huppé, insalubre, isolé, louche, luxueux, misérable, miséreux, miteux, modeste, morne, neuf, nouveau, opulent, paisible, passant, pauvre, perdu, (sur)peuplé, piétonnier, pittoresque, populaire, populeux, pouilleux, prospère, respectable, retiré, riche, sensible, silencieux, sinistre, soigné, sordide, sûr, sympathique, tranquille, triste, vétuste, vibrant, vieux, vilain, vivant. *Raser, revitaliser un ~; habiter le/dans le ~; être du ~.*

QUERELLE acharnée, affreuse, banale, courte, déchirante, épique, farouche, gigantesque, grande, idéologique, intestine, irréductible, mesquine, oiseuse, partisane, passionnée, ridicule, sanglante, sordide, verbale, vieille, violente, virulente. *Accorder, alimenter, allumer, apaiser, arbitrer, attiser, aviver, calmer, chercher, désamorcer, entamer, envenimer, étouffer, éviter, exacerber, exciter, faire, liquider, provoquer, ranimer, régler, renouveler, résoudre, réveiller, soutenir, susciter, vider une ~; se tenir éloigné des ~s; mettre fin, prendre part, se mêler à une ~; intervenir, prendre parti, rester neutre, s'interposer dans une ~.* Une ~ éclate, s'aggrave, s'amplifie, s'élève, se noue, se rallume.

QUESTION abrupte, abstraite, absurde, actuelle, (mal)adroite, alambiquée, ample, amusante, anecdotique, angoissante, anodine, âpre, approfondie, approximative, ardue, audacieuse, banale, bête, bonne, brûlante, brutale, candide, capitale, centrale, complexe, compliquée, compromettante, concrète, controversée, cruciale, dangereuse, débattue, décisive, déconcertante, (in)délicate, déplacée, dérangeante, dérisoire, déroutante, désobligeante, déterminante, déterminée, difficile, (in)directe, discutable, (in)discrète, discutée, éclairante, élémentaire, embarrassante, embarrassée, émotive, empoisonnée, énigmatique, ennuyeuse, épineuse, essentielle, éternelle, étrange, explosive, facétieuse, facile, féconde, fermée, fondamentale, franche, gênante, générale, grave, idiote, immense, importante, inacceptable, inattendue, incongrue, inconvenante, indécise, inévitable, ingénieuse, innocente, insidieuse, insignifiante, insistante, insoluble, intacte, intelligente, intempestive, intéressante, intrigante, irritante, judicieuse, lancinante, lassante, limpide, litigieuse, marginale, mûre, naïve, narquoise, négative, obscure, obsédante, oiseuse, (in)opportune, ouverte, palpitante, paradoxale, particulière, passionnante, pénible, perfide, périlleuse, (im)pertinente, piège, pointue, préalable, (im)précise, prématurée, pressante, primordiale, problématique, provocante, rebattue, récurrente, redoutée, réglée, (ir)résolue, rituelle, saugrenue, secondaire, sempiternelle, (in)sensée, sensible, simple, simplette, simpliste, sordide, sotte, spécieuse, stéréotypée, stupide, subalterne, superflue, taboue, tendancieuse, terrible, terrifiante, théorique, timide, tordue, trapue, troublante, triviale, urgente, vague, vaste, vieille, vitale. *Aborder, agiter, amener, approfondir, attaquer, compliquer, comprendre, contourner, creuser, débattre, définir, demander, dénouer, déplacer, détourner, devancer, discuter, écarter, éclaircir, éclairer, effleurer, élucider, éluder, embrouiller, énoncer, entendre, envisager, éplucher, escamoter, esquisser, esquiver, étudier, éviter, évoquer, (ré)examiner, explorer, exposer, fuir, hasarder, laisser tomber, lancer, lever, méditer, mûrir, penser, (se) poser, préciser, prévenir, proposer, provoquer, reconsidérer, régler, réitérer, relever, répéter, résoudre, ressasser, retourner, retravailler, risquer, simplifier, soulever, soumettre, survoler, susciter, toucher, traiter, trancher une ~; être confronté, faire face, répondre, s'attaquer, se dérober, se heurter,* *s'intéresser à une ~; se (re)trouver devant une ~; parler, se désintéresser d'une ~; répondre par une ~; achopper, buter, délibérer, plancher, réfléchir, revenir, se documenter, se pencher sur une ~; se tourner vers une ~; être accablé/assailli/assommé/bombardé/criblé/harcelé/mitraillé/pressé de ~s.* Une ~ (ré)apparaît, fait rage, pointe, se complique, se fait jour, se formule, se (re)pose, se présente, subsiste, (re)surgit.

QUESTIONNAIRE aberrant, complexe, indiscret, interminable, laborieux, long, précis, simple. *Dresser, fournir, lire, remplir, subir un ~; procéder, répondre, se prêter à un ~.*

QUEUE (*~ d'un animal*) allongée, basse, branlante, courte, droite, écourtée, énorme, (relevée) en panache/spirale/tire-bouchon/trompette/vrille, épaisse, fine, flamboyante, forte, frétillante, grande, haute, hérissée, longue, nerveuse, ondulante, pendante, petite, plate, recourbée, remuante, splendide, touffue. *Avoir la ~ (+ adj.); agiter, redresser, relever, remuer, se branler, serrer, soulever, replier, (re)trousser la ~; battre, frétiller de la ~.* Une ~ frétille, remue, s'agite, se dresse. ♦ *(foule)* agitée, bigarrée, clairsemée, disparate, hétéroclite, joyeuse, immense, infinie, interminable, longue, tranquille. *Former une ~.* Une ~ attend, s'aligne, se déploie, se forme, s'étend, s'étire.

QUILLE *Faire tomber, lancer, renverser une ~; abattre les ~s; jouer aux ~s.*

QUOTIDIEN *(routine)* agréable, banal, douloureux, incertain, lourd, morne, paisible, passionnant, pitoyable, pesant, routinier, sinistre, sombre, triste. *Adoucir, colorer, déformer, enjoliver, enrichir, fuir, oublier, subir le/son ~; s'abstraire, sortir du ~.* ♦ *(journal)* à faible/fort/grand/gros tirage, austère, complet, épais, grand, important, indépendant, influent, informatif, insipide, mince, percutant, prestigieux, racoleur, respectable, rigoureux, sensationnaliste, sérieux, vénérable, volumineux. *Consulter, créer, dévorer, diriger, éditer, éplucher, fonder, imprimer, lancer, lire, parcourir, publier un ~; collaborer, s'abonner, se désabonner à un ~.*

R

RABAIS appréciable, considérable, exceptionnel, fort, important, intéressant, léger, substantiel. *Accorder, arracher, avoir, consentir, réclamer un ~; bénéficier d'un ~.*

RACE ancienne, forte, mélangée, mêlée, menacée, métissée, nouvelle, prolifique, protégée, pure, robuste, saine, superbe, vieille. *Améliorer, interdire, obtenir, supprimer une ~; (re)croiser des ~s; appartenir à une ~.* Une ~ disparaît, naît, s'éteint, voit le jour.

RACINE (*Botanique*) apparente, bulbeuse, charnue, chevelue, entière, fibreuse, filiforme, fine, ligneuse, longue, monstrueuse, noueuse, petite, pivotante, profonde, rampante, tubéreuse, verticale. *Développer, émettre, pousser des ~s; prendre ~.* Une ~ paraît, plonge, pousse, s'accroît, s'enfonce, serpente, surgit. ♦(*origines*) anciennes, glorieuses, lointaines, modestes, nobles, mystérieuses, obscures, profondes, vivaces. *Avoir, abandonner, connaître, conserver, établir, jeter, oublier, perdre, quitter, renier, (vouloir) retrouver, revendiquer des/ses ~s; être attaché, retourner à ses ~s; renouer, rester en contact avec ses ~s; puiser dans ses ~s; être coupé/fier/proche, se détacher de ses ~s; être sans ~.*

RACISME acerbe, actif, affiché, agressif, ambiant, aveugle, criant, croissant, diffus, évident, flagrant, florissant, latent, meurtrier, obsessionnel, omniprésent, ordinaire, primaire, profond, rampant, violent, virulent, xénophobe. *Alimenter, combattre, contrer, dénoncer, déraciner, éliminer, engendrer, enseigner, éradiquer, faire disparaître, nourrir, perpétuer, pratiquer, professer, semer, surmonter, tolérer le ~; être confronté, faire échec/face, mettre fin/ un terme, résister, s'attaquer au ~; basculer dans le ~; lutter, se dresser contre le ~; souffrir du ~; être tenté par le ~; accuser, faire preuve de ~.* Le ~ est en hausse/recul, explose, progresse, recule, régresse, s'intensifie.

RACISTE acharné, agressif, avoué, déclaré, enragé, forcené, notoire, violent.

RADIO *Allumer, baisser, couper, écouter, fermer, (re)mettre, ouvrir la ~; parler, passer, travailler à la ~; faire de la ~.*

RADIOGRAPHIE floue, manquée, mauvaise, nette, ratée, surexposée, voilée. *Effectuer, faire, interpréter, lire, manquer, passer, rater, reprendre, réussir une ~; procéder à une ~.*

RAFALE (*vent*) dévastatrice, énorme, faible, forte, grosse, impétueuse, menaçante, soudaine, subite, traîtresse, violente. Une ~ diminue, faiblit, hurle, mugit, s'abat, s'apaise, se déchaîne, s'élève, tombe. ♦(*mitrailleuse*) continues, courtes, groupées, intenses, intermittentes, longues, nourries, sporadiques.

RAFFINEMENT absolu, charmant, exquis, extrême, inouï, ostentatoire, rare, subtil. *Faire preuve, manquer de ~.*

RAFRAÎCHISSEMENT (*température*) brusque, considérable, lent, marqué, progressif, rapide, soudain, subit. ♦(*boisson*) *Offrir, préparer, prendre, servir un ~.*

RAGE (*colère*) (auto)destructrice, aveugle, blanche, contenue, désespérée, énorme, épouvantable, étouffée, fausse, folle, forcenée, frénétique, froide, furibonde, furieuse, impuissante, inassouvie, incommensurable, incontrôlable, inouïe, insensée, intérieure, jalouse, meurtrière, muette, obstinée, opiniâtre, profonde, rancunière, rentrée, silencieuse, sombre, sourde, stupide, terrible, véhémente, vengeresse. *Avoir une ~ (+ adj.); assouvir, dissiper, éprouver, exhaler, montrer, piquer, rentrer, réprimer, satisfaire, sentir une/de/la/sa ~; entrer, être dans une ~ (+ adj.); déchaîner, provoquer la ~; bondir, crever, crier, éclater, écumer, étouffer, être blanc/blême/écarlate/écumant/fou/ivre/pâle/plein/vert, frémir, grimacer, haleter, hurler, mourir, pâlir, piétiner, pleurer, rugir, sangloter, suffoquer, trépigner de ~; (se) mettre qqn en ~.* ♦(Médecine) *Attraper la ~; être atteint de la ~.*

RAID audacieux, dangereux, désastreux, éclair, (in)fructueux, isolé, manqué, massif, vaste, violent. *Avorter, condamner, effectuer, faire, mener, opérer, organiser, réaliser un ~; prendre part à un ~.*

RAIDEUR cadavérique, étonnante, exagérée, excessive, extrême, incroyable. *Être, faire preuve d'une ~ (+ adj.).*

RAILLERIE acérée, amère, cinglante, cocasse, cuisante, féroce, innocente, méchante, mordante, piquante. *Riposter à une ~; endurer, entendre, lancer, recueillir, supporter des ~s; être en butte/insensible, répondre aux ~s; accabler de ~s.* Une ~ atteint, blesse, offense, pique.

RAISIN amer, blanc, bleu, cultivé, doux, exquis, frais, mûr, mûri, noir, précoce, rouge, sucré, vermeil, vert, violet. *Couper, cueillir, planter, récolter, vendanger du/le ~.*

RAISON (*motif, explication*) (in)acceptable, (in)admissible, apparente, (in)avouable, bizarre, bonne, cachée, complexe, (in)compréhensible, concluante, confuse, (in)connue, (in)contestable, convaincante, crédible, curieuse, décisive, déterminante, (in)déterminée, dominante, essentielle, évidente, excellente, fausse, flagrante, floue, fondamentale, forte, frappante, frivole, futile, grave, honorable, impénétrable, impérative, impérieuse, inattaquable, inexpliquée, ingénieuse, objective, juste, limpide, logique, majeure, manifeste, misérable, objective, obscure, officielle, ostensible, particulière, (im)pertinente, plausible, précise, principale, probante, profonde, radicale, ridicule, satisfaisante, secondaire, secrète, sérieuse, simple, solide, (in)tangible, technique, tortueuse, valable, véritable, (in)vraisemblable. *Accepter, admettre, agréer, alléguer, analyser, apporter, avancer, chercher, comprendre, connaître, découvrir, demander, donner, écouter, énoncer, entendre, énumérer, évaluer, expliciter, exposer, faire valoir, fournir, invoquer, mettre en avant, motiver, objecter, peser, posséder, présenter, rechercher, savoir, s'inventer, trouver une/des/la/les/ses ~(s).* ♦(*bon sens, logique*) claire, défaillante, droite, ferme, lucide, lumineuse, obscurcie, sage, saine, solide, vacillante. *Choquer, écouter, employer, faire valoir, insulter, invoquer, offenser, offusquer, outrager, perdre, recouvrer, suivre, troubler la ~; appeler, avoir recours, faire appel, obéir, revenir, se soumettre à la ~; être éclairé/guidé par la ~.*

RAISONNEMENT absolu, absurde, alambiqué, astucieux, audacieux, bancal, bâtard, biaisé, bizarre, boiteux, bon, captieux, clair, (in)cohérent, concluant, contestable, court, creux, exact, dangereux, décousu, défectueux, déficient, douteux, éloquent, évident, exact, excellent, faiblard, faible, fallacieux, fautif, faux, fragile, futile, hasardeux, hâtif, idiot, imparable, impeccable, implacable, inacceptable, inadéquat, inattaquable, inconséquent, incorrect, inepte, ingénieux, inintelligible, insensé, insidieux, insoutenable, invincible, irréfutable, irréprochable, judicieux, juste, limpide, (il)logique, long, lourd, lucide, lumineux, magnifique, mauvais, morcelé, net, obscur, oiseux, pervers, pitoyable, pointilleux, probant, profond, puéril, (im)puissant, rationnel, rectiligne, rigoureux, rudimentaire, saugrenu, scabreux, séduisant, serré, simple, simplet, simpliste, sinueux, solide, sophistiqué, stupide, subtil, suivi, superficiel, synthétique, théorique, tordu, tortueux, vaseux, vicieux, victorieux. *Admettre, attaquer, comprendre, critiquer, démolir, développer, ébaucher, échafauder, employer, poursuivre, réfuter, retourner, soutenir, suivre un ~; être accessible/sourd, faire appel, recourir, répondre, se rendre, souscrire à un/au/à des ~(s); s'enferrer, se noyer, se perdre dans un/des/ses ~(s); acquérir, convaincre, établir, être convaincu/persuadé/vaincu par un/le ~; employer le ~; s'appuyer sur le ~.* Un ~ corrobore, échoue, s'appuie/se base/se fonde/repose sur qqch., s'écroule, s'enlise, se tient.

RALENTISSEMENT brusque, brutal, considérable, durable, général, généralisé, léger, net, passager, progressif, prononcé, sensible, sérieux, significatif, soudain, spectaculaire, subit. *Causer, connaître, entraîner, provoquer, subir un ~.* Un ~ a lieu, intervient, se produit, survient.

RAMIFICATION (in)directes, multiples, néfastes, négatives, nombreuses, positives, précoces, profondes, regrettables, tardives, ténues, tragiques. *Avoir, présenter des ~s (+ adj.).*

RANÇON astronomique, considérable, bonne, énorme, exorbitante, forte, grosse, lourde, modeste, riche. *Acquitter, demander, exiger, fixer, imposer, obtenir, offrir, payer, promettre, recevoir, réclamer, verser une ~.*

RANCUNE ancienne, féroce, inapaisable, inassouvie, indélébile, infinie, (in)justifiée, latente, longue, meurtrière, obscure, profonde, secrète, solide, sourde, tenace, vieille, vivace. *Avoir, désarmer, engendrer, entretenir, éprouver, garder, nourrir, ranimer, renforcer, satisfaire une/la/de la ~; céder, être porté à la ~; être dévoré/plein de ~.* Une/la ~ couve, s'installe.

RANDONNÉE accompagnée, agréable, ardue, courte, difficile, douce, éreintante, exigeante, exténuante, facile, fatigante, grande, guidée, longue, ludique, pressée, raide, rapide, revigorante, rude, sauvage, solitaire, tranquille. *Entreprendre, faire, mener, organiser, proposer, réaliser une ~; revenir d'une ~; pratiquer la ~; s'adonner à la ~; partir en ~.*

RANDONNEUR, EUSE aguerri, confirmé, contemplatif, entraîné, épuisé, excellent, (in)expérimenté, infatigable, invétéré, motivé, moyen, solitaire.

RANG bas, bon, distingué, élevé, éminent, haut, illustre, inférieur, subalterne, supérieur. *Disputer, occuper, tenir un ~; accéder, appartenir, élever qqn/qqch. à un ~.*

RANGEMENT défectueux, harmonieux, large, méthodique, méticuleux, (dés)ordonné, rapide, rationnel, sommaire, strict, vague. *Achever, ébaucher, tenter un ~; aimer le ~; faire du ~.*

RAPIDE dangereux, faible, fort, impérieux, impétueux, irrésistible, puissant, violent. *Contourner, descendre, éviter, remonter un ~.*

RAPIDITÉ (dé)croissante, déconcertante, effarante, épouvantable, étonnante, étourdissante, exceptionnelle, excessive, extrême, faible, folle, foudroyante, fulgurante, inconcevable, incroyable, inexprimable, inférieure, inouïe, merveilleuse, réduite, stupéfiante, (in)suffisante, supérieure, surprenante, terrible, vertigineuse. *Être d'une ~ (+ adj.).* Une ~ augmente, (dé)croît, diminue, s'intensifie.

RAPPORT (exposé, compte rendu) accablant, accusateur, alarmiste, attendu, bon, bref, clair, (in)complet, (ultra)confidentiel, controversé, crédible, critiqué, définitif, détaillé, dévastateur, disputé, documenté, dur, édifiant, élogieux, ennuyeux, énorme, épais, exact, explosif, faux, (dé)favorable, important, indigeste, mensonger, modéré, monumental, négatif, objectif, (im)partial, pertinent, précis, préliminaire, secret, sérieux, sévère, sommaire, squelettique, succinct, sulfureux, terne, terrible, travaillé, vague, volumineux. *Adopter, adresser, analyser, approuver, bâcler, commander, décortiquer, déposer, discuter, dresser, élaborer, entériner, enterrer, entreprendre, envoyer, établir, étudier, examiner, faire, faire circuler, fournir, imposer, mettre en œuvre, préparer, présenter, publier, réaliser, recevoir, rédiger, remettre, rendre public, signer, soumettre, transmettre un ~; consigner dans un ~.* ♦ (lien, corrélation) accidentel, ambigu, apparent, caché, causal, certain, complexe, concret, constant, décisif, (in)direct, éloigné, essentiel, étendu, étroit, évident, fixe, fondamental, immédiat, intime, logique, lointain, nécessaire, réel, signifiant, simple, subtil, tordu. *Découvrir, établir, exprimer, indiquer, marquer, percevoir, présenter, saisir un/des ~(s).* ♦ (relations) amicaux, bons, civilisés, confiants, conflictuels, constants, cordiaux, curieux, détestables, difficiles, (in)directs, durs, éprouvants, étendus, étroits, excellents, familiers, faux, flous, fréquents, hérissés, heurtés, houleux, intimes, mauvais, orageux, passionnels, passionnés, privilégiés, rares, riches, (mal)sains, satisfaisants, serrés, (in)stables, stériles, suivis, superficiels, tendres, tendus, tortueux, utilitaires. *Avoir des ~s (+ adj.); améliorer, assainir, assurer, cesser, créer, entretenir, établir, gêner, instaurer, modifier, normaliser, nouer, régler, reprendre, rompre des/les/ses ~s.* Des ~s cessent, reprennent, se détériorent, se (re)nouent, se refroidissent, s'intensifient.

RAPPROCHEMENT (action) brusque, lent, (im)perceptible, progressif, radical, sensible, soudain, spectaculaire. *Entamer, esquisser, favoriser, opérer, promouvoir un ~.* Un ~ a lieu, intervient, se fait, s'effectue, se produit, s'esquisse, s'opère. ♦ (lien, rapport) absurde, accidentel, décisif, excessif, facile, forcé, fortuit, hasardeux, heureux, immédiat, inattendu, incongru, ingénieux, intéressant, involontaire, (in)justifié, logique, lointain, réel, subtil, superficiel, troublant. *Établir, faire un ~.*

RAQUETTE (*~ de tennis, etc.*) courte, étroite, large, légère, longue, lourde, performante, puissante, solide. *Frapper,* *jouer avec une ~; se munir d'une ~.* ♦(~ à neige) courte, étroite, large, longue. *Chausser, mettre, porter des ~s; marcher, se mouvoir avec des ~s; faire de la ~.*

RARETÉ absolue, artificielle, criante, extrême, flagrante, grande, naturelle, relative. *Causer, créer, provoquer une ~; être confronté, remédier à une ~; être d'une ~ (+ adj.).*

RASSEMBLEMENT bruyant, clairsemé, compact, considérable, dense, disparate, énorme, enthousiaste, géant, gigantesque, grand, gros, hétéroclite, hostile, houleux, immense, impressionnant, large, modeste, nombreux, pacifique, serré, vaste. *Contenir, disloquer, disperser, dissiper, empêcher, faire évacuer, former, interdire, organiser, provoquer, réprimer un ~.* Un ~ augmente, grossit, s'accroît, s'agglutine, se disperse, se répand.

RATION (sur)abondante, copieuse, généreuse, maigre. *Distribuer, préparer, répartir des/les ~s; recevoir, toucher sa ~.*

RAVAGE considérables, épouvantables, grands, immenses, importants, (ir)réparables, sérieux, terribles. *Causer, constater, faire, occasionner, provoquer, réparer, subir des ~s.*

RAVIN abrupt, escarpé, étroit, fangeux, grand, infranchissable, large, profond. *Combler, enjamber, franchir remblayer un ~; s'écraser, tomber dans un ~.*

RAYON (lumière) adouci, ardent, aveuglant, blême, brillant, dense, diffus, (in)direct, doré, éblouissant, éclatant, étincelant, faible, falot, fort, fulgurant, gênant, intense, livide, mince, oblique, pâle, poussiéreux, puissant, resplendissant, scintillant, tremblant, vaporeux, vif, voilé. *Darder, émettre, envoyer, lancer, répandre un/des/ses ~(s).* ♦(tablette) (sur)abondant, assorti, clairsemé, court, étroit, garni, interminable, large, long, varié, vide. *(re)Garnir, ranger un ~.*

RÉACTION (in)adéquate, admirative, agressive, ahurissante, aigre, angoissée, (in)attendue, brève, caricaturale, chaleureuse, claire, (in)compréhensible, concrète, courroucée, curieuse, déconcertante, désabusée, désespérée, déterminée, digne, disproportionnée, émotionnelle, énergique, enthousiaste, épidermique, équilibrée, euphorique, exagérée, excessive, hostile, immédiate, impulsive, indignée, inévitable, inexplicable, instinctive, irrationnelle, irresponsable, isolée, légitime, lente, (il)logique, louche, maladroite, (dé)mesurée, mitigée, modérée, moqueuse, négative, (a)normale, notable, outragée, outrée, paradoxale, passionnelle, ponctuelle, positive, préméditée, préoccupante, (im)prévisible, (im)prévue, prompte, (im)prudente, puissante, rapide, renversante, rigide, saine, sceptique, sévère, soudaine, spontanée, stéréotypée, tardive, timide, ulcérée, véhémente, vigoureuse, violente, virulente, viscérale, vive. *Déclencher, engendrer, enregistrer, exprimer, observer, obtenir, produire, provoquer, susciter, tempérer une ~; être, rester sans ~.*

RÉALISATEUR, TRICE brillant, conventionnel, fécond, fin, grand, novateur, perfectionniste, prodige, prolifique, remarquable, révolutionnaire, talentueux.

RÉALISATION (in)accomplie, (in)achevée, bâclée, belle, (in)complète, coûteuse, déficiente, éclatante, effective, énorme, immense, impossible, incroyable, inouïe, maîtresse, modeste, remarquable, vaste. *Accélérer, empêcher, entraver, gêner, favoriser, intensifier, ralentir une/la ~ de qqch.*

RÉALISME abrupt, brutal, complexe, cru, cruel, dur, étonnant, factice, inouï, prosaïque, pur, remarquable, rigoureux, saisissant, sordide, surprenant, (in)vraisemblable. *Atteindre, offrir, présenter un ~ (+ adj.); être d'un ~ (+adj.); faire preuve, manquer de ~.*

RÉALITÉ abrupte, abstraite, (dés)agréable, agressive, amère, âpre, atroce, banale, brutale, cauchemardesque, choquante, complexe, concrète, connue, contradictoire, crue, cruelle, définie, dérisoire, désespérante, difficile, douloureuse, dure, écrasante, effrayante, enchantée, factice, fascinante, frustrante, fuyante, grave, hostile, impitoyable, incontestable, incontournable, inexorable, inquiétante, intolérable, laide, morne, mouvante, objective, palpable, passionnante, pesante, pitoyable, profonde, prosaïque, quotidienne, rugueuse, sinistre, sombre, sordide, tangible, terrible, tragique, triste, triviale, trompeuse, unique, violente, virtuelle, visible. *Adoucir, admettre, affronter, camoufler, confronter, copier, décrire, déformer, dissimuler, enjoliver, exagérer, fausser, fuir, gommer, masquer, nier, oublier, peindre, refléter, saisir, subir, traduire, transformer, travestir une/la/les ~(s); correspondre, ramener, rappeler, revenir, s'adapter à une/la ~; composer avec la ~; être déconnecté, se couper, s'évader, tenir compte de la ~.* La ~ dépasse/rejoint la fiction, s'impose.

RÉBELLION brève, farouche, ouverte, sourde. *Attiser, écraser, dompter, endiguer, étouffer, fomenter, lancer, maîtriser, mater, réprimer une ~; faire face, parer à une ~; entrer en ~.* Une ~ a cours, couve, dure, éclate, gronde, menace, naît, plane, se dessine, se résorbe, s'estompe, sévit, subsiste.

REBONDISSEMENT considérable, dramatique, immense, important, imprévu, inattendu, inusité, léger, modeste, soudain, spectaculaire, subit, timide, ultime. *Connaître un/des ~(s).*

RÉCÉPISSÉ *Délivrer, donner, envoyer, exiger, remettre, rendre un ~.*

RÉCEPTION (<u>accueil</u>) aimable, amicale, bonne, cérémonieuse, chaleureuse, charmante, conviviale, cordiale, courtoise, délirante, émouvante, enthousiaste, excellente, exceptionnelle, fâcheuse, favorable, fraîche, fraternelle, froide, glacée, glaciale, houleuse, inoubliable, mauvaise, mémorable, polie, réservée, sympathique, tiède. *Faire, ménager, réserver une ~ (+adj.).* ♦(<u>réunion, gala</u>) chic, élégante, fastueuse, grande, intime, magnifique, officielle, petite, réussie, sélecte, simple, somptueuse, splendide, tapageuse. *Donner, ordonner, organiser une ~; se rendre à une ~.* ♦(<u>Sport</u>) bonne, défectueuse, défaillante, difficile, facile, impeccable, magistrale, mauvaise, ratée, réussie, solide, spectaculaire. *Manquer, réussir sa ~.*

RÉCESSION bénigne, brutale, courte, énorme, grave, latente, légère, longue, modérée, profonde, prolongée, rude, sérieuse, sévère, spectaculaire, terrible, violente. *Accélérer, affronter, aggraver, alimenter, attirer, connaître, contrer, enrayer,* *enregistrer, éviter, précipiter, prolonger, provoquer, réprimer, résorber, subir, traverser une ~; faire face à une ~; entrer, être pris, plonger, s'enfoncer, sombrer, (re)tomber dans une ~; échapper à une ~; se remettre, sortir d'une ~; être menacé par une ~; entrer, rester en ~.* Une ~ s'aggrave, se dessine, s'atténue, s'installe, se profile, se prolonge, s'éternise, s'intensifie.

RECETTE allégée, ancienne, appréciée, bonne, classique, compliquée, copieuse, créative, diététique, excellente, exotique, exquise, facile, fade, fine, grasse, hyper/hypocalorique, infaillible, ingénieuse, internationnale, inventive, locale, rapide, régionale, réussie, savoureuse, simple, sophistiquée, succulente, traditionnelle. *Créer, cuisiner, élaborer, exécuter, goûter, manquer, préparer, proposer, réaliser, réussir, savourer une ~.*

RÉCHAUFFEMENT accéléré, considérable, dangereux, désastreux, dramatique, grave, inquiétant, lent, planétaire, préoccupant, progressif, rapide, (in)sensible. *Causer, constater, craindre, observer, produire, provoquer, signaler un ~.*

RECHERCHE acharnée, active, affinée, angoissée, appliquée, approfondie, attentive, avancée, brève, (in)complète, constante, courte, débridée, décevante, délicate, désespérée, désintéressée, désordonnée, détaillée, difficile, effrénée, empirique, éperdue, érudite, exhaustive, fébrile, fondamentale, fouillée, (in)fructueuse, harassante, hésitante, heureuse, illusoire, incessante, innovante, intéressante, laborieuse, longue, méthodique, méticuleuse, minutieuse, objective, obsédante, obsessionnelle, opérationnelle, passionnante, patiente, (im)partiale, performante, persévérante, pointue, ponctuelle, poussée, profitable, rigoureuse, scrupuleuse, sérieuse, soigneuse, solide, stérile, studieuse, subjective, superficielle, systématique, tâtonnante, théorique, (in)utile, utilitaire, vaine. *Abandonner, achever, arrêter, conduire, continuer, diriger, effectuer, entamer, entreprendre, éprouver, faire, lancer, mener, négocier, organiser, orienter, poursuivre, pousser, reprendre, suivre une/des/les/ses ~(s); procéder, s'adonner, s'appliquer, s'attacher, se consacrer, se livrer, se vouer à une/des ~(s); encourager, financer, promouvoir, prôner, stimuler, subventionner la ~; faire de la ~.* Une ~ aboutit, avance, échoue, progresse, réussit.

RÉCIF corallien, couvert, dangereux, frangeant, immergé, imposant, menaçant, périlleux, redoutable, submergé, (in)visible. *Heurter un ~; donner contre un ~; faire naufrage sur un ~.*

RÉCIT aberrant, abominable, abrégé, absurde, admirable, alambiqué, alerte, amusant, anecdotique, artificiel, atroce, attachant, attentif, authentique, banal, bavard, bouleversant, bref, capricieux, captivant, (in)cohérent, coloré, complexe, confus, continu, court, crédible, décousu, dense, déroutant, détaillé, douloureux, édifiant, effarant, efficace, effrayant, effroyable, émouvant, enlevé, ennuyeux, enthousiaste, envoûtant, (in)exact, extraordinaire, fabuleux, fantastique, fictif, (in)fidèle, frénétique, froid, haletant, (mal)honnête, horrible, inconsistant, incroyable, (in)intéressant, intrigant, laborieux, languissant, larmoyant, légendaire, long, longuet, loufoque, lucide, lugubre, macabre, magistral, magnifique, maladroit, médiocre, mensonger, merveilleux, mince, minutieux, monotone, morcelé, mouvementé, neutre, palpitant, (im)partial, passionnant, passionné, pathétique, pimenté, pittoresque, poignant, (im)précis, ramassé, rapide, rassurant, réaliste, réussi, rocambolesque, romancé, rude, saisissant, savoureux, simple, singulier, sobre, sombre, sordide, substantiel, succinct, surprenant, tendu, tragique, troublant, vague, véridique, vivant, vrai, (in)vraisemblable. *Amorcer, amplifier, arranger, broder, camper, colorer, composer, concocter, conduire, confirmer, défigurer, donner, écouter, écrire, élaguer, embellir, embrouiller, enjoliver, enrichir, envenimer, exposer, faire, mener, poursuivre, rapporter, resserrer, simplifier, travestir, tronquer un ~.*

RÉCLAMATION contestable, courtoise, fausse, fondée, importante, inacceptable, indue, juste, (in)justifiée, (im)motivée. *Accueillir, admettre, adresser, agréer, appuyer, déposer, écarter, écrire, envoyer, examiner, exposer, faire, formuler, juger, prendre en considération, présenter, recevoir, refuser, rejeter, soulever, soutenir, traiter une/des ~(s); renoncer à une ~.*

RÉCOLTE (sur)abondante, admirable, belle, bonne, catastrophique, considérable, chétive, déficitaire, désastreuse, excellente, exceptionnelle, faste, généreuse, grosse, (in)habituelle, inespérée, maigre, mauvaise, médiocre, misérable, moyenne, mûre, (extra)ordinaire, pauvre, piètre, piteuse, plantureuse, précoce, record, superbe, tardive. *Achever, commencer, engranger, (r)entrer, faire la ~; endommager les ~s; procéder à la ~.*

RECOMMANDATION anodine, bonne, contraignante, expresse, (dé)favorable, floue, impérieuse, judicieuse, mauvaise, minutieuse, modérée, précieuse, précise, pressante, (im)prudente, raisonnable, sage, salutaire, sérieuse, superflue, vague. *Accepter, accueillir, adresser, appliquer, délivrer, émettre, faire, former, formuler, présenter, prodiguer, recevoir, rejeter, repousser, ressasser, solliciter, souscrire, suivre une/des ~(s).*

RÉCOMPENSE ample, avantageuse, délectable, digne, due, espérée, extraordinaire, fabuleuse, généreuse, grande, haute, honnête, honorifique, immense, inattendue, inestimable, juste, légitime, magnifique, (im)méritée, mirobolante, prestigieuse, princière, somptueuse, suprême, symbolique, ultime. *Accepter, accorder, briguer, décerner, délivrer, demander, dispenser, distribuer, donner, espérer, faire miroiter, mériter, obtenir, présenter, promettre, recevoir, réclamer, récolter, refuser une/des ~(s).*

RÉCONCILIATION complète, définitive, difficile, durable, feinte, fragile, introuvable, momentanée, paisible, partielle, secrète, sincère, solide, superficielle, tacite, temporaire, totale, unanime. *Effectuer, encourager, exclure, favoriser, gêner, négocier, proposer, rejeter, respecter, sceller une ~; aider, contribuer, travailler à une ~.*

RÉCONFORT amical, doux, grand, immense, maigre, piètre, profond, puissant, supême. *Apporter, (re)chercher, donner, éprouver, offrir, procurer, trouver un/du ~; avoir besoin, être privé de ~.*

RECONNAISSANCE affectueuse, attendrie, émue, éperdue, éternelle, explicite, extrême, grande, humble, immense, impérissable, infinie, juste, méritée, passionnée, personnelle, profonde, sincère, touchante, vive. *Avoir, conserver, devoir, éprouver, exprimer, garder, manifester, marquer, ressentir, témoigner une (+ adj.)/de la ~; déborder, être confondu/débordant/plein de ~.*

RECONSTITUTION brillante, (in)exacte, fidèle, manquée, minutieuse, parfaite, précise, piètre, ratée, réaliste, remarquable, réussie, superbe.

RECORD absolu, époustoufflant, historique, homologué, imbattable, (in)égalé, inédit, inégalable, officiel, officieux, piètre, prodigieux, remarquable, sensationnel *Abaisser, améliorer, battre, constituer, détenir, écraser, égaler, égaliser, établir, faire tomber, homologuer, pulvériser, réaliser un ~.*

RECOURS abusif, accru, automatique, constant, efficace, exagéré, exceptionnel, excessif, fréquent, hâtif, indispensable, inespéré, intensif, (in)justifié, nécessaire, occasionnel, ponctuel, précieux, spontané, suprême, systématique, tardif, ultime, (in)utile, urgent. *Apporter, attendre, chercher, demander, espérer, fournir, offrir, procurer, proposer un ~; avoir ~ à qqn/qqch.*

RÉCRÉATION courte, écourtée, interrompue, longue, mouvementée, perturbée, prolongée, surveillée. *Écourter, interrompre, perturber, prolonger, surveiller une ~.*

RECRUE brillante, émérite, excellente, nouvelle, remarquable, talentueuse. *Encadrer, enrôler, inscrire, instruire des ~s.*

RECRUTEMENT exigeant, intensif, massif, méthodique, objectif, rigoureux, sélectif. *Faire, opérer, pratiquer un ~ (+ adj.).*

RECTIFICATION appréciable, considérable, fondamentale, importante, indispensable, inévitable, infime, insignifiante, légère, majeure, mineure, minime, notable, notoire, (im)perceptible, petite, permanente, radicale, réussie, significative, spectaculaire, subtile, superficielle. *Apporter, demander, effectuer, entraîner, faire, insérer, nécessiter, obtenir, opérer, proposer, provoquer, subir une/des ~(s).*

REÇU *Délivrer, donner, envoyer, exiger, remettre, signer un ~.*

RECUL apparent, brutal, complet, durable, fantastique, fort, honteux, important, léger, net, notable, passager, piteux, progressif, prononcé, provisoire, salutaire, sensible, sérieux, stratégique, (in)suffisant, temporaire, total. *Accuser, connaître, constater, effectuer, enrayer, enregistrer, marquer, noter, subir un ~.*

RÉDACTION admirable, alerte, amusante, banale, bonne, brève, captivante, claire, confuse, courte, dense, ennuyeuse, efficace, excellente, froide, gauche, imparfaite, inconsistante, (in)intéressante, laborieuse, longue, mauvaise, médiocre, monotone, originale, passable, passionnante, précise, réussie, savoureuse, sobre, soignée. *Composer, concocter, écrire, remettre une ~; contribuer, participer, travailler à la ~ de (un article, un texte, etc.).*

RÉDUCTION ample, brutale, considérable, constante, continue, draconienne, drastique, énorme, extrême, faible, forte, générale, graduée, grave, importante, inquiétante, lente, marquée, massive, modérée, modeste, notable, partielle, (im)perceptible, permanente, progressive, prononcée, radicale, raisonnable, rapide, régulière, rigoureuse, sensible, significative, subite, substantielle, temporaire, totale. *Accepter, accorder, annoncer, connaître, consentir, enregistrer, faire, obtenir, subir une ~; procéder à une ~.*

RÉFÉRENCE (*en bas de page*) erronée, (in)exacte, fausse, (in)correcte, précise, vague. *Chercher, vérifier une/des ~(s); indiquer ses ~s.* ♦ (*modèle, exemple*) absolue, claire, implicite, incontournable, obligée, voilée, ultime. *Constituer, demeurer, rester, suivre la/une ~ (+ adj.); servir de ~; s'écarter d'une~.*

RÉFÉRENDUM affirmatif, coercitif, contesté, décisif, (dé)favorable, hasardeux, indicatif, négatif, victorieux. *Annoncer, demander, mener, organiser, perdre, préparer, ratifier, réclamer, remporter un ~; avoir recours, procéder à un ~.*

REFLET argenté, blafard, blême, changeant, chatoyant, cuivré, dansant, diffus, doré, faible, falot, flamboyant, fugace, fugitif, imprécis, indéfinissable, insolite, intense, irisé, jaunâtre, jaune, luisant, métallique, mobile, ondoyant, rougeâtre, sombre, soyeux, timide, trembant, vacillant, vif, violent. *Produire un ~; avoir, jeter, projeter un/des ~(s) (+ adj.).* Un ~ éclaire, jaillit, luit, se répercute, tremble, vacille.

RÉFLEXE aiguisé, bon, brutal, défensif, excessif, impulsif, inconscient, incontrôlable, instantané, instinctif, machinal, mauvais, spontané, rapide, vif. *Avoir des ~s (+ adj.); manquer de ~s.*

RÉFLEXION (*méditation, pensée*) approfondie, douce, douloureuse, féconde, forte, (in)fructueuse, grave, incessante, incontrôlable, intense, introspective, lente, longue, mûre, pénétrante, piétinante, profonde, rigoureuse, sombre, stérile, stimulante, triste. *Se livrer à une/des ~(s); freiner, stimuler, susciter la ~; être abîmé/absorbé/perdu, plonger, retomber, s'absorber dans ses ~s; faire preuve, manquer de ~; agir sans ~.* ♦ (*remarque*) acerbe, acérée, acide, acidulée, amère, amusante, banale, bienveillante, blessante, cuisante, déplaisante, désabusée, désagréable, désobligeante, drôle, éclairée, (dé)favorable, fine, idiote, intéressante, judicieuse, juste, malicieuse, malveillante, méchante, narquoise, originale, péjorative, pertinente, plate, rapide, sarcastique, savoureuse, sensée, timide, (in)utile, vexante. *Adresser, émettre, exprimer, faire, formuler, lancer, provoquer, récolter, susciter une/des ~(s).*

RÉFORME ambitieuse, ample, anodine, attendue, audacieuse, avortée, bâclée, bienvenue, bonne, (in)cohérente, (in)complète, concrète, contestée, controversée, courageuse, cruciale, décisive, difficile, douloureuse, draconienne, drastique, expéditive, gâchée, globale, grande, hardie, importante, improvisée, inapplicable, indispensable, inéluctable, inévitable, judicieuse, laborieuse, légère, lente, logique, lourde, majeure, massive, minuscule, modérée, modeste, nécessaire, ponctuelle, (im)populaire, positive, profonde, progressiste, prudente, radicale, ratée, réaliste, réussie, salutaire, sérieuse, significative, substantielle, superficielle, tardive, urgente, vaste. *Accomplir, adopter, ajourner, amorcer, appliquer, combattre, consolider, décrier, demander, effectuer, engager, entamer, entreprendre, exiger, freiner, imposer, instaurer, introduire, lancer, mener, mettre en* *chantier/oeuvre/place, opérer, poursuivre, projeter, promouvoir, prôner, proposer, réaliser, réclamer, réussir, saboter, susciter une ~; s'attaquer, s'atteler, travailler à une ~; se lancer dans une ~.* Une ~ aboutit, se fait attendre, se met en place, s'impose, traîne.

REFRAIN entraînant, envoûtant, gai, joyeux, langoureux, léger, obsédant, populaire, sentimental, vieux. *Chanter, commencer, composer, écouter, écrire, entonner, fredonner, hurler, murmurer, reprendre (en chœur), siffler un ~.*

REFUGE discret, inaccessible, paisible, précaire, provisoire, secret. *Chercher, constituer, construire, gagner, offrir un ~; séjourner dans un ~; servir de ~; chercher, demander, donner, prendre, trouver ~.*

RÉFUGIÉ *Accueillir, héberger, refouler, repousser des ~s; venir en aide à des/aux ~s.*

REFUS absolu, borné, brutal, carré, catégorique, (in)compréhensible, courtois, définitif, énergique, ferme, formel, hargneux, hautain, humiliant, inexorable, injustifiable, irréductible, irrévocable, motivé, net, obstiné, outré, péremptoire, persistant, poli, positif, profond, radical, réitéré, sec, systématique, total, tranché, viscéral. *Crier, essuyer, expliquer, exprimer, grimacer, justifier, motiver, opposer, prononcer, recevoir, s'attirer, signifier un ~; s'attendre, se buter, se heurter à un ~; persévérer, persister, s'obstiner dans le/son ~.*

REGAIN formidable, incontestable, indéniable, inéluctable, irrésistible, net, notable, sensible, spectaculaire. *Connaître, constater, montrer un ~; assister à un ~.* Un ~ s'amorce, se dessine, se profile.

RÉGAL grand, pur, vrai. *Être un ~ (+ adj.).*

REGARD abruti, absent, acéré, acide, admiratif, affectueux, affolé, affûté, agacé, agressif, aguicheur, ahuri, aigu, aimable, allègre, ambigu, amical, amoureux, amusé, angélique, angoissé, animé, anxieux, apitoyé, approbateur, appuyé, âpre, ardent, arrogant, assassin, assombri, assuré, attendri, (in)attentif, attristé, auscultateur, avide, bestial, bienveillant, bizarre, blanc, bon, bref, brillant, brûlant, câlin, calme, candide, caressant, chaud, circonspect, clair, clignotant, compatissant, compréhensif, condescendant, confiant, conquérant, coquin, courroucé, craintif, cruel, curieux, cynique, découragé, dédaigneux, dégoûté, désabusé, désagréable, désespéré, désobligeant, despotique, (in)direct, (in)discret, distant, distrait, dominateur, douloureux, doux, droit, dubitatif, dur, durci, ébahi, éberlué, ébloui, effaré, effrayant, effronté, égaré, éloquent, embué, émerveillé, émouvant, enflammé, énigmatique, ennuyé, ensorcelant, enthousiasmé, envieux, envoûtant, épanoui, éperdu, éploré, épouvanté, espiègle, éteint, étincelant, étonné, étrange, évasif, éveillé, exaltant, exorbité, expert, (in)expressif, extasié, farouche, fascinant, faux, (dé)favorable, félin, fermé, féroce, fier, figé, fin, fixe, flamboyant, flou, fou, foudroyant, fouineur, franc, froid, fulminant, fureteur, furibond, furieux, furtif, fuyant, gai, gênant, glaçant, glacé, glacial, glauque, gourmand, gris, hagard, haineux, halluciné, hardi, hautain, hébété, hésitant, honnête, horrifié, hostile, humide, idiot, impénétrable, impérieux, impertinent, impitoyable, implacable, implorant, importun, impressionnant, incandescent, incendiaire, indéchiffrable, indéfinissable, indifférent, indolent, indulgent, ineffable, inflexible, ingénu, innocent, inquiet, inquiétant, inquisiteur, insistant, insolent, insolite, insoutenable, intelligent, intense, interrogateur, intimiste, intolérable, intrigué, ironique, irrésistible, joli, joyeux, juste, langoureux, languissant, larmoyant, limpide, lointain, louche, lourd, luisant, lumineux, magnétique, majestueux, malicieux, malin, malveillant, maussade, mauvais, méchant, mécontent, méfiant, mélancolique, menaçant, méprisant, mobile, modeste, moqueur, morne, mort, mouillé, narquois, navré, net, neuf, neutre, niais, noir, nonchalant, nostalgique, nouveau, noyé, oblique, observateur, offensant, offensé, optimiste, pâle, papillotant, parlant, partial, particulier, passionné, pathétique, pénétrant, pensif, perçant, perspicace, pessimiste, pétillant, pétrifié, peureux, pitoyable, poignant, pointu, polisson, précis, profond, prometteur, prompt, provocant, pur, rageur, railleur, rapide, ravi, rayonnant, redoutable, réprobateur, résigné, respectueux, rêveur, rieur, sagace, sarcastique, satisfait, scrutateur, serein, sévère, significatif, sincère, sinistre, sombre, songeur, soucieux, soupçonneux, souriant, sournois, soutenu, suave, subtil, superbe, supérieur, suppliant, sûr, surpris, tendre, tendu, terne, terrible, terrifiant, terrifié, timide, tourmenté, tranquille, transparent, traqué, triomphant, triste, troublant, trouble, troublé, vacant, vague, velouté, vénéneux, venimeux, victorieux, vide, vif, vigilant, vitreux, vitriolé, vivant, voilé, volontaire, voluptueux. *Avoir un/le ~ (+ adj.); observer d'un ~ (+ adj.); accrocher, adoucir, adresser, affliger, agacer, aiguiser, appeler, arrêter, attacher, attirer, attrister, aviver, blesser, braquer, captiver, composer, comprendre, darder, décocher, déguiser, détacher, détourner, diriger, distraire, durcir, échanger, embrumer, étonner, fasciner, frapper, fuir, fixer, glisser, interpréter, jeter, laisser errer/flâner/traîner, lancer, lever, mendier, offenser, plonger, porter, poser, promener, ravir, réjouir, risquer, solliciter, tirer, tourner un/le/les/son/ses ~(s); embrasser, gratifier, honorer, rassurer d'un ~; (se) dérober, offrir, soustraire au/aux ~(s); ausculter, caresser, chercher, conduire, désigner, détailler, dévorer, effleurer, embrasser, envelopper, examiner, explorer, fixer, foudroyer, fouiller, fusiller, implorer, inspecter, interroger, menacer, montrer, parcourir, parler, (trans) percer, remercier, scruter, sonder, suivre, supplier du ~.* Un~ brille, brûle, cherche, contemple, découvre, détaille, distingue, embrasse, englobe, fixe, flamboie, fouille, fuit, glisse, observe, parcourt, passe, pénètre, plonge, s'arrête, s'attache, scintille, scrute, se dérobe, se détourne, se durcit, se fixe, se porte, se pose, se tourne, se voile.

RÉGIME (gouvernement) arbitraire, atroce, austère, autoritaire, bon, brutal, corrompu, cruel, déchu, défaillant, démocratique, despotique, détesté, dictatorial, draconien, égalitaire, éphémère, équitable, faible, fantoche, fiable, fort, inique, intolérant, (in)juste, (il)légitime, maléfique, mauvais, monstrueux, musclé, naissant, odieux, oppressif, policier, (im)populaire, pourri, progressiste, provisoire, radical, représentatif, répressif, sanglant, sanguinaire, (in)stable, totalitaire, transitoire, tyrannique, vacillant. *Abattre, attaquer, bâtir, changer, choisir,* *combattre, condamner, critiquer, défaire, démanteler, démocratiser, dénoncer, déstabiliser, détruire, ébranler, fonder, installer, instaurer, instituer, isoler, maintenir, mettre en place, miner, reconnaître, réformer, renforcer, renverser, restaurer, soutenir, supporter un ~.* Un ~ règne, se durcit, s'effrite, se sclérose, sombre, s'installe, tombe, vacille. ♦ (Médecine) affaiblissant, affamant, allégé, amaigrissant, amincissant, anémiant, débilitant, draconien, dur, énergétique, épuisant, (dés)équilibré, fortifiant, hypocalorique, impitoyable, nourrissant, reconstituant, rigoureux, sain, sévère, strict, substantiel, triste, tyrannique. *Adopter, appliquer, commencer, enfreindre, entreprendre, faire, (s')imposer, observer, ordonner, prescrire, recommander, suivre un ~; renoncer, s'astreindre, se soumettre à un ~; être, (se) mettre qqn au ~.* ♦ (moteur) accéléré, bas, constant, continu, de croisière, élevé, faible, fort, haut, lent, maximum, moyen, (a)normal, permanent, plein, ralenti, rapide.

RÉGION (in)accessible, accidentée, agréable, aride, arriérée, attractive, basse, boisée, bucolique, calme, chaude, charmante, dangereuse, délaissée, dénudée, déserte, désertique, désolée, dévastée, dynamique, élevée, éloignée, enchanteresse, étendue, (dé)favorisée, frontalière, haute, (in)hospitalière, humide, ignorée, immense, inconnue, inculte, inexplorée, inhabitable, inhabitée, isolée, laide, misérable, montagneuse, opulente, oubliée, perdue, pittoresque, plantureuse, pluvieuse, populeuse, privilégiée, prospère, puissante, reculée, retirée, riche, rude, (in)salubre, sauvage, sèche, sinistrée, surpeuplée, tranquille, urbanisée, vallonnée. *Abandonner, aménager, explorer, fréquenter, inspecter, parcourir, prospecter, ratisser, sillonner, traverser, visiter une ~; rayonner, se rendre dans une ~.*

REGISTRE complet, épais, gros, mince, poussiéreux, relié, vieux, volumineux. *Consulter, élaborer, fermer, ouvrir, signer, tenir un ~; coucher, écrire, inscrire, mettre, noter, transcrire dans/sur un ~; rayer d'un ~.*

RÉGLAGE approximatif, automatique, (in)correct, mauvais, parfait, précis. *Effectuer un ~; procéder à un ~.*

RÈGLE (instrument) droite, plate, tordue. *Utiliser une ~; se servir d'une ~; tracer avec une ~.* ♦ (loi, principe) absolue, claire, compliquée, confuse, contraignante, draconienne, écrite, efficace, élastique, étanche, fixe, floue, fluctuante, fondamentale, galvaudée, générale, généralisée, impérative, impitoyable, importante, imprescriptible, indiscutable, inexorable, infaillible, inflexible, intangible, minutieuse, objective, obscure, précise, rétrograde, rigide, rigoureuse, sévère, souple, stricte, sûre, tacite, tatillonne, tyrannique, vieille. *Accepter, adopter, appliquer, assouplir, contester, durcir, édicter, élaborer, élargir, enfreindre, énoncer, établir, fixer, formuler, imposer, instaurer, instituer, mettre en action/place, mitiger, observer, offenser, outrepasser, poser, pratiquer, prescrire, respecter, se donner, suivre, tracer, transgresser, violer une/des/les ~(s); déroger, désobéir, manquer, renoncer, se conformer, se plier, se soumettre à une/la/aux ~(s); s'affranchir, s'écarter d'une/des ~(s); être, se mettre en ~.*

RÈGLEMENT (affaire, conflit) à l'amiable, (in)approprié, boiteux, définitif, délicat, (in)efficace, (dé)favorable, global, heureux, imminent, interminable, lent, négocié, pacifique, proche, rapide, solide. *Forcer, négocier un ~; parvenir à un ~.* ♦ (règle) abusif, contraignant, écrit, (in)efficace, flou, draconien, drastique, élastique, formel, imbécile, impitoyable, inadapté, lâche, minutieux, précis, rigide, rigoureux, sévère, souple, strict, tacite, tatillon, tyrannique. *Amender, appliquer, assouplir, constituer, contourner, décréter, édicter, enfreindre, établir, fixer, fonder, instituer, mettre en vigueur, observer, promulguer, respecter, soumettre, suivre, transgresser, violer un/des/le/les ~(s); assujettir, contrevenir, déroger, désobéir, être assujetti/soumis, faire une entorse, se conformer, se soumettre à un/au ~.*

RÈGNE austère, autoritaire, bref, brillant, brutal, (in)contesté, corrompu, cruel, éphémère, démocratique, glorieux, long, mouvementé, paisible, sanglant, tumultueux.

RÉGRESSION accentuée, accusée, inéluctable, irrémédiable, légère, lourde, marquée, notable, profonde, progressive, prononcée, rude, systématique. *Causer, connaître, entraîner, marquer, provoquer, subir une ~.*

REGRET amer, cruel, cuisant, déchirant, désespéré, douloureux, extrême, feint, grand, hypocrite, immense, inavoué, inconsolable, indéfinissable, inutile, lancinant, mélancolique, nostalgique, poignant, prématuré, profond, sensible, sincère, stérile, superflu, tardif, vague, vain, vif. *Avoir, causer, éprouver, étouffer, exciter, exprimer, formuler, manifester, montrer, provoquer, nourrir, ressasser, ruminer, témoigner un/des/du/ses ~(s); être plein/rongé, soupirer de ~(s).* Un ~ persiste, se dissipe, surgit.

RÉGULARITÉ exemplaire, grande, horlogère, impeccable, imperturbable, implacable, irréprochable, militaire, (im)parfaite, pointilleuse, remarquable, scrupuleuse. *Être, faire preuve d'une ~ (+ adj.).*

REJET absolu, brutal, catégorique, clair, complet, définitif, ferme, formel, franc, haineux, humiliant, implacable, massif, net, obstiné, poli, progressif, systématique, total, unanime, violent, viscéral. *Essuyer, exprimer, justifier, motiver, signifier un ~; se buter, se heurter à un ~.*

RELANCE accélérée, considérable, coordonnée, difficile, forte, fragile, fulgurante, franche, hésitante, inattendue, légère, lente, marquée, modeste, progressive, prononcée, rapide, sensible, sérieuse, significative, solide, soudaine, spectaculaire, spontanée, timide, vigoureuse, vive. *Aider, alimenter, amorcer, connaître, constater, enregistrer, favoriser, freiner, provoquer, stimuler une/la ~.* Une/la ~ ralentit, s'accélère, s'amorce, se dessine, se poursuit, se produit.

RELATION (corrélation, lien) apparente, arbitraire, cruciale, délicate, (in)directe, essentielle, éloignée, essentielle, étroite, évidente, explicite, factice, implicite, lointaine, nécessaire, primordiale, subtile, ténue, vitale. *Dégager, établir, faire ressortir une ~.* ♦ (rapports) ambiguë, ambivalente, amicale, ardente, assidue, banale, chaleureuse, complexe, compliquée, conflictuelle, cordiale, correcte, courte, courtoise, désintéressée, difficile, durable, équivoque, étendue, étroite, exécrable, factice, forte, fragile, (in)fructueuse, fugace, harmonieuse, houleuse, indéfectible, intense, mauvaise, médiocre, orageuse, passionnelle, permanente, platonique, possessive, précaire, précieuse, privilégiée, profonde, protectrice, riche, (mal)saine, sereine, (in)stable, superficielle, tendre, tendue, tourmentée, tumultueuse. *Avoir une/des ~(s) (+ adj.); affermir, améliorer, amorcer, briser, consolider, cultiver, développer, élever, entamer, entretenir, envenimer, établir, étendre, harmoniser, intensifier, interrompre, nouer, nourrir, préserver, rompre, sauvegarder, soigner, transformer une/des/ses ~(s).* Une ~ évolue, s'améliore, se crée, se dégrade, se détériore, se développe, s'envenime, se prolonge, se stabilise, s'établit, se tend, s'installe, s'instaure.

RELÈVE assurée, massive, problématique. *Assurer, organiser, prendre, prévoir une/la ~; se préoccuper de la ~.*

RELIEF abrupt, accidenté, déchiqueté, diversifié, érodé, faible, haut, majestueux, montagneux, plat, tourmenté, vallonné, varié, vif, vigoureux. *Avoir un ~ (+ adj.).*

RELIGION austère, authentique, bienfaisante, débonnaire, dure, dynamique, exigeante, extravagante, ferme, fervente, formaliste, individuelle, intérieure, personnelle, praticable, profonde, rigoureuse, simple, sincère, stricte, superstitieuse, suspecte, tolérante, vague, vivante. *Se raccrocher à la ~; se tourner vers la ~.*

REMARQUE abrupte, acerbe, acide, (dés)agréable, amère, amusante, banale, bienveillante, cinglante, claire, cuisante, cynique, déplacée, désabusée, désinvolte, désobligeante, drôle, élogieuse, enthousiaste, (in)exacte, familière, (dé)favorable, fine, flatteuse, fondée, fortuite, générale, grotesque, humoristique, idiote, imbécile, importante, incongrue, injurieuse, inopportune, insignifiante, insultante, intéressante, ironique, irrespectueuse, judicieuse, juste, lapidaire, maladroite, malencontreuse, malicieuse, malveillante, méchante, méprisante, moqueuse, (in)opportune, péjorative, perspicace, pertinente, pétillante, profonde, provocante, (im)prudente, raffinée, satirique, (in)sensée, superflue, (in)utile, venimeuse, vexante, vraie. *Adresser, consigner, diriger, émettre, exprimer, faire, formuler, hasarder, lancer, placer, présenter, proposer, ravaler, recueillir, réitérer, relever, susciter une/des ~(s).*

REMBOURSEMENT anticipé, complet, différé, étalé, immédiat, intégral, partiel, progressif. *Effectuer, exiger, garantir, obtenir, réclamer un ~.*

REMÈDE (Médecine) (in)actif, (in)adapté, agissant, anodin, (in)approprié, bénin, bon, calmant, curatif, dangereux, doux, drastique, (in)efficace, énergique, éprouvé, expérimenté, fiable, fort, infaillible, inoffensif, inutile, miracle, miraculeux, ordinaire, palliatif, préventif, puissant, radical, rapide, salutaire, souverain, spécifique, sûr, universel, violent. *Administrer, appliquer, avaler, conseiller, découvrir, donner, employer, essayer, ordonner, prendre, préparer, prescrire, refuser, suggérer, tolérer, trouver un ~; user d'un ~.* Un ~ agit, guérit, soulage. ♦ (mesure, truc) (in)adapté, approprié, audacieux, bon, drastique, (in)efficace, fiable, immédiat, ponctuel, pratique, (im)puissant, radical, rigoureux, simple, spectaculaire, sûr, (in)utile. *Adopter,* *appliquer, apporter, chercher, concevoir, connaître, conseiller, employer, essayer, fournir, préconiser, prôner, proposer, suggérer, trouver un ~.*

REMERCIEMENT chaleureux, embarrassé, ému, éperdu, éternel, humble, hypocrite, immense, mérité, profond, respectueux, sincère, tardif, touchant, vif. *Adresser, agréer, balbutier, devoir, échanger, exprimer, faire, formuler, offrir, présenter, recevoir, réitérer, rendre, renouveler un/des/ses ~(s); se confondre en ~s.*

REMISE appréciable, considérable, exceptionnelle, forfaitaire, forte, légère, modeste, importante, intéressante, substantielle. *Accorder, consentir, effectuer, faire, obtenir une ~; bénéficier d'une ~.*

REMONTÉE belle, brillante, considérable, lente, progressive, rapide, sensible, soudaine, spectaculaire. *Connaître, effectuer, entamer, faire, opérer une ~.*

REMONTRANCE amère, cinglante, douce, édifiante, (in)juste, méritée, rude, salutaire, sévère, solide, terrible, vigoureuse. *Infliger, mériter, recevoir, subir une/des ~(s).*

REMORDS cruel, cuisant, déchirant, douloureux, feint, hypocrite, (in)justifié, lancinant, légitime, poignant, profond, sincère, tardif, tenaillant, torturant, vague, vivace. *Apaiser, assoupir, avoir, causer, donner, éprouver, étouffer, exprimer, faire taire, feindre, mériter, ressasser, ressentir, ruminer, sentir, témoigner un/des/le/du/ses ~; être en proie au ~; être déchiré/hanté/tourmenté/travaillé par le ~; être accablé/dévoré/harcelé/poursuivi/pris/rongé/torturé/tourmenté de ~.*

REMOUS dangereux, furieux, impérieux, impétueux, irrésistibles, puissants, vifs, violents. *Éviter, contourner les ~; être entraîné/pris par les ~.*

REMPLACEMENT (intérim, suppléance) *Assurer, faire un/le ~ de qqn; pourvoir, procéder à un/au ~ de qqn.* ♦ (substitution, changement) anticipé, brusque, brutal, complet, graduel, heureux, immédiat, important, inattendu, indispensable, inévitable, lent, massif, partiel, passager, progressif, salutaire, significatif, soudain, souhaitable, subit. *Effectuer un ~; pourvoir, procéder à un ~.*

RÉMUNÉRATION attractive, confortable, convenable, correcte, décente, dérisoire, élevée, (in)équitable, évolutive, excellente, faible, faramineuse, fixe, forte, grosse, (in)juste, large, maigre, médiocre, minable, mince, minime, misérable, modeste, motivante, petite, piètre, ridicule, stimulante. *Recevoir une ~; bénéficier d'une ~.*

RENCONTRE (entretien, échange) (dés)agréable, (in)attendue, brève, brutale, constructive, cruciale, décevante, décisive, discrète, émouvante, enthousiasmante, étrange, extraordinaire, fâcheuse, fatale, fatidique, (in)formelle, fortuite, (in)fructueuse, furtive, gigantesque, habituelle, (mal)heureuse, historique, houleuse, improvisée, inopinée, inoubliable, insolite, intéressante, isolée, marquante, mauvaise, mémorable, occasionnelle, (in)opportune, préméditée, (im)prévue, providentielle, rapide, secrète, singulière, stimulante, surprenante, tendue, troublante, urgente, utile, violente. *Accorder, achever, arranger, demander, différer, empêcher, éviter, faciliter, faire, ménager, organi-*

ser, préparer, prévoir, proposer, provoquer, solliciter une ~; accourir, aller, marcher, s'acheminer, s'avancer, s'élancer, se porter, se précipiter, venir à la ~ de qqn. ♦(*Sport*) acharnée, amicale, âpre, belle, décevante, décisive, défensive, (in)égale, (dés)équilibrée, importante, intéressante, médiocre, mouvementée, musclée, offensive, passionnante, piètre, serrée, spectaculaire, terne. *Annuler, arbitrer, disputer, dominer, gagner, organiser, perdre, remporter, suivre une ~; assister à une ~.*

RENDEMENT (sur)abondant, accru, apparent, avantageux, constant, continu, (dé)croissant, décent, effectif, (in)égal, élevé, énorme, excellent, exceptionnel, faible, fixe, fort, important, inférieur, intensif, intéressant, maximal, médiocre, moyen, phénoménal, piètre, piteux, record, réel, (ir)régulier, remarquable, (in)suffisant, supérieur. *Avoir, enregistrer, escompter, fournir, donner, obtenir, réaliser un ~ (+ adj.); accélérer, accroître, améliorer, augmenter, diminuer, encourager, intensifier, ralentir, réduire, stimuler le/son ~; travailler à plein ~.*

RENDEZ-VOUS (dés)agréable, attendu, bref, clandestin, crucial, décisif, discret, furtif, galant, historique, manqué, régulier, secret, urgent, utile. *Accorder, annuler, arranger, assigner, avoir, confirmer, décommander, demander, différer, donner, esquiver, fixer, manquer, ménager, obtenir, organiser, prendre, prétexter, proposer, repousser un ~; aller, accourir à un ~; convenir, s'acquitter d'un ~; (se) donner, prendre ~.*

RENOMMÉE bonne, brillante, calamiteuse, compromise, déplorable, durable, étendue, excellente, flatteuse, grande, grandissante, immense, inattaquable, irréprochable, (in)justifiée, locale, mauvaise, médiocre, (im)méritée, naissante, petite, planétaire, solide, surfaite, universelle. *Avoir une ~ (+ adj.); acquérir, asseoir, bâtir, compromettre, conquérir, consacrer, défendre, démolir, édifier, étendre, (dé)faire, maintenir, perdre, ruiner, se tailler, ternir, usurper une/la/sa ~; bénéficier, jouir d'une ~; atteindre à la ~.* Une ~ naît, évolue, s'amplifie, se perd, s'étend.

RENONCEMENT brutal, catégorique, définitif, ferme, formel, irrévocable, motivé, partiel, persistant, poli, systématique, total, volontaire. *Essuyer, exprimer, justifier, motiver un ~.*

RÉNOVATION complète, grosse, importante, inévitable, majeure, mineure, nécessaire, partielle, petite, simple, totale, urgente. *Effectuer, faire une/des ~(s); procéder à une/des ~(s).*

RENSEIGNEMENT complémentaire, (in)complet, concret, confidentiel, crédible, décisif, disponible, erroné, étonnant, (in)exact, faux, fiable, important, inaccessible, indispensable, inquiétant, intéressant, mauvais, mensonger, nouveau, objectif, officiel, officieux, opportun, particulier, partiel, périmé, petit, pointu, positif, précieux, (im)précis, (ultra)secret, sérieux, simple, sommaire, spécial, sûr, utile, vague, valable, (in)vérifiable, vrai. *Accumuler, apporter, attendre, (re)chercher, collecter, communiquer, confirmer, contredire, demander, démentir, dénicher, détenir, dévoiler, diffuser, divulguer, donner, envoyer, extraire, fournir, obtenir, prendre, (se) procurer, publier, puiser, recevoir, récolter, recueillir, restituer, réunir, solliciter, tirer, transmettre, trouver,* *vérifier un/des ~(s).* Des/les ~s affluent, arrivent, concordent, émanent, manquent.

RENTABILITÉ (in)certaine, considérable, constante, continue, douteuse, (in)égale, énorme, excellente, exceptionnelle, faible, forte, haute, hypothétique, importante, inférieure, instantanée, intense, intéressante, mauvaise, maximale, médiocre, minimale, normale, phénoménale, piètre, problématique, record, (ir)régulière, remarquable, supérieure. *Accroître, atteindre, élever, viser la ~.* Une ~ accuse une baisse, diminue, s'accroît, s'intensifie.

RENTRÉE active, agitée, calme, chargée, chaude, difficile, dure, fracassante, morose, normale, paisible, pénible, réussie, rude, sereine, tapageuse, tendue, tranquille. *Connaître, faire une ~ (+ adj.); amorcer, inaugurer, préparer la ~.*

RENVERSEMENT complet, implacable, irréversible, radical, spectaculaire, total, violent. *Connaître un ~ (+ adj.).* Un ~ a lieu, se produit, s'opère.

RENVOI arbitraire, définitif, immédiat, imminent, (in)justifié, temporaire. *Signifier un ~; décider d'un ~; procéder à un ~; être menacé de ~; protester contre un ~.*

RÉORGANISATION compliquée, déplorable, impeccable, logique, mauvaise, méthodique, minutieuse, profonde, radicale, ratée, rationnelle, réussie, sévère, solide, (in)suffisante, superficielle. *Achever, entreprendre, mettre au point une ~; participer, prendre part, procéder à une ~; décider d'une ~.* Une ~ s'effectue, se met en place, s'installe, s'opère.

RÉPARATION apparente, complète, considérable, courante, durable, grossière, importante, indispensable, inévitable, insignifiante, légère, majeure, mineure, minutieuse, nécessaire, (im)perceptible, simple, sommaire, temporaire, urgente. *Effectuer, entraîner, faire, subir une/des ~(s); procéder à une/des ~(s); être en ~.* Des ~s s'effectuent, s'imposent.

RÉPARTIE acérée, acide, brutale, adroite, aigre, cinglante, cruelle, drôle, facile, féroce, fine, foudroyante, glaciale, heureuse, incisive, insolente, plaisante, profonde, prompte, rapide, sarcastique, savoureuse, spirituelle, subtile, tranchante, vive. *Avoir la ~ (+ adj.); avoir de la ~.*

RÉPARTITION aléatoire, arbitraire, (in)égale, égalitaire, (in)équitable, (in)exacte, harmonieuse, intelligente, (in)juste, proportionnelle, rationnelle, rigoureuse. *Assurer une ~ (+adj.); procéder à une ~.*

REPAS abondant, agréable, ample, arrosé, austère, bon, bruyant, chaud, chic, complet, consistant, convenable, copieux, correct, corsé, délectable, délicat, divin, ennuyeux, excellent, exceptionnel, expédié, exquis, fabuleux, fastueux, festif, fin, froid, frugal, gargantuesque, gastronomique, généreux, gourmand, grand, gras, gros, guindé, infect, interminable, joyeux, léger, lourd, magnifique, maigre, mauvais, merveilleux, modeste, pantagruélique, passable, plantureux, rapide, recherché, réussi, riche, royal, savoureux, silencieux, simple, sobre, soigné, sommaire, somptueux, substantiel, succulent, tardif, typique. *Achever, apporter, apprêter,* *attaquer, (dé)commander, donner, expédier, faire, finir, improviser, ingurgiter, mitonner, offrir, partager, prendre, préparer, réussir, sauter, savourer, servir, terminer un ~; convier, convoquer, inviter, prendre part à un ~; sortir d'un ~.* Un ~ se prolonge, s'éternise, traîne.

REPENTIR amer, douloureux, feint, hypocrite, inavoué, sincère, tardif, vague, vif, vigoureux, vrai. *Avoir, causer, éprouver, exprimer, feindre, formuler, montrer un/du ~*

RÉPERCUSSION déplorable, désastreuse, (in)directe, dramatique, effroyable, fâcheuse, fatale, (dé)favorable, (mal)heureuse, imperceptible, importante, inattendue, incalculable, indésirable, inévitable, inquiétante, irrémédiable, légère, momentanée, néfaste, négative, permanente, ponctuelle, positive, (im)prévisible, profonde, redoutable, regrettable, sérieuse, terrible, tragique, triste. *Avoir une/des ~(s) (+ adj.); comporter, engendrer, entraîner des~s.*

RÉPERTOIRE (carnet, liste) mince, petit, plat, volumineux. *Consulter un ~; consigner, écrire, griffonner, noter dans/sur un ~.* ♦ (*d'un acteur, chanteur, etc.*) difficile, étendu, immense, impressionnant, large, (il)limité, mince, pauvre, remarquable, restreint, riche, varié, vaste. *Avoir un ~ (+ adj.); élargir, renouveler, varier son ~.*

RÉPÉTITION (action, redite) constante, continuelle, excessive, fastidieuse, indue, interminable, inutile, lancinante, lassante, monotone, opiniâtre, superflue. *Corriger, éviter les ~s.* ♦ (*Théâtre*) bonne, décisive, définitive, excellente, générale, importante, mauvaise, médiocre, partielle, piètre, réussie, précoce, tardive. *Diriger une ~; assister à une ~; entrer, mettre en ~.* Une ~ a lieu.

RÉPIT bénéfique, bref, court, doux, éphémère, expiré, inespéré, long, mérité, petit, prolongé, raisonnable, salutaire, (in)suffisant. *(s') Accorder, apporter, demander, donner, goûter, laisser, marquer, (se) ménager, obtenir, prolonger, refuser, (s') octroyer un ~; bénéficier, jouir, disposer d'un ~.* Un ~ expire.

REPLI forcé, lent, (dés)ordonné, rapide, salutaire, stratégique, tactique. *Effectuer, ordonner un ~; procéder à un ~.*

RÉPLIQUE (*réponse, réaction*) acérée, brève, brusque, cinglante, désagréable, désinvolte, directe, disproportionnée, facile, franche, habile, immédiate, impitoyable, incisive, malveillante, mordante, (im)pertinente, ponctuelle, prompte, savoureuse, sèche, spirituelle, vive. *Asséner, échanger, imposer, mûrir, préparer une/des ~(s); avoir la ~ (+ adj.); être prompt à la ~.* ♦ (*copie*) correcte, (in)exacte, excellente, faible, (in)fidèle, mauvaise, médiocre, pâle, (im)parfaite, piètre, ressemblante. *Effectuer, exécuter, réaliser une ~.*

RÉPONSE aberrante, absurde, acide, (in)adaptée, (in)adéquate, admirable, (mal)adroite, affirmative, agréable, alambiquée, ambiguë, (in)appropriée, approximative, argumentée, arrogante, assassine, astucieuse, attendue, brève, brutale, catégorique, cavalière, cinglante, claire, (in)cohérente, (in)complète, confuse, convaincante, (in)correcte, courageuse, décisive, déconcertante, définitive, désespérante, désobligeante, détaillée, diplomatique, (in)directe, douteuse, dubitative, effrontée, éloquente, embarrassée, énergique, équivoque, évasive, évidente, (in)exacte, explicite, facile, (dé)favorable, ferme, floue, franche, fulgurante, gauche, gênée, glacée, haineuse, hardie, hasardeuse, hâtive, hésitante, hostile, immédiate, incertaine, incongrue, inconvenante, indécise, inédite, inefficace, ingénue, inintelligible, injurieuse, insolente, instantanée, intelligente, intéressante, ironique, irrévocable, juste, laborieuse, laconique, limpide, malicieuse, moqueuse, mordante, naïve, narquoise, nébuleuse, négative, nette, nuancée, orgueilleuse, originale, partielle, percutante, péremptoire, (im)pertinente, pétulante, plausible, (im)polie, ponctuelle, positive, (im)précise, prématurée, préméditée, prévisible, prompte, prudente, raisonnable, rapide, rassurante, réfléchie, satisfaisante, saugrenue, savoureuse, sèche, séduisante, sérieuse, simpliste, sincère, sommaire, sotte, spirituelle, spontanée, stéréotypée, subtile, sûre, tardive, tâtonnante, timide, tranchante, transparente, valable, variable, (in)vérifiable, vive, (in)vraisemblable. *Adresser, apporter, attendre, avancer, balbutier, chercher, demander, deviner, donner, écouter, entendre, esquisser, faire, formuler, grommeler, grogner, mériter, obtenir, préparer, provoquer, recevoir, réclamer, rédiger, risquer, suggérer, transmettre, trouver une ~.* Une ~ fuse, intervient, jaillit, se fait attendre, tarde à venir.

REPORTAGE alerte, banal, bref, captivant, critique, élogieux, (in)exact, excellent, exclusif, grand, intéressant, long, monotone, objectif, (im)partial, passionnant, pertinent, petit, remarquable, sensationnel, subjectif. *Bâcler, écrire, effectuer, faire, préparer, publier, réaliser, rédiger un ~; travailler à un ~.*

REPOS (<u>congé</u>) agréable, bénéfique, bref, complet, court, forcé, grand, interrompu, long, mérité, prolongé, salutaire. *Exiger, goûter un ~ (+ adj.); (s') accorder, (se) ménager, prendre, se donner un/du ~; avoir besoin de ~.* ♦ (<u>tranquillité</u>) absolu, doux, parfait, précaire, profond, total, tranquille. *Assurer, chercher, désirer, goûter, perdre, savourer, troubler, (re)trouver le ~; aspirer au ~.*

REPRÉSAILLES affreuses, immédiates, justes, légitimes, massives, préventives, sanglantes, sérieuses, sévères, terribles, vigoureuses, violentes. *Engager, essuyer, exercer, lancer, préparer, provoquer, réclamer des ~; participer, procéder à des ~; menacer, user de ~.*

REPRÉSENTATION (<u>description, illustration</u>) affaiblie, complète, conforme, correcte, déformée, équilibrée, erronée, (in)exacte, excellente, (dé)favorable, (in)fidèle, habile, idéalisée, mauvaise, médiocre, pâle, (im)parfaite, piètre, pitoyable, réaliste, servile, simplifiée, vive. ♦ (<u>*Théâtre*</u>) affligeante, admirable, brillante, déconcertante, ennuyeuse, féerique, grandiose, merveilleuse, passionnante, pitoyable. *Donner une ~; aller, assister à une ~.*

RÉPRESSION atroce, aveugle, brutale, continue, excessive, féroce, horrible, impitoyable, implacable, massive, meurtrière, rigoureuse, sanglante, sauvage, sévère, systématique, violente. *Exercer, subir une ~ (+ adj.); accentuer, accroître, durcir, fuir, intensifier, utiliser la ~.* Une ~ s'abat, persiste, s'accentue, s'étend, s'intensifie.

RÉPRIMANDE acerbe, amicale, bonne, brutale, cruelle, douce, grosse, (in)juste, (in)justifiée, légère, magistrale, petite, salutaire, sérieuse, sévère. *Accepter, adresser, donner, faire, infliger, mériter, recevoir, s'attirer, subir une ~.*

REPRISE authentique, difficile, durable, éclatante, éphémère, faible, ferme, forte, fragile, franche, fulgurante, généralisée, grande, hésitante, importante, indéniable, inattendue, légère, limitée, marquée, modérée, modeste, partielle, progressive, prononcée, rapide, saisonnière, sérieuse, significative, solide, spontanée, timide, véritable, vigoureuse, vive. *Amorcer, bloquer, consolider, constater, enregistrer, faire avorter, favoriser, stimuler tenter une/la ~.* Une/la ~ flanche, s'accélère, s'amorce, se concrétise, se dessine, se matérialise, se poursuit, se produit, se profile, s'essouffle.

REPROCHE acerbe, affectueux, aigre, amer, amical, cuisant, détourné, (in)direct, discret, doux, dur, (in)fondé, grave, infamant, (in)juste, (in)justifié, lassant, léger, lourd, maladroit, (im)mérité, mesquin, minuscule, muet, perpétuel, sanglant, sempiternel, sérieux, sévère, tacite, véhément, vif, violent. *Adoucir, adresser, encourir, essuyer, exprimer, (se) faire, formuler, fulminer, grogner, justifier, infliger, mériter, recevoir, s'attirer, se renvoyer, subir un/des ~(s); échapper, répondre, riposter, s'exposer à un/aux ~(s); accabler, harceler, cribler de ~s; éclater, se répandre en ~s.*

RÉPUTATION ambiguë, belle, bonne, brillante, calamiteuse, démolie, déplorable, détestable, douteuse, durable, endommagée, entachée, épouvantable, équivoque, établie, étendue, exagérée, excellente, excessive, exécrable, fâcheuse, faible, fausse, féroce, flatteuse, flétrie, gênante, glorieuse, grande, haute, honorable, immaculée, immense, inattaquable, incontestable, insurpassable, intacte, intègre, irréprochable, (in)justifiée, lamentable, mauvaise, médiocre, (im)méritée, naissante, piètre, rassurante, répugnante, scandaleuse, sérieuse, sinistre, solide, sombre, sulfureuse, surfaite, terrible, triste, usurpée, vague, vierge, (in)vulnérable. *Avoir une ~ (+ adj.); bénéficier, jouir d'une ~ (+ adj.); acquérir, affermir, attaquer, compromettre, conserver, consolider, contester, cultiver, défendre, effacer, entacher, entamer, établir, (dé)faire, flétrir, (se) forger, galvauder, garder, maintenir, miner, noircir, offenser, perdre, préserver, renforcer, restaurer, risquer, ruiner, salir, sauvegarder, se construire, se tailler, soigner, soutenir, tacher, ternir, voler une/de la/sa/la ~ de qqn; nuire, porter atteinte/un coup à une/la ~ de qqn.*

RÉSEAU actif, clandestin, complexe, confus, criminel, dense, dormant, embryonnaire, étendu, fiable, gigantesque, hétéroclite, immense, important, incontrôlé, inextricable, influent, informel, maillé, planétaire, puissant, ramifié, secret, serré, solide, structuré, subtil, tentaculaire, unifié, vaste. *Animer, constituer, construire, créer, décapiter, démanteler, démolir, détruire, développer, diriger, édifier, élaborer, ériger, établir, financer, fonder, former, gérer, infiltrer, instaurer, mener, mettre en place, monter, organiser, planifier, soutenir, tisser un ~; appartenir à un~; disposer d'un ~.* Un ~ dure, perdure, s'amplifie, s'écroule, se détracte, s'effondre.

RÉSERVATION automatique, collective, facultative, individuelle, nécessaire, obligatoire. *Annuler, avoir, confirmer, demander, effectuer, faire une ~.*

RÉSERVE (<u>provision, ressources</u>) abondante, considérable, énorme, épuisée, importante, inépuisable, intacte, (il)limitée, maigre, médiocre, modeste, petite, renouvelable, (in)suffisante, vaste. *Accumuler, constituer, créer, entamer, épuiser, faire une/des ~(s); disposer d'une/de ~(s).* ♦ (<u>prudence, discrétion</u>) absolue, affectée, diplomatique, excessive, exquise, extrême, ferme, glaciale, grande, habituelle, hostile, naturelle, polie, prudente, sage, voulue. *Affecter, garder, montrer, observer une ~ (+ adj.); être d'une ~ (+ adj.); demeurer, être, se tenir sur la ~; sortir de sa ~; faire preuve, manquer de ~.*

RÉSERVOIR artificiel, énorme, gigantesque, immense, minuscule, naturel, petit. *Remplir, siphonner, vider un ~.*

RÉSIDENCE abandonnée, belle, coquette, cossue, délabrée, élégante, grande, hospitalière, humble, immense, imposante, luxueuse, modeste, petite, prestigieuse, princière, principale, ravissante, riche, secondaire, somptueuse, spacieuse, splendide, vaste. *Avoir, établir, fixer sa ~ (à tel endroit); changer de ~.*

RÉSIDU clair, consistant, dangereux, épais, gras, inoffensif, léger, liquide, lourd, sec, solide, toxique. *Contenir, laisser, obtenir, produire un ~.*

RÉSIGNATION avouée, courageuse, désabusée, forcée, lâche, muette, parfaite, passive, patiente, philosophique, sereine, totale, volontaire. *Prôner la ~; faire preuve de ~.*

RÉSISTANCE acharnée, active, admirable, coriace, courageuse, désespérée, dure, énergique, entêtée, étonnante, faible, fanatique, farouche, féroce, forcenée, forte, furieuse, futile, grande, héroïque, importante, inattendue, inflexible, insurmontable, intrépide, invincible, longue, notable, nulle, obstinée, opiniâtre, ouverte, passive, remarquable, sous-estimée, sporadique, suprême, surestimée, tenace, victorieuse, vigoureuse, vive. *Affaiblir, améliorer, augmenter, briser, détruire, diminuer, offrir, opposer, rencontrer, renforcer, sentir, surmonter, vaincre une/la ~; se heurter à une ~; triompher, venir à bout d'une ~; avoir, manifester, opposer, sentir de la ~; être à bout, manquer de ~.* Une ~ augmente, diminue, s'effrite, se rencontre, s'exerce.

RÉSOLUTION âpre, ardente, belle, catégorique, chancelante, désespérée, énergique, farouche, fatale, ferme, folle, funeste, grande, hardie, héroïque, immuable, imperturbable, indomptable, inébranlable, infatigable, intense, prompte, rapide, solide, soudaine, subite. *Former, fortifier, inspirer, mûrir, prendre, suivre, tenir une ~; persévérer, persister, s'obstiner dans une/sa ~; être fidèle, renoncer à sa ~; chanceler, être confirmé/ferme/inébranlable/ inflexible, se raffermir dans sa/ses ~(s); manquer, s'armer de ~.*

RESPECT absolu, affecté, approximatif, aveugle, craintif, effectif, élémentaire, énorme, exagéré, excessif, feint, fervent, fort, général, immédiat, imposant, instinctif, intégral, intéressé, intransigeant, méfiant, mutuel, obséquieux, parfait, pointilleux, profond, rigoureux, scrupuleux, servile, sincère, solide, sourcilleux, superstitieux, unanime, unilatéral, universel. *Affecter, (s') attirer, commander, compromettre, feindre, forcer, imposer, inciter, inspirer, mériter,* *provoquer, rechercher le ~; avoir, afficher, devoir, éprouver, imposer, inspirer, montrer, porter, ressentir, témoigner du ~; accabler, entourer, manquer de ~.*

RESPIRATION aisée, angoissée, bruyante, calme, caverneuse, (entre)coupée, courte, difficile, douce, (in)égale, essoufflée, faible, forte, gênée, haletante, intermittente, large, légère, lourde, (a)normale, oppressée, paisible, pantelante, pénible, précipitée, profonde, râlante, rapide, rauque, (ir)régulière, ronflante, saccadée, sèche, sifflante, silencieuse, stridente, suspendue. *Avoir une/la ~ (+ adj.); arrêter, contenir, contrôler, couper, empêcher, faciliter, ôter, perdre, ralentir, rendre, reprendre, retrouver la/sa ~.*

RESPONSABILITÉ accablante, accrue, ardue, colossale, contraignante, cruciale, difficile, (in)directe, écrasante, élargie, énorme, enrichissante, entière, essentielle, exaltante, grave, haute, hiérarchique, immense, importante, ingrate, (il)limitée, lourde, majeure, mineure, primordiale, redoutable, terrible. *Accepter, aggraver, assumer, atténuer, (s') attribuer, augmenter, conférer, décliner, déléguer, démontrer, détenir, éluder, encourir, endosser, engager, esquiver, établir, éviter, exercer, imposer, imputer, nier, occuper, oublier, porter, prendre, prouver, reconnaître, refuser, répartir, revendiquer, se sentir une/des/sa/ses ~(s); se dérober, se soustraire à une/sa/ses ~(s); (se) décharger, (se) dégager, (se) libérer, se charger d'une/de sa/de ses ~(s); aimer, craindre, fuir les ~s; fuir devant les/ses ~s.*

RESPONSABLE charismatique, (in)compétent, contesté, haut, important, influent.

RESSEMBLANCE apparente, criante, éloignée, étonnante, étrange, exacte, extraordinaire, extrême, fâcheuse, faible, fausse, forte, fortuite, frappante, grande, hallucinante, importante, impressionnante, incongrue, incontestable, infime, inouïe, légère, lointaine, minime, modeste, parfaite, profonde, réelle, singulière, sommaire, stupéfiante, superficielle, surprenante, totale, troublante, vague. *Accuser, avoir, constater, établir, noter, observer, offrir, présenter, rechercher, remarquer, saisir une/la ~.* Une ~ apparaît, existe, ressort, saute aux yeux, se dégage.

RESSENTIMENT durable, énorme, juste, léger, légitime, obscur, profond, résigné, vif, violent. *Alimenter, atténuer, avoir, concevoir, conserver, dissiper, entretenir, éprouver, étouffer, faire taire, garder, modérer, montrer, nourrir, provoquer, ressentir, s'attirer, soulever, témoigner un/le/du/son/des ~(s).*

RESSORT distendu, lâche, (dé)tendu. *(dé)Bander, briser, casser, comprimer, déclencher, faire jouer, forcer, (re)lâcher, mouvoir, plier, ployer, pousser, remonter, (dé)tendre un ~.* Un ~ joue, plie, se brise, se débande, se (dé)tend.

RESSOURCE abondante, colossale, considérable, énorme, (sur)exploitée, faible, importante, inépuisable, inemployée, inexploitée, infinie, inutilisée, latente, (il)limitée, maigre, médiocre, modeste, nécessaire, négligeable, permanente, potentielle, précaire, précieuse, principale, prodigieuse, rare, réduite, renouvelable, secondaire, (in)suffisante, supplémentaire, suprême, ultime, vaste, vulnérable. *Accroître, augmenter, diminuer, drainer,* *économiser, épargner, épuiser, (sur)exploiter, gaspiller, ménager, mobiliser, posséder, renouveler, sous-exploiter une/des ~(s); disposer, être dénué/dépourvu/privé de ~s.*

RESTAURANT bondé, bon marché, branché, bruyant, célèbre, chaleureux, cher, chic, clinquant, confortable, connu, couru, désert, élégant, ethnique, étoilé, excellent, gastronomique, grand, huppé, immense, infect, luxueux, minable, minuscule, modeste, ordinaire, paisible, petit, populaire, prestigieux, prohibitif, raffiné, rapide, renommé, réputé, sélect, sophistiqué, sublime, sympathique, typique, vieux. *Dénicher, diriger, fréquenter, ouvrir, recommander, tenir un ~; (r)entrer, travailler dans un ~.*

RESTAURATION (*~ d'un tableau, etc.*) grossière, importante, inévitable, légère, minutieuse, nécessaire, partielle, petite, scrupuleuse, simple, soigneuse, sommaire, urgente. *Effectuer, subir une ~; procéder à une ~.* ♦ (*hôtellerie*) collective, grande, petite, rapide, traditionnelle. *Travailler dans la ~.*

RESTRICTION arbitraire, bénigne, drastique, énorme, expresse, forcée, légitime, majeure, mineure, nette, petite, sérieuse, volontaire. *Abolir, apporter, émettre, faire, imposer, lever, libérer, mettre en œuvre, renforcer une/des ~(s); être assujetti/soumis/sujet à des ~s.*

RÉSULTAT aberrant, abominable, accablant, (in)acceptable, acquis, ahurissant, ambigu, (in)appréciable, (in)attendu, automatique, avantageux, brut, calamiteux, catastrophique, clair, (in)complet, concluant, concret, confortable, (in)contestable, (in)contesté, convaincant, convenable, convoité, (in)correct, décevant, décisif, déconcertant, décourageant, définitif, déprimant, dérisoire, désastreux, déterminant, difficile, différent, (in)direct, douteux, durable, édifiant, effectif, éloquent, encourageant, éphémère, époustouflant, (in)espéré, étonnant, évident, exact, excellent, exceptionnel, exécrable, extraordinaire, fâcheux, factice, faible, faux, (dé)favorable, fiable, final, flamboyant, fracassant, fragile, frappant, fructueux, fulgurant, funeste, global, grandiose, gratifiant, grave, (mal)heureux, historique, honnête, honorable, humiliant, hypothétique, immédiat, important, impossible, impressionnant, incertain, incroyable, indécis, inégalé, inévitable, infaillible, inouï, insignifiant, instantané, intéressant, joli, lamentable, logique, lointain, magnifique, maigre, mauvais, médiocre, mesurable, minable, mirobolant, mitigé, modeste, moyen, naturel, négatif, négligeable, net, nul, occasionnel, officiel, officieux, palpable, parcellaire, (im)parfait, partiel, passable, performant, pernicieux, piètre, piteux, ponctuel, positif, potable, pratique, préalable, précis, préoccupant, (im)prévisible, (im)probable, probant, provisoire, quelconque, rapide, rassurant, ravageur, réel, remarquable, respectable, sans précédent, (in)satisfaisant, serré, sidérant, significatif, solide, souhaité, spectaculaire, stupéfiant, superbe, surprenant, tangible, théorique, timide, tranché, troublant, ultime, vain, variable, visible, (in)vraisemblable. *Accomplir, acquérir, annoncer, apporter, appréhender, atteindre, attendre, avoir, commenter, communiquer, comparer, compromettre, confronter, constituer, discuter, donner, engranger, enregistrer, examiner, exiger,* *exprimer, fausser, fournir, gonfler, inscrire, maquiller, observer, obtenir, occasionner, poursuivre, présenter, prévoir, proclamer, produire, rassembler, rechercher, truquer, valider, viser, vouloir un/des ~(s); aboutir, arriver, concourir, conduire, mener, parvenir, viser à un/des ~(s).*

RÉSUMÉ bon, bref, (in)complet, complexe, (in)exact, exhaustif, (in)fidèle, global, interminable, modeste, parcellaire, rapide, schématique, simple, sommaire, systématique. *Faire, présenter, rédiger un ~.*

RÉTABLISSEMENT (in)complet, éclatant, immédiat, lent, momentané, partiel, progressif, prompt, rapide, spectaculaire. *Connaître, souhaiter un ~ (+ adj.).*

RETARD accidentel, considérable, continu, continuel, dérisoire, énorme, fatal, fort, fortuit, funeste, (in)habituel, important, imprévu, inévitable, inexplicable, inquiétant, insignifiant, intentionnel, (in)justifiable, léger, légitime, long, malencontreux, minime, motivé, négligeable, occasionnel, persistant, probable, profond, rattrapable, sérieux, temporaire, terrible, (in)tolérable, voulu. *Accuser, apporter, avoir, causer, combler, compenser, déplorer, entraîner, éprouver, excuser, expliquer, justifier, motiver, occasionner, pardonner, prendre, provoquer, racheter, rattraper, réduire, souffrir, subir un/son/du/des ~(s); être, se mettre en ~.*

RETENTISSEMENT colossal, considérable, désastreux, dramatique, énorme, grand, important, inattendu, incalculable, léger, profond, tragique. *Avoir, donner, entraîner un ~ (+ adj.).*

RETENUE (<u>*prélèvement*</u>) considérable, élevée, énorme, fixe, grosse, immense, importante, légère, modérée, modeste, petite, progressive, raisonnable. *Effectuer, faire, opérer une ~.* ♦ (<u>*modération*</u>) certaine, excessive, exemplaire, extrême, impeccable, naturelle, relative, sage, voulue. *Recommander la ~; inviter à la ~; avoir de la ~; faire preuve, manquer, user de ~; montrer de la~.* ♦ (<u>*École*</u>) abusive, disproportionnée, (in)juste, (im)méritée, sévère. *Encourir, infliger, mériter une ~.*

RÉTICENCE certaine, déclarée, exagérée, extrême, forte, grande, intense, obstinée, opiniâtre, ouverte, prudente, sérieuse, soudaine, sourde, subite, tenace, vive. *Exprimer, manifester, marquer, montrer, rencontrer une ~ (+ adj.); se heurter à des ~s; manifester, surmonter, vaincre ses ~s.*

RETOMBÉE bénéfique, catastrophique, considérable, désastreuse, (in)directe, dommageable, durable, (dé)favorable, forte, grave, (mal)heureuse, imminente, importante, inattendue, inévitable, lointaine, néfaste, négative, négligeable, positive, possible, (im)prévisible, providentielle, significative, tangible, tardive. *Anticiper, avoir, craindre, entraîner, envisager, prévoir, produire, redouter, subir une/des/les ~(s); profiter des ~s; se protéger, se prémunir contre les ~s.*

RETOUCHE grosse, grossière, importante, légère, majeure, mineure, minime, nécessaire, petite, urgente, (in)visible. *Apporter, effectuer, faire une/des ~(s); procéder à une/des ~(s).*

RETOUR anticipé, (in)attendu, brusque, définitif, difficile, éventuel, forcé, fortuit, foudroyant, fracassant, fulgurant, hâtif, hypothétique, immédiat, imminent, impromptu, inespéré, inopiné, massif, perpétuel, prématuré, (im)prévu, précipité, remarqué, retardé, rude, soudain, spectaculaire, spontané, tardif, volontaire. *Annoncer, anticiper, attendre, avancer, craindre, différer, espérer, exiger, fixer, guetter, hâter, précipiter, retarder un/son ~; songer au ~.* Un ~ a lieu, s'effectue, se produit.

RETRAIT (*~ bancaire*) (in)complet, considérable, important, minime, partiel. *Effectuer, opérer un ~.* ♦(*repli, Militaire*) (in)complet, fracassant, graduel, immédiat, partiel, progressif, provisoire, spectaculaire, temporaire, timide, total, unilatéral. *Ordonner un ~; décider d'un ~.* Un ~ a lieu, s'accomplit, se déroule, s'effectue, se produit, s'opère.

RETRAITE (*Militaire*) belle, désastreuse, glorieuse, humiliante, (dés)ordonnée, précipitée, prompte, rapide, simulée, stratégique, tactique. *Effectuer, faire, opérer une ~; battre, couper, couvrir, protéger, sonner la ~; battre en ~.* ♦(*cessation de travail, pension*) active, anticipée, calme, désœuvrée, dorée, forcée, graduelle, harmonieuse, heureuse, méritée, obligatoire, paisible, précoce, progressive, saine, sereine, soudaine, subite, tranquille. *Avoir, couler, mener une ~ (+ adj.); bénéficier, jouir, s'assurer d'une ~ (+ adj.); partir pour une ~ (+ adj.); admettre qqn, être, mettre qqn, partir, songer à la ~; s'acheminer vers la ~; demander, financer, interrompre, obtenir, prendre sa ~; être, partir en ~.* ♦(*montant, pension*) ample, astronomique, confortable, considérable, coquette, décente, faible, faramineuse, grosse, importante, jolie, maigre, modeste, modique, petite, substantielle. *Arrondir, augmenter, compléter, percevoir, se constituer, toucher une/sa ~; donner droit, prétendre à une ~; bénéficier, disposer d'une ~.*

RETRAITÉ (in)actif, désabusé, désœuvré, (mal)heureux, jeune, oisif, pauvre, précoce, riche, serein, vieux.

RETROUVAILLES chaleureuses, courtes, dramatiques, émouvantes, joyeuses, malaisées, sympathiques, touchantes. *Fêter, organiser, provoquer des ~; assister à des ~.*

RÉUNION agitée, amicale, bonne, bruyante, calme, chaleureuse, chaotique, clandestine, confidentielle, conviviale, cruciale, décisive, difficile, discrète, ennuyeuse, éprouvante, (in)fructueuse, grande, habituelle, hostile, houleuse, importante, informelle, interminable, intime, joyeuse, orageuse, (extra)ordinaire, plénière, préparatoire, privée, publique, restreinte, secrète, stratégique, sympathique, urgente, (in)utile. *Abréger, animer, annoncer, annuler, bouder, conduire, convoquer, décommander, demander, interrompre, manquer, obtenir, organiser, perturber, présider, provoquer, repousser, sécher, tenir, troubler une ~; assister, convier, convoquer, inviter, participer, prendre part, présider à une ~; décider, rendre compte d'une ~; être en ~.* Une ~ a lieu, commence, démarre, prend fin, se termine, s'éternise, se prolonge.

RÉUSSITE absolue, aléatoire, apparente, assurée, bonne, brillante, capitale, (in)certaine, (in)complète, concrète, confortable, controversée, décisive, douteuse, éclatante, écrasante, énorme, éphémère, étonnante, étourdissante, exceptionnelle, exemplaire, extraordinaire, facile, fantastique, fausse, fictive, formidable, fracassante, fragile, franche, fulgurante, immense, impeccable, importante, incontestable, incroyable, indéniable, inespérée, insolente, limitée, magistrale, majeure, marquante, mémorable, méritée, méritoire, mince, mineure, miraculeuse, mitigée, modeste, nette, (im)parfaite, partielle, passagère, positive, précaire, (im)probable, problématique, prodigieuse, prometteuse, prompte, réelle, remarquable, spectaculaire, stratégique, superbe, symbolique, totale, véritable, vraie. *Célébrer, compromettre, concéder, concrétiser, conditionner, constituer, enregistrer, espérer, fêter, invoquer, remporter, s'avérer une ~; mériter la ~; viser à la ~; se hisser vers la ~.*

REVANCHE amère, belle, complète, cruelle, délectable, douce, éclatante, exemplaire, implacable, juste, périlleuse, prompte, raffinée, savoureuse, secrète, tardive, terrible. *Caresser, chercher, méditer, prendre, préparer, ménager, savourer, trouver une/sa ~.*

RÊVE (pendant le sommeil) abominable, affreux, agité, (dés)agréable, angoissant, annonciateur, anxieux, beau, bizarre, bref, cauchemardesque, charmant, confus, curieux, délicieux, déprimant, doux, effrayant, enchanteur, étrange, éveillé, heureux, inextricable, inquiet, insensé, interminable, (in)interrompu, long, mauvais, paisible, pénible, prémonitoire, terrifiant, traumatique, troublant, vilain. *Faire, interpréter un ~; sortir d'un ~.* ♦ (désir, souhait) (in)accessible, agréable, anéanti, beau, brisé, chimérique, démesuré, détruit, éloigné, fabuleux, fantastique, extravagant, flou, fou, fracassé, grand, grandiose, idyllique, illusoire, impossible, imprécis, inachevé, inassouvi, légitime, lointain, obstiné, opiniâtre, petit, (ir)réalisable, secret, sublime, tenace, vague, vain, vieux. *Abandonner, accomplir, alimenter, assouvir, assumer, caresser, confier, couver, faire, partager, pourchasser, poursuivre, réaliser un ~; renoncer à un ~; offrir, vendre du ~.* Un ~ s'accomplit, se brise, s'écroule, se réalise, s'effondre, s'effrite, s'estompe, s'évanouit, vole en éclats.

RÉVEIL (dés)agréable, brusque, brutal, bruyant, difficile, douloureux, doux, hargneux, joyeux, matinal, mauvais, naturel, pénible, précoce, soudain, subit, tardif. *Avoir un/le ~ (+ adj.).*

RÉVÉLATION brusque, brutale, choquante, compromettante, croustillante, curieuse, embarrassante, étonnante, étrange, fracassante, gênante, inattendue, incontrôlable, inquiétante, involontaire, majeure, naïve, personnelle, piquante, scabreuse, sensationnelle, significative, spectaculaire, spontanée, tardive, terrible, troublante, véritable. *Apporter, arracher, attendre, extorquer, faire, obtenir, recevoir une/des ~(s).*

REVENDICATION absurde, concrète, criarde, excessive, intense, (in)juste, (in)justifiée, (il)légitime, majeure, mineure, précise, prioritaire, (dé)raisonnable, (ir)réaliste, vague. *Appuyer, atténuer, émettre, étayer, formuler, honorer, poser, présenter, satisfaire une/des ~(s).*

REVENU ample, astronomique, attractif, bas, beau, brut, confortable, considérable, convenable, coquet, courant, (in)décent, dérisoire, disponible, élevé, (in)équitable, évolutif, excellent, faible, faramineux, fixe, global, gros, haut, important, imposable, incertain, joli, juste, large, maigre, maximum, médiocre, mince, minimum, modeste, modique, motivant, moyen, net, pauvre, petit, raisonnable, réel, régulier, ridicule, rondelet, solide, stimulant, substantiel, (in)suffisant, tangible, total. *Avoir un ~ (+ adj.); arrondir, augmenter, compléter, dépenser, dilapider, générer, produire, recevoir, rapporter, toucher un/son/ses ~(s).*

RÊVERIE délicieuse, douce, heureuse, inexplicable, intense, longue, mélancolique, profonde, solitaire, sombre, tendre. *Inciter, s'abandonner, se laisser aller, se livrer à une/la ~; entrer, être absorbé/perdu, se perdre, (re)tomber dans une ~; se plaire, vivre dans les ~s; entretenir, nourrir ses ~s.*

REVERS (défaite, échec) assuré, certain, cinglant, complet, cuisant, cruel, décisif, démoralisant, désastreux, douloureux, embarrassant, énorme, (in)évitable, fatal, flagrant, grand, grave, gros, honteux, humiliant, important, indéniable, majeur, mémorable, (im)mérité, piteux, prévisible, retentissant, sanglant, sérieux, sévère, spectaculaire, terrible. *Avoir, connaître, encaisser, enregistrer, éprouver, essuyer, éviter, infliger, subir un/des ~; courir, s'exposer à un ~.* ♦ (tennis) beau, fabuleux, faible, fort, foudroyant, fracassant, impeccable, piètre, puissant, raté, réussi, solide. *Effectuer, exécuter, faire, réussir, rater un ~; soigner, travailler son/ses ~.*

RÊVEUR ambitieux, convaincu, émerveillé, fécond, forcené, fou, génial, heureux, impénitent, insouciant, inspiré, invétéré, irrécupérable, naïf, oisif, optimiste, passionné, perpétuel, réaliste, solitaire, utopiste, visionnaire.

REVIREMENT abrupt, accéléré, (in)attendu, brusque, brutal, complet, constant, continuel, dramatique, durable, flagrant, général, graduel, (mal)heureux, important, imprévisible, inexplicable, léger, maladroit, notable, passager, paradoxal, radical, réussi, (ir)réversible, significatif, soudain, souhaitable, spectaculaire, subit, substantiel. *Accomplir, amorcer, causer, constituer, entraîner, observer, opérer, produire, provoquer un ~; procéder à un ~.* Un ~ intervient, s'amorce, se dessine, s'effectue, se produit, s'impose, s'opère, survient.

RÉVISION complète, fondamentale, générale, partielle, périodique, profonde, radicale, superficielle. *Effectuer une ~; procéder à une ~.* Une ~ s'impose.

RÉVOLTE armée, avortée, brusque, contenue, dure, funeste, générale, juste, larvée, latente, meurtrière, organisée, ouverte, populaire, préparée, prompte, rampante, ratée, refoulée, réussie, sanglante, soudaine, sourde, spontanée, subite, victorieuse, violente. *Apaiser, attiser, briser, calmer, déchaîner, déclencher, écraser, empêcher, étouffer, fomenter, mater, nourrir, organiser, prévenir, provoquer, réprimer, susciter une ~; encourager, prêcher la ~; exciter, inciter, pousser, solliciter à la ~; entrer, être en ~.* Une/la ~ couve, dure, éclate, embrase, gagne du terrain, gronde, menace, naît, se dessine, se profile, se répand, se résorbe, s'étend.

RÉVOLUTION armée, avortée, brusque, considérable, décisive, énorme, galopante, immense, importante, larvée, majeure, manquée, pacifique, perpétuelle, profonde, rampante, réussie, sanglante, ratée, silencieuse, tranquille, violente, vraie. *Accomplir, amorcer, arrêter, déclencher, écraser, endiguer, entreprendre, étouffer, fomenter, lancer, préparer, produire, provoquer, réaliser, subir, traverser une ~; assister à une ~; prêcher, prôner la ~.* Une ~ couve, éclate, est en cours, gagne du terrain, gronde, menace, règne, se dessine, se profile, se répand, se résorbe, s'étend, s'opère.

REVOLVER *(dés)Armer, brandir, (dé)charger, saisir, sortir un ~; blesser, tuer avec un ~; s'armer d'un ~; tirer au ~; jouer du ~.*

REVUE (<u>examen</u>) approfondie, complète, détaillée, générale, méthodique, minutieuse, périodique, profonde, rigoureuse, sérieuse, sommaire, superficielle. *Effectuer, faire, subir une ~; procéder à une ~; passer en ~.* ♦ (<u>magazine</u>) austère, conservatrice, de luxe, excellente, généraliste, grande, influente, luxueuse, mince, novatrice, prestigieuse, réputée, sensationnaliste, sérieuse, spécialisée, volumineuse. *Consulter, créer, diriger, éditer, éplucher, feuilleter, fonder, lancer, lire, parcourir, publier une ~; collaborer, s'abonner à une ~.*

RHUME atroce, banal, chronique, fort, gros, léger, mauvais, négligé, obstiné, opiniâtre, petit, sérieux, sévère, tenace, vilain. *Attraper, avoir, calmer, négliger, prendre, soigner, soulager, traiter un ~; être atteint, se remettre, souffrir d'un ~.*

RICANEMENT affreux, atroce, bête, bref, bruyant, confus, contraint, cruel, énorme, féroce, forcé, idiot, immodéré, immotivé, insolent, malicieux, moqueur, nasal, nerveux, niais, petit, répressible, sonore, stupide, triomphal. *Avoir un ~ (+adj.); faire entendre, laisser échapper, pousser, réprimer, retenir un ~; être pris d'un ~ (+ adj.).*

RICHESSE abondante, accrue, belle, colossale, considérable, éhontée, énorme, étonnante, exceptionnelle, excessive, extraordinaire, extrême, fabuleuse, facile, féerique, foisonnante, formidable, gigantesque, grande, grosse, immense, importante, impressionnante, inappréciable, incalculable, incommensurable, incomparable, incontestable, incroyable, inépuisable, inestimable, inouïe, insolente, insoupçonnée, instantanée, prodigieuse, rapide, remarquable, scandaleuse. *Accroître, accumuler, acquérir, amasser, augmenter, cacher, conserver, créer, dépenser, déployer, dévorer, dilapider, dissimuler, dissiper, engloutir, entasser, étaler, exploiter, gagner, gaspiller, léguer, montrer, obtenir, perdre, posséder, répartir des/les/sa/ses ~(s); hériter, jouir d'une ~; déborder, disposer, être assoiffé, regorger de ~s.*

RICTUS affreux, amusé, béat, diabolique, édenté, effrayant, féroce, forcé, fugace, grimaçant, haineux, hautain, hideux, idiot, inquiétant, méchant, menaçant, méprisant, monstrueux, moqueur, pathétique, sadique, sauvage, sévère, triomphant. *Avoir un ~ (+ adj.); afficher, arborer, ébaucher, esquisser, faire, réprimer un ~.*

RIDE accentuée, accusée, creusée, expressive, grande, grosse, légère, marquée, précoce, profonde, sévère. *Accentuer, atténuer, combattre, creuser, diminuer, effacer, éliminer, estomper, faire disparaître, gommer, masquer, prévenir, supprimer, traiter les ~s; être couvert/criblé de ~s.*

RIDEAU (draperie) ample, court, drapé, épais, léger, long, lourd, opaque, transparent. *Agiter, baisser, détacher, écarter, enlever, entrouvrir, fermer, froncer, lever, ouvrir, poser, rabattre, relever, repousser, soulever, tendre, tirer un/des ~(x).* Un ~ claque, flotte, frémit, frissonne, ondoie, ondule. ♦(Théâtre) *Baisser, lever le ~.* Le ~ (se) baisse, descend, monte, s'écarte, se (re)lève, se soulève, s'ouvre, tombe.

RIDICULE absolu, achevé, affligeant, choquant, complet, consommé, dangereux, fantastique, fou, hilarant, immense, incroyable, inégalé, insoutenable, insupportable, involontaire, navrant, parfait, rare, total. *Braver, côtoyer, craindre, éviter, friser, redouter le ~; prêter au ~; donner, glisser, sombrer, tomber dans le ~; avoir horreur/peur du ~; (se) couvrir qqn ~; tourner en ~.*

RIGUEUR (précision) absolue, exemplaire, géométrique, grande, hallucinante, impeccable, inexorable, mathématique, militaire, minutieuse, méticuleuse, parfaite, phénoménale, rare, scientifique, stricte, stupéfiante. *Être d'une ~ (+ adj.); manquer de ~.* ♦(sévérité) affectée, austère, cruelle, dure, excessive, extrême, feinte, grande, impitoyable, implacable, inflexible, insupportable, intraitable, (in)juste, obstinée, sévère, tempérée. *Adoucir, atténuer, mitiger, subir, tempérer la ~; sévir, traiter qqn avec ~; manquer, user de ~.*

RIME cossue, croisée, heureuse, libre, pauvre, plate, rare, recherchée, riche, somptueuse, suffisante. *Chercher, trouver une ~.*

RIPOSTE (in)adaptée, (in)adéquate, (in)appropriée, aveugle, brutale, brusque, calculée, cavalière, ciblée, cinglante, désinvolte, dure, (in)efficace, énergique, équilibrée, excessive, facile, faible, ferme, féroce, forte, foudroyante, fulgurante, graduée, harmonieuse, immédiate, imparable, impulsive, incisive, indignée, insolente, instantanée, irritée, légitime, massive, (dé)mesurée, mordante, mûrie, musclée, pertinente, précipitée, (dis)proportionnée, proportionnelle, rapide, réfléchie, sanglante, sèche, sévère, spectaculaire, (in)suffisante, terrible, timide, tranchante, violente, vive. *Déclencher, enclencher, entraîner, organiser, préparer, provoquer une ~; s'exposer à une ~; avoir la ~ (+ adj.); être prompt/vif à la ~.* Une ~ intervient, se fait attendre, se produit.

RIRE agressif, aigre, aigu, amer, amical, angoissé, approbatif, argentin, bref, bête, bon, bruyant, cascadant, charmant, clair, communicatif, complice, contagieux, contenu, contraint, cristallin, cruel, cynique, dédaigneux, désespéré, éclatant, effroyable, émerveillé, énorme, entraînant, épais, étincelant, étouffé, étranglé, factice, faux, fêlé, féroce, forcé, formidable, fou, fracassant, frais, franc, frénétique, gêné, généreux, glacial, gloussant, gras, grêle, grinçant, grossier, guttural, heureux, hystérique, idiot, immense, immodéré, immotivé, impertinent, impitoyable, impulsif, indulgent, infernal, innocent, insolent, insolite, insouciant, insultant, intempestif, intérieur, interminable, ironique, irrépressible, irrésistible, jovial, joyeux, larmoyant, léger, limpide, machiavélique, malicieux, maniéré, méchant, méprisant, métallique, moqueur, naïf, narquois, nerveux, niais, noir, perçant, petit, pointu, profond, prolongé, prompt, provocant, rauque, ravi, rentré, retentissant, retenu, roucoulant, saccadé, sadique, sarcastique, satanique, sauvage, sec, silencieux, sonore, sot, spontané, strident, stupide, tonitruant, triomphal, triomphant, vaniteux, voluptueux, vulgaire. *Arborer, avoir un ~ (+ adj.); attiser, comprimer, déchaîner, déclencher, échanger, étouffer, exciter, pousser, provoquer, réprimer, retenir un/des/le/les ~(s); crever, (s')éclater, (s')étouffer, être pris, hurler, mourir, (se) pâmer, pouffer, se tordre, s'étrangler de ~.* Un ~ éclate, fuse, grince, jaillit, résonne, retentit, secoue, s'égrène, se prolonge, s'éteint.

RISQUE calculé, certain, choisi, clair, connu, considérable, contenu, coûteux, croissant, délibéré, dévastateur, difficile, (in)direct, disproportionné, envisageable, excessif, faible, fatal, fort, grand, haut, immédiat, immense, important, improbable, inconsidéré, insensé, insignifiant, inutile, latent, léger, limité, majeur, maximal, menaçant, (dé)mesuré, mince, mineur, minime, négligeable, nul, palpable, partagé, patent, permanent, plausible, potentiel, (dé)raisonnable, réduit, réel, sérieux, significatif, ténu, terrible, vrai, zéro. *Accepter, affronter, choisir, comporter, courir, diminuer, écarter, éloigner, encourir, envisager, esquiver, éviter, exclure, faire peser, mesurer, peser, prendre, (re)présenter, réduire, refuser, sous-estimer, surestimer, susciter un/des/le/les ~(s); (s') exposer, (se) soustraire qqn à un ~; (se) prévenir, (se) protéger d'un ~; tenir compte du/des ~(s).* Un ~ demeure, diminue, grandit, menace, s'accroît.

RIVAGE (in)abordable, abrupt, (in)accessible, adouci, argileux, bas, beau, couvert, désert, entretenu, escarpé, fleuri, haut, herbeux, paisible, plat, rocailleux, sablonneux. *Aborder, apercevoir, atteindre, baigner, battre, border, côtoyer, découvrir, descendre, longer, quitter, remonter, suivre, toucher un/le ~; (s') approcher, s'éloigner du ~; attendre, échouer, se briser, rester sur le ~.*

RIVAL acharné, dangereux, déclaré, éternel, farouche, (mal)heureux, impitoyable, implacable, inconciliable, loyal, opiniâtre, potentiel, présomptueux, puissant, redoutable, secret, sérieux, sournois, téméraire, vaincu, vainqueur. *Affronter, battre, combattre, craindre, devancer, discréditer, éliminer, espionner, évincer, supplanter, vaincre un ~; triompher d'un ~.*

RIVALITÉ absurde, acharnée, ancienne, âpre, exacerbée, feutrée, furieuse, historique, implacable, insurmontable, irrépressible, mesquine, réelle, secrète, sourde, sournoise, spontanée, tenace, vieille, violente, vivace. *Alimenter, entretenir, nourrir une ~; entrer en ~.*

RIVE (in)abordable, (in)accessible, adoucie, argileuse, basse, escarpée, fleurie, haute, herbeuse, (in)hospitalière, large, limoneuse, nonchalante, paisible, sablonneuse, sinueuse, tranquille. *Apercevoir, côtoyer, découvrir, descendre, longer, quitter, remonter, suivre une/la ~; aborder, accoster, amarrer à la ~; s'éloigner de la ~.*

RIVIÈRE asséchée, basse, belle, boueuse, bruyante, calme, capricieuse, débordée, difficile, encaissée, étendue, étroite, fougueuse, frémissante, grande, grosse, haute, immense, impétueuse, imprévisible, large, lente, limpide, majestueuse, miroitante, modeste, navigable, nonchalante, paisible, paresseuse, poissonneuse, profonde, puissante, rapide, rebelle, rectiligne, sèche, sinueuse, souterraine, torrentielle, tortueuse, tranquille, tumultueuse, turbulente, vagabonde, vide, vierge, vive. *Descendre, franchir, longer, passer, remonter, traverser une ~; se baigner, se jeter, tomber dans une/à la ~; naviguer, pêcher en ~.* Une ~ arrose, baigne, baisse, charrie, coule, court, (dé)croît, déborde/sort de son lit, est en crue, réintègre son lit, monte, moutonne, ondule, oscille, se retire, serpente, zigzague.

ROBE affreuse, ajustée, ample, austère, belle, bigarrée, bruissante, charmante, chic, cintrée, claire, classique, collante, collée, colorée, (in)confortable, coquette, courte, criarde, débraillée, décolletée, défraîchie, délicieuse, démodée, déshabillée, diaphane, discrète, échancrée, élégante, élimée, éthérée, étriquée, étroite, évasée, extravagante, flatteuse, flottante, floue, fluide, fraîche, fripée, froissée, gaie, habillée, hideuse, indémodable, large, légère, longue, magnifique, mince, misérable, modeste, montante, (ultra)moulante, pigeonnante, pimpante, plissée, ravissante, rétro, ridicule, serrée, seyante, simple, sobre, somptueuse, stricte, superbe, tapageuse, tombante, traînante, transparente, usée, vaporeuse, vilaine, voyante. *Attacher, dégrafer, enfiler, enlever, froisser, mettre, ôter, passer, porter, raccourcir, retrousser, tailler, (re)vêtir une/sa ~; s'habiller, se vêtir d'une ~; flotter, se perdre dans sa ~; changer de ~.* Une ~ colle, gode, flotte, moule, serre.

ROC (in)accessible, aigu, altier, aplati, arrondi, dominant, élevé, escarpé, érodé, fier, granitique, imposant, infranchissable, nu, pointu, sauvage, stérile, suspendu, vif. *Contourner, gravir, grimper un ~; descendre d'un ~.*

ROCHE abrupte, compacte, consistante, dénudée, désagrégée, dure, effritée, élevée, émiettée, énorme, érodée, escarpée, friable, grosse, haute, lisse, massive, moussue, nue, poreuse, rongée, rugueuse, sédimentaire, stratifiée, stérile, striée, tendre, trouée, usée, volcanique. *Creuser, forer la ~.*

ROCHER abrupt, aiguisé, âpre, aride, arrondi, branlant, caverneux, creusé, déchiqueté, écroulé, énorme, escarpé, fantastique, fier, gigantesque, grand, haut, immense, imposant, inaccessible, inébranlable, infranchissable, lisse, noir, nu, percé, perché, plat, pointu, poli, rond, sculpté, solitaire, stérile. *Descendre, escalader, gravir, grimper un ~; gravir contre un ~.* Un ~ se dresse, se profile, surgit.

ROI absolu, constitutionnel, déchu, despotique, régnant. *Couronner, déposer, désigner, détrôner, élire, faire, nommer, proclamer, renverser un ~.* Un ~ abdique, décrète, gouverne, règne.

RÔLE (fonction, statut, etc.) accru, actif, ambigu, appréciable, bénéfique, capital, central, charnière, complexe, considérable, constructif, croissant, crucial, décisif, décoratif, délicat, dépassé, désastreux, déterminant, difficile, (in)direct, dirigeant, discret, dominant, effacé, éminent, énorme, enviable, éphémère, épisodique, exact, excessif, exorbitant, faible, flou, fondamental, grand, grandissant, gratifiant, honorable, ignoble, ignoré, immédiat, immense, important, incontestable, incontesté, incontournable, indispensable, infâme, influent, ingrat, insignifiant, insuffisant, intéressant, irremplaçable, magnifique, majeur, marginal, mauvais, mineur, minimal, minime, modérateur, modeste, moteur, néfaste, négatif, notable, nul, obscur, odieux, officiel, officieux, particulier, passif, perturbateur, petit, pionnier, polyvalent, positif, prépondérant, prestigieux, primordial, redoutable, salutaire, sérieux, significatif, spectaculaire, subalterne, symbolique, triste, (in)utile, utilitaire, vilain, vital. *Assumer, assurer, avoir, concevoir, conserver, (re)définir, élargir, exercer, fixer, jouer, marquer, obtenir, occuper, outrepasser, préciser, prendre, refuser, remanier, remplir, tenir un ~; aspirer, être préparé, faillir, renoncer, se borner, se cantonner, se consacrer, se limiter, s'identifier à un ~; entrer, être renfermé, se confiner, s'enfermer dans un ~; intervertir, renverser les ~s.* ♦(Théâtre, Cinéma, Littérature) beau, bref, capital, court, dense, difficile, étoffé, exigeant, grand, important, injouable, inoubliable, magnifique, mineur, muet, petit, premier, principal, remarqué, second, secondaire, sérieux. *Accepter, accorder, apprendre, assigner, attribuer, avoir, camper, composer, confier, créer, décrocher, défendre, doubler, écrire, étudier, interpréter, jouer, massacrer, porter, posséder, proposer, refuser, repasser, répéter, savoir, travailler, vivre un/son ~; triompher dans un/son ~.*

ROMAN (in)achevé, admirable, ambitieux, ample, banal, bref, captivant, célèbre, convaincant, conventionnel, corsé, court, décapant, décevant, délicieux, dense, divertissant, dur, éblouissant, efficace, ennuyeux, érudit, étoffé, étonnant, étrange, excellent, exceptionnel, exaltant, exotique, faible, fantastique, fascinant, fin, foisonnant, formidable, haletant, illisible, incisif, inclassable, inégal, inepte, ingénieux, insignifiant, insipide, (in)intéressant, interminable, intimiste, invraisemblable, ironique, léger, long, magnifique, mauvais, médiocre, mièvre, minable, mince, monumental, moralisateur, noir, original, palpitant, passionnant, pathétique, pesant, piètre, plat, populaire, prenant, primé, prodigieux, raté, réaliste, réussi, riche, rose, sarcastique, simplet, solide, somptueux, soporifique, splendide, sublime, subtil, sulfureux, surprenant, tendu, vif, vivant, volumineux. *Adapter, analyser, bâtir, composer, conclure, construire, créer, écrire, éditer, étoffer, entreprendre, faire, imprimer, porter à l'écran, préparer, produire, publier, rédiger, remanier, retravailler, savourer un ~; accoucher d'un ~.*

ROMANCIER, IÈRE accompli, aguerri, apprécié, bon, brillant, chevronné, célèbre, confirmé, doué, grand, illustre, immense, important, inégal, intéressant, jeune, médiocre, mondain, percutant, populaire, primé, productif, prolifique, psychologue, réaliste, reconnu, réputé, talentueux, vrai. *Être, étudier un ~.*

ROMANTISME chevaleresque, échevelé, exacerbé, faux, insupportable, larmoyant, mauvais, mièvre, pleurnichard, sobre, sombre.

RONDELLE bondissante, immobilisée, sautillante. *Arrêter, attraper, bloquer, catapulter, décocher, dégager, envoyer, frapper, intercepter, lancer, parer, passer, pousser, rater, réceptionner, recevoir, renvoyer, saisir, toucher une/la ~; chuter, tomber sur une/la ~.*

RONFLEMENT aigu, bruyant, cascadant, caverneux, continu, (in)égal, faible, fort, irrépressible, léger, lourd, profond, (ir)régulier, sonore, strident. *Émettre, pousser des ~s.*

ROSE (*fleur*) coupée, cultivée, délicate, éclose, effeuillée, épanouie, épineuse, fanée, flétrie, fraîche, odorante, sauvage, superbe. ♦ (*couleur*) agressif, bleuté, bonbon, cerise, clair, cru, éteint, fané, fuchsia, indien, mauve, orangé, pâle, passé, pimpant, saumon, saumoné, tendre, vieux, violet, vif. *Cultiver, cueillir, offrir, planter une/des ~(s).*

ROSÉE abondante, bienfaisante, chatoyante, congelée, étincelante, faible, fine, forte, légère, matinale, nocturne, vaporeuse. *Être baigné/imprégné/étincelant de ~.*

ROUAGE *Graisser, huiler, lubrifier, nettoyer, remonter un/des ~(s).* Des ~s glissent, grincent, se grippent, tournent.

ROUE couplée, directrice, indépendante, jumelée, libre, motrice, pleine, porteuse. Une ~ glisse, grince, se met en branle/mouvement, tourne.

ROUGE aigre, ardent, bordeaux, carmin, cerise, clair, coquelicot, corail, cramoisi, éclatant, écrevisse, feu, flamboyant, flamme, foncé, franc, grenade, incendiaire, obscur, pâle, rubis, safran, sang, sanguinolent, sanguin, sombre, somptueux, tendre, tomate, vermillon, vif, vineux, violacé.

ROUTE abîmée, abrupte, affreuse, ascendante, asphaltée, barrée, bétonnée, bitumée, bombée, bondée, bonne, boueuse, cabossée, cahotante, cahoteuse, caillouteuse, carrossable, chaotique, compliquée, congestionnée, coupée, craquelée, cyclable, dangereuse, défoncée, dégagée, descendante, déserte, désertique, difficile, directe, droite, encaissée, encombrée, engorgée, entretenue, épouvantable, éprouvante, étroite, fatiguée, fréquentée, goudronnée, gravillonnée, inclinée, infecte, interminable, irrégulière, isolée, large, lisse, mauvaise, meurtrière, monotone, montante, mythique, ondulée, onduleuse, pavée, pénible, petite, pittoresque, plane, plate, poussiéreuse, (im)praticable, principale, raboteuse, rapide, ravinée, rectiligne, resserrée, rude, sablonneuse, secondaire, sinueuse, solitaire, tortueuse, unie, usée, verglacée. *Améliorer, aplanir, bloquer, construire, croiser, dévier, élargir, emprunter, entretenir, obstruer, ouvrir, parcourir, percer, pratiquer, prendre, prolonger, quitter, rectifier, refaire, saler, tracer une ~; circuler, marcher, rouler, s'engager sur une ~.* Une ~ bifurque, descend, divague, grimpe, (re)monte, ondoie, plonge, s'élargit, se resserre, serpente, s'incurve, tourne, vagabonde.

ROUTINE ardue, exigeante, habituelle, immuable, longue, monotone, morne, tatillonne. *Établir, poursuivre une ~; abolir, alléger, bousculer, faire éclater la ~; échapper à la ~; rentrer, s'enliser, s'installer, sombrer dans la ~; sortir de la ~.* Une/la ~ s'alourdit, s'appesantit, s'installe.

ROUX ardent, brillant, caramel, carotte, chaleureux, chaud, clair, cuivré, doré, éblouissant, éclatant, étincelant, flamboyant, foncé, intense, nuancé, orangé, pâle, profond, prononcé, sombre, soutenu, uni, vif.

ROYAUTÉ absolue, constitutionnelle, élective, libérale. *Abolir, renverser, rétablir la ~; aspirer à la ~.*

RUBAN court, épais, étroit, fin, large, long, mince. *Couper, dérouler, nouer, passer, poser un ~; border, entourer, orner d'un ~.*

RUDESSE brutale, destructrice, excessive, extrême, grande, inaccoutumée, inconnue, menaçante, stupéfiante, subite, terrible, virulente. *Utiliser la ~; être, faire preuve d'une ~ (+ adj.).*

RUE abîmée, aérée, animée, barrée, bondée, boueuse, bruyante, cabossée, cahoteuse, calme, commerçante, congestionnée, dangereuse, défoncée, dégagée, dense, descendante, déserte, détrempée, droite, écartée, éclairée, embarrassée, embouteillée, encombrée, endormie, engorgée, escarpée, étroite, exiguë, malfamée, fréquentée, goudronnée, grande, illuminée, immense, interminable, large, longue, marchande, mince, misérable, montante, morne, noire, obscure, obstruée, paisible, passagère, passante, pavée, pavoisée, pentue, perpendiculaire, petite, piétonne, piétonnière, pimpante, pittoresque, plate, populeuse, propre, raide, rectiligne, sale, serpentante, silencieuse, sinistre, sinueuse, solitaire, sombre, sordide, sûre, tortueuse, tranquille, transversale, triste, vide, vieille, vilaine, vivante. *Arpenter, atteindre, bloquer, chercher, descendre, embouteiller, emprunter, enfiler, gagner, habiter, longer, (re)monter, obstruer, parcourir, prendre, tourner, traverser une ~; demeurer, entrer, habiter, passer, s'enfoncer, s'engager, s'engouffrer, se promener, tourner dans une ~; envahir, patrouiller, traîner les ~s; être, jeter/mettre qqn à la ~; aller, courir, croiser qqn, déambuler, descendre, errer, flâner, manifester, marcher, musarder, se balader, se promener, se retrouver, s'installer, sortir, traînasser, traîner, vivre dans la/les ~(s).* Une ~ bifurque, (re)descend, grimpe, monte, ondule, s'arrête, se dégage, se perd, se resserre, se rétrécie, serpente, se sépare, s'incurve, tourne, vagabonde.

RUELLE anguleuse, animée, boueuse, calme, déserte, écartée, encrassée, empierrée, encaissée, endormie, escarpée, étranglée, étroite, exiguë, fraîche, grouillante, longue, malpropre, noire, obscure, pavée, pentue, profonde, resserrée, sale, sinueuse, solitaire, sombre, sordide, tortueuse. *Emprunter une ~; entrer, flâner, se balader, se promener dans une ~.*

RUGISSEMENT bestial, douloureux, effrayant, épouvantable, faible, fort, immense, long, menaçant, plaintif, sonore, sourd, strident, terrible, terrifiant. *Émettre, (faire) entendre, pousser un/des ~(s).* Un ~ jaillit, se fait entendre, s'élève, surgit.

RUINE (décombres) abandonnées, admirables, altières, austères, belles, calcinées, célèbres, considérables, discrètes, entassées, fières, fumantes, immenses, imposantes, impressionnantes, informes, magnifiques, majestueuses, majeures, mélancoliques, mineures, modestes, nobles, pittoresques, romantiques, sinistres, solitaires, sublimes, superbes, vieilles, visibles. *Découvrir, exhumer, explorer, relever, réparer, restaurer, retaper, visiter une/des ~(s); être enseveli dans/sous les ~s.* ♦ (destruction, perte) absolue, complète, générale, imminente, partielle, retentissante, totale. *Achever, causer, entraîner, hâter, jeter, provoquer, semer la ~;*

échapper, être acculé, marcher à la ~; sombrer dans la ~; courir vers la ~.

RUISSEAU boueux, capricieux, clair, cristallin, débordé, desséché, encaissé, étroit, fangeux, frais, gazouillant, gros, impétueux, large, lent, limpide, mince, minuscule, murmurant, nonchalant, paisible, plaintif, poissonneux, profond, rapide, sale, silencieux, sinueux, tortueux, tranquille, transparent. *Côtoyer, descendre, enjamber, franchir, longer, passer, remonter, traverser un ~.* Un ~ babille, caquette, chante, coule, court, déborde, gambade, gronde, jase, murmure, serpente, susurre, zigzague.

RUMEUR absurde, alarmante, alarmiste, avérée, calomnieuse, confirmée, consistante, contradictoire, convaincante, croustillante, démentie, douteuse, erronée, fâcheuse, fallacieuse, fantaisiste, farfelue, fausse, flatteuse, (in)fondée, imbécile, immense, incontrôlable, incontrôlée, infâme, insidieuse, insistante, invérifiable, invraisemblable, malveillante, menaçante, mensongère, orchestrée, persistante, sinistre, sombre, terrible, véridique, vraie; contradictoires. *Alimenter, apaiser, attiser, confirmer, déclencher, démentir, dissiper, étayer, éteindre, étouffer, exciter, faire cesser/courir, ignorer, nourrir, provoquer, relancer, répandre, semer, vérifier une/des ~(s); couper court, donner naissance, être sourd, mettre fin à une/aux ~(s).* Une ~ circule, enfle, gronde, grossit, meurt, monte, s'amplifie, s'élève, se propage, se répand, s'étend; les ~s fusent, vont bon train.

RUPTURE atroce, brusque, brutale, consommée, cruelle, déchirante, décisive, définitive, douloureuse, grande, imminente, inévitable, irrémédiable, irréversible, irrévocable, majeure, nette, pénible, radicale, spectaculaire, temporaire, totale, violente. *Amener, entraîner, éviter, provoquer une ~.*

RUSE anodine, apparente, audacieuse, banale, blessante, cruelle, diabolique, douteuse, grossière, habile, ignoble, infernale, innocente, légère, machiavélique, méchante, plaisante, satanique, subtile. *Découvrir, déjouer, démêler, dépister, éviter, machiner, mener une ~; user d'une ~; avoir recours, recourir à la ~; se servir d'une ~.* Une ~ échoue, fonctionne, réussit.

RYTHME accéléré, accru, affolant, alangui, assourdissant, balbutiant, cadencé, chaotique, coupé, croissant, débridé, démoniaque, détendu, difficile, discordant, doux, échevelé, effréné, (in)égal, élevé, endiablé, enlevé, ennuyeux, entêtant, entraînant, enviable, envoûtant, éperdu, époustouflant, épuisant, éreintant, essoufflant, étourdissant, exaltant, excellent, excessif, faible, fort, frénétique, haletant, hallucinant, harmonieux, impétueux, implacable, infernal, inquiétant, insensé, intense, lancinant, langoureux, lent, marqué, mélancolique, monotone, nonchalant, normal, obsédant, paisible, phénoménal, précipité, précis, prévu, raisonnable, ralenti, rapide, (ir)régulier, requis, robotique, saccadé, sauvage, somnolent, soutenu, syncopé, sûr, tranquille, trépidant, tumultueux, varié, vertigineux, vif, violent, voulu. *Accélérer, accroître, activer, augmenter, forcer, garder, (s') imposer, interrompre, maîtriser, marquer, modifier, précipiter, ralentir, réduire, retenir, scander, soutenir, tenir un/le ~; changer, manquer de ~.* Un ~ baisse, (se) ralentit, s'accélère, s'accentue, s'accroît, s'affole, s'amplifie, s'atténue, se maintient, s'emballe, se stabilise.

S

SABLE abrasif, amoncelé, blanc, blond, brûlant, brun, chaud, clair, détrempé, d'or, doré, dur, éblouissant, étincelant, fauve, ferme, fin, grenu, gris, gros, grossier, humide, immaculé, jaune, léger, marin, mou, mouillé, nacré, noir, ocre, pailleté de sel, piétiné, plat, rouge, rugueux, sec, sombre, tendre, tiède, uni, vierge. Le ~ poudroie, se soulève.

SAC bourré, crevé, énorme, éventré, gonflé, gros, léger, lourd, profond, souple, ventru, volumineux. *Boucler, déballer, expédier, fermer, manipuler, porter, remplir, soulever, vider un ~; sortir/tirer qqch. d'un ~.*

SACRIFICE considérable, délibéré, douloureux, dur, énorme, généreux, glorieux, grand, gros, héroïque, immense, léger, mince, pénible, petit, raisonné, sublime, suprême, ultime, (in)utile. *Accomplir, consentir, exiger, faire, (s') imposer, offrir, s'infliger un/des ~(s); consentir, se résoudre à des ~s; être prêt au ~.*

SAGESSE éclairée, extrême, grande, heureuse, mûre, précoce, prévoyante, profonde, prudente, suprême, véritable. *Acquérir, montrer, témoigner de la ~; être imbu, faire preuve de ~.*

SAISIE considérable, décevante, énorme, faible, grosse, immense, importante, massive, record, spectaculaire. *Effectuer, faire, opérer, pratiquer une ~; procéder à une ~.*

SAISON (<u>période, temps</u>) âpre, ardente, atroce, avancée, belle, bizarre, chaude, (in)clémente, confortable, courte, creuse, déréglée, détestable, douce, embrumée, ensoleillée, exceptionnelle, finissante, fraîche, froide, hâtive, humide, insupportable, interminable, longue, médiocre, mélancolique, morte, naissante, nouvelle, orageuse, pénible, pluvieuse, précoce, propice, rigoureuse, sèche, tardive, tiède, torride, triste. Une/la ~ avance, bat son plein, commence, décline, finit, s'achève, se termine, se traîne, tire à sa fin. ♦ (<u>Sport</u>) bonne, brillante, difficile, excellente, impeccable, mauvaise, médiocre, pénible, piètre. *Connaître, enregistrer, faire une ~ (+ adj.).*

SALADE assaisonnée, bonne, composée, copieuse, croquante, croustillante, fanée, fraîche, légère, mélangée, mixte, raffinée, simple, verte. *Assaisonner, brasser, couper, cueillir, déguster, égoutter, éplucher, essorer, essuyer, faire, goûter, huiler, laver, manger, nettoyer, préparer, remuer, secouer, (re)tourner une/la ~; manger de la ~.*

SALAIRE alléchant, astronomique, attractif, bas, brut, colossal, confortable, considérable, convenable, coquet, correct, décent, dérisoire, (in)direct, élevé, (in)équitable, excellent, exceptionnel, fabuleux, faible, faramineux, fixe, généreux, gros, haut, honorable, important, imposable, impressionnant, infime, juste, maigre, médiocre, minable, mince, minime, minimum, misérable, modeste, modique, motivant, négociable, net, pauvre, petit, plafonné, plein, raisonnable, réel, (ir)régulier, ridicule, rigide, rondelet, stimulant, substantiel, (in)suffisant, variable, vital. *Allouer, demander, établir, fixer, gagner, mériter, payer, percevoir, recevoir, retenir, rogner, toucher, verser un ~; bénéficier, jouir d'un ~ (+ adj.); augmenter, (a)baisser, (dé)bloquer, diminuer, élever, geler, hausser, majorer, plafonner, rajuster, réduire, relever les ~s.*

SALETÉ abjecte, absolue, affreuse, atroce, dégoûtante, effarante, épouvantable, extrême, hideuse, honteuse, incroyable, inimaginable, inouïe, insoutenable, relative, repoussante, répugnante, révoltante, scandaleuse, (in)supportable, sordide, tenace, visqueuse. *Être d'une ~ (+ adj.); effacer, éliminer, enlever, essuyer, faire disparaître, laver, ôter une ~; atténuer, combattre la ~; croupir, patauger, vivre dans la ~.* Une ~ disparaît, règne, s'efface, s'étend.

SALLE (pièce) basse, bondée, bourrée, comble, délabrée, déserte, désertique, éclairée, encombrée, enfumée, étroite, exiguë, gigantesque, immense, longue, meublée, minuscule, obscure, petite, poussiéreuse, remplie, sonore, spacieuse, vaste, vide. *(faire) Évacuer, quitter, traverser une ~; sortir d'une ~; entrer, pénétrer dans une ~.* ♦ (auditoire) agitée, attentive, bruyante, clairsemée, déchaînée, délirante, démente, enthousiaste, frémissante, grouillante, hostile, houleuse, imposante, joyeuse, surchauffée, vaste, vibrante. *Bouleverser, captiver, charmer, conquérir, dégeler, émerveiller, émouvoir, enchanter une ~.* Toute la ~ applaudit, chahute, est debout, gronde, hurle, ovationne, se lève.

SALON (pièce, boudoir) bondé, immense, chaleureux, confortable, coquet, douillet, élégant, enfumé, ensoleillé, étroit, exigu, froid, luxueux, minuscule, modeste, pompeux, raffiné, sinistre, sombre, spacieux, vaste. *Passer, recevoir au ~.* ♦ (exposition) chic, couru, élégant, (in)intéressant, remarquable. *Inaugurer, monter, organiser, ouvrir, préparer, présenter, visiter un ~.* Un ~ a lieu, ouvre ses portes, se tient.

SALUT amical, chaleureux, cordial, glacé, gracieux, léger, muet, réciproque, respectueux. *Dispenser, distribuer, ébaucher, échanger, envoyer, faire, rendre un/des ~(s); répondre à un ~.*

SALUTATION amicale, chaleureuse, cordiale, joyeuse, particulière, polie, réservée, respectueuse. *Adresser, balbutier, échanger, envoyer, exprimer, recevoir, transmettre une ~; répondre à une ~.*

SANCTION arbitraire, cruelle, dégradante, dérisoire, dissuasive, douce, épouvantable, excessive, faible, (in)humaine, (in)juste, (in)justifiée, légère, lourde, maximale, (il)méritée, minimale, nécessaire, (dis)proportionnée, rigoureuse, sérieuse, sévère, symbolique. *Aggraver, alléger, alourdir, atténuer, appliquer, assouplir, décider, durcir, édicter, encourir, établir, exécuter, exercer, infliger, instaurer, lever, mériter, prendre, prononcer, recevoir, subir, suspendre une/des/les ~(s); faire face, s'exposer à une ~; exempter, punir d'une ~; menacer de ~s.*

SANG abondant, anémié, clair, coagulé, contaminé, épais, fluide, frais, noir, noirâtre, pauvre, rare, riche, rouge, royal, vicié. *Arrêter, cracher, faire couler, pisser le ~; nager, se baigner, se noyer dans le/son ~; cracher, donner, perdre, tirer, transfuser, vomir du ~; être couvert/ruisselant de ~.* Le ~ coule, éclabousse, gicle, jaillit, ruisselle, se coagule, s'écoule, se répand.

SANG-FROID apparent, défaillant, étonnant, exceptionnel, exemplaire, extraordinaire, formidable, grand, impeccable, imperturbable, impressionnant, inaltérable, inflexible, opiniâtre, parfait, rare, solide, stupéfiant, superbe. *Afficher, avoir, garder, montrer, déployer un ~ (+ adj.); faire preuve d'un ~ (+adj.); avoir du ~; conserver,* *garder, perdre, reprendre, ressaisir, (re)trouver son ~.*

SANGLOT abondants, convulsifs, courts, déchirants, désespérés, étouffés, fins, grands, gros, intarissables, longs, nerveux, profonds, retenus, silencieux, syncopés, tragiques. *Apaiser, contenir, essuyer, étouffer, exhaler, pousser, ravaler, refouler, réprimer des/ses ~s; pleurer à ~s (+ adj.); être secoué de ~s; éclater, fondre en ~s.* Des/les ~s éclatent, jaillissent, redoublent.

SANS-GÊNE choquant, consommé, grave, impardonnable, inadmissible, incroyable, inouï, intolérable, révoltant. *Afficher, montrer un ~ (+ adj.); être, faire preuve , se montrer d'un ~ (+ adj.).*

SANTÉ altérée, bonne, chancelante, chétive, compromise, déclinante, défaillante, déficiente, délabrée, délicate, déplorable, déprimée, détestable, détraquée, ébranlée, éclatante, endurcie, éprouvée, épuisée, excellente, exceptionnelle, exécrable, exubérante, faible, florissante, fragile, impeccable, impressionnante, inaltérable, indéfectible, insolente, intacte, languissante, maigre, mauvaise, médiocre, normale, parfaite, petite, piètre, pitoyable, pleine, précaire, précieuse, prospère, resplendissante, robuste, rude, ruinée, satisfaisante, solide, superbe, usée, vacillante, vigoureuse. *Afficher, avoir, étaler, posséder une ~ (+ adj.); être doté, faire preuve, jouir d'une ~ (+ adj.); altérer, améliorer, compromettre, conserver, démolir, détruire, ébranler, épuiser, garder, ménager, négliger, perdre, recouvrer, récupérer, refaire, réparer, respirer, rétablir, retrouver, (se) ruiner, s'abîmer, se briser, se détruire, (se) miner, surveiller, user la/sa ~; renaître, revenir à la ~; nuire à sa ~; jouer avec sa ~; être soucieux, se préoccuper de sa ~; déborder, éclater, être débordant/éclatant/rayonnant/resplendissant, rayonner, resplendir de ~.* Une ~ décline, dépérit, inquiète, périclite, s'affaiblit, s'améliore, se délabre, se raffermit.

SAPIN (arbre) audacieux, beau, branchu, chétif, dégarni, difforme, droit, élevé, énorme, famélique, géant, grêle, immense, maigre, majestueux, minuscule, ombrageux, vigoureux, vivace. *Abattre, arracher, débiter, décapiter, ébrancher, élaguer, émonder un ~.* ♦ (~ de Noël) artificiel, colossal, cultivé, décoré, élégant, enguirlandé, illuminé, imposant, lumineux, naturel, orné, scintillant, somptueux. *Décorer, dresser, ériger, garnir, installer, orner un ~.* Un ~ se dresse, scintille, s'illumine, trône.

SATELLITE (in)habité, téléguidé. *Lancer, larguer, mettre/placer en orbite, récupérer, téléguider un ~.*

SATIRE acerbe, agressive, amère, amusante, âpre, brillante, cinglante, directe, efficace, excellente, facile, féroce, fine, gaie, grinçante, légère, méchante, méprisante, mordante, personnelle, piquante, souriante, subtile, timide, violente, virulente, vive. *Faire une ~ contre/sur qqn/qqch.; pratiquer la ~.*

SATISFACTION absolue, amère, béate, (in)complète, déguisée, dissimulée, égoïste, énorme, entière, éphémère, évidente, extrême, féroce, haute, illusoire, imbécile, immédiate, immense, indicible, inépuisable, inouïe, intense, intérieure, intime, juste, légère, légitime, médiocre, mitigée, momentanée, morbide, naïve, (im)parfaite, petite, pleine, profonde, totale, vaine, vive, voilée. *Accorder, apporter, donner, enregistrer, éprouver, exprimer, fournir, montrer, percevoir, procurer, rechercher, refuser, ressentir, témoigner une/la/de la/sa/des ~(s); accorder, avoir, donner, obtenir, réclamer ~.*

SAUCE aigre-douce, aqueuse, chaude, claire, concentrée, consistante, corsée, douceâtre, épaisse, épicée, fade, forte, froide, insipide, liquide, onctueuse, piquante, relevée, savoureuse, succulente, tournée, veloutée. *(r)Allonger, apprécier, confectionner, éclaircir, épaissir, goûter, lier, manquer, monter, pimenter, préparer, rater, réduire, relever, remuer, réussir, savourer, tourner une ~; arroser, napper de ~.*

SAUT brusque, brutal, énorme, fantastique, gracieux, grand, lourd, maladroit, petit, prodigieux, puissant, raté, réussi, spectaculaire. *Effectuer, exécuter, faire, rater, réussir un/des ~(s).*

SAUVETAGE audacieux, dangereux, héroïque, laborieux, pénible, périlleux, réussi, risqué. *Accomplir, effectuer, opérer, organiser un ~; participer à un ~.*

SAVANT, ANTE accompli, célèbre, curieux, (mé)connu, distingué, éminent, faux, génial, grand, illustre, modeste, passionné, patient, persévérant, renommé, réputé, rigoureux, sérieux, vrai, véritable.

SAVEUR acerbe, acide, âcre, (dés)agréable, aigre, amère, appétissante, âpre, chaude, délicate, douce, douceâtre, exquise, fade, forte, fraîche, fruitée, incomparable, indéfinissable, infecte, inimitable, insolite, juteuse, légère, marquée, métallique, mielleuse, piquante, précise, profonde, prononcée, puissante, rare, rebutante, riche, rude, salée, sirupeuse, soutenue, subtile, sucrée, sure, veloutée, vive. *Avoir, présenter une ~ (+ adj.); percevoir, sentir une ~; avoir de la ~.*

SAVOIR absolu, acquis, approfondi, désintéressé, encyclopédique, éminent, étendu, général, grand, immense, important, impressionnant, ingénieux, livresque, profond, rigoureux, rudimentaire, superficiel, universel, vaste, vrai. *Acquérir, afficher, augmenter, communiquer, dispenser, donner, répandre, transmettre un/le/son ~; être affamé/avide de ~.*

SAVOIR-FAIRE admirable, énorme, éprouvé, étendu, exceptionnel, extraordinaire, grand, immense, incontestable, incontesté, inouï, large, particulier, prodigieux, rare, recherché, reconnu, sophistiqué, stupéfiant. *Avoir un ~ (+ adj.); acquérir, développer, entretenir, étendre, exploiter, montrer, posséder, transmettre, valoriser un/son ~.*

SAVON agressif, biodégradable, crémeux, doux, dur, frais, gras, mou, moussant, normal, parfumé, ordinaire, raffiné, rafraîchissant, riche, rugueux, spécial.

SCANDALE abominable, affreux, déplorable, éclaboussant, énorme, épouvantable, étouffé, gigantesque, grand, gros, immense, inouï, insupportable, intolérable, loufoque, majeur, nauséabond, retentissant, risible, sordide. *Cacher, causer, craindre, créer, déclencher, découvrir, démasquer, dénoncer, déterrer, dévoiler, entraîner, étaler, étouffer, éviter, exploiter, faire, faire cesser/éclater/taire, mettre à jour, occasion-*

ner, provoquer, révéler, soulever, susciter un ~; être mêlé, mettre fin, prendre part à un ~; être compromis/embourbé/empêtré/impliqué dans un ~; être éclaboussé/rattrapé par un ~; enquêter sur un ~.

SCÉNARIO (Cinéma, Théâtre) adapté/tiré d'un roman, artificiel, audacieux, banal, bon, calamiteux, classique, compliqué, concis, confus, conventionnel, décousu, dense, éculé, excellent, farfelu, intéressant, ingénieux, laborieux, original, noir, prétentieux, subtil, vide. *Accepter, (re)composer, concevoir, ébaucher, écrire, élaborer, esquisser, lire, monter, peaufiner, réaliser, rédiger, refuser, tourner un ~; travailler à un ~.* ♦ (plan, vision) calamiteux, cauchemardesque, constructif, (in)crédible, envisageable, escompté, exalté, idéal, immuable, incroyable, inédit, inimaginable, noir, optimiste, pénible, pessimiste, plausible, positif, privilégié, (im)probable, (ir)réaliste, séduisant, tragique, (in)vraisemblable. *Arrêter, concevoir, concocter, créer, développer, dresser, échafauder, élaborer, envisager, établir, imaginer, préparer, prévoir, privilégier, reconstituer, redouter, retenir un ~.* Un ~ prend place, se concrétise, se confirme, se développe, se produit, se profile, se réalise.

SCÈNE (estrade, décor) close, coulissante, dépouillée, éclairée, étroite, exiguë, fermée, fixe, grande, immense, large, lumineuse, nue, ouverte, petite, sombre, spacieuse, tournante, vaste, vide. *Arpenter, parcourir, quitter, traverser la ~; sortir de ~; arriver, (r)entrer, être, (ap)paraître, pénétrer, se montrer en ~; être, se projeter, se produire sur ~.* ♦ (division d'un acte, séquence) anodine, banale, capitale, bouffonne, courte, difficile, faible, finale, forte, grande, inoubliable, insoutenable, longue, mémorable, originale, palpitante, passable, passionnante, principale, sensible, terrible, violente. *Apprendre, jouer, répéter, tourner une ~; mettre en ~.* ♦ (spectacle, vue) affreuse, alarmante, anodine, atroce, attendrissante, bouleversante, brutale, bucolique, champêtre, comique, dangereuse, déchirante, déplorable, désagréable, dramatique, effroyable, émouvante, grotesque, idyllique, impressionnante, incroyable, insoutenable, longue, macabre, mémorable, pathétique, pénible, pétrifiante, pittoresque, plaisante, poignante, quotidienne, réelle, sinistre, surréaliste, terrible, touchante, tragique, triviale, troublante, vraie, vraisemblable. *Contempler, dépeindre, évoquer, observer, reconstituer, suggérer, voir une ~; assister à une ~; être témoin d'une ~.* Une ~ se déroule, se produit, surgit, survient.

SCHÉMA complexe, (il)lisible, préconçu, rapide, réducteur, simple, simpliste, sommaire, théorique. *Dessiner, faire, tracer un ~; se conformer à un ~; présenter en un ~; présenter sous forme de ~.*

SCIENCE abstraite, appliquée, attrayante, désuète, difficile, élevée, encyclopédique, étendue, (in)exacte, fausse, grande, illusoire, inépuisable, infinie, infuse, livresque, naissante, occulte, profonde, pure, raffinée, rare, réelle, rigoureuse, superficielle, triomphante, vaste, véritable. *Acquérir, apprendre, approfondir, enseigner, explorer, inculquer, posséder, professer, répandre, vulgariser une ~; avoir recours, s'intéresser à une ~; être doué pour les ~s.*

SCIENTIFIQUE accompli, chevronné, distingué, éminent, grand, illustre, infatigable, patient, persévérant, renommé, rigoureux, sérieux, solitaire.

SCORE acceptable, affligeant, bon, calamiteux, décevant, écrasant, élevé, époustouflant, étonnant, excellent, exécrable, faible, fantastique, final, fort, glorieux, historique, honorable, humiliant, inattendu, inédit, inégalable, inégalé, intéressant, mauvais, médiocre, modeste, moyen, nul, parfait, piètre, piteux, remarquable, respectable, sensationnel, serré. *Améliorer, augmenter, détenir, égaler, faire, établir, obtenir, réaliser un ~.*

SCRUPULE déplacé, excessif, honorable, (in)justifié, léger, légitime, obsédant, tardif, tenace, torturant, touchant, vague, vivace. *Apaiser, assoupir, avoir, calmer, dominer, donner, éprouver, étouffer, faire taire, invoquer, ressasser, ruminer, vaincre un/des/ses ~(s); être harcelé/tourmenté par un/des/les ~(s); être dénué/dépourvu/harcelé/paralysé/torturé/tourmenté de ~s.*

SCRUTIN anticipé, calme, contesté, controversé, décisif, démocratique, disputé, (in)équitable, incertain, indécis, libre, (im)prévisible, serré, tendu, transparent. *Annoncer, annuler, boycotter, contester, convoquer, dépouiller, falsifier, manipuler, remporter, reporter, truquer un ~; participer, prendre part, procéder à un ~.*

SCULPTURE abstraite, (in)achevée, audacieuse, colossale, conventionnelle, décorative, figurative, fine, fouillée, gigantesque, grandiose, grotesque, hardie, imposante, massive, monumentale, réduite. *Ébaucher, façonner, fignoler, modeler, polir, réaliser, tailler, terminer une ~; étudier, pratiquer la ~.*

SÉANCE agitée, animée, bruyante, calme, courte, décisive, ennuyeuse, historique, houleuse, importante, inaugurale, interminable, mémorable, mouvementée, longue, orageuse, préparatoire, solennelle, stérile, tumultueuse, (in)utile. *Abréger, ajourner, clore, clôturer, commencer, interrompre, lever, occuper, organiser, présider, prolonger, remettre, reporter, suspendre, tenir, terminer une/la ~; assister, mettre fin, prendre part à une/la ~; entrer, être en ~.* Une ~ débute, prend fin, se prolonge, s'éternise.

SÉCHERESSE affreuse, anormale, catastrophique, chronique, désastreuse, dramatique, épouvantable, exceptionnelle, extrême, généralisée, grande, grave, historique, horrible, inquiétante, longue, meurtrière, persistante, prolongée, relative, répétée, terrible. *Affronter, connaître, enregistrer une ~; souffrir d' une ~; être confronté à une ~.* Une/la ~ fait rage, règne, se prolonge, sévit, s'installe.

SECOURS dérisoire, difficile, (in)efficace, grand, immédiat, immense, important, inappréciable, inespéré, insuffisant, mutuel, occasionnel, précieux, prompt, provisoire, puissant, urgent, (in)utile. *Porter un ~ (+ adj.); aller chercher, apporter, demander, dispenser, distribuer, donner, envoyer, expédier, fournir, implorer, procurer, recevoir, solliciter du/des ~; être d'un ~ (+ adj.); attendre, faciliter les ~; accourir, aller, appeler, courir, crier, marcher, se porter, venir, voler au ~; demander, porter, prêter, refuser ~.*

SECOUSSE brusque, brutale, douloureuse, faible, forte, furieuse, grande, grosse, intense, légère, petite, rude, sérieuse, soudaine, subite, terrible, vigoureuse, violente. *Causer, donner, encaisser, enregistrer, éprouver, essuyer, provoquer,* *recevoir, ressentir, subir une/des ~(s); résister à une ~; se dégager, se remettre d'une ~.* Une ~ ébranle, se fait sentir, se produit.

SECRET absolu, complice, compromis, effroyable, étonnant, éventé, exagéré, grave, honteux, horrible, impénétrable, inavouable, insondable, intime, inviolable, lourd, merveilleux, obsessionnel, (im)pénétrable, profond, rare, rigoureux, sacré, ténébreux, terrible, utile. *Apprendre, arracher, briser, cacher, chuchoter, confier, déceler, découvrir, déchiffrer, dérober, détenir, déterrer, deviner, dévoiler, dire, dissimuler, divulguer, ébruiter, ensevelir, épier, éventer, garder, livrer, partager, pénétrer, percer, préserver, publier, répéter, révéler, savoir, surprendre, taire, tenir, trahir, transmettre, transpercer, trouver, violer un ~; cultiver, demander, exiger, promettre, recommander, requérir le ~.* Un ~ s'amplifie, s'ébruite, se répand, transpire.

SECTE cachée, dangereuse, fermée, florissante, influente, opulente, pacifiste, puissante, redoutable, stricte. *Diriger, dissoudre, fonder, interdire, quitter une ~; adhérer, appartenir, s'agréger à une ~; entrer, vivre dans une ~; faire partie, sortir d'une ~; entrer en ~.* Une ~ se désagrège, se disperse, se forme.

SECTEUR animé, beau, branché, calme, chaud, cossu, dangereux, délabré, désert, (sous-)développé, (dé)favorisé, huppé, misérable, miteux, opulent, paisible, silencieux, sinistre, surpeuplé, tranquille, vaste. *Aménager, assainir, gérer, moderniser, revitaliser un ~.*

SÉCURITÉ absolue, accrue, active, apparente, approximative, complète, douteuse, durable, entière, faible, impeccable, infaillible, maximale, parfaite, passive, pointilleuse, précaire, profonde, relative, renforcée, sévère, (in)suffisante, totale, trompeuse. *Éprouver, goûter une ~ (+ adj.); accroître, améliorer, apporter, assurer, compromettre, connaître, garantir, instaurer, prendre en charge, rechercher, ramener, renforcer, restaurer, rétablir, retrouver la ~; veiller sur la ~ de qqn; être, se sentir en ~.* La ~ règne, s'établit, s'installe, s'instaure.

SÉDUCTION aimable, discrète, faible, fatale, forte, foudroyante, grande, implacable, inexplicable, infaillible, instinctive, irrésistible, muette, mystérieuse, opiniâtre, particulière, puissante, raffinée, ravageuse, secrète, tenace. *Exercer une ~ (+ adj.); céder, résister, succomber à une ~; être dépourvu, manquer, rivaliser, user de ~.*

SÉGRÉGATION agressive, ambiante, aveugle, cachée, diffuse, flagrante, latente, raciale, rampante, voilée. *Combattre, créer, dénoncer, nourrir, pratiquer, tolérer une/la ~.* La ~ recule, s'amplifie, s'intensifie.

SEIN beaux, dodus, dressés, durs, épanouis, fanés, faux, fermes, flasques, gros, hauts, jeunes, jolis, laids, menus, naissants, opulents, parfaits, pendants, plantureux, plats, pleins, provocants, pulpeux, ratatinés, ronds, saillants, somptueux, superbes, tombants, volumineux. *Donner, prendre, sucer, téter le ~; presser, serrer contre/sur son ~; exhiber ses ~s.*

SÉISME brutal, désastreux, dévastateur, effroyable, éminent, épouvantable, faible, fort, gigantesque, horrible, important, inouï, léger, majeur, meurtrier, mineur, modéré, puissant, ruineux, sanglant, soudain, spectaculaire, terrible, traumatisant, violent. *Causer, déclencher, prévenir, provoquer, signaler, subir un ~; échapper, être victime d'un ~; survivre à un ~; être frappé/secoué/touché par un ~.* Un ~ faiblit, fait rage, gronde, rugit, s'affaiblit, s'aggrave, s'amplifie, s'apaise, se calme, secoue, se développe, s'élève, se produit, s'intensifie.

SÉJOUR abominable, agréable, bref, bruyant, charmant, constant, court, délectable, dépaysant, éclair, enchanteur, éphémère, fatigant, forcé, heureux, idyllique, inoubliable, interminable, long, mémorable, paisible, paradisiaque, plaisant, prolongé, sain, solitaire. *Abréger, écourter, effectuer, entamer, faire, interrompre, partager, prévoir, prolonger, raccourcir un ~.* Un ~ commence, s'achève, se termine.

SÉLECTION adéquate, (mal)aisée, aléatoire, arbitraire, ardue, attentive, automatique, (in)contestable, critiquable, cruciale, déchirante, définitive, difficile, douloureuse, éclairée, erronée, exigeante, faible, impitoyable, logique, méthodique, objective, orientée, (im)partiale, rationnelle, rigoureuse, sévère. *Effectuer, faire, justifier, opérer, pratiquer une ~.*

SEMAINE agitée, chaotique, chargée, (in)complète, cruciale, décisive, entière, haletante, harassante, importante, infernale, inoubliable, intense, intensive, lourde, mémorable, noire, (extra)ordinaire, prolifique, riche, spéciale. *Avoir, passer une ~ (+ adj.); reporter, repousser d'une ~.* Une ~ finit, passe, s'achève, s'écoule.

SENS (<u>*signification*</u>) absolu, abstrait, abusif, allégorique, altéré, ambigu, analogique, analogue, ancien, anecdotique, antique, apparent, approximatif, archaïque, caché, clair, classique, complet, compliqué, concret, confus, courant, défini, dépréciatif, dérivé, (in)déterminé, détourné, douteux, élastique, énigmatique, entendu, étendu, étoffé, étroit, évident, exact, exclusif, explicite, faux, (dé)favorable, figuré, flou, forcé, fort, général, générique, grave, immédiat, impénétrable, implicite, inadmissible, inépuisable, initial, insaisissable, intime, large, (il)limité, littéral, matériel, mélioratif, métaphorique, moral, négatif, noble, obtus, obscur, opulent, ordinaire, originel, péjoratif, philosophique, plat, plein, (im)précis, premier, primitif, problématique, profond, propre, restreint, rigoureux, simple, spécifique, strict, technique, traditionnel, transparent, univoque, usé, (in)usité, usuel, vague, vaste, vieilli, vieux, voilé, voulu, vrai, vulgaire. *Avoir, prendre un ~ (+ adj.); accorder, accroître, apporter, approfondir, attacher, attribuer, chercher, comprendre, conférer, déformer, dégager, donner, élargir, étendre, expliquer, fixer, posséder, préciser, prêter, restreindre, retrouver, révéler, revêtir, saisir, tordre, trouver un/le ~ de (un mot, un texte, une intention, etc.); être employé, prendre qqch. dans un ~ (+ adj.); se tromper sur un ~; être chargé/dénué/dépourvu/lourd/plein/vide de ~.* ♦(<u>*direction*</u>) bon, contraire, inverse, mauvais, opposé. *Communiquer, donner, inverser, prendre, suivre un ~.* ♦(<u>*vue, goût, etc.*</u>) aigu, assoupi, blasé, délicat, développé, endormi, grossier, raffiné, subtil, usé. *Allumer, échauffer, éveiller, (sur)exciter, toucher, troubler les ~; perdre/reprendre/retrouver (l'usage de) ses ~.* Les ~ s'aiguisent, s'émoussent.

SENSATION affreuse, agaçante, (dés)agréable, aiguë, ambivalente, ardente, atroce, bizarre, (in)consciente, constante, curieuse, délicieuse, diffuse, douloureuse, durable, enivrante, étrange, euphorique, exquise, extraordinaire, floue, forte, fugace, fugitive, illusoire, immense, impétueuse, incommunicable, inconnue, incroyable, indéfinissable, indescriptible, indicible, inédite, ineffable, intense, intime, intolérable, intraduisible, intuitive, inusitée, légère, merveilleuse, momentanée, nette, nouvelle, particulière, pénible, perceptible, persistante, physique, profonde, prolongée, raffinée, rare, soudaine, subtile, superficielle, troublante, unique, vague, violente, vive, voluptueuse. *Accroître, afficher, aiguiser, alimenter, atténuer, avouer, cacher, diminuer, dissimuler, dominer, émousser, éprouver, étouffer, exciter, modérer, offrir, partager, produire ressentir, susciter une/des/la/les/ses ~(s); s'adonner à des ~s (+ adj.); rechercher les ~s (+ adj.).* Une ~ croît, disparaît, grandit, naît, perdure, s'accentue, s'émousse, s'épanouit, se précise, s'estompe, s'évanouit, (re)surgit.

SENSATIONNALISME accrocheur, facile, factice, débridé, exagéré, gratuit, indécent, malsain, ravageur, outrancier, superficiel, trompeur, vulgaire, *Alimenter, (re)chercher, condamner, contrer, cultiver, dénoncer, éviter, exploiter, frôler le ~; donner, se vautrer, sombrer, tomber, verser dans le ~; vendre du ~; être à l'affût du ~.*

SENSIBILITÉ affûtée, aiguë, ardente, délicate, écorchée, émoussée, épidermique, exacerbée, exaspérée, excessive, exquise, extrême, exubérante, faible, frémissante, grande, hypertrophiée, impétueuse, maladive, ombrageuse, profonde, raffinée, subtile, susceptible, tatillonne, véhémente, vive. *Posséder une ~ (+ adj.); être doué, faire preuve, témoigner d'une ~ (+ adj.); aiguiser, émousser, étouffer, heurter, ménager la ~; être dépourvu/privé, manquer de ~.*

SENSUALITÉ âcre, aiguë, angélique, animale, confuse, débridée, délicate, diffuse, épanouie, étouffée, évidente, exacerbée, exaspérée, excessive, excitante, explicite, frémissante, incroyable, latente, naturelle, retenue, sauvage, somnolente, triomphante, troublante. *Être d'une ~ (+ adj.); être plongé dans la ~; assouvir, libérer, réfréner sa ~.*

SENTENCE appropriée, arbitraire, cruelle, dérisoire, douce, (in)équitable, excessive, exemplaire, fatale, funeste, (in)juste, (in)justifiée, légère, lourde, maximale, (im)méritée, minimale, mitigée, rigoureuse, sévère. *Adoucir, aggraver, alléger, alourdir, (faire) annuler, appliquer, confirmer, désapprouver, effectuer, encourir, établir, exécuter, infliger, justifier, mériter, modérer, prononcer, purger, remettre, rendre, révoquer, subir une ~; en appeler d'une ~.*

SENTEUR abominable, acidulée, (dés)agréable, aigre, alléchante, amère, capiteuse, chaude, délectable, délicate, douce, enivrante, entêtante, envahissante, épouvantable, exécrable, exotique, exquise, fade, faible, fétide, forte, fraîche, grisante, horrible, humide, infecte, insupportable, lointaine, lourde, merveilleuse, nauséabonde, pénétrante, (im)perceptible, persistante, pestilentielle, printanière, puissante, repoussante, répugnante, sauvage, sournoise, suave, suffocante, tenace, vague, violente. *Dégager, émettre, exhaler, humer,* *percevoir, renifler, répandre, respirer, savourer une/des ~(s).* Une ~ envahit, imprègne, s'échappe, se dégage, se dissipe, se perçoit, se répand, s'insinue, règne, traîne.

SENTIER abrupt, accidenté, agréable, aménagé, âpre, ardu, aride, audacieux, balisé, battu, boueux, bourbeux, cahoteux, caillouteux, court, creux, détrempé, difficile, discret, droit, dur, empierré, encaissé, encombré, entretenu, épineux, escarpé, étroit, évident, facile, fangeux, fatigant, fléché, fleuri, frayé, fréquenté, gazonné, glissant, herbeux, inégal, large, long, malaisé, marqué, mauvais, mince, monotone, net, ombragé, ombreux, pentu, périlleux, petit, pierreux, pittoresque, poussiéreux, (im)praticable, raboteux, raide, rapide, raviné, rectiligne, rocailleux, rude, sablonneux, sauvage, sinueux, solitaire, sombre, spongieux, touffu, tortueux, tracé, vertigineux. *Abandonner, aménager, arpenter, baliser, dévaler, emprunter, enfiler, entretenir, fouler, frayer, gravir, grimper, longer, parcourir, perdre, pratiquer, prendre, préparer, quitter, suivre, tracer, (re)trouver un ~; marcher, s'engager dans un ~; randonner sur un ~; marcher par les ~s.* Un ~ court, grimpe, monte, ondule, oscille, se déroule, s'efface, se resserre, se rétrécie, serpente, s'incurve, vagabonde, zigzague.

SENTIMENT abject, absolu, affreux, (dés)agréable, aigu, altruiste, ambivalent, amer, amical, amoureux, ardent, atroce, authentique, bienveillant, bizarre, bon, brûlant, brusque, caché, (in)-communicable, complexe, compliqué, compréhensible, confus, (in)contrôlable, cordial, cruel, curieux, dangereux, déchirant, déclaré, (in)défini, (in)définissable, délicat, délicieux, dénaturé, dévorant, diffus, dissimulé, dominant, douloureux, durable, égoïste, étouffant, étrange, euphorique, évanoui, exalté, excessif, exclusif, exquis, factice, (dé)favorable, fictif, fin, flou, fort, fragile, fugace, fugitif, furieux, généreux, grand, grandissant, héroïque, (mal)honnête, honorable, hostile, illusoire, immense, impérieux, impérissable, impétueux, inaltérable, inavouable, inavoué, inconnu, inconscient, indéniable, indéracinable, indestructible, indéterminé, indicible, indistinct, ineffaçable, inéluctable, inexprimé, inflexible, informe, insistant, (dés)intéressé, irraisonné, irrationnel, irrésistible, irrévocable, léger, limpide, livresque, louable, lourd, malveillant, manifeste, mauvais, mélancolique, merveilleux, mitigé, mixte, momentané, morbide, mystérieux, noble, nostalgique, obscur, odieux, oppressant, paisible, partagé, particulier, passager, passionné, passionnel, patriotique, perceptible, permanent, persistant, positif, profond, puissant, pur, rare, réconfortant, réfléchi, secret, sincère, solide, stimulant, sublime, subjectif, superficiel, tacite, tenace, tendre, terrible, tiède, tiédi, transparent, trompeur, unique, usé, vague, vieux, vif, vigoureux, vil, violent, vivace, volcanique, vrai. *Accroître, afficher, aiguiser, alimenter, amoindrir, analyser, assagir, avouer, blesser, cacher, combattre, combler, communiquer, contenir, déformer, déguiser, développer, dissimuler, dominer, émousser, enfermer, entretenir, éprouver, étaler, étouffer, exacerber, exalter, exaspérer, exciter, exprimer, extérioriser, faire connaître/durer/éclater/naître/pénétrer, farder, feindre, formuler, freiner, froisser, heurter, inspirer, interpréter, jouer, laisser paraître, libérer,* *manifester, modérer, montrer, nourrir, partager, projeter, refouler, rejeter, remuer, renforcer, rentrer, répandre, réprimer, ressentir, réveiller, révéler, susciter, vaincre, vivifier un/des/les/ses ~(s); être en proie, se livrer à un ~; être animé/imbu d'un ~; jouer avec les ~s; prendre qqn par les ~s; donner libre cours à ses ~s; être (in)capable/dépourvu de ~.* Un ~ croît, disparaît, grandit, meurt, mûrit, naît, perdure, ronge, s'atténue, se confirme, se dissipe, se fait jour, se manifeste, se montre, s'émousse, s'épanouit, s'évanouit, s'évapore, s'exacerbe, s'installe.

SENTIMENTALITÉ déplacée, éhontée, exacerbée, excessive, facile, fade, niaise, pleurnicharde, ridicule. *Être, faire preuve d'une ~ (+ adj.).*

SÉPARATION absolue, atroce, brusque, brutale, consensuelle, courte, cruelle, déchirante, décisive, définitive, difficile, douloureuse, imminente, imprévue, inévitable, irréversible, irrévocable, longue, momentanée, nette, partielle, passagère, pénible, profonde, progressive, radicale, soudaine, spectaculaire, subite, temporaire, totale, triste, violente. *Amener, brusquer, entraîner, éviter, imposer, opérer, provoquer une ~.*

SÉPULTURE émouvante, honorable, touchante, triste. *Donner, profaner, refuser, suivre, violer une ~; être privé de ~.*

SÉRÉNITÉ absolue, admirable, apparente, confiante, étonnante, excessive, exemplaire, fière, fragile, grande, grave, hautaine, heureuse, imperturbable, impressionnante, inaltérable, incomparable, inébranlable, mélancolique, parfaite, profonde, relative, résignée, souriante. *Afficher une ~ (+ adj.); gagner, garder, perdre, reconquérir, recouvrer, reprendre, retrouver, troubler la/sa ~; faire preuve d'une ~.*

SÉRIE (in)complète, (dis)continue, (dé)croissante, grande, importante, indéfinie, ininterrompue, interminable, (il)limitée, longue, ordonnée, (ir)régulière. *Clore, commencer, compléter, conclure, interrompre, terminer une ~.*

SÉRIEUX absolu, admirable, austère, empesé, excessif, extrême, grand, grave, hautain, imperturbable, inébranlable, relatif. *Faire preuve d'un ~ (+ adj.); conserver, garder, perdre, reprendre, tenir son ~; être capable, manquer de ~.*

SERINGUE contaminée, (ultra)fine, grosse, jetable, longue, neuve, souillée, stérile, usagée. *(s')Injecter, partager, (ré)utiliser une ~; se piquer avec une ~; se servir d'une ~.*

SERMENT éternel, fallacieux, faux, inviolable, solennel. *Faire, enfreindre, respecter, rompre, tenir, trahir, violer un ~; échanger des ~s; être fidèle, faillir, manquer à un ~; relever qqn d'un ~; être lié par un ~; affirmer, certifier, déclarer, déposer, être engagé, témoigner sous ~; faire, prêter ~.*

SERPENT dangereux, énorme, enroulé, grand, gros, immense, inoffensif, minuscule, monstrueux, venimeux. Un ~ darde sa langue, glisse, mue, ondule, rampe, se faufile, se love, s'enlace, s'enroule, siffle.

SERRURE encastrée, inviolable, rouillée, sécuritaire. *Briser, changer, démonter, dévisser, faire jouer, fausser, fermer, forcer, fracturer, huiler, ouvrir, poser, réparer, truquer une ~.* Une ~ cède, cliquette.

SERVICE (<u>travail, au restaurant, etc.</u>) attentionné, chaleureux, convivial, correct, courtois, égal, exécrable, expéditif, impeccable, irréprochable, lent, médiocre, minimal, négligé, nonchalant, obséquieux, personnalisé, piètre, pitoyable, professionnel, rapide, soigné, sympathique. *Assurer, effectuer, exécuter, facturer, faire, soigner un/le ~; être de ~; mettre en ~.* ♦ (<u>organisme, département</u>) *Animer, diriger, dissoudre, exploiter, former, mettre en marche, (ré)organiser, renforcer, superviser un ~; être à la tête d'un ~.* ♦ (<u>faveur, aide</u>) bon, éminent, grand, immense, important, inappréciable, inestimable, insigne, intéressé, mauvais, mince, précieux, petit, rare. *Accepter, apporter, demander, méconnaître, reconnaître, rendre, refuser, satisfaire un ~.* ♦ (<u>Sport</u>) ébouriffant, excellent, faible, foudroyant, fracassant, impeccable, lent, puissant, raide, rapide, raté, redoutable, réussi, solide. *Avoir, décocher, effectuer un ~ (+ adj.); être au ~; gagner, perdre son ~.*

SÈVE abondante, ascendante, claire, débordante, descendante, épaisse, foncée, forte, laiteuse, montante, riche. *Être craquant/éclatant/gonflé/gorgé de ~.* La ~ bouillonne, bout, circule, coule, déborde, jaillit, (re)monte.

SÉVÉRITÉ agressive, âpre, cruelle, exagérée, excessive, extrême, grande, hargneuse, impitoyable, implacable, inexorable, juste, légitime, vigilante. *Accentuer, mitiger, tempérer une ~; faire preuve, se montrer d'une ~ (+adj.); avoir, marquer, montrer, témoigner de la ~.*

SÉVICES abominables, affreux, atroces, cruels, effroyables, grands, graves, horribles, impitoyables, incroyables, indicibles, inouïs, insupportables, interminables, vifs. *Causer commettre, craindre, dénoncer, exercer, infliger, pratiquer, provoquer, signaler, subir, supporter des ~; accuser qqn, être victime, user de ~.*

SEVRAGE atroce, brusque, brutal, complet, forcé, pénible, précoce, progressif, radical, volontaire. *Être en ~.*

SEXISME consternant, déguisé, déplacé, diffus, douteux, évident, exacerbé, flagrant, insupportable, intolérable, lamentable, ordinaire, primaire, violent. *Pratiquer un (+ adj.); banaliser, combattre, éviter le ~; être victime, ressentir du ~; lutter, se battre contre le ~.*

SEXUALITÉ ambiguë, (in)assouvie, débridée, dure, effrénée, épanouie, épanouissante, exacerbée, exigeante, explicite, fougueuse, froide, heureuse, inhibée, insouciante, intense, rapide, réprimée, trouble. *(re)Découvrir la ~; afficher, assumer, exprimer, vivre sa ~.*

SIDA *Avoir, attraper, combattre, communiquer, éradiquer, traiter le ~; se protéger contre le ~; être atteint, guérir, mourir, souffrir du ~; être emporté par le ~.*

SIÈGE bancal, bas, boiteux, chancelant, (in)confortable, droit, dur, élevé, encombrant, fragile, haut, moelleux, solide. *Avancer, chercher, donner, indiquer, montrer, occuper, offrir, prendre un ~; s'étaler dans un ~; bondir, s'asseoir, sauter, se laisser tomber, s'installer sur un ~; quitter son ~.*

SIESTE agitée, bienfaisante, courte, longue, petite, prolongée, rafraîchissante, régénératrice, reposante, sacrée, salutaire. *Faire, (s') accorder, (s') offrir une ~; faire la ~; s'adonner à la ~.*

SIFFLEMENT admiratif, aigu, bas, bref, bruyant, désapprobateur, léger, perçant, petit. *Émettre, faire, pousser un/des ~(s).*

SIGNAL *Capter, envoyer, faire, lancer, recevoir, respecter un ~; obéir, s'arrêter à un ~; attendre, donner, entendre, faire le ~.*

SIGNALEMENT clair, détaillé, faux, fiable, flou, minutieux, net, (im)précis, vague. *Donner, fournir un/le ~ de qqn; répondre à un ~.*

SIGNATURE abrégée, claire, compliquée, élégante, falsifiée, fantaisiste, fausse, griffonnée, hésitante, indéchiffrable, (il)lisible, (in)imitable, paraphée, simple, soulignée. *Apposer, authentifier, certifier, contrefaire, expertiser, faire, falsifier, fausser, forger, imiter, mettre, poser, reconnaître, vérifier une/sa ~.*

SIGNE (*geste de la main, de l'expression*) affirmatif, amical, (dés)approbatif, discret, désespéré, désolé, négatif, petit, timide, voyant. *Adresser, échanger, esquisser, (se) faire un/des ~(s); parler, répondre, s'exprimer par ~s.* ♦(*indice, signal*) alarmant, annonciateur, apparent, avant-coureur, douteux, éclatant, encourageant, équivoque, évident, excellent, explicite, flagrant, incontestable, indéniable, indiscutable, indubitable, infaillible, inquiétant, irrécusable, mauvais, mystérieux, négatif, ostentatoire, palpable, (im)perceptible, positif, précurseur, prémonitoire, privilégié, rassurant, réconfortant, révélateur, tangible, visible. *Être un ~ (+ adj.); comprendre, constater, constituer, déceler, guetter, interpréter, noter, présenter un ~.*

SIGNIFICATION ambiguë, apparente, différente, éloignée, étroite, évidente, exclusive, générale, énorme, indiscutable, originelle, particulière, (im)précise, profonde, réelle, restreinte, simple, spécifique, symbolique, vraie. *Avoir, posséder, prendre, revêtir une ~ (+ adj.); attacher, attribuer, conférer, donner une ~ à qqch.; être dénué/dépourvu/vide de ~.*

SILENCE absolu, affectueux, affreux, amusé, angoissant, angoissé, anormal, anxieux, approbateur, atterré, bref, brusque, choquant, circonspect, complet, complice, consternant, contraignant, contraint, court, craintif, discret, douloureux, écrasant, effrayant, effroyable, éloquent, embarrassant, embarrassé, ému, énorme, enveloppant, épais, épouvantable, éternel, étouffant, étrange, expressif, farouche, forcé, froid, gênant, général, glacé, glacial, grand, haletant, hautain, hostile, immense, impénétrable, imposant, impressionnant, incroyable, inexplicable, inhabituel, inquiétant, insondable, insupportable, intentionnel, intérieur, interminable, interrogateur, inusité, irréel, léger, long, lourd, morne, mortel, obstiné, opiniâtre, oppressant, paisible, pénible, pensif, pesant, poignant, poli, profond, prolongé, prudent, pur, reposant, respectueux, rigoureux, significatif, sinistre, solennel, sombre, subit, tacite, tendu, terrible, terrifiant, total, triste, trompeur. *Garder, interpréter, marquer, ménager, observer, produire un ~; s'embusquer, se murer dans un ~ (+ adj.); briser, conserver, crever, déchirer, demander, écouter, exiger, faire régner, garder, observer, obtenir, percer, réclamer, rétablir, rompre, troubler le ~; être enfoui, persister, se cantonner, s'emmurer, s'enfermer, s'enfoncer, se réfugier, se renfermer, se retrancher, vivre dans le/son ~; sortir du ~.* Un/le ~ perdure, plane, règne, s'abat, s'amplifie, se fait, s'épaissit, se répand, se rétablit, se rompt, s'établit, s'impose, s'installe, s'intensifie, tombe.

SILHOUETTE aérienne, agréable, amaigrie, anguleuse, anonyme, athlétique, austère, belle, charmante, chétive, colossale, corpulente, décharnée, décrépite, délicate, discrète, dodue, douce, droite, effilée, élancée, (in)élégante, épaisse, famélique, fière, filiforme, fine, floue, fluette, fragile, frêle, fuyante, gracieuse, gracile, grêle, harmonieuse, haute, immense, imposante, impressionnante, informe, insolite, jolie, légère, lointaine, longiligne, longue, lourde, maigre, massive, mince, minuscule, nonchalante, (a)normale, obèse, onduleuse, osseuse, plate, puissante, raffinée, ravissante, robuste, séduisante, souple, svelte, tragique, vague. *Avoir, posséder une ~ (+ adj.); affiner, façonner, modeler, parfaire, surveiller sa ~.*

SILLON droit, net, profond, rectiligne. *Creuser, ouvrir, tracer un ~.*

SIMILITUDE apparente, complète, criante, étonnante, étrange, extraordinaire, foncière, fondamentale, forte, frappante, grande, hallucinante, légère, parfaite, profonde, singulière, surprenante, totale, trompeuse, troublante, vague. *Offrir, présenter une ~ (+ adj.); constater, noter, observer, saisir une ~.* Une ~ apparaît, existe, saute aux yeux.

SIMPLICITÉ admirable, affectée, apparente, charmante, déconcertante, émouvante, étudiée, exemplaire, extrême, fausse, franche, grande, majestueuse, naïve, naturelle, raffinée, rafraîchissante, recherchée, réelle, spontanée, touchante, trompeuse, volontaire, vraie. *Être d'une ~ (+ adj.); affecter, jouer la ~; vivre dans la ~; manquer de ~.*

SIMPLIFICATION aberrante, abusive, arbitraire, commode, exagérée, excessive, fallacieuse, outrancière, radicale, rapide, réductrice, sommaire, superficielle.

SINCÉRITÉ absolue, authentique, brutale, convaincante, désarmante, émouvante, évidente, feinte, incontestable, palpable, parfaite, profonde, visible. *Être d'une ~ (+ adj.); douter de la ~ de qqn; se targuer de ~.*

SINISTRE affreux, cruel, effroyable, épouvantable, gigantesque, horrible, important, inouï, redoutable, terrible, tragique, violent. *Combattre, provoquer, subir un ~.*

SIRÈNE (sur)aiguë, assourdissante, faible, hurlante, perçante, puissante, stridente. *Actionner, déclencher, entendre, faire retentir une ~.* Une ~ hulule, hurle, mugit, résonne, retentit, se déclenche.

SITE (endroit, paysage, vue) accidenté, admirable, agréable, attractif, attrayant, bucolique, champêtre, classé, dénaturé, enchanteur, étonnant, étrange, exceptionnel, fabuleux, fantastique, fragile, grandiose, idéal, important, imposant, impressionnant, incomparable, inégalable, intéressant, lugubre, luxuriant, magnifique, majestueux, majeur, mélancolique, menacé, merveilleux, mutilé, paradisiaque, pittoresque, plaisant, prestigieux, privilégié, protégé, pur, ravissant, remarquable, romantique, sauvage, somptueux, spectaculaire, splendide, stratégique, sublime, superbe, unique, vierge, vulnérable. *Admirer, apprécier, arpenter, contempler, découvrir, décrire, défendre, défigurer, dénaturer, endommager, exploiter, mutiler, préserver, protéger, restaurer, sauvegarder un ~.* ♦(Informatique) (in)accessible, achalandé, (dés)agréable, attrayant, (in)complet, convivial, copieux, distractif, exclusif, exhaustif, fiable, fourni, fréquenté, gratuit, indésirable, insignifiant, insolite, interactif, (in)intéressant, lent, ludique, mince, passif, pauvre, payant, performant, plaisant, populaire, puissant, rapide, riche, rudimentaire, sécurisé, simple, sobre, spécialisé, spectaculaire, surchargé, (in)utile. *Animer, bâtir, bloquer, concevoir, consulter, construire, créer, découvrir, développer, diriger, élaborer, explorer, fermer, fonder, gérer, inaugurer, lancer, mettre à jour, modifier, monter, (r)ouvrir, posséder, quitter, réaliser, sécuriser, supprimer, visiter un ~; accéder, se connecter à un ~; disposer d'un ~; pénétrer dans un ~; aller, arriver, entrer, se connecter, travailler sur un ~.*

SITUATION (conjoncture, circonstance) aberrante, abominable, accablante, affligeante, affreuse, aggravée, (dés)agréable, alambiquée, alarmante, ambiguë, amère, angoissante, avantageuse, banale, bénéfique, bloquée, boiteuse, bonne, bouleversante, brillante, brusque, calamiteuse, calme, catastrophique, (in)changée, chaotique, classique, cocasse, comique, complexe, compliquée, concrète, (in)confortable, confuse, connue, contrastée, (in)contrôlable, courante, critique, cruelle, dangereuse, décourageante, définitive, délicate, déplorable, désastreuse, désespérante, désespérée, désolante, détériorée, détestable, différente, difficile, douloureuse, dramatique, drôle, durable, dure, embarrassante, embêtante, encourageante, ennuyeuse, enviable, éphémère, épineuse, épouvantable, éprouvante, (dés)équilibrée, équivoque, étonnante, exacerbée, exaltante, excellente, exceptionnelle, explosive, extrême, fâcheuse, fausse, (dé)favorable, fluide, forte, fragile, frustrante, gênante, (in)gérable, grave, grotesque, (mal)heureuse, honteuse, horrible, hypothétique, idéale, imminente, impossible, imprévisible, improbable, inacceptable, inadmissible, incommode, incompréhensible, inconcevable, incongrue, incroyable, indéchiffrable, indécise, inédite, inespérée, inextricable, infernale, ingouvernable, inimaginable, inquiétante, insaisissable, insensée, insolite, insoluble, insolvable, insoutenable, insupportable, intenable, intéressante, intimidante, invariable, irrégulière, irrévocable, lamentable, limpide, malcommode, mauvaise, médiocre, misérable, mouvante, mûre, navrante, nette, neuve, (a)normale, (extra)ordinaire, paradoxale, particulière, passagère, passionnante, pénible, périlleuse, permanente, perplexe, piteuse, pitoyable, poignante, précaire, préoccupante, pressante, problématique, prospère, provisoire, rassurante, (ir)rationnelle, (ir)régulière, réjouissante, reluisante, (ir)réversible, ridicule, ruineuse, (mal)saine, sérieuse, singulière, soluble, sordide, spéciale, stabilisée, (in)stable, stationnaire, statique, stressante, sûre, surréaliste, temporaire, (in)tenable, tendue, tentante, touchante, tragique, transitoire, traumatisante, triste, triviale, trouble, vérifiable, volatile, (in)vraisemblable. *Être dans une ~ (+ adj.); aggraver, améliorer, aménager, analyser, appréhender, assainir, calmer, clarifier, compenser, compliquer, compromettre, contrôler, créer, débloquer, débrouiller, décrier, décrisper, dédramatiser, démêler, dénoncer, dénouer, dépeindre, désamorcer, détendre, détériorer, dominer, ébranler,* *éclaircir, éclairer, embellir, embrouiller, empirer, entretenir, envisager, évoquer, exacerber, (ré)examiner, exploiter, exposer, faire durer/naître, gâcher, gérer, interpréter, maîtriser, modifier, normaliser, pallier, peindre, produire, prolonger, réaliser, rectifier, redresser, régulariser, renforcer, renverser, résoudre, résumer, rétablir, stabiliser, supporter, tolérer une/la ~; échapper, être confronté, mettre fin, réagir, remédier, s'arracher, se plier à une ~; être acculé/engagé/placé, plonger qqn, se mettre, s'enfoncer, s'enliser, se placer, se trouver, tomber dans une ~; discuter, profiter, résulter, s'accommoder, se dépêtrer, se saisir, se sortir, se soucier, se tirer d'une ~.* Une/la ~ dégénère, empire, évolue, s'aggrave, s'améliore, s'atténue, s'éclaircit, se crée, se débloque, se dégrade, se détend, se détériore, se développe, se durcit, se maintient, se modifie, s'envenime, se perpétue, se présente, se prolonge, se redresse, se stabilise, se tend, s'installe. ♦ (emploi) assurée, brillante, confortable, considérable, considérée, enviée, évolutive, intéressante, prestigieuse, rentable, stable, subalterne. *Ambitionner, avoir, briguer, chercher, convoiter, occuper, offrir, proposer, se faire, trouver une ~; perdre sa ~.*

SKI acrobatique, alpin, artistique, de descente/fond/piste/randonnée, extrême, hors piste, nordique, sur bosses, total; compacts, courts, longs, minces, paraboliques, traditionnels. *Apprendre, pratiquer le ~; aller, descendre à/en ~s; aller, partir, s'initier au ~; faire du ~; attacher, (dé)chausser, enlever, farter, fixer, mettre ses ~s.*

SKIEUR, EUSE accompli, aguerri, chevronné, débutant, de haut niveau, excellent, grand, infatigable, intrépide, moyen, novice, passable, puissant, rouillé, superbe, rapide, redoutable.

SLOGAN accrocheur, agressif, belliqueux, improvisé, mobilisateur, original, percutant, protestataire, racoleur, tonitruant, vendeur, virulent. *Arborer, balancer, brandir, coller, crier, développer, émettre, hurler, lancer, mettre en avant, répéter, scander, utiliser un/des ~(s); recourir à un ~.*

SNOBISME affiché, exubérant, hautain, incroyable, insoutenable, insupportable, marqué, ridicule. *Être d'un ~ (+ adj.); mépriser le ~.*

SOBRIÉTÉ exemplaire, grande, proverbiale, spartiate. *Être d'une ~ (+ adj.); pratiquer la ~; boire, manger avec ~.*

SOBRIQUET blessant, cruel, flatteur, grotesque, humiliant, injurieux, irrespectueux, (im)mérité, odieux, plaisant, ridicule. *Donner, porter, prendre un ~; affubler, gratifier d'un ~; désigner sous un ~.*

SOCCER *Pratiquer le ~; jouer, s'initier au ~; être un adepte/fan/inconditionnel/mordu du ~.*

SOCIÉTÉ (compagnie) dynamique, florissante, grande, grosse, importante, innovante, modeste, moribonde, performante, prospère, rentable, viable. *Administrer, constituer, contrôler, créer, diriger, dissoudre, établir, fermer, fonder, former, gérer, instituer, intégrer, lancer, liquider, monter, organiser, partager, présider, (re)structurer, vendre une ~.* Une ~ dépérit, disparaît, périclite, prospère, végète. ♦ (groupe, communauté) active, amorphe, apathique, avancée, bigarrée, civilisée, conformiste, (ultra)conservatrice, cosmopolite, décadente, disparate, (in)égalitaire, évoluée, exemplaire, fermée, figée, harmonieuse, hétérogène, homogène, humaine, humaniste, idéale, individualiste, informe, intégrée, libérée, libre, malade, marginale, matriarcale, mélangée, métissée, mobile, modeste, morcelée, moribonde, multiculturelle, oppressive, ouverte, patriarcale, permissive, pétrifiée, pourrie, primitive, puissante, répressive, réprimée, riche, saine, sensée, (in)tolérante, traditionnelle, unie, vieille, vivante. *Améliorer, (re)bâtir, briser, changer, désagréger, déstabiliser, détruire, ébranler, faire évoluer, humaniser, observer, (dé)peindre, réformer, transformer une/la ~; contribuer à la ~; réussir, se réinsérer dans la ~; influer sur la ~; être rejeté, vivre en marge de la ~.* Une/la ~ bouge, éclate, évolue, s'affaisse, s'écroule, se dérègle, se désorganise, se disloque, se dissout, s'effrite.

SŒUR accaparante, adorable, affectueuse, aînée, attachante, cadette, détestable, égoïste, envieuse, généreuse, grande, jalouse, petite, puînée; dissemblables, inséparables, rivales.

SOIF abominable, affreuse, ardente, aride, atroce, brûlante, dévorante, effrénée, exagérée, excessive, extrême, horrible, immense, impérieuse, importante, inapaisable, inassouvissable, incoercible, inextinguible, insatiable, intarissable, intense, intolérable, terrible. *Apaiser, assouvir, calmer, désaltérer, endurer, entretenir, étancher, éteindre, satisfaire, sentir la/sa ~; souffrir de la ~; rester sur sa ~; brûler, crever, haleter, mourir de ~; avoir, donner ~.* La ~ brûle, dévore, se fait sentir, tourmente.

SOIN (application) amoureux, constant, extraordinaire, extrême, infini, inouï, jaloux, maniaque, méticuleux, minutieux, particulier, persévérant, pointilleux, scrupuleux, superflu, tatillon. *Examiner, exécuter avec un ~ (+ adj.).* ♦ (attention) affectueux, assidus, attentifs, constants, diligents, empressés, infatigables, touchants, vigilants. *Apporter, prodiguer des ~s; entourer, redoubler de ~s.*

SOIR blême, brumeux, calme, clair, diaphane, doux, étoilé, étouffant, féerique, frais, froid, glacé, glacial, humide, livide, long, lourd, merveilleux, pâle, serein, somptueux, splendide, tiède. Le ~ approche, arrive, descend, surprend, tombe, vient.

SOIRÉE (soir) accablante, affreuse, (dés)agréable, assommante, calme, charmante, chaude, délicieuse, exquise, extraordinaire, formidable, fraîche, froide, glaciale, humide, inoubliable, longue, lourde, magique, magnifique, mémorable, morne, naissante, oisive, orageuse, paisible, parfaite, passable, pénible, pluvieuse, sereine, sombre, sublime, tendre, tiède, tranquille. ♦ (réception) chic, conviviale, dansante, fastueuse, gaie, habillée, inoubliable, interminable, intime, mémorable, mondaine, oisive, pénible, petite, ratée, réussie, sélecte, somptueuse, sympathique. *Avoir, donner, offrir, organiser, réussir une ~; aller à/dans une ~.*

SOL (terrain) acide, aride, asséché, battu, caillouteux, (in)cultivable, dénudé, désertique, détrempé, dur, durci, (in)égal, fangeux, fécond, ferme, (in)fertile, gelé, généreux, glissant, gras, herbeux, inculte, ingrat, léger, lourd, lunaire, médiocre, meuble, mou, pauvre, pierreux, plantureux, (im)productif, raboteux, raviné, riche, rocailleux, rocheux, sablonneux, spongieux, (in)stable, stérile, vierge. *Alléger, ameublir, cultiver, défricher, engraisser, fertiliser, fumer, herser, labourer, laisser reposer, régénérer, remuer, retourner, tasser, travailler le ~.* ♦ (<u>surface</u>) *Creuser, fouiller, fouler, joncher, quitter, raser, toucher le ~; marcher, (se) poser, ramper, reposer, (se) rouler, s'allonger, s'effondrer, tomber sur le ~.* Un ~ s'effondre, se mollit, se dérobe.

SOLDAT aguerri, audacieux, brave, chevronné, combatif, courageux, déserteur, (in)discipliné, embusqué, engagé, exceptionnel, fanatique, fier, impitoyable, inexercé, insubordonné, intrépide, invincible, mauvais, rebelle, redoutable, réfractaire, (ir)régulier, (in)soumis, téméraire, vaillant, vaincu, vainqueur, valeureux. *(r)Appeler, capturer, commander, discipliner, encadrer, enrôler, entraîner, former, instruire, libérer, licencier, manier, masser, mobiliser, recruter un/des ~(s).* Des ~s attaquent, battent en retraite, campent, combattent, désertent, fléchissent, manœuvrent, mollissent, montent à l'assaut, se déploient, se mutinent, se replient.

SOLDES considérables, exceptionnels, gigantesques, importants, intéressants, substantiels. *Acheter, profiter des ~; courir, faire les ~; être, mettre, vendre en ~.*

SOLEIL accablant, ardent, automnal, aveuglant, bas, beau, bienfaisant, blafard, blême, brillant, brûlant, calme, capricieux, chaud, couchant, déclinant, diaphane, doré, éblouissant, éclatant, écrasant, étincelant, étouffant, faible, flamboyant, fort, frileux, froid, gai, généreux, grêle, haut, immense, impitoyable, implacable, incandescent, insoutenable, jaune, joyeux, léger, levant, maigre, massif, matinal, pâle, pâlichon, pâlissant, permanent, printanier, puissant, radieux, rayonnant, redoutable, resplendissant, rougissant, roux, sanglant, sanguinolent, splendide, superbe, terne, terrible, tiède, timide, torride, triomphal, tropical, vif, voilé. *(re)Chercher, couvrir, occulter, prendre le ~; briller, étinceler, être, paresser, resplendir, rougir, s'asseoir, scintiller, se (ré)chauffer, se dorer, se faire bronzer, se hâler, s'installer, se mettre, se prélasser, se réchauffer, s'exposer, suer, vivre au ~; se promener, se trouver dans le ~; (se) garantir, jouir, profiter, s'abriter, se protéger du ~; être aveuglé/caressé/ébloui/hâlé/incommodé par le ~; être gourmand, s'abreuver, se gorger de ~.* Le ~ (ré)apparaît, baisse, brûle, chauffe, darde ses rayons, décline, disparaît, dissipe les nuages, dore, est à son déclin/zénith, étincelle, flamboie, frappe, lance des rayons, luit, monte, perce les nuages, remonte, resplendit, se cache, s'éclipse, se couche, se couvre, se lève, se montre, se tamise, se voile, s'incline, s'obscurcit, surgit, tape, tombe d'aplomb.

SOLIDARITÉ chaleureuse, concrète, empathique, étroite, factice, forte, indéfectible, indestructible, mutuelle, naturelle, profonde, réciproque, symbolique, tardive, totale, universelle, verbale. *Manifester une ~ (+ adj.); pratiquer la ~; faire appel à la ~; affirmer, manifester sa ~; faire preuve de ~.*

SOLIDITÉ accrue, éprouvée, étonnante, exceptionnelle, extrême, grande, impressionnante, incontestable, inébranlable, inouïe, irréprochable, parfaite, relative, remarquable, stupéfiante, (in)suffisante. *Requérir une ~ (+ adj.); accroître la ~ de qqch.; gagner en ~.*

SOLITUDE absolue, accablante, affreuse, amère, âpre, apprivoisée, charmante, choisie, complète, déprimante, difficile, douloureuse, dramatique, écrasante, effroyable, extrême, grande, heureuse, horrible, immense, imposée, inexorable, infranchissable, inhumaine, insoutenable, intolérable, irrémédiable, irrévocable, noire, orgueilleuse, paisible, pénible, poignante, profonde, sereine, (in)supportable, terrible, totale, tragique, triste, troublante. *Accepter, affronter, aimer, avouer, briser, chérir, (re)chercher, connaître, craindre, découvrir, endurer, fuir, meubler, organiser, peupler, pratiquer, préférer, ressentir, rompre, sentir, subir, supporter, surmonter, tromper, trouver la/sa ~; arracher qqn, aspirer, échapper, être accoutumé/condamné/ habitué/livré/réduit, prendre goût, renoncer, retourner à la/sa ~; lutter contre la ~; étouffer, languir, retomber, s'abîmer, se jeter, se morfondre, s'enfermer, s'enfoncer, se plaire, se réfugier dans la/sa ~; avoir horreur/peur, jouir, s'accommoder, souffrir de la/sa ~; avoir besoin, manquer, souffrir de ~.*

SOLUTION (in)acceptable, (in)adéquate, alternative, amiable, (in)applicable, (in)appropriée, astucieuse, attrayante, audacieuse, authentique, banale, bâtarde, bonne, brutale, claire, cohérente, colossale, commode, (in)complète, compliquée, concrète, convenable, courageuse, coûteuse, déconcertante, définitive, discutable, douce, draconienne, drastique, durable, économique, effective, (in)efficace, élégante, (in)équitable, erronée, exacte, excellente, expéditive, facile, fausse, fiable, géniale, globale, hasardeuse, hâtive, (mal)heureuse, humaine, idéale, immédiate, inattendue, incorrecte, inexorable, ingénieuse, injustifiable, innovante, intelligente, intéressante, intérimaire, intermédiaire, introuvable, judicieuse, (in)juste, laborieuse, magique, malaisée, mauvaise, médiane, médiocre, miracle, momentanée, négociée, novatrice, optimale, originale, pacifique, paresseuse, (im)parfaite, partielle, permanente, ponctuelle, possible, pragmatique, pratique, précaire, primordiale, prompte, (im)possible, provisoire, radicale, raisonnable, rapide, rationnelle, (ir)responsable, rêvée, rigide, risquée, (in)satisfaisante, séduisante, sérieuse, simple, simpliste, souhaitée, stable, superficielle, symbolique, tardive, temporaire, tentante, transitoire, unique, universelle, urgente, valable, véritable, viable, (in)vraisemblable. *Accepter, adopter, appliquer, apporter, atteindre, (re)chercher, choisir, clarifier, concevoir, concocter, critiquer, découvrir, dégager, dicter, donner, ébaucher, échafauder, entrevoir, envisager, évoquer, examiner, exécuter, exiger, forcer, fournir, hâter, imaginer, implanter, imposer, mettre au point/en œuvre, offrir, posséder, préconiser, présenter, prôner, proposer, réaliser, recommander, retenir, saboter, souhaiter, stimuler, suggérer, trouver une ~; arriver, contribuer, se rallier à une ~; accoucher d'une ~; opter, pencher pour une ~; être à court/dépourvu de ~s.* Une ~ émerge, intervient, se dégage, se dessine, se présente, s'impose, s'offre.

SOMME absurde, appréciable, approximative, astronomique, belle, bonne, colossale, confortable, conséquente, considérable, consistante, coquette, dérisoire, disponible, disproportionnée, due, élevée, effarante, énorme, étonnante, (in)exacte, exorbitante, fabuleuse, faible, fantastique, fixe, fluctuante, folle, forfaitaire, formidable, forte, généreuse, globale, grosse, grotesque, hallucinante, immense, importante, imposante, impressionnante, incalculable, incroyable, infime, inimaginable, inouïe, insensée, insignifiante, invraisemblable, jolie, minime, misérable, modérée, modeste, modique, négligeable, petite, prodigieuse, promise, record, réduite, respectable, ridicule, ronde, rondelette, sérieuse, totale. *Acquitter, affecter, allouer, arrondir, attribuer, avancer, collecter, compléter, consacrer, créditer, débiter, débourser, déduire, dépenser, détourner, devoir, économiser, employer, emprunter, encaisser, extorquer, investir, octroyer, parfaire, payer, percevoir, prélever, promettre, rassembler, recevoir, recueillir, rembourser, répartir, retirer, réunir, toucher, ventiler, verser, virer une ~.*

SOMMEIL agité, agréable, anxieux, bienfaisant, bon, calme, cauchemardesque, douillet, doux, dur, éternel, fiévreux, inquiet, instantané, introuvable, léger, léthargique, lourd, mauvais, paisible, perturbé, pesant, profond, prolongé, (ir)régulier, réparateur, reposant, salutaire, spontané, tourmenté, tranquille, troublé, vrai. *Avoir, faire, goûter un ~ (+ adj.); dormir, s'endormir d'un ~ (+ adj.); être enseveli/plongé, tomber dans un ~ (+ adj.); chercher, éloigner, obtenir, perdre, procurer, provoquer, rompre, troubler, (re)trouver, vaincre le ~; (s')arracher qqn, céder, renoncer, résister, s'abandonner, se disposer, se livrer, se préparer, succomber au ~; lutter, se défendre contre le ~; se réfugier, sombrer, tomber dans le ~; arracher/tirer qqn, émerger, sortir du ~; rattraper du ~; être surpris, s'agiter dans son ~; avoir besoin, être accablé/écrasé/pâle/privé, mourir, s'écrouler, tomber de ~; avoir ~.* Un ~ accable, arrive, envahit, gagne, se fait attendre, surprend, tarde à venir.

SOMMET abrupt, (in)accessible, aigu, aplati, aride, arrondi, boisé, chauve, dégagé, dénudé, désert, élégant, érodé, escarpé, fier, grandiose, impressionnant, infranchissable, lointain, majestueux, médiocre, minuscule, modeste, neigeux, pointu, rocheux, usé, vertigineux, vierge. *Atteindre, conquérir, escalader, franchir, gravir, grimper un ~; approcher, descendre d'un ~; arriver, atteindre, parvenir au ~; monter sur le ~.* Un ~ domine, émerge, se dresse, s'élève, se profile, trône.

SON acéré, acide, agaçant, (dés)agréable, aigre, (sur)aigu, argentin, authentique, bref, caverneux, clair, confus, continu, coupé, creux, criard, cristallin, cuivré, dense, dépouillé, diffus, discordant, dissonant, doux, éclatant, entraînant, étouffé, étranglé, faible, fascinant, faux, fêlé, fidèle, fin, fort, (dis)gracieux, gras, grave, grêle, guttural, harcelant, harmonieux, heurté, imperceptible, inarticulé, insolite, intense, irréprochable, lancinant, léger, limpide, lisse, lointain, lourd, lugubre, majestueux, mat, médiocre, mélodieux, métallique, moelleux, monotone, mourant, nasillard, net, parfait, pénétrant, perçant, plein, profond, prolongé, puissant, pur, retentissant, riche, rouillé, rude, rugueux, saccadé, sec, sifflant, sourd, strident, ténu, traîné, tremblant, triste, vibrant, voilé. *Amortir, amplifier, assourdir, attaquer, écouter, émettre, engendrer, (faire) entendre, exagérer, exécuter, percevoir, produire, proférer, réfléchir, rendre, renforcer, renvoyer, répercuter, saisir, soutenir, tirer un/des ~(s); baisser, couper, diminuer, enlever, éteindre, mettre, monter, régler le ~.* Un ~ (dé)croît, diminue, grandit, meurt, résonne, retentit, s'accentue, s'amplifie, s'échappe, se dissipe, se fait entendre, s'élève.

SONDAGE bâclé, catastrophique, délicat, décevant, désastreux, exclusif, (dé)favorable, large, mauvais, morose, optimiste, (im)partial, préoccupant, sérieux, serré, triomphal. *Commander, conduire, effectuer, entreprendre, faire, lancer, mener, ordonner, organiser, pratiquer, publier, réaliser, truquer un ~; participer, procéder, répondre, se livrer à un ~; faire mentir les ~s; baisser, chuter, grimper, (re)monter, se maintenir, sombrer dans les ~s; surfer sur les ~s.*

SONGE charmant, doux, enchanteur, funeste, horrible, merveilleux, mystérieux, romanesque, terrible. *Faire un ~; être abîmé/plongé dans un ~; s'éveiller, sortir d'un ~.*

SONNERIE bruyante, feutrée, grêle, irritante, légère, monotone, soutenue, stridente, violente, vive. *Déclencher, faire retentir une ~.* Une ~ bourdonne, résonne, retentit.

SONO/SONORISATION basse, bonne, claire, défaillante, déplorable, excellente, exceptionnelle, forte, grave, impeccable, lamentable, mate, mauvaise, parfaite, piètre, puissante, (ultra)perfectionnée, sensible, sophistiquée, sourde. *Avoir, offrir, présenter une ~ (+adj.).*

SORT affreux, atroce, cruel, déplorable, (in)digne, enchanteur, enviable, fâcheux, fatal, fatidique, funeste, hasardeux, (mal)heureux, implacable, imprévisible, imprévu, incertain, inéluctable, ingrat, irrévocable, (in)juste, lamentable, mauvais, misérable, navrant, pénible, pitoyable, précaire, propice, terrible, tragique, triste. *Infliger, réserver, subir un ~; jouir d'un ~ (+ adj.); accuser, braver, défier, forcer, tenter le ~; être favorisé/frappé/secoué par le ~; accepter, améliorer, assurer, envier, jalouser, partager, plaindre, supporter son/le ~ de qqn; (s')abandonner qqn, être abandonné/résigné, se résigner à son ~; être (mé)content/heureux/maître, gémir, se plaindre de son ~.*

SORTIE anticipée, bruyante, calme, discrète, éclatante, élégante, forcée, fracassante, immédiate, imminente, impromptue, inopinée, lente, précipitée, prompte, rapide, ratée, remarquée, spectaculaire, spontanée, subite, tumultueuse. *Faire une ~ (+ adj.).*

SOTTISE atroce, crasse, décourageante, désespérante, énorme, extrême, grande, grosse, immense, indescriptible, lourde, monumentale, notoire, phénoménale, terrible. *Accomplir, accumuler, commettre, débiter, dire, écrire, faire, lâcher, pardonner, proférer une/des ~(s); être d'une ~ (+ adj.).*

SOUCI constant, continuel, cruel, cuisant, dévorant, dominant, évident, excessif, futile, grand, grave, gros, honorable, imaginaire, importun, (in)justifié, lancinant, légitime, louable, lourd, majeur, maladif, maniaque, méticuleux, mineur, obsédant, pénible, permanent, perpétuel, persévérant, pesant, petit, pressant, primordial, rongeur, touchant, vain, vital. *Avoir, causer, concevoir, donner, endormir, épargner, éprouver, éviter, inspirer, marquer, ressasser, se faire un/des ~(s); être débarrassé/soulagé d'un ~; être harcelé par des ~s; être accaparé/déprimé/tourmenté par les ~s; avoir, donner, se faire du ~; être accablé/dévoré/harcelé/rongé/surchargé, se ronger de ~s; confier, ménager, oublier, ruminer ses ~s; être, vivre sans ~.* Un ~ accable, dévore, harcèle, obsède, ronge.

SOUFFLE (expiration, respiration) angoissé, brutal, bruyant, court, difficile, douloureux, faible, fétide, fort, haletant, léger, lourd, malsain, oppressé, paisible, pénible, précipité, profond, puissant, rapide, rauque, (ir)régulier, ronflant, saccadé, strident. *Avoir le ~ (+ adj.); perdre, (re)prendre, retenir, suspendre son ~; être à bout, manquer de ~.* ♦ (vent) agréable, caressant, chaud, frais, furieux, glacial, humide, impétueux, léger, parfumé, rafraîchissant, tiède, violent.

SOUFFRANCE accablante, affreuse, aiguë, aride, atroce, brusque, cinglante, continue, cruelle, cuisante, diffuse, effroyable, endurable, énorme, extrême, feinte, foudroyante, fulgurante, grande, horrible, imaginaire, indéfinissable, injuste, intolérable, inutile, lancinante, légère, longue, permanente, silencieuse, sournoise, subite, (in)supportable, tenace, terrible, vive. *Adoucir, aggraver, alléger, apaiser, atténuer, augmenter, endurer, engendrer, éprouver, exacerber, infliger, occasionner, provoquer, raviver, renforcer, ressentir, sentir, soulager, vaincre, une/des/la/les ~(s).* Une ~ s'accentue, s'amplifie, s'atténue, s'émousse, se réveille, s'estompe, s'intensifie.

SOUHAIT ambitieux, ardent, bon, cher, cordial, (in)exaucé, extravagant, légitime, modeste, partagé, passionné, raisonnable, (ir)réalisable, secret, sincère, tardif, téméraire, vague, vigoureux. *Accomplir, adresser, décevoir, émettre, exaucer, exprimer, former, formuler, offrir, prononcer, réaliser, remplir, tromper un/des ~ (s).* Un ~ s'accomplit, se réalise.

SOULAGEMENT bienfaisant, certain, durable, faible, grand, gros, immédiat, immense, inavoué, inexprimable, intense, léger, momentané, prolongé, rapide, soudain, subit, vif. *Apporter, chercher, donner, éprouver, fournir, porter, procurer, ressentir, trouver un/du ~.*

SOULÈVEMENT armé, brusque, général, généralisé, grave, latent, localisé, organisé, populaire, sanglant, soudain, spontané, subit, violent. *Affronter, apaiser, attiser, calmer, déclencher, écraser, empêcher, étouffer, fomenter, instiguer, mater, mener, organiser, préparer, prévenir, provoquer, réprimer, susciter un ~; faire face à un ~.* Un ~ gronde, menace, naît, se dessine, se produit, se résorbe.

SOULIER bas, boueux, brillants, cirés, confortables, ébréchés, éculés, étroits, fatigués, fins, gros, habillés, hauts, minces, montants, plats, pointus, poussiéreux, serrés. *Casser, cirer, éculer, enlever, essayer, frotter, lacer, mettre, porter, retirer, user les/ses ~s.* Un~ clapote, convient, serre.

SOUMISSION absolue, aveugle, basse, digne, enthousiaste, entière, étroite, feinte, inconditionnelle, lâche, parfaite, passive, prompte, respectueuse, servile, totale, volontaire. *Être d'une ~ (+ adj.).*

SOUPÇON abominable, absurde, authentique, cruel, (in)fondé, grave, honteux, horrible, injurieux, invérifiable, jaloux, (in)juste, (in)justifié, légitime, odieux, outrageux, perpétuel, persistant, profond, révoltant, sérieux, terrible, vague. *Alimenter, avoir, calmer, concevoir, confirmer, détourner, détruire, dissiper, écarter, éclaircir, élever, éloigner, émettre, endormir, entretenir, éprouver, éveiller, faire naître/taire, fortifier, inspirer, justifier, laisser planer, légitimer, prévenir, ranimer, renforcer, renouveler, repousser un/des/les ~(s); (se) laver qqn d'un ~; donner prise,* *s'exposer aux ~s.* Le ~ disparaît, naît, persiste, plane, se glisse, s'évanouit, s'installe, surgit.

SOUPE bonne, brûlante, chaude, claire, clairette, concentrée, consistante, crémeuse, épaisse, épicée, fade, fumante, grasse, gratinée, insipide, maigre, mitonnée, moelleuse, onctueuse, relevée, savoureuse, succulente, veloutée. *Apporter, avaler, éclaircir, faire, manger, préparer, réchauffer, servir une ~.*

SOUPIR bruyant, content, désabusé, discret, énorme, exaspéré, excédé, feint, grand, gros, heureux, immense, imperceptible, impressionnant, langoureux, léger, long, muet, profond, prolongé, résigné, satisfait, sincère, sonore, vague. *Arracher, étouffer, exhaler, faire, jeter, laisser échapper, pousser, provoquer, retenir un ~.*

SOUPLESSE étonnante, féline, grande, inouïe, merveilleuse, prodigieuse, remarquable. *Faire preuve, manquer de ~.*

SOURCE (<u>point d'eau</u>) bouillonnante, chaude, claire, épuisée, ferrugineuse, fraîche, impétueuse, intarissable, intermittente, jaillissante, limpide, murmurante, paisible, pure, salée, saline, sulfureuse, tarie, thermale, vive. *Capter, dériver, détourner, étancher, exploiter, forer, tarir, trouver une ~; puiser, se désaltérer à une ~.* Une ~ glougloute, jaillit, s'épuise, sort, tarit. ♦ (<u>origine</u>) abondante, anonyme, autorisée, bonne, certaine, contestable, crédible, douteuse, essentielle, féconde, fiable, identifiée, importante, inattendue, indépendante, inépuisable, informée, inouïe, insondable, intarissable, limitée, neutre, officielle, officieuse, profonde, régulière, sûre, unique, vaste, véridique. *Émaner, provenir, tirer d'une ~; être, puiser, remonter à la ~ de qqch.; citer, indiquer, vérifier ses ~s.*

SOURCIL arqués, broussailleux, circonflexes, clairsemés, contractés, courbes, crispés, crochus, dédaigneux, droits, drus, ébouriffés, embroussaillés, épais, épilés, fins, fournis, froncés, gracieux, grands, gros, interrogatifs, longs, lourds, menaçants, proéminents, sévères, touffus, veloutés. *Crisper, froncer, hausser, (re)lever, remuer, serrer les ~s; épiler ses ~s.*

SOURIRE absent, accueillant, acéré, affecté, affectueux, affreux, agréable, aguichant, aigu, aimable, allègre, ambigu, amer, (in)amical, amusé, angélique, approbateur, arrogant, artificiel, attendri, avenant, béat, bienveillant, blagueur, blême, brave, bref, brusque, carnassier, charmant, charmeur, commercial, compatissant, complaisant, complice, condescendant, confiant, confus, conquérant, contenu, continuel, contraint, contrarié, convenu, convivial, coquin, coupable, craintif, craquant, crispé, cruel, déçu, dédaigneux, déguisé, délicieux, démoniaque, démonstratif, désabusé, désarmant, désespéré, détendu, diabolique, discret, divin, douceâtre, douloureux, doux, éclatant, édenté, effacé, effrayant, embarrassé, émerveillé, émoustillant, ému, enchanteur, encourageant, enfantin, engageant, énigmatique, enjôleur, ennuyé, ensorcelant, entraînant, épanoui, étonnant, étonné, étrange, exquis, extasié, fabriqué, factice, faible, fatigué, faux, féroce, fier, figé, fin, flétri, forcé, frais, froid, fugace, furtif, gai, gauche, gêné, généreux, gentil, glacé, glacial, goguenard, gouailleur, gracieux, grand, grave, grinçant, hautain, heureux, hideux, honnête, horrible, humble, hypocrite, immobile, immuable, impénétrable, imperceptible, impertinent, imperturbable, inaltérable, incrédule, indéchiffrable, indécis, indéfinissable, indescriptible, indulgent, inexprimable, ingénu, innocent, inoubliable, inquiétant, insaisissable, insipide, insolent, insondable, insultant, intempestif, intraduisible, invitant, involontaire, ironique, irrésistible, jaune, joli, large, las, léger, lippu, lisse, lourd, lumineux, machinal, maladroit, malicieux, malin, maniéré, mauvais, mécanique, méchant, mélancolique, méprisant, mielleux, mièvre, mince, minuscule, modeste, moqueur, mystérieux, narquois, navré, net, niais, nostalgique, paisible, pâle, pathétique, pauvre, peiné, penaud, persuasif, pétillant, petit, pétrifié, photogénique, pincé, piteux, placide, poli, professionnel, prometteur, protecteur, provocateur, racoleur, radieux, rageur, (mi-)railleur, rapide, rassurant, ravageur, ravi, ravissant, rayonnant, reconnaissant, résigné, (ir)respectueux, réticent, rêveur, ricaneur, rusé, satanique, satisfait, sceptique, séducteur, séduisant, sensuel, serein, significatif, singulier, spontané, standard, stéréotypé, stupide, superbe, supérieur, sympathique, tendre, terne, timide, tranquille, triomphant, triste, trompeur, vague, victorieux, vide, voluptueux. *Avoir un ~ (+ adj.); adresser, afficher, arborer, arracher, avoir, comprimer, décocher, ébaucher, échanger, esquisser, essayer, faire, forcer, grimacer, jeter, laisser échapper, oser, provoquer, ravaler, recevoir, réprimer, retenir un/le/son ~; répondre à un ~; avouer, dire, parler, répondre, saluer, s'exécuter avec un/le ~; acquiescer, approuver, encourager, gratifier, rassurer, remercier, saluer, s'armer, s'excuser d'un ~; exciter, garder, redonner le ~.* Un ~ (ré)apparaît, s'ébauche, se dessine, s'efface, s'épanouit, s'éteint.

SOURIS (Zoologie) curieuse, espiègle, fouineuse, petite, trotteuse. Une ~ chicote, couine, grignote, ronge, vagit. ♦ (Informatique) classique, ergonomique, inversée. *Bouger, contrôler, déplacer, enfoncer, glisser, maîtriser, manier, manipuler, piloter, pointer, positionner, (faire) promener, traîner, utiliser la ~; cliquer avec la ~; (double-)cliquer sur la ~.*

SOUS-DÉVELOPPEMENT brusque, chronique, considérable, dramatique, endémique, excessif, forcené, foudroyant, galopant, important, rapide, récurrent, sauvage, spectaculaire, systématique, tragique, terrible. *Causer, engendrer, éradiquer, faire reculer, réduire, vaincre le ~; lutter contre le ~; croupir, s'enfoncer dans le ~; sortir du ~.*

SOUS-MARIN énorme, frêle, gros, large, immense, minuscule, ultrarapide, ventru. *Chasser, espionner, pister, retrouver, traquer un ~.* Un ~ descend, disparaît, fait surface, plonge, remonte (à la surface), s'enfonce.

SOUSTRACTION *Effectuer, opérer une ~.*

SOUTIEN actif, (in)attendu, aveugle, capital, clair, concerté, concret, (in)conditionnel, considérable, croissant, décevant, décisif, défaillant, dérisoire, déterminant, (in)direct, discret, effectif, encombrant, énorme, enthousiaste, entier, (in)espéré, exceptionnel, explicite, faible, ferme, fidèle, fort, fragile, franc, généreux, grand, immense, implicite, important, inappréciable, indéfectible, indéniable, indispensable, infaillible, large, logistique, marqué, massif, minimal, misérable, mitigé, modeste, notoire, officieux, ostentatoire, plein, précaire, précieux, principal, problématique, prudent, (im)prévu, puissant, raisonnable, réitéré, remarqué, résolu, solide, substantiel, symbolique, systématique, tacite, tangible, tardif, tiède, timide, total, unanime, utile, vital, voilé. *Administrer, afficher, apporter, (aller) chercher, exprimer, fournir, octroyer, recevoir, rechercher, retirer, témoigner un/son ~; s'assurer, bénéficier, disposer, jouir d'un ~.* Un/le ~ arrive, s'effrite, se présente, s'offre.

SOUVENIR affreux, (dés)agréable, aimable, amer, amusé, ancien, apaisant, atroce, attendrissant, attristant, banal, beau, bon, bouleversant, brûlant, cauchemardesque, charmant, confus, cruel, cuisant, déchirant, délicieux, diffus, douloureux, doux, durable, effacé, embrouillé, émouvant, ému, enivrant, enraciné, entier, envahissant, éternel, (in)exact, excellent, fâcheux, faible, fidèle, flou, fort, fragmentaire, frais, frappant, fugace, funeste, gai, gênant, glorieux, grand, héroïque, (mal)heureux, honteux, horrible, humiliant, imaginaire, impérissable, implacable, incessant, indélébile, indéracinable, indestructible, indistinct, inébranlable, ineffable, ineffaçable, inexorable, inoubliable, insupportable, intact, intense, joyeux, lancinant, léger, lointain, marquant, mauvais, merveilleux, net, nostalgique, obscur, obsédant, oppressant, pâle, passionné, pénible, plaisant, poignant, précieux, (im)précis, radieux, récent, réel, tenace, tendre, terrible, terrifiant, torturant, touchant, traumatisant, triste, unanime, vague, vieux, vif, vivace, vivant. *Accumuler, adoucir, amasser, chasser, (re)chercher, commémorer, comparer, confronter, conserver, cristalliser, déterrer, effacer, éloigner, emmagasiner, émousser, entretenir, éveiller, évoquer, former, garder, graver, inhumer, interroger, laisser, localiser, occulter, perpétuer, raconter, rafraîchir, ranimer, rappeler, rapporter, rassembler, raviver, réchauffer, relater, remuer, repousser, ressasser, ressusciter, réveiller, ruminer, se rappeler, se remémorer, vivifier un/des/le/les/ses ~(s); chercher, conserver, demeurer, fouiller, graver, puiser, se perdre, vivre dans un/des/le/son/ses ~(s); être chargé/plein de ~s; être assiégé/pourchassé par un/des ~(s).* Un ~ accable, agace, agite, amuse, assaille, attendrit, demeure, disparaît, empoisonne, envahit, germe, hante, jaillit, obsède, persiste, pèse, poursuit, remonte/revient à la mémoire, ronge, s'efface, se perd, se retrace, s'estompe, s'éteint, s'évanouit, subsiste, surgit, traîne, trouble, ulcère; des ~s affluent, défilent, hantent, renaissent, reviennent, revivent, s'effacent, se réveillent, s'éveillent, se précisent.

SOUVERAINETÉ absolue, complète, inaliénable, limitée, partagée, partielle, pleine, relative, territoriale. *Accorder, acquérir, concéder, conquérir, conserver, demander, obtenir, préparer, promouvoir, prôner, réclamer, reconnaître, revendiquer une/la/sa ~.*

SPÉCIALISATION éminente, éprouvée, excessive, extrême, incontestée, marquée, pointue, poussée. *Avoir, faire une ~.*

SPÉCIALISTE chevronné, distingué, émérite, éminent, éprouvé, grand, illustre, incontesté, indiscutable, modeste, renommé, réputé. *Consulter un ~.*

SPÉCIALITÉ étendue, étroite, exclusive, modeste, pointue, prestigieuse, rare, recherchée, sélective, vaste. *Choisir une ~; se cantonner, s'enfermer dans sa ~.*

SPECTACLE (vue, tableau) admirable, adorable, affligeant, affreux, amusant, attachant, attrayant, attristant, bouleversant, brillant, bucolique, captivant, champêtre, charmant, choquant, comique, consternant, curieux, décevant, déchirant, déconcertant, déprimant, désolant, désopilant, distrayant, divertissant, douloureux, éblouissant, édifiant, effrayant, émouvant, enchanteur, ennuyeux, époustouflant, épouvantable, étrange, exceptionnel, extraordinaire, fabuleux, fastueux, féerique, formidable, glorieux, grand, grandiose, grotesque, hallucinant, hideux, hilarant, horrible, immonde, imposant, impressionnant, imprévu, inattendu, incomparable, incontournable, indécent, inépuisable, infect, inoubliable, inouï, insolite, insoutenable, insupportable, joli, lamentable, lugubre, magique, magnifique, majestueux, mauvais, merveilleux, minable, misérable, monotone, navrant, odieux, parfait, passionnant, pénible, percutant, piteux, pitoyable, poignant, rare, ravissant, réconfortant, réjouissant, reposant, répugnant, révoltant, risible, saisissant, singulier, splendide, sublime, surréaliste, terrifiant, touchant, traumatisant, triste, vilain. *Admirer, apprécier, découvrir, contempler, infliger, offrir, présenter, savourer un ~; bénéficier, disposer, jouir, profiter, s'ébahir d'un ~.* ♦(Cinéma, Théâtre) accompli, amusant, brillant, captivant, conventionnel, couru, décevant, désopilant, distrayant, émouvant, ennuyeux, époustouflant, étonnant, exceptionnel, exubérant, féerique, festif, fort, grand, inoubliable, interactif, jouissif, mauvais, minable, novateur, passable, passionnant, permanent, pitoyable, remarquable, ravissant, réussi, statique, total, touchant, valable. *Annoncer, assurer, concevoir, créer, diffuser, diriger, donner, financer, huer, interpréter, jouer, mettre en scène, monter, offrir, organiser, préparer, présenter, réaliser, roder, suivre, (re)voir un ~; assister à un ~; jouer dans un ~; aller au ~.* Un ~ débute, languit, se déroule, se produit, tire à sa fin.

SPECTATEUR, TRICE amorphe, (in)attentif, averti, bruyant, déçu, enthousiaste, euphorique, fervent, interloqué, passif, passionné, silencieux. *Bouleverser, captiver, charmer, désappointer, ébahir, émerveiller, émouvoir, enchanter, envoûter, fasciner, lasser, ravir, subjuguer les ~s.*

SPIRITUALITÉ ardente, chancelante, exigeante, fervente, forte, intense, profonde, robuste, tiède, vivace, vive.

SPLENDEUR (éclat, lumière) ardente, aveuglante, éblouissante, éclatante, brillante, brutale, dense, éblouissante, flambante, grande, incomparable, intense. *Être d'une ~ (+ adj.).* ♦(gloire) déclinante, durable, éclatante, éphémère, fanée, fragile, illusoire, immense, infinie, naissante, passée, pure, retrouvée, tardive, vraie. *Connaître une ~; acquérir, atteindre, conquérir, mépriser, rechercher la ~; être avide/couvert de ~.*

SPONTANÉITÉ absolue, brutale, charmante, désarmante, feinte, innocente, maladroite, naïve, parfaite, préparée, rude, sincère. *Être d'une ~ (+ adj.); manquer de ~.*

SPORT agréable, agressif, amateur, collectif, complet, convivial, coûteux, dangereux, difficile, doux, dur, enivrant, excessif, exigeant, extrême, facile, gratuit, grisant, individuel, intéressant, ludique, marginal, méconnu, noble, passionnant, périlleux, physique, plaisant, populaire, professionnel, rude, sain, spectaculaire, violent, viril. *Pratiquer un ~; s'adonner, se livrer, s'intéresser à un ~; exceller, se distinguer dans un ~; aimer, détester le ~; faire du ~; être féru/passionné, s'occuper de ~; être excellent/mauvais/nul en ~.*

SPORTIF, IVE accompli, ardent, assidu, combatif, confirmé, de haut niveau, expérimenté, grand, inégal, infatigable, invétéré, moyen, puissant, rapide, redoutable, (ir)régulier, superbe, vieux, vrai. *Débaucher, fabriquer, former, pousser, préparer un ~.*

STABILITÉ absolue, extraordinaire, frêle, imperturbable, intransigeante, mauvaise, parfaite, persévérante, précaire, provisoire, relative, (in)suffisante. *Assurer, conférer, donner, posséder une ~ (+ adj.); assurer, augmenter, instaurer, ramener, rétablir, vérifier la ~ de qqch.*

STADE (*sportif*) animé, bondé, bruyant, complet, couvert, géant, gigantesque, immense, minuscule, olympique, petit, vide. ♦ (*période, étape*) actuel, atteint, avancé, décisif, dernier, évolutif, final, initial, intermédiaire, précoce, préliminaire, premier, préparatoire, suprême, terminal, ultime. *Atteindre, dépasser, franchir un ~.*

STAGE avancé, intensif, intermédiaire, pratique, préliminaire, suprême, terminal, ultime. *Accomplir, animer, diriger, effectuer, encadrer, faire, mettre en place, organiser, suivre, subir un ~; participer, s'inscrire à un ~; être en ~.*

STANDING bon, certain, éblouissant, enviable, fluctuant, grand, haut, (im)mérité, supérieur. *Avoir un ~ (+ adj.); accroître, améliorer, augmenter, compromettre, conserver, diminuer, garder, maintenir, perdre, préserver, réduire, rehausser son ~; jouir d'un ~ (+adj.).*

STAR (in)accessible, adulée, ancienne, capricieuse, complète, confirmée, déchue, énorme, grande, immense, incontestée, internationale, jeune, locale, modeste, mondiale, mythique, petite, planétaire, vieille. *Devenir, lancer une ~.*

STATION (*posture*) accroupie, assise, (in)confortable, couchée, debout, horizontale, verticale. ♦ (*~ de vacances*) accueillante, agréable, attractive, célèbre, chic, cossue, délabrée, élégante, exceptionnelle, fabuleuse, huppée, imposante, impressionnante, luxueuse, majestueuse, minable, miteuse, modeste, opulente, paradisiaque, pittoresque, prestigieuse, recommandable, remarquable, renommée, réputée, sympathique, tranquille, vétuste. *Aménager, exploiter, fréquenter, gérer une ~.*

STATIONNEMENT alterné, autorisé, bilatéral, coûteux, interdit, limité, lointain, payant, sauvage, toléré, unilatéral.

STATISTIQUE aberrante, accablante, ahurissante, alarmante, bizarre, chancelante, contestable, (in)contestée, convaincante, crédible, décevante, définitive, désastreuse, éloquente, erronée, étonnante, fallacieuse, fantaisiste, farfelue, (dé)favorable, fiable, froide, gonflée, importante, imposante, inquiétante, insignifiante, irrévocable, mauvaise, morose, préoccupante, réelle, révélatrice, (in)satisfaisante, sérieuse, sinistre, stupéfiante. *Avancer, compiler, contester, établir, faire, interpréter, manipuler, maquiller, pondérer, publier, se méfier, sous-estimer, surestimer, truquer une/des ~(s); figurer dans les ~s.* Les ~s attestent, (dé)montrent, prouvent, révèlent.

STATUE antique, colossale, équestre, gigantesque, grandiloquente, grotesque, harmonieuse, imposante, massive, minuscule, modeste, monumentale, réduite, ridicule. *Couler, détériorer, dévoiler, dresser, ébaucher, élever, ériger, exécuter, inaugurer, réaliser, sculpter une ~.* Une ~ se dresse, trône.

STATU QUO fragile, intact, intenable, volatil. *Imposer, maintenir, modifier, préserver, remettre en cause, renforcer, rétablir le ~; rester, s'installer dans le ~; revenir au ~; opter pour le ~.*

STATURE athlétique, belle, chétive, colossale, corpulente, décharnée, droite, élancée, élevée, fière, fine, formidable, forte, fragile, frêle, gracieuse, gracile, grande, haute, herculéenne, immense, imposante, impressionnante, insolite, large, légère, massive, médiocre, mince, moyenne, ordinaire, pesante, petite, puissante, voûtée.

STÉRÉOTYPE durable, éculé, (dé)favorable, indéracinable, négatif, opiniâtre, puissant, réducteur, répandu, ridicule, sexiste, simpliste, tenace. *Braver, combattre, dépasser, détruire, éliminer, entretenir, évacuer, éviter, perpétuer, vaincre, véhiculer un ~.*

STIMULANT efficace, énergique, extraordinaire, important, puissant, remarquable, sérieux, subtil, vigoureux. Un ~ influe, intervient.

STOCK bas, considérable, disponible, énorme, épuisé, excessif, faible, gigantesque, grand, gros, important, invendable, large, limité, petit, restreint, (in)suffisant. *(re)Constituer, créer, écouler, épuiser, gérer, liquider, maîtriser, renouveler, regarnir un/les/ses ~(s); puiser dans les ~s; être en rupture de ~; avoir en ~.* Les ~s diminuent, s'accroissent, s'épuisent, se reconstituent.

STRATAGÈME adroit, audacieux, (in)efficace, grossier, habile, hardi, innocent, lamentable, machiavélique, savant. *Déjouer, désamorcer, employer, flairer, mettre en place un ~; avoir recours à un ~; se servir, user d'un ~.* Un ~ réussit.

STRATÈGE brillant, confirmé, de haut niveau, excellent, fin, froid, grand, habile, impeccable, ingénieux, médiocre, méthodique, organisé, patient, piètre, piteux, redoutable, rusé, vieux.

STRATÉGIE (in)adaptée, (mal)adroite, agressive, aléatoire, ambitieuse, bonne, claire, (in)cohérente, concertée, contradictoire, coûteuse, défensive, délibérée, délicate, désastreuse, diabolique, dynamique, (in)efficace, élaborée, erronée, fine, froide, globale, grossière, habile, hardie, hasardeuse, ingénieuse, innovante, inopérante, instinctive, intelligente, irréprochable, judicieuse, mauvaise, offensive, payante, prudente, puérile, raffinée, rigoureuse, risquée, savante, secrète, spectaculaire, tactique. *Adopter, appliquer, arrêter, bâtir, concevoir, construire, contrer, définir, déployer, développer, élaborer, employer, envisager, établir, forger, formuler, imaginer, imposer, infléchir, instaurer, mener, mettre au point/en œuvre/en place, modifier, opposer, orchestrer, peaufiner, pratiquer, repenser, utiliser une ~; disposer, se doter d'une ~.*

STRESS aigu, bon, chronique, destructeur, énorme, excessif, faible, grave, insoutenable, intense, intolérable, léger, majeur, mauvais, minime, négatif, nocif, permanent, positif, prolongé, rentré, répété, subit, terrible, total, violent. *Atténuer, combattre, contrôler, déclencher, doser, éliminer, engendrer, maîtriser, provoquer, réduire, renforcer, subir, supporter, supprimer un/le ~; échapper, être (in)sensible, répondre, résister au ~; causer, dissiper, éprouver, susciter du ~; lutter contre le ~.* Le ~ disparaît, s'accentue, s'atténue.

STRUCTURE (*organisation*) adaptée, (in)complète, complexe, établie, hétérogène, homogène, logique, massive, modeste, puissante, rigide, souple, vulnérable. *Dégraisser, former, instaurer, mettre en place, monter, réduire une ~.* ♦(*charpente*) chancelante, élevée, grossière, haute, légère, lourde, massive, robuste, solide. *Bâtir, construire, monter, rénover une ~.*

STUPÉFACTION compréhensible, feinte, générale, grande, grandissante, immense, indignée. *Causer, éprouver, feindre, manifester, montrer, provoquer, ressentir de la ~; être plongé dans la ~; être pris de ~.*

STUPÉFIANT doux, dur. *Acheter, consommer, fournir, fumer, s'administrer, s'injecter, vendre un/des ~(s); s'adonner aux ~s; tâter des ~s; faire usage de ~s.*

STUPEUR atroce, épouvantable, imbécile, indignée, inexplicable, intense, paralysante, profonde, vertigineuse. *Cacher, dissimuler, éprouver, provoquer, ressentir, surmonter, susciter une/de la ~.*

STUPIDITÉ béate, contagieuse, énorme, évidente, extrême, flagrante, grossière, ignorante, incorrigible, incurable, insondable, monumentale, profonde. *Être d'une ~ (+ adj.); commettre, débiter, dire, faire des ~s; répondre par une ~.*

STYLE abrupt, acéré, admirable, aérien, affecté, alambiqué, alerte, ambitieux, ample, ampoulé, anonyme, archaïque, artificiel, austère, badin, banal, baroque, bizarre, chaotique, châtié, chatoyant, clair, clinquant, (in)cohérent, coloré, concis, confus, contourné, (in)correct, corseté, coulant, cru, débraillé, débridé, décharné, décidé, décousu, dense, déplorable, dépouillé, désinvolte, désordonné, diffus, direct, discutable, disgracieux, dru, dur, éblouissant, efficace, élégant, élevé, embrouillé, empesé, emphatique, enchevêtré, énergique, enflé, entortillé, entraînant, épuré, équivoque, étincelant, étudié, excessif, exquis, facile, fade, faible, familier, ferme, figé, flamboyant, flasque, fleuri, fluide, foisonnant, forcé, fouillé, froid, fruste, fulgurant, gauche, glacé, grandiloquent, grandiose, guindé, harmonieux, imagé, impeccable, incisif, incolore, incomparable, indéfinissable, inégal, inexpressif, inimitable, insipide, insupportable, irritant, laborieux, lâche, laconique, languissant, lapidaire, léché, léger, limpide, livresque, lourd, lucide, lumineux, luxuriant, magnifique, majestueux, maladroit, maniéré, mauvais, médiocre, merveilleux, mièvre, minimaliste, miroitant, modéré, monotone, mordant, morne, musclé, naïf, naturel, nébuleux, négligé, nerveux, net, neutre, niais, noble, nourri, nouveau, obscur, onctueux, ordinaire, original, orné, osé, outré, pâle, particulier, pâteux, pathétique, pauvre, pénétrant, percutant, personnel, pesant, pétillant, piquant, pitoyable, pittoresque, plat, polémique, poli, pompeux, poussiéreux, précieux, (im)précis, prestigieux, prétentieux, propre, puissant, pur, raboteux, rabougri, raffiné, raide, rapide, recherché, redondant, relâché, relevé, remarquable, retenu, rocailleux, ronflant, rude, rugueux, saccadé, savoureux, scintillant, sculptural, sec, séduisant, serré, sévère, sibyllin, simple, sobre, soigné, sophistiqué, souple, soutenu, spontané, sublime, suranné, surchargé, tarabiscoté, télégraphique, tendu, terne, timide, touffu, tourmenté, traînant, tranchant, travaillé, trivial, truculent, uniforme, vaporeux, varié, véhément, verbeux, vide, vieux, vif, vigoureux, vivant, vrai, vulgaire. *Adopter, affectionner, affiner, alourdir, châtier, chercher, colorer, créer, définir, dégager, dépouiller, élaborer, embellir, employer, enfler, enjoliver, enrichir, entortiller, fignoler, guinder, imiter, imposer, modifier, négliger, nourrir, orner, perfectionner, polir, posséder, raffiner, renouveler, retoucher, soigner, travailler, varier un/le/son ~; user d'un ~ (+ adj.); écrire, rédiger en un ~ (+ adj.); avoir du ~; changer, manquer de ~.*

SUBSTANCE adhérente, compacte, dangereuse, dense, douce, dure, épaisse, ferme, fluide, gluante, huileuse, incolore, (in)inflammable, inodore, inoffensive, malléable, molle, nocive, nuisible, onctueuse, opaque, pâteuse, poreuse, solide, spongieuse, tenace, translucide, volatile. *Absorber, dégager, développer, engendrer, fabriquer, produire, renfermer, sécréter, utiliser une ~.* Une ~ agit, attaque, se désagrège, se modifie.

SUBTILITÉ admirable, excessive, exquise, merveilleuse, inouïe, insupportable, prodigieuse, rare, recherchée, remarquable. *Être d'une ~ (+adj.); manquer, user de ~; manifester, montrer de la ~.*

SUBVENTION bonne, considérable, déguisée, énorme, faible, forte, généreuse, grasse, grosse, misérable, modeste, modique, raisonnable, substantielle. *Accorder, consentir, décrocher, demander, financer, recevoir, refuser, toucher, voter une ~; bénéficier, disposer d'une ~.*

SUCCÈS absolu, ambigu, assuré, (in)attendu, brutal, bruyant, (in)certain, colossal, commercial, (in)complet, concret, confirmé, confortable, considérable, continu, controversé, croissant, crucial, décisif, difficile, discret, douteux, durable, éclatant, écrasant, effectif, égal, énorme, éphémère, époustouflant, (in)espéré, étonnant, étourdissant, exceptionnel, expéditif, extraordinaire, extravagant, fabuleux, facile, fier, final, flatteur, formidable, fort, fortuit, fou, foudroyant, fracassant, franc, fulgurant, garanti, gentil, grand, grandissant, gratifiant, grisant, gros, (in)habituel, heureux, historique, honorable, hypothétique, immédiat, immense, immortel, important, imposant, impressionnant, imprévu, improbable, incontestable, incroyable, indécis, indéfinissable, indéniable, indiscutable, infaillible, inoubliable, inouï, inquiétant, insolent, instantané, irréversible, joli, (in)justifié, juteux, large, légitime, magnifique, majeur, massif, médiatique, médiocre, (im)mérité, merveilleux, mitigé, modeste, mondain, monstre, notable, partiel, passager, persistant, petit, phénoménal, piètre, planétaire, plein, populaire, potentiel, précaire, prématuré, prévisible, probable, probant, problématique, prodigieux, prompt, rapide, réconfortant, réel, régulier, relatif, remarquable, restreint, retentissant, sensationnel, significatif, solide, soudain, spectaculaire, sûr, surprenant, tapageur, tardif, timide, total, triomphal, vague, valorisant, (in)vérifiable, véritable, vif, visible, vrai. *Amorcer, annoncer, anticiper, apprivoiser, assumer, assurer, avoir, célébrer, compromettre, confirmer, conforter, connaître, conquérir, consolider, constituer, déclencher, engranger, enrayer, enregistrer, escompter, espérer, être, exploiter, fêter, forcer, garantir, minimiser, moissonner, nuancer, obtenir, procurer, pronostiquer, provoquer, recueillir, remporter, rencontrer, revendiquer, savourer, se forger, se ménager, se tailler, souhaiter, susciter, un/le/son/du/des ~; aider, concourir, contribuer, participer à un/au ~; augurer, s'enivrer, s'enorgueillir, se prévaloir, se targuer, se vanter d'un ~; renouer avec le ~; désespérer, douter, être sûr du ~; être grisé par le ~; surfer sur le ~; être prisonnier/victime de son ~.*

SUCCESSION (<u>*série*</u>) continue, continuelle, démentielle, étonnante, infinie, interminable, (in)interrompue, régulière, spectaculaire. ♦ (<u>*transmission de pouvoir, de biens*</u>) colossale, considérable, difficile, indivise, lourde, maigre, onéreuse, raisonnable. *Laisser une ~ (+ adj.); accepter, assumer, attribuer, liquider, partager, réclamer, recueillir, refuser, régler, revendiquer, transmettre une ~; prétendre, renoncer à une ~; exclure qqn, s'occuper d'une ~.*

SUEUR acide, aigre, brûlante, chaude, épaisse, fine, glacée, glaciale, froide, légère, mortelle. *Avoir des ~s (+ adj.); éponger, étancher la ~; fondre en ~s; être baigné/couvert/mouillé/ruisselant/trempé, ruisseler de ~.* La/de la ~ coule, dégoutte, perle, ruisselle.

SUGGESTION alléchante, bienveillante, bonne, choquante, déroutante, diabolique, funeste, géniale, (mal)heureuse, impérieuse, inopportune, insidieuse, (dés)intéressée, judicieuse, légère, pernicieuse, pratique, précieuse, raisonnable, sage, satanique, saugrenue, utile. *Accueillir, admettre, adresser, faire, formuler, hasarder, obtenir, présenter, reconnaître, rejeter, repousser, retenir, solliciter, soumettre, soutenir, suivre une ~; céder, donner suite, résister à une ~; être perméable aux ~s.*

SUICIDE abouti, accompli, atroce, camouflé, collectif, déguisé, faux, lent, manqué, prémédité, raisonné, raté, retentissant, réussi, rituel, spectaculaire. *Cacher, constater, empêcher, expliquer, méditer un ~; conclure, faire croire à un ~; inciter au ~; envisager le ~; acculer/arracher/inciter/pousser qqn, penser, songer au ~; sauver qqn du ~; manquer, rater, réussir son ~.*

SUITE (<u>*aboutissement, prolongement*</u>) déplorable, fâcheuse, fatale, fortuite, glorieuse, grave, imprévisible, inespérée, logique, naturelle, normale, regrettable, remarquable, terrible, tragique. ♦ (<u>*succession*</u>) continue, continuelle, courte, indéfinie, infinie, inachevée, ininterrompue, interminable, longue, rapide, régulière. *Arrêter, continuer, interrompre, poursuivre une ~.*

SUIVI attentif, continuel, défaillant, discret, effectif, étroit, individuel, méthodique, pointilleux, relâché, régulier, rigoureux, systématique. *Assurer, faire, intensifier, mettre en place, permettre, prendre en charge, relâcher, renforcer, resserrer, superviser un/le ~ de qqn/qqch.; être soumis à un ~; avoir besoin, bénéficier d'un ~.*

SUJET ambitieux, ample, ardu, aride, banal, beau, bon, brûlant, central, chatouilleux, clos, complexe, concret, consensuel, conventionnel, délicat, démodé, difficile, douloureux, éculé, épineux, étendu, excellent, explosif, favori, fécond, fini, foisonnant, frivole, galvaudé, glissant, grand, grave, honnête, immense, important, incontournable, inépuisable, inextricable, ingrat, innocent, insignifiant, intarissable, intéressant, lancinant, léger, litigieux, magnifique, maigre, majeur, mince, neuf, obscur, palpitant, passionnant, passionnel, pénible, périlleux, plaisant, plat, pointu, porteur, précis, préféré, privilégié, prosaïque, rébarbatif, relevé, ressassé, riche, sensible, sérieux, sévère, stérile, sulfureux, tabou, triste, trivial, usé, vaste. *Aborder, amener, approfondir, attaquer, choisir, circonscrire, connaître, creuser, déborder, défricher, développer, dominer, effleurer, élaborer, éluder, embrouiller, enseigner, entamer, épuiser, étudier, éviter, exploiter, explorer, maîtriser, méditer, parcourir, penser, posséder, préparer, quitter, renouer, renouveler, toucher, traiter, travailler, vulgariser un/le/son ~; s'arrêter, s'attaquer, (re)venir à un ~; entretenir qqn, s'écarter, s'éloigner, traiter d'un ~; discourir, disserter, parler, poursuivre, réfléchir, rester, revenir, s'appesantir, s'arrêter, s'attarder, s'étendre sur un ~; changer de ~.*

SUPERCHERIE adroite, éventée, fine, grossière, habile, subtile. *Découvrir, flairer, révéler, subodorer une ~; avoir recours à une ~; être victime, s'apercevoir d'une ~; user de ~.*

SUPERFICIE approximative, considérable, exacte, exagérée, globale, immense, impressionnante, limitée, médiocre, microscopique, modeste, monumentale, réduite, restreinte, substantielle, (in)suffisante, totale. *Arpenter, couvrir, morceler une ~.*

SUPÉRIORITÉ absolue, criante, décidée, écrasante, énorme, évidente, grande, immense, importante, incontestable, indéniable, indiscutable, indiscutée, légère, manifeste, marquée, nette, prononcée, réelle, vraie. *Conférer, contester, donner, nier, posséder, reconnaître, témoigner une ~; bénéficier, faire preuve, jouir d'une ~ (+ adj.); établir, étaler, marquer, montrer, perdre, prouver sa ~; avoir conscience de sa ~.*

SUPERSTITION ancienne, courante, dangereuse, déraisonnable, enracinée, étrange, extrême, grossière, inoffensive, irraisonnée, maladive, mauvaise, naïve, néfaste, nouvelle, oubliée, populaire, répandue, ridicule, tenace. *Croire à des ~s;* Une ~ raconte, veut.

SUPPLICE abominable, affreux, atroce, cruel, effroyable, épouvantable, horrible, indicible, insoutenable, insupportable, intolérable, lancinant, long, raffiné. *Apaiser, endurer, exacerber, infliger, prolonger un ~.*

SUPPORT efficace, essentiel, faible, fondamental, généreux, important, incontestable, indéfectible, indispensable, inestimable, maigre, modeste, nécessaire, piètre, précaire, prodigieux, puissant, solide, stimulant, tiède. *(s')Assurer, offrir, procurer, recevoir, solliciter, trouver un/du ~; disposer d'un ~; servir de ~.*

SUPPOSITION absurde, audacieuse, contestable, erronée, étrange, excessive, extravagante, fantaisiste, gratuite, hasardeuse, improuvable, incertaine, incongrue, ingénieuse, injurieuse, insoutenable, insultante, judicieuse, (im)possible, précaire, probable, pure, réaliste, séduisante, simple, singulière, (in)vraisemblable. *Admettre, avancer, confirmer, envisager, faire, formuler, justifier, réfuter une/des ~(s); patauger dans les ~s; se perdre en ~s.*

SUPPRESSION absolue, accidentelle, arbitraire, brusque, (in)complète, définitive, importante, inconsidérée, indispensable, massive, momentanée, partielle, permanente, passagère, progressive, radicale, systématique, totale.

SUPRÉMATIE absolue, écrasante, énorme, évidente, (in)contestable, (in)contestée, indéniable, indiscutable, manifeste, menacée, nette, unique. *Exercer une ~ (+ adj.); bénéficier, faire preuve, jouir d'une ~ (+adj.); afficher, imposer, perdre sa ~.*

SURDITÉ complète, incurable, légère, moyenne, partielle, profonde, progressive, totale. *Être atteint de ~.*

SÛRETÉ (<u>exactitude, efficacité</u>) absolue, extrême, indiscutable, inégalée, infaillible, relative, suprême, totale. *Accroître, améliorer, renforcer la/sa ~.* ♦(<u>précision</u>) étonnante, grande, hallucinante, imperturbable, implacable, incomparable, inouïe, méticuleuse, minutieuse, phénoménale, rare, stupéfiante, surprenante.

SURF *Pratiquer le ~; s'adonner, s'essayer au ~; faire du ~.*

SURFACE aplanie, brillante, courbe, (in)égale, énorme, froide, gauchie, gigantesque, glacée, granulée, grossière, immaculée, immense, lisse, luisante, miroitante, ondulée, onduleuse, plane, plate, polie, raboteuse, réfléchissante, (ir)régulière, resplendissante, rude, rugueuse, unie, uniforme, vaste. *Aplanir, aplatir, égaliser, lisser, niveler, occuper, raboter, unir une ~.*

SURMENAGE aigu, chronique, complet, considérable, excessif, extrême, général, grave, intolérable, léger, persistant, prolongé, répété. *Éprouver, ressentir, sentir un/du ~; souffrir de ~.*

SURNOM affectueux, charmant, éloquent, familier, flatteur, humiliant, irrespectueux, (im)mérité, moqueur, plaisant, ridicule. *Appliquer, donner, porter, prendre un ~; affubler, gratifier d'un ~.*

SURPLUS colossal, considérable, disponible, effarant, élevé, énorme, fabuleux, faible, fixe, généreux, immense, impressionnant, infime, léger, modeste, prodigieux, substantiel. *Allouer, encaisser, posséder, rembourser un ~; bénéficier, disposer, jouir d'un ~.*

SURPRISE (dés)agréable, amère, charmante, cruelle, discrète, douloureuse, énorme, étonnante, excellente, extrême, fâcheuse, feinte, forte, grande, grandiose, heureuse, immense, indicible, inépuisable, inespérée, inexprimable, infinie, joyeuse, légère, malencontreuse, mauvaise, merveilleuse, passagère, profonde, ravie, totale, triste, véritable, visible, vive. *Causer, créer, éprouver, faire, ménager, méditer, préparer, provoquer, receler, réserver, ressentir, simuler une ~; créer, feindre la ~; marquer, montrer, témoigner de la ~; cacher, déguiser, dominer, manifester sa ~; rester glacé/hébété/muet/pétrifié de ~; être fertile/riche en ~s.*

SURSIS bref, considérable, court, échu, écoulé, ferme, fixe, long, prolongé, (dé)raisonnable, (ir)réaliste, serré, (in)suffisant. *(s')Accorder, allonger, donner, écourter, espérer, obtenir, proroger, raccourcir, refuser, requérir, résilier, solliciter un ~; bénéficier d'un ~; être en ~.* Un ~ échoit, expire, prend fin, s'allonge.

SURVEILLANCE accrue, active, attentive, constante, continue, continuelle, discrète, distraite, drastique, épisodique, étroite, exacte, haute, incessante, inquiète, méfiante, minutieuse, oppressive, particulière, pointilleuse, ponctuelle, (ir)régulière, renforcée, rigoureuse, serrée, sévère, solide, tatillonne, tolérante, vigilante. *Assurer, confier, déjouer, desserrer, exercer, intensifier, relâcher, renforcer, resserrer, tromper une/la ~ de qqn/qqch.; redoubler de ~.* Une ~ a cours , a lieu, s'effectue, s'exerce.

SURVIE brève, longue, pénible. *Assurer, entretenir, permettre, prolonger la ~.*

SUSCEPTIBILITÉ chatouilleuse, excessive, exquise, extrême, grande, hargneuse, maladive, ombrageuse, ridicule. *Blesser, choquer, froisser, ménager une/les ~(s); manifester, marquer, montrer, témoigner de la ~; faire montre, faire preuve de ~.*

SUSPECT, ECTE idéal, important, présumé, sérieux. *Arrêter, disculper, incriminer, interroger, libérer, rechercher, surveiller un ~.*

SUSPENSE angoissant, constant, efficace, haletant, incroyable, insoutenable, insupportable, intense, interminable, palpitant, pesant, vrai. *Vivre un ~ (+ adj.); aimer, alimenter, créer, entretenir, faire régner, laisser planer, ménager, tenir le ~.* Un/le ~ continue, est terminé, explose, faiblit, perdure, prend fin, reste entier, se prolonge.

SUSPENSION (arrêt, cessation) abusive, arbitraire, brusque, (in)complète, définitive, immédiate, massive, partielle, passagère, permanente, progressive, provisoire, radicale, systématique, totale. *Entraîner une ~; procéder à une ~; écoper d'une ~.* ♦(Automobile) bonne, défaillante, douce, dure, excellente, lâche, mauvaise, robuste.

SYLLABE accentuée, atone, brève, finale, longue, muette, sonore, tonique. *Articuler, escamoter, manger une ~; détacher les ~s.*

SYMBOLE approximatif, caricatural, crédible, déplorable, durable, éclatant, éloquent, exact, flatteur, fort, grotesque, immense, majeur, malade, négatif, original, persistant, positif, prestigieux, puissant, significatif, tangible, tenace, vivant. *Bafouer, choisir, constituer, cultiver, être, devenir, représenter, respecter un ~; reconnaître comme ~.* Un ~ persiste, s'efface, s'effondre, s'estompe, s'impose, s'incruste, tombe, vole en éclats.

SYMPATHIE active, affective, affectueuse, agissante, ardente, débordante, émue, éternelle, étroite, exigeante, expansive, forte, franche, générale, grandissante, inaltérable, instinctive, longue, manifeste, muette, mutuelle, naissante, naturelle, profonde, réciproque, secrète, solide, spontanée, tendre, unanime, universelle, vieille, vive. *Afficher, attirer, avoir, concevoir, (re)conquérir, éprouver, exciter, gagner, inspirer, manifester, marquer, montrer, perdre, posséder, provoquer, rencontrer, ressentir, soulever, susciter, témoigner une/la/de la/sa ~; manquer, se prendre de ~.* La ~ grandit, naît, perdure, s'amplifie, s'approfondit, s'attiédit, se noue, se renforce, s'établit, s'exprime, s'intensifie.

SYMPTÔME annonciateur, affreux, aigu, alarmant, bénin, bon, classique, désagréable, douteux, encourageant, évident, excellent, explicite, faible, flagrant, fréquent, grave, immédiat, implicite, incontestable, infaillible, inquiétant, négligeable, précoce, précurseur, préoccupant, réconfortant, révélateur, singulier, tardif. *Être un ~ (+ adj.); constater, guetter, présenter, offrir un ~; déceler, observer des ~s de (une maladie, un phénomène, etc.).*

SYNDICAT agressif, ardent, autonome, combatif, conciliant, corrompu, faible, fort, indépendant, militant, politisé, puissant. *Briser, créer, décapiter, détruire, diriger, expulser, former, interdire, mettre en place, monter, présider, reconnaître un ~; adhérer, (s') affilier, cotiser, être affilié à un ~; faire partie d'un ~.*

SYNONYME absolu, (in)adéquat, (in)approprié, (in)complet, distingué, élégant, (in)exact, juste, parfait, partiel, populaire. *Chercher, donner un ~.*

SYNTAXE alambiquée, (in)cohérente, correcte, défaillante, défectueuse, fantaisiste, fautive, impeccable, maladroite, parfaite, rigide, rigoureuse. *Améliorer, apprendre, étudier, ignorer, maltraiter, négliger, observer, respecter, violenter la ~.*

SYNTHÈSE audacieuse, claire, concrète, équilibrée, erronée, évidente, (dé)favorable, générale, harmonieuse, laborieuse, magistrale, nuancée, partielle, précise, réductrice, réussie, simpliste, sommaire, stupéfiante, succincte, surprenante, (in)vraisemblable. *Dégager, établir, présenter, publier, réaliser, tenter une ~.*

SYSTÈME abominable, adapté, archaïque, astucieux, bon, chaotique, (in)cohérent, (in)complet, complexe, compliqué, coûteux, défaillant, déficient, délabré, détruit, (in)efficace, énorme, fiable, fort, habile, idéal, inédit, ingénieux, intelligent, (in)juste, mauvais, novateur, obsolète, (in)opérant, (im)parfait, performant, pesant, primitif, rigide, rigoureux, rudimentaire, sain, satisfaisant, séduisant, simple, solide, sommaire, sophistiqué, souple, subtil, unique, usé, vacillant, vétuste, vieux. *Adopter, appliquer, combattre, constituer, construire, défendre, démolir, démontrer, dénoncer, détruire, développer, échafauder, édifier, élaborer, élever, employer, ériger, établir, faire marcher, fonder, gérer, imaginer, implanter, instaurer, introduire, menacer, mettre en place/en pratique, monter, organiser, pratiquer, proposer, rationaliser, refuser, renverser, roder, repousser, se former, simplifier, soutenir, suivre un ~; adhérer, se rallier à un ~; rompre avec un ~; être pris, s'enfermer dans un ~; faire usage, se servir, user d'un ~.* Un ~ fonctionne, s'écroule, se délite, se détraque, s'effondre.

T

TABAC blond, brun, classique, corsé, dénicotinisé, fort, gris, gros, grossier, léger, parfumé, savoureux. *Empester, éviter, interdire, puer le ~; renoncer, s'adonner au ~; abuser, consommer, faire usage, fumer, se désintoxiquer, être dépendant du ~; s'abstenir, se sevrer de ~.*

TABAGISME passif, secondaire. *Combattre, dénoncer, éliminer, éradiquer, freiner le ~; s'opposer au ~; mener la lutte, se battre contre le ~; mourir, pâtir du ~.*

TABLE (meuble) bancale, basse, boiteuse, branlante, carrée, chancelante, décorative, dépareillée, énorme, escamotable, étroite, fonctionnelle, gigogne, haute, immense, légère, longue, massive, monumentale, moyenne, oblongue, ovale, pliante, rectangulaire, robuste, ronde, roulante, rustique, solide, (in)stable, transportable, vaste, vétuste, volumineuse. *S'accouder, s'asseoir, s'installer à une ~; s'appuyer contre/sur une ~.* ♦(pour le repas) improvisée, libre, mise, (in)occupée, réservée, retenue. *Réserver, retenir une ~; arranger, débarrasser, desservir, dresser, garnir, mettre, quitter, servir la ~; s'installer à la ~; disposer, mettre, poser sur la ~; convier, inviter, recevoir à sa ~; être, passer, (se) placer, prendre place, rester, s'asseoir, se mettre, s'endormir, servir, s'installer, venir à ~; se lever, sortir de ~.* ♦(Cuisine) bonne, chic, classique, étoilée, excellente, exceptionnelle, exquise, fade, frugale, généreuse, grande, honnête, inventive, opulente, pantagruélique, privilégiée, raffinée, relevée, réputée, simple, somptueuse, sophistiquée, spartiate, terne, variée. *Avoir, offrir, proposer une ~ (+ adj.).*

TABLEAU abouti, achevé, abstrait, admirable, ancien, célèbre, décoratif, fantastique, figuratif, géant, hideux, immense, magnifique, maladroit, mauvais, médiocre, merveilleux, mièvre, moderne, passable, rare, raté, réaliste, recherché, réussi, superbe. *Accrocher, admirer, concevoir, confectionner, considérer, contempler, ébaucher, encadrer, entreprendre, esquisser, estimer, exécuter, exposer, faire, (faire) expertiser, finir, manquer, mutiler, nettoyer, ombrer, parachever, peindre, pendre, rafraîchir, rater, réaliser, regarder, restaurer, retoucher, retravailler, réussir, (re)vernir un ~.* Un ~ décore, orne, se dresse, trône.

TABOU absolu, ancré, coriace, durable, lourd, persistant, tenace. *Aborder, bousculer, braver, briser, casser, enfreindre, entretenir, faire tomber, heurter, rompre, transgresser un/des/les ~(s); mettre fin, s'attaquer à un ~.* Un ~ (ré)apparaît, disparaît, perdure, persiste, s'écroule, s'effondre, s'éteint, s'impose, tombe, vole en éclats.

TACHE claire, diffuse, disgracieuse, (in)effaçable, énorme, grasse, grosse, immense, importante, indélébile, large, longue, luisante, petite, rebelle, ronde, sombre, tenace, vive. *Diffuser, effacer, éliminer, enlever, essuyer, étendre, faire, faire disparaître, former, frotter, laver, ôter une ~; être couvert/plein/semé de ~s.* Une ~ disparaît, s'efface, s'élargit, s'étend.

TÂCHE abrutissante, absorbante, (in)accomplie, (in)achevée, (dés)agréable, aisée, ambitieuse, ardue, assommante, austère, colossale, contraignante, décisive, délicate, diabolique, difficile, écrasante, énorme, éreintante, enrichissante, essentielle, exaltante, exigeante, facile, familière, fastidieuse, gigantesque, glorieuse, harassante, herculéenne, héroïque, immense, importante, imposée, impossible, impraticable, inférieure, ingrate, insignifiante, insurmontable, interminable, lourde, malaisée, minutieuse, modeste, monotone, noble, odieuse, opiniâtre, passionnante, pénible, précaire, prenante, pressante, prestigieuse, primordiale, prioritaire, redoutable, rémunératrice, répétitive, risquée, routinière, rude, subalterne, surhumaine, titanesque, urgente. *Abattre, aborder, accepter, accomplir, achever, alléger, (s') assigner, assumer, confier, décliner, déléguer, entreprendre, exécuter, expédier, finir, (se) fixer, (s')imposer, limiter, poursuivre, réaliser, refuser, remplir, répartir, reprendre, (se) réserver une ~; s'atteler, participer, prendre part, procéder, s'adonner, s'astreindre, se livrer, se mettre à une ~; être chargé/dispensé/libéré, s'acquitter d'une ~; faillir, mourir, se (re)mettre, succomber, s'user à la ~.*

TACT admirable, consommé, diplomatique, exquis, extrême, fin, grand, impeccable, indéfectible, infini, irréprochable, parfait. *Avoir, manifester, montrer, témoigner du ~; être dépourvu, faire preuve, manquer de ~.*

TACTIQUE (in)cohérente, éculée, (in)efficace, éprouvée, erronée, excellente, fine, gagnante, habile, imparable, intelligente, irréprochable, machiavélique, maladroite, médiocre, obsolète, piètre, profitable, révolutionnaire, secrète, simple, sommaire, victorieuse. *Adopter, appliquer, concevoir, élaborer, employer, essayer, formuler, mettre au point, suivre une ~; changer de ~.*

TAILLE (hauteur, grosseur, stature) admirable, adéquate, belle, colossale, convenable, courte, critique, démesurée, élevée, énorme, excessive, exorbitante, extraordinaire, faible, gigantesque, grande, harmonieuse, haute, herculéenne, imposante, inquiétante, majestueuse, médiocre, minuscule, modeste, monumentale, moyenne, (a)normale, ordinaire, petite, prodigieuse, réduite, réglementaire, respectable, titanesque, trapue. *Atteindre une ~ (+ adj.); être d'une ~ (+ adj.); baisser, hausser sa ~; augmenter, croître, gagner en ~.*
♦ (partie du corps) aérienne, allongée, amincie, cambrée, courbée, débordante, déliée, droite, effilée, élancée, élégante, épaisse, épaissie, fine, flexible, fluette, formée, forte, frêle, grasse, légère, libre, longue, maigre, mannequin, menue, mince, nonchalante, ondoyante, petite, ployée, replète, ronde, sanglée, souple, superbe, svelte. *Avoir la ~ (+ adj.); amincir, cambrer, creuser, étrangler, redresser la ~.*

TALENT authentique, beau, brillant, caché, consommé, (in)contestable, éblouissant, éclatant, énergique, étendu, étonnant, étourdissant, évident, exceptionnel, fertile, fin, formidable, fou, fulgurant, gâché, grand, hardi, immense, impressionnant, incomparable, incontestable, incontesté, indéniable, indiscutable, inégalable, inégalé, inemployé, inexploité, infini, inimitable, inouï, insolent, insoupçonné, insurpassable, intact, intarissable, inventif, maîtrisé, médiocre, merveilleux, modeste, multiforme, mûr, naissant, naturel, oisif, (extra)ordinaire, original, passable, persuasif, polyvalent, précieux, précoce, prodigieux, prometteur, prononcé, rare, réel, remarquable, robuste, subtil, sûr, unique, véritable, vif, vrai. *Acquérir, apprécier, avoir, cultiver, découvrir, déployer, détecter, employer, enfouir, essayer, exercer, exploiter, exprimer, forcer, gâcher, méconnaître, montrer, négliger, nier, posséder, prodiguer, reconnaître, révéler, utiliser un/son/ses ~(s); disposer d'un ~ (+ adj.); faire* *preuve de ~.* Un ~ décline, grandit, mûrit, s'affirme, s'épanouit, s'impose.

TAMBOUR *Battre, faire résonner un ~; frapper, pianoter, tapoter sur un ~; battre, jouer, taper du ~.* Le ~ résonne, vibre.

TAPAGE abrutissant, affreux, agaçant, assourdissant, beau, déplaisant, effroyable, énervant, exaspérant, grand, harcelant, incessant, infernal, intolérable, terrible, tumultueux. *Faire, mener un ~ (+ adj.); entendre, faire, se plaindre du ~.* Un ~ (dé)croît, diminue, faiblit, grandit, persiste, règne, s'affaiblit, s'amplifie, s'atténue, se calme, s'enfle.

TAPE affectueuse, amicale, bonne, grande, petite, retentissante, sonore. *Appliquer, donner, flanquer, lancer, recevoir une ~.*

TAPIS ancien, éclatant, élimé, épais, fatigué, immense, laineux, mince, moelleux, précieux, ras, riche, usé, velu. *Battre, brosser, enlever, étendre, (dé)rouler, secouer un ~.*

TARIF abusif, (in)acceptable, alléchant, astronomique, attractif, (dés)avantageux, bas, compétitif, concurrentiel, décent, démesuré, dérisoire, doux, élevé, exceptionnel, exorbitant, fixe, forfaitaire, général, habituel, horaire, indicatif, intéressant, (in)justifié, majoré, minimum, modéré, modique, normal, onéreux, plein, pondéré, préférentiel, privilégié, progressif, prohibitif, promotionnel, (dé)raisonnable, réduit, ridicule, saisonnier, séduisant, spécial, standard, uniforme, unique, vertigineux. *Assurer, offrir, pratiquer un ~ (+ adj.); augmenter, comprimer, élever, monter, réduire, relever, réviser, revoir les ~s.*

TARTE chaude, croustillante, délicieuse, feuilletée, fine, fondante, goûteuse, légère, lourde, moelleuse, onctueuse, parfumée, savoureuse. *Confectionner, cuire, décorer, démouler, garnir, goûter, préparer, rater, réussir une ~.*

TAUDIS abject, affreux, boueux, délabré, humide, ignoble, immonde, infâme, infect, insalubre, malsain, misérable, pouilleux, sombre, sordide, surpeuplé. *Habiter, occuper un ~; demeurer, loger, vivre dans un ~; abolir, assainir, éliminer, faire disparaître, supprimer les ~.*

TAUREAU agressif, ardent, énorme, farouche, féroce, fier, fougueux, furieux, gigantesque, impétueux, imposant, indompté, nerveux, robuste, superbe, terrifiant, vigoureux. Un ~ beugle, fonce, meugle, mugit, rumine.

TAUX (in)acceptable, alarmant, (dés)avantageux, bas, brut, convenable, élevé, excessif, exorbitant, exponentiel, faible, fixe, flexible, fluctuant, haut, horaire, indexé, intéressant, maigre, marginal, modéré, modique, net, officiel, officieux, progressif, prohibitif, proportionnel, (dé)raisonnable, réduit, réel, significatif, (in)stable, uniforme, unique, usuraire, variable, vertigineux. *Abaisser, améliorer, élever, établir, fixer, infléchir, introduire, majorer, niveler, réduire, relever un/des/les ~.* Un ~ baisse, (dé)croît, monte, oscille, s'affaisse, s'envole, se stabilise, s'immobilise.

TAXE basse, (in)directe, élevée, (in)équitable, excessive, haute, inapplicable, inefficace, inégale, (in)juste, majorée, significative, uniforme, unique. *Acquitter, adopter, créer, imposer, lever, mettre en place, payer, percevoir, réclamer, recouvrer,* *supprimer une ~; assujettir, soumettre à une ~; affranchir, dispenser, exempter, exonérer, frapper, s'acquitter d'une ~; augmenter, diminuer, alléger, réduire les ~s.*

TAXI libre, occupé. *Appeler, arrêter, attendre, chercher, commander, demander, héler, payer, prendre, siffler, trouver un ~; grimper, monter, sauter dans un ~; faire le ~; aller, partir, rentrer, venir, voyager en ~.* Un ~ est à l'arrêt/en attente/en course/en stationnement.

TECHNICIEN, IENNE averti, chevronné, (in)compétent, consciencieux, doué, excellent, habile, honnête, médiocre, minutieux, qualifié.

TECHNIQUE avancée, (in)complète, complexe, douteuse, (in)efficace, époustouflante, éprouvée, évoluée, fine, grossière, impeccable, impressionnante, ingénieuse, intéressante, méthodique, nouvelle, novatrice, originale, parfaite, particulière, performante, pointue, poussée, précieuse, raffinée, rapide, réelle, révolutionnaire, rigoureuse, rodée, rudimentaire, solide, sophistiquée, spectaculaire, sûre. *Acquérir, adopter, affiner, améliorer, apprendre, connaître, éprouver, expérimenter, maîtriser, mettre au point, perfectionner, posséder, pratiquer, révolutionner, user, utiliser une ~; faire appel à une ~; avoir (de) la ~; manquer de ~.*

TECHNOLOGIE adaptée, adéquate, avancée, appropriée, audacieuse, décisive, désuète, discutable, douce, efficace, éprouvée, faible, fine, haute, lourde, moyenne, nouvelle, obsolète, périmée, pointue, poussée, prestigieuse, propre, raffinée, rodée, robuste, sophistiquée. *Améliorer, développer, élaborer, employer, maîtriser, mettre au point, peaufiner, préconiser, prôner une ~; accéder à une ~.*

TEINT ambré, basané, blafard, blanc, blême, bronzé, cadavérique, cendreux, cireux, clair, coloré, cramoisi, cuivré, défraîchi, délicat, diaphane, doré, éblouissant, éclatant, épanoui, fané, fatigué, florissant, foncé, frais, grisâtre, hâlé, jaunâtre, laiteux, livide, lumineux, magnifique, maladif, mat, merveilleux, nacré, net, olivâtre, pâle, reposé, rougi, rubicond, sain, sombre, terne, terreux, translucide, transparent, verdâtre, vermeil, vif, vilain, violacé. *Avoir, posséder un/le ~ (+ adj.); conserver, éclaircir, embellir, flétrir, protéger, rehausser, soigner un/le/son ~.*

TEINTE adoucie, blafarde, blême, chatoyante, chaude, claire, criarde, dégradée, délavée, délicate, discrète, dominante, douce, douteuse, éclatante, effacée, étincelante, fade, faible, foncée, forte, glauque, indéterminable, jaunâtre, jolie, laiteuse, légère, livide, mate, neutre, opaline, pâlissante, pâle, riche, rougeâtre, roussâtre, satinée, sombre, superbe, terne, translucide, voyante, veloutée, verdâtre, vermeille, violacée, violente, violette, vive. *Prendre une ~ (+ adj.); appliquer, étendre une ~; couvrir d'une ~.*

TÉLÉPHONE *Couper, décrocher, reposer le (combiné du) ~; appeler/avoir/ joindre qqn, être, être pendu, parler, répondre, s'entretenir au ~; s'emparer du ~; se ruer sur le ~; se précipiter vers le ~; appeler, communiquer, contacter, demander, être contacté/ interrogé/joint, s'entretenir par ~.* Un ~ chauffe, crépite, est hors d'usage, retentit, sonne.

TÉLESPECTATEUR, TRICE amorphe, assidu, (in)attentif, cible, déçu, distrait, enthousiaste, euphorique, fervent, inerte, lucide, passif, passionné, subjugué. *Attirer, bouleverser, captiver, charmer, conquérir, décevoir, désappointer, émerveiller, émouvoir, ennuyer, enthousiasmer, lasser, mobiliser, passionner, ravir, retenir, subjuguer le/les ~(s).*

TÉLÉVISEUR *allumer, (dé)brancher, connecter, posséder un ~; éteindre, fermer, regarder le/son ~; disposer d'un ~; être vissé, s'immobiliser, s'installer devant son ~.*

TÉLÉVISION alternative, commerciale, communautaire, distractive, éducative, élitiste, interactive, participative, pointue, populaire, scolaire, spécialisée, traditionnelle. *Créer, diffuser, exploiter, lancer, privatiser une ~; allumer, éteindre, regarder la ~; rester planté devant la ~; être rivé à sa ~.*

TÉMÉRITÉ admirable, aveugle, calculée, dangereuse, excessive, extrême, folle, fougueuse, inouïe, outrancière, rare. *Être, faire preuve d'une ~ (+ adj.); montrer, témoigner de la ~; rivaliser de ~.*

TÉMOIGNAGE accablant, amer, bouleversant, capital, central, (in)cohérent, (in)complet, compromettant, concluant, contradictoire, (in)crédible, critique, déchirant, décisif, définitif, (in)direct, divergent, éloquent, embarrassant, émouvant, essentiel, (in)exact, exclusif, faux, fidèle, formel, fragile, frappant, important, indiscutable, insoutenable, irréfutable, isolé, merveilleux, neutre, oculaire, (im)partial, percutant, pertinent, poignant, précieux, précis, primordial, (ir)récusable, sérieux, silencieux, sincère, spontané, sûr, suspect, terrible, unique, véridique, vérifiable, vivant. *Accorder, apporter, appuyer, arracher, confirmer, constituer, démentir, écouter, entendre, fabriquer, fausser, fournir, infirmer, invoquer, livrer, mettre en doute, obtenir, offrir, porter, présenter, produire, recevoir, recueillir, rejeter, rendre, retenir un/des ~(s).* Des ~s concordent, confirment, corroborent, prouvent, se contredisent.

TÉMOIN actif, admiratif, anonyme, attentif, auriculaire, capital, controversé, corrompu, crédible, crucial, défaillant, (in)direct, essentiel, favorable, fidèle, franc, gênant, hésitant, impassible, important, impuissant, indépendant, indifférent, irrévocable, majeur, oculaire, (im)partial, passif, perspicace, précieux, principal, privilégié, récalcitrant, irréprochable, réticent, sincère, suspect, vacillant, véridique, visuel, (in)volontaire. *Acheter, assigner, citer, convoquer, corrompre, démentir, entendre, faire comparaître, harceler, interroger, produire, récuser, refuser un ~.* Un ~ affirme, confirme, dépose sous serment, se contredit, se dérobe.

TEMPE creuses, découvertes, grises, grisonnantes, moites, veinées.

TEMPÉRAMENT aberrant, actif, agressif, alerte, anxieux, apathique, ardent, artiste, artistique, bon, brûlant, chaud, combatif, délabré, dépressif, (in)discipliné, énergique, excessif, explosif, fantasque, flegmatique, fougueux, froid, impérieux, impétueux, impossible, irritable, lymphatique, mélancolique, modéré, nerveux, nonchalant, optimiste, original, passionné, placide, pratique, remuant, réservé, romanesque, romantique, sanguin, secret, solide, tranquille, vibrant, vif, vigoureux, violent, volcanique, volontaire. *Adopter, afficher, avoir, posséder un ~ (+ adj.); être (doué) d'un ~ (+ adj.); être dépourvu, manquer de ~.*

TEMPÉRATURE (Physique, Météo) abominable, affreuse, (dés)agréable, ambiante, atroce, attiédie, basse, chaude, clémente, (in)confortable, (in)constante, (dé)croissante, déplorable, détraquée, diurne, douce, élevée, excessive, exquise, extrême, (dé)favorable, forte, fraîche, froide, glaciale, haute, horrible, humide, incertaine, inférieure, infernale, insoutenable, intenable, maximale, maximum, nocturne, orageuse, perturbée, rafraîchie, (in)stable, (in)suffisante, (in)supportable, tiède. *Être gratifié, jouir d'une ~ (+ adj.); conserver, diminuer, élever, maintenir, prendre, régler, radoucir la ~.* Une/la ~ augmente, baisse, fluctue, fraîchit, (re)monte, règne, s'abaisse, s'adoucit, s'élève, se radoucit, se rafraîchit, se refroidit, sévit, tombe. ♦ (chaleur du corps) *Constater, enregistrer, prendre, surveiller sa/la ~ de qqn; avoir, faire de la ~.* La ~ baisse, fluctue, monte, varie.

TEMPÊTE affreuse, brève, courte, désastreuse, dévastatrice, éclair, effroyable, énorme, épouvantable, faible, formidable, forte, furieuse, grande, grosse, imminente, imprévisible, isolée, majeure, menaçante, petite, puissante, sèche, soudaine, spectaculaire, subite, terrible, tourbillonnante, violente. *Affronter, annoncer, braver, craindre, essuyer, précéder, subir, voir venir une/la ~; échapper, résister, survivre à une/la ~; lutter contre la ~; être dispersé/emporté/secoué par la ~.* Une ~ s'abat, approche, bat son plein, couve, déferle, éclate, faiblit, fait rage, gronde, hurle, menace, mugit, recommence, redouble, s'affaiblit, s'aggrave, s'amoncelle, s'annonce, s'apaise, se calme, se déchaîne, se déclare, se développe, se dissipe, s'élève, se lève, s'éloigne, se prépare, se profile, sévit, souffle.

TEMPS (durée, époque) appréciable, bref, considérable, court, (in)déterminé, énorme, fou, inemployé, infini, libre, (il)limité, long, minimum, mort, opportun, passé, perdu, précieux, privilégié, (dé)raisonnable, suspendu, utile, voulu; anciens, antiques, bénis, bibliques, durs, éloignés, héroïques, immémoriaux, légendaires, lointains, nostalgiques, nouveaux, préhistoriques, premiers, reculés, révolus, troublés, turbulents. *Abolir, absorber, accaparer, accorder, allouer, arrêter, consacrer, défier, demander, déterminer, dilapider, distribuer, employer, épargner, exiger, explorer, faire économiser/passer, fixer, gâcher, gagner, gaspiller, limiter, maîtriser, marquer, ménager, occuper, organiser, oublier, passer, perdre, prendre, rattraper, s'accorder, se ménager, s'octroyer, supprimer, traquer, tromper, tuer, user, utiliser un/le/du/son ~; remonter, se repérer, s'orienter dans le ~; ménager du ~; être pris/coincé par le ~; vivre avec son ~; être en avance sur son ~; manquer de ~.* Le ~ coule, court, fuit, manque, passe, presse, s'écoule, se dérobe, s'éloigne, s'en va, s'envole. ♦ (conditions atmosphériques) abominable, admirable, affreux, atroce, bizarre, bouché, bruineux, brumeux, calme, capricieux, changeant, chaud, clair, (in)confortable, couvert, déplorable, désastreux, désespérant, désolant, détestable, divin, doux, épouvantable, exécrable, exquis, (dé)favorable, frais, frisquet, froid, glacial, gris, gros, haïssable, horrible, houleux, humide, idéal, ignoble, incertain, inconstant, indécis, infect, infernal, instable, lourd, magnifique, maussade, mauvais, médiocre, menaçant, merveilleux, morne, mou, nébuleux, neigeux, noir, nuageux, nuisible, oppressant, orageux, passable, perturbé, pluvieux, pourri, propice, radieux, rayonnant, (mal)sain, sale, sec, serein, sinistre, sombre, splendide, superbe, terrible, tiède, triste, tristounet, variable, venteux, vilain. *Bénéficier, jouir d'un (+ adj.) ~*. Le ~ boude, change, empire, est à la pluie/à l'orage/au beau, fraîchit, menace, s'adoucit, s'améliore, s'assombrit, se brouille, s'éclaircit, se couvre, se dégage, se dégrade, se détend, se détériore, se détraque, se gâte, s'élève, se maintient, se radoucit, se rafraîchit, se réchauffe, se refroidit, se rembrunit, se voile.

TÉNACITÉ affichée, courageuse, farouche, fière, immuable, inébranlable, inouïe, légendaire, obscure, opiniâtre, prodigieuse, rare, remarquable, sombre, téméraire. *Avoir, montrer une ~ (+ adj.); être, faire preuve d'une ~ (+ adj.); afficher, affirmer, montrer sa ~*.

TENDANCE (in)adéquate, claire, dangereuse, dominante, durable, dure, faible, (dé)favorable, ferme, fondamentale, forte, fragile, générale, grosse, importante, incorrigible, indécise, inquiétante, irrésistible, irréversible, justifiée, légère, lente, lourde, manifeste, marquante, marquée, massive, naturelle, nette, profonde, prononcée, puissante, (ir)régulière, soutenue, spontanée; contraires, opposées, rivales. *Avoir, être une ~ (+ adj.); alimenter, amorcer, amplifier, atténuer, combattre, confirmer, conforter, constater, contrer, déceler, dégager, durcir, encourager, enregistrer, esquisser, favoriser, freiner, incarner, inverser, manifester, montrer, présenter, refouler, renverser, repérer, réprimer une/des ~(s); couper court, s'opposer à une ~*. Une/la ~ croît, demeure, disparaît, dure, émerge, s'accentue, s'affirme, s'aggrave, s'améliore, s'amorce, s'amplifie, se confirme, se dessine, se fait jour, se maintient, se manifeste, se poursuit, se raffermit, s'infléchit, s'inverse; des ~s (co)existent, rivalisent, s'affrontent, se contredisent, se disputent.

TENDRESSE admirative, amoureuse, aveugle, bourrue, démonstrative, désemparée, discrète, douce, énorme, exacerbée, frustrée, grande, ineffable, inépuisable, inexprimable, infinie, inquiète, naïve, naturelle, partagée, particulière, passagère, passionnée, pensive, persévérante, platonique, profonde, puérile, réciproque, secrète, simulée, sincère, solide, touchante, vague, véritable, vigoureuse, vive. *Nourrir, vouer une ~ (+ adj.); avoir, éprouver, ressentir, témoigner de la ~; épancher, exprimer sa ~; déborder, entourer qqn, envelopper qqn, être plein de ~*.

TENNIS *Pratiquer le ~; battre qqn, jouer, s'adonner au ~; faire du ~*.

TENSION (<u>*état tendu*</u>) faible, forte, lâche, vigoureuse. *Régler, relâcher une/la ~*. ♦ (<u>*Médecine*</u>) basse, élevée, inférieure/supérieure à la normale. *Avoir une ~ (+ adj.); faire baisser, prendre la ~ (de qqn); avoir, faire de la ~*. ♦ (<u>*discorde, désaccord*</u>) brusque, constante, croissante, élevée, énorme, extrême, feutrée, forte, grandissante, incessante, insupportable, intolérable, latente, lourde, maximale, palpable, perceptible, permanente, soudaine, visible. *Accroître, apaiser, atténuer, attiser, augmenter, aviver, créer, désamor-*

cer, entretenir, faire baisser/retomber, éliminer, minimiser, raviver, régler, relâcher, susciter une/des/la/les ~(s). Une/la ~ apparaît, monte, persiste, redescend, règne, retombe, s'accentue, s'aggrave, s'apaise, s'atténue, se crée, se relâche, se rompt, s'estompe, s'installe.

TENTATION ardente, (in)assouvie, brûlante, forte, grande, inapaisable, insatiable, insurmontable, irrésistible, partagée, (ir)raisonnable, récurrente, rude, violente. *Combattre, éprouver, éviter, fuir, raviver, rejeter, repousser, réprimer, subir, vaincre une/la/les ~(s); céder, (s') exposer qqn, parer, résister, succomber à une/la/des ~(s); lutter contre une ~; triompher d'une/des ~(s); hésiter devant la ~; induire, tomber en ~.* Une ~ croît, grandit, monte, s'accentue, s'atténue, s'attiédit, se déclenche, s'émousse, s'éteint, s'exacerbe, s'exaspère, tenaille, travaille.

TENTATIVE agressive, ambitieuse, avortée, avouée, bâclée, convaincante, courageuse, décevante, désastreuse, désespérée, déterminée, (in)efficace, éperdue, faible, folle, fragile, (in)fructueuse, hardie, hasardeuse, hésitante, (mal)heureuse, imparfaite, isolée, (il)légitime, maladroite, manquée, médiocre, minable, osée, pathétique, piètre, piteuse, précipitée, réitérée, résolue, réussie, risquée, rocambolesque, sérieuse, suprême, tardive, téméraire, timide, ultime, (in)utile, vague, vaine. *Bloquer, engager, entreprendre, esquisser, faire, faire échouer, hasarder, liquider, recommencer, renouveler, répéter une ~; échouer, se risquer dans une ~; multiplier les ~s.* Une ~ avorte, échoue, réussit.

TENTE carrée, conique, démontable, gigantesque, immense, légère, lourde, minuscule, profonde, spacieuse, vaste. *Déployer, détendre, dresser, établir, installer, (dé)monter, (dé)planter, (re)plier une/sa ~; camper, coucher, dormir, vivre sous la ~.*

TENUE (__*conduite*__) aberrante, blâmable, bonne, circonspecte, (in)cohérente, convenable, (in)correcte, (in)décente, déplorable, (in)digne, étrange, excellente, impeccable, inadmissible, mauvaise, odieuse, (im)prudente, réservée, rigide, rigoureuse, sage, sauvage. *Adopter, afficher, avoir, posséder une ~ (+ adj.); manquer de ~.* ♦ (__*habillement, apparence*__) affriolante, bizarre, comique, convenable, coquette, (in)correcte, débraillée, (in)décente, décontractée, démodée, dépenaillée, désuète, éblouissante, élégante, excentrique, extravagante, gracieuse, grande, hétéroclite, impeccable, inconvenante, insolite, irréprochable, minable, modeste, négligée, ordinaire, petite, pittoresque, recherchée, relaxe, ridicule, séduisante, sévère, sobre, soignée, sommaire, somptueuse, sophistiquée, stricte, suggestive, surannée, surprenante, tapageuse, vaporeuse. *Arborer, revêtir une ~ (+ adj.); négliger, soigner sa ~.*

TERME (__*mot, expression*__) abrégé, abstrait, (in)adéquat, affectueux, affirmatif, ambigu, (in)approprié, approximatif, archaïque, argotique, banal, barbare, châtié, choisi, clair, coloré, complexe, concis, concret, consacré, convenable, conventionnel, convenu, (in)correct, courant, courtois, décent, désuet, élogieux, énergique, équivoque, étranger, (in)exact, explicite, expressif, faible, familier, figuré, flatteur, formel, fort, galvaudé, grandiloquent, grossier, imagé, implicite, incompréhensible, indéfinissable, injurieux, interchangeable, juste, méprisant, mesuré, modéré, noble, obscur, péjoratif, pertinent, pittoresque, populaire, (im)précis, (im)propre, pudique, rare, rébarbatif, recherché, redondant, respectueux, restrictif, saisissant, savant, savoureux, spécifique, suranné, trompeur, usé, (in)usité, usuel, vague, vieilli, vieux, vigoureux, vulgaire. *Consacrer, définir, employer, fabriquer, forger, manier, inventer, préciser, traduire un ~; ménager, mesurer, peser ses ~s; faire usage, se servir, user de ~s.* ♦ (date limite) (in)certain, courant, court, fatidique, fixe, long, moyen. *(se) Fixer un ~; arriver, toucher au/à son ~; approcher de son ~.* Un ~ approche, échoit, expire, s'éloigne.

TERRAIN (relief, sol) accidenté, argileux, aride, assaini, balisé, boisé, bon, bosselé, boueux, broussailleux, brûlé, buissonneux, caillouteux, calcaire, calciné, collant, compact, (in)constructible, (dé)couvert, crayeux, (in)cultivable, défoncé, dénudé, désolé, desséché, détrempé, dur, (in)égal, escarpé, fangeux, ferme, fertile, friable, glaiseux, glissant, gras, herbeux, humide, immense, impraticable, improductif, inculte, indéfrichable, ingrat, inondé, irrégulier, léger, lourd, marécageux, montagneux, mou, mouvant, nu, ondulé, onduleux, pauvre, paysager, pelé, (im)perméable, pierreux, plat, plissé, poudreux, raboteux, raviné, riche, rocailleux, rocheux, sablonneux, saturé, sec, solide, tourmenté, trempé, uni, uniforme, vague, vallonné, vaste. *Acquérir, aménager, aplanir, arpenter, assécher, bêcher, cultiver, défricher, exploiter, irriguer, labourer, morceler, nettoyer, (dé)niveler, partager, sarcler, travailler, vendre un ~.* Un ~ descend, dévale, ondule, s'abaisse, s'aplatit, se hausse, s'élève, s'enfonce, surplombe. ♦ (Militaire, Sport) conquis, perdu, repris. *(se) Disputer le ~; avoir l'avantage/la maîtrise, être/rester maître du ~; céder, gagner, perdre, prendre du ~.*

TERRASSE agréable, bondée, cloisonnée, couverte, ensoleillée, ombragée, panoramique, spacieuse, vaste. *Être assis, s'attabler à une ~.*

TERRE acide, appauvrie, arable, argileuse, aride, asséchée, boisée, bonne, caillouteuse, calcaire, compacte, (in)cultivable, cultivée, détrempée, durcie, (in)exploitée, fangeuse, féconde, ferme, (in)fertile, généreuse, glaiseuse, granuleuse, grasse, graveleuse, herbeuse, inculte, inexploitée, ingrate, inondable, insalubre, marécageuse, médiocre, odorante, pauvre, plantureuse, (im)productive, puissante, récalcitrante, rentable, riche, rude, sablonneuse, stérile, trempée, usée, vierge. *Alléger, améliorer, assécher, défricher, ensemencer une ~; ameublir, creuser, cultiver, fertiliser, labourer, laisser reposer, remuer, retourner, travailler la ~; pelleter, piocher, transporter de la ~.* La ~ s'appauvrit, s'épuise, se repose.

TERREUR affreuse, atroce, aveugle, démente, épouvantable, extrême, folle, horrible, incessante, indicible, inexplicable, insurmontable, intense, irraisonnée, (in)justifiée, massive, meurtrière, mortelle, nerveuse, panique, paralysante, profonde, salutaire, subite, vaine. *Éprouver, ressentir une ~ (+adj.); combattre, condamner, entretenir, faire régner, inspirer, manifester, pratiquer, prévenir, prôner, répandre, semer, susciter, utiliser, vaincre la ~; avoir recours, renoncer à la ~; vivre dans/sous la ~; gouverner par la ~; être* *fou/muet/pétrifié/saisi, hurler, mourir de ~.* La ~ éclate, paralyse, règne, saisit, se propage, se répand, se résorbe, (re)surgit.

TERRITOIRE accidenté, boisé, considérable, démesuré, désertique, dévasté, enclavé, énorme, exigu, fertile, grand, immense, inculte, large, minuscule, petit, vaste. *Aménager, annexer, attaquer, céder, concéder, (re)conquérir, défendre, délimiter, envahir, évacuer, explorer, investir, morceler, occuper, perdre un ~.*

TERRORISME armé, aveugle, brutal, débridé, destructeur, dévastateur, fanatique, impitoyable, inhumain, meurtrier, organisé, sadique, subversif, systématique, terrifiant, virulent. *Affronter, alimenter, anéantir, arrêter, bloquer, combattre, condamner, connaître, contenir, contrer, contrôler, déclencher, démanteler, dénoncer, détruire, éliminer, employer, encourager, endiguer, enrayer, éradiquer, exacerber, exporter, faire cesser/disparaître/reculer, favoriser, financer, fomenter, intensifier, intercepter, justifier, neutraliser, nourrir, pratiquer, prévenir, rejeter, renforcer, réprimer, soutenir, subir, traquer, vaincre le ~; avoir recours, céder, participer, recourir, renoncer, répugner, riposter, s'attaquer, se livrer au ~; en finir avec le ~; agir, gagner, lutter, se battre contre le ~; être accusé/inculpé/soupçonné de ~; être recherché pour ~.* Le ~ fait rage, (re)naît, persiste, se dissipe, se précise, se profile, se répand, sévit, subsiste.

TERRORISTE brutal, cynique, dangereux, destructeur, dur, fou, impitoyable, inhumain, notoire, récidiviste, repenti, sadique, sanguinaire, sanglant, sauvage, violent. *Abriter, appréhender, arrêter, combattre, condamner, dépister, détenir, extirper, héberger, poursuivre, traquer un ~.*

TEST approfondi, concluant, crucial, (in)efficace, grossier, important, infaillible, méthodique, précis, profond, rapide, raté, renforcé, réussi, révélateur, rigoureux, sévère, sommaire. *Analyser, constituer, élaborer, établir, faire, imposer, mettre au point, (faire) passer, pratiquer, réaliser, subir, valider un ~; procéder, soumettre à un ~.*

TESTAMENT apocryphe, (in)attaquable, authentique, caduc, fabriqué, faux, irrévocable, litigieux, normal, nul, olographe, subséquent, valide. *Annuler, attaquer, casser, confirmer, contester, dresser, exécuter, faire, homologuer, infirmer, interdire, ouvrir, ratifier, réaliser, rédiger, révoquer, (in)valider, vérifier un ~; coucher/mettre qqn sur son ~.*

TÊTE (crâne, front) affreuse, allongée, aplatie, arrondie, bouffie, blonde, carrée, chauve, chenue, chevelue, dégarnie, difforme, droite, ébouriffée, échevelée, émaciée, énorme, fine, frisée, grise, grosse, haute, hirsute, minuscule, moutonnée, petite, plate, pointue, (dis)proportionnée, rasée, tondue, volumineuse. *Avoir une/la ~ (+ adj.); avancer, baisser, bouger, branler, courber, détourner, (re)dresser, hocher, incliner, (re)lever, pencher, plier, ployer, remuer, renverser, retourner, secouer, se découvrir, tourner la ~; acquiescer, approuver, diriger, dodeliner, opiner, osciller de la ~.* ♦(visage) antipathique, belle, bonne, comique, lugubre, passionnée, patibulaire, ravagée, sale, sinistre, sympathique. *Avoir une ~ (+ adj.).*

TEXTE (écrit) abordable, abstrait, accessible, admirable, aéré, alambiqué, alerte, ambitieux, authentique, boiteux, brillant, capital, choisi, ciselé, (in)cohérent, (in)complet, complexe, concis, confus, court, crucial, décousu, définitif, dense, désinvolte, difficile, éclairant, efficace, élégant, ésotérique, étincelant, exigeant, explicite, facile, fade, fantaisiste, foisonnant, gauche, imaginaire, impeccable, important, incisif, incompréhensible, indéchiffrable, inédit, inimitable, intelligent, (in)intelligible, intégral, intense, interminable, intraduisible, laborieux, limpide, (il)lisible, lumineux, marquant, médiocre, naïf, obscur, original, passable, profond, puissant, ramassé, sibyllin, sobre, solide, sombre, sûr, tendre, tranché, tronqué, truculent, véhément, vif. *Abréger, adapter, aérer, alléger, allonger, altérer, améliorer, annoter, ciseler, citer, communiquer, consulter, corriger, déchiffrer, décortiquer, éclaircir, écourter, écrire, éditer, édulcorer, élaborer, élaguer, éplucher, établir, massacrer, mettre au point, modifier, mutiler, paraphraser, parcourir, préparer, publier, raccourcir, rapetisser, rectifier, rédiger, remanier, revoir, savoir, (res)serrer, soumettre, surcharger, synthétiser, taper, transcrire un ~; se référer, se reporter à un/au ~.* ♦(~ de loi) *Adopter, amender, déposer, discuter, introduire, modifier, proposer, ratifier, rédiger, refondre, signer, soumettre, voter un ~.*

THÉ aromatisé, brûlant, fade, fort, glacé, infect, insipide, léger, nature, noir, pâle, parfumé, savoureux, vert. *Apporter, commander, demander, faire, (faire) infuser, offrir, prendre, préparer, servir, siroter, verser un/le/du ~.*

THÉÂTRE (Art) antique, burlesque, classique, comique, contemporain, ludique, musical, poétique, populaire, psychologique. *Aborder, pratiquer le ~ ; se consacrer, se destiner, s'intéresser au ~; écrire pour le ~; écrire, faire du ~.* ♦(lieu, entreprise) bondé, comble, désert, encombré, grand, minuscule, petit, rempli, somptueux. *Diriger, fréquenter un ~; entrer dans un ~; aller, partir, se produire, se rendre, venir au ~; rentrer, revenir, sortir du ~; monter sur le ~.* Un ~ fait relâche, joue/donne/monte une pièce.

THÈME actuel, ambitieux, brûlant, central, complexe, constant, controversé, crucial, délicat, dominant, éculé, (in)épuisé, essentiel, favori, grand, grave, important, imposé, intemporel, intéressant, large, majeur, mineur, obsédant, passionnant, porteur, prioritaire, raffiné, rassembleur, rebattu, récurrent, répandu, ressassé, riche, sensible, stéréotypé, unique, usé. *Aborder, annoncer, avancer, concevoir, développer, élaborer, emprunter, évoquer, exalter, expliquer, exploiter, explorer, exposer, traiter, utiliser, véhiculer un ~; débattre d'un ~; improviser sur un ~.*

THÉORIE abstraite, audacieuse, contestable, (in)contestée, controversée, convaincante, démodée, discutable, douteuse, extravagante, (in)féconde, florissante, floue, fragile, hardie, inapplicable, ingénieuse, inquiétante, insoutenable, intenable, invérifiable, large, limpide, nébuleuse, novatrice, raffinée, (ir)rationnelle, ressassée, révolutionnaire, séduisante, sérieuse, simpliste, traditionnelle, valable, vieille, visionnaire, (in)vraisemblable. *Appliquer, appuyer, avancer, bâtir, cautionner, chambouler, chercher, combattre, concevoir, confirmer, construire, contempler, créer, défendre, démolir, ébaucher, échafauder, édifier, élaborer, émettre, énoncer, établir, expérimenter, exploiter, exposer, fonder,* *formuler, infirmer, justifier, lancer, mûrir, nier, poser, pratiquer, présenter, professer, proposer, prouver, rejeter, remanier, renverser, réviser, valider, vérifier une ~.*

THÉRAPIE alternative, (in)appropriée, classique, complémentaire, conventionnelle, coûteuse, curative, douloureuse, (in)efficace, énergique, globale, intensive, miraculeuse, nocive, pointue, préventive, prometteuse, radicale, réussie, rigoureuse, sévère, spécifique. *Effectuer, entamer, fournir, offrir, prescrire, suivre, tolérer une ~; (se) soumettre qqn à une ~; envoyer qqn en ~.*

THÈSE brève, brillante, complexe, contestable, controversée, excellente, impressionnante, interminable, modeste, monumentale, nébuleuse, obscure, remarquable, simple, succincte. *Achever, commencer, écrire, préparer, présenter, publier, réaliser, rédiger, soutenir, terminer une ~; travailler à/sur une ~.*

TIC agaçant, inconscient, incontrôlable, irrépressible, machinal, marqué, nerveux, rapide. *Avoir, cesser un ~; être bourré/plein/ravagé de ~s.*

TIÉDEUR (dés)agréable, apaisante, délicate, douillette, exquise, idéale, molle, orageuse, précoce.

TIGE aérienne, cassante, creuse, élancée, épineuse, fragile, frêle, grêle, grimpante, grosse, haute, ligneuse, lisse, longue, menue, molle, poilue, rampante, rigide, robuste, souple, souterraine, tortueuse, velue, vigoureuse, vrillée. Une ~ fléchit, penche, plie, ploie, prend racine, rampe, s'abaisse, se courbe, se rompt, s'étend, se tord, s'incline, s'infléchit, vrille.

TIMBRE (*~-poste*) commun, neuf, oblitéré, précieux, rare, rarissime. *Apposer, coller, humecter, lécher, mettre, oblitérer un ~; collectionner les ~s.* ♦ (*sonnerie*) aigu, argentin, calme, clair, distinct, doux, exact, feutré, fort, gras, grave, grêle, irritant, léger, métallique, moelleux, neutre, normal, puissant, sonore, strident, suave, vibrant, violent, voilé. *Déclencher, entendre, faire retentir, presser un ~.* Un ~ résonne, retentit, tinte.

TIMIDITÉ affligeante, atroce, charmante, délicate, excessive, extrême, farouche, flagrante, forte, gauche, grande, incroyable, incurable, insurmontable, invincible, maladive, (im)motivée, naturelle, paralysante, respectueuse, rougissante. *Être d'une ~ (+ adj.); dompter, surmonter, vaincre la/sa ~; être paralysé par la ~; lutter contre sa ~; souffrir de sa ~; être saisi, frémir, pâlir, trembler, tressaillir de ~.* Une ~ persiste, s'installe, règne, sévit.

TIR (*~ de fusil*) accéléré, accidentel, (semi-)automatique, clairsemé, continu, convergent, couché, courbe, croisé, dense, (in)direct, (in)efficace, exact, groupé, hostile, inopiné, intense, intermittent, (in)interrompu, meurtrier, (im)précis, ralenti, rapide, roulant, tendu; fréquents, incessants, sporadiques. *Essuyer des ~s; échapper à un ~; ajuster, arrêter, commander, corriger, déclencher, ouvrir, pratiquer, régler le ~; s'exercer au ~; faire du ~.* ♦ (*Sport*) ajusté, appuyé, décevant, difficile, faible, lointain, moyen, (im)précis, puissant, rapide, rapproché, roulant, sec, violent. *Arrêter, décocher, faire dévier un ~.*

TIREUR, EUSE adroit, bon, chevronné, compétent, débutant, d'élite, embusqué, entraîné, excellent, expérimenté, fin, fou, isolé, mauvais, médiocre, piètre, (im)précis.

TISSAGE artisanal, complexe, délicat, fin, lâche, (ir)régulier, serré, simple, souple, uniforme.

TISSU absorbant, aéré, brillant, brodé, chaud, chiné, clair, damassé, décoloré, délicat, diaphane, doux, durable, élastique, élimé, épais, exclusif, (in)extensible, feutré, fin, fleuri, fragile, (in)froissable, gaufré, glacé, grossier, imperméabilisé, imprimé, (in)inflammable, irrétrécissable, lâche, léger, lourd, mat, métallique, mince, moelleux, mou, mûr, naturel, pelucheux, (im)perméable, piquant, piqué, plastifié, rêche, résistant, réversible, rude, satiné, serré, sobre, solide, souple, soyeux, synthétique, transparent, uni, usé, vaporeux.

TITRE (*~ d'un livre, d'un film, de la Presse*) accrocheur, aguicheur, alléchant, anodin, attrayant, austère, bon, choc, (in)complet, définitif, descriptif, édifiant, éloquent, énigmatique, équivoque, évocateur, explicite, impossible, informatif, insolite, inspiré, mauvais, mièvre, modeste, obscur, original, prometteur, provisoire, provocateur, révélateur, sensationnel, suggestif, sulfureux, symbolique, tape-à-l'œil, triomphant, trompeur, vague, voyant. *Choisir, donner un ~; avoir pour ~.* ♦ (*Sport*) convoité, incontesté, mondial, olympique, prestigieux. *Conquérir, décrocher, défendre, détenir, disputer, enlever, remporter un ~; aspirer, renoncer à un ~; s'emparer d'un ~; concourir pour le ~; être le tenant du ~; mettre son ~ en jeu.*

TOILE (*tissu*) délicate, durable, écrue, épaisse, fine, grosse, grossière, lâche, légère, lourde, résistante, rude, rugueuse, serrée, solide, souple, unie. ♦ (*Art, tableau*) aboutie, admirable, célèbre, hideuse, immense, lumineuse, magnifique, majeure, merveilleuse, mineure, monumentale, passable, sombre, somptueuse, splendide, superbe. *Achever, admirer, brosser, camper, composer, entreprendre, esquisser, exécuter, exposer, peindre, réaliser, restaurer, retoucher une ~.*

TOILETTE (*nettoyage*) grande, légère, longue, méticuleuse, minutieuse, rapide, soignée, sommaire. *Faire sa/la ~ de (sa voiture, son chien, etc.); être, procéder à sa ~.* ♦ (*habillement, parure*) austère, chic, convenable, coquette, (in)correcte, criarde, débraillée, décontractée, délicieuse, dépenaillée, (in)élégante, excentrique, grande, impeccable, irréprochable, luxueuse, minutieuse, négligée, pimpante, recherchée, séduisante, sévère, sobre, soignée, stricte, tapageuse, voyante. *Arborer, étrenner, revêtir une ~ (+adj.); arranger sa ~; changer de ~; s'habiller, être, se mettre en ~.*

TOIT abrupt, aigu, crevé, effondré, hardi, incliné, large, mansardé, ouvrant, pentu, plat, pointu, prononcé, raide, recourbé, vertigineux, vitré, voûté. *Construire, faire, mettre, ouvrir, poser, recouvrir, réparer un ~.*

TOLÉRANCE aveugle, coupable, étonnante, exagérée, excessive, feinte, inépuisable, inouïe, méfiante, nulle, opiniâtre, passive, prétendue, réciproque, relative, remarquable. *Encourager, enseigner, exercer, pratiquer, prêcher, prôner la ~; appeler à la ~; manifester, montrer, témoigner de la ~; faire montre/preuve d'une ~ (+adj.).*

TOMBE célèbre, colossale, émouvante, énorme, fleurie, gigantesque, grandiose, illustre, imposante, impressionnante, majestueuse, massive, merveilleuse, modeste, simple, sobre, somptueuse, spectaculaire. *Creuser, entretenir, (re)fleurir, orner, profaner, violer une ~; descendre un cercueil dans une ~; (aller) se recueillir sur la ~ de qqn.*

TON (hauteur de la voix, manière de parler) abrupt, absolu, acerbe, acide, acrimonieux, admiratif, affable, affecté, affectueux, affirmatif, agacé, (dés)agréable, agressif, aigre, aigu, aimable, aisé, allègre, amer, amical, amusé, animé, apaisant, âpre, arrogant, assuré, attendrissant, badin, bas, belliqueux, bienveillant, bonasse, boudeur, bourru, brusque, brutal, câlin, calme, cassant, catégorique, cérémonieux, chaud, coléreux, compatissant, conciliant, condescendant, confidentiel, continu, convaincu, cordial, correct, coupant, courroucé, courtois, craintif, criard, décent, décidé, décisif, dédaigneux, dérisoire, désabusé, désespéré, désinvolte, despotique, détaché, déterminé, dictatorial, direct, dominateur, doucereux, doux, dramatique, dur, éclatant, égal, élevé, éloquent, émouvant, emporté, emprunté, ému, énergique, enflammé, énigmatique, enjoué, enlevé, ennuyeux, enthousiaste, évasif, excédé, excité, exubérant, familier, fatal, fatigué, faux, ferme, féroce, fier, franc, froid, gai, galant, geignard, gentil, glacé, grandiloquent, grave, grinçant, grivois, guindé, haineux, haletant, hargneux, haut, hautain, hésitant, humble, humoristique, hypocrite, hystérique, impératif, impérieux, impersonnel, impertinent, implorant, imposant, incisif, incongru, indécis, indifférent, inimitable, inquisiteur, insinuant, insolent, insolite, ironique, irrité, jovial, joyeux, juste, laconique, lamentable, langoureux, languissant, larmoyant, las, lassé, léger, lent, libre, lourd, lugubre, magistral, majestueux, malveillant, maniéré, maussade, méchant, mélancolique, mélodramatique, menaçant, méprisant, mesuré, mielleux, modéré, modeste, monocorde, monotone, moqueur, moralisateur, mordant, mourant, narquois, nasillard, naturel, navré, négligent, neutre, noble, nuancé, obstiné, offensif, oratoire, passionné, pathétique, (im)patient, pédant, pensif, persuasif, pessimiste, pince-sans-rire, piteux, plaintif, (dé)plaisant, plaisantin, pleurard, pleureur, pleurnichard, pointu, pondéré, poli, pompeux, posé, précieux, précipité, préoccupé, présomptueux, prétentieux, protecteur, provocant, radouci, rageur, railleur, râleur, rassurant, rauque, ravi, réconfortant, réfléchi, réprobateur, réservé, résigné, résolu, respectueux, retenu, riche, rieur, rugueux, saccadé, sarcastique, satirique, satisfait, sceptique, sec, sérieux, sévère, simple, singulier, solennel, sonore, soupçonneux, sourd, succinct, suffisant, suffoqué, supérieur, suppliant, timide, touchant, tragique, traînant, traînard, tranchant, triomphant, triste, uniforme, véhément, vengeur, venimeux, vif, vigoureux, vindicatif, violent, volubile. *Adopter, avoir, garder, employer, prendre un ~ (+ adj.); ajouter, dire, parler, répartir, répliquer, répondre d'un ~ (+ adj.); déclarer, lancer, parler sur un ~ (+ adj.); baisser, changer, donner, durcir, élever, forcer, hausser, monter le ~; changer de ~.* Un ~ baisse, change, monte, s'élève. ♦ (couleur, nuance) ardent, chaud, clair, criard, délicat, dominant, doux, foncé, fondu, franc, froid, léger, lumineux, monotone, neutre, nuancé, obscur, pastel, (im)perceptible, pétillant, pur, riche, sombre, sourd, soutenu, tendre, terne, uniforme, vigoureux, violent; dégradés, différents, heurtés, liés, mêlés.

TONNERRE assourdissant, continu, éloigné, grondant, incessant, ininterrompu, inouï, lointain, roulant, sourd. *Entendre le ~.* Le ~ assourdit, éclate, gronde, retentit, ronfle, tombe.

TORNADE affreuse, dévastatrice, effroyable, énorme, épouvantable, imminente, majeure, spectaculaire. *Affronter, essuyer, subir une ~; échapper, survivre à une ~.* Une ~ bat son plein, déferle, faiblit, fait rage, gronde, hurle, menace, mugit, s'apaise, se calme, se déchaîne, se développe, s'élève, s'épuise, sévit.

TORPEUR accablante, douce, étrange, froide, intense, invincible, paralysante, persistante, profonde, résignée. *Être plongé dans une ~ (+ adj.); secouer une ~; sortir, se réveiller, tirer de sa ~.*

TORRENT bouillonnant, bourbeux, dangereux, déchaîné, desséché, dévastateur, dévorant, écumant, enflé, fangeux, fougueux, furieux, impétueux, indomptable, infranchissable, irrésistible, mugissant, puissant, rapide, tumultueux, sauvage. *Endiguer, former, refouler un ~.* Un ~ bondit, déborde, dévale, engloutit, gronde, jaillit, mugit, roule, s'écoule, se déchaîne, réveille.

TORSE admirable, avantageux, basané, bombé, développé, énorme, étroit, exubérant, ferme, gras, grêle, herculéen, large, long, maigre, mince, mou, musclé, noueux, nu, poilu, rond, velu. *Avoir un ~ (+ adj.); bomber, redresser, rouler le ~.*

TORT considérable, énorme, flagrant, grave, immense, incalculable, inestimable, insignifiant, irrémédiable, léger, (ir)réparable, sérieux, (in)volontaire. *Avoir, avouer, causer, chercher, endurer, éprouver, grossir, nier, occasionner, provoquer, reconnaître, redresser, regretter, prévenir, réparer, reprocher, subir, venger un/des/les/ses ~(s).*

TORTURE abominable, affreuse, atroce, cruelle, effroyable, épouvantable, horrible, insoutenable, insupportable, meurtrière, raffinée, sadique, sanglante, systématique, terrible. *Abolir, appliquer, bannir, employer, infliger, perpétrer, pratiquer, soutenir, subir, supporter, utiliser une/la/des ~(s); soumettre à des ~s; avoir recours, résister à la ~; militer contre la ~; passer par la ~; craquer, mourir sous la ~.*

TOTAL astronomique, colossal, considérable, dérisoire, effarant, élevé, énorme, exorbitant, fabuleux, faible, fantastique, faramineux, imposant, impressionnant, insignifiant, modéré, modeste, petit, prodigieux, ridicule, vertigineux, (in)vraisemblable. *Acquitter, arrondir, payer, percevoir, verser un ~.*

TOUCHER (dés)agréable, délicat, doux, ferme, fin, granuleux, moelleux, répugnant, rude, rugueux, satiné, sensuel, soyeux, surprenant, vaporeux, velouté, visqueux.

TOUR (*édifice*) aérienne, carrée, colossale, crénelée, (in)élégante, énorme, grande, grosse, haute, immense, inclinée, légère, lourde, massive, modeste, petite, pointue, polygonale, puissante, ronde, solide, solitaire, svelte, vertigineuse, vieille. Une ~ domine, se dresse, s'élève. ♦(plaisanterie) badin, bête, bon, diabolique, drôle, infernal, mauvais, pendable, perfide, petit, sale, stupide, vicieux, vilain, vulgaire. *Faire, imaginer, inventer, jouer un ~.*

TOURISME actif, artisanal, authentique, balnéaire, blanc, champêtre, collectif, commercial, commun, culturel, d'affaires/d'aventure/de distinction/de luxe/de masse, durable, écologique, élitiste, estival, étranger, extrême, fluvial, gastronomique, grand, itinérant, massif, montagnard, nature, organisé, pédestre, personnalisé, privilégié, réceptif, religieux, rural, social, sportif, thermal, traditionnel, tranquille, vert. *Pratiquer un ~ (+ adj.); développer, encourager, favoriser, gérer, promouvoir, relancer, stimuler le ~; s'ouvrir au ~; travailler dans le ~; faire, vivre du ~.*

TOURISTE aventureux, aventurier, avisé, conformiste, désargenté, éclairé, économe, égaré, enthousiaste, exigeant, fortuné, indépendant, informé, pressé. *Accueillir, attirer, captiver, chasser, conduire, faire fuir, ramener, recevoir, séduire des/le/les ~(s); séjourner, venir, voyager en ~.*

TOURMENT affreux, atroce, grand, horrible, indicible, infernal, inouï, insupportable, interminable, obsédant, perpétuel, profond, vif. *Causer, provoquer, susciter un ~; adoucir, apaiser les ~s; mourir dans les ~s.*

TOURNAGE amusant, attrayant, captivant, chaotique, compliqué, couru, désopilant, difficile, divertissant, éclair, éprouvant, épuisant, fastidieux, hallucinant, interminable, lamentable, léger, long, mouvementé, pénible, précis, rapide, reposant, risible, spectaculaire. *Entamer, entreprendre, planifier, préparer, réaliser, suivre, terminer un ~; assister, participer à un ~.* Un ~ a cours, a lieu, débute, se déroule.

TOURNANT (virage) abrupt, brusque, dangereux, mauvais, périlleux, raide, relevé, soudain, traître. *Effectuer, manquer, prendre un ~; déboucher à un ~; s'engager dans un ~.* ♦(changement) capital, clé, critique, crucial, décisif, déterminant, habile, historique, important, imprévisible, incontestable, mauvais, nécessaire, nouveau, radical, rapide, révolutionnaire, véritable. *Amorcer, constituer, marquer, prendre un ~; être à un ~.*

TOURNOI amical, captivant, décevant, décisif, enlevant, final, important, interminable, officiel, passionnant, serré, spectaculaire. *Arbitrer, commenter, disputer, entreprendre, gagner, organiser, perdre, remporter, reporter un ~; assister, prendre part à un ~; concourir, être battu dans un ~; sortir victorieux d'un ~; s'entraîner pour un ~.*

TOUT cohérent, compact, (in)divisible, harmonieux, hétérogène, homogène. *Composer, constituer, former, réaliser un ~; comprendre, réunir dans un ~.*

TOUX bruyante, caverneuse, chronique, continuelle, creuse, déchirante, discrète, ennuyeuse, grasse, grave, grosse, inquiétante, interminable, irrésistible, irritante, légère, mauvaise, nerveuse, opiniâtre, pénible, petite, profonde, prolongée, rauque, rebelle, sèche, sifflante, sonore, tenace, vilaine, violente, volontaire. *Soulager, traîner une*

~; souffrir d'une ~; calmer la ~; être secoué par la ~. Une ~ persiste, s'amplifie, s'atténue, se prolonge, s'éternise, s'installe.

TOXICOMANE endurci, halluciné, incorrigible, invétéré, récidiviste, sevré. *Désintoxiquer, guérir, traiter un ~.*

TRAC abominable, affreux, angoissant, apparent, contagieux, fou, inavoué, incompressible, incontrôlable, inexplicable, rentré. *Avoir, éprouver, provoquer, ressentir un ~ (+ adj.); avoir, dominer, donner, surmonter, susciter le/son ~; être blanc/blême/mort/muet/transit/vert, frémir, grelotter, suer, trembler, trembloter de ~.*

TRACAS continuels, énormes, gros, incessants, inextricables, insurmontables, inutiles, pénibles, perpétuels. *Affronter, causer, (s') éviter, occasionner, s'attirer, susciter des ~.*

TRACE embrouillée, fine, fraîche, large, légère, longue, nette, profonde, prononcée, sanglante, visible. *Brouiller, découvrir, détruire, dissimuler, effacer, laisser, négliger, perdre, porter, rechercher, relever, retrouver, suivre, trouver une/des/les ~ (s); disparaître sans laisser de ~s; cacher, couvrir sa/ses ~(s).*

TRACÉ chaotique, continu, monotone, (im)précis, rectiligne, sinueux, vigoureux. *Adopter, emprunter, étudier un ~.*

TRADITION ancestrale, ancienne, ancrée, antique, archaïque, authentique, belle, bonne, brillante, contraignante, décadente, désuète, florissante, (in)fondée, forte, glorieuse, grande, immémoriale, immuable, inexplicable, locale, longue, maintenue, millénaire, noble, obscure, originale, oubliée, pesante, pieuse, préservée, récente, reculée, respectable, riche, sacrée, saine, solide, sophistiquée, tenace, universelle, vénérable, véritable, vieille, vivace, vivante, vraie. *Abandonner, accomplir, ancrer, conserver, constituer, continuer, créer, défendre, développer, endosser, enfreindre, entretenir, (r)établir, étendre, garder, hériter, maintenir, perdre, perpétuer, préserver, rejeter, renier, renverser, répandre, respecter, ressusciter, revendiquer, sauver, suivre, supprimer, trahir, transmettre, trouver une/des/la/les ~(s); renouer, rompre avec une/les ~(s); se situer, s'inscrire, s'insérer dans une/la ~; bénéficier, être respectueux, s'écarter d'une/de la ~.* Une ~ (dé)croît, disparaît, meurt, naît, se fortifie, s'instaure; la ~ affirme, dit, prescrit, prétend, propose, raconte, rapporte, veut.

TRADUCTEUR, TRICE admirable, avisé, brillant, chevronné, (in)compétent, distingué, doué, émérite, éminent, (in)fidèle, improvisé, médiocre, méticuleux, négligent, piètre, remarquable, respecté, scrupuleux, servile, talentueux.

TRADUCTION abominable, (in)adéquate, (in)appropriée, approximative, attentive, bâclée, boiteuse, bonne, complète, concise, concrète, condamnable, (in)correcte, délicate, déplorable, douteuse, élégante, (in)exacte, excellente, fantaisiste, fautive, fiable, (in)fidèle, habile, inspirée, juste, laborieuse, libre, littérale, lourde, maladroite, mauvaise, médiocre, naturelle, (im)parfaite, pénible, piètre, plate, poétique, rapide, remarquable, retouchée, réussie, rigoureuse, (in)satisfaisante, savoureuse, servile, subtile, surannée, timide, vivante. *Améliorer, arranger, autoriser, donner,* *écrire, effectuer, entreprendre, établir, faire, fournir, mener à bien, préparer, proposer, réaliser, réviser, soigner une ~.*

TRAFIC (Automobile, Aviation, rail) bondé, bruyant, chaotique, clairsemé, dense, désorganisé, difficile, embarrassé, embouteillé, encombré, énorme, fluide, fort, important, infernal, instable, intense, interrompu, laborieux, lent, lourd, (a)normal, paralysé, perturbé, ralenti, rapide, régulier, restreint. *Arrêter, bloquer, canaliser, dévier, enrayer, faciliter, gêner, interdire, interrompre, obstruer, paralyser, perturber, préserver, ralentir, régulariser, troubler le ~; s'insérer dans le ~; se dégager du ~.* Le~ augmente, diminue, ralentit, s'accroît, s'amplifie, s'intensifie. ♦(commerce clandestin) actif, florissant, frauduleux, gigantesque, illicite, intensif, prospère, tentaculaire. *Démanteler un ~; participer, se livrer à un ~; combattre, faciliter, favoriser, intensifier, prohiber, réprimer le ~; faire du ~.*

TRAFIQUANT, ANTE connu, grand, gros, invétéré, notoire, petit, réputé, rusé. *Arrêter, attraper, capturer, identifier, poursuivre, traquer un ~.*

TRAGÉDIE affreuse, cruelle, effroyable, épouvantable, immense, lamentable, majeure, pitoyable, sanglante, sombre, terrible, traumatisante, véritable. *Affronter, déclencher, empêcher, éviter, provoquer une ~; faire face, survivre à une ~; tourner en ~.* Une ~ a lieu, arrive, menace, s'annonce, se prépare, se produit.

TRAHISON basse, flagrante, haute, indigne, infâme, manifeste, prouvée, reconnue, véritable. *Commettre, machiner, prévenir une ~; être inculpé, soupçonner qqn de ~.*

TRAIN bondé, cliquetant, complet, de luxe, direct, express, interminable, lent, long, luxueux, ordinaire, rapide, régulier, spécial. *Aiguiller, attraper, emprunter, manquer, prendre, rater, suivre un ~; embarquer, grimper, monter, rester, sauter, s'engouffrer, se précipiter, s'installer dans un/le ~; débarquer, décharger, descendre d'un/du ~; être happé par un ~; changer de ~; descendre, voyager en ~.* Un ~ arrive, démarre, déraille, entre en gare, est en marche/immobilisé, file, part, passe, ralentit, roule, s'accélère, s'arrête, s'ébranle, s'élance, se met en route, siffle, s'immobilise, tangue, vrombit. ♦(allure, rythme) accéléré, affolant, alangui, bon, frénétique, furieux, grand, infernal, inquiétant, lent, (a)normal, rapide, préoccupant, soutenu, trépident. *Accélérer, mener, ralentir, suivre le/son ~.* ♦(~ de vie) accru, décent, dispendieux, grand, inférieur, insolent, lourd, majestueux, modeste, moyen, princier, réduit, somptueux, (in)suffisant, supérieur. *Avoir, mener un ~ (+ adj.); accroître, réduire son ~.*

TRAIT (ligne) (dis)continu, exagéré, ferme, fin, franc, gras, gros, imperceptible, large, mince, mou, net, oblique, précis, pur, rapide, rectiligne, simple, sûr. *Faire, passer, supprimer, tirer, tracer un ~; barrer, biffer, rayer, souligner d'un ~.* ♦(élément caractéristique) caractéristique, commun, constant, distinctif, dominant, essentiel, fondamental, frappant, important, insignifiant, majeur, marquant, mineur, particulier, remarquable, révélateur, semblable, significatif, spécifique, typique. *Offrir, posséder, présenter un/des ~(s) (+adj.).* ♦(physionomie) accusés, altérés, amaigris, bouffis, bouleversés, calmes, charmants, convulsés, creusés, crispés, décomposés, délicats, durcis, durs, effacés, empâtés, énergiques, épais, fatigués, fins, flétris, gigantesques, gonflés, gros, grossiers, hagards, hideux, lourds, maigres, majestueux, marqués, massifs, menus, mobiles, mous, nobles, poupins, prononcés, purs, ravagés, (ir)réguliers, rudes, saillants, tirés, torturés, usés. *Avoir les ~s (+ adj.).* Les ~s s'accentuent, s'atténuent, se contractent, se détendent, se durcissent, se rembrunissent.

TRAITÉ boiteux, bon, caduc, contraignant, draconien, durable, excellent, formel, fragile, honteux, illusoire, mauvais, obsolète, officiel, officieux, (im)parfait, (in)satisfaisant, secret, solide. *Abolir, accepter, annuler, conclure, consolider, enfreindre, entériner, exécuter, formaliser, garantir, imposer, mettre en application, modifier, négocier, parapher, préparer, ratifier, rédiger, refuser, renier, renouveler, résilier, respecter, rompre, sceller, signer, torpiller, violer un ~; adhérer à un ~; se désengager, se dissocier d'un ~.*

TRAITEMENT (manière d'agir) ambigu, bienveillant, bon, brutal, (in)correct, dégradant, discret, discriminatoire, doux, dur, efficace, équitable, (dé)favorable, galant, indigne, inhumain, (in)juste, (in)justifié, mauvais, personnalisé, princier, privilégié, réciproque, rigoureux, (in)satisfaisant, sévère, spécial, superficiel, unique. *Éprouver, infliger, mériter, recevoir, réserver, (faire) subir un ~ (+ adj.); bénéficier, jouir d'un ~ (+ adj.).* ♦ (Médecine) approprié, ciblé, curatif, (de) choc, douloureux, (in)efficace, énergique, inoffensif, intensif, mesuré, miraculeux, nocif, palliatif, précoce, préventif, prometteur, radical, rigoureux, sévère. *Appliquer, entreprendre, faire, imposer, infliger, ordonner, planifier, préconiser, prescrire, recevoir, suivre, tolérer un ~; bénéficier d'un ~; être en/sous ~.* ♦ (rémunération) attractif, bon, brut, colossal, confortable, considérable, (in)convenable, décent, dérisoire, élevé, excellent, fabuleux, faible, fixe, gros, infime, insuffisant, irrégulier, (in)juste, maigre, (im)mérité, modeste, modique, motivant, plantureux, princier, rondelet, stimulant. *Allouer, attribuer, demander, mériter, percevoir, recevoir, toucher, verser un ~ (+adj.); augmenter, réduire, relever les ~s; bénéficier d'un ~ (+adj.).*

TRAITRISE absolue, criminelle, flagrante, impardonnable, incommensurable, infâme, innommable, inqualifiable, insoupçonnée, manifeste, véritable, vindicative.

TRAJECTOIRE brisée, chaotique, complexe, fulgurante, impeccable, rasante, rectiligne, tendue. *Décrire, modifier, rectifier, suivre une ~; dévier de/sa ~; changer de ~.*

TRAJET agréable, aisé, court, décevant, déterminé, difficile, épuisant, facile, inoubliable, intéressant, interminable, long, pénible, rapide, sinueux. *Accomplir, effectuer, faire, organiser, parcourir, suivre un ~; participer à un ~.*

TRANQUILLITÉ absolue, apparente, douce, éphémère, excessive, heureuse, inaltérable, parfaite, précaire, profonde, provisoire, relative, singulière, totale. *Établir, perdre, retrouver la ~; aspirer à la ~; jouir de la ~ ; conserver, défendre, préserver, vouloir sa ~; tenir à sa ~.*

TRANSACTION audacieuse, avortée, bonne, délicate, désastreuse, excellente, grosse, (mal)honnête, inacceptable, intéressante, lucrative, majeure, mineure, petite, profitable, rentable, réussie, risquée, satisfaisante, sûre, transparente. *Accepter, conclure, effectuer, finaliser, opérer, proposer, refuser une ~.*

TRANSFORMATION apparente, brutale, complète, définitive, fabuleuse, forte, fulgurante, graduelle, irréversible, lente, profonde, radicale, réussie, révolutionnaire, spectaculaire, subite, substantielle, totale, urgente, véritable. *Connaître, hâter, opérer, réaliser, subir une ~.* Une ~ aboutit, intervient, s'accomplit, s'opère, rate.

TRANSITION brusque, brutale, chaotique, délicate, difficile, douce, douloureuse, fragile, harmonieuse, heureuse, houleuse, inachevée, interminable, laborieuse, lente, lourde, naturelle, (dés)ordonnée, pacifique, paisible, pénible, périlleuse, progressive, rapide, ratée, réussie, sage, (in)sensible, subtile. *Amorcer, conduire, effectuer, gérer, initier, ménager, opérer une ~.*

TRANSPARENCE douce, extraordinaire, faible, impeccable, inimaginable, inouïe, limpide, parfaite, rare. *Être d'une ~ (+ adj.).*

TRANSPIRATION (sur)abondante, continuelle, excessive, légère. *Diminuer, éponger, étancher, exciter, favoriser, réduire la ~; être ruisselant/trempé, ruisseler de ~; être en ~.*

TRANSPORT accéléré, immédiat, léger, lourd, rapide, tardif. *Assurer, faciliter, prévoir le ~ de qqn/qqch.*

TRAUMATISME considérable, énorme, grave, léger, profond, terrible, violent. *Déclencher, occasionner, provoquer, subir, surmonter un ~; sortir, souffrir d'un ~.*

TRAVAIL abrutissant, absorbant, acceptable, acharné, (in)achevé, admirable, aisé, amusant, appliqué, ardu, aride, artisanal, assidu, assommant, astreignant, attrayant, avilissant, bâclé, captivant, colossal, compliqué, concret, consciencieux, considérable, constructif, courageux, créateur, créatif, décent, décourageant, délicat, difficile, discret, dur, écrasant, ennuyeux, énorme, éprouvant, épuisant, éreintant, esquintant, excellent, excessif, exigeant, exorbitant, exténuant, facile, fastidieux, fatigant, fécond, fertile, forcé, forcené, (in)fructueux, gigantesque, gratifiant, gros, grossier, harassant, hâté, hâtif, héroïque, honnête, horrible, impeccable, important, imposé, impressionnant, incessant, indispensable, individuel, infernal, ingrat, inhumain, inlassable, insuffisant, intellectuel, intensif, (in)intéressant, interminable, intermittent, (in)interrompu, irréprochable, laborieux, lent, long, lucratif, machinal, malaisé, malpropre, médiocre, méritoire, méticuleux, minutieux, monotone, négligé, net, noble, obstiné, opiniâtre, parfait, passable, passionnant, pénible, précaire, précieux, préliminaire, prenant, pressant, (im)productif, profitable, prometteur, quotidien, rapide, réalisable, rebutant, réel, (ir)régulier, remarquable, rémunérateur, rémunéré, rentable, répétitif, rétribué, rigoureux, routinier, rude, salissant, satisfaisant, secret, sécurisant, sérieux, soigné, soigneux, solide, sophistiqué, sous-payé, soutenu, (in)stable, stressant, studieux, subalterne, surhumain, temporaire, titanesque, tuant, uniforme, urgent, (in)utile, vain, (dé)valorisant, varié.

Abattre, aborder, accélérer, accepter, accomplir, achever, activer, améliorer, apprendre, attaquer, avancer, bâcler, bousiller, chercher, commander, continuer, délaisser, diriger, distribuer, donner, élaborer, entamer, entreprendre, exécuter, expédier, faire, fignoler, financer, fournir, gâcher, hâter, imposer, interrompre, manquer, négliger, organiser, parachever, parfaire, payer, peaufiner, posséder, poursuivre, pratiquer, (se) procurer, réaliser, réclamer, reprendre, réussir, saboter, sabrer, soigner, solliciter, superviser, surveiller, suspendre, terminer, traîner, (re)trouver un/du/son/des/les ~(x); aider qqn, participer, prendre part, renoncer, s'acharner, s'adonner, s'attaquer, se livrer, se mettre à un ~; aimer, cesser, détester, fuir, organiser le ~; inciter, s'appliquer, s'atteler, se crever, se (re)mettre, se relayer, se tuer au ~; s'accomplir, s'investir dans le ~; être accablé/débordé/écrasé/ submergé/surchargé de ~.

TRAVAILLEUR, EUSE acharné, appliqué, assidu, attentif, bon, (in)compétent, consciencieux, courageux, distrait, doué, efficace, enthousiaste, forcené, honnête, increvable, infatigable, inlassable, insatiable, intelligent, mauvais, médiocre, merveilleux, motivé, opiniâtre, patient, piètre, productif, rapide, saisonnier, soigneux, surexploité, surmené.

TREMBLEMENT (*frémissement, frisson*) brusque, chronique, continu, convulsif, douloureux, fébrile, grand, gros, léger, long, nerveux, (im)perceptible, profond, saccadé, violent. *Être agité/pris/secoué d'un/de ~s.* ♦ (*~ de terre*) brutal, destructeur, dévastateur, dramatique, épouvantable, horrible, majeur, meurtrier, mineur, violent. *Déchaîner, déclencher un ~; survivre à un ~.* Un ~ a lieu, se prépare, se produit.

TRÉSOR fabuleux, immense, inestimable, modeste, précieux, remarquable, riche, sous-évalué, surévalué. *Cacher, chercher, découvrir, déterrer, enfouir, enterrer, exhumer, mettre à jour, partager, ravir, trouver un ~.*

TRI arbitraire, automatique, efficace, exigeant, méthodique, méticuleux, préalable, rationnel, rigoureux, sélectif, systématique. *Faire, opérer, pratiquer un ~; procéder à un ~.* Un ~ se fait, s'opère.

TRIBUNAL (in)compétent, (in)équitable, itinérant, (im)partial. *Créer, ériger, établir, instituer, organiser un ~; déférer qqn, être confronté, soumettre à un ~; aller, appeler, comparaître, contester, paraître, passer, se présenter, traduire, traîner devant un/le/les ~(x); s'adresser aux ~x; être acquitté/condamné par un ~.* Un ~ condamne, décide, juge.

TRIOMPHE absolu, apparent, assuré, commercial, court, discret, éclatant, énorme, éphémère, facile, final, immanquable, incroyable, indubitable, inouï, insolent, (in)justifié, (im)mérité, modeste, momentané, planétaire, précaire, tardif, universel, véritable, vrai. *Faire, proclamer, remporter, réserver un ~; savourer son ~; jouir de son ~; conduire, mener, porter qqn en ~.*

TRISTESSE accablante, amère, désabusée, désolée, douloureuse, éloquente, énorme, éplorée, extrême, grande, inassouvie, incomparable, incurable, indéfinie, indéfinissable, indescriptible, indicible, inexprimable, infinie, informe, informulée, inguérissable, insinuante, insondable, insupportable, insurmontable, intolérable, légère, maladive, muette, noire, palpable, profonde, résolue, sourde, tenace, vague. *Causer, exprimer, feindre une ~ (+ adj.); adoucir, dissiper, renforcer la ~; être enclin, résister, s'abandonner à la ~; être rongé par la ~ ; ressentir de la ~; être écrasé/imprégné/pénétré/rempli, mourir de ~.* La ~ règne, s'évanouit, s'installe.

TROMPETTE *Emboucher une ~; souffler dans une ~; jouer, sonner de la ~.*

TRONC cassé, caverneux, colossal, coupé, creux, droit, élancé, énorme, fracassé, géant, gisant, lisse, massif, moussu, musculeux, noueux, pourri, puissant, rabougri, ridé, rude, rugueux, tordu, tortueux, verdissant, vermoulu, vieux. *Abattre, couper, débiter, équarrir, évider, scier un ~.*

TROPHÉE convoité, important, majeur, prestigieux. *Décerner, décrocher, détenir, gagner, mériter, obtenir, recevoir, récolter, remettre, remporter, s'adjuger, se disputer un ~ ; s'emparer d'un ~ .*

TROT allègre, allongé, balancé, cahotant, égal, gracieux, grand, léger, lent, lourd, menu, mesuré, paisible, petit, puissant, rapide, réglé, sec, soutenu, superbe, vif. *Aller, courir, partir, traîner, trotter d'un ~ (+ adj.); prendre le ~; aller, filer, marcher, partir au ~.*

TROTTOIR abîmé, boueux, dallé, défoncé, désert, étroit, exigu, grand, humide, large, luisant, pavé, petit, surélevé. *Arpenter, encombrer, suivre le ~; déambuler, se promener sur les ~s; changer de ~.*

TROU béant, caverneux, dangereux, énorme, étroit, immense, infranchissable, large, noir, obscur, profond, rond, sombre, vaste. *Agrandir, arrondir, aménager, approfondir, boucher, combler, creuser, façonner, faire, fermer, forer, ménager, obturer, ouvrir, percer, pratiquer, remplir, tailler un ~; disparaître, s'enfouir, s'engouffrer, sombrer, tomber dans un ~.*

TROUBLE (émeutes) brefs, étendus, prolongés, sanglants, violents. *Fomenter, occasionner, prévenir, réprimer, susciter des ~s.* Des ~s éclatent, menacent, sévissent. ♦ (remue-ménage, ennuis) *Jeter, porter, semer le ~; profiter, apporter, mettre du ~.* Le ~ règne, s'accentue. ♦ (inquiétude, désarroi) affreux, apparent, confus, durable, étrange, extrême, grand, horrible, indéfinissable, intense, mystérieux, passager, perceptible, persistant, profond, singulier, vague, vif, visible. *Apaiser, cacher, calmer, causer, chasser, dissiper, dominer, jeter, ressentir, surmonter un/son ~.* Un ~ s'élève, s'estompe. ♦ (Médecine) chronique, léger, grave, passager, permanent, profond, temporaire. *Causer, dépister, favoriser, produire un ~; avoir, présenter des ~s de (la vue, etc.); souffrir d'un ~.*

TROUPE (Militaire) aguerries, amies, combattantes, délabrées, démoralisées, (in)disciplinées, ennemies, entraînées, faibles, fatiguées, fraîches, hétéroclites, insubordonnées, maigres, professionnelles, rebelles, (ir)régulières, reposées, sanguinaires, solides, victorieuses. *Aligner, amasser, dégager, dépêcher, déployer, disloquer, disséminer, (dés)engager, entretenir, équiper, faire parader, fournir, lever, masser, (dé)mobiliser, parachuter, rallier, rappeler, rassembler, recruter, relever, renforcer, retirer, stationner une/des/les ~(s).* Des ~s affrontent l'ennemi, combattent, débarquent, défilent, envahissent, interviennent, mollissent, occupent, se déploient, sont démobilisées/massées/

stationnées. ♦ (*~ de théâtre, etc.*) bonne, brillante, conventionnelle, célèbre, illustre, lamentable, mauvaise, novatrice, prestigieuse, professionnelle, talentueuse. *Monter une ~; faire partie d'une ~.* Une ~ donne/joue/présente un spectacle.

TROUPEAU gros, important, mince, sain, sauvage. *Abattre, conduire, élever, garder, mener, rassembler, réunir un ~.*

TROUVAILLE accidentelle, capitale, charmante, décisive, éblouissante, étonnante, exquise, fantastique, fortuite, heureuse, immense, inappréciable, inespérée, ingénieuse, opportune, riche, sensationnelle, spectaculaire, stupéfiante, surprenante, véritable. *Annoncer, faire, permettre, réaliser une ~; receler des ~s; aboutir à une ~.*

TRUC bon, (in)efficace, étudié, éventé, extraordinaire, infaillible, ingénieux. *Chercher, imaginer, inventer, mettre au point, trouver un ~.*

TUERIE abominable, atroce, aveugle, épouvantable, horrible, impitoyable, infâme, lamentable, préméditée. *Commettre, déclencher, exécuter, organiser, perpétrer, provoquer une ~; se livrer à une ~.*

TUEUR, TUEUSE barbare, calme, cruel, doux, fou, froid, impitoyable, sadique, sanguinaire, sauvage.

TUNNEL court, étroit, grand, interminable, large, long, naturel, noir, obscur, petit. *Creuser, emprunter, percer, pratiquer un ~; entrer, pénétrer, s'engouffrer dans un ~; sortir d'un ~.*

TUYAU coudé, crevé, droit, entartré, long, rigide, souple. *Aboucher, déboîter, déboucher, emboîter, embrancher, placer, poser un/des ~(x).* Un ~ se bouche, se gorge, s'engorge, s'entartre.

TYPE (*modèle*) accompli, achevé, certain, exceptionnel, idéal, parfait, raffiné, réussi, unique, vrai. *Imiter, incarner, réaliser un ~; appartenir à un ~; être d'un ~ (+ adj.); se calquer, se modeler sur un ~.* ♦ (*individu*) aimable, bizarre, bon, brave, chic, curieux, drôle, énigmatique, épatant, exquis, extraordinaire, fascinant, fastidieux, formidable, grossier, inouï, ignoble, imposant, inquiétant, insolite, mystérieux, pauvre, sale, sympathique.

TYRAN affreux, atroce, avide, cruel, dur, fanatique, ignoble, impitoyable, inexorable, monstrueux, sanguinaire, vrai. *Être un ~ (+ adj.); renverser un ~; lutter, s'insurger contre un ~; agir, se comporter, se conduire en ~.*

TYRANNIE cruelle, épouvantable, impitoyable, insupportable, monstrueuse, odieuse, sournoise. *Exercer, subir une ~; combattre, détruire, flétrir, haïr la ~; lutter contre la ~.*

U

ULTIMATUM agressif, formel, inacceptable, net, voilé. *Adresser, donner, envoyer, fixer, lancer, poser, rejeter, repousser, signifier un ~; céder, donner suite, être confronté, faire face, obéir, passer outre, répondre, se conformer, se soumettre, se trouver face à un ~; capituler, se trouver devant un ~.*

UNANIMITÉ admirable, belle, complète, factice, fragile, rare, totale. *Enlever, faire éclater, obtenir, réaliser, recueillir, rompre l'~; adopter, élire, être élu, rejeter, repousser, statuer, voter à l'~.*

UNE *Faire la ~; être, figurer, mettre qqn/qqch., s'étaler à la ~.*

UNIFORME élégant, étroit, fantaisiste, galonné, impeccable, incommode, prestigieux, réglementaire, ridicule, strict, superbe. *Endosser, porter, revêtir un ~; être sanglé dans un ~; s'affubler, se revêtir d'un ~; quitter, respecter l'~; être, se mettre en ~.*

UNIFORMITÉ consternante, désolante, fastidieuse, grande, insipide, lassante, maussade, minutieuse. *Engendrer, interrompre, rompre l'~.*

UNION assortie, bizarre, boiteuse, désirable, douce, durable, éternelle, étrange, étroite, forcée, heureuse, immense, importante, indissoluble, intime, parfaite, particulière, profonde, solide. *Briser, casser, cimenter, contracter, dissocier, dissoudre, entretenir, (r)établir, former, maintenir, opérer, préserver, réaliser, resserrer, rompre une/l' ~.* L'~ règne, s'effrite, se raffermit, s'intensifie.

UNITÉ apparente, artificielle, complète, factice, fragile, incontestable, parfaite, profonde. *Briser, cimenter, (re)faire, faire éclater, maintenir, préserver, rompre l'~; manquer d'~.* L'~ éclate, se brise.

UNIVERS aseptisé, changeant, clos, (in)connu, dérangeant, déstabilisant, dur, envoûtant, étouffant, étrange, étroit, fascinant, féerique, feutré, figé, glauque, grandiose, hostile, imaginaire, impitoyable, insolite, instable, intimiste, morne, mouvant, prestigieux, plastifié, prodigieux, réduit, trouble, vaste. *Pénétrer un ~; entrer, vivre dans un ~ (+ adj.); bouleverser, conquérir, découvrir, dominer, faire trembler, transfigurer l'~.*

UNIVERSITAIRE brillant, éminent, érudit, remarquable, renommé, réputé, titré.

UNIVERSITÉ célèbre, élitiste, grande, obscure, petite, prestigieuse, renommée, réputée. *Sortir d'une ~; enseigner dans une ~; délaisser, fréquenter, quitter l'~; (aller) étudier, être inscrit/reçu, faire ses études, s'inscrire à l'~.*

URBANISME acharné, anarchique, aveugle, banal, (dé)centralisé, commercial, concerté, (in)contrôlé, dispersé, effréné, explosif, fulgurant, galopant, intelligent, intensif, méthodique, minable, moderne, monumental, planifié, réussi, sauvage, somptuaire, traditionnel. *Pratiquer un ~ (+ adj.); faire de l'~; s'occuper d'~.*

URGENCE absolue, capitale, extrême, grande, immédiate, indiscutable. *Être d'une ~(+ adj.); être confronté à une ~; être appelé pour une ~; assurer les ~s; conduire qqn aux ~s; être dans l' ~; appeler, convoquer, demander, être admis/appelé/opéré, opérer d'~.*

URNE (~ électorale) *Bouder, trafiquer les ~s; aller, être appelé, retourner, se rendre aux ~s; mettre son bulletin dans l'~.*

USAGE (emploi) abondant, abusif, accru, admis, ample, (in)approprié, bon, chronique, constant, courant, désinvolte, désordonné, (in)discret, disproportionné, énorme, erroné, excellent, excessif, exclusif, exagéré, exigeant, fréquent, habile, habituel, hâtif, inattendu, inconsidéré, intempérant, intempestif, intensif, judicieux, justifié, (il)légitime, maladroit, massif, mauvais, (im)modéré, (a)normal, optimal, ordinaire, préventif, prohibé, prolongé, répété, systématique. *Faire un ~ (+ adj.); généraliser, implanter, proscrire, renouveler un ~.* ♦ (coutume) ancien, confirmé, consacré, désuet, établi, implanté, immuable. *Abolir, acclimater, anéantir, conserver, détruire, enfreindre, entériner, établir, fixer, instaurer, instituer, introduire, perpétuer, pratiquer, propager, répandre, suivre un ~; déroger, se conformer à un/aux ~(s); renouer avec un ~; réagir contre un ~; apprendre, (mé)connaître, ignorer, observer, oublier les ~s; déroger, faire dérogation, se plier à l'/aux ~(s); être consacré/réglé par l'~; être pointilleux sur les ~s.* Un ~ disparaît, se généralise, se perd, se perpétue, se répand, s'établit.

USAGER assidu, fréquent, gros, incorrigible, invétéré, occasionnel, récréatif, régulier.

US ET COUTUMES *Apprendre, (mé)connaître, garder, ignorer, observer, oublier, pratiquer, respecter, suivre les ~; manquer, se plier aux ~.*

USINE abandonnée, ancienne, automatisée, désaffectée, fermée, fonctionnelle, gigantesque, grande, grosse, imposante, inactive, inesthétique, insalubre, (ultra)moderne, obsolète, polluante, propre, rationnelle, spécialisée, standardisée, suréquipée, vaste. *Agrandir, bâtir, créer, conduire, construire, créer, diriger, édifier, établir, exploiter, faire marcher/tourner, fermer, fonder, implanter, inaugurer, installer, lancer, mettre en liquidation, moderniser, (re)monter, occuper, robotiser une ~; travailler dans une ~; aller, travailler à l'~.* Une ~ chôme, démarre, est en activité, ferme, licencie, périclite, s'implante, tourne (à plein, à pleine capacité, au ralenti, etc.).

USURE accélérée, naturelle, (a)normale, précoce, prématurée, rapide. *Résister à l'~.*

USTENSILE adéquat, approprié, court, efficace, émoussé, indispensable, léger, long, lourd, performant, pointu, pratique, souillé, tranchant, utile. *(ré)Utiliser un ~; se servir d'un ~.*

UTILISATEUR, TRICE averti, assidu, avide, compulsif, exigeant, grand, gros, occasionnel, raisonnable, régulier, (in)satisfait.

UTILISATION (sur)abondante, abusive, accrue, contestable, courante, déroutante, désordonnée, excessive, frauduleuse, fréquente, habile, (in)habituelle, inconsidérée, intelligente, massive, maximale, minimale, nouvelle, optimale, ordinaire, parcimonieuse, partagée, rare.

UTILITÉ accrue, considérable, croissante, douteuse, éclatante, exceptionnelle, extrême, grande, incontestable, incontestée, insoupçonnée, inouïe, marginale, limitée, particulière, passagère, prodigieuse, restreinte, stupéfiante, totale, ultime. *Présenter une ~ (+ adj.); être d'une ~ (+ adj.); apprécier, dénier, éprouver, exagérer, faire ressortir, reconnaître, sous-estimer, surestimer, ressentir l'~ de qqch.; avoir son ~.*

UTOPIE concrète, dangereuse, désastreuse, extravagante, funeste, irréalisable, irréaliste, parfaite, pure, réalisée. *Constituer, construire, créer une ~; reposer sur une ~; cultiver l' ~; se complaire dans l'~.*

V

VACANCES actives, agréables, annuelles, balnéaires, belles, bonnes, brèves, courtes, culturelles, différées, échelonnées, excellentes, fabuleuses, fantastiques, festives, forcées, gâchées, grandes, heureuses, idéales, idylliques, impromptues, inoubliables, interminables, itinérantes, laborieuses, longues, ludiques, luxueuses, médiocres, mémorables, merveilleuses, paradisiaques, parfaites, petites, prolongées, reposantes, réussies, rêvées, scolaires, sportives, stressantes, studieuses, superbes, thérapeutiques, totales, tranquilles, vertes, vraies. *Allonger, apprécier, différer, écourter, interrompre, prendre, prévoir, programmer, raccourcir, réussir, sacrifier, s'offrir des/ses ~; aspirer, rêver aux ~; profiter des ~; avoir besoin, rentrer, revenir, se priver de ~; aller, emmener qqn, entrer, être, partir, se mettre, se trouver, venir en ~.* Les ~ (s')approchent, commencent, finissent, s'achèvent, se déroulent, se terminent, viennent.

VACARME abrutissant, agaçant, ambiant, assourdissant, confus, continu, continuel, effrayant, effroyable, épouvantable, étourdissant, exaspérant, formidable, horrible, immense, incessant, incommodant, infernal, ininterrompu, insupportable, intolérable, inusité, terrible. *Entendre, faire du ~.* Un/le ~ diminue, (dé)croît, éclate, grandit, persiste, règne, s'affaiblit, s'amplifie, se produit, s'éteint.

VACCIN curatif, (in)efficace, inoffensif, préventif, universel. *Administrer, commercialiser, découvrir, développer, élaborer, expérimenter, fabriquer, faire, injecter, inoculer, mettre au point, réaliser, subir un ~.*

VACCINATION conseillée, curative, exigée, immunisante, massive, obligatoire, préventive, recommandée. *Mettre en œuvre, subir une ~; procéder à une ~.*

VA-ET-VIENT agaçant, bruyant, continu, continuel, étourdissant, incessant, ininterrompu, monotone, perpétuel.

VAGABOND, ONDE chétif, décrépit, déguenillé, dépenaillé, famélique, grand, misérable, miséreux, pouilleux. Un ~ erre, maraude, mendie.

VAGUE blanche, bondissante, bouillonnante, courte, écumante, déferlante, (in)directe, effrayante, énorme, faible, forte, furibonde, géante, gigantesque, grosse, haute, impressionnante, légère, menaçante, molle, mourante, nacrée, paresseuse, puissante, refluante, rugissante. *Faire, produire des ~s; être renversé/soulevé par une ~; lutter contre les ~s.* Une ~ arrive, déferle, engloutit, envahit, monte, mugit, roule, se brise, se creuse, se dresse, s'élève, s'enfle, se retire, se soulève, submerge.

VAINQUEUR absolu, célèbre, généreux, glorieux, grand, heureux, incontesté, insolent, puissant, vrai. *Féliciter, proclamer, récompenser le ~; se rallier, se rendre, se soumettre au(x) ~ (s); être, être déclaré/proclamé, sortir ~.*

VAISSELLE (*porcelaine*) attrayante, colorée, élégante, épaisse, fine, fragile, grossière, incassable, jetable, raffinée, réutilisable, robuste, sobre, solide, unie. ♦(*~ utilisée*) brillante, écurée, étincelante, immaculée, impeccable, propre, sale, sèche. *Écurer, empiler, entasser, essuyer, laver la ~.*

VALEUR (*qualité, principe*) absolue, ancestrale, appréciable, essentielle, excessive, exemplaire, grande, haute, immense, indiscutable, inestimable, insoupçonnée, irremplaçable, médiocre, profonde, propre, réelle, relative, sentimentale, supérieure, suprême, symbolique, unique, universelle, véritable, vraie. *Apprécier, bafouer, dénier, diminuer, estimer, faire ressortir, ignorer, imposer, préserver, reconnaître, respecter une/la ~ de qqn/qqch.; avoir, affirmer, contester, prôner, véhiculer des ~s; être d'une ~ (+ adj.); accorder, attacher de la ~; être imbu de sa ~; (se) mettre en ~.* ♦ (prix) approximative, considérable, courante, effective, (in)équitable, estimative, exacte, faible, fictive, fixe, globale, grande, infime, initiale, maximale, médiocre, minimale, minime, moyenne, nette, probable, réelle, relative, totale. *Augmenter, calculer, (mé)connaître, déterminer, diminuer, estimer, fixer, maintenir, protéger, sous-estimer, surestimer une/la ~de qqch.; acquérir, avoir, prendre de la ~; perdre de sa ~; augmenter, baisser, doubler, tripler de ~.* ♦ (Bourse) intéressante, sûre, volatile. *Acheter, vendre une/des ~(s).* Des ~s baissent, chutent, grimpent en flèche, périclitent, s'effondrent, oscillent, se ressaisissent, vacillent.

VALLÉE agréable, aride, basse, boisée, capricieuse, charmante, cultivée, découverte, douce, élevée, encaissée, étendue, étroite, évasée, fertile, haute, herbeuse, immense, inaccessible, large, longue, luxuriante, mystérieuse, pittoresque, profonde, ravissante, reculée, resserrée, rocheuse, sauvage, sinueuse, solitaire, suspendue, tranquille, verdoyante. *Aménager, franchir, irriguer, remonter, traverser une ~.* Une ~ apparaît, s'élargit, se resserre, s'étale, s'étend, s'étrangle, s'évase, s'ouvre.

VALLON adouci, agréable, boisé, encaissé, étroit, ombrageux, ombreux, ondoyant, profond, rebondi, resserré.

VALSE douce, effrénée, élégante, endiablée, enivrante, enlevée, entraînante, envoûtante, gracile, improvisée, lancinante, langoureuse, lente, passionnée, rapide, romantique, rythmée, somptueuse, tourbillonnante, triste. *Danser, exécuter, jouer une ~.*

VANDALISME grand, petit. *Faire du ~; commettre des actes de ~; se livrer à des actes de ~.* Le ~ fleurit, prospère, régresse, règne.

VANITÉ basse, extraordinaire, folle, hautaine, humiliée, incommensurable, inquiète, insoutenable, insupportable, justifiable, mesquine, profonde, ridicule, secrète, sotte, triomphante. *Être d'une ~ (+ adj.); caresser, flatter, ménager la ~ de qqn; satisfaire sa ~.*

VANTARDISE incroyable, ingénue, inouïe, insupportable. *Être, se montrer d'une ~ (+ adj.).*

VAPEUR argentée, blanche, condensée, épaisse, fugitive, légère, lourde, lugubre, menue, noire, rutilante. *Dégager, produire de la ~.* Une ~ circule, flotte, glisse (sur les toits, etc.), monte, plane, se condense, se dissipe, s'élève, se liquéfie, se résout, voltige.

VARIATION (changement) brusque, considérable, continue, intense, lente, occasionnelle, périodique, progressive, rapide, saisonnière. *Entraîner, subir des ~s; s'adapter à des ~s; tenir compte des ~s.* ♦ (Musique) *Broder, effectuer, improviser des ~s.*

VARIÉTÉ (diversité) énorme, étonnante, exceptionnelle, extraordinaire, extrême, fascinante, folle, grande, illimitée, immense, importante, impressionnante, incroyable, inégalée, inépuisable, infime, infinie, inouïe, invraisemblable, prodigieuse, restreinte, riche, stupéfiante. *Connaître, offrir, présenter, proposer une ~ (+ adj.); être d'une ~ (+ adj.); manquer de ~.* ♦(type, espèce) différentes, essentielles, individuelles, innombrables, multiples, nombreuses, principales.

VASE (boue) épaisse, compacte, durcie, glissante, gluante, nauséabonde, séchée. *S'échouer, s'enfoncer, tomber dans la ~.* ♦(~ à fleur) antique, délicat, fragile, mince, précieux, translucide.

VEDETTE adulée, ancienne, capricieuse, éblouissante, énorme, gâtée, grande, grosse, immense, incontestée, internationale, locale, mondiale, planétaire. *Devenir, fabriquer, faire de qqn, lancer une ~.*

VÉGÉTATION (sur)abondante, admirable, agressive, aride, broussailleuse, chétive, clairsemée, confuse, cultivée, débordante, dense, dénudée, désertique, dominante, drue, envahissante, épaisse, éparse, excessive, exotique, exubérante, florissante, folle, formidable, forte, généreuse, haute, indigente, inextricable, intense, luxuriante, maigre, originale, pauvre, plantureuse, rabougrie, rare, riche, touffue, tropicale, variée, vigoureuse. *Comporter, présenter une ~ (+ adj.); être doté, jouir d'une ~ (+ adj.); être couvert/dépouillé/ dépourvu de ~; être pauvre/riche en ~.* La ~ croît, pousse, se raréfie, surgit, verdit.

VÉHICULE bruyant, (in)confortable, délabré, fiable, irrécupérable, léger, lent, lourd, luxueux, maniable, performant, polluant, propre, (ultra)rapide, (ir)réparable, robuste, silencieux, sobre, spacieux, usagé, utilitaire. *Conduire, dépanner, diriger, entretenir, essayer, faire fonctionner, garer, manœuvrer, mener, piloter, ranger, ravitailler, remiser, remorquer, réparer, roder, stationner un ~; descendre, disposer d'un ~; embarquer, entrer, monter, s'engouffer dans un ~; être écrasé/happé/renversé/tué par un ~.* Un ~ acquiert/prend de la vitesse, avance, démarre, dérape, fait une embardée, marche, recule, s'arrête, s'immobilise.

VEINE apparente, bleue, fuyante, gonflée, grosse, saillante.

VÉLO crevé, déglingué, délabré, déraillé, équipé, léger, neuf, robuste, rutilant, trapu, vieux. *Avoir, enfourcher, ranger, réparer, utiliser un ~; pratiquer le ~; aller, être, monter, rouler, se balader, se déplacer, se promener, venir à/en ~; faire du ~; chuter de son ~; grimper, monter, sauter, rouler sur un ~.*

VENDANGE (sur)abondante, catastrophique, chétive, désastreuse, excellente, exceptionnelle, maigre, mauvaise, médiocre, mûre, précoce, prometteuse, record, tardive. *Achever, commencer, entreprendre, faire, terminer les ~(s); procéder aux ~s.*

VELOURS chaud, défraîchi, dense, doux, élimé, épais, fin, froissé, léger, lourd, luisant, lustré, mat, moiré, pelucheux, râpé, ras, rêche, riche, satiné, somptueux, souple, soyeux, uni.

VENDEUR, EUSE agressif, bon, capable, chevronné, combatif, (in)compétent, consciencieux, dynamique, empressé, énergique, excellent, (in)expérimenté, (mal)honnête, insistant, performant, persuasif, tenace.

VENGEANCE (in)assouvie, atroce, aveugle, basse, belle, bestiale, calculée, civilisée, complète, criminelle, cruelle, démesurée, destructrice, diabolique, douce, éclatante, exemplaire, farouche, froide, immédiate, impitoyable, implacable, ingénieuse, insatiable, insidieuse, juste, longue, machiavélique, mémorable, meurtrière, obsédante, odieuse, perfide, personnelle, petite, raffinée, raisonnée, redoutable, réussie, sanglante, sanguinaire, satisfaite, secrète, sévère, subtile, suprême, tardive, terrible. *Accomplir, assouvir, encourir, exercer, méditer, ourdir, poursuivre, préparer, réclamer, redouter, ruminer, satisfaire, savourer une ~; renoncer à une ~; inciter à la ~; avoir soif, être ivre de ~.* Une ~ commence, couve, éclate, naît, plane, se manifeste, se matérialise, s'ensuit.

VENT (dés)agréable, aigre, aigu, âpre, aride, asséchant, berceur, bourdonnant, brûlant, caressant, chaud, cinglant, constant, continuel, déchaîné, desséchant, dominant, doux, étouffant, faible, (dé)favorable, féroce, fort, frais, franc, frigorifiant, froid, furieux, glacé, glacial, grand, humide, hurlant, impérieux, impétueux, impitoyable, important, intense, léger, modéré, mordant, nuisible, opiniâtre, orageux, parfumé, pénétrant, perçant, périodique, perpétuel, petit, piquant, plaisant, pluvieux, propice, puissant, rafraîchissant, redoutable, (ir)régulier, rugissant, sec, sonore, soudain, soutenu, (in)stable, subit, tempétueux, tenace, terrible, tiède, tourbillonnant, tumultueux, vif, violent, vivifiant. *Braver le ~; battre, claquer, flotter, résister, se balancer au ~; lutter, marcher contre le ~; abriter, (se) garantir, (se) protéger du ~; être agité/balayé/battu/couché/poussé/secoué/soulevé par le ~.* Un ~ augmente, baisse, balaie, berce, bourdonne, bruit, cesse, change, cingle, court, (dé)croît, diminue, faiblit, fait rage, forcit, (ra)fraîchit, frémit, gémit, grandit, grogne, grossit, hurle, mollit, mugit, naît, pince, ronfle, rugit, s'abat, s'accroît, s'affaiblit, s'apaise, s'arrête, se calme, se déchaîne, se développe, se lamente, se lève, s'élève, s'engouffre, se tait, sévit, siffle, souffle, susurre, tombe, tourne.

VENTE astronomique, bonne, célèbre, complète, continue, difficile, énorme, exclusive, facile, faible, forcée, grande, illicite, insuffisante, libre, limitée, partielle, petite, privée, promotionnelle, pyramidale, rapide, régulière, sauvage, sensationnelle, volontaire. *Annoncer, annuler, conclure, effectuer, manquer, négocier, rater, réaliser, résilier, s'assurer une ~; assister, consentir, procéder à une ~; pousser à la ~; se charger, s'occuper de la ~; être, offrir, mettre en ~.*

VENTRE aplati, arrondi, ballonné, bedonnant, bombé, charnu, colossal, creusé, déformé, distendu, douillet, dur, effacé, effondré, enflé, énorme, étroit, famélique, flasque, gonflé, gros, large, lisse, maigre, mou, musclé, musculeux, obèse, petit, plat, plein, proéminent, protubérant, rebondi, relâché, renflé, replet, repu, rond, rondouillet, saillant, tendu. *Avoir un ~ (+ adj.); rentrer, resserrer le/son ~; (se) coucher, dormir, être, être étendu/vautré, se mettre, se retourner, s'étendre sur le ~; avoir, perdre, prendre du ~.*

VÉRACITÉ absolue, apparente, certaine, (in)contestée, indiscutable, suspecte. *Affirmer, attester, compromettre, contester, contrôler, discuter, garantir, prouver, reconnaître, vérifier la ~ de qqch.; conclure à la ~ de qqch.; douter, être convaincu/persuadé, s'enquérir de la ~ de qqch.*

VERBE actif, défectif, passif, (im)personnel, pronominal, réfléchi, (ir)régulier, (in)transitif. *Accorder, conjuguer un ~.*

VERBIAGE confus, creux, embrouillé, incompréhensible, inintelligible, lourd, spécieux. *Se lancer dans un ~ (+ adj.); faire du ~.*

VERDICT affirmatif, clément, contesté, draconien, dur, impartial, impitoyable, indécent, indulgent, irrévocable, (in)juste, léger, lourd, mitigé, négatif, net, positif, (im)prévisible, scandaleux, sévère. *Annuler, casser, confirmer, écouter, imposer, infirmer, invalider, prononcer, rendre, subir un ~; s'incliner devant un ~.*

VERDURE douce, éternelle, foncée, fraîche, luxuriante, naissante, noire, nouvelle, pâle, perpétuelle, plantureuse, sombre, tendre. La ~ croît, pâtit, pousse, renaît, se raréfie.

VÉRIFICATION approfondie, automatique, concluante, concrète, méthodique, minutieuse, périodique, ponctuelle, précise, rapide, régulière, sérieuse, sommaire. *Demander, effectuer, opérer une/des ~(s); procéder, soumettre à une/des ~(s).* Une ~ s'impose.

VÉRITÉ absolue, abstraite, acquise, affreuse, (dés)agréable, approximative, âpre, aveuglante, banale, bouleversante, brutale, capitale, claire, (in)complète, compromettante, confondante, connue, criante, crue, cruelle, cynique, définitive, dérangeante, désespérante, désolante, dure, éclatante, élémentaire, encombrante, essentielle, établie, évidente, flagrante, fondamentale, formelle, fragmentaire, générale, hallucinante, historique, horrible, immuable, impensable, incontestable, incroyable, indémontrable, indestructible, indiscutable, ineffable, infaillible, intime, intrinsèque, invraisembable, irréfutable, limpide, lumineuse, manifeste, méconnue, nécessaire, notoire, nuancée, nue, objective, odieuse, officielle, opprimée, palpable, passagère, personnelle, plausible, pratique, primaire, probable, problématique, profonde, provisoire, pure, rafraîchissante, reconnue, relative, rigoureuse, scientifique, sensible, simple, sordide, stricte, subjective, supérieure, suprême, ténébreuse, terrible, totale, tronquée, universelle, univoque, vérifiée, vieille, vraie. *Accepter, admettre, affaiblir, affirmer, altérer, appréhender, approfondir, arranger, assumer, assurer, atteindre, attester, avouer, cacher, cerner, (re)chercher, clamer, confesser, confirmer, connaître, constater, contester, craindre, crier, déballer, débusquer, découvrir, défendre, déformer, dégager, déguiser, démêler, démontrer, dénaturer, détenir, deviner, dire, discerner, dissimuler, distordre, éclaircir, écouter, édulcorer, énoncer, enseigner, entrevoir, estimer, (r)établir, étouffer, exiger, fabriquer, filtrer, flairer, forcer, garantir, habiller, heurter, ignorer, illustrer, inculquer, malmener, manier, maquiller, masquer, méconnaître, mettre au jour, nier, obscurcir, obtenir, oublier, peindre, posséder, poursuivre, pressentir, proclamer, propager, prouver, raconter, reconnaître,* *refuser, révéler, saisir, savoir, dissimuler, souhaiter, soupçonner, taire, trahir, tronquer, trouver, voiler, vouloir, voir une/la ~; croire, être fidèle/sourd, parvenir, se rendre à la ~; avoir peur, se soucier, se souvenir de la ~.* La ~ éclate, jaillit, se découvre, se dégage, se dévoile, se fait jour, se livre, surgit.

VERNIS (~ à ongles) brillant, cristallin, écaillé, incolore, léger, mat, nacré, rugueux, transparent. *Appliquer un ~; couvrir d'un ~.* Un ~ s'écaille, se craquelle, se fendille. ♦(bois, tableau) brillant, clair, coloré, consistant, dur, épais, fragile, gluant, incolore, léger, liquide, (ultra)mat, protecteur, résistant, satiné, terne, transparent, visqueux. *Appliquer, décaper, diluer, étendre, mélanger, passer, raviver, utiliser un ~; (re)couvrir d'un ~.* Un ~ durcit, sèche, se craquelle, se fend, se fendille.

VERRE (substance) armé, coloré, coulé, craquelé, épais, étiré, fin, fumé, incassable, incolore, laminé, mat, opaque, (dé)poli, sablé, soufflé, teinté, transparent, trouble. *Fabriquer, polir, souffler du ~.* ♦(lunettes) antireflets, bleutés, déformants, fumés, grossissants, incassables, teintés. *Chausser, porter des ~s.* ♦(récipient, contenu) bas, bombé, élancé, étroit, évasé, grand, haut, long, massif, petit, svelte. *Casser, ébrécher un ~; entrechoquer, essuyer, faire tinter, laver, rincer les ~s; choquer, cogner, (r)emplir, vider son ~;* ♦(boisson alcoolique) *Absorber, boire, lamper, offrir, payer, prendre, se servir, siroter, terminer un ~.*

VERROU grinçants, gros. *Fermer, mettre, ouvrir, pousser, tirer un/le/les ~(s); fermer, s'enfermer au ~.* Un ~ grince, se ferme, s'ouvre. ♦(prison) *Être, être mis, garder qqn, maintenir qqn, mettre qqn, rester sous les ~s.*

VERS admirables, aisés, beaux, boiteux, coulants, décousus, déliés, doux, éblouissants, échevelés, exécrables, faciles, faibles, gracieux, hardis, harmonieux, impeccables, impromptus, langoureux, médiocres, musicaux, naturels, pathétiques, pitoyables, pompeux, purs, (ir)réguliers, ronflants, somptueux, sublimes, superbes, tendres. *Composer, déclamer, débiter, dire, écrire, élaborer, faire, forger, lire, mesurer, produire, réciter, tourner des ~; écrire, mettre, traduire en ~.*

VERSANT abrupt, ardu, escarpé, immense, incliné, pentu, raide.

VERSEMENT anticipé, différé, élevé, fractionné, initial, minimum, partiel, (in)suffisant. *Différer, échelonner, effectuer, exiger, faire, opérer un ~; payer, régler par ~(s).*

VERSION (variante d'un texte) abrégée, actualisée, allégée, améliorée, approximative, condensée, définitive, différente, écourtée, intégrale, modernisée, rénovée, révisée. *Abréger, actualiser, améliorer, élaborer, mutiler, remanier, tronquer une ~.* ♦(présentation d'un fait) (in)complète, édulcorée, erronée, (in)exacte, fantaisiste, fausse, (in)fidèle. *Accréditer, confirmer, corroborer, donner, enregistrer, mettre en doute, modifier, présenter, rapporter une ~ de qqch.*

VERT agressif, bleuâtre, bouteille, brillant, bronze, cendré, chou, clair, cru, délavé, doré, éblouissant, éclatant, émeraude, épinard, étincelant, fluo, foncé, forêt, frais, glauque, indécis, intense, jade, jaunâtre, laiteux, lumineux, luxuriant, métallique, neutre, obscur, olive, pâle, pistache, pomme, profond, puissant, saisissant, sombre, somptueux, soutenu, tendre, tilleul, vif. *Être d'un ~ (+ adj.).*

VERTIGE léger, chronique, terrible, violent. *Avoir, éprouver, ressentir un ~; avoir, donner le ~; être sujet à des ~s; être pris de ~.* Le ~ cesse, prend, saisit, se dissipe.

VERVE éblouissante, endiablée, étincelante, étourdissante, facile, féroce, flamboyante, indiscrète, inépuisable, intarissable, malicieuse, mordante, soutenue, torrentielle. *Avoir une ~ (+ adj.); perdre sa ~; étinceler, être éblouissant/étincelant/plein, pétiller, redoubler de ~; être, se mettre en ~.*

VESTE ajustée, ample, chaude, collante, courte, croisée, droite, effrangée, élimée, fripée, large, longue, ouatée, râpée, serrée. *(dé)Boutonner, endosser, enfiler, enlever, mettre, ôter, passer, porter, quitter, retirer, suspendre une ~.*

VESTIGE admirables, austères, centenaires, grandioses, importants, imposants, impressionnants, intéressants, magnifiques, modestes, reconnaissables, significatifs, somptueux, sublimes. *Conserver, découvrir des ~s.*

VESTON ajusté, chaud, chic, cintré, croisé, élégant, élimé, étriqué, étroit, grand, large, léger, miteux, râpé, serré. *(dé)Boutonner, endosser, enfiler, enlever, mettre, ôter, passer, porter, quitter, retirer, suspendre un ~*

VÊTEMENT ajusté, ample, avachi, avant-gardiste, bariolé, bigarré, bizarre, chaud, cintré, collé, classique, confortable, convenable, correct, criard, croisé, décolleté, décontracté, défraîchi, délabré, démodé, dépenaillé, désuet, discret, douteux, drapé, droit, effiloché, élimé, étriqué, étroit, excentrique, extravagant, fatigué, fermé, flottant, fripé, froissé, indémodable, inusable, juste, lâche, large, léger, limé, long, loqueteux, lourd, luisant, misérable, miteux, neuf, pauvre, pelé, petit, piteux, plissé, raide, râpé, résistant, ridicule, serré, seyant, sobre, sombre, somptueux, sophistiqué, sordide, souillé, souple, strict, superbe, taché, usé, vilain, voyant. *Acheter, ajuster, assembler, border, (dé)boutonner, coudre, couper, doubler, enfiler, enlever, essayer, faire, finir, gâcher, garder, laver, mettre, ôter, passer, porter, quitter, raccourcir, rajeunir, rallonger, rapetisser, réparer, retirer, retoucher, revêtir, tailler, tordre, transformer, (re)trousser un ~; se débarrasser d'un ~; changer de ~s; être serré, flotter dans ses ~s.* Un ~ colle, flotte, moule, serre.

VIANDE avariée, bouillie, braisée, coriace, crue, douteuse, dure, fibreuse, filandreuse, fraîche, froide, fumée, grasse, grillée, infecte, juteuse, légère, maigre, marinée, panée, persillée, pourrie, rôtie, saignante, saine, salée, savoureuse, séchée, suspecte, tendre, violacée. *Attendrir, (dé)congeler, (dé)couper, désosser, émincer, faire griller/revenir, hacher, mâcher, manger, parer, réchauffer, servir la/de la ~; s'alimenter, se nourrir de ~.*

VICE (*défaut moral, penchant*) abominable, affreux, épouvantable, hideux, honteux, inavouable, incorrigible, indéracinable, odieux, répugnant. *Avoir un ~ (+ adj.); encourager le ~; satisfaire ses ~s;*

être plein/pourri de ~s. ♦(<u>*défectuosité*</u>) apparent, caché, inhérent. *Présenter, receler un ~.*

VICTIME complaisante, consentante, désignée, docile, éplorée, facile, inconsciente, ingénue, ignorante, innocente, involontaire, malheureuse, misérable, parfaite, pauvre, pitoyable. *Jouer à la ~; se poser en ~.* ♦(<u>*accident, catastrophe*</u>) *Dégager, évacuer, faire, panser, secourir, soigner, transporter une/des ~(s).*

VICTOIRE absolue, acquise, aisée, amère, ample, (in)attendue, brillante, (in)certaine, chanceuse, (in)complète, confortable, considérable, controversée, convaincante, courte, décisive, définitive, dévastatrice, difficile, (in)discutable, douce, douteuse, ébouriffante, éclair, éclatante, écrasante, effective, élégante, encourageante, énorme, éphémère, étonnante, étroite, expéditive, facile, faible, fallacieuse, finale, formidable, foudroyante, fracassante, fragile, fulgurante, grande, heureuse, historique, illusoire, immense, impérative, impitoyable, importante, imposante, incontestable, indécise, indéniable, indiscutable, indispensable, inéluctable, inespérée, inutile, laborieuse, large, magistrale, magnifique, majeure, massive, mémorable, méritée, méritoire, meurtrière, mince, mineure, minuscule, mitigée, modérée, modeste, monumentale, morale, nette, passagère, petite, pleine, précieuse, prévisible, probable, probante, programmée, prometteuse, prompte, provisoire, rapide, réjouissante, relative, remarquable, retentissante, sensationnelle, significative, sombre, spectaculaire, stratégique, stupéfiante, superbe, symbolique, totale, tranquille, triomphale, triomphante, ultime. *Annoncer, assumer, (s')assurer, carillonner, célébrer, compromettre, concéder, concrétiser, discuter, donner, engendrer, enregistrer, exagérer, fêter, forger, frôler, laisser échapper, marquer, obtenir, proclamer, ravir, remporter, savourer une/la ~; être assuré/frustré d'une ~; additionner, multiplier les ~s; être grisé par la ~; clamer, proclamer sa ~.*

VIDE béant, immense, insondable, noir, obscur, profond, vertigineux. *Avoir, boucher, combler, explorer, laisser, sonder un ~.*

VIE accidentée, (in)active, agitée, agréable, aisée, amère, artificielle, austère, authentique, autonome, aventureuse, banale, bornée, bourdonnante, brève, brillante, brisée, chaotique, calme, casanière, charmante, comblée, compliquée, confortable, convenable, courte, crapuleuse, dangereuse, débridée, (in)décente, démente, dense, désordonnée, difficile, discrète, dorée, douce, douillette, douloureuse, droite, dure, édifiante, effacée, élégante, ennuyeuse, éphémère, épouvantable, éprouvante, équilibrée, errante, étonnante, étouffante, étrange, étriquée, exaltante, exceptionnelle, exemplaire, exquise, fabuleuse, facile, fade, fantaisiste, faste, fastueuse, formidable, foudroyante, fragile, frénétique, frivole, frugale, fruste, gâchée, gaie, grande, grave, grisâtre, grise, harassante, hasardeuse, héroïque, (mal)heureuse, honnête, honorable, honteuse, horrible, houleuse, humble, illustre, imbécile, impossible, imprudente, infernale, insipide, insouciante, insupportable, intègre, intense, (in)intéressante, intime, intrépide, irréprochable, isolée, jouissive, laborieuse, languissante, linéaire, lisse, longue, luxueuse, magnifique, manquée, marginale, médiocre, mesquine, mesurée, minable, misérable, modeste, mondaine, monotone, morne, morose, mouvementée, nomade, normale, obscure, occupée, oisive, opulente, orageuse, (extra)ordinaire, (dés)ordonnée, paisible, palpitante, parfaite, passionnante, pathétique, pénible, périlleuse, perpétuelle, petite, pleine, précaire, privilégiée, prospère, puissante, raffinée, raisonnable, rangée, ratée, recluse, (dé)réglée, régulière, remplie, remuante, retirée, réussie, rêvée, rocambolesque, rude, rustique, saccadée, sage, (mal)saine, scandaleuse, sédentaire, sereine, simple, sobre, solitaire, somnolente, sordide, (in)stable, stagnante, stupide, tapageuse, tempétueuse, tendue, ténébreuse, terne, timide, tiraillée, torrentueuse, tourmentée, tragique, tranquille, trépidante, triste, troublée, tumultueuse, turbulente, uniforme, vagabonde, vide. *Avoir, commencer, éplucher, mener, poursuivre, traîner, vivre une ~ (+ adj.); avoir la ~ (+ adj.); aborder, aimer, apprendre, communiquer, donner, interrompre, ôter, perdre, retirer, se simplifier, transmettre la ~; renaître, revenir, se raccrocher, tenir à la ~; jouer, jouir, profiter de la ~; lutter pour la ~; achever, arranger, conduire, construire, donner, exposer, gâcher, gagner, galvauder, hasarder, jouer, mendier, miner, offrir, raconter, rater, recommencer, refaire, régler, risquer, sacrifier, sauver, se remémorer, vivre sa ~; disposer de sa ~; craindre pour sa ~; changer, déborder, être débordant/plein de ~; demeurer, être, rester sans ~.* Une ~ se complique, se construit, se déroule, se métamorphose, se poursuit, se prolonge, se transforme.

VIEILLARD abandonné, acariâtre, admirable, affreux, agile, aigri, aimable, alerte, amer, beau, bon, chenu, chevrotant, colérique, courbé, croulant, cynique, décharné, décrépit, désabusé, digne, doux, édenté, élégant, émacié, exécrable, faible, fatigué, (in)fortuné, fragile, frêle, fringant, gaillard, gâteux, grêle, grincheux, grognon, hébété, (mal)heureux, honorable, imposant, impotent, infirme, invalide, lucide, maigre, malin, maussade, menu, mesquin, morose, mourant, noble, noueux, obstiné, paisible, pauvre, pitoyable, rabougri, radoteur, ratatiné, respectable, ridicule, robuste, sage, sédentaire, sénile, solide, solitaire, sordide, splendide, taciturne, tremblant, tremblotant, usé, vacillant, vénérable, vigoureux, voûté.

VIEILLESSE (in)active, affreuse, agréable, aisée, amère, anticipée, autonome, avancée, belle, chagrine, comblée, confortable, décente, difficile, digne, dorée, douce, douloureuse, épanouie, esseulée, extrême, (mal)heureuse, honorable, longue, lucide, lugubre, misérable, monotone, morose, oisive, paisible, pauvre, pénible, précoce, prématurée, prolongée, respectable, réussie, riche, sage, satisfaisante, sereine, solitaire, tranquille, triste, (in)utile. *Avoir, mener, passer, se préparer, subir, traîner, vivre une ~ (+ adj.); accéder, aspirer, parvenir à une ~ (+ adj.); atteindre, attendre, commencer, redouter, respecter, sentir, subir la ~; arriver, aspirer, parvenir, penser, se préparer, se résigner, songer à la/sa ~; être accablé/affaibli/vaincu par la ~; mourir de ~.*

VIEILLISSEMENT accéléré, inéluctable, lent, précoce, prématuré, progressif, rapide. *Être atteint/frappé de/d'un ~ (+ adj.).*

VIGILANCE accrue, active, attentive, constante, continue, continuelle, drastique, forte, inquiète, maximale, particulière, renforcée, rigoureuse, scrupuleuse, soupçonneuse. *Exercer une ~ (+ adj.); tromper la ~ de qqn; échapper à la ~ de qqn; relâcher (de) sa ~; faire preuve, manquer, redoubler de ~.*

VIGNE âgée, exceptionnelle, faible, grimpante, jeune, rampante, sauvage, taillée, vigoureuse. *Arracher, cultiver, entretenir, façonner, implanter, labourer, (re)planter, soigner, tailler, vendanger une ~.*

VIGNOBLE célèbre, classé, étendu, exceptionnel, fameux, florissant, généreux, illustre, large, minuscule, modeste, petit, prestigieux, réputé, riche, vaste, vieux. *Créer, exploiter, implanter, irriguer, (re)planter, rajeunir, reconstituer, vendanger, visiter un ~.*

VIGUEUR admirable, affaiblie, ardente, aveugle, débordante, douce, (in)efficace, engourdie, étonnante, excessive, grande, herculéenne, impétueuse, incroyable, indomptable, inébranlable, inégale, insoupçonnée, invincible, phénoménale, prodigieuse, redoublée, renaissante, surprenante, vive. *Déployer, donner une ~ (+ adj.); (re)donner, reprendre de la ~; perdre, retrouver sa/de sa ~.*

VILLA charmante, cossue, élégante, fastueuse, grandiose, imposante, magnifique, modeste, luxueuse, opulente, pimpante, prétentieuse, riche, somptueuse, spacieuse, superbe. *Habiter, louer, posséder, se faire construire une ~; habiter, vivre dans une ~.*

VILLAGE abandonné, accueillant, charmant, coquet, cossu, délabré, dépeuplé, déserté, désolé, discret, dynamique, éloigné, endormi, fantôme, inhabité, isolé, minuscule, miséreux, modeste, mort, oublié, paisible, pauvre, perdu, périphérique, pittoresque, prospère, ravissant, reculé, tranquille, typique, urbanisé. *Aborder, desservir, parcourir, traverser un ~; entrer, passer dans un ~; abandonner, quitter, regagner, revoir son ~.*

VILLE accueillante, active, agréable, anarchique, animée, bruyante, calme, chaotique, chère, coquette, cosmopolite, cossue, dangereuse, démesurée, déprimante, déserte, désorganisée, dure, dynamique, éclatée, effervescente, encombrée, ennuyeuse, énorme, éparpillée, étendue, excitante, fantôme, fascinante, fourmillante, géante, géométrique, gigantesque, grouillante, hideuse, (in)hospitalière, immense, importante, laide, lugubre, majestueuse, maussade, merveilleuse, monotone, monstrueuse, morne, morte, opulente, (dés)ordonnée, paisible, peuplée, pittoresque, plaisante, polluée, populeuse, propre, prospère, riche, sage, sale, scintillante, séduisante, silencieuse, sinistre, soignée, somptueuse, spacieuse, superbe, sûre, surpeuplée, tentaculaire, touristique, tranquille, travailleuse, trépidante, triste, turbulente, vaste, verte, vieille, vibrante, vivante. *(re)Bâtir, fonder, gérer, parcourir, quitter, réaménager, traverser, visiter, voir une ~; demeurer, entrer, marcher, rester, se promener, se repérer dans une ~; aimer, habiter, quitter, regagner la ~; habiter, s'installer en ~.* Une ~ s'anime, s'endort, se réveille.

VILLÉGIATURE agréable, célèbre, charmante, cossue, élégante, huppée, luxueuse, miteuse, modeste, paisible, prestigieuse, renommée, tranquille.

VIN acceptable, acerbe, acide, âcre, agréable, aigre, amer, ample, âpre, aqueux, aromatique, astringent, boisé, bon, bouchonné, brut, capiteux, charnu, complet, complexe, concentré, correct, corsé, costaud, délectable, délicat, délicieux, dense, désaltérant, dilué, distingué, doux, effervescent, élégant, enivrant, épicé, équilibré, excellent, exceptionnel, exécrable, exquis, extraordinaire, fameux, fin, fort, frais, frelaté, fruité, généreux, gouleyant, grand, harmonieux, horrible, infect, jeune, léger, limpide, liquoreux, mauvais, médiocre, moelleux, mousseux, moyen, nouveau, onctueux, opulent, ordinaire, passable, pétillant, piquant, plaisant, plein, pourpré, prestigieux, primeur, prometteur, puissant, quelconque, raffiné, râpeux, ravigotant, rébarbatif, remarquable, réputé, racé, réussi, riche, robuste, rude, rugueux, savoureux, sec, sirupeux, solide, sombre, somptueux, souple, suave, sucré, superbe, suspect, tannique, tendre, tourné, trouble, velouté, vieux, vif, vigoureux, vineux; (ses couleurs) ambré, blanc, doré, jaune, paillé, rosé, rouge, roux. *Apprécier, baptiser, boire, chambrer, choisir, couper, décanter, déguster, élaborer, élever, faire, goûter, juger, laisser reposer, lamper, produire, récolter, savourer, servir, siroter, verser un/du/son ~; abuser du ~; distiller, embouteiller, exporter, faire, importer du ~; être connaisseur en ~s.* Un ~ a bon nez/du bouquet, (se) dépose, embaume, mousse, mûrit, pétille, s'adoucit, s'aigrit, se bonifie, se clarifie, se fait, vieillit.

VIOL atroce, barbare, caractérisé, collectif, effroyable, flagrant, sauvage, sordide. *Commettre, faire, perpétrer, subir un ~; se livrer à un ~; être victime d'un ~.*

VIOLATION apparente, constante, délibérée, éclatante, flagrante, fondamentale, grossière, inacceptable, manifeste, massive, ouverte, parfaite, sérieuse, substantielle, systématique. *Commettre une ~; agir en ~ de (une règle, un traité, etc.).*

VIOLENCE absurde, aveugle, banalisée, barbare, brutale, contenue, crue, démentielle, désespérée, destructrice, diffuse, douce, effroyable, exacerbée, exceptionnelle, excessive, explicite, extraordinaire, extrême, extrémiste, flagrante, folle, froide, galopante, grande, gratuite, grave, guerrière, implicite, imposée, imprévisible, inaccoutumée, incomparable, incontrôlée, incroyable, indescriptible, indirecte, inégalée, inhabituelle, injustifiable, inouïe, insensée, insoutenable, inusitée, inutile, irraisonnée, latente, légitime, (il)limitée, maladive, menaçante, monstrueuse, naturelle, ordinaire, pathétique, persistante, petite, rare, récurrente, regrettable, réprimée, retenue, sanglante, sauvage, sèche, sombre, soudaine, sourde, spectaculaire, spontanée, stupéfiante, stupide, subite, symbolique, terrible, terrifiante, terroriste, verbale, virulente, volcanique. *Être d'une ~ (+ adj.); alimenter, arrêter, attiser, banaliser, canaliser, (faire) cesser, combattre, commettre, condamner, contenir, contrer, contrôler, dénoncer, désamorcer, éliminer, employer, encadrer, encourager, endiguer, entretenir, éradiquer, exercer, faire reculer, fomenter, infliger, légitimer, organiser, perpétrer, pratiquer, promouvoir, réduire, refuser, rejeter, réprimer, restreindre, subir, supporter, utiliser, vaincre, vivre une/des/la ~(s); appeler, avoir recours, céder, être confronté/en proie/opposé, inciter, mettre fin/un terme, passer, recourir, renoncer, résister à la ~; rompre avec la ~; lutter contre la ~; agir, basculer, glisser, s'enfoncer, s'enliser, sombrer dans la ~; faire usage, sortir, user de la ~; conquérir, extor-*

quer, obtenir par la ~; engendrer, produire de la ~; redoubler, user de ~. Une/la ~ baisse, continue, explose, gronde, intervient, redouble, se déchaîne, se manifeste, s'enracine, s'émousse, se poursuit, se répand, sévit, s'exerce, s'installe.

VIOLET ardent, bleuté, chatoyant, clair, criard, éclatant, foncé, intense, lumineux, métallique, moyen, obscur, pâle, profond, rougeâtre, sombre, terne, verdâtre, vineux.

VIOLON admirable, bon, grinçant, mauvais. *Accorder, monter, racler un ~; accompagner, interpréter, se perfectionner au ~; gratter, jouer du ~; travailler son ~; racler sur son ~.* Un ~ chante, grince, joue/ sonne (faux, juste).

VIOLONISTE bon, célèbre, connu, doué, énergique, excellent, expressif, illustre, grand, habile, important, impressionnant, médiocre, performant, piètre, populaire, prestigieux, renommé, réputé, sensible, talentueux, virtuose.

VIRAGE abrupt, à la corde, brusque, dangereux, en épingle à cheveux, fatal, large, périlleux, raide, soudain, timide, traître. *Aborder, amorcer, entamer, faire, manquer, négocier, prendre, rater un ~; accélérer, déraper, doubler, entrer, freiner dans un ~.*

VIREMENT *Effectuer, faire, opérer, réaliser un ~; payer, régler par ~.*

VIRILITÉ agressive, assumée, brutale, incontestable, mièvre, offensée, précoce, sauvage, tardive. *Affirmer sa ~; être/se sentir menacé dans sa ~; manquer de ~.*

VIRTUOSITÉ acrobatique, brillante, consommée, étonnante, extraordinaire, grande, immense, incroyable, inégalable, inégalée, prodigieuse, stupéfiante, subite. *Être, faire montre/preuve de/d'une ~ (+ adj.).*

VIRULENCE excessive, extrême, incroyable, larvée, rare, spectaculaire, subite, terrible. *Être d'une ~; faire preuve/montre d'une ~ (+ adj.).*

VIRUS (*Médecine*) amoindri, contagieux, dangereux, foudroyant, latent, mortel, redoutable, terrifiant, virulent. *Attraper, combattre, contracter, inoculer, porter, transmettre un ~; se protéger contre les ~.* Un ~ se développe, se multiplie, se répand, se propage. ♦ (*Informatique*) agressif, (in)connu, dangereux, (ultra)destructeur, majeur, ravageur, redoutable. *Attraper, contracter, créer, découvrir, déloger, détecter, développer, envoyer, éradiquer, fabriquer, introduire, lancer, neutraliser, produire, transmettre, utiliser un ~; se prémunir contre un ~.* Un ~ se déclenche, se développe, se manifeste, se produit, se propage, se répand, se transmet.

VIS *Desserrer, faire pénétrer, (res)serrer, tarauder une ~; attacher, faire tenir, fixer avec une/des ~.*

VISA falsifié, faux, périmé, valide. *Accorder, avoir, contrôler, demander, détenir, délivrer, établir, examiner, exhiber, exiger, falsifier, fournir, imposer, montrer, obtenir, octroyer, présenter, (faire) prolonger, recevoir, refuser, se procurer, solliciter un ~; bénéficier, disposer, être muni/pourvu d'un ~.*

VISAGE abominable, adipeux, affiné, affreux, agréable, aigre, aimable, allongé, alourdi, amer, amical, angélique, angoissé, anguleux, animé, anonyme, antipathique, anxieux, apathique, aplati, ardent, arrogant, arrondi, assombri, atone, attentif, atterré, attristé, avenant, avide, balafré, basané, beau, bilieux, blafard, blême, boudeur, bouffi, bouleversé, boursouflé, boutonneux, bronzé, brun, buriné, buté, cadavérique, carré, cendreux, chafouin, chagrin, charmeur, chevalin, chiffonné, cireux, coloré, commun, consterné, contrit, couperosé, couturé, creusé, crispé, débonnaire, décharné, décomposé, déconfit, défait, défraîchi, délabré, déplaisant, désemparé, desséché, détendu, dévasté, diabolique, difforme, digne, doux, dur, durci, ébahi, effaré, effilé, effroyable, émacié, émerveillé, empourpré, endurci, énergique, enfantin, énorme, épanoui, équilibré, étanche, étonné, étrange, étroit, éveillé, (in)expressif, exsangue, fade, famélique, fané, fatigué, fermé, fin, flétri, frais, franc, fripé, fripon, gai, gentil, gonflé, (dis)gracieux, gracile, gras, grassouillet, grave, griffé, grimaçant, hagard, hâlé, harmonieux, hermétique, (mal)heureux, hideux, hilare, hostile, huileux, illuminé, imberbe, impassible, impénétrable, implacable, indifférent, inerte, informe, ingrat, inquiet, inquiétant, insignifiant, insolite, intelligent, interrogatif, jeune, joli, joufflu, jovial, joyeux, juvénile, laid, laiteux, large, las, limpide, lisse, livide, long, lugubre, lunaire, maigre, maquillé, marqué, massif, maussade, méchant, mécontent, mélancolique, menaçant, mièvre, mignon, mince, (im)mobile, monstrueux, morne, mûri, mutin, narquois, neutre, oblong, obstiné, ordinaire, osseux, ovale, pâle, parcheminé, (im)parfait, passionné, patibulaire, pensif, photogénique, placide, plat, plein, plissé, pointu, poupin, (dis)proportionné, pulpeux, radieux, rasé, rassurant, ratatiné, ravagé, raviné, ravissant, rayonnant, rebutant, réjoui, renfrogné, replet, reposé, repoussant, répugnant, répulsif, résigné, résolu, resplendissant, revêche, révolté, riant, ricaneur, ridé, rieur, rond, rondelet, rose, rouge, rougeaud, rude, ruiné, sanguin, satisfait, sculptural, séduisant, sépulcral, serein, sérieux, sévère, sombre, songeur, soupçonneux, souriant, soyeux, sphérique, stupide, (a)symétrique, tanné, tendu, terreux, terrible, tiré, torturé, touchant, tourmenté, tranquille, transfiguré, triangulaire, triomphant, triste, tuméfié, typé, usé, vieilli, vieux, vilain, vineux, violacé, volontaire, voluptueux. *Afficher, se (re)composer un ~ (+ adj.); (dé)contracter, lever le/son ~.* Un/le ~ brille, s'allonge, s'anime, s'apaise, s'assombrit, s'éclaire, se contracte, se crispe, se décompose, se déride, se détend, se durcit, se ferme, se rembrunit, se transfigure, s'illumine, sourit.

VISIBILITÉ accrue, constante, exceptionnelle, faible, forte, (in)complète, idéale, (il)limitée, maximale, minimale, optimale, (im)parfaite, réduite, (in)suffisante, totale. *Avoir, donner, offrir, posséder une ~ (+ adj.); bénéficier, disposer d'une ~ (+ adj.).*

VISION (<u>*vue*</u>) claire, confuse, défectueuse, éloignée, excellente, floue, forte, fugitive, indistincte, nette, (a)normale, perçante, proche, rapprochée. *Avoir une ~ (+ adj.) de qqch.; améliorer, faciliter la ~.* ♦ (<u>*idée*</u>) abominable, absurde, affreuse, aiguë, ambitieuse, arrêtée, atroce, audacieuse, bornée, caricaturale, catastrophique, cauchemardesque, charmante, claire, (in)cohérente, confuse, constructive, contradictoire, critique, déformée, dépassée, déprimante, désabusée, désenchantée, désespérée, désolante, digne, douce, drôle, édulcorée, élargie, effarante, effroyable, enchantée, enchanteresse, époustouflante, épouvantable, étonnante, étriquée, étroite, exacte, extraordinaire, familière, fantastique, fascinante, féerique, féroce, franche, fugitive, furtive, géniale, globale, heureuse, horrible, idyllique, implacable, inadaptée, idéalisée, inoubliable, insolite, insupportable, ironique, juste, large, lucide, merveilleuse, naïve, neuve, optimiste, pessimiste, prémonitoire, profonde, prophétique, raisonnable, rapide, réaliste, réductrice, renouvelée, rétrécie, rigoureuse, sarcastique, simpliste, solide, sommaire, sombre, soudaine, spontanée, stéréotypée, stratégique, subjective, superficielle, terrifiante, torturante, trompeuse, tronquée, utopique, vraie. *Offrir, présenter une ~ (+ adj.); alimenter, chasser, dissiper, nourrir une ~; être assailli/ébranlé/frappé/tourmenté par une ~.* Une ~ renaît, se brouille, se dissipe, s'efface, s'éloigne, se précise, s'évanouit, (re)surgit.

VISITE (chez une connaissance, etc.) amicale, (in)attendue, brève, courte, délicate, éclair, (in)fructueuse, fugitive, habituelle, historique, impromptue, incongrue, incontournable, inespérée, inopinée, insolite, intempestive, intéressée, longue, occasionnelle, (in)opportune, (im)prévue, petite, prolongée, rapide, singulière, réussie. *Abréger, achever, boucler, écourter, effectuer, entamer, faire, recevoir, reculer, remettre, rendre, renouveler, retarder une ~; inciter à une ~; se réjouir d'une ~; éloigner, espacer, multiplier les/ses ~s; attendre, avoir, recevoir de la ~.* ♦ (au musée, etc.) accompagnée, brève, commentée, éclair, encadrée, ennuyeuse, enrichissante, guidée, intéressante, obligée, organisée, rapide, touristique, vivante. *Effectuer, faire, organiser une ~; assurer les ~s.* ♦ (tournée, inspection) approfondie, (in)complète, cruciale, détaillée, discrète, générale, minutieuse, périodique, ponctuelle, rapide, régulière, soigneuse, sommaire. *Effectuer, faire une ~; procéder à une ~.*

VISITEUR, EUSE admiratif, (dés)agréable, (in)attendu, curieux, déplaisant, émerveillé, enthousiaste, fréquent, importun, indélicat, indésirable, (in)discret, occasionnel, pressé. *Accompagner, accueillir, (faire) attendre, éconduire, introduire, recevoir, reconduire un ~; attirer, séduire les ~s.*

VITALITÉ ardente, étonnante, excessive, extraordinaire, factice, formidable, forte, grande, impressionnante, incroyable, indéniable, inépuisable, passable, prodigieuse, remarquable, soudaine, soutenue, tenace. *Faire preuve, se montrer d'une ~ (+ adj.); déborder, être plein, manquer de ~.*

VITESSE (rapidité) (in)adaptée, affolante, alarmante, considérable, constante, contrôlée, (dé)croissante, déconcertante, ébouriffante, effarante, effrayante, énorme, épouvantable, étonnante, étourdissante, exagérée, excessive, extrême, faible, fantastique, folle, forcenée, forte, foudroyante, fulgurante, grande, hallucinante, haute, horrible, importante, inférieure, initiale, inouïe, limitée, maximale, minimale, modérée, moyenne, (a)normale, optimale, prodigieuse, (dé)raisonnable, réduite, régulée, (ir)régulière, stupéfiante, suffisante, supérieure, tolérable, uniforme, vertigineuse. *Marcher, rouler, voler à une ~ (+ adj.); se déplacer avec une ~*

(+ adj.); aimer la ~; accélérer, accroître, augmenter, conserver, diminuer, limiter, modérer, ralentir, réduire sa/la ~ de qqch.; acquérir, faire, prendre de la ~; changer, diminuer, redoubler, s'enivrer de ~; gagner, partir en ~. Une ~ augmente, (dé)croît, diminue, s'accélère. ♦ (Automobile) *Passer une ~; manœuvrer les ~s; changer de ~.*

VITRAIL austères, chatoyants, diaprés, étincelants, magnifiques, riches, sombres, splendides, sublimes, superbes.

VITRE (carreau, fenêtre) brisée, éclatée, embuée, étincelante, givrée, sale, teintée, translucide, tremblante. *Briser, casser, mastiquer, (re)poser, sceller, tailler une ~; tambouriner contre une/sur les ~(s); pianoter sur une ~; éclaircir, faire, laver, nettoyer les ~s; cogner, coller sa joue/son front à la ~; regarder par la ~.* Une ~ éclate, se casse, vibre, vole en éclats. ♦ (Automobile) *(a)Baisser, ouvrir, remonter la/les ~(s); jeter un coup d'œil, regarder par la ~.*

VITRINE alléchante, attrayante, coquette, dégarnie, fournie, luxueuse, soignée, spacieuse, vide. *Agencer, casser, décorer, faire, (dé)garnir, présenter une ~; lorgner qqch. dans une ~; faire, lécher, regarder, raser les ~s; flâner, musarder, s'arrêter devant les ~s.*

VIVACITÉ (rapidité, vie) agréable, charmante, excessive, exquise, inouïe, plaisante, surprenante. *Manifester une ~ (+ adj.); avoir de la ~.* ♦ (lumière, éclat) (dé)croissante, décuplée, faible, vive. *Gagner, perdre de sa ~; augmenter, diminuer de ~; varier en ~.*

VIVRES abondants, maigres, (in)suffisants. *Fournir des ~; assurer, rationner les ~; manquer de ~.* Les ~ commencent à manquer, s'épuisent.

VOCABULAIRE abondant, abstrait, actif, actualisé, actuel, adéquat, approprié, châtié, choisi, coloré, concret, disponible, élaboré, élégant, enrichi, étendu, exact, fleuri, fondamental, hermétique, imagé, immense, obsolète, passif, pauvre, précis, réduit, redondant, répétitif, restreint, riche, savant, simple, spécial, succinct, suranné, technique, usuel, varié, vaste. *Avoir un ~ (+ adj.); renouveler le ~; acquérir, avoir du ~; améliorer, augmenter, enrichir, étendre, perfectionner son ~; changer de ~.*

VOCATION accidentelle, ardente, contagieuse, exclusive, fortuite, héroïque, impérieuse, impétueuse, irrésistible, manquée, noble, précoce, tardive, véritable. *Abandonner, contrarier, éprouver, étouffer, éveiller, manquer, rater, reconnaître, se sentir, suivre, trahir une/sa ~; répondre, résister, s'opposer à une/sa ~; se détourner de sa ~; changer de ~.* Une ~ se développe, se manifeste, se réveille, sommeille.

VŒU (souhait, désir) (in)accompli, ambitieux, ardent, (in)exaucé, ferme, informulé, insensé, modeste, pressant, (dé)raisonnable, (ir)réalisable, réalisé, réaliste, secret, stérile, timide. *Accepter, accomplir, combler, couronner, émettre, exaucer, exprimer, faire, former, formuler, prononcer, réaliser, rejeter, remplir, repousser, satisfaire un/des/les ~(x) de qqn; accéder, acquiescer, céder, consentir, répondre, se rendre, souscrire à un/aux ~(x) de qqn.* ♦ (au jour de l'An, etc.) affectueux, amicaux, chaleureux, cordiaux, sincères, sympathiques. *Adresser, envoyer,* *exprimer, former, formuler, renouveler des ~x; s'unir à des ~x.*

VOGUE actuelle, capricieuse, croissante, désuète, durable, éphémère, extraordinaire, inouïe, irrésistible, longue, passagère, répandue, ridicule, sophistiquée, soudaine. *Avoir, connaître une ~ (+ adj.); avoir, obtenir la ~; être, mettre qqch. en ~.* Une ~ augmente, est en baisse/hausse, recule, s'estompe.

VOIE (chemin, route) bonne, défoncée, dégagée, encombrée, étroite, interdite, libre, longue, mauvaise, médiane, périphérique, piétonne, piétonnière, principale, prioritaire, rapide, sans issue, souterraine. *Boucher, dégager, emprunter, entretenir, fermer, libérer, obstruer, ouvrir, perdre, prendre, quitter, se frayer, suivre, traverser, trouver une ~; entrer, s'engager dans une ~.* ♦ (façon, moyen) bonne, commune, dangereuse, détournée, difficile, équilibrée, erronée, essentielle, étroite, exigeante, fausse, habituelle, large, mauvaise, mystérieuse, nouvelle, obligée, oblique, périlleuse, royale, simple, trompeuse, sûre. *Adopter, définir, emprunter, explorer, prendre, suivre, trouver une ~ (+ adj.); aller, avancer, entrer, marcher, persévérer, poursuivre, s'engager dans une ~ (+ adj.); s'embarquer sur une ~ (+ adj.); frayer, montrer, ouvrir, préparer, tracer la/les ~(s); mettre qqn sur la ~; chercher, trouver sa ~.*

VOILE (Navigation) énorme, grande; basses, déployées, hautes, majeures, pendantes. *Abaisser, amener, appareiller, brasser, caler, carguer, changer, (re)déployer, établir, gréer, hisser, larguer, manœuvrer, mettre, serrer, tendre une/des/les ~(s); aimer, pratiquer la ~; aller, mettre, naviguer à la ~; avoir du vent dans les ~s; faire de la ~.* Une ~ bat dans le vent, bombe, claque, s'enfle, se gonfle, s'incline. ♦ (tissu) discret, épais, léger, intégral, sombre, translucide, transparent. *Cacher, (re)couvrir d'un ~.*

VOILIER démâté, frêle, gracile, grand, gros, immense, léger, mixte, petit, superbe. *Acheter, louer, posséder un ~; faire du ~; se promener en ~.*

VOISIN, INE accueillant, affable, aimable, bienveillant, bruyant, charmant, complaisant, encombrant, empressé, envahissant, immédiat, jaloux, malfaisant, malveillant, proche, serviable, tranquille. *Fréquenter, ignorer, respecter, visiter ses ~s; s'entendre avec ses ~s.*

VOISINAGE amical, froid, hostile, indifférent. *Ameuter, fréquenter (tout) le ~; être aimé/apprécié/connu/détesté, se faire haïr de tout le/dans son ~.*

VOITURE accidentée, bosselée, bruyante, cabossée, climatisée, confortable, costaude, coûteuse, décapotable, déglinguée, défectueuse, délabrée, de prestige, discrète, d'occasion, douce, économe, économique, élégante, énergivore, entretenue, excellente, fiable, fragile, gourmande, grosse, haut de gamme, impeccable, irrécupérable, irréparable, légère, lente, lourde, luxueuse, maniable, minuscule, modeste, nerveuse, neuve, panoramique, performante, petite, pimpante, polluante, populaire, pourrie, poussive, propre, (sur)puissante, racée, rapide, rare, rodée, rutilante, silencieuse, sobre, solide, spacieuse, superbe, superéquipée, utilitaire, vieille. *Acheter, arrêter, conduire, croiser, (faire) démarrer, démolir,* *dépanner, dépasser, diriger, doubler, emboutir, essayer, étrenner, fabriquer, faire démarrer/fonctionner/partir/tourner, garer, heurter, immatriculer, immobiliser, louer, manœuvrer, personnaliser, piloter, posséder, pousser, prendre, ralentir, ranger, remettre à neuf, remiser, remorquer, réparer, réviser, roder, stationner, vandaliser une ~; entrer, monter, s'embarquer, s'engouffrer, s'installer dans une ~; descendre d'une ~; être écrasé/happé/renversé/tué par une ~; avoir la passion des ~s; abandonner, mettre sa ~ à la casse/ferraille; (re)descendre, sortir de ~; rouler, se balader, se déplacer, se tuer en ~.* Une ~ avance, cahote, cale, capote, démarre, dérape, file (à toute vitesse), fonce (à tombeau ouvert), freine, passe en trombe, percute un arbre, ralentit, ronfle, roule, s'arrête, s'ébranle, s'embourbe, s'enlise, se renverse, stationne, tient la route, verse, zigzague.

VOIX (son, ton) accentuée, accrocheuse, acerbe, acide, acidulée, admirable, affable, affectueuse, affligée, agacée, agile, agonisante, (dés)agréable, aigre(-douce), aigrelette, (sur)aiguë, aimable, allègre, altérée, amusée, apaisante, attendrie, attentive, ample, angélique, angoissée, apaisante, appuyée, âpre, argentine, assourdie, assurée, atone, attendrie, attristée, (in)audible, autoritaire, basse, boudeuse, bouleversante, bouleversée, bourrue, bredouillante, brève, brisée, brusque, cajoleuse, câline, calme, caractéristique, caressante, cassante, cassée, catégorique, caverneuse, chaleureuse, chancelante, chantante, charmeuse, chaude, chevrotante, chuchotante, claire, claironnante, coléreuse, confiante, contenue, contrainte, cordiale, courroucée, couverte, craintive, creuse, criarde, crispée, cristalline, croassante, cuivrée, détimbrée, déchaînée, déchirante, déchirée, décidée, défaillante, déliée, désabusée, désespérée, diaphane, discordante, (in)distincte, dominatrice, douce, doucereuse, dure, ébréchée, éclatante, écorchée, égale, élevée, emballée, émouvante, empâtée, empesée, emportée, émue, enchanteresse, énergique, enfantine, engourdie, enjôleuse, enjouée, enrhumée, enrouée, envoûtante, épaisse, éplorée, épuisée, éraillée, éteinte, étoffée, étouffée, étrange, étranglée, exacerbée, exaspérée, exténuée, extraordinaire, fabuleuse, fade, faible, fatiguée, fausse, fébrile, fêlée, ferme, feutrée, flatteuse, fluette, forte, fraîche, frêle, frémissante, froide, furibonde, furieuse, gaie, geignarde, gémissante, gentille, glacée, glaciale, glapissante, goguenarde, gourmande, gracile, grasse, grasseyante, grave, grêle, grinçante, grosse, gutturale, hachée, haletante, hargneuse, harmonieuse, haute, hésitante, humble, hurlante, hystérique, immense, impérative, imperceptible, impérieuse, impersonnelle, implacable, incertaine, incisive, incolore, incomparable, indignée, ingrate, inquiète, insinuante, insistante, (in)intelligible, ironique, irritée, jolie, joyeuse, juste, lamentable, languissante, larmoyante, lasse, légère, lente, limpide, lugubre, majestueuse, mâle, maniérée, masculine, mate, maussade, mécanique, mécontente, mélancolique, mélodieuse, menaçante, menue, métallique, mielleuse, moelleuse, monocorde, monotone, moqueuse, mordante, morne, mourante, murmurante, musicale, mystérieuse, naïve, nasale, nasillarde, nerveuse, nette, nonchalante, nouée, onctueuse, opiniâtre, paisible, pâteuse, pathétique, pensive, perçante, (haut) perchée, percutante, péremptoire, persuasive, petite, peureuse, plaintive, plate, pleureuse, pleurnicharde, pointue, polie, pondérée, posée, précieuse, précise, prenante, pressante, profonde, puissante, pure, rageuse, railleuse, râlante, ralentie, râpeuse, rapide, rassurante, rauque, ravie, rêche, réfléchie, résignée, résolue, résonnante, retentissante, réticente, revêche, riante, ricanante, riche, rieuse, rocailleuse, ronde, ronflante, roucoulante, rude, rugueuse, saccadée, sarcastique, scandée, sèche, sépulcrale, sereine, sérieuse, sévère, sifflante, singulière, solennelle, sombre, somnolente, songeuse, sonore, soucieuse, souffreteuse, souple, sourde, stéréotypée, stridente, suave, superbe, suppliante, sûre, susurrante, sympathique, syncopée, tendre, tendue, ténue, terne, terrible, théâtrale, timbrée, timide, tonitruante, tonnante, touchante, tragique, traînante, tranchante, tranquille, trébuchante, tremblante, tremblotante, triomphante, triste, unique, usée, vacillante, vagissante, veloutée, venimeuse, vibrante, violente, virile, voilée, volontaire, vulgaire, zézayante. *Adopter, avoir, emprunter, prendre une ~ (+ adj.); articuler, balbutier, chanter, crier, dire, gémir, lire, parler, questionner, réciter, répondre, reprendre, sangloter d'une ~ (+ adj.); adoucir, affermir, atténuer, baisser, briser, contrefaire, couvrir, déguiser, discipliner, éclaircir, écouter, élever, enfler, essayer, étoffer, étouffer, faire entendre, forcer, grossir, hausser, imiter, moduler, poser, pousser, s'éclaircir, se fausser, s'érailler, soutenir, traîner, travailler la/sa ~; donner de la ~; être en ~; demeurer, être, rester sans ~.* Une ~ crie, déraille, faiblit, gronde, porte, rassure, résonne, retentit, s'affaiblit, s'altère, se brise, se casse, s'élève, s'enfle, s'enroue, se perd, s'étrangle, tombe, tonne, traîne, tremble. ♦ (<u>Politique</u>) *Briguer, capter, engranger, gagner, mendier, obtenir, perdre, rattraper, recueillir des ~.*

VOL (<u>oiseau, etc.</u>) anguleux, audacieux, capricieux, circulaire, haut, léger, lent, lourd, majestueux, maladroit, plané, preste, puissant, rapide, rasant, silencieux, stationnaire. *Admirer, regarder, suivre le ~ (d'un papillon, etc.).* ♦ (<u>Aviation</u>) affrété, chaotique, court, direct, long, nolisé, régulier, sans escale, supersonique. *Annuler, détourner, effectuer, emprunter, prendre un ~; rater son ~.* ♦ (<u>délit</u>) audacieux, insignifiant, minime, petit, spectaculaire. *Commettre, découvrir, faire un ~; prendre part à un ~; être victime d'un ~; être accusé/inculpé de ~.*

VOLANT *Lâcher, manœuvrer, (re)prendre, serrer, tenir, tourner le ~; être (assis), fatiguer, se mettre, se relayer au ~.*

VOLCAN (in)actif, dormant, effusif, endormi, enneigé, éteint, explosif, furieux, géant, glacé, haut, imposant, majestueux, paisible, tranquille, vivant. Un ~ crache, dort, entre en activité/éruption, explose, fume, gronde, menace, projette des cendres, rugit, se calme, se ranime, se réveille, s'éteint, tonne.

VOLEUR, EUSE grand, insaisissable, invétéré, occasionnel, petit, repenti. *Arrêter, attraper, capturer, dénoncer, emprisonner, identifier, poursuivre, prendre, suivre, surprendre un ~; courir après un ~.*

VOLLEY-BALL *Pratiquer le ~; jouer, s'adonner au ~; être un adepte/fan/fidèle/inconditionnel/mordu/passionné de ~.*

VOLONTÉ absolue, acharnée, affichée, affirmative, aléatoire, ardente, bonne, calme, carrée, certaine, chancelante, colossale, constante, continue, créatrice, décidée, défaillante, délibérée, despotique, déterminée, effective, (in)efficace, enragée, exaspérée, faible, farouche, ferme, fléchissante, flottante, formidable, forte, frénétique, grande, héroïque, hésitante, immuable, impétueuse, impitoyable, implacable, implicite, incassable, indéniable, indomptable, inébranlable, inéluctable, inexorable, inflexible, insistante, irréductible, irrésistible, irrévocable, légère, mauvaise, mobile, molle, naïve, novatrice, obtuse, opiniâtre, patiente, persistante, positive, puissante, réelle, remarquable, sacrée, sauvage, subite, suspecte, systématique, tenace, terrible, timide, unique, vacillante, véritable, vraie. *Afficher, avoir une ~ (+ adj.); se heurter à une ~ (+ adj.); être doté d'une ~ (+ adj.); accomplir, annihiler, briser, broyer, conforter, contrarier, déterminer, ébranler, enfreindre, faire, (in)fléchir, influencer, maîtriser, respecter, suivre, supprimer, tordre la/les ~(s) (de qqn); acquiescer, obéir, se conformer, se ranger, se soumettre à la/aux ~(s) de qqn; agir contre la ~ de qqn; plier, s'incliner devant la ~ de qqn; avoir de la ~; abdiquer, déclarer, dicter, diriger, édicter, faire connaître, imposer, manifester, révéler, signifier sa ~; faire acte/preuve, manquer de ~.*

VOLTE-FACE brusque, imprévue, inattendue, soudaine. *Faire ~.*

VOLUME (<u>*livre, tome*</u>) abîmé, ancien, broché, cartonné, écorné, élimé, énorme, épais, gros, lourd, luxueux, mince, minuscule, précieux, rare, relié, usé. *Consulter, (re)fermer, feuilleter, ouvrir, prendre, ranger un ~.* ♦(<u>*espace, quantité*</u>) apparent, considérable, constant, disponible, énorme, excessif, faible, fort, gros, important, inhabituel, insignifiant, modeste, négligeable, petit, réel, significatif. *Accroître, augmenter, contracter, déterminer, développer, diminuer, réduire le ~ de qqch.; augmenter, diminuer de ~; croître, diminuer, gagner en ~.* ♦(<u>*~ sonore*</u>) croissant, décuplé, extrême, faible, fort, intense, maximum, minimum, variable. *Augmenter, baisser, diminuer, monter, régler le ~.*

VOLUPTÉ amère, douce, douloureuse, excessive, exquise, extrême, indéniable, indescriptible, inexprimable, infinie, intime, morne, profonde, sublime, suprême, tranquille, triste. *Avoir, chercher, éprouver, procurer, trouver une/des ~(s); affiner, aiguiser, (re)chercher, exciter, ignorer la ~; s'abandonner à la ~.*

VOTE acquis, affirmatif, blanc, contestataire, crucial, décisif, extrémiste, (dé)favorable, flottant, honnête, hostile, indécis, indicatif, massif, modéré, négatif, nul, positif, protestataire, stérile, unanime, utile. *Annuler, bloquer, boycotter, cautionner, différer, dépouiller, émettre, empêcher, enregistrer, exécuter, forcer, influencer, peser, proposer, provoquer, remettre, renvoyer, reporter un ~; appeler, avoir recours, participer, prendre part, procéder à un ~; s'exprimer dans un ~; briguer, solliciter les ~s; donner, refuser son ~.* Un ~ intervient, s'effectue, se tient.

VOYAGE aventureux, circulaire, court, coûteux, décevant, dense, déroutant, désastreux, éclair, économique, éducatif, ennuyeux, enrichissant, épique, éprouvant, épuisant, exceptionnel, fabuleux, fastidieux, fatigant, grand, harassant, heureux, immense, improvisé, incomparable, initiatique, inopiné, inoubliable, intéressant, interminable, lassant, long, luxueux, magnifique, merveilleux, mouvementé, onéreux, organisé, passionnant, pénible, petit, pittoresque, rapide, raté, réussi, somptueux, sublime, superbe. *Accomplir, achever, ajourner, annuler, arranger, avancer, brusquer, combiner, commencer, continuer,* *décommander, écourter, effectuer, entreprendre, établir, faire, interrompre, méditer, narrer, organiser, poursuivre, préparer, projeter, prolonger, raconter, réaliser, remettre, reporter, retarder, se payer, se proposer, terminer un/son ~; renoncer à un ~; profiter, rentrer d'un ~; partir, se préparer pour un ~; adorer, aimer les ~s; être du ~; arriver, rentrer, revenir de ~; être passionné de ~s; aller, emmener qqn, être (parti), (re)partir en ~.* Un ~ débute, commence, se déroule, se fait, se passe, se poursuit, se prépare, se termine.

VOYAGEUR, EUSE aventureux, blasé, chevronné, curieux, désœuvré, ébahi, égaré, enthousiasmé, enthousiaste, épuisé, errant, fatigué, frénétique, grand, hardi, impénitent, imprudent, impulsif, indépendant, infatigable, inlassable, intrépide, invétéré, isolé, mauvais, mécontent, oisif, passionné, perdu, pressé, régulier, solitaire. *Accueillir, déposer, faire descendre, prendre un/des ~(s).*

VRAISEMBLANCE absolue, complète, étonnante, extrême, indéniable, inouïe, irréfutable, irrésistible, parfaite, stupéfiante. *Conférer, donner une ~ (+ adj.) à (un récit, une histoire, etc.); être d'une ~ (+ adj.); apprécier, augmenter, choquer, contester, diminuer, examiner, faire admettre, heurter, passer, renforcer, respecter, vérifier la ~; ajouter à la ~; rester dans la ~; être dénué/dépourvu/plein de ~; gagner, perdre en ~.*

VUE (panorama) admirable, belle, bornée, dégagée, directe, dominante, éblouissante, époustouflante, étendue, étonnante, étourdissante, excellente, exceptionnelle, fantastique, fascinante, générale, immense, imprenable, impressionnante, incroyable, inoubliable, jolie, (il)limitée, lugubre, magnifique, majestueuse, mélancolique, merveilleuse, panoramique, plate, plongeante, ravissante, remarquable, saisissante, sordide, spectaculaire, splendide, stupéfiante, sublime, superbe, surprenante, verticale, vertigineuse. *Avoir, offrir, posséder une ~ (+ adj.); admirer, apprécier, borner, boucher, cacher, découvrir, élargir, empêcher, limiter, masquer, murer, obscurcir, peindre, photographier, regarder une/la ~; bénéficier, disposer, jouir, profiter de la/ d'une ~ (+ adj.).* La ~ plonge (dans la vallée, etc.), porte (sur le lac, etc.), se découvre, se dégage, s'élargit, s'étend (sur la mer, etc.). ♦ (conception, opinion) aiguë, ample, arbitraire, bornée, chimérique, claire, (in)complète, confuse, courte, dangereuse, éclairée, élevée, équilibrée, étroite, (in)exacte, fausse, folle, fragmentaire, générale, géniale, hardie, honnête, idéaliste, juste, large, naïve, négative, nette, nouvelle, optimiste, originale, perçante, personnelle, pessimiste, positive, progressiste, saine, simpliste, solide, sommaire, superficielle, théorique, utile. *Abandonner, avoir, développer, échanger, élargir, exposer, faire connaître, imposer, offrir, présenter, se forger une/des/ses ~(s).* ♦ (vision, sens) affaiblie, astigmate, basse, bonne, (em)brouillée, courte, excellente, faible, fatiguée, longue, mauvaise, médiocre, perçante, trouble, troublée. *Avoir une/la ~ (+ adj.); améliorer, brouiller, corriger, éclaircir, étendre, faciliter, fatiguer, gêner, heurter, ménager, obscurcir, orienter, perdre, préserver, recouvrer, réjouir, troubler, (s') user la/sa ~.* La ~ baisse, s'embrouille, se raccourcit, s'affaiblit, s'améliore.

VULGARITÉ basse, choquante, crasse, criarde, déplorable, écœurante, épaisse, honteuse, intolérable, prétentieuse, regrettable. *Dire, proférer, se permettre des ~s; être, se montrer d'une ~ (+ adj.); se complaire, tomber, verser dans la ~.*

W X Y Z

WAGON aménagé, bondé, climatisé, comble, (in)confortable, désert, enfumé, lent, luxueux, plein, rapide, rempli, silencieux, spacieux, vide. *Monter, s'installer dans un ~; descendre du/d'un ~; monter en ~.*

WEB *Utiliser le ~; se mettre au ~; (re)chercher, dialoguer, naviguer, se promener, surfer sur le ~.*

XÉNOPHOBIE active, affichée, agressive, évidente, latente, rampante, violente. *Alimenter, attiser, engendrer, entretenir, exploiter, nourrir, pratiquer la ~; basculer, sombrer dans la ~; faire preuve de ~.* La ~ explose, s'amplifie, s'atténue, s'intensifie.

YATCH élégant, énorme, frêle, gigantesque, gros, immense, léger, lourd, luxueux, opulent, petit, pimpant, princier, (ultra)rapide, royal, rutilant, spacieux. *Affréter, conduire, louer, piloter, posséder un ~; naviguer à bord d'un ~.*

YOGA *Pratiquer le ~; s'adonner au ~.*

ZÈLE actif, admirable, affecté, apparent, âpre, ardent, attentif, audacieux, aveugle, constant, contrefait, déplacé, dévorant, dur, éclairé, emporté, enthousiaste, étonnant, exalté, excessif, exclusif, exemplaire, extraordinaire, extrême, fanatique, faux, feint, féroce, fervent, généreux, hypocrite, imbécile, impétueux, imprudent, inconsidéré, indiscret, inébranlable, infatigable, injustifiable, inlassable, inopiné, intempestif, inusité, invincible, irréfléchi, louable, maladroit, méritoire, (im)modéré, mitigé, opiniâtre, particulier, patriotique, précipité, prudent, redoublé, sanguinaire, servile, soutenu, suspect, tiède, touchant. *Déployer, montrer, témoigner un ~ (+ adj.); s'employer avec un ~ (+ adj.); activer, affaiblir, amollir, animer, attiédir, diminuer, enflammer, exciter, rallumer, ranimer, réchauffer, récompenser, refroidir, stimuler, susciter le ~; déployer, faire du ~; être bouillant, faire montre/preuve, manquer, renouveler, rivaliser de ~.* Un ~ redouble, retombe, se réchauffe, se relâche, s'intensifie.

ZÉRO *Être réduit, recommencer, réduire, repartir, reprendre, tomber à ~; (re)partir, redémarrer de ~.*

ZIZANIE grave, légère, profonde, superficielle, vieille. *Causer, déclencher, jeter, mettre, provoquer, semer la ~ .* La ~ persiste, règne.

ZONE accidentée, boisée, calme, considérable, délabrée, désertique, dévastée, (sous-)développée, difficile/facile d'accès, enclavée, énorme, exiguë, (dé)favorisée, fertile, floue, grande, (in)habitée, huppée, immense, importante, interdite, large, (il)limitée, minuscule, misérable, miteuse, mouvante, nette, paisible, périphérique, petite, préservée, protégée, sensible, silencieuse, sinistrée, (in)stable, stratégique, (sur)peuplée, vaste. *Aménager, annexer, assainir, concéder, (re)conquérir, défendre, délimiter, envahir, évacuer, explorer, franchir, gérer, interdire, mettre en valeur, moderniser, morceler, occuper, perdre, quitter, revitaliser une ~; entrer, pénétrer dans une ~; sortir d'une ~.*